Alf Henrikson
SVENSK HISTORIA

Alf Henrikson

SVENSK HISTORIA

Med teckningar av
BJÖRN BERG

Bonniers

Denna pocketutgåva följer verkets tredje, utvidgade upplaga som utgavs 1966, i två volymer. För att underlätta jämförelser mellan olika utgåvor har den ursprungliga pagineringen bibehållits; s. 519—528 saknas därför i denna bok. Originalutgåvans planschark har utelämnats.

ISBN 91-0-047053-8
© Alf Henrikson 1963, 1966
Första utgåva 1963
Tredje, utvidgade upplaga 1966
Printed in England
Cox & Wyman Ltd 1986

INNEHÅLL

Förhistoria

År 1847 stod det klart för professor Sven Nilsson i Lund att Sverige en gång i tiden hade varit täckt av is, vilket en norsk geolog som hette Esmark nyligen hade påstått. Tio år senare framträdde andra framstående forskare och sade detsamma, och mot seklets slut hade nyheten om istiden hunnit tränga in i läroböcker för de högre skolorna men däremot inte i Läsebok för Folkskolan, varur de ojämförligt flesta svenskar hämtade sitt vetande om fäderneslandets förgångna. I denna viktiga skrift utbröt inte istiden förrän 1900-talet var inne.

I all korthet berör däremot Läsebok för Folkskolan, 1899 års upplaga, en annan nymodighet: stenåldern. Denna hade uppfunnits på 1830-talet av den danske museidirektören Christian Thomsen, vilken tog sig för att uppdela den förhistoriska tiden i de tre perioderna stenålder, bronsålder och järnålder, och systemet vann genast insteg i fornsalarna och bragte ordning och reda i de dittilldags så svåröverskådliga samlingarna av yxor och andra fornfynd. Det fann inom kort vägen även till historieböckerna, och det sagostoff som dittills hade brukat inleda fäderneslandets hävder utträngdes efterhand och ersattes med väldokumenterade men inte alltid så underhållande fakta om vapen, husgeråd, husgrunder och gravskick under de anonyma årtusenden som föregick de skriftliga vittnesbördens tid.

Geologerna fastslår nu såsom oomtvistligt att Sverige i det framfarna har drabbats av flera istider, skilda åt av varmare mellanperioder då det anses tänkbart att människor kan ha levat här. Under den sista nedisningen, då en väldig glaciär täckte halva Europa från Alperna till polcirkeln, lär Norges nordkant märkvärdigt nog ha legat isfri och alltså

11

möjligtvis beboelig, och fynd som gjorts däruppe vittnar om en primitiv stenålderskultur som kallas komsakulturen; den har lämnat spår också på svensk mark, nämligen vid Torne träsk. Det finns forskare som säger att komsafolket var Nordens äldsta invånare, och en sak som tyder på att de möjligtvis kan ha rätt är de märkliga förhistoriska djurbilder som finns inristade och målade på berghällar och fjällväggar i Norrland och Nordnorge och kanske är jämnåriga med den mera berömda sydeuropeiska stenålderskonsten från grottor i Frankrike och Spanien.

Med de första spåren av mänsklig bebyggelse i Sydsverige har denna nordskandinaviska jägarkultur uppenbarligen ingenting gemensamt. Den sista istiden anses ha tagit slut omkring år 6800 f.Kr., då återstoden av den stora iskakan klövs itu någonstans uppe i Jämtland, och vid det laget kan invandringen till Sverige från söder ha varit i gång rätt länge. Skåne och de danska öarna låg vid den tiden högre över havet än nu och hade landförbindelse med Nordtyskland, vilket innebär att Östersjön var en insjö, ett tillstånd som varade ett par tusen år. Insjön, som hade sött vatten och brukar kallas Ancylussjön efter en sötvattenssnäcka som förekommer talrikt i dess strandavlagringar, lär ha haft sitt avlopp tvärs över Mellansverige – Mälarlandskapen och större delen av Östergötland låg under vatten – genom en ränna som har döpts till Svea älv. Omkring år 5000 f.Kr. förändrades denna tingens ordning genom att landet söderut kraftigt sjönk och havet bröt in genom Bälten och Öresund. Sötvattensjöns vatten blandades med Atlantvattnet och blev salt, Ancylussnäckan dog ut, och i stället invandrade en havssnäcka som heter Litorina; den återfinns överallt i den tidens avlagringar och har fått ge namn åt det salta innanhav som i sinom tid utvecklade sig till våra dagars Östersjö genom den fortskridande landhöjningen norröver.

Tidsskalan för alla dessa skeenden, uppgjord i vårt århundrade av den geniale forskaren Gerard De Geer, är inte alls så omänsklig som geologiska tidsbegrepp brukar vara. Det finns gott om sydsvenska och västsvenska fornfynd från Ancylustid, inte blott varjehanda vapen av flinta, utan också harpuner, ljuster och metkrokar av ben samt boplatser med avskrädeshögar ur vilka kan utläsas att man åt mycket gädda och fågel samt en och annan kärrsköldpadda. Klimatet var med andra ord rätt hyggligt, och det förbättrades ytterligare under Litorinatiden, som utökade matsedeln med ostron och hummer för kustborna vid Kattegatt och Öresund. Hjortar och vildsvin strövade omkring i Uppsveriges ekskogar, det växte vindruvor i Sörmland, och åkerbruksbygderna i Skåne och Västergötland måste ha varit förhållandevis välbefolkade. Inemot år 2500 f.Kr. började man där uppföra väldiga monument som helt visst krävde god tillgång på arbetskraft i likhet med Egyptens pyramider, vilka är blott ett par hundra år äldre än de äldsta av våra svenska dösar och gånggrifter. Omkring år 2000 f.Kr. upphörde man häruppe att bygga sådana aristokratiska mausoleer, och vid samma tid erövrades Sverige av en ny civilisation och kanske också av ett främmande folk, bärare av någonting som arkeologerna brukar kalla båtyxekulturen. Så heter den därför att de gravar som markerar dess väg innehåller båtliknande, elegant slipade stridsyxor av grönsten, ofta slaviskt kopierade efter yxor av metall från Mellaneuropa där bronsåldern redan var inne. Erövrarfolket ifråga, om det nu har existerat, anses ha infört hästen, eventuellt också hjulet i landet. Säkert är att båtyxekulturens bärare ägnade sig åt åkerbruk och boskapsskötsel och trängde undan jägarna och fångstmännen från nästan all odlingsbar mark i södra och mellersta Sverige.

Medan de sysselsatte sig med detta fortgick oavbrutet den tysta företeelse som kallas landhöjningen; mer och mer av Bohuslän och Halland, Kalmar län, Östergötland, Mälarlandskapen och Norrlandskusten steg upp ur havet. De danska sunden grundades upp, vattnet öster därom blev mindre salt och Litorinahavet förvandlade sig sakta till Östersjön, som i det stora hela hade hunnit anta sitt nuvarande utseende på Mose tid eller i Agamemnons dagar, det vill säga omkring 1500 f.Kr. Denna tidpunkt bildar händelsevis också gräns mellan stenålder och bronsålder i vår del av världen.

Om bronsålderns materiella kultur är förbluffande mycket känt genom en stor mängd fynd från Danmark och sydvästra Sverige. I museerna finns inte blott vapen, kärl och smycken med sköna former och utsökt ornamentik, utan också en del kläder som bevarats oförmultnade genom årtusendena, konserverade av torvmossarnas humussyror; de ger en rätt klar bild av hur folk gick klädda i dessa avlägsna tider. Att samhällsskicket knappast var demokratiskt kan man med stor säkerhet sluta sig till; fynden vittnar om en lysande stormannakultur och om stora klasskillnader. Tydligt är också att den officiella religionen hade en stark ställning. Den tycks ha varit något slags soldyrkan, och man har hittat rätt många kultföremål; de berömda bronsålderslurar av vilka framför allt Danmark äger välljudande exemplar brukar också betraktas som religiösa utensilier. Fantasieggande hälsningar från bronsåldern utgör vidare de hällristningar som finns på flera håll i Sverige, framför allt i det bohuslänska Tanum och i den stora Kiviksgraven i Skåne. Med sitt myller av skepp, hästar, vagnar, plogar, solhjul och mänskliga figurer är de olyckligtvis oklara både till sitt syfte och till sitt innehåll, så att det exempelvis är omöjligt att veta hur de bronsåldersbåtar egentligen såg ut som ristarna alltid avbildar med dubbla kölar och stävar.

Omkring år 600 f.Kr. sjönk temperaturen i Sverige av någon anledning våldsamt, så att de föregående århundradenas människovänliga klimat under loppet av ett par generationers livstid förvandlade sig till ett outhärdligt väder, döpt till Fimbulvintern av sin sentida upptäckare, den berömde botanisten Rutger Sernander. Årsnederbörden ökade betydligt, torvmossarna växte, granen tog överhand i skogarna, och av de frukter och sädesslag som bronsålderns aristokrater hade odlat på sina domäner överlevde endast kornet. Alltifrån den tiden blir fornfynden i hela det nordiska området påfallande glesa och anspråkslösa för ett halvt årtusende framåt, samtidigt som en kulturell blomstringstid tar vid i Mellaneuropa, där den keltiska folkstammen vid denna tid utbredde sig över hela kontinenten från Svarta havet till Nordsjön och de brittiska öarna, satte sig i besittning av tennfyndigheterna och koppargruvorna som tillhandahöll bronsålderns brons och avbröt handelsvägarna mellan Norden och länderna vid Medelhavet.

I Alexander den stores dagar, det vill säga på 300-talet f.Kr., seglade en viss Pytheas till Britannien från Marseille, som på den tiden hette Massilia och var en grekisk stad. I Britannien hörde han talas om ett land som kallades Thule och låg sex dagsresor längre åt norr vid ett stort hav vars vatten var alldeles trögt. Det var mulet där och regnade ofta, varför invånarna måste ta in sin spannmål i lador och tröska den inomhus. De beredde sig vidare en tröstande dryck av korn och honung, men vid sommarsolståndet rådde i Thule ingen natt. Av den resebeskrivning som Pytheas tycks ha gett ut finns olyckligtvis ingenting mer i behåll än några citat hos en grekisk geograf vid namn Strabon, som levde på Jesu tid och som tog upp saken blott för att bevisa att alltsammans måste vara en skepparhistoria. I gengäld har nordiska historieskrivare ett par årtusenden senare ofta gjort stor affär av Pytheas, eftersom hans Thule anses vara identiskt med någon del av den skandinaviska halvön, som därmed nämns skriftligen för första gången i historien.

I äldre tider, då svenska hävdatecknare var mera ohämmat fosterländska än vad fallet i regel är nu, gjorde man ivrigt gällande att antikens Thule var detsamma som Sverige. Romerska och grekiska författare efter Strabon talar ofta om det fjärran Thule, som de betraktar som en stor ö i den nordliga oceanen. Detta gör sålunda den lärde och omåttligt flitige Plinius den äldre, amiral till yrket och omkommen i askregnet då han sökte undsätta folk på stränderna av Neapelgolfen under det vulkanutbrott som begravde bland annat Pompeji. Plinius hade själv besökt Nordsjökusten där han fick höra talas icke blott om Ultima Thule utan även om de stora öarna Nerigon, Scandia och Scandinavia. Blott ett par årtionden efter Plinius levde och verkade den store latinske historieskrivaren Tacitus, som i en berömd liten bok med titeln Germania har skildrat folk och stammar bortom romarrikets gränser i norr. Vid en stor vik av havet ligger, säger han, svionernas samhällen, mäktiga genom vapen och skepp. Deras fartyg är lika i bägge ändar, och de ros alltid med åror, ty svionerna känner inte bruket av segel. I deras land råder envälde, och det är förbjudet för enskilda att bära vapen; dessa lämnas därför i förvar hos en därtill utsedd träl, ty vapen i sysslolösa händer kan lätt missbrukas, och havet skyddar under alla förhållanden svionerna för överrumpling.

Tacitus är den förste skriftställare som på ett igenkännligt sätt nämner svenskarnas namn; att hans svioner är identiska med svearna vid Mälaren kan knappast betvivlas. Vad han har att berätta om dem är ju emellertid rätt magert, och svensk patriotisk historieskrivning genom tiderna har funnit föga behag i hans notis. Så mycket större utbyte har man haft av några andra antika textställen om folk och förhållanden i länderna längst i norr. Ett sådant, det äldsta och mest berömda, står att läsa hos den gamle rolige krönikören Herodotos, som levde och verkade i Athen redan under dess politiska storhetstid på 400-talet f.Kr.; han meddelar att på andra sidan om skyternas länder, där det är vinter i åtta månader och kyligt även under sommaren, bor hyperboréerna, de övernordlige eller de yverborne, rättfärdigast av människor; de skickar ibland offergåvor, inslagna i halm och vidarebefordrade av alla de mellanboende folken, till Apollons helgedom på Delos.

En mindre poetisk berättelse som emellertid också har fascinerat nordiska hävdatecknare är den om cimbrerna och teutonerna, två germanstammar som på 100-talet f.Kr. drog söderut och marscherade kors och tvärs i Europa, besegrande den ena romerska hären efter den andra tills de till slut krossades i ett par väldiga fältslag av den berömde generalen Marius, farbror till Julius Caesar. Av dem anses cimbrerna ha kommit från nuvarande Danmark, men det fanns en tid då även Sverige krävde del i deras krigiska ära och tolkade Simrishamn som Cimbrishamn. Den cimbriska tragedien var ju ett tidigt förebud till den stora germanska folkvandring som i sinom tid översvämmade och gjorde slut på romarnas rike, men efter Tacitus' dagar är det tyst i den antika litteraturen om de skandinaviska stammarnas leverne under nära ett halvt årtusende, och först när själva Rom redan hade intagits och plundrats flera gånger av skarorna från norr uppträder ett par skribenter som har någonting att berätta om händelser som berör Sverige. Deras namn är Prokopios och Jordanes, och båda levde och verkade i Byzans på 500-talet e.Kr.

Prokopios, grekisk krönikör och sekreterare åt ingen mindre än den store generalen Belisarius som krossade vandalernas rike i Afrika och östgoternas i Italien, säger uttryckligen att han har träffat folk från ön Thule, där solen om sommaren inte går ner; där bor skridfinnarna, skrithifinoi, men den talrikaste stammen är götarna, gautoi. Hem till deras trakter flyttade i Prokopios' dagar hälften av en nordisk stam som hette heruler, vilka en tid hade varit bosatta vid Donau tills de blev drivna

16

ᚠᚢᚦᚨᚱᚲᚷᚹ ᚺᚾᛁᛃᛈᛖᛉᛊ ᛏᛒᛗᛚᛜᛞᛟ
f u th a r k g w   h n i j p e ʀ s   t b e m l ŋ d o

Äldre runraden.

därifrån av det longobardiska folket. Notisen om herulerna har intresserat många sydsvenska hembygdsforskare; framför allt i Blekinge lär mången känna sig såsom herulernas ättling. Aktade nutida auktoriteter som Elias Wessén och Birger Nerman menar att det nog var herulerna som förde med sig runorna till Norden, där denna skrift uppträder anmärkningsvärt tidigt. Om runornas yttersta ursprung och utbredningsvägar finns dock olika meningar; den allmännaste torde vara att de har uppfunnits av germanstammarna nere vid Svarta havet på grundval av det grekiska och i någon mån även det latinska alfabetet, men enligt en norsk teori skulle de i stället härstamma från en starkt ombildad nordetruskisk skrift. Emellertid bör man komma ihåg att det finns två runalfabet, nämligen ett äldre med tjugofyra tecken och ett yngre med bara sexton, och det ojämförligt största antalet svenska runinskrifter tillhör det sistnämnda systemet som är en jämförelsevis sen, specifikt nordisk variant, okänd för de tidigt kristnade, alltmera latinkunniga stamfränder som herulerna skilde sig från när de enligt Prokopios flyttade hem till Thule från det oroliga Sydeuropa.

Viktigare än Prokopios för svensk historia är Jordanes, en byzantinsk präst som på miserabelt latin har skrivit en krönika om goterna, det märkliga folk som i hans dagar härskade i Spanien och södra Frankrike efter att nyligen ha vält det västromerska riket överända och erövrat själva Rom. Jordanes' bok heter De origine actibusque Getarum, Om geternas ursprung och bragder, och själva titeln är ägnad att vålla förvirring, ty den visar att han sammanblandat goterna med geterna, en forntida stam som före de stora folkomflyttningarnas tid bodde vid nedre Donau i nuvarande Rumänien, där också goterna uppehöll sig

ᚠᚢᚦᚨᚱᚴᚼᚾᛁᛅᛋᛏᛒᛘᛚᛦ
f u th a r k   h n i a s   t b m l ʀ

Svensk-norska runraden.

17

under ett par generationer. Inte heller gör han skillnad på goter och götar. Själv var Jordanes emellertid av gotiskt ursprung på fädernet, och hans krönika handlar obestridligen om goterna, som enligt honom ursprungligen var komna från ön Scandza, där han känner till ett antal kvarboende stammar som lokalpatriotiska svenska forskare har haft kärt besvär med att identifiera och lokalisera. Där bor, säger han, bland annat theutes, bergio, hallin, liothida, fervis, finnaithae, ragnaricii och ostrogothae, i vilka lärda män ännu i våra dagar säger sig igenkänna respektive Tjuteborna vid Tjuteån öster om Hälsingborg, Bjäreborna i Bjäre härad norr om Skälderviken, folket på Hallandsåsen, invånarna i Luggude härad norr om Hälsingborg, inbyggarna i det halländska häradet Fjäre, folket i Finnveden i Småland, bohuslänningarna i Ranrike samt östgötarna. Från dessa fjärran orter på ön Scandza, som Jordanes ståtligt nog kallar för *officina gentium, vagina nationum,* folkfabriken, nationernas modersköte, utvandrade enligt honom goterna under ledning av en kung som hette Berik till södra östersjökusten på tre skepp, av vilka ostrogothae och visigothae, alltså östgoter och västgoter alias östgötar och västgötar, hade var sitt medan det tredje bemannades av en stam som hette gepider, vilket sägs betyda eftersläntrare; de blev nämligen vinddrivna och kom sist i land. Från östersjökusten begav sig goterna i sinom tid vidare söderut till trakterna norr om Svarta havet, där de grundade ett mäktigt välde varifrån de i sinom tid drog ut att erövra Rom. Tåget från Östersjön till Sydryssland leddes enligt Jordanes av en som hette Filimer, varav svenska krönikörer tusen år senare förfärdigade det sköna konunganamnet Filmer hin mykle. Jordanes upplyser också att av svearnas ärorika stam utgick ursprungligen de daner som erövrade och gav namn åt Danmark, där herulerna ursprungligen hade haft sitt hem, och denna notis har i våra dagar befunnits mycket rimlig av uppsvenska historieprofessorer, exempelvis Sven Tunberg. Lauritz Weibull, god skåning, har däremot temperamentsfullt tillbakavisat denna åsikt och fastslagit att uppgiften om danernas härstamning från svearna icke är värd minsta tilltro.

Gog och Magog

De sentida forskarnas lilla gruff om danernas utvandring är tills vidare den sista utlöparen av en stor historisk tradition som har sin rot i Jordanes uppgifter och berättelser. Dennes gotiska konungar och hjältar kom nämligen väl till pass när danskätande svenskar under Kalmarunionens tid tog itu med att utrusta fäderneslandet med ståtligast möjliga fornhistoria. Danmark hade redan en sådan alltsedan 1100-talet, då Saxo Grammaticus levde och verkade hos ärkebiskopen i Lund och skänkte världen en rolig och spännande bok på gott latin: Gesta Danorum, Danskarnas bedrifter. Den innehåller åtskilligt om hjältar och bovar även i Sverige, mest bovar naturligtvis, och dess existens lämnade länge historieskrivande svenska patrioter ingen ro. En rad sådana krönikörer alltifrån mitten av 1400-talet försåg därför efterhand fäderneslandet med en präktig kungalängd som vida överträffade Saxos danska, ty den räcker tillbaka ända till gubben Noak och tiden närmast efter den bibliska syndafloden.

Syndafloden, den babyloniska förbistringen och andra gammaltestamentliga urtidsmyter framstod uppenbarligen som fullt historiska händelser för alla kristna människor i äldre tid. Före 1700-talet, då ett naturvetenskapligt synsätt först började göra sig gällande och omsider framtvang en boskillnad mellan religiöst och profant, föll det ingen hävdatecknare in att bland sina källskrifter förbigå Första Mosebok, och ännu mot slutet av 1800-talet stod det i svenska almanackan att vid pass år 4000 f.Kr. blev världen skapad. Siffran, ett resultat av allvarliga spekulationer, forskningar och debatter genom många århundraden, hade man naturligtvis fått fram genom att på ett eller annat sätt räkna baklänges i Bibelns text. Enligt denna kronologi, som alltså var allmänt vedertagen i

19

Sverige för blott några få generationer sedan, hade syndafloden ägt rum knappa fyra årtusenden före vår egen tid, och tidsavståndet till Noak – från vilken alla nationer ju härstammade – kändes sålunda icke alltför svindlande. Bibeln lämnar vissa upplysningar även om Noaks söner, och att historieskrivarna ansträngde sig att överbrygga tomrummet mellan texten i Första Mosebok och det egna folkets äldsta erinringar var väl under dessa förutsättningar rätt naturligt och i och för sig inte alls så löjligt som det ofta har förefallit eftervärlden.

Anknytningspunkten mellan Noak och svenskarna fann man i Magog. Så hette enligt Första Mosebok en son av Noaks son Jafet, och hans historiska användbarhet har att göra med spekulationer över ett textställe hos profeten Hesekiel, där Gog och Magog nämns i apokalyptiska ordalag; de båda namnen förekommer förresten också i Uppenbarelseboken. Den förste som veterligen har sammankopplat Magog med folket i Sverige är ingen svensk utan den förträfflige historieskrivaren Adam av Bremen, en sansad skribent vars aktier på det hela taget står högt även i våra kritiska dagar. Adam av Bremen talar om Ansgars verksamhet i Sverige och citerar därvid Hesekiel: Jag skall sända en eld över Magog och över dem som bo trygga på öarna.[1] Denna profetia, säger han, måste gälla goterna i Sueonia och inte de goter som erövrade Rom, ty det är ju bara de förra som bor på öar. Adam av Bremen utgår alltså från att det bor goter i Sverige och att goter och Magog är sak samma.

Det sistnämnda hade han naturligtvis inte själv hittat på. I Hesekiels profetia står att Gog i Magogs land, hövding över Ros[2], Mesek och Tubal, skall komma från detta sitt land längst i norr och storma in över Israel, men Herren skall se till att Israels folk kan elda med Gogs rustningar, sköldar, bågar och pilar i sju år och slipper hugga ved under denna tid; de skall däremot ha styvt arbete i sju månader med att begrava hela Gogs larmande hop. När västgoterna i folkvandringstidens begynnelse gick över Donau och bröt in i det romerska riket kunde den

---

[1] Hes. 39: 6. I 1917 års svenska bibelöversättning står icke *på öarna* utan *i havsländerna*, men Vulgata är sig lik sedan Adam av Bremens tid. Där står: qui habitant in insulis confidenter.
[2] I den gamla svenska bibelöversättningen nämns icke Ros, utan bara Mesek och Tubal. Detta är ju ett underbart sammanträffande. Den svenska historieromantiken har genom bristfällig bibelöversättning undanhållits att spekulera över det uppenbara sambandet mellan detta gammaltestamentliga Ros, Nestorskrönikans Rus och svenska Roslagen.

helige biskop Ambrosius i Milano strax identifiera dem med det dödsdömda Gog; han kunde alltså utlova en kristen seger. Emellertid spådde han fel; en het augustidag år 378 stupade själve kejsar Valens vid Adrianopel i ett blodigt slag som utgjorde inledningen till västgoternas krigiska irrfärder genom romarriket. Det var tydligt att S:t Ambrosius hade misstagit sig ifråga om Gog i Magog, och den helige Hieronymus, den latinske bibelöversättaren som var hans samtida, kunde upplysa att Magog i stället vore stamfar för skyterna, det ryktbara forntidsfolk som före folkvandringarnas tid bebodde nordöstra Europa; goterna däremot borde identifieras med geterna, som inte alls kom från nordliga trakter såsom Gog borde göra utan i alla tider hade haft sina bopålar vid nedre Donau. Denna åsikt bestreds av ingen och blev allmänt antagen, men S:t Ambrosii mening överlevde i all stillhet minnet av slaget vid Adrianopel och gick också till eftervärlden i sinom tid, och så kom det sig att Gog i Magog för senare släkten sammankopplades med både goter och skyter som därigenom kom att identifieras sinsemellan. Att vidare goter och geter var samma sak som götar framgick klart av Jordanes.

När en nationell historieskrivning omsider såg dagen i medeltidens Sverige saknades sålunda inte märkligt material att utlägga. Med syndafloden och Noaks söner börjar redan vår äldsta svenska historia, en liten 1400-talsskrift som kallas Gamla svenska krönikan eller Prosaiska krönikan och föreligger i flera varianter och bearbetningar. Den upplyser att de första kungarna i Sverige efter Magogs son Gog hette Erik, Goderik, Wilkinus alias Philemer mykle, Nordian, Hernid, Osantrix och annat märkvärdigt; storvulnast av dem är Wilkinus, ty han erövrade inte bara Helsingia, Almania och annat närliggande utan lämnade därpå Sverige och underlade sig i stället bland annat Thracien, Macedonien, Grekland, Illyrien, Armenien, Syrien och Egypten, varefter han fann tiden mogen att ockupera även Rytzeland. De följande konunganamnen klingar i all-

mänhet mera nordiskt; gubbarna hette exempelvis Inge, Froe, Urber, Östen, Valand, Attilla, Dager, Ingeller, Järunder, Eghil Wendilkroka, Oktar, Adhel, Bräntemundher, Olaffwer Trätelge, Ödmunder Kolabrennare. Deras biografier är alla mycket magra; krönikan meddelar mestadels bara vad slags död de fick. Om Attila – som väl måste vara identisk med hunnernas store konung – får man emellertid också veta att han underlade sig Danmark och satte sin racka till vicekung där, och alldeles likadant förfor kung Östen gentemot det erövrade Norge i det att han placerade sin hund Snerring på dess tron.

Endast en svensk historieskrivare före 1700-talet har principiellt ställt sig avvisande till detta slags historieskrivning: Olaus Petri. Han menar med skäl att vi inte kan veta mycket om svenska folkets urtida öden och att Jordanes' berättelser om goternas bedrifter inte har någonting med Sverige att göra; för övrigt var dessas framfart verkligen ingenting att skryta med. Olaus Petri för kulturens och fredens talan och är alldeles fri från svensk chauvinism, vilket är beundransvärt nog. Hans krönika är emellertid inte fullt så objektiv och klarögd som det brukar påstås, ty han framlägger i själva verket en egen lista på svenska sagokungar som huvudsakligen hämtats från Saxo; den förste i raden hette Erik hin wise och blev hitsänd av danske kungen Frode hin fridgode att regera över Sverige vid tiden för Kristi födelse. Philemer hin mykle och några kringliggande potentater stryks programenligt ur kungalängden såsom ovidkommande, men göternas bragder i Sydeuropa lyser i alla fall inte med sin frånvaro ens hos Olaus Petri, som upplyser att i Håkan Rings tid brände de upp den romerske kejsar Valens i ett torp där han sprungit och gömt sig varefter de gjorde dråplig skada vid Constantinopelen. I konung Oktars historia har han skjutit in ett flera sidor långt referat av göternas bravader, där det berättas hur konung Alrik erövrade Rom, hur konung Adolf tog staden för andra gången och gifte sig med kejsarens syster, hur västgötarna slog sig ner i Hispanien och hur Tydric av Bern slog under sig Wälskaland med sina östgötar. Om longobardernas uttåg från Norden via Gotland finns det också några rader. Lite längre fram i krönikan läser man om den mäkta stora staden Vineta som låg vid Odermynningen och var bebodd av götar, tyskar och vender vilka blev osams sinsemellan; de förstnämnda fick då hjälp av den svenske kung Harald som i förbund med den danske kung Henning gjorde slut på Vineta, varefter Visby på Gotland byggdes för att överta dess makt och härlighet.

Olaus Petris svenska krönika väckte misshag på högsta ort och blev liggande otryckt ända till början av 1800-talet då den själv var bliven en antikvitet; något nämnvärt inflytande på svenska folkets tankar och åsikter kan den alltså knappast ha haft. Ett ironiskt öde har velat att det lutherska Sveriges viktigaste patriotiska propagandaskrift härrör från reformatorns besegrade motståndare Johannes Magnus, Sveriges siste katolske ärkebiskop, som ägnade landsflyktens aderton långa år åt att skildra det förlorade fäderneslandets öden sådana han ansåg att de borde vara.

Johannes Magnus' stora verk om Sverige heter Historia de omnibus Gothorum Sveonumque regibus, historia om alla göternas och svearnas konungar. Det är sålunda skrivet på tidens internationella språk och blev strax en internationell succés som har upplevat många upplagor; ingen annan svensk historia har tillnärmelsevis väckt sådan uppmärksamhet i bildade och inflytelserika kretsar ute i världen. Uppmärksamheten var välförtjänt, ty bokens innehåll är häpnadsväckande. Här framläggs på gott latin ingenting mindre än en fullständig förteckning över svenska folkets konungar och deras bragder och bravader alltifrån Noaks dagar till författarens egen tid. Materialet härrör till stor del från Jordanes och Saxo, men detta räckte ju inte långt, och Johannes Magnus uppfann därför egenhändigt ett antal urtida, mer eller mindre anmärkningsvärda potentater till att fylla luckorna i hans kronologi.

Johannes Magnus börjar med att meddela att Noak efter syndafloden slog sig ner i Skytien, som omfattade ungefär de nuvarande länderna Ryssland, Finland och Sverige. Han bodde mest vid floden Don, och hans avkomlingar förökades raskt. Ar 88 efter syndafloden kom hans sonson Magog till Sverige och befolkade detta land, vilket skedde flera årtionden innan Noak fördelade världen mellan sina söner och skickade ut dem att befolka även de länder som låg utanför Skytiens gränser. Magog blev alltså den förste konungen av Sverige. Han hade fem söner som hette Suenno, Gethar, Thor, German och Ubbo, och av dem blev Suenno stamfar för svearna och kung över dem medan Gethar blev götarnas upphovsman och regent. När Suenno gick ur tiden efterträddes han av sin bror Ubbo som grundade Uppsala vilket betyder Ubbos sal. Ubbo efterträddes i sinom tid av Siggo som byggde Sigtuna och regerade framgångsrikt i en mansålder över svearna, men götarna valde sig i hans tid en konung som hette Ericus och var son eller sonson till Gethar. Ericus var en förträfflig monark, och Johannes Magnus översätter till sapfisk vers en forntida svensk sång till hans pris; den låter minst av allt fornnordisk.[1] Denne konung stiftade vissa lagar, men synd och avguderi vann sorgligt nog insteg i landet i alla fall, och Ericus såg sig ingen annan råd än att deportera de värsta förbrytarna till Danmark, som på det viset fick sin första befolkning. Tyvärr hjälpte inte heller detta, ty uppe i Uppsala avföll samtidigt svearna från Noaks sanna gudsfruktan och byggde i stället ett tempel åt Thorus, Othinus och Frigga, varjämte de ivrigt dyrkade avgudarna Hollerus, Vagnostus, Hadingus och den grymme Rostarus.

I den stilen fortsätter Johannes Magnus att räkna upp svenska konungar och hövdingar med ovanliga namn över nära tusen boksidor.[2] Där uppträder inte bara Berico och Philimer och leder det götiska folket till sagolika stordåd på utländsk botten – deras efterkommande deltog framgångsrikt i trojanska kriget, besegrade och dödade perserkonungen Cyrus, knöt släktskapsförbindelser med Alexander den store, intog Rom och uträttade mycket annat märkvärdigt. Även de hemmavarande svenskarna utförde särdeles minnesvärda bragder under konungar som Scarinus, som grundade Skara, Attilus, som satte sin hund Raccho till att styra sitt danska lydrike, Gethericus som skickade iväg två skaror svenska utvandrare till att befolka respektive Schweiz och Skottland, och diverse andra väldiga erövrare med namn som Sibdagerus, Hothebrotus, Rodericus. Ibland hade svenskarna dock otur och råkade ut för tyranniska konungar, av vilka Grimerus och Gostagus var de grymmaste och värsta; den sistnämnde, som företer förunderliga likheter med Gustaf Vasa, levde och verkade på den vederstygglige irrläraren Mahumetes'

---

[1] Primus in regnis Geticis coronam regiam gessi, subiique regis munus et mores colui sereno principe dignos.

Jag var först av dem som i götars riken kungakronan bar och bar kungabördan. Främjat har jag sederna som en fridsäll härskare anstår.

[2] Se vidare Johannes Magnus i registret.

tid. Huvudmassan av Johannes Magnus' svenska konunganamn låter dock icke så osvenska om man klär av dem latiniseringen. Det finns fem Biornus – Björn – och fyra Ingo, tre Amundus, åtta Carolus inklusive Karl Sverkersson och Karl Knutsson samt inte mindre än tretton Ericus av vilka Erik Segersäll är nummer VII och Erik den helige nummer VIII. Spåren härav består ju än i vår regentlängd, ty monarker som Erik XIV, Karl IX, Gustaf II Adolf och Kristina var väl bevandrade i Johannes Magnus' bok och tvivlade aldrig på att den innehöll sanningen om rikets alla potentater i det förflutna.

Hans väldiga historiedikt höll sig aktuell i Sverige genom ett par hundra år och har spelat en tydlig men svårbedömd roll i den praktiska politiken på Vasarnas och Karlarnas tid. Den har också avsatt många märken i vår stormaktstids magra litteratur och inte minst i dess konst, som svårligen kan begripas till fullo av den som ingenting vet om Johannes Magnus' verk. Detta har i våra vetenskapliga tider blivit en mycket rolig bok vars namn och händelser verkar spex, men läst med någon eftertanke utgör det också ett allvarligt ehuru något förljuget dokument från de icke alltför avlägsna dagar då Första Mosebok och diverse profana antika författare på latin och grekiska stod till tjänst med det viktigaste man visste beträffande Sveriges äldre öden.

De isländska sagorna

Under loppet av 1600-talet gjorde man i Sverige bekantskap med en
fascinerande källa till ny kunskap om de gamle göters historia. Det året
då Skåne blev svenskt var en isländsk student som hette Jón Rugman på
väg till Köpenhamn på ett danskt skepp som uppbringades av svenska
flottan och fördes in till Göteborg, där han hade turen att bli förhörd
av ingen mindre än svenske riksdrotsen Per Brahe. Denne visade honom
stor älskvärdhet och skickade honom till sin nyinrättade skola på Vi-
singsö, vilket berodde på att Rugman bland sina fåtaliga ägodelar hade
ett par små handskrivna böcker med isländska fornsagor, en lektyr som
för ögonblicket var mycket aktuell i Sverige och omfattades med stort
intresse även på officiellt håll. Några år tidigare hade universitetskans-
lern Magnus Gabriel de la Gardie köpt en kista gamla manuskript av en
dansk boksamlares dödsbo, och under det pågående kriget hade svens-
karna på det mest barbariska sätt rånat en lärd och kultiverad man på
Danmarks största privatbibliotek, som innehöll många skrifter i hithö-
rande ämnen. De isländska manuskript som på detta sätt förvärvats ham-
nade efterhand i de statliga biblioteken i Stockholm och Uppsala, ty
man hade en aning om att de skulle innehålla berättelser om svenska
bragder i forntiden, men olyckligtvis fanns det i hela Sverige ingen män-
niska som kunde läsa dem. Den unge isländske studenten som låtit sig
fångas var alltså mycket välkommen, och med det snaraste bereddes han
plats som ett slags amanuens vid akademien i Uppsala, där man nu satte
i gång med att systematiskt smuggla ut flera handskrifter från Danmark
och Island och att översätta och ge ut vad man hade lyckats bringa
samman. Olof Verelius, professor i ett ämne vid namn Fäderneslandets
antikviteter, gjorde början genom att låta trycka några av de sagor som

han fann mest belysande för svensk fornhistoria, ty att sagorna återgav fakta och att deras isländska språk var identiskt med fornsvenska betvivlade vid denna tid ingen i Sverige. Den första utgåvan gällde den romantiska Gautreks saga, som handlar om konungarna Göthrik och Rolf av det urtida Västergötland, på sitt sätt en mycket festlig historia förresten, där man kan läsa om huru kung Göthrik på äldre dagar vann en fager norsk jarladotter som föredrog honom framför en kunglig rival som var både ung och skön, och det berättas även huru hans son Rolf Göthriksson drog till Uppsala och friade till den manhaftiga sveaprinsessan Torborg, som slogs med yxa som den värsta amazon men slutligen blev lyckligt besegrad och gift. På köpet får man den sorgliga berättelsen om den snåle bonden Skapnartunger som en gång tog emot Göthriks fader alias Rolfs farfar kung Göte. Skapnartunger drog ner hatten över ögonen för att slippa se den stora matförlust som konungen vållade honom, varpå han omedelbart begav sig till sin ättestupa där han höll tal till familjen om sparsamhetens vikt och sedan hoppade ner, ty, står det, han tillhörde en familj vars medlemmar med undantag endast av hans dotter Snotra alltid gjorde så då någonting gick dem emot. Sagan är full med varjehanda trollerier dessutom, och att den en gång kunde accepteras som svensk historia av svenska universitetslärare, statsmän och diplomater är ett ofattbart faktum.

Ojämförligt mycket viktigare än denna medeltida roman blev för framtiden upptäckten av den del av den isländska litteraturen som handlar om de fornnordiska gudarna. Källan till kännedom om dessa är ju de båda Eddorna, av vilka den yngre, Snorres Edda, publicerades i Danmark på 1660-talet, medan den äldre, poetiska Eddan som bär Saemunds namn kom ut först något århundrade senare. Det står numera klart att Eddorna inte nödvändigtvis lämnar besked om vad forntidens nordbor tänkte och trodde i religiösa ting, ty den äldre Eddan innehåller inte alls någon sammanhängande gudalära, och Snorres Edda är redigerad av en kristen man vars intresse inte var religiöst utan litterärt. Båda härrör dessutom från det fjärran Island, och det är naturligtvis inte alls säkert att de gudar och myter som man där trodde på helt och hållet sammanföll med vad det forntida Sveriges befolkning dyrkade och höll heligt. Ortnamnsforskarna, som av bestående namn som Odensala, Torshälla och Frösunda drar slutsatser om forntida förhållanden på detta område, kan upplysa att guden Ull som blott i förbigående skymtar i Eddamyterna tydligtvis har varit en populär gudom i Sverige, ty landet är rikt på ortnamn i stil med Ulleråker, Ullevi, Ultuna. Något liknande gäller kanske om guden Tyr alias Ti, som hos oss blivit bestående i namn som Tibro och Tiveden. Å andra sidan har också de i mytologien flitigt figurerande gudarna Oden och Tor fått ge namn åt ett betydligt antal svenska orter, och sannolikt är väl att den religiösa tron och kulten var någorlunda likartad över hela det nordiska området.

Hur därmed än må förhålla sig tillhör de isländska Eddornas gudalära förvisso Sveriges historia, ty den har satt outplånliga spår i vår litteratur och har ingått i allmänbildningen nästan lika självklart som det bibliska Gamla Testamentets myter och berättelser. Ur vetenskaplig synpunkt torde redogörelsen för dess innehåll snarast höra hemma i de senaste århundradenas svenska historia, ty det var först mot 1800-talet som det blev allmänt känt hos oss och kom att spela sin viktiga litterära roll i vårt land. Men Eddornas sagor och dikter härstammar dock från de avlägsna tider då Oden, Tor och Frö erövrade sin plats i svenska ortnamn, och ur den synpunkten kan det även i våra upplysta tider vara lämpligt att redan här berätta den magnifika sagan om de nordiska gudarna sådana de framstår i de enda mytologiska skrifter vi har.

Den äldre Eddan inleds med två dikter som båda är storartad poesi: Voluspa eller Valans spådom och Havamal eller Den Höges sång. Den sistnämnda består av en serie nyktra och egoistiska tänkespråk och levnadsregler som är helt av denna världen; där läser man exempelvis de kända strofer som säger att bättre börda bär ingen med sig än mycket mannavett, att bäst är eget bo om ock en backstuga, att fä dör, fränder dö, men aldrig dör domen över död man. Dikten Voluspa däremot handlar om de övernaturliga tingen, nämligen om världens uppkomst och kommande undergång, och börjar sin skapelseberättelse med de ståtliga, ofta citerade raderna:

> I tidernas morgon
> då Ymer byggde
> var ej sand, ej sjö,
> ej svala böljor.
> Ej höjde sig jorden,
> ej himlen ovan.
> Gapande svalg fanns
> men gräs icke.

Strofen citeras även i Snorres Edda, som mera systematiskt och mindre kryptiskt än den poetiska Eddan redogör för gudarnas verk och urtidens förhållanden. På beundransvärd prosa förtäljs där hur konung Gylfe av Svithiod en gång tog sig in i gudarnas boning där han ställdes ansikte mot ansikte med tre imponerande väsen vid namn Hög, Jämnhög och Tredje, vilka upplyste honom om hur allt var inrättat i världen. I begynnelsen var svalget, och dess namn var Ginnungagap; norr därom utbredde sig Nifelhem, köldens värld, där mörker och frostiga dimmor steg upp ur den kalla källan Hvergelmer, och på södra sidan låg det heta Muspelhem, där en varelse vid namn Surt regerade med ett flammande svärd i sin hand. Töcknen från Hvergelmer bildade den frusna strömmen Elivågor som rann ner i Ginnungagap och fyllde svalget med is, men samtidigt föll gnistor från Muspelhem ner i avgrunden, och de fallande droppar som uppstod vid mötet mellan gnistorna och isen fick liv och gav upphov till två väldiga urtidsväsen, nämligen en ko vid namn Audhumbla och en ofantlig jätte som hette Ymer. Den sistnämnde hade fyra munnar med vilka han hämtade näring ur Audhumblas fyra spenar, medan kon i sin tur livnärde sig genom att slicka stenarnas rimfrost. Hennes varma andedräkt åstadkom att det ur stenarna spirade upp en man som hette Bure, och från denne som från obekant håll fick tag i en hustru härstammade asarnas ätt, i första hand guden Oden och hans bröder Vile och Ve. Ymer gav på egen hand upphov till många varelser; under hans vänstra arm framväxte sålunda ett vackert par från vilket den vise Mimer och de tre nornorna Urd, Verdandi och Skuld räknade sina anor, men hans fötter avlade med varandra ett trehövdat vidunder som blev stamfader till rimtursarnas onda jättesläkt.

Oden, som genom ödets rådslag var bestämd att fullfölja skapelsen, dräpte nu med sina bröders hjälp jätten Ymer, vars blod bildade världshavet där alla rimtursar drunknade så när som på en, vilken i sinom tid blev stamfader till ett nytt släkte av jättar. Världen ordnades därefter på bästa sätt. Av Ymers huvudskål bildades himlavalvet, av hans hjärna blev moln, hans ben förvandlades till berg, och hans kött maldes till mull i kvarnen Grotte, vars axel står norrut och drar himlavalvet med sig runt då den kringvrids av de starka jättekvinnorna Fenja och Menja. Ymers ögonbryn kom väl till pass som vall kring den beboeliga delen av jorden, som döptes till Midgård. Underjorden delades i tre riken kring var sin av de tre källorna Hvergelmer, Mimers brunn och Urdarbrunnen, och ur dessa uppväxte genom det forna Ginnungagap den väldiga asken Yggdrasil, som sträcker sina grenar över Midgård och all världen. I Hvergelmer ligger draken Nidhögg och gnager oavlåtligt på världsträdets rot, men Mimers brunn är full av vishetens vatten, och Oden gav en gång sitt ena öga i pant för en dryck därur. Vid Urdarbrunnen som vaktas av nornorna har gudarna sitt tingsställe; de rider dagligen dit över bron Bifrost som skimrar i alla regnbågens färger och bevakas av den solljuse guden Heimdal som även kallas Rig, nio mödrars barn och nio systrars son och innehavare av Gjallarhornet, som är den nordiska sagans domsbasun. Heimdal sover lättare än en fågel, ser hundra dagsresor åt alla håll från sin boning i borgen Himinbjorg och har så skarp hörsel att han hör gräset gro och ullen växa.

Gudarna har alltså blivit flera, och även människor har kommit till världen. När Oden och hans bröder en dag vandrade på havets strand i

Ask och Embla

Midgård fann de två spirande träd vid namn Ask och Embla, vilka de löste från jorden och skänkte blod, rörelseförmåga och gudaliknande gestalt, förstånd, vilja, fantasi och ande. Från detta par härstammar allt folk på jorden, och nornan Urd skickar vid varje människas födelse ett väsen som kallas fylgia att följa henne åt genom hela livet.

Om gudarna Vile och Ve är det efter människornas skapelse aldrig tal vidare, men i gudaboningen Asgård som är belägen i världsträdets krona har Oden många yngre medhjälpare, vilkas familjeförhållanden utreds ganska grundligt i Eddorna. Odens maka heter Frigg, och med henne har han sönerna Tor och Balder, av vilka den förstnämnde är den starkaste av gudarna och ständigt ligger i strid med jättarna, väpnad med starkhetsbältet Megingjord och hammaren Mjolner som likt en bumerang ständigt återvänder till hans hand. Han åker därvid genom rymden med dunder och brak i en vagn som dras av de eldfrustande bockarna Tandgniostr och Tandgrisner. Om Tors kamp med jättarna finns åtskilliga groteska historier, som oftast har karaktär av muntra folksagor och helt säkert aldrig har tagits på allvar av de troende, men att han i sin egenskap av åskans gud har åtnjutit respektfull dyrkan bevisas av att hans namn har hållit sig kvar i de nordiska språken icke blott i en mängd ortnamn utan även i ord som tordön och torsdag.

Balder, som enligt moderna auktoriteter var en stridens gud från början men vars gestalt anses ha tagit upp drag av Kristus då de asatroende i sinom tid fick höra talas om denne, är en mera litterär figur som nog aldrig har varit föremål för egentlig kult. Den enda uppgift vi har om ett Balderstempel förekommer i sagan om Frithiof och Ingeborg, Tegnérs förlaga till den berömda diktcykel varur svenska folket under det senaste århundradet har hämtat det mesta av sin kunskap om de fornnordiska gudarna; sagan i fråga anses emellertid vara tillkommen så sent som omkring år 1300, alltså långt fram i den kristna tiden, och kan således inte anses vittnesgill i fråga om fornnordisk religion. Även Snorres berättelse om Balder är snarast en mytologisk novell. Han skildrar honom såsom Balder den gode, bosatt på borgen Breidablick och mildast och rättvisast av gudar; han älskades därför av alla, och hans moder Frigg tog löfte av allt levande att icke skada Balder, varigenom denne blev osårbar. Gudarna brukade sedan roa sig med att gå löst på Balder med svärd eller skjuta till måls på honom med pilar, som naturligtvis studsade tillbaka utan att vålla skada. I deras krets fanns emeller-

31

tid en figur vid namn Loke, som egentligen var av jättesläkt men hade blivit upptagen bland gudarna; han var likväl ond av naturen, och när han fick veta att Frigg hade försummat att ta löfte av den växt som kallas mistel – hon hade funnit den för obetydlig – skyndade Loke att göra sig en pil av en mistelgren, vilken han gav åt Balders blinde broder Höder som därmed sköt ihjäl Balder. Fortsättningen på sagan erinrar mycket om två välkända grekiska gudamyter, nämligen sagorna om Persefone och Prometheus. De bestörta gudarna gjorde ett försök att få Balder tillbaka från dödsriket vilket emellertid omintetgjordes av den sluge Loke, för ändamålet förklädd till en gammal käring vid namn Töck. Loke fick dock omsider sitt straff. Förvandlad till en lax försökte han undkomma gudarna, men dessa fångade honom i en fors och fastkedjade honom med hans egen son Nares hårda tarmar vid en klippa under ett utsprång där en huggorm oavbrutet dryper etter över hans ansikte. Lokes maka Sigyn stannar trofast hos honom och håller en skål under den etterdrypande ormen, men var gång skålen blir full och Sigyn går att tömma den faller en droppe av ettret i Lokes ansikte, och han vrider sig då i smärta så att hela jorden bävar.

Med de grandiosa myterna om Loke sammanhänger några historier om hans – men icke Sigyns – avkomma Midgårdsormen och Fenrisulven, av vilka den förstnämnde kastades i havet där han växte med förfärande hast, så att han nu ringlar sig kring hela jordkretsen och biter sig själv i stjärten. Fenrisulven tog gudarna oförsiktigt nog till sig i Asgård, men den lekfulle valpen växte snabbt i styrka och vildhet så att de inte vågade låta honom gå lös utan försökte binda honom med en kätting av järn, som han emellertid omedelbart slet sönder. De lät då tillverka ett koppel vid namn Gleipner av bättre material, nämligen av kattstegens dån, kvinnornas skägg, bergens rötter, fåglarnas spott och andra lika sällsynta ingredienser, och denna mycket mjuka och smala kedja visade de för Fenrisulven och erbjöd honom att försöka slita sönder den. Ulven anade argan list, men sedan krigsguden Tyr hade lagt sin högra hand i hans gap lät han sig dock bindas med kedjan. Därmed var han fast för all framtid intill Ragnarök, och i vilt raseri bet han handen av Tyr, som sedan dess kämpar vänsterhänt.

Det finns andra gudar av Odens och asarnas ätt: den långskäggige Brage som sitter hemma hos sin fader i borgen Valhall och ägnar sig åt skaldekonsten och mjödet, vidare Forsete, Balders son, som är rättvisans gud och bebor den himmelska salen Glitner, och den tyste Vidar som härskar över de underjordens slätter där den sista striden skall stå. Guden Njord, son av en allegorisk dotter till Mimer vid namn Natt och broder till Odens gemål Frigg, tillhör däremot en stam vid namn vaner och är från början kommen som gisslan till Asgård; han är rikedomens och sjöfartens beskyddare och råder över väder och vind. Hans maka, den skidåkande Skade, är född bland fjällen; hon trivs därför inte på Njords borg Noatun, ty hon står inte ut med sjöfåglarnas skrik, medan Njord å sin sida inte kan tåla ulvarnas tjut i hennes hembygd. De lever följaktligen på var sitt håll. Njords son heter Frej eller Frö; han råder över årsväxten, medan hans syster Freja eller Fröja som residerar i borgen Folkvang är kärlekens gudinna. Dessas äktenskapliga förhållanden är invecklade; Frejas gemål tycks emellertid heta Svipdag eller Hermod, medan Frej efter långt trånande har lyckats få en skön jättedotter vid namn Gerd. Av vanernas familj var vidare Nanna, som blev Balders maka och vars hjärta brast av sorg vid hans död. Andra gudinnor och gudar är av alfernas ätt, som sönderfaller i svartalfer och ljusalfer; endast den senare sorten kommer här i fråga. Dit hör den guldhåriga Siv, som är Tors maka i träslottet Bilskirnir i landet Trudvang, det största av alla timrade hus; deras söner heter Magne och Mode. Av alfernas ätt är också Idun, Brages gemål, som håller gudarna med de underbara äpplen som skänker dem evig ungdom, vidare Ivalde, som i tidernas gryning var gränsvakt mot rimtursarna vid Elivågor, och hans son den haltande smeden Valand eller Völund, som en av de dystraste eddasagorna handlar om. Havsguden Ägir är av jättesläkt men står dock i gott förhållande till asarna, och hans maka är den falska Ran som bringar människorna i fördärvet. Till gudavärlden hör slutligen några väsen av okänd härkomst, såsom Billing och Delling som är personifikationer av aftonrodnaden och morgonrodnaden, den framsynta ungmön Gefion samt den litterära Saga, historiens gudinna, som sitter och vaktar det vishetens mjöd som ur strömmen Sökvabäck fyller månens horn.

Den storslaget fabulerande fantasi som utmärker Eddorna tar sig uttryck inte minst i ett flödande vimmel av namn på allt och alla. Oden sitter i tornet Lidskjalf i borgen Valhall och blickar ut över människornas Midgård och jättarnas Jotunheim, hans korpar Hugin och Munin bringar honom bud från underjorden Jormungrund som han inte själv kan överblicka, han rider ut på den åttafotade hästen Sleipner följd av hundarna Gäre och Fräke och med det ofelbart träffsäkra spjutet Gungner i sin hand, och på sin arm bär han ringen Draupner som var nionde natt ynglar av sig åtta lika tunga ringar av guld. Hästarna Rimfaxe och Skinfaxe drar Dag och Natt över jorden, men i Nifelhel tjuter helveteshunden Garm, och vid Nastranden i denna underjordens värld ligger skeppet Nagelfar som är byggt av de dödas naglar.

Tappra och rättskaffens män undslipper denna fasans ort och förs i stället vid sin död av valkyriorna till Odens salar. De kallas då för einhärjar. Valhalls tak är av spjutskaft räfflat, och femhundrafyrtio dörrar leder ut ur salen, varje dörr så bred att åttahundra einhärjar kan marschera ut i bredd. En varg står bunden framför västandörren, och däröver svävar en örn. Runtomkring utbreder sig den oändliga slätten Vigrid där den sista striden en gång skall stå, och mitt på den står Valgrind, heligast av portar och med konstfullt lås. En get vid namn Heidrun och en hjort vid namn Eikthyrner betar av trädet Lärads grenar på Valhalls gårdar, och ur getens spenar flödar mjöd i överflöd, medan en vattuström utgår från hjortens horn och rinner ner i Hvergelmer. Närmast Valhall ligger tydligtvis Idavallen, där einhärjarna bedriver vapenlek dagen i ända; de samlas därpå till gästabud i Valhall, där kocken Andrimner i kitteln Eldrimner kokar galten Särimner, som varje kväll blir uppäten och varje morgon vaknar till nytt liv. En annan förträfflig galt heter Gyllenborste och tillhör Frej, vilken även är ägare till det präktiga skeppet Skidbladner som alltid har medvind, seglar lika väl i luften som över havet och efter användningen kan vecklas ihop som en duk. Beundransvärda är också notiserna om djurlivet i asken Yggdrasil, där tuppen Gyllenkamme sitter i toppen och varje morgon väcker einhärjarna med sitt galande, medan ekorren Ratatosk springer längs stammen och bär bud från örnen över trädets krona till draken Nidhögg vid dess rot.

Den poetiska höjdpunkten i eddornas världsförklaring och gudalära bildar väl dock skildringen av den kommande undergången, Ragnarök. Denna föregås enligt Snorre av Fimbulvintern, tre hårda vintrar utan sommar emellan, då krig och blodsutgjutelse dessutom skall hemsöka världen:

> Yxtid, mordtid,
> kluvna sköldar,
> vindtid, vargtid
> förrn världen faller.

34

Citatet är ur Voluspa, vars domedagstavlor inte står den bibliska Uppenbarelsebokens efter ifråga om apokalyptisk kraft. Den nordiska sagans världsundergång är emellertid ödesbestämd, och gudarna själva är underkastade katastrofen. I den stora slutkampen mellan höjdens och avgrundens makter faller Oden för Fenrisulven, Tor för Midgårdsormen och Frej för Surt. Loke och Heimdal dödar varandra, solen svartnar, stjärnorna störtar ner, världsträdet skälver och faller, himmel och jord brinner. Men ur förödelsen stiger en ny jord med grönska och klara vatten:

> Osådda skola
> åkrarna växa,
> allt ont sig bättra;
> Balder skall komma.

Mänskligheten tycks överleva världsbranden genom paret Liv och Livtrase som ger upphov till ett nytt, lyckligare släkte, och Voluspa berättar vidare om Gimles guldtäckta sal där hövdingatrogna härskaror skall bo i allan tid. Dikten slutar dock icke så idylliskt, ty i dess sista, sällan citerade strof talas om en ny dunklets drake som kommer flygande över jorden

> Nidhögg lik.
> Nu skall hon sjunka.

Asarnas invandring

Oden och asarna uppträder egendomligt nog som jordiska svenska potentater i två tidiga skrifter som båda är imponerande konstverk: Saxo Grammaticus' danska krönika och Snorre Sturlasons konungasagor. Saxo, som var en dansk och en kristen man, säger att Oden höll mest till i Uppsala, antingen därför att folk var dummare där än på andra ställen eller kanske på grund av ortens natursköna belägenhet: sive ob incolarum inertiam sive locorum amoenitatem. Oden – eller Othinus, som Saxo kallar honom på sitt latin – hade nämligen lyckats inbilla hela Europa att han var en gud. På grund av äktenskapligt trassel gick han i landsflykt för en tid men återvände så småningom och kom då till ännu större anseende, i det att han drev ut diverse andra personer som gjorde anspråk på gudomlig ära.

Betydligt utförligare beträffande Odens bosättning i Sverige är Snorres historia, som brukar kallas Heimskringla efter de första orden i texten. Den börjar med en översikt över de svenska Uppsalakungarnas ursprung och öden. Långt borta i Ryssland, säger Snorre, låg en borg som hette Asgård, där en hövding vid namn Oden härskade över asarnas stam som ständigt låg i strid med de närboende vanerna. Omsider tröttnade man på kriget, slöt fred och gav varandra gisslan, varvid vanerna Njord och Frej kom till asarna. En vacker dag lämnade Oden av något skäl ifrån sig väldet i Asgård och begav sig till Norden för att grunda

36

sig ett rike där. Han kom först till Danmark och slog sig ner i Odense – därav namnet – varifrån han skickade ungmön Gefion att rekognoscera terrängen i svearnas land. Där regerade för tillfället en kung som hette Gylfe och som rimligen härstammade från gamle kung Fornjoter, grundläggare av det första kungahuset på svensk botten enligt alla äldre hävdatecknare. Kung Gylfe gav ett stycke land i Mellansverige åt Gefion, som var otacksam nog att förvandla hans fyra söner till oxar och med deras hjälp släpa landområdet ifråga ut i havet, där det nu utgör ön Själland medan sjön Mälaren markerar det hål där det en gång legat. Gefion berättade vidare för Oden hur präktigt allting var ställt i Sverige, varvid denne strax begav sig dit, byggde sig ett stort tempel vid Sigtuna och levde där i all välmåga tills han dog sotdöden och efterträddes av Njord, vilken i sinom tid överlämnade väldet åt sin son Frej som också hette Yngve. Denne byggde det stora templet i Uppsala, och från honom härstammade Ynglingaätten.

Det finns otaliga svenska kommentarer till dessa märkliga upplysningar om Oden och hans följeslagare. Hos äldre historieberättare kan man inhämta att den till Sigtuna invandrade Oden egentligen hette Sigge Fridulfsson, och i våra dagar har en framstående arkeolog på fullt allvar framfört tanken att berättelsen om Gefions plöjning bör bygga på en tradition om danskarnas härstamning från Sverige. Det har också gissats, mera rimligt, att sagan om asarnas invandring kan gömma minnet av en krigisk erövring eller en religiös omvälvning österifrån. Det enda säkra torde vara att Frej verkligen hade speciell anknytning till Uppsala tempel, ty i de isländska sagorna framstår han ofta som sveaguden framför andra, och det var Frejs kult som kom till uttryck i hästblotet och även i diverse vårliga riter som under kristen täckmantel höll sig i Uppsverige långt in i medeltiden. Om förhållandena vid gudahovet i Uppsala finns ett vittnesmål av en skribent som är äldre än både Snorre och Saxo; han hette Adam av Bremen och levde och verkade på 1000-talet, då asagudarna alltjämt åtnjöt dyrkan här. Templet i Uppsala glimmade av guld, säger Adam av Bremen, och runt omkring hängde en gyllene kedja som lyste på långt håll. Strax intill stod ett väldigt träd som var grönt året om, och vid den stora offerfesten vart nionde år upphängdes där ett antal kusliga julgransprydnader, nämligen nio varelser av allt mankön: människor, hästar, hundar och annat. Inne i templet stod bilder av gudarna Oden, Tor och Fricco alias Frej eller

Frö; Oden dyrkades för seger i krig och Tor för sjukdomsbot, men Frej rådde för fred och god gröda och var bröllopets gud, varför han framställdes med ofantlig fallos, *cum ingenti priapo*. Man sjöng varjehanda oanständiga sånger till hans ära, så skamliga att de inte kan återges, säger Adam av Bremen.

Inte blott Snorre, utan även Saxo fastslår att sveakonungarna i Uppsala räknade sig som ättlingar av Frej. Under dennes jordeliv rådde goda tider och obruten fred som kallas Frodefreden, men till sist gick han dock ur tiden och blev då lagd i hög vid Gamla Uppsala. Frejs son, fortsätter Snorre sin lista i Heimskringla, hette Fjolner, och det enda märkliga med honom var att han drunknade i ett mjödkar. Den sorgliga händelsen inträffade under ett besök hos kungen av Danmark där Fjolner efter riklig traktering fick nattlogi i en våning ovanför det kungliga brygghuset, och när han på natten behövde gå ut trampade han olyckligtvis miste i mörkret och plumsade från ett loft rakt ner i den jäsande brygden, en övermåttan stark dryck vari han inte bottnade.

De följande ättlingarna av Frej hette Svegde, Vanlande och Visbur; om dem berättar Snorre diverse poänglösa trollhistorier, men Johannes Magnus kan meddela om den sistnämnde att han var en gruvlig tyrann. Visburs son Domalde hade oturen att regera i en tid då det blev missväxt, och svearna fick för sig att de skulle offra honom till Frej för att få god äring, vilket skedde och medförde önskat resultat, ty Domaldes son Domar hade bättre lycka med sig. Efter denne regerade Dyggve som antog konunganamn; dittills hade härskarna i Svitjod nöjt sig med att kallas drottnar. Förresten var han systerson till kung Dan den högmodige som gav namn åt Danmark. Dyggves son och efterträdare hette Dag, och han blev dräpt mitt i sin här av en främmande bonddräng som slängde sin hötjuga i skallen på honom. Efter Dag kom Agne till makten, och han blev hängd i sin egen halskedja av en härtagen finsk kungadotter som hette Skalv vid en plats som därefter kallades Agnefit, numera bättre känd under namnet Stockholm. Hans söner Alrek och Erik slog ihjäl varandra med hästbetsel, och den förstnämndes söner Inge och Alf tog likaledes livet av varandra, dock med svärd. Alfs son Hugleik stupade i strid med en främmande usurpator som hette Hake, vilken i sin tur snart sårades till döds i en strid med Hugleiks kusiner; döende tog han då ett långskepp, lastade det med stupade, satte segel, tände eld på skeppet och följde med bålet till havs. En av de segerrika kusinerna

Ane den gamle

vid namn Jorund styrde sedan sveariket någon tid tills han under ett härjningståg blev tillfångatagen av danske kungen som högtidligen hängde honom i en galge, och regeringen övertogs därefter av hans son Aun eller Ane som blev desto mera långlivad, ty genom att vart tionde år offra en son åt Oden förlängde han oavbrutet sitt liv och blev slutligen så gammal och skröplig att han varken kunde gå eller äta utan låg till sängs och drack mjölk som ett spädbarn ur ett dihorn. När han i detta tillstånd beredde sig att offra även sin siste son vars namn var Egil stoppades han emellertid av svearna, och då dog Aun äntligen och blev höglagd vid Uppsala.

Vid namnet Aun faller en blek strimma av den historiska vetenskapens ljus in över Snorres rövarhistorier om svearnas konungar i Uppsala. Professor Birger Nerman har sökt leda i bevis att Aun, Egil och Adils är namnen på de personer som ligger begravda i Uppsala högar, en åsikt som även andra forskare tycks finna rimlig. Om konung Aun är visserligen ingenting känt utöver Snorres minst sagt märkvärdiga berättelse i Ynglingasagan, men möjligen döljer han sig också under det underliga namnet Ongentheow och även under namnet Onela i den ryktbara anglosaxiska dikten Beowulf, som är vid pass ett halvt årtusende äldre än Snorre. Hans son Egil och dennes sonson Adils är nämligen klart igenkännliga i sagda dikt under stavningen Eadgils, där deras namn tycks ha ingått ett slags symbios. Mellan Egil och Adils regerades svearna av en monark som också står omnämnd i båda källorna; Beowulfsdikten benämner honom Ohthere, och av Snorre kallas han Ottar med tillnamnet Vendelkråka. Dennes historiska existens får därmed anses bevisad, och trots sitt pittoreska namn är Ottar Vendelkråka sålunda den förste svensk som nödvändigtvis måste tas på allvar av den källskriftläsande eftervärlden.

Dikten Beowulf handlar om sagolika bragder som den geatiske hjälten Beowulf utförde mot troll och drakar i Danmark och hemma, och i sagans ram ligger infogade ett antal poetiska notiser om förvecklingar mellan svear och geater. Enligt kvädet begav sig dessas konung Haedcyn och dennes broder Hygelac till svearnas land där de rövade bort drottningen. Sveakonungen Ongentheow lyckades snart slå ihjäl Haedcyn och befria sin gemål men blev i sin tur slagen och dödad av Hygelac och efterträddes då av sin son Ohthere, som regerade fredligt över svearna någon tid. När han dog tillvällade sig hans broder Onela makten på bekostnad av Ohtheres söner Eadgils och Eanmund, som då sökte hjälp hos geaterna mot sin farbror. Geaternas unge konung Heardred tog väl emot dem, och förbittrad häröver drog Onela i krig mot geaterna och lyckades förgöra Heardred och även Eanmund, medan Eadgils klarade sig. Denne allierade sig nu med geaternas nye kung som inte var någon annan än Beowulf, och med förenade krafter angrep dessa Onela, som stupade i striden. Eadgils blev därpå konung över svearna.

Berättelsen om de kämpande svenska och geatiska potentaterna med de konstiga namnen är rätt oklar, och annat är väl inte heller att vänta av en anglosaxisk sagodikt. Det mesta man kan säga om Beowulfkvädet såsom källa för svensk fornhistoria är att det bekräftar från oväntat håll några namn i Snorres kungalängd. Det är en oavgjord patriotisk stridsfråga huruvida geater betyder göter eller jutar, och därvidlag står tro mot tro bland vetenskapsmännen, vilka är de enda som numera intresserar sig för saken. Den ojämförligt mest spännande lektyren i ämnet härrör dock från det götiska partiet, som säger att Beowulfkvädet speglar de strider som slutade med att Västergötland för all framtid gick upp i svearnas välde; detta skedde under loppet av 500-talet e.Kr., och katastrofen för västgötarna inträffade sedan den tappre Beowulf hade gått hädan och kanske blivit gravlagd i Skalunda hög invid Vänern.

Att krig och våldsamma omvälvningar skakade de svenska landskapen under 500-talet är nog ett faktum, hur det än må förhålla sig med Beowulf. Det anses nämligen övertygande framgå av det arkeologiska materialet. Framför allt på Öland, där saken är mest påtaglig, men även i andra trakter av landet har arkeologerna kunnat visa hurusom vid denna tid odlad jord har övergivits och gammal bebyggelse upphört att existera, medan samtidigt nya bygder har brutits och nya byar anlagts på platser där de sedan ofta har hållit sig kvar ända till våra dagar. Denna plötsliga förändring i jordbrukets förhållanden måste väl djupast sett ha haft ekonomiska orsaker, men det är nog ingen slump att från samma tid härstammar de hundratals fornborgarna i Mellansverige, och ungefär samtidiga med dessa är ett antal stormannagravar som vittnar om att mycken makt och härlighet nu var koncentrerad i de uppsvenska bygderna norr om Mälaren. Dit hör de tre kungshögarna över Aun, Egil och Adils i Gamla Uppsala samt den lika magnifika Ottarshögen i Vendel några mil längre åt norr.

Kungshögarna är brandgravar och alltså fattiga på fynd, men i deras omedelbara närhet gravsattes konungarnas hovmän och vasaller, vilka av någon anledning inte brändes utan jordades i sina skepp, följda på färden av sina hästar och hundar, av kittlar och husgeråd, av vapen och dyrbarheter. Den grandiosa samlingen i Statens Historiska Museum av hjälmar, svärd och annat från utgrävningarna i Vendel och Valsgärde illustrerar vältaligt de uppländska aristokraternas myndighet och rikedom under de generationer som närmast följde. Tiden från 500-talets mitt till 700-talets slut kallas av arkeologerna för Vendeltid, och några forskare påstår ivrigt att under dessa århundraden underlade sig svearna inte blott västgötarnas rike och Gotland utan även Danmark och Balticum och inledde därmed sin första storhetstid.

Hjalmar och Ingeborg

Anknytning till potentaterna i Uppsala högar har ett par präktiga berättelser som förr i världen alltid brukade refereras mycket utförligt i svenska historieböcker: sagan om Hjalmar och Ingeborg och sagan om Rolf Krake. Den förstnämnda lokaliseras ibland till kung Aun alias Ane den gamle, vilken i denna saga tycks ha undergått en intressant personlighetsklyvning, ty en annan huvudperson däri är Angantyr, vilket är samma namn som den Ongentheow som i Beowulfskvädets uppsvenska kungalängd har ockuperat Auns plats. Ingeborg, vacker som en dag, var dotter till kung Aun eller Ane, som vid den tid då sagan utspelas tydligen inte hade hunnit bli utgammal än. Vid hans hov i Uppsala vistades en ung man vid namn Hjalmar den hugfulle, som ömt älskade Ingeborg, men kungen sade nej till hans frieri eftersom han inte var någon furstlig person. Hjalmars rykte för mod och tapperhet var emellertid stort och nådde ända till Norge, där en framstående kämpe som hette Orvar Odd fick lust att mäta sina krafter med hans. Orvar Odd seglade därför till Svitjod med fem skepp, och en dag mötte han Hjalmar den hugfulle som rådde över femton skepp men för jämlikhetens skull genast skickade bort tio av dessa, varpå de båda förträffliga männen satte i gång ett häftigt sjöslag som rasade i två dagar med mycken blodvite och många heroiska repliker. Omsider blev det tydligt att de var jämnstarka, och vid denna upptäckt beslöt de omedelbart att ingå fostbrödralag, vilket gick så till att de sårade sig och lät sitt blod flyta samman i mullen under en remsa grästorv som lyftes upp på spjut, varpå grästorvan lades ner över gropen igen under varjehanda löften och besvärjelser. Orvar Odd följde nu Hjalmar till kung Ane i Uppsala. Väl ditkommen upptäckte han genast fosterbroderns böjelse för Ingeborg och erbjöd sig att hjälpa honom att med vapenmakt tilltvinga sig den sköna prinsessan, men Hjalmar avböjde anbudet och teg och led tåligt tills det en dag dök upp en friare som han inte ansåg sig böra träda tillbaka för.

Söderöver på Bolmsö bodde kämpen Arngrim som hade tolv söner vilka alla var framstående bärsärkar och spred respekt och fruktan i hela Norden. Den äldste hette Angantyr och var huvudet högre än de andra, varjämte han innehade det goda svärdet Tirfing som bet på allt och oundvikligen blev någons bane närhelst det drogs ur slidan. En av de yngre i brödrakretsen hette Hjorvard, och en jul då de alla satt hemma och drack hos fader Arngrim och vid bägaren avgav högtidliga löften om kommande bragder utlovade Hjorvard att han skulle äga sveakungens dotter. På vårkanten kom han till Uppsala, åtföljd av alla sina bröder, och framförde sitt frieri, men då steg Hjalmar den hugfulle fram och sade sig vara bättre förtjänt av att få flickan än denne främmande bärsärk. Kung Ane som var rädd för Arngrims söner stod i valet och kvalet och förklarade slutligen att det var omöjligt för honom att välja mellan två så präktiga män; han ville därför låta Ingeborg själv avgöra. Ingeborg valde naturligtvis genast Hjalmar, men Hjorvard blev då ursinnig, utmanade på fläcken sin lycklige rival till holmgång på Samsö och utnämnde honom till var mans niding för det fall att han undandrog sig detta envig.

På utsatt dag kom Hjalmar och Orvar Odd till Samsö och gick strax i land för att leta efter sina motståndare, men till den plats där de lämnar sina skepp anlände under tiden Arngrims söner, som omedelbart överfölls av bärsärkaraseri, bet i sina sköldar, skriade högt och hest och högg in på skeppens besättning som stupade till sista man. När Hjalmar och Orvar Odd återkom blev de helt naturligt förfärade, men Orvar Odd som först hämtade sig från chocken gick strax till skogen och högg sig en försvarlig klubba, varpå fosterbröderna gick att söka upp bärsärkarna. Orvar Odd som ägde en silkesbrynja på vilken inget svärd bet erbjöd sig att möta den väldige Angantyr, men Hjalmar vägrade gå med på detta och gick själv emot denne kämpe och svärdet Tirfing. Orvar Odd tog då itu med Hjorvard och de övriga tio bröderna och expedierade dem alla i rask följd med sin klubba. När han efter lyktad batalj gick att se hur det gått för Hjalmar fann han Angantyr fallen, men på blomsterklädd kulle satt Hjalmar och kvad bland annat:

> Sår har jag sexton
> och sliten brynja.
> Mörkt är mig för ögon.
> Jag mäktar ej gå.

Fortsättningen på Hjalmars dödskväde, som för övrigt är god poesi i sin art, innehåller en maning till vännen att hälsa Ingeborg. Orvar Odd satte nu Arngrims söner och sina egna män i hög på Samsö, varefter han ensam seglade ett av skeppen hem till Svitjod med Hjalmars lik. Med dennes hjälm och brynja i handen trädde han in i kung Anes sal och lämnade Hjalmars ring till Ingeborg, som tigande betraktade den och dignade död ned. Sagan slutar naturligtvis med att de båda älskande lades till vila i varandras armar i en gemensam grav.

Konungarna Egil och Ottar, Anes närmaste efterträdare, upplevde veterligen ingen lika vacker saga i sin regeringstid. Om den förstnämnde av dessa berättar Snorre att han blev driven i landsflykt av en företagsam träl som hette Tunne, och när han slutligen med dansk hjälp hade besegrat denne och återvänt till Uppsala råkade han inom kort bli ihjälstångad av en ilsken offertjur som hade sluppit lös. Om hans son Ottar är underrättelserna ännu magrare, ty om honom berättas hos Snorre bara en tillkonstrad historia som går ut på att förklara tillnamnet Vendelkråka, vilket sätts i samband inte med det uppländska utan med det danska ortsnamnet Vendel.

Den siste av de ifrågavarande Uppsalakonungarna, Adils, figurerar däremot i en viktig bovroll i en av de allra frodigaste bland nordiska fornsagor, den om Rolf Krake.

Rolf Krake, konung av Danmark och bosatt i Lejre på Själland, uppträder i egen person både i Beowulfskvädet, i den isländska litteraturen och naturligtvis hos Saxo. Han var en märklig man redan genom sin härstamning, i det att hans fader även var hans morfar; denne som hette Helge förälskade sig nämligen i en okänd ung kvinna vid namn Yrsa och gjorde henne till sin gemål, men sedan hon hade gett livet åt Rolf upptäcktes det på något vis att hon i själva verket var dotter till Helge efter något snedsprång i hans ungdom. Kontrahenterna skildes då genast, ehuru motvilligt, och efter någon tid tvangs Yrsa att i stället gifta sig med kung Adils i Uppsala, vilken dessutom snart under svekfulla former lyckades ta livet av Helge. Rolf Krake efterträdde då denne som kung i Lejre, där han omgav sig med en samling kämpar som höjde sig avsevärt över medelmåttan. Även Adils höll sig med en sådan manhaftig skara, men Saxo låter förstå att eftersom han personligen inte var lika tapper som danakungen hade han det svårare med rekryteringen.

Huvuddelen av sagan om Rolf Krake är i själva verket en härva av historier om hans kämpar. En av de mera anmärkningsvärda bland dessa handfasta personer var svensk och hette Svipdag, och vid aderton års ålder kom han till Uppsala och erbjöd kung Adils sina tjänster. Kungens bärsärkar blängde surt på honom och gränjade grymligen, som skrifterna uttrycker saken, men Svipdag dräpte lätt den ene bärsärken efter den andre tills kung Adils ingrep och räddade resten av sina män. På inrådan av drottning Yrsa tog han därpå Svipdag i sin tjänst, men dennes förhållande till kungen och hans bärsärkar blev aldrig gott, och efter många bakhåll och mordförsök lämnade han hovet i Uppsala och begav sig i stället till Rolf Krake i Lejre, åtföljd av sina bröder Bejdag och Vitsärk som ävenledes var framstående slagskämpar. Dit anlände dock vid samma tid en om möjligt ännu duktigare karlakarl, och hans namn var Bodvar Bjarke.

Berättelsen om Bodvar Bjarke är alldeles obetalbar sådan den föreligger i Saxos latinska prosareferat av det fornnordiska kvädet Bjarkamal, varav olyckligtvis bara fragment finns i behåll. Bodvar var norrman och lika stark som sin äldre broder Elgfrode, vilken i ungdomen råkade bryta armar och ben av alla sina lekkamrater och därför begav sig till fjälls och blev stigman under förklaring att han inte ville vara tillsammans med slika klena och ömkliga män. Bodvar erbjöds att bli hans kompanjon i röveriet men fann inte denna hantering människovänlig nog, trots att Elgfrode såsom en stor nyhet upplyste att han hade låtit mången värnlös man behålla livet. I stället begav sig Bodvar till Danmark för att söka tjänst hos Rolf Krake. En mörk och regnig kväll kom han till ett litet hus på Själland och fick natthärbärge hos gubben och gumman som bodde där, och när det kom fram att han ämnade sig till Lejre började gumman gråta och jämra sig, ty hon hade en son vid namn Hottur som befann sig på kungsgården, där hans lott var mindre angenäm. Kämparna gjorde nämligen mangrant spe av honom och roade sig vid måltiderna med att kasta de avätna benen på honom, och gumman bad nu sin gäst bevekande att han då han kom till Lejre icke skulle kasta de stora, utan endast de små benen på Hottur, vilket Bodvar Bjarke fann vara en rimlig begäran. Följande morgon anlände han till kungsgården, och efter att ha slagit ihjäl ett par enorma arga hundar med en väldig sten trädde han in i kungssalen, där Rolf Krake förebrådde honom hunddråpet men därpå respektfullt anvisade honom plats vid bordet, där kämparna förfriskade sig med mat och dryck. De kastade därvid avätna ben på varandra, varav stort gny uppkom i hela salen, står det. I ett hörn satt den stackars Hottur, trasig, mager och skälvande, och hade byggt sig ett bröstvärn av benknotor till skydd mot alla nya ben som kom flygande. Bodvar gick dit, sparkade ner hans skyddsmur och lyfte upp Hottur, som skrek förtvivlat och trodde att hans sista stund var kommen. Bodvar tog honom med sig till sin plats vid bordet, där kämparna strax började kasta prick på honom. Så länge det bara var småben som kom fäste Bodvar inget avseende vid saken utan nöjde sig med att skydda Hottur för benregnet, men då en av kämparna tog sig det orådet före att av all sin kraft slunga ett stort höftben mot dem fångade Bodvar benet i flykten och slängde det tillbaka på kastaren, som då föll död ned. Alla kämparna störtade strax upp och ville hämnas, men konung Rolf befallde dem genast att sätta sig igen, sägande att Bodvar endast hade handlat i självförsvar och att detta benkastande på oskyldigt folk var en elak vana hos hovmännen varav konungen hade föga heder. Från den dagen var det slut på detta nöje i Rolf Krakes konungasal. Bodvar tvättade och klädde upp Hottur och uppfostrade honom raskt till en framstående kämpe, och konungen fullbordade metamorfosen genom att döpa om Hottur till Hjalte den skicklige. Allt var nu frid och fröjd någon tid, men när det led mot julen kom kungens bärsärkar en vacker dag hem efter att länge ha varit på vikingafärd. De marscherade fullväpnade omkring i salen och frågade om någon dristade räkna sig jämngod med dem, varvid alla kämparna teg och tittade i bordet. När de kom till Bodvar svarade denne emellertid att han inte blott vore jämngod utan mycket bättre, varpå han slängde den förnämste bärsärken i golvet med stort brak. Kungen avstyrde vidare slagsmål, men ingen gjorde nu Bodvar rangen stridig beträffande placeringen vid bordet på konungens högra sida mitt emot Svipdag, som satt högst vid bordet av kämparna på andra kanten.

Med sina kämpar, som var tolv till antalet, företog Rolf Krake varjehanda krigiska expeditioner och samlade mycken ära, och omsider kände han sig stark nog att bege sig till Sverige för att utkräva sitt fädernearv, som kung Adils hade lagt beslag på. Efter en äventyrlig färd anlände skaran till Uppsala och klev in i konungasalen med Svipdag i spetsen, ty denne kände alla de falluckor och försåt som den lömske Adils låtit inrätta. Denne kände igen Svipdag och hälsade honom och hans följeslagare välkomna, men samtidigt gav han ett tecken, varvid en svärm beväpnade män som stått och lurat bakom de vävda tapeterna rusade fram och anföll kämparna, vilka emellertid var på sin vakt och klöv angriparna med sina hiskliga hugg. Adils låtsades då vara förtörnad på sina män och lät förstå att de hade fått sitt rättvisa straff, men samtidigt planerade han naturligtvis nya illdåd, begagnande sig av lönngångar och ihåliga sängstolpar med titthål och varjehanda andra listiga anordningar i sitt hus. Drottning Yrsa hjälpte emellertid sin son och hans män att undgå alla onda anslag och förde dem slutligen till ett härbärge i vilket det inte fanns något svek. Under nattens lopp tände Adils folk eld på huset ifråga, men kämparna lät sig inte innebrännas utan bröt sig ut rakt genom timmerväggen och högg ner svearna kring huset. Drottning Yrsa kom nu tillstädes, beklagade att de blivit mindre väl undfägnade och manade dem att ge sig av från Uppsala, ty kung Adils var för ögonblicket i färd med att samla en stor här från hela riket. I stället för fädernearvet bad hon Rolf ta emot ett stort silverhorn som hon hade fyllt med dyrbarheter, däribland ringen Sveagris som var den största klenod kung Adils ägde. Rolf Krake och hans kämpar lydde rådet, steg till häst och begav sig omedelbart iväg, men det dröjde inte länge förrän de hörde ljudet av galopperande hovar bakom sig på Fyrisvall, och när de såg sig om upptäckte de en tallös armé som närmade sig i sporrsträck. Rolf Krake tog då upp silverhornet och började strö ut dyrbarheterna framför de förföljande, som inte kunde låta bli att stanna och plocka upp dem. Adils ropade åt sina män att låta guldet ligga, red vidare i spetsen för sin här och var nära att hinna upp Rolf, men denne kastade då ut ringen Sveagris, en frestelse som Adils inte kunde motstå. Han böjde sig ner över hästryggen och försökte ta upp ringen på sitt spjut, varvid Rolf passade på att under ett par hånfulla repliker ge honom ett hugg i baken och därpå själv tog upp ringen Sveagris. Svearna fick nu fullt upp att göra med att ta hand om den blödande Adils, och Rolf Krake och hans kämpar fortsatte ohejdade sin ritt åt söder över Fyrisvall och tog sig oskadda hem till Danmark igen.

Rolf Krakes saga är inte slut med detta, men fortsättningen har ännu mindre än början med Sveriges historia att göra.

Ingjald Illråde

Konung Adils, säger Snorre, slutade sitt liv genom att ramla av hästen och slå huvudet mot en sten då han en gång red omkring tempelsalen i Uppsala vid en fest som kallades disarblotet. Hans efterträdare hette Östen och blev överrumplad och dödad av en främmande sjökonung vid namn Solve, som gjorde sig till herre över svearna och regerade länge, men till sist blev han i alla fall dräpt till förmån för Östens son Ingvar, som företog en krigisk expedition till Estland där han stupade. Konung i Svitjod blev då hans son Anund, en fredlig person som ivrigt röjde skog och drog fram vägar och därför blev kallad Bröt-Anund, och denne efterträddes i sin tur av sin son Ingjald, bättre känd för eftervärlden som Ingjald Illråde.

Sagan om Ingjald Illråde är historien om de uppsvenska landskapens förening till ett rike, en gärning som har inbragt sin upphovsman mycket dåligt rykte inför den otacksamma eftervärlden, som rentav tvivlar på Ingjalds existens. Enda källan till kännedom om honom är nämligen Snorres berättelse, som verkligen inte låter som vetenskaplig historia. Bröt-Anund, säger Snorre, regerade närmast i Tiundaland, medan angränsande trakter styrdes av småkonungar som dock var beroende av honom. En sådan vid namn Ingvar härskade i Fjärdhundra, och en dag kom han och hälsade på hos Bröt-Anund i Uppsala och hade då med sig sin sexårige son Alf som var jämnårig med Ingjald. Pojkarna lekte på gossars vis, och därvid visade det sig att Alf var starkast och kunde klå Ingjald så att han grät. Dennes fosterfar Svipdag blinde tyckte att detta var stor synd och skam, varför han lät steka ett varghjärta på spett och gav det åt Ingjald, som blev varaktigt grym och illasinnad av denna diet.

En höst sedan Ingjald blivit vuxen omkom Bröt-Anund under en av sina resor i riket, och Ingjald efterträdde honom som konung i Uppsala. Hans första åliggande var då att ordna gravöl efter sin far, och till den ändan lät han bygga en ny stor gästabudshall med sju högsäten, varpå han sände ut inbjudningar över hela Svitjod och bjöd alla konungar och jarlar till gravölet. Utom den nyssnämnde kung Ingvar och hans söner anlände då kung Algot från Götaland, kung Sporsnjall från Närke och kung Sigverk från Attundaland; kungen av Södermanland som hette Granmar kom däremot inte. Under det högtidliga kalaset avlade kung Ingjald ett så kallat Bragelöfte som säkert väckte gästernas förvåning, nämligen att öka sitt rike till det dubbla åt alla väderstreck. Kort därefter lät han sätta eld på gästabudssalen och bränna alla de andra konungarna inne, varefter han slog under sig deras riken. Med kung Granmar i Södermanland förde han sedan krig med växlande lycka, tills han omsider lyckades överrumpla och innebränna även denne, vilket skedde på Sela-ön i Mälaren.

Ingjald Illråde hade två barn, nämligen en son som hette Olof och en dotter vid namn Åsa. Den sistnämnda blev bortgift med kung Gudröd i Skåne, där hon strax vållade stor olycka i familjen, ty hon förmådde först sin gemål att slå ihjäl sin broder Halvdan och tog därpå livet av honom själv. Halvdan hade emellertid en son som hette Ivar, och denne grep genast makten i landet Skåne varefter han samlade en stor här och drog norrut för att tukta Åsa, som efter sina illdåd hade rest att besöka sin likasinnade fader. Ingjald och Åsa, som insåg att de inte skulle kunna hålla stånd mot Ivars överlägsna styrkor, lät i desperation tända eld på den gård där de för tillfället vistades och omkom själva i lågorna. Ingjalds son flydde däremot västerut och kom till Värmland, där han fällde skog och röjde mark med sådan energi att han fick heta Olof Trätälja, men när det trots alla hans bemödanden blev ont om maten i Värmland offrades han av sina undersåtar åt Oden, ty de ansåg att han hade blotat alldeles för dåligt.

Med Ingjald Illråde var det slut på Ynglingaättens välde bland svearna. Den skånske Ivar som nu tog makten i Uppsala lade under sig icke blott hela Svea rike utan även Danaväldet, de baltiska länderna, en del av Saxland och en femtedel av England, säger Snorre. Han kallades därför Ivar Vidfamne.

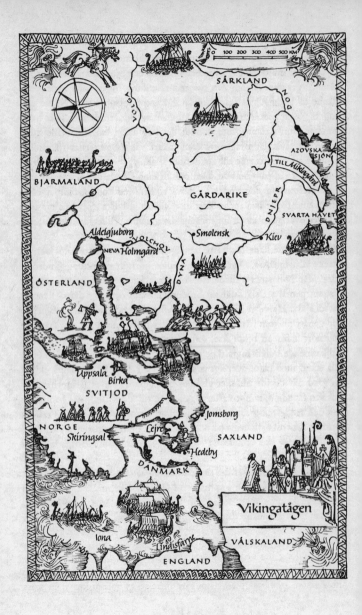

SÅRKLAND

BJARMALAND

GÅRDARIKE

AZOVSKA
SJÖN

TILL *Miklagård*

Aldeigjuborg

VOLCHOV

Smolensk

SVARTA HAVET

NEVA Holmgård

Kiev

ÖSTERLAND

DNJEPR

DYNA

Uppsala Birka

SVITJOD

Jomsborg

NORGE

Lejre

SAXLAND

Skiringsal

Hedeby

DANMARK

Vikingatågen

Iona

VÅLSKALAND

Lindisfarne

ENGLAND

Vikingatiden

Ivar Vidfamnes historiska verklighet är inte att lita på, men en del arkeologiska upptäckter som gjorts i vårt århundrade anses tyda på att ett skandinaviskt storvälde faktiskt kan ha ägt bestånd vid ungefär den tid då han eventuellt skulle ha regerat, nämligen senare hälften av 600-talet. På några ställen innanför baltiska kusten har man funnit lämningar av befästa orter som sägs ha varit otvivelaktigt svenska, och i England vid en plats som heter Sutton Hoo har man hittat en magnifik båtgrav från samma tid med vapen som obestridligen är av skandinavisk typ, hur nu detta bör tydas. Professor Birger Nerman som har grävt ut de förstnämnda av dessa fornfynd tvekar på tal därom inte att säga att Ivar Vidfamnes bedrifter nog var upptakten till den nordiska vikingatidens erövringståg i österled och västerled.

Med vikingatiden förstår man normalt tiden från ungefär år 800 till 1050 e.Kr., alltså ett skede på ett kvarts årtusende. Arkeologerna har konstaterat att det för nordens del var en tid av starkt materiellt uppsving då ett antal handelsstäder blomstrade upp på olika håll, exempelvis Skiringsal eller Kaupang vid Oslofjorden, Birka i Mälaren och Hedeby vid Slesvig på Jylland. Utrikeshandeln var livlig på dessa orter, om vilka man vet att de flitigt besöktes av främmande köpmansskepp. Fastställt är vidare att järnhanteringen och järnexporten från Småland, Västmanland och andra myrmalmsproducerande landskap tog fart under vikingatiden, vars blotta namn emellertid vittnar om att man då även hade andra, mera romantiska inkomstkällor.

Ordet viking är av omstridd härstamning. Somliga har sagt att det ursprungligen bör ha betytt person från Viken, det vill säga från trakterna på ömse sidor om Oslofjorden, inklusive det numera svenska Bohuslän. Andra har menat att ordet kan ha haft att göra med verbet vika i betydelsen avvika och alltså skulle beteckna folk som gett sig iväg hemifrån. Ytterligare andra har gjort gällande att ordet nog är av främmande ursprung och avlett av den anglosaxiska glosan wic, som betyder härläger. Ehuru de lärde således inte har kunnat enas om vad som egentligen menas med viking har ordet inte desto mindre vunnit internationell spridning. Vikingatiden är i själva verket den enda epok i de nordiska folkens historia som omfattas med nämnvärt intresse av människor i de stora kulturländerna, något som för övrigt är rätt naturligt, ty i ingen annan epok har nordborna ingripit tillnärmelsevis lika djupt i den europeiska storpolitiken som då.

Vikingafärdernas förutsättning är skeppsbyggeriet, där nordiska varv intog en ledande ställning genom flera mansåldrar; det bevisas bland annat av att nordiska sjötermer lånades in i åtskilliga språk då. Fartygstypen är ju välkänd i sina huvuddrag, framför allt genom fynden av några sällsynt välbevarade praktskepp i gravar i Norge. Av de större havsgående skeppen finns inga exemplar i behåll, men genom litteraturen vet man ungefär huru de tog sig ut. De var klinkbyggda, halvdäckade båtar med höga stävar, ända till trettio par åror och en enda mast med ett stort råsegel att länsa med. I medvind gjorde de betydande fart; från Danmark till England gick det sålunda på tre dagar, och från Norge till Island tog färden i bästa fall tre och ett halvt dygn. Framför allt om resor på den sistnämnda sträckan finns många notiser i behåll; unga islänningar tycks ha korsat Atlanten rutinmässigt mest varje sommar.

Island upptäcktes i mitten av 800-talet av en norrman som hette Naddod och en svensk vid namn Gardar Svavarsson. Ön bebyggdes därpå i snabb takt av norska invandrare, företrädesvis aristokrater som emigrerade från Norge när konung Harald Hårfager enade detta land under sin spira och gjorde sig till ensam herre där genom att besegra alla konkurrerande småkonungar i ett stort sjöslag vid Hafrsfjord år 872. Om öns första bebyggare är vi väl underrättade genom de isländska ättesagorna, en underbar lektyr till vilken nordisk berättarkonst knappast har något motstycke i senare sekler. Där förtäljs också om isländningarnas vidare färder åt väster och norr, varvid de befolkade Grönland och även träffade på den amerikanska kontinenten, döpt till Vinland det goda av sin upptäckare, som hette Leif Eriksson.

När Island upptäcktes hade nordiska skepp seglat i västervåg jämförelsevis länge, och det är sannolikt att de första färderna till den nordliga ön inte utgick direkt från Skandinavien utan från de brittiska öarna, dit vikingarna tidigt hade funnit vägen. En vacker junidag år 793 gick munkarna i det stora och rika klostret Lindisfarne och skördade sitt hö då de fick se några fartyg av främmande utseende komma seglande ute på Nordsjön mot den lilla engelska ö där klostret var beläget. Nyfikna lämnade de sitt arbete och gick ner till stranden för att se vad det var för folk som kom. En beväpnad skara strömmade i land från skeppen och krävde byte, och då munkarna helt naturligt gjorde svårigheter blev de nedhuggna till större delen. Klostret plundrades och förstördes i grund, och de få munkar som överlevde dagen släpades bort i träldom på skeppen som utan dröjsmål stack till sjöss igen.

Skövlingen av Lindisfarne väckte stor uppståndelse i England, ty klostret var vida berömt; det var sålunda biskopssäte och även säte för en handskriftsskola vars mycket sköna alster kan beses i British Museum av bokälskare än i dag. Ryktet om händelsen nådde snart även den frankiske konungen Karl den store, vid vars hov man till en början vägrade att sätta tro till uppgifterna. Kejsaren själv måtte emellertid snart ha fått saken bekräftad, ty år 800 reste han i egen person längs Frankrikes kust för att organisera ett lantförsvar och en flotta. Det dröjde dock åtskilliga år innan nordiska skepp visade sig där. Även Englands ostkust som hade fått ta emot första stöten fick därefter vara i fred en tid, och vikingarnas aktivitet riktades i det följande mest mot kusterna av Irländska sjön och mot öarna i Nordatlanten, där Orkney-öarna och Färöarna koloniserades av invandrare från Norge. Ar 802 plundrades det berömda klostret Iona utanför Skottland, och därpå satte sig nordiska skaror fast på ön Man och på Irland, där det efterhand växte upp flera nordiska småriken. Efter de första lyckade kupperna antog vikingarnas framfart nämligen snart en annan, mera målmedveten karaktär. De nöjde sig inte längre med snabba strandhugg utan upprättade fasta stödjepunkter i de härjade länderna och ordnade befästa härläger där de kunde övervintra.

Vikingarna på Seine

De ansträngningar som givetvis gjordes att bygga upp ett kustvärn mot deras framfart ledde endast till att sjörövarhövdingarna slog sina styrkor ihop till flottor på flera hundra skepp, och gentemot så stora förband stod de angripna länderna rätt maktlösa. När Karl den store dog år 814 försvann efterhand vikingarnas respekt även för det väldiga frankiska kejsardömet, som under hans son och efterträdare Ludvig den fromme försvagades av inre slitningar och slutligen delades mellan dennes tre söner. Västra tredjedelen därav, som omfattade ungefär det nuvarande Frankrike och tillföll en svag potentat vilken gått till historien under namnet Karl den skallige, var alltifrån 840-talet utsatt för ständiga härjningar av vikingaflottor som icke blott plundrade dess kuster utan även trängde upp i inlandet genom de franska floderna, som alla är segelbara, i varje fall under våren. År 845 gick hundratjugo skepp under befäl av ingen mindre än den namnkunnige vikingen Ragnar Lodbrok uppför Seine från Rouen mot Paris, som visserligen inte ännu hade hunnit stadga sin ställning som fransk huvudstad men dock var en betydande ort och dessutom hade ett strategiskt läge på sin befästa ö i floden nära föreningen av ett flertal farbara vattenvägar. Karl den skallige gömde sig vid deras ankomst i klostret S:t Denis under åkallan och böner till den helige S:t Germain alias sankt Germanus, men då ingen hjälp kom från det hållet fann han rådligt att erbjuda vikingarna sjutusen pund silver för att de skulle häva belägringen av Paris och avtåga. Summan var oerhörd och Ragnar Lodbrok gick med på anbudet och gav sig avtalsenligt iväg, men ryktet om den lättförtjänta lösepenningen lockade snart andra vikingaflottor att komma samma väg. En sådan expedition passerade på 850-talet förbi Paris genom att helt enkelt dra fartygen ett stycke över land och härjade sedan ostört i Bourgogne varifrån den återvände till kusten på samma behändiga sätt våren därpå. Andra vikingahorder gick uppför Loire där de hemsökte Tours och Blois, som redan var rätt ansenliga orter, och längs kusten fortsatte de vidare söderut mot städerna Bordeaux och Toulouse vid Garonne och mot Spanien, där deras besök dock torde ha varit mycket efemära. Det är av intresse att vikingarnas räder i Frankrike gärna ägde rum vid tiden för vinskörden; vinet var uppenbarligen en icke oviktig drivfjäder till deras bragder.

Omätlig betydelse för framtidens europeiska historia fick en expedition som en vikingahövding vid namn Rollo inledde i landet kring Seine under 800-talets sista årtionde. Härskare i Frankrike var vid den tiden

Karl den skalliges sonson Karl den enfaldige, men han låg i fejd med en annan potentat och kom då på idén att alliera sig med de främmande inkräktarna mot denne. Han gav dem därför landskapet kring nedre Seine, som låg tämligen folktomt efter de ständiga striderna, mot att de lät döpa sig och erkände hans överhöghet. På det sättet tillkom hertigdömet Normandie, som grundades år 911 med Rollo som regerande hertig. Enligt en normandisk krönikör som hette Dudo var denne dansk till börden, men Snorre gör gällande att han var jarlason från Norge och egentligen hette Rolf, kallad Gånge-Rolf därför att han var så stor och tung att

ingen häst orkade bära honom. Uppgift står alltså mot uppgift, och frågan om Rollos nationalitet har i vårt århundrade varit ett dansk-norskt tvistefrö utan hinder av att den nyvordne hertigen enligt samstämmiga vittnesbörd var en stor grobian. Enligt det övliga ceremonielet skulle han ha kysst konungens fot vid installationen i sin hertigliga värdighet men överlät detta åt en av sina officerare, som i stället för att ödmjukt böja sig ned inför monarken fattade tag i den kungliga foten och hastigt lyfte upp den till sina läppar med resultat att både kungen och tronen ramlade överända under vikingarnas flin och fnissande. Inte desto mindre gav kungen sin nye vasall sin dotter Gisela till äkta, men den stackars flickan dog snart av skrämsel när hennes storvuxne gemål lät halshugga ett par hovmän som kom till henne med något bud från hennes far. Han hade fått för sig att de var spioner.

De normandiska vikingarna förfranskades snart, och det enda bestående vittnesbördet om deras ursprung är en serie ortnamn som verkar skånska i fransk kapprock. Åtskilliga platser i Normandie bär nämligen namn som slutar på -lond, och det påstås att stadsnamnet Yvetot måste vara identiskt med Ivetofta och att Tocqueville betyder Tokaby. Att namn som Dalbec och Bourguebu måste vara av nordisk härstamning kan inte heller betvivlas; det sistnämnda är ju helt enkelt en fransk stavning av Borgeby.

Personer från dessa och andra orter bevarade sitt vikingalynne genom åtskilliga generationer. 1066 erövrade de England, och i skepnad av kristna riddare satte de sig vidare i besittning av Syditalien och spelade en förgrundsroll under första korståget. Den stat de grundade i Neapel och på Sicilien stod sig faktiskt genom århundradena ända till 1860-talet, då det moderna Italien kom till. Huruvida någon nordisk vikingaflotta någonsin lyckades ta sig in i Medelhavet genom det av morerna bevakade Gibraltar sund kan däremot vara tvivel underkastat, ehuru detta ofta har påståtts. Misstänkt novellartad verkar sålunda den berömda historien om vikingakonungen Hasting som intog den italienska staden Luna i tro att det var själva Rom; när han inte ansåg sig stark nog att forcera den befästa stadens murar lät han sprida ut ett rykte att han var döende och trängtade till en kristlig begravning, och följande dag fördes det förmenta liket i högtidlig procession från flottan till stadens förnämsta kyrka, där Hasting plötsligt sprang upp ur sin kista och gav signalen till allmänt blodbad genom att hugga ner stadens biskop just som denne beredde sig att förrätta jordfästningen. Hela berättelsen härstammar från Dudos normandiska krönika som även har annat att förtälja om den mäktige vikingen Hasting, men denne är helt okänd i de nordiska källorna.

På säkrare grund står kunskapen om vikingarnas bravader på de brittiska öarna. De första företagen åt detta håll hade utgått från Norge, och sjörövarhövdingar därifrån inrättade sig på Irland som småkonungar i Dublin, Wicklow, Waterford och annorstädes. Deras historia erbjuder en förvirrad anblick och ett invecklat virrvarr av strider inte blott mot de inhemska smårikena utan även mellan inkräktarna inbördes, men deras välden bestod länge. Viktigare för eftervärlden är dock vikingarnas framfart i det egentliga England, dit nordiska flottor i sinom tid anlände även söderifrån sedan de hade fått fast fot på de kontinentala kusterna av Kanalen. Mot slutet av 800-talet lyckades en hövding som hette Gudrum eller Guttorm upprätta en fullt självständig stat i nordöstra delen av landet; området kallades Danelagen, och mängder av nordbor bosatte sig där, vilket namnskicket i dessa trakter än i dag bär vittne om. England undgick därefter nordiska invasioner under nära ett århundrade. På 990-talet kom emellertid plötsligt en vikingaflotta på bortåt hundra skepp seglande uppför Themsen under befäl av en hövding som hette Olav Tryggvason, norrman till börden men uppvuxen i det nordiska land som kallades Gårdarike och numera är rysk mark. Olav Tryggvason införde en ny form av vikingaverksamhet i England, nämligen brandskattning. Han pressade att börja med ut tiotusen pund silver åt sig och sina män för att de skulle låta bli att härja, och under de följande åren kom han med nya anspråk, varvid summorna oavlåtligt växte. Skatterna ifråga kallades danagälder men gick uppenbarligen inte blott till danskar, ty runstenar lite varstans i Skandinavien berättar om män som varit med och fått del av dessa pengar. Mer än trettiotusen anglosaxiska mynt från denna tid har hittats i svensk jord, medan ett par tusen har blivit funna i Norge och ungefär fyratusen i Danmark.

Olav Tryggvasons engelske härnadståg följdes inom kort av ett ännu mera omfattande och målmedvetet företag, i det att den danske konungen Sven Tveskägg seglade till England med en stor flotta och regelrätt erövrade landet. Det skedde år 1013. Han och hans efterkommande regerade därefter några årtionden över England tills hans ätt utslocknade och de förfranskade normanderna i sin tur kom och övertog väldet genom att vinna det ryktbara slaget vid Hastings år 1066. Vikingatiden i västervåg var därmed till ända.

Beträffande vikingarnas färder i österled är kunskapen magrare, men att deras aktivitet var livlig även i detta väderstreck är alldeles tydligt. På Gotland och Öland och i Mälarlandskapen har man under årens lopp hittat bortåt fyrtiotusen arabiska mynt – förr brukade de kallas kufiska mynt efter den mesopotamiska staden Kufa där de oftast var präglade – och denna österländska valuta härrör huvudsakligen från 800- och 900-talen. Vid denna tid regerade kaliferna i Bagdad över ett välde som sträckte sig från Gibraltar sund till Indiens gränser. Harun al Raschid, som uppträder i Tusen och en natt såsom alla rättrognas härskare, levde till år 809, och ehuru det ofantliga riket under hans sista år började falla sönder behärskade hans arvtagare i stort sett handelsvägarna över Medelhavet under ytterligare något århundrade. En annan väg till orienten gick emellertid genom det nuvarande Ryssland, som då beboddes av en mängd folkstammar utan inbördes sammanhållning. Norr om Kaspiska havet hade ett turkiskt folk som kallades kazarer bildat ett betydande rike kring Volgas nedre lopp; de hade antagit den judiska religionen men stod dock under inflytande av arabisk eller persisk kultur. Det byzantinska kejsardömet i Mindre Asien och på Balkan, vilket hade varit nära att duka under vid Islams anstorm på 700-talet, höll nu på att repa sig igen och underhöll vänskapliga förbindelser med kazarerna. Floddalarna norr och väster om dessas välde beboddes av svagt organiserade, politiskt outvecklade nationer som talade slaviska eller finsk-ugriska språk.

Förhållandena i Östeuropa var alltså rätt egenartade, och nordiska vikingars framfart åt detta håll måste med nödvändighet få annan karaktär än härjningstågen mot England och Frankrike. Huvudkällan till kunskap om deras förehavanden i österled är en krönika av en rysk munk som hette Nestor och levde i Kiev på 1100-talet. Dess innehåll är sensationellt, ty Nestor tillskriver de nordiska främlingarna äran av ingenting mindre än grundläggningen av ryska riket, och i vårt land har nästan alla forskare varit eniga om att det också förhöll sig så; ryska historieskrivare är vanligen av annan mening. Oomtvistligt är i varje fall att Nestorskrönikan är en läsvärd och spännande skrift, ty den är full av anekdoter och berättar medryckande om vildsinta krigare som inrättade sig som storfurstar och företog anmärkningsvärda ting såsom hövdingar över främmande stammar med pittoreska namn.

Är 852, säger Nestor, fick man i hans hemtrakter höra talas om landet Rus för första gången, ty personer från Rus kom till Konstantinopel det året. Sju år senare kom det varjager över Östersjön och utkrävde skatt av slaverna och annat folk. De blev snart fördrivna, men anarki rådde bland de befriade stammarna som därför kom överens om att söka sig en furste utifrån. "Och de begåvo sig över havet till varjagerna, till ruserna. Ty dessa varjager kallas ruser, liksom andra kallas svear. En del åter benämnas norrmanner, anglianer, andra goter. Så ha även dessa sitt namn.

Tjuderna, slaverna, krivitjerna och veserna sade till ruserna: 'Vårt land är stort och fruktbart, men där saknas ordning. Kommen och regeren och härsken över oss!'

Man utvalde tre bröder med deras följen, och de togo alla ruserna med sig och kommo. Den äldste brodern, Rurik, slog sig ned i Novgorod, den andre, Sineus, i Béloozero och den tredje, Truvor, i Izborsk.

Det är efter dessa varjager som novgorodernas land blivit rusernas land."

Nestorskrönikan förtäljer vidare att Rurik snart blev ensam härskare; hans bröder dog nämligen inom kort. Vid hans hov i Novgorod fanns två män som hette Askold och Dir och som fick hans tillstånd att resa till Konstantinopel, och på vägen dit längs Dnjepr kom de till staden Kiev, där de på något sätt gjorde sig till herrar. Därifrån gjorde de ett rövartåg mot Konstantinopel, men något årtionde senare överrumplades och dödades de av en vikingahövding vid namn Oleg, vilken regerade i Novgorod som förmyndare för Ruriks son Igor, ty Rurik själv var nu död. Oleg slog sig ned som furste i Kiev och lade under sig en mängd kringboende länder och stammar. I sinom tid övertog Igor regeringen och utvidgade väldet ytterligare; han tågade dessutom med en stor här mot Konstantinopel vilket ledde till ett slags handelsavtal med grekerna.

Nestorskrönikans detaljuppgifter bör förvisso tas med en nypa salt; att Rurik och hans bröder formligen inkallades att komma och upprätta välden i Ryssland är exempelvis inte rimligt. Att de påstådda furstarna av Novgorod och Kiev måste härstamma från Skandinavien kan emellertid knappast betvivlas. Namnen Rurik, Oleg och Igor är blott förryskade former av de fornnordiska namnen Rörek, Helge och Ingvar; och ett par fredstraktater som krönikan meddelar in extenso är undertecknade med bland annat namn som Sven, Gunnar, Tord, Ulf, Karl, Anund och Roald, visserligen stundom lite konstigt stavade. Osäkrare är hur det egentligen förhåller sig med folkstammen rus som skulle ha gett namn åt Ryssland och ryssarna. I Sverige har man av gammalt sammanställt det med Roslagen, varifrån rus alltså skulle vara komna, och man har ofta påpekat att ordet kan ha samband med Ruotsi, som är finnarnas namn på Sverige.[1]

Folknamnet varjager, varmed Nestor tycks beteckna skandinaver i allmänhet, är helt visst identiskt med det nordiska ordet väringar, som framför allt brukar användas om kejserliga livgardister i Konstantinopel. De isländska sagorna, som kallar staden för Miklagård, innehåller spridda notiser om folk som tagit värvning där, och väringagardet omtalas naturligtvis också i byzantinska källor, där man kan inhämta att kåren omfattade femhundra man vilkas befälhavare bar titeln akolouthos, följeslagare, och hade till uppgift att ständigt följa kejsaren vart han gick. Väringarna höll vakt i kejserliga palatset och stod på post vid dess portar i en uniform som grekerna fann skräckinjagande. De hade nämligen långt utslaget hår, drakslingor på skjortan, en rubin i ena örat och på axeln en tveeggad yxa av ansenliga mått. Gardet ägde bestånd genom hela medeltiden, men alltifrån 1100-talet rekryterades det inte längre av nordbor utan av folk från Västeuropa, mest engelsmän.

En av de kejsare som lät sig vaktas av ryska och nordiska väringar hette Konstantin VII Porfyrogennetos och regerade i början av 900-talet, alltså under den verkliga vikingatiden. Han var en skrivande man och har bland annat efterlämnat ett kapitel om rusernas färdeväg till Konstantinopel längs Dnjepr, som var en besvärlig flod att segla på, ty

[1] Se också s. 20, andra fotnoten.

i dess nedre lopp fanns en rad forsar som utförligt beskrivs. Han räknar dessutom upp namnen på dem både på slaviska och på ryska, och med det sistnämnda menar han tydligen fornsvenska, ty forsarna bär namn som nog är nordiska från början. Bortsett från forsarna utgjorde Dnjepr en ganska bekväm vattenväg på större delen av sträckan mellan Östersjön och Svarta havet, ty till denna flod hade man inte långt från övre Dyna, som rinner mot Rigabukten, och till Volchov som utmynnar i Ladoga. Landhöjderna mellan dessa floder är rätt låga, och de sträckor fartygen måste släpas över land var jämförelsevis korta.

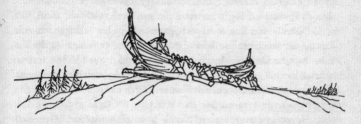

Från Novgorod som låg vid Volchov var vägen kort även till Volgas väldiga vattensystem, som ledde till kazarernas och de mohammedanska turkfolkens länder. Att den nordiska handeln med dessa var livlig bevisas klarligen av myntfynden i Sveriges jord, och man vet också vad det var för varor som nordborna hade att sälja: pälsverk, honung och framför allt slavar. Uppgifterna härom härrör från arabiska skribenter som mött de varjagiska expeditionerna i trakterna nedåt Kaspiska havet, och deras omdömen om de långväga handelsmännen är i stort sett inte smickrande. "De äro de osnyggaste människor Allah har skapat", säger Ibn Fadhlan, som i början av 900-talet var ambassadör från kalifen i Bagdad hos stammarna vid nedre Volga, och han är inte den ende som säger så. Ibn Fadhlan berättar också hur nordmännen bygger sig trähus på flodstranden där de utställer sina slavinnor och tar emot kunderna under hejdlösa orgier. Det märkligaste avsnittet av hans skildring handlar emellertid om en nordisk hövdings begravning som denne kultiverade arab själv fick bevittna, ett barbariskt skådespel som han betraktar ungefär som en europeisk forskningsresande torde bese huvudjägarnas riter och ceremonier i det inre av Borneo. Han förtäljer hur den dödes skepp drogs upp på land och omgavs med människolika träbeläten, varpå det svartnade liket kläddes i praktfulla kläder och placerades i sittande ställning på skeppet, omgivet av dryckeskärl, olika maträtter, en harpa och annat. En hund klövs i två delar och kastades upp till den döde; vidare nedhöggs två hästar, två oxar, en tupp och en höna och slängdes dit. Slutligen offrade man en kvinna som hade invigt sig till att följa den döde på färden; omtöcknad av en berusande dryck och fast-hållen av fyra män slaktades hon med kniv av en gammal käring medan krigarna slog på sina sköldar för att överrösta hennes skrik. Därpå tände man eld på skeppet med allt vad däri var, och efter en timme återstod endast en askhög, varöver man skottade upp jorden till en rund kulle.

Ibn Fadhlans skildring stämmer i allo med vad man från annat håll vet om nordbornas gravseder och gravskick under vikingatiden och tidigare; det skådespel han beskriver på stranden av Volga kunde lika väl ha utspelats vid Uppsala högar. Några vikingagravar i Volgas trakter har arkeologerna emellertid veterligen inte hittat än; området lär inte ha undersökts närmare ur denna synpunkt. Däremot finns en synnerligen rik fyndmassa av rent nordisk karaktär från trakterna sydost om La-doga, där en omfattande skandinavisk bosättning förekom. Den här-stammar mest från 800- och 900-talen, medan fyndskikten från 1000-talet och följande århundraden innehåller uteslutande föremål av rent rysk typ. Detta innebär utan tvivel att vid den tiden hade de inflyttade vikingasläkterna hunnit helt förryskas. Man kan utläsa samma sak ur Nestorskrönikan, där de nordiska namnen i den kievska kungafamiljen försvinner efter ett par generationer. Igors drottning som tog makten i landet efter hans död hette Olga, vilket motsvarar vårt Helga, men deras son och efterträdare hette Svjatoslav, och dennes efterkommande bar namn som Jaropolk, Vladimir, Jaroslav, Svjatopolk, Mstislav, Izjaslav, Vsevolod. Vikingatiden var över även i öster.

Många svenska runstenar berättar om män som gjort vikingafärder till fjärran kuster, men om de politiska förhållandena hemma i Sverige på deras tid vet man praktiskt taget ingenting. Det är sålunda en öppen fråga om de vidlyftiga nordiska ingripandena på andra sidan Östersjön var privatföretag eller statliga svenska aktioner av samma slag som de danska kungarnas invasioner i England. Vikingatidens svenska konungar är okända till och med till namnet, ty någon svensk krönika om dem finns inte bevarad, och de utländska källornas uppgifter är motsägande och förvirrade. Underhållande är de emellertid.

Källskrifterna ifråga är Saxos danska historia och ett antal isländska sagor, främst den innehållsrika Hervararsagan och ett fragment som även hos oss brukar omtalas under sitt isländska namn Sogubrot, det vill säga Sagobrottstycket. Deras berättelser kretsar framför allt kring två händelsekomplex som snarare tillhör skönlitteraturen än historien, nämligen Bråvalla slag och Ragnar Lodbroks bravader. Sogubrot börjar med några rövarhistorier om Ivar Vidfamne, som inte hade någon son men däremot en dotter vid namn Aud alias Öda den djupöda, vilket lär betyda den bottenrika. Hon blev bortgift med en själländsk hövding som hette Rörek fast hon hellre hade velat ha hans bror Helge den vasse. Ivar Vidfamne som var en lömsk person intalade falskeligen Rörek att Öda bedrog honom med Helge, vilket hade den avsedda följden att Rörek stack ner sin tappre bror, varefter det var en smal sak för den onde svärfadern att anfalla och förgöra även Rörek. Öda flydde till Ryssland med sin lille son Harald, som kallades Hildetand av osäker anledning; det har påståtts att han hade gula, ovanligt stora framtänder, men språkmännen säger att Hildetand kan härledas ur hilldur som betyder krig och att namnet alltså skulle kunna hänsyfta på pojkens krigiska egenskaper. I Ryssland gifte Öda om sig med en kung som hette Radbjart och fick med honom en son vid namn Randver.

Ivar Vidfamne var nu gammal, men det hindrade inte att han drog i härnad mot kung Radbjart, harmsen över att denne hade äktat Öda utan att fråga honom om lov. En natt när han med sin flotta låg för ankar i Finska viken drömde han emellertid en underlig dröm och begärde att få den uttydd av sin fosterfader Horder, som alltså måtte ha deltagit i expeditionen ehuru han bör ha varit urgammal. Horder som vid tillfället stod på en klippa på stranden lät förstå att drömmen nog betydde att det snart skulle vara slut på Ivar och hans ogärningar, och kungen blev då så vred att han hoppade överbord, varvid även hans förargade fosterfar störtade sig i havet och försvann. Den svenskdanska konungatronen var därmed ledig, och med sin ryske styvfars hjälp begav sig Harald Hildetand genast till Skåne och lade därifrån under sig hela det stora riket. Sin halvbror Randver satte han till lydkonung över svearna i Uppsala, och då denne i sinom tid omkom under ett härnadståg till England efterträddes han av sin son Sigurd Ring, som således var brorson till Harald Hildetand.

Fortsättningen på de här novellerna är historien om det hiskliga Bråvalla slag. Den saftigaste skildringen av den bataljen finns nog hos Saxo, som framställer det hela närmast som ett slags idrottstävling. Harald Hildetand, säger han, styrde länge sitt rike med kraft och mandom, men till slut blev han hundrafemtio år gammal och orkade litet gå, vilket likade hans vänner illa. De försökte därför ta livet av honom en gång då han badade genom att lägga vedträn och stenar över karet. Då kungen märkte vad de hade för sig bad han att de skulle låta bli; han insåg att de hade rätt i att anse honom lastgammal, men han ville helst dö som en kung. Vännerna gick med på detta, och Harald skickade därpå sändemän till Sigurd Ring i Uppsala med bud att han gärna ville falla i strid. Han anhöll därför att Sigurd Ring ville möta honom med en här på Bråvallarna så att de kunde få utrönt vem som vore mäktigast. Därpå rustade kungarna på var sitt håll i sju år och plockade ihop åtskilliga berömda kämpar: Ragnvald Rådkloke och Starkotter på sveasidan, Ubbe från Frisland och sköldmörna Visna, Heid och Veborg i Haralds danska här, vilken marscherade över från Själland till Skanör

på flottans skepp som var så många att de bildade en bro. Omsider kom de båda härarna från var sitt håll till Bråvalla, där de omedelbart formade svinfylking, blåste i lur och satte i gång slaget. Först slogs man kollektivt en stund. Sedan framträdde kämpen Ubbe och högg i tur och ordning ner Ragnvald Rådkloke, kämpen Tryggve samt tre svenska prinsar av blodet. Skamsen sände kung Sigurd då fram kämpen Starkotter, som lyckades såra Ubbe men blev svårt sårad själv. Därpå fällde Ubbe kämpen Agnar, varefter han tog svärdet i bägge händerna och röjde sig en bred gata genom sveahären, tills han omsider fick bita i gräset för de norska bågskyttarna i fonden. Sedan var det sköldmön Veborgs tur att fälla kämpen Sote och såra Starkotter, så att denne blev mäkta vred, bröt in i Haralds här och högg ner kämpar till höger och vänster. Vidare gick han löst på sköldmön Visna, högg av henne den arm som höll konungens märke och gjorde yttermera slut på kämparna Brae, Grepe Gamle och Hake. När gamle kung Harald såg alla dessa bedrifter ställde han sig på knä i sin vagn, tog ett svärd i vardera handen och högg och stack ner en massa folk. Omsider tyckte hans egen hövitsman Brune att han kunde ha samlat nog ära och drämde honom i skallen med en klubba, och därmed lyktades Bråvalla slag. Sigurd Ring ställde till en magnifik begravning och tog därpå hand om båda rikena.

Om Sigurd Rings fortsatta verksamhet finns inga andra underrättelser än att han på gamla dagar förälskade sig i en bohuslänsk flicka som hette Alfsol; hennes bröder ville emellertid inte gå med på hans frieri, och när han med hela sin här kom för att ta henne med våld förgiftade de henne och lyckades dessutom tillfoga den gamle kungen svåra sår innan de själva stupade. Sigurd Ring lät då föra flickans lik ombord på ett skepp, hissade segel, satte sig själv vid rodret, tände eld på fartyget och stack till sjöss under förklaring att han ville komma med prakt till Oden. Denna historia tillhör sagokretsen kring Ragnar Lodbrok, vilken uppges ha varit med vid tillfället; han var nämligen son till Sigurd Ring, som emellertid i det sammanhanget omtalas enbart som kung av Danmark. Det finns två isländska medeltidssagor om Ragnar Lodbrok som dessutom är en huvudfigur i Saxos historia, och enligt dessa regerades Sverige på hans tid av en Uppsalakung som hette Östen och som var märklig på det viset att han dyrkade en helig ko som förskräckte hans och rikets fiender med sitt fruktansvärda böl. Fabeldjur och andra övernaturliga företeelser förekommer även på andra håll i berättelserna om Ragnar Lodbrok, vilka till stor del säkert inte är annat än romantiska riddarsagor, konstfullt utbroderade kring en mager kärna av historisk forntidstradition.

Sådan den av gammalt har brukat refereras i svenska historieböcker är sagan om Ragnar Lodbrok en sammanställning av episoder från Saxo och de isländska källorna. Den börjar som ren folksaga med berättelsen om Tora Borgarhjort, dotter till en jarl i Östergötland och vacker som en dag. Hon hade av sin far fått en liten trevlig lindorm som låg hoprullad i en ask men snart började växa så att den inte fick rum inomhus utan ringlade sig runt hela jungfruburen, sprutande etter och ätande oxar till den förfärade jarlens förtvivlan. Denne lät då meddela att den som kunde döda lindormen skulle få flickan och en stor hemgift, och när Ragnar fick höra detta gjorde han sig en underlig kostym av ludna skinn som doppades i smält beck och därpå rullades i sand så att de blev hårda. I denna utstyrsel gick han en tidig morgon emot lindormen och dödade den med sitt spjut vars skaft naturligtvis gick av, såsom spjutskaft i folksagorna alltid gör i liknande situationer. Efter diverse förvecklingar kunde han visa med det felande skaftstycket att det var han som hade dödat odjuret, och jarlen höll då sitt löfte och ställde strax till bröllop för Tora Borgarhjort och Ragnar, som efter denna sin bragd fick tillnamnet Lodbrok eller Ludenbyxa. De unga tu levde mycket lyckliga några år och fick även ett par söner, men därpå sjuknade Tora och dog.

Allt detta berättar Saxo. Fortsättningen på sagan handlar om Ragnars möte med Kraka alias liten Aslög, men därom nämner den danske krönikören ingenting. Enligt islänningarna var Aslög dotter till sköldmön Brynhilda och kung Sigurd Fafnesbane – vilka visserligen borde ha gått ur tiden ett par århundraden före Ragnar Lodbroks tid – och när hennes föräldrar miste livet nere i Tyskland räddades Aslög av sin fosterfader Heimer, som stoppade in flickebarnet i en stor harpa och flydde till utlandet med henne. Efter långa vandringar kom han omsider till en norsk gård vid namn Spangarhed och fick nattkvarter hos ett äldre par som hette Ake och Grima. Den sistnämnda lade märke till att guldstickat tyg stack fram ur harpan och övertalade då med något besvär sin man att mörda gästen i sömnen, vilket skedde. De öppnade därpå harpan och hittade en mängd dyrgripar men också flickebarnet, som de döpte till Kraka, och hon växte sedan upp i hårt arbete och stor fattigdom på Spangarhed.

Ragnar Lodbrok var nu ute på vikingafärd för att fördriva sorgen över Tora Borgarhjort, och en kväll löpte han in med sina skepp i den norska fjord vid vilken Spangarhed var beläget. Hans folk gick i land för att baka bröd, men medan de var i färd med detta fick de syn på Kraka och blev så fascinerade av hennes skönhet att de glömde brödet i ugnen, vilket alltså brändes vid. Ragnar Lodbrok blev mycket förtörnad när de kom ombord med sitt misslyckade bak, men då de skyllde

på den alltför vackra flickan blev han helt naturligt nyfiken och lät skicka efter Kraka, samtidigt som han sökte pröva hennes förstånd genom att framställa några lindrigt sagt underliga önskemål: hon borde komma varken klädd eller oklädd, varken mätt eller fastande, varken ensam eller i sällskap. Dagen därpå kom flickan och hade uppfyllt hans villkor; hon var nämligen draperad i ett fisknät, hon hade ätit en vitlök och hon var åtföljd av en hund. Så mycken skönhet och klokhet kunde Ragnar Lodbrok inte motstå utan tog ofördröjligen Kraka med sig hem till Danmark och firade bröllop med henne. De fick många barn, och några av sönerna blev med åren mycket berömda. Den äldste hette Ivar Benlös, ty han hade bara brosk i stället för ben i kroppen; han var emellertid mycket vis. Den andre kallades Björn Järnsida, den tredje bar namnet Vitsärk, den fjärde hette Sigurd Ormöga.

Sanningen om Krakas höga börd och rätta namn uppenbarades naturligtvis så småningom, men fortsättningen av Ragnar Lodbroks saga handlar mest om hans söners bragder; de kämpade nämligen väldeliga både i Västeuropa och i Sverige, där Ivar Benlös slutligen lyckades döda både kung Östens arga ko och honom själv. Själv satt Ragnar med Aslög hemma i sitt rike, men då han en dag fick höra att ingen kunde jämföras med hans söner i mod och mandom beslöt han att visa världen

Grymta månde grisarna

att inte heller han gick av för hackor. Han gav sig därför iväg till England med bara två skepp, vilket han ansåg vara lagom för att på ärofullaste sätt erövra detta land. Aslög försökte avstyra detta vågspel, men då han inte ville lyssna till hennes varningar gav hon honom till avsked en underbar skjorta på vilken intet järn bet. Därpå seglade Ragnar till England och började härja och bränna, men den engelske kung Ella – Ethelred heter han i Englands historia – var förberedd på hans ankomst och hade samlat en stor här som inom kort besegrade och nedgjorde Ragnars lilla skara. Ragnar själv som tack vare Aslögs skjorta undgick alla sår blev slutligen levande tillfångatagen och förd till kung Ella, som frågade efter hans namn men inte bevärdigades med något svar. Ella lät då kasta sin fånge i en ormgrop där denne yttrade de bevingade orden: "Grymta månde grisarna om de visste vad den gamle galten lider." Han uppstämde vidare, säger Saxo, om sitt livs bedrifter ett kväde, och från isländskt håll upplyses att kvädet hette Krakumal:

> Vi höggo med svärd.
> Sport har jag städse
> att nornornas lag vi lyda
> och av ödet ledas.
> Glad skall jag öl med asar
> i högsätet dricka.
> Lidna äro livets stunder.
> Leende skall jag dö.

Epilogen till den brokiga sagan om Ragnar Lodbrok är säkerligen inte något medeltida påfund. Den berättar vidare att när kung Ella fick veta vem fången var som så hade mött döden greps han av stor fruktan för hans söner. Han skickade därför sändebud till dessa och begärde att få erlägga mansbot. När sändebuden trädde in i salen satt de yngsta bröderna och spelade bräde medan Björn Järnsida stod och skaftade sitt spjut. Vid underrättelsen om faderns död kramade Vitsärk den spelbricka han höll i handen så hårt att blodet sprang fram ur fingertopparna, och Sigurd som var sysselsatt med att skära sina naglar skavde med kniven ända in till benet utan att märka det. Björn klämde till om spjutskaftet med sådan kraft att det blev märken i träet efter hans fingrar och riste det sedan så häftigt att det gick i flisor, men Ivar frågade lugnt

68

ut sändebuden om alla detaljer under det att hans ansikte oavbrutet skiftade färg. Vitsärk ville hugga ner sändebuden omedelbart, men Ivar förhindrade detta och lät dem oantastade fara hem.

Bröderna rustade sig nu till ett hämndetåg, men Ivar vägrade vara med härom. Han följde dock sina bröder och deras här till England, där kung Ella emellertid väntade dem och låg i beredskap med allt sitt folk, så att de måste dra sig tillbaka till sina skepp igen. Ivar Benlös begav sig då över till kung Ella, meddelade att han var villig att ta emot böter för sin faders död och begärde så mycket land som kunde täckas med en oxhud – denna detalj är ju ett gammalt sagomotiv, känt redan i antiken, då det lokaliserades till drottning Didos grundläggning av Karthago. Ella gick förnöjd med på förslaget, varpå Ivar naturligtvis skar oxhuden i mycket smala strimlor med vilka han hägnade in ett område som var mycket större än Ella hade tänkt sig. Där slog han sig nu ned och ägnade sig under någon tid åt att undergräva Ellas ställning genom att med lämpliga medel locka över hans vasaller på sin sida. Han skickade därefter bud på sina bröder och deras här, och denna gång var Ella oförberedd och underlägsen och blev strax slagen och tillfångatagen. Lodbroks söner avrättade honom genom att rista blodörn på honom, vilket innebar att de bände ut hans revben som vingar och drog ut hans lungor genom såret i hans rygg.

Ett par av Lodbroks söner placerar sagan in i de svenska landsdelarnas kungalängd, vilket en gång togs till motivering för att den utmärkta berättelsen om den gamle danske vikingen bereddes plats i Sveriges historia, där den har hållit sig kvar så länge att det alltjämt får anses höra till allmänbildningen att känna till den. Sönerna ifråga, vilka är bleka figurer i jämförelse med sin far, är Björn Järnsida och Sigurd Ormiöga, av vilka den förstnämnde sägs ha tagit hand om Svea och Göta rike medan den andre skulle ha regerat över Danmark och Norge inklusive Skåne, Blekinge, Halland och Bohuslän. På detta behöver ingen tro, men onekligen finns det svängrum för Lodbroks söner kring svearnas tron i de tomma århundradena mellan den apokryfiske Sigurd Ring och den nydöpte Olof Skötkonung.

Försök har inte saknats att sammanställa en trovärdig svensk regentlängd för vikingatiden av det magra material vi har. Den isländska Hervararsagan står till tjänst med en del; där förekommer mycket riktigt Björn Järnsida, och efter honom heter gubbarna Eirikr eller Refill, Eirikr Refillson, Biorn, Eirikr och Biorn at Haugi – det vill säga Björn vid Högen – Amundr och Eirikr Amundarson. En inhemsk medeltida urkund som heter Registrum Upsaliense börjar däremot listan med en viss Inge som sägs vara son till Olof Trätälja och gift med en dotter till Ragnar Lodbrok, och deras son och efterträdare hette Erik Väderhatt, om vilken man på annat håll kan inhämta att han kunde bestämma vindens riktning efter behag genom att vrida på sin hatt. Andra nästan lika underliga konungar av Sverige nämns på andra håll i gamla skrifter, exempelvis Erik Årsäll som inplaceras vid mycket skiftande tider, och kanske kan man till sällskapet också räkna den ordspråksmässige kung Orre, som visserligen bara tycks vara ett namn utan hemort i en enda rolig historia.[1]

Emellertid finns det i detta ämne verkligen också en handfull uppgifter som alltjämt kan tas på allvar även av sanningssökande allvarsmän. De står att läsa hos Adam av Bremen i hans nordiska kyrkokrönika, hos den tyske prelaten Rimbert i hans biografi över Ansgar och slutligen hos Snorre Sturlason, som sedan han berättat om Ynglingaätten iakttar full-

[1] Se Orre i registret.

ständig tystnad om svenska förhållanden under lång tid men återflyttar sin berättelse till Sverige emellanåt alltifrån Harald Hårfagers dagar, det vill säga alltifrån tiden för Norges rikes enande mot slutet av 800-talet. Vid det laget hade en sveakonung som hette Erik Emundsson underlagt sig Värmland och även Bohuslän, och med honom kämpade Harald Hårfager framgångsrikt och lyckades även ta de båda provinserna, säger Snorre. Erik Emundsson skulle enligt en medeltida uppgift vara identisk med Erik Väderhatt men är möjligen historisk ändå, ty Snorre berättar i annat sammanhang om baltiska erövringar som han skall ha gjort.[1] Mycket större intresse har fornforskare i våra dagar emellertid ägnat åt några andra gamla potentater som enligt Adam av Bremen upprättade ett svenskt välde i det danska Slesvig någon gång i början på 900-talet. Erövraren hette Olof och grundlade en dynasti vars mest kände medlem bar det föga svenskklingande namnet Gnupa. Dennes historiska existens är arkeologiskt bestyrkt, ty hans namn står på två sönderjydska runstenar och nämns även i tyska krönikor, där det meddelas att han lät döpa sig till kristendomen sedan han besegrats av tyske kejsaren och blivit skattskyldig under denne. Några årtionden senare vältes det svenska väldet i Sönderjylland över ända av danske kungen Gorm den gamle eller av dennes son Harald Blåtand, som emellertid själv tycks ha börjat sin regering som tysk vasall. Han var för övrigt kristen och gjorde sig till herre även över Norge och de sydsvenska landskapen, där en skånsk jarl med det pittoreska namnet Strut-Harald residerade i hans dagar.

Beträffande det egentliga sveariket lämnar Snorre på ett ställe den intetsägande upplysningen att landet i femtio vintrar styrdes av en som hette Björn. Uppgiften gäller rimligtvis början av 900-talet, och ungefär ett århundrade skiljer i så fall denne seglivade potentat från en annan svensk kung Björn, vilken enligt Rimberts helgonbiografi styrde och ställde i staden Birka omkring år 830; han har förresten, visserligen på mycket lösa grunder, identifierats med Hervararsagans Björn vid Högen. Om Snorres kung Björn har hävderna inte det ringaste att förtälja, men hans långa regeringstid är misstänkt, ty den står i vägen för ett par tre andra blodlösa namn som också borde få plats i 900-talets regentlängd enligt andra källor.

Mot slutet av sagda århundrade regerades svearna emellertid av kung Erik Segersäll, vars historiska existens till skillnad från föregångarnas är

[1] Se också Kungshatt i registret.

oomkullrunkeligt säker. Han sägs ha erövrat Danmark och mottagit dopet där, en uppgift som märkvärdigt nog även lundensiska historieprofessorer funnit ganska sannolik. Likväl är det knappast på dessa gärningar som Erik Segersälls berömmelse vilar. Hans namn har gått till eftervärlden framför allt genom historien om Styrbjörn starke och det sagoomsusade slaget på Fyrisvall.

Erik Segersäll lär ha börjat sin politiska bana såsom samkonung med sin bror Olof som emellertid dog tidigt, efterlämnande en liten son som hette Styrbjörn. Om denne handlar en isländsk saga som dock är rätt sen; den är huvudkällan till kunskapen om Erik Segersäll. Pojken som var ovanligt stor och stark växte upp vid Eriks hov i Uppsala men visade sig bångstyrig och besvärlig, så att han till och med en gång slog ihjäl en hovman som ofrivilligt hade råkat stöta honom på näsan med ett dryckeshorn. Vid tolv års ålder kom han och krävde halva riket i arv efter sin fader, och då detta nekades honom satte han sig på sin faders gravhög och tjurade i avsikt att vinna allmogens sympatier. Vid nästa ting i Uppsala framställde han offentligen sitt krav, men då även tingsmenigheten fann honom för ung och omogen att styra ett rike lämnade han förtörnad landet med sextio välrustade skepp som han på begäran fick av sin farbror. Han irrade därefter omkring i Östersjöområdet och härjade vitt och brett tills han slutligen lyckades överrumpla och inta ett berömt vikingatillhåll som hette Jomsborg, där en dansk jarl vid namn Palnatoke hade inrättat sig sedan han drivits i landsflykt av Harald Blåtand. Den danske kungen visade sig tacksam för denna bragd och allierade sig med den svenske erövraren, som för sina bedrifters skull nu kallades Styrbjörn Starke. Denne beredde sig nämligen att med våld tilltvinga sig makten i sveariket och utrustade till den ändan en ofantlig flotta, som förstärkt med tvåhundra danska skepp seglade till Uppsverige och löpte in i Mälaren. Kommen till Flottsund vid Fyrisåns mynning lät Styrbjörn bränna alla sina skepp för att hindra all återvändo och tvinga sig och sitt folk att segra eller dö, men vid denna syn vände danskarna om hem och lämnade Styrbjörn i sticket. Han förlorade emellertid inte modet utan drog med sina jomsvikingar norrut mot Uppsala, och på slätten Fyrisvall mötte han kung Erik som visade sig vara väl förberedd, ty vid underrättelsen om Styrbjörns annalkande hade han låtit mobilisera alla vapenföra män i sitt rike genom pilbud som sändes ut över hela landet. På Fyrisvall utbröt nu ett väldigt slag som varade i tre dygn och vars alla skiften utmålas omständligt av sagan. Slutet på det hela blev att Styrbjörn stupade och Erik vann en fullständig seger, varför han framgent kallades Segersäll. Adam av Bremen säger att han sedan vände sina vapen mot de tillintetgjorda angriparnas hemländer och lade dessa under sin spira.

Slaget på Fyrisvall har debatterats mycket av de lärde i våra dagar, men till någon enighet har man inte kommit. Somliga har sagt att hela historien säkert hör sagan till, andra har hänvisat till att det i Skåne finns runstenar över män om vilka det heter: Han flydde icke vid Uppsala. Vad som är sanning i berättelsen om slaget torde vara omöjligt att slå fast, men det förefaller sannolikt att sagan rymmer åtminstone något korn av storpolitiska fakta från Nordens slutande vikingatid.

En historiskt ännu mera tvivelaktig men i saga och sång ännu mera frejdad drabbning utkämpades några årtionden senare, nämligen sjöslaget vid Svolder, som Snorre har skildrat med sådant mästerskap att det kan sättas vid sidan av Iliadens bataljmålningar utan att förblekna. Namnet Svolder är icke tillfinnandes på någon karta; platsen brukar anses ha legat någonstans vid pommerska kusten, men det har också föreslagits att den skulle vara identisk med ön Ven. Tidpunkten för slaget fastslås däremot ofta med stor tvärsäkerhet, framför allt i skolböcker; det sägs ha stått den 9 september år 1000. Maktkombinationerna i Norden var då helt andra än de varit på Fyrisvall, och såväl Erik Segersäll som Harald Blåtand hade lämnat det jordiska. Den sistnämnde hade efterträtts av sin son Sven Tveskägg, som för övrigt hade förjagat honom redan i livstiden, och den förre hade lämnat sveariket i arv åt sin son Olof som kallas Skötkonung av osäker anledning; numera menar många att tillnamnet hellre bör skrivas Skotkonung, vilket visserligen är lika obegripligt, och ingen tror i varje fall på den traditionella tolkningen, som är att han skulle ha hyllats som konung redan som spädbarn i sin moders sköte. Olof Skötkonungs moder var en slavisk prinsessa, och när hon hade blivit änka efter Erik Segersäll gifte hon om sig med Sven Tveskägg i Danmark och åvägabragte kanhända därigenom en dansksvensk allians, ty hennes man och hennes son uppträder med förenade krafter i sagan om Svolderslaget. I Snorres berättelse om dettas förhistoria är hon emellertid helt överhoppad och ersatt med en amper västgötska som tack vare den store isländske sagoförtäljaren har blivit mycket ryktbarare än den verkliga drottningen. Hon hette Sigrid Storråda och var stor jordägare i västra Sverige, och hon visste sitt värde, ty när det en gång under hennes änketid efter Erik Segersälls död kom två furstliga friare och tävlade om hennes gunst lät hon innebränna bägge två under förklaring att hon skulle vänja småkonungarna av med att fria till henne. En vacker dag dök det emellertid upp en friare som imponerade mera på henne, och hans namn var Olav Tryggvason, nybliven konung över hela Norge.

Olav Tryggvason är hjälten i Snorres berättelse om denna tids händelser, och om honom får man följaktligen veta mycket, men totalbilden är inte precis snarfager. Han hade växt upp i landsflykt borta i Gårdarike och tillbragt det mesta av sin ungdom på härjningståg vid Östersjöns kuster och i England, där han lät döpa sig till kristendomen; det sägs förresten ha skett på Scillyöarna. Till skillnad från mången annan viking tog han det allvarligt med religionen och slog hurtigt ihjäl envar som vägrade att ögonblickligen omvända sig till den nya läran. När han kom hem till Norge och tog makten där var en av hans första regeringsåtgärder sålunda att med maktspråk kristna hela Bohuslän och låta avliva eller lemlästa alla som stretade emot. Han rättade sig alltså ingalunda efter femte budet och tycks inte heller ha varit så noga med det sjätte, ty Snorre räknar upp många gemåler som han haft innan han tog sig för att fria till Sigrid Storråda.

Historien om kung Olavs kärlekshandel med denna dam är ju välkänd. Paret träffades i Kungälv och kom praktiskt taget överens om att gifta sig, men så drog Olav upp religionsfrågan. Sigrid Storråda svarade att hon ville inte överge sina fäders tro, men å andra sidan tänkte hon inte klandra honom för att han trodde annorlunda. Då blev kung Olav mycket vred och utbrast: "Hur skulle jag kunna taga dig, din hundhedning." Han slog henne dessutom i ansiktet med sin handske, varpå hon fällde

sin bevingade replik: "Detta skulle väl kunna bliva din bane." Därmed gick de åt var sitt håll, men till Sigrid kom snart en annan friare som i förnämhet inte stod Olav Tryggvason efter, och hon gifte sig alltså inom kort med Sven Tveskägg i Danmark. Ungefär samtidigt förmälde sig Olav Tryggvason med dennes syster Tyra som hade flytt till honom undan sin bror och undan en gammal vendisk kung som han av statsskäl hade gett henne åt. De båda nyblivna drottningarna av Danmark och Norge ägnade sig därefter ivrigt åt att egga sina män till krigiska äventyrligheter, och den förstnämnda försummade icke att utlägga texten även för sin son kungen av Sverige. Inom kort lyckades hon laga att Sven Tveskägg och Olof Skötkonung slöt förbund och med sina sammanslagna flottor lade sig i försåt för Olav Tryggvason, som av sin gemål hade hetsats att bege sig till vendernas kust för att utkräva hennes kvarlämnade egendom där.

Snorres berättelse om själva slaget bör vara ett hägrande stilmönster för författare av pojkböcker; någon jämförlig stridsskildring finns knappast i senare seklers nordiska litteratur. Han beskriver först hur de allierade kungarna och en landsflyktig norsk jarl vid namn Erik stod på ön Svolder och lurpassade på norska flottan när den löpte ut från kusten av Vendland. Allt större och större blir fartygen som kommer, och spänningen stegras oavbrutet i väntan på kungaskeppet Ormen långe som kungarna ideligen tror sig se, under det att Erik jarl gång på gång säger emot och håller anfallet tillbaka. Slutligen kommer Ormen långe, föregången av de likaledes mycket stora drakarna Ormen korte och Tranan, och de allierade går till angrepp. Olav Tryggvason binder då långsides ihop de få fartyg han lyckas återkalla och ställer sig själv i akterlyftningen på sitt skepp under ståtliga repliker; vid åsynen av Olof

Skötkonungs folk yttrar han sålunda att bättre vore det för svearna att sitta hemma och slicka sina blotskålar, och beträffande Sven Tveskäggs styrkor upplyser han att det finns intet mod i danerna. Sven Tveskägg och Olof Skötkonung flyr också mycket riktigt sin kos med det snaraste, och slaget vid Svolder framställs alltså av Snorre närmast som en inre uppgörelse mellan Olav Tryggvason och norske jarlen. Deras skaror bultar på varandra hela dagen tills svärden blir slöa, och hjälten själv står kapprak i pilregnet och kastar spjut med båda händerna. En allbekant episod handlar om hans stridskamrat Einar Tambaskälver som fick sin båge sönderskjuten med stort brak, varvid Olav Tryggvason frågade: "Vad var det som sprang?" och Einar Tambaskälver svarade: "Norge ur dina händer, konung!" Efterhand lyckades fienden äntra Ormen långe, varefter de få överlevande med Olav Tryggvason i spetsen hoppade överbord och försvann i havet. Sven Tveskägg och Erik jarl övertog hans rike, men Olof Skötkonung och svearna tycks också ha fått en del territoriell vinning av sitt deltagande i slaget vid Svolder.

Olof den helige

Det finns i Snorre Sturlasons norska sagohistoria ytterligare en berömd
bataljmålning som något berör Olof Skötkonung och Sverige. Det gäller
Olof den heliges död i slaget vid Stiklastad i Trondelagen. Om Olof
den helige handlar den omfångsrikaste av Snorres konungasagor, en
magnifik berättelse som inte är lätt att referera, ty den rymmer ett myl-
ler av personer och händelser som utspelas i Norge, i Danmark, på Fär-
öarna, i Novgorod och inte minst i Sverige, där hjälten hade mycket att
beställa. Olof den helige, vars jordiska namn var Olav Haraldsson, var
son till en av de giljande småkonungar som Sigrid Storråda lät inne-
bränna; han hette Harald Grenske. Vid tolv års ålder drog Olav Ha-
raldsson på vikingafärd till Sverige, där han efter ett sjöslag vid ett ställe
som hette Sotaskär begav sig in i Mälaren och härjade och brände på
stränderna, men när det blev höst och han tänkte segla hem igen befanns
det att den svenske kung Olof hade spärrat utloppet – Snorre kallar det
för Stocksund – med järnkedjor och satt vakt där. Olav lät då gräva
igenom Agnefit ut till havet, står det, och till sveakonungens grämelse
tog han sig hastigt ut förbi befästningarna vid det blivande Stockholm
och begav sig till Gotland, där han tog emot skatt för att inte härja.
Hans vikingafärd gick sedan vidare till Ösel, Finland, Danmark, Fries-
land, England och Frankrike under många bravader, varefter han om-
sider seglade hem till Norge för att göra sig till herre där. Erik jarl, som
för halvtannat årtionde sedan hade besegrat hans frände Olav Tryggva-

77

son, hade nyss dött borta i England, och hans unge son Håkan jarl som nu regerade Norge överrumplades lätt med tillhjälp av ett vindspel och en kabel som spändes över ett sund där hans långskepp skulle passera; kabeln sträcktes helt enkelt under kölen på skeppet så att aktern lyftes upp och fören vattenfylldes. Den store bågskytten Einar Tambaskälver som för länge sedan hade försonat sig med Olav Tryggvasons besegrare ställde sig nu i spetsen för motståndet men måste snart fly till sveakonungen, och Olav Haraldsson satte sig raskt i besittning av Norge till större delen och byggde sig en kungsgård i Trondheim. Dit kom en dag två sändebud från Olof Skötkonung i Uppsala; de hade skickats att driva in skatt i Norge, en skatt som de norska bönderna sade sig vilja betala på villkor att de slapp dubbelbeskattning från Olav Haraldssons sida. Denne meddelade förstås sändebuden att han inte erkände sveakonungens rätt att beskatta norrmännen, och då den ene av dem ändå försökte fullgöra sitt ärende lät Olav Haraldsson hänga honom och hela hans följe. Själv begav han sig därpå till Ranrike, det nutida Bohuslän, som hörde till sveaväldet och regerades av två svenska fogdar som hette Eiliv den götiske och Hroe den skelögde. En bonde med det vackra namnet Brynjolf kamel försäkrade emellertid konungen att bohuslänningarna räknade sig som norrmän. När Eiliv den götiske kom för att tala med konungen lät denne lömskt hugga huvudet av honom, varefter han slog under sig norra delen av landskapet och spärrade all utförsel av sill och salt till Västergötland, samtidigt som svearna slog ihjäl hans egna skatteindrivare uppe i Jämtland. Något år senare överföll han Hroe den skelögde som var på väg hem till Hisingen efter att ha drivit in skatt på Orust; slaget stod i trakten av Öckerö, och Hroe den skelögde stupade. Samma sommar låg kung Olav en tid med en flotta i Göta älv och trädde då i diplomatisk förbindelse med Ragnvald jarl i Västergötland och inte minst med dennes norskfödda hustru, som hette Ingeborg och var syster till Olav Tryggvason. Genom hennes förmedling kom det till fred och vänskap mellan västgötajarlen och den norske kungen, vilket emellertid hade den effekten att Olof Skötkonung blev ännu argare på denne; ingen, säger Snorre, vågade nämna honom med hans rätta namn så att kungen hörde det, utan han omtalades alltid som Den tjocke mannen.

Krigstillståndet mellan länderna blev emellertid olidligt i längden. Björn stallare, som var ett slags minister hos kung Olav, tvangs av bönderna i Bohuslän och andra att föreslå fredsunderhandlingar och skickades då av konungen till Ragnvald jarl i Västergötland för vidare befordran till Uppsala. Ambassadören och hans följeslagare blev väl mottagna av jarlen och hans hustru och vistades länge där, och strax efter jul reste jarlen själv med dem upp till Svealand. Innan han sökte upp kungen sammanträffade han där med sin fosterfar, en person som är berömd med rätta ehuru han säkerligen är uppfunnen av Snorre Sturlason. Hans namn är Torgny lagman, en figur som under 1700- och 1800-talen nog har haft en viss politisk betydelse såsom mönster och klangbotten för svenska riksdagsmäns åsikter beträffande rätta förhållandet mellan konung och folk.

Torgny lagman, står det hos Snorre, var nu en gammal man; han satt i sitt högsäte och var den största karl de norska sändebuden någonsin hade sett. Hans skägg var så långt att det räckte honom till knäna och bredde ut sig över hela bröstet. För honom berättade jarlen om sina bekymmer; han hade lovat att följa de norska sändebuden till konungen, men han visste att denne skulle uppta detta ytterst onådigt. Torgny lyssnade bistert till detta tal och sade sedan: "Underligt förhållen I eder, som eftersträven höga värdighetsnamn men icke veten att reda eder då I kommen i någon vånda. Tycks mig fördenskull det icke vara ringare att vara räknad bland bönder och fritt kunna säga ut vad man vill, fast konungen själv hörer därpå." Han lovade därpå att bistå jarlen och följa honom till alla svears ting i Uppsala. Där satt Olof Skötkonung på en stol, omgiven av sina hovmän, medan Ragnvald jarl och Torgny lagman tog plats mittemot honom och bondehären låg lägrad i en ring på alla sidor. Det norska sändebudet tog först till orda men tystades omedelbart ner av konungen. Ragnvald jarl stod sedan upp och sade att västgötarna behövde fred med Norge och att sändebudet också hade till ärende att begära sveakonungens dotter till hustru åt Olav Digre. Kungen blev då ursinnig, kallade jarlen för landsförrädare och rasade även mot hans familj och mot den norske konungen. Därpå följde djup tystnad, varunder Torgny lagman steg upp, och med honom reste sig tillika hela allmogen, alla de på vilkas vägnar han talade. När rasslet av deras vapen åter hade dött bort tog Torgny till orda och sade: "Annorlunda är nu Svea konungars sinnelag än det förr haver varit. Torgny, min farfader, mindes Uppsalakonungen Erik Emundsson och sade om honom, att medan han var i sin lättaste ålder hade han var sommar krigshär ute och lade under sig Finland, Kyrialand, Estland, Kurland och många andra länder i öster; dock var han icke så högmodig att han ej ville lyssna till de män som hade något viktigt att framställa för honom. Min fader Torgny var med konung Björn en lång tid och kände väl hans seder, och riket stod i Björns dagar i mycken styrka och makt och led aldrig minskning; dock var han vänlig mot sina män. Själv har jag i minne konung Erik Segersäll och var med honom i många härfärder; han förökade Svea rike och värjde det manligen; dock var det oss lätt att komma i samråd med honom. Men den konung som nu är låter ingen tala vid sig och vill intet annat höra än det allena som behagar honom. Sina skatte-

länder låter han gå förlorade men fikar efter att behålla Norge under sig, vilket ingen sveakonung förut har eftersträvat och vilket vållar mången man oro. Nu vilja vi bönder att du gör fred med Norges konung och giver honom din dotter Ingegerd till äkta. Vill du åter vinna de riken i öster som dina fränder och förfäder hava ägt före dig, då vilja vi alla följa dig. Men vill du icke göra det som vi begära, då skola vi överfalla dig och dräpa dig, ty ingalunda månde vi tåla ofred och olag av dig. Så hava våra fäder fordom gjort; på Mula ting störtade de i en källa fem konungar som voro uppblåsta av övermod såsom du är mot oss. Säg nu strax vilketdera du väljer."

Stort gny och vapenbrak av hela bondehären avslutade detta tal och tystnade först när kungen stod upp och sade att han ville låta allting bli som bönderna begärde, ty så hade alla sveakonungar förut gjort att de låtit allmogen råda med sig. Han lovade alltså sluta fred, och det avtalades också att bröllopet mellan kung Olav och prinsessan Ingegerd skulle stå på landgränsen vid Göta älv till hösten. Vid närmare eftertanke ångrade emellertid kungen det avtvungna löftet; till prinsessans stora sorg blev det därför ingenting av med bröllopet, vilket mycket förargade den tilltänkte brudgummen, som var betänkt på att börja härja i Svitjod på allvar men avråddes från detta företag av alla sina män. I stället skickades en skald som hette Sigvat till Götaland för att utforska om någonting skulle kunna uträttas med diplomatiska medel. Historien om Sigvats resa är en rätt intressant parentes där det bland annat berättas hur han någonstans i Västergötland blev avvisad från gård efter gård därför att man hade heligt i huset; man höll nämligen alvablot. Hos Ragnvald jarl lärde han känna Olof Skötkonungs dotter Astrid som var på besök där; hon var äldre halvsyster till Ingegerd, men hennes möderne var inte lika fint. När det nu blev bekant att kung Jaroslav i Novgorod friade till den sistnämnda menade jarlen att på det hållet hade kung Olav inga utsikter längre. Han undrade därför om inte denne möjligen kunde tänkas hålla till godo med Astrid i stället och skickade Sigvat tillbaka till Norge för att fråga. Kung Olav blev först mycket uppbragt men försonade sig snart med tanken, och en vacker dag reste Ragnvald jarl till Norge med prinsessan Astrid utan att hennes kunglige fader hade tillfrågats om saken. Bröllopet firades med detsamma till Olof Skötkonungs begripliga förbittring. Ragnvald jarls ställning blev dock snart ohållbar och han måste lämna Sverige; det skedde enligt Snorre i den formen att han följde prinsessan Ingegerd på hennes brudfärd till Gårdarike där han fick Aldeigjuborg vid Ladoga till jarladöme i stället för det mistade Västergötland.

Nu kunde man vänta att det norska kriget skulle blossa upp igen, och i det läget uppträdde enligt Snorre västgötalagmannen Emund från Skara hos Olof Skötkonung och sökte få honom att ta sitt förnuft till fånga. Berättelsen om Emund lagman är barnslig men inte alltför tråkig. När han kom till kungen frågade honom denne efter nyheter från Västergötland, och Emund svarade då att det hände just ingenting hos götarna; det berättades emellertid bland dem att Atte den dolske hade varit ute och jagat i Värmland och fått sin släde full av gråverk, men på hemvägen fick han syn på en ekorre och var dum nog att jaga den kors och tvärs i skogen så att han råkade vilse i snöyran och inte kunde återfinna släden. Olof Skötkonung tyckte att detta var en nyhet av ringa värde. Emund lagman berättade då en annan historia om en viss Gaute Tofason som med en örlogsflotta tog fyra danska köpmansskepp och sedan förföljde ett femte ut på öppna havet, där han råkade ut för storm och skeppsbrott och förlorade allt sitt byte. Han begärde vidare kungens råd i ett mål mellan två ädelborna västgötar som hade råkat i tvist och gjort varandra skada; den rikaste hade blivit dömd att ersätta skadan men betalat gåsunge för gammal gås och gris för gammalt svin och så vidare. Olof Skötkonung dömde naturligtvis vederbörande att ge ordentligt skadestånd och dessutom böta, och därmed tog Emund lagman avsked och gick sin kos. Efter hand gick det upp för kungen att det tydligen låg en hund begraven i Emund lagmans långsökta historier, och hans tre förträffliga rådgivare Arnvid Blinde, Thorvid Stammare och Freyvid Döve kunde mycket riktigt uttyda dem; de upplyste att alltihop i själva verket handlade om kungen själv och hans gagnlösa och orättfärdiga krig med Olav Haraldsson i Norge. Under tiden var Emund lagman sysselsatt med att uppvigla svearna mot kungen, och historien slutar med att denne blev avsatt till förmån för sin son Anund Jakob, men genom att lova att hädanefter hålla fred och lyssna till allmogens önskemål fick han återvända till sin tron och samregera med sin son. Efter den betan var Olof Skötkonung mycket mjuk och medgörlig, försäkrar Snorre och övergår till att berätta hur han rentav bekvämade sig till att spela tärning med sin norske kollega om ön Hisingen. Sveakungen slog sexor all men norske kungen vann ändå, ty en av hans tärningar brast itu så att den visade sju prickar. Han vann alltså Hisingen. "Vi hava icke hört omtalas flera händelser vid denna sammankomst", tillägger den isländske sagoförtäljaren.

Fortsättningen av Olof den heliges saga handlar bland annat om hans nitälskan för kristendomen – han avrättade blotmän och tvångsdöpte odalbönder med friskt mod. Han hade nu allt att frukta av Knut den store i Danmark, vilken var färdig med erövringen av England och beredde sig att ta hand även om Norge. I det läget ändrade sig den svenska utrikespolitiken radikalt, så att Anund Jakob och Olav Haraldsson blev de bästa vänner ehuru gränsfrågorna mellan deras länder inte tillnärmelsevis var lösta. Båda skickade sålunda alltjämt skatteuppbördsmän till Jämtland, vars befolkning dock för ögonblicket höll sig till sveakonungen och slog ihjäl några av kung Olavs utskickade. Snorre berättar i det sammanhanget en historia som i våra dagar har fått litterär betydelse åtminstone för jämtar, nämligen den om Arnljot Gelline. Ett par av de norska skatteindrivarna träffade en dag denne hedniske person i en fjällgård och imponerades mycket av hans ståtliga yttre, ty han var en mycket stor, välbeväpnad karl som var klädd i scharlakanskläder med guldbårder. Arnljot Gelline lät dem åka med på sina skidor och hjälpte

dem tillrätta mot diverse trolltyg i Jämtlandsfjällen, och när de skildes gav han dem ett stort silverfat som hälsning till kung Olav.

Denne drog nu med en flotta till Danmark där han härjade och plundrade på kusterna av Själland, och samtidigt företog Anund Jakob en liknande expedition till det danska Skåne. Knut den store var i England för tillfället, och hans jarl och svåger Ulf Sprakaläggsson måste dra sig tillbaka till Jylland och mobilisera försvaret, åtföljd av kungens unge son Hardeknut och sin egen son Sven som kallades Estridsson efter sitt kungliga möderne. Konung Knut kom emellertid snart hem med en väldig här och en oövervinnlig flotta, vilket tvang de förbundna dra sig undan från det centrala Danmark. De låg en tid vid Helgeåns mynning och sysselsatte sig med att dämma upp ån ett stycke in i landet i väntan på konung Knut, som mycket riktigt snart anlände till Åhus med sin flotta. När han hade löpt in i hamnen med så många skepp som fick plats lät de förbundna kungarna riva fördämningarna, varvid en häftig flodvåg plötsligt kom forsande med trästockar och annat och gjorde stor skada på skeppen. I det sjöslag som därefter följde vann de emellertid ingen nämnvärd framgång utan drog sig tillbaka sedan de sett att de för den gången hade vunnit all den framgång som var dem beskärd av ödet, säger Snorre, som rimligtvis själv har hittat på det mesta av historien om dammen i Helgeån.

Konung Knut spärrade nu Öresund med sin flotta och stängde därmed hemvägen för Olav Haraldsson, som då nödgades följa sveakonungen norrut med alla sina skepp. När det blev höst drog han upp dem på land vid Kalmar och begav sig hem till Norge landvägen. Där rådde emellertid fullt uppror nu, och när det vårades kom konung Knut med sin flotta och sin här till Norge, där han landsteg utan motstånd och strax blev tagen till konung i hela landet. Inom kort befann sig Olav Haraldsson på flykt österut tillsammans med drottning Astrid, sin son Magnus och några få trogna; han passerade genom Värmland, vilade ut några veckor hos en vän i Närke och fortsatte sedan till sin svåger kung Jaroslav i Novgorod där han blev väl mottagen. Där samlade han i sinom tid ihop en liten armé med vilken han begav sig västerut över Östersjön igen; sin lille son lämnade han dock för säkerhets skull kvar i Novgorod. Kommen till Sverige togs han vänligt emot av Anund Jakob som gav honom all hjälp han kunde, och med en här på några tusen man marscherade han nu norrut genom ödemarkerna i Dalarna och Jämtland, där han gav diverse prov på sin helighet genom syner och järtecken. Han tågade vidare genom fjälldalarna in i Norge och stannade inte förrän vid Stiklastad inte långt från havet, ty där stötte han samman med en fientlig norsk bondehär som hade marscherat upp för att möta honom. Där mötte han också den manligt sköne Arnljot Gelline som med ringbrynja, röd sköld, smyckat svärd och guldsirat spjut hade tagit sig ned från Jämtland för att erbjuda sina tjänster. Kungen frågade om han var kristen, varpå Arnljot svarade att han hade hittilldags inte haft någon annan tro än tron på sin kraft och styrka, men nu ville han hellre tro på konungen. Denne lät då förstå att Arnljot i så fall borde tro på hans lära, nämligen att Jesus Kristus hade skapat himmel och jord och alla människor, vartill Arnljot genmälde att han var villig att tro allt vad konungen sade honom. Olof den helige gav honom då en snabblektion i kristendom, lät döpa honom och ställde honom sedan främst i fylkingen framför sitt baner vid Stiklastad.

Om själva slaget berättar Snorre mycket utförligt, sedan han refererat ett antal ståtliga tal som härförarna på ömse sidor höll till sina män för att egga dem till mod och bedrifter. Man får veta att bondehären gick till anfall under ropet "Fram, fram, bondemän" medan kungens folk tillropade varandra "Fram, fram, kristmän, korsmän, konungsmän." Kampen fortgick länge under stort manfall – en av de första som stupade var Arnljot Gelline – och omsider föll också kung Olav för ett yxhugg över låret och ett spjutsting i buken. Ett storartat kapitel i sagan handlar vidare om Thormod Kolbrunsskald som morgonen före slaget väckte hären med det gamla kvädet Bjarkamal och som efter konungens fall gick sin död till mötes under grandiosa repliker.

Kung Olavs rykte för helighet tog fart omedelbart; en av de första som heligförklarade honom var för övrigt Einar Tambaskälver, som var Trondelagens mäktigaste man men visligen hade hållit sig borta från trakten tills striden var avgjord, ty han var sedan länge försonad med kung Olav men stod också högt i gunst hos konung Knut. Den sistnämnde dog snart sotdöden, knappt fyrtioårig, och därmed ändrades snabbt de politiska konjunkturerna; under hans söner Harald och Hardeknut gick det danska stormaktsväldet obevekligt mot sin upplösning. Den danske biskop Sigurd i Trondheim fördrevs och efterträddes av en andans man vid namn Greskel som hade varit hovpredikant hos kung Olav. I förening med Einar Tambaskälver lät denne flytta konungens lik till Klemenskyrkan i Trondheim varvid varjehanda under och järtecken lät sig påvisas, och hjälpsökande människor började tidigt vallfärda dit. Några få år efter sitt blodiga slut vid Stiklastad fick den orolige, fetlagde norske monarken sålunda den mest sublima upprättelse och gick till historien såsom Nordens genom hela medeltiden populäraste helgon.

De kristna missionärerna

Mot slutet av 900-talet hade kristendomen fått säkert fäste i Norden. Sverige var dock det land där den gamla religionen höll sig längst, och Erik Segersäll som lär ha låtit omvända sig till den kristna läran under ett besök i Danmark återföll vid hemkomsten snart i asatro. Vår förste kristne monark är därför Olof Skötkonung, som lät döpa sig själv, sin gemål, sina söner och sitt husfolk någon gång i det nya årtusendets begynnelse. Därom kan läsas i den vidlyftiga Sigfridslegenden, som förtäljer att den engelske gudsmannen Sigfrid och hans systersöner Unaman, Sunaman och Vinaman med framgång missionerade i det småländska Värend och byggde en träkyrka i Växjö, varpå Sigfrid kallades till konung Olof och döpte honom i en källa vid Husaby i Västergötland. Smålänningarna anfäktades under missionärens frånvaro av djävulen så att de raskt glömde hans lärdomar och slog ihjäl Unaman, Sunaman och Vinaman, men Sigfrid lyckades med kungens bistånd snart ta igen den förlorade terrängen och verkade sedan i Växjö till sin död.[1]

Olof Skötkonungs omvändelse till kristendomen omtalas även i andra, mindre fantasifulla skrifter och får anses vara ett historiskt faktum. Som sådant är det betydelsefullt, ty sveakonungens första plikt var att såsom överstepräst förestå blotet vid asatemplet i Uppsala, och hans religion var alltså ingen privatsak. Hur Olof Skötkonung efter sin omvändelse klarade denna konflikt vet vi ingenting om, men helt säkert är det ingen slump att hans dop ägde rum i Västergötland och icke i Uppsverige, där den gamla religionens ställning alltjämt var stark. Adam av Bremen säger att han hade för avsikt att förstöra avgudatemplet i Uppsala men tvangs att avstå från denna tanke; han måste dessutom lova hedningarna att inte med våld söka omvända någon, och på dessa villkor kunde han få råda över Västergötland och inrätta ett biskopssäte i Skara. Emellertid rådde den nyomvände konungen uppenbarligen icke blott över Väs-

[1] Se Sigfrid i registret.

tergötland. Mynt från hans regeringstid är slagna i Sigtuna, som tyckts ha blivit grundlagt av honom som en kristen motvikt mot det asablotande Uppsala och kanske även som ersättning för det gamla Birka, som av gåtfull anledning vid denna tid plötsligen hade upphört att existera.

Staden Birka var som bekant den plats där kristendomen allra först, inemot två århundraden före Olof Skötkonungs dagar, hade predikats i svearnas rike. Benediktinermunken Ansgar, Nordens apostel, kom dit år 830 eller däromkring, utsänd av kejsar Ludvig den fromme för att söka dämpa nordmännens tilltagande vikingaraseri med hjälp av Kristi milda lära. Han lät med hövitsmannen Hergeirs hjälp bygga en kyrka och grundade en församling varom vi är jämförelsevis väl underrättade, ty Ansgars lärjunge Rimbert har skrivit hans biografi och ganska utförligt skildrat hans två färder till den fjärran staden i Mälaren. Kung Björn i Birka och hans undersåtar visade stor tolerans mot den nya förkunnelsen, och Ansgar och hans medhjälpare vann till en början åtskilliga proselyter, men efter hand uppstod oroligheter mot hans efterföljare på det svenska missionsfältet, och den lilla församlingen i Birka tynade säkert bort och dog.

Ansgars verksamhet i 800-talets svenska vikingasamhälle var knappast mer än en intressant episod, som har vunnit berömmelse därför att den inträffade så tidigt. Själv blev Ansgar med tiden ärkebiskop över det nyinrättade stiftet Hamburg-Bremen dit alla de nordiska länderna hörde, och från detta biskopssäte bedrevs sedan tidvis en målmedveten mission som kanske kan ha avsatt spår i de sydsvenska landskapen, vilka då hörde till Danmarks rike. Om fortsatt kristen aktivitet i det egentliga Sverige finns däremot inga som helst underrättelser förrän en dryg bit in på 900-talet, då en biskop som hette Unne följde Ansgar i spåren och gjorde en resa till Birka, där han dog. När missionen mot århundradets slut satte in på allvar kom den emellertid inte från Hamburg-Bremen utan från England, där så många nordbor under vikingatågens tid hade fått kontakt med den nya tron. Ungefär samtidigt kom denna av liknande anledningar från Miklagård till det ryska riket, där den virile kung Vladimir år 988 antog kristendomen i dess ortodoxa form, slog sönder alla avgudabilder, upplöste sitt väldiga harem, förmälde sig med den byzantinska prinsessan Anna och lät massdöpa alla sina undersåtar i Dnjepr.

Om missionärer som verkat i Sverige kan något litet inhämtas i ett

antal små helgonlegender som har brukat refereras i söndagsskole-
böcker ända in i våra dagar. Man kan där läsa om den helige Botvid,
som efter sin död fick ge namn åt Botkyrka och som en gång i livet drog
not under bön och åkallan vid Hammarby utanför Stockholm, där han
fick en oerhörd massa fisk till ogina hedningars häpnad. Vid Munktorp
i Västmanland missionerade den helige David som kunde hänga upp sina
vantar på en solstråle[1], och till Norrland färdades den helige Stefan som
blev ihjälslagen av arga hedningar i Hälsingland och sägs ha stått modell
för Staffan Stalledräng i den gamla julvisan. Mera av denna världen är
Skarabiskopen Adalvard som utförde många underverk och omvände
värmlänningarna; hans historiska existens kan inte ens betvivlas, ty man
har hittat hans kalk av silverblandat tenn under golvet i Skara dom-
kyrka. Uppgifterna om honom finns för övrigt hos den förhållandevis
trovärdige Adam av Bremen, som även upplyser att östgötar och väst-
götar kristnades av Adalvards företrädare Turgot, den förste biskopen
i Skara, som innehade sitt ämbete där i Olof Skötkonungs tid.

Olof Skötkonung lämnade det jordiska år 1020 och efterträddes av sin
son Anund, som då han döptes hade antagit det kristna namnet Jakob;
han kallas därför Anund Jakob i hävderna. Han kallas också Anund
Kolbränna ibland, och i kungalängden vid Västgötalagen står att det
namnet fick han för att han var sträng i sina straff att bränna män-
niskors hus: *war riwar i räfstum sinum at brännä Hus mannä*. Han re-
gerade ganska länge och hans eftermäle – vid sidan av notisen om
brännandet – är kort men gott, ty han höll sig väl med kyrkans män och
visade dessutom under många år gästfrihet mot en man som senare läm-
nade upplysningar till Adam av Bremen, nämligen den danske tronpre-
tendenten Sven Estridsson. Anund Jakob dog barnlös, och av hans kung-
liga ätt återstod därefter bara hans halvbror Emund, som var äldre än
han och därför tituleras Emund Gammal; ibland får han i stället heta
Emund pessimus eller på svenska Emund Slemme, vilket torde bero på
att han visade sig kallsinnig mot de tyska prelater till vilkas stift hela
Norden räknades. Han beskyddade nämligen en engelsk präst vid namn
Osmund som uppträdde som svensk ärkebiskop, och sändebud från kyr-
kan i Bremen blev helt enkelt avvisade och fördrivna från hans hov. De
följdes emellertid på väg av en from och renlärig västgöte som hette
Stenkil och var nära släkt med kungen. Till deras glädje hände det sig

[1] Se Rabenius i registret.

att en son till Emund Gammal omkom under en expedition uppåt bott-
niska kusten varigenom Stenkil blev närmast till tronen, och under såda-
na förhållanden fick Osmund snart lämna riket. Vad han egentligen hade
för otalt med de tyska teologerna vet man inte riktigt, men det har
gissats att han trots sin engelska börd kanske kan ha företrätt den orto-
doxa kyrkan, som alltså en gång skulle ha varit nära att erövra Sverige
liksom den nyss hade erövrat Ryssland.

Sven Estridsson

På Brännö utanför mynningen av Göta älv möttes år 1038 den aderton-
årige danske kung Hardeknut och den tolvårige norske kung Magnus
som var son till Olav den helige. De svor varandra fostbrödralag och
evig vänskap, och Hardeknut erkände Magnus såsom rätt konung av
Norge, varpå det avtalades att den som levde längst av dem skulle ärva
den andres rike för det fall att den andre dog barnlös. Tolv gode män
från vartdera landet bevittnade och besvor denna överenskommelse.
Hardeknut drog därefter till England där hans moder, Knut den stores
efterlevande drottning Emma, styrde i hans namn med bistånd av den
engelske jarl Godwin. Själv levde han under tiden ett liv i sus och dus,
och en dag när han skulle utbringa en skål vid ett bröllop sjönk han
plötsligt ihop och dog, bara tjugofem år gammal. Någon son hade han
inte, och kung Magnus av Norge begav sig omedelbart till Danmark för
att ta sitt arv i besittning och hyllades avtalsenligt på Viborgs ting.

Obestridd var dock inte hans rätt till tronen. Sven Tveskägg hade haft
en dotter som hette Estrid; hon blev gift med en dansk jarl vid namn
Ulf, lönnmördad i sinom tid efter en ordväxling med sin svåger Knut
den store. Deras son Sven, som var en pojke på tio år, flydde då till
Sverige och fick en fristad hos konung Anund Jakob i Uppsala, hos

vilken han stannade i tolv års tid. På sista tiden hade han vistats i England hos sin kusin Hardeknut, och då denne gick ur tiden begav han sig genast till Danmark med sina tronanspråk. En uppgörelse i godo träffades emellertid; Snorre säger att Sven Ulfsson träffade kung Magnus i Göta älv och strax vann dennes förtroende, så att kungen omedelbart utnämnde honom till jarl och ståthållare över hela Danmark trots Einar Tambaskälvers varningar.

Kung Magnus hade lycka i livet och kallas i historien den gode. Han förde framgångsrikt krig mot venderna, förstörde Jomsborg för alltid och vann ett väldigt slag i Sönderjylland på ett ställe som heter Lyrskovhede, där Olof den helige uppenbarade sig för sin son i stridsvimlet och hela armén hörde hur klockan Glad från Trondheims kyrka ringde i luften över den danska slätten. Sven Estridsson – som av norrmännen kallades Sven Ulfsson – deltog i slaget, men inte långt därefter gjorde han uppror mot Magnus den gode och lyckades också bli tagen till konung av danskarna, som hade tröttnat på unionen. Kung Magnus kom emellertid strax ner från Norge med sin flotta och sin här, och Sven Estridsson måste fly till Sverige igen. Det uppstod nu ett långvarigt krig där kung Magnus segrade gång på gång men Sven Estridsson oavlåtligen kom igen från sin svenska asyl.

Medan detta pågick hände det sig att kung Magnus farbror kom hem till Norge; han hette Harald och hade i många år varit överste för väringagardet hos kejsarinnan Zoë i Konstantinopel, och han medförde oerhörda skatter och otaliga dyrgripar av guld och silver. Nu begärde han också halva kungariket, och då detta nekades honom allierade han sig med Sven Estridsson, vilket hade till följd att kung Magnus måste gå med på hans krav. Förlikningen firades med stor högtidlighet och Harald förklarades för medkonung; i gengäld delade han sin rikedom med sin brorson. Skatterna dukades upp på en oxhud och vägdes i folkets åsyn, och alla förundrade sig över att så mycket guld kunde finnas samlat i Norden, säger Snorre.

Sven Estridsson gav emellertid inte upp. Han led ett stort nederlag i ett sjöslag och flydde sedan över Själland där kung Magnus förföljde honom hack i häl, men därvid hände det att kungens häst skyggade för en hare och snavade, och efter den störtningen kom Magnus den gode aldrig på benen mer. På sitt yttersta bestämde han att Sven Estridsson skulle bli hans efterträdare i Danmark och att farbrodern fick nöja sig med Norge, vilket mycket förtörnade denne härsklystne man, som i Norges historia bär namnet Harald Hårdråde.

Sven Estridsson låg vid Helgeå i Skåne när han fick besked om det här. Han svor då en dyr ed att aldrig mera fly från Danmark, och det löftet lyckades han hålla, men det var inte slut på bekymren. Harald Hårdråde skickade oavbrutet sina vikingaflottor att hemsöka Danmarks kuster, och när Sven Estridsson en augustikväll 1062 angrep honom vid mynningen av Nissan utanför Hallands kust led han ett förkrossande nederlag i det att Harald Hårdråde personligen avröjde och erövrade hans skepp sedan han själv hade klarat sig i land med nöd och näppe. Fred slöts i alla fall till sist på Göta älv, det vill säga på norsk-danska gränsen, ty Harald Hårdråde hade fått större bragder i tankarna. Det ödesdigra året 1066 seglade han till England med alla sina män och stupade vid Stanfordsbridge i strid med den engelske kung Harold Godwinson, vilken nitton dagar senare förlorade sitt land och sitt liv för Wilhelm Erövrarens normandiska vapen i det ryktbara slaget vid Hastings. Harald Hårdrådes son Olav Kyrre var med på den engelska härfärden men slapp hem med livet; han blev sedan konung i Norge efter sin far och regerade fredligt i ett kvartssekel.

Sven Estridssons sista år blev därför lugna ehuru även han invecklade sig något i de engelska affärerna; han skickade en flotta att understödja landsmännen därborta mot Wilhelm Erövraren, men expeditionen ledde bara till att Danelagen skövlades av denne med målmedvetet barbari. Lyckligare var Sven Estridsson i sina inrikes värv, och i hans dagar organiserades den kristna kyrkan i Danmark. Två av dess stift låg i Skåne där det satt en biskop i Dalby och en annan i Lund, men den sistnämnde var en bråkig och fylleristisk person, och då han dog förenades de båda stiften till ett under ledning av den forne Dalbybiskopen som då flyttade till Lund. Han hette Egino och var en god andans man, vilken med sina predikningar förmådde blekingar och bornholmare att slå sönder asagudarnas bilder och massvis skynda till dopet. Alltjämt lydde landet emellertid under ärkebiskopen av Hamburg-Bremen som för ögonblicket hette Adalbert, och med honom stod Sven Estridsson inte på bästa fot, ty de blev oeniga i en familjefråga. När Anund Jakob dog uppe i Sverige äktade Sven Estridsson nämligen inom kort hans änka som hette Gunhild. Hon var emellertid också hans kusin, och ärkebiskop Adalbert som på kyrkans vägnar var finkänslig i sådana frågor stämplade omedelbart giftermålet som blodskam och hotade att predika korståg mot konungen om han inte upplöste sin förbindelse. Sedan påven Gregorius VII också hade satts i rörelse fann kungen för gott att lyda och skickade tillbaka drottningen, som slog sig ner i det västgötska Gudhem där hon levde till hög ålder, flitigt sysselsatt med att väva skrudar till kyrkor och kloster.

Sven Estridsson själv tröstade sig nog. Han efterlämnade vid sin död fjorton söner – och en del döttrar – av vilka ingen var född i någotdera av hans båda äktenskap. De hade olika mödrar, men inte mindre än fem av dem efterträdde i tur och ordning sin fader på Danmarks tron. Den förste i raden hette Harald Hen, vilket lär betyda slipsten; han var en fredsäll och eftergiven person som inte levde länge, och han lär ligga begravd i Dalby kyrka i Skåne. Hans bror Knut som efterträdde honom var däremot en stridbar och lidelsefull man som emellertid också var mycket from och kyrkligt sinnad. Han fastade var fredag och gisslade sig i sin kammare, men han byggde också kyrkor sådana som Lunds domkyrka, gav biskoparna säte på tinget vid sidan av kungahuset och gjorde prästerskapet till rikets främsta stånd. Orsaken till det var säkert först och främst att han med kyrkans hjälp ville skapa en stark regeringsmakt som var oberoende av den gamla storbondedemokratien, och så uppfattades saken också av undersåtarna, som naturligt nog motsatte sig hans krav på nya skatter och prestationer. Det finns ett par små anekdoter om hans mellanhavande med hallänningarna och skåningarna. När hallänningarna vägrade att ta på sig vissa begärda arbetsuppgifter förklarade kungen att i så fall kunde de inte längre få skicka sina kreatur i bet i allmänningsskogarna uppåt smålandsgränsen, ty dessa var kronans egendom, och skåningarna fick under liknande förutsättningar veta att de hädanefter var förbjudna att fiska i Öresund, som enligt lag måste tillhöra konungen eftersom det inte ägdes av någon enskild man. Han försökte också införa tionde samt en dittills okänd obillig skatt som kallades nävgäld; man kan förstå att han inte var populär bland skattebetalarna. En vacker dag blev det uppror, och kungen måste fly från Viborg till Slesvig och därifrån till Odense på Fyn där han sökte skydd i en träkyrka och satte sig att sjunga psalmer framför altaret med sin scharlakanskappa över skuldrorna medan hans broder Benedikt och hans handgångna män försvarade kyrkporten mot de påträngande bönderna. Dessa började då kasta spjut och stenar in genom fönstren och högg

dessutom hål på kyrkväggen med sina yxor. Kungen träffades av en sten
i huvudet och blödde starkt; han tog då en skål från altaret och lät blo-
det rinna i den för att inte fläcka ner sin silkesdräkt medan han sjöng
psalmer, säger legenden. Då kom ett spjut susande genom ett annat föns-
ter, träffade honom i sidan och ändade hans liv. Benedikt och sjutton
andra trogna följde honom i döden. Därpå skingrades bönderna genast
och drog hem till sitt, och prästerna kunde ta hand om de döda med all
omsorg. Den mördade konungen och hans bror begrovs naturligtvis inne
i kyrkan, och många järtecken visade sig omedelbart för de troende.
Som kung av Danmark efterträddes han av sin bror Oluf, som hade
varit osams med honom i livet och i det längsta inte ville tro att Knut
var ett helgon, men en fruktansvärd missväxt i Danmark gav inom kort
tillkänna att det verkligen förhöll sig så. Själv fick han därav i historien
namnet Oluf Hunger, och i sitt sista levnadsår fick han gå med på att
den mördade konungens ben högtidligen togs upp ur sin enkla grav och
nedlades i en stenkista som sattes i kryptan till den nya katedral som var
under byggnad till hans ära. Kort därefter följdes Oluf Hunger på tro-
nen av sin och helgonets broder Erik Ejegod, och i dennes dagar anlände
till Danmark en påvlig bulla som förklarade konung Knut upptagen i
martyrernas tal. Hans kyrka i Odense stod nu färdig, och på långfre-
dagen år 1101 samlades där en lysande församling av biskopar och höv-
dingar som i solenn procession förde hans ben från kryptan upp i hög-
kyrkan där de sveptes i siden och nedlades i ett juvelprytt skrin. S:t
Knut blev med åren Danmarks skyddshelgon och vann en viss popu-
laritet inte minst i Skåne där det alltjämt finns Knutsgillen kvar i några
städer som ett arv från medeltiden; det ryktbaraste av dem finns i Lund,
vilket är i sin ordning, ty till domkyrkan i denna stad skänkte konung
Knut i livstiden stora rikedomar innan den ännu var byggd.

Vid pass år 1060 lyktade Emund Gammal sitt liv och sin ätt, och därmed slutar traditionellt forntiden och börjar medeltiden i Sveriges historia. Stort dunkel råder emellertid på ömse sidor om denna godtyckliga milstolpe i tiden. Äldre västgötalagen säger i oklara ordalag att det medeltida Sveriges gräns i söder fastställdes strax dessförinnan; vid ett apokryfiskt kungamöte på Danaholmen utanför Göteborg¹ fördes nämligen Skåne, Blekinge och Halland till danskarnas rike, varöver historiens ljus nu lyser någorlunda klart. De politiska och religiösa förhållandena inom sveaväldet under det århundrade som följer verkar däremot ytterligt osäkra och förvirrade, ty källmaterialet är magert och mycket sprött.

Stenkil, som tycks ha fått efterträda Emund Gammal utan större buller, regerade inte länge; enligt uppgift i Hervararsagan dog han vid tiden för det engelska slaget vid Hastings, alltså år 1066. För övrigt berättas om honom blott att han var fridsam och maklig och begiven på bordets nöjen men även att han var en framstående bågskytt som satte sina landsmän västgötarna högre än allt annat folk i sitt rike. Möjligen var det därför som stor oro utbröt i landet då han dog; två tronpretendenter som båda hette Erik lär då ha slagits om väldet och dödat varann, varpå en tredje som hette Håkan Röde uppträdde på scenen och lyckades göra sig till konung för en tid. Två tidigare fördrivna söner till Stenkil vid namn Halsten och Inge kom därpå till makten och regerade landet med förenade krafter rätt länge. Det finns ett par påvliga brev till dem från ingen mindre än den store Gregorius VII, han som nyss hade sett den bannlyste kejsar Henrik IV i botgörardräkt vandra barfota i januarikölden till slottet Canossa; han manar de båda kungarna att skicka någon lämplig klerk till Rom att lämna upplysningar och mottaga instruktioner om svenska förhållanden, och han tillhåller dem vidare att pålägga tionde i sitt land.

Om kung Inge handlar en rätt spännande historia i ett tillägg till Hervararsagan, som berättar att kungen var god kristen och sökte avskaffa avgudaoffren i landet. Vid ett ting som han höll med svearna krävde dessa att han skulle upprätthålla gammal sed och förrätta blotet åt asarna, och då han vägrade blev han bortdriven med stenkastning och förklarad

¹ Se *Agapeti bulla* i registret.

avsatt. Kvar på tinget stod emellertid hans svåger Sven, som nu tog till orda och erbjöd sig att utföra blotet åt svearna om de ville ta honom till konung i Inges ställe, vilket de strax gick in på. Man ledde fram en häst som Sven högtidligen offrade, varpå den styckades och köttet delades ut bland de församlade under det att ett heligt träd rödfärgades med blodet. Sven som därefter kallades Blot-Sven var konung i tre år över svearna, tills han slutligen blev överrumplad av Inge som en dag oväntat återvände från Västergötland med en liten här, omringade och antände Blot-Svens hus och högg ner honom själv då han sökte ta sig ut ur lågorna.

Blot-Svens antikristna framfart bildar bakgrund till legenden om den helige Eskil som gav namn åt Eskilstuna; han var nämligen verksam som missionär där i trakten, närmare bestämt i Fors i Väster-Rekarne. Historien är den att Eskil begav sig till Strängnäs för att hindra ett avguda-offer som skulle äga rum där, och genom bön och åkallan lyckades han framkalla ett himmelskt oväder med regn och storm som släckte elden på offeraltaret. Hedningarna blev då mycket förbittrade och slog ihjäl Eskil. Hans vänner och anhängare tog hand om hans lik och tänkte forsla det hem till Fors, men innan de kom fram blev liket plötsligt så tungt att de inte orkade bära det längre utan måste begrava det på stället, och även hans mördare blev snart på det klara med att en kyrka borde byggas till martyrens ära över hans grav i det nuvarande Eskilstuna.

Det är sannolikt att Inge efter sin seger över Blot-Sven lät förstöra asatemplet i Gamla Uppsala; efter hans tid omtalas denna ryktbara helgedom aldrig mer. Kristendomens seger i Sverige var under alla förhållanden tryggad, och den triumferande kyrkan kunde ta itu med att söka utplåna resterna av den gamla tron och därmed sammanhängande seder. Den bestämde att inget kött finge ätas rått och att fastan skulle iakttas, men ingetdera av dessa bud slog någonsin igenom på allvar i Sverige, där smaken för det salta spickna finns kvar än och blodpudding, blodkorv och palt har hållit sig genom tiderna – alltsammans rätter som brukar väcka avsky i länder där den katolska kristendomen har trängt djupare. Vad förbuden i matfrågor beträffar segrade kyrkan i Sverige blott på en enda punkt, nämligen ifråga om hästkött, som ju verkligen blev tabu för några århundraden framåt.

Margareta Fredkulla

Om svensk utrikespolitik i kung Inges dagar finns några historier hos Snorre Sturlason, närmare bestämt i den av hans norska konungasagor som handlar om Magnus Barfot. Sagde monark härjade i Sverige vid flera tillfällen; att börja med for han våldsamt fram i Halland med eld och svärd, och därpå gjorde han anspråk på allt svenskt land väster om Vänern. För att ge eftertryck åt dessa krav drog han in i Västergötland och byggde en borganläggning på Kållandsö, vilken emellertid snart blev intagen av kung Inges folk, som beviljade inkräktarna fritt avtåg sedan de hade lämnat ifrån sig sina vapen och fått ett käpprapp var. Året därpå kom Magnus Barfot dragande med en ny armé uppför Göta älv men blev slagen vid Foxerna nära Lilla Edet och slapp nätt och jämnt undan med livet. Ett par år senare slöt han fred under bemedling av danske kungen Erik Ejegod, som tillsammans med Inge och Magnus Barfot infann sig vid Konungahälla i Älven; platsen heter ju numera Kungälv. Man kom där överens om att gränserna skulle förbli oförändrade samt att kung Magnus skulle gifta sig med kung Inges dotter Margareta, som därav fick tillnamnet Fredkulla. Freden blev verkligen länge bestående; den i Konungahälla fastställda svensk-norska gränsen gäller för övrigt till större delen än.

Inge den äldre efterträddes i sinom tid av sina brorsöner Filip och Inge den yngre, men den förstnämnde dog snart, varpå den sistnämnde blev ensam regent. I hans dagar lär en ättling till Blot-Sven vid namn Kol ha gjort sig självständig i Östergötland, och landskapet Jämtland slutade att betala skatt till sveakonungen och anslöt sig i stället till Norge. Magnus Barfot var nu död och Margareta Fredkulla hade gift om sig med Erik Ejegods broder och efterträdare, en svag och medgörlig monark som hette Nils. I Norge härskade däremot den krigiske och vittbereste Sigurd Jorsalafar, nyss hemkommen från sin långa färd till korsfararnas Jerusalem och den grekiske kejsarens länder. Han kom överens med den danske kung Nils om en gemensam härfärd till Småland för att kristna folket där som alltjämt blotade flitigt. Det avtalades att man skulle mötas i Öresund, men danskarna som kom först till mötesplatsen fick vänta längre än beräknat på norrmännens skepp, varvid de tröttnade på alltsammans och seglade hem. När kung Sigurd omsider kom och fann danskarna borta ilsknade han till, klagade över danske kungens brist på ordhållighet och beslöt att ge utlopp för sitt missnöje genom att härja litet i hans provinser. Han styrde därför till Simrishamn och intog därinnanför den skånska staden Tommarp, som var en rätt betydande ort. Därefter fortsatte han till Kalmar och härjade ivrigt i Småland, utkrävde en skatt på femtonhundra nötkreatur och tvångsdöpte smålänningarna, som torde ha uttalat sig om denna andliga väckelse i föga kristliga ordalag.

Inge den yngre tycks ha stått tämligen maktlös mot alla dessa kränkningar av hans suveränitet, och till råga på allt blev han inom kort förgiftad och lämnade barnlös det jordiska. Om de följande årens storpolitiska händelser är uppgifterna magra och osammanhängande, men stor bedrövelse rådde verkligen, försäkrar den mycket nyktre Anders af Botin som skrev historia på 1700-talet om denna avlägsna medeltid. "De ohyggeligaste missgärningar, de grofvaste bedrägerier, hafva gjort detta tidhvarfvet äfven så märkvärdigt, som faseligt. Att en konung fick dö en naturlig död, var ett vidunder." En dansk prins vid namn Magnus Nilsson, son till Margareta Fredkulla i hennes andra gifte, utsågs av västgötarna till konung av Sverige efter Inge, men uppsvearna valde i stället en person som kallades Ragnvald Knaphövde och var son till en gubbe med det lika pittoreska namnet Olof Näskonung. Ragnvald Knaphövde anträdde ofördröjligen sin eriksgata genom riket och red utan lov och gisslan från Jönköping in över västgötagränsen. Han hann till en plats vid namn Karlepitt; där slog västgötarna ihjäl honom. I samma veva lönnmördade Magnus Nilsson nere i Danmark sin frände Knut Lavard, hertig av Sönderjylland, vilket ledde till ett danskt inbördeskrig som även tillhör Sveriges historia, ty skåningarna och biskop Asker i Lund spelade en huvudroll däri. Magnus Nilsson gick över sundet med en här och mötte sina antagonister vid Fotevik utanför Skanör, där det en junidag 1134 stod ett slag som bland annat lär ha kostat fem fullrustade danska biskopar och sextio beväpnade präster livet. Magnus Nilsson själv och en bror till honom stupade också, och några veckor senare dödades även hans kunglige fader, Margareta Fredkullas make.

Medan allt detta försiggick i Danmark hade en östgötahövding vid namn Sverker lyckats bli tagen till konung över svearna, och efter Magnus Nilssons död erkändes han som statsöverhuvud även i Västergötland.

Sverker och Erik

Kung Sverker den gamle sägs ha varit sonson till Blot-Sven och son till kung Kol i Östergötland, vilken enligt en sen legend mottog dopet på sin ålderdom i Kaga nybyggda kyrka; omedelbart efter den heliga akten föll gubben ihop och dog i sina dopkläder. Hans stamfar lär ha lystrat till namnet Kettil Okristen, men Sverker själv var en from kristen, vilket är praktiskt taget det enda eftervärlden vet om honom. I hans dagar anlades de första klostren i Sverige, nämligen Alvastra, Nydala och Varnhem; alla tre tillhörde cisterciensernas splitternya orden i likhet med det samtidigt grundade Herrevads kloster i Skåne. En tvättäkta kardinal och blivande påve som hette Nicolaus Albanensis alias Hadrianus IV kom till Norden vid samma tid och höll anno 1152 kyrkomöte i Linköping, där den vildvuxna svenska kyrkan lät sig inlemmas i den katolska kristenheten och åtog sig att betala den påvliga skatt som kallas Peterspenningen. Det bestämdes vidare att folk skulle upphöra att gå beväpnade i vardagslag, men däremot misslyckades försöket att förse Sverige med egen ärkebiskop, ty Uppsala och Linköping kom i gräl om var denne i så fall skulle residera, varefter frågan tills vidare fick förfalla. Sverige lydde i kyrkligt avseende under ärkebiskopen i det danska Lund alltsedan de första åren av 1100-talet, då Norden hade organiserats som egen kyrkoprovins i stället för att vara ett fjärran missionsfält norr om Hamburg och Bremen.

Om Sverker den gamles liv och gärningar vet eftervärlden som sagt ingenting alls utöver de kyrkliga notiserna. Han tycks ha varit en fridens man som inte tog personlig del i de gränsfejder han fick uppleva; hans äldste son sägs ha gett anledning till en sådan genom att begå kvinnorov i Halland, men allt det där är dunkelt. Till Sverkers tid lokaliserades förr den patriotiska sagan om den småländska Blenda, påhittad i slutet av 1600-talet av regementskvartermästare Petter Rudebeck men länge återberättad i akademiska dissertationer och svenska skolböcker.[1] Enligt denna goda historia marscherade danske kungen Sven Grate in i Småland som den håglöse Sverker inte gitte försvara, men kvinnorna i Värend under ledning av den duktiga Blenda fann på råd. De dukade upp ett väldigt kalas i en stor lada och inbjöd hela danska hären, varefter de

[1] Se också *Blenda* i registret.

själva sprang och gömde sig i grannskapet. När gästerna anlände men inte såg till några värdinnor vid de dignande borden fällde de det klang-fulla yttrandet: "Denna maten tjänar oss bättre än käringar!" varpå de kastade sig över mat och dryck med resultat att de snart blev dästa och omtöcknade och lätt kunde avlivas av de rådiga damerna i Värend, vilka till lön för sin tapperhet tillerkändes samma arvsrätt som sina bröder och även den värdefulla rätten att föregås av trumslagare vid sina bröllop.

Trovärdigare än sagan om Blenda är berättelsen om Sverker den gam-les död, som skall ha inträffat julmorgonen 1156; han uppges ha blivit nedhuggen bakifrån av sin stalldräng, när han i släde var på väg till jul-ottan i Västra Tollstads kyrka från sitt residens i Alvastra. Misstänkt för att ha stått bakom dådet är en dansk prins vid namn Magnus Henriks-son, vilken i egenskap av ättling till Inge den äldre hade anspråk på kungavärdigheten i Sverige. Han spelar samma mörka bovroll i ett annat celebert drama som inträffade fyra år senare: mordet på Erik den helige.

Fakta om Erik den helige är om möjligt ännu magrare än kännedomen om Sverker. Vad man säkert vet är egentligen bara att en person som hette Erik Jedvardsson och var gift med Inge den äldres dotterdotter Kristina uppträdde som konung i Uppsverige men bragtes om livet av sina medtävlare. Men legenden om S:t Erik, tillkommen ett par hundra år efter dessa händelser, har naturligtvis många kompletterande upplys-ningar i ämnet och förtäljer att den av svearna utvalde konungen hade alla goda egenskaper; han var sålunda klok, rättvis, frikostig, människo-vänlig och tapper och även mycket from, så att han ivrigt späkte sin lekamen med tillhjälp av fasta, iskalla bad och grov skjorta. Han byggde kyrkan i Gamla Uppsala och umgicks förtroligt med biskopen där, som också var en helig man; han hette S:t Henrik och blev Finlands apostel, ty han följde sin vän och monark på ett framgångsrikt korståg över

Östersjön och döpte folket vitt och brett sedan de motvilliga finnarna hade blivit besegrade i ett blodigt slag vid Åbo, där man därefter anlade ett slott och en domkyrka. S:t Eriks här bestod till stor del av folk från Hälsingland,[1] och därav kommer det sig att det i Finland finns namn som Helsingfors. Legenden förtäljer även hurusom biskop Henrik blev kvar i Finland och i sinom tid blev ihjälslagen av den arge bonden Lalli vars hus han nödtvungen hade våldgästat, varpå Lalli oförsiktigt nog satte den helige mannens biskopsmössa på sitt huvud där den ofördröjligen växte fast så att huvudsvålen följde med när han skulle ta av den igen. Om S:t Eriks egen död är berättelsen inte fullt lika yvig. Efter återkomsten till Sverige bevistade han en dag mässan i Östra Aros, alltså det nuvarande Uppsala, där han tydligtvis också hade låtit bygga en kyrka. Den mordiske Magnus Henriksson kom överraskande dit med stort följe och omringade templet, där kung Erik lugnt hörde mässan till slut och lät förstå att fortsatt gudstjänst skulle han fira på annat ställe. Han gick därefter ut och mötte sin övermäktige fiende, som efter en kort strid tog honom tillfånga och lät halshugga honom, varvid på övligt vis en källa strax rann upp ur jorden.

Inget som helst påvebrev är riktat till kung Erik Jedvardsson, vilken dessutom är totalt okänd för Snorre Sturlason och även för Saxo, som dock bör ha varit hans samtida. Hans maktområde var alltså säkerligen rätt lokalt. Att han företagit något korståg till Finland tror numera knappast någon forskare, och till och med hans kristliga fromhet kan dras i tvivelsmål; hans gemål kivades nämligen med munkarna i Varnhem om klostrets mark och körde slutligen bort dem, varvid abboten begav sig till Rom för att söka få henne bannlyst. Visserligen har man gissat att just den troliga motsättningen mellan Erik och de påvliga intressena kan ha medverkat till hans popularitet som svenskt helgon; han skulle ha betraktats som förkämpe för en fri svensk folkkyrka gentemot den skattekrävande internationella katolicismen. Men det medeltida svenska helgon som kallas S:t Erik och än i dag uppträder såväl i Stockholms vapen som i namn på gator och bryggerier har under alla förhållanden lånat drag även från andra gestalter än den historiske Erik Jedvardsson. Rätt säkert är nog att hans dyrkan har upptagit åtskilligt som egentligen gällde den gamle sveaguden Frej, vilken framför andra gudar dyrkades just i Uppsala där kung Erik stupade och där hans ben än i dag förvaras i ett sil-

[1] Se även Fale Bure i registret.

verskrin i domkyrkan. Genom hela medeltiden fördes dessa reliker varje år den 24 januari i högtidlig procession över fälten mellan Uppsala och Gamla Uppsala liksom Frejs bild fordom.

Emellertid är det sannolikt att Erik Jedvardssons helgongloria framför allt är resultatet av hans efterkommandes målmedvetna ansträngningar. Hans son Knut flydde att börja med till Norge under det att Sverker den gamles son Karl gjorde sig till herre i Sverige efter att ha slagit ihjäl Magnus Henriksson. Karl Sverkersson antog titeln svears och göters konung, vilket är embryot till den titulatur som svenska statsöverhuvuden alltjämt använder. I hans dagar blev Sverige egen kyrkoprovins i det att en engelsk cisterciensermunk som hette Stefan och närmast kom från Alvastra vigdes till ärkebiskop i Uppsala av ärkebiskopen i Lund, vilken alltså fortfarande betraktades som överordnad. Ungefär samtidigt upprättades de båda nunneklostren i Vreta och Gudhem. Karl Sverkersson residerade på grund av tidernas orolighet mest på Visingsö men satt inte säker där heller, ty en blåsig vårkväll 1167 kom den från landsflykten återvände Knut Eriksson farande över Vätterns vatten och överföll och mördade honom på det fasta slottet Näs. Den mördade konungens gemål och hans lille son Sverker lyckades rädda sig till Danmark under det att hans bröder som bar de märkliga namnen Kol och Burislev tog upp kampen mot mördaren, men tydligen hade de ingen framgång i striden, ty Knut Eriksson höll sig kvar på svenska tronen i något kvartssekel ända till sin död. Han lär ha sökt sona mordet på sin företrädare genom att anlägga ett kloster i Julita; hans gåvobrev till munkarna som flyttade dit finns kvar liksom några andra skrivelser i klosterfrågor. Han bemödade sig vidare om att få sin fader helgonförklarad och kan gott ha skrivit till påven om detta. 1172 eller däromkring ingick nämligen till konungen och biskoparna i Sverige en påvlig skrivelse av märkligt innehåll. Den helige fadern sade sig till sin förfäran ha hört att några av adressaterna, lurade av djävulens list, på de otrognas vis dyrkade som helgon en person som hade blivit nedgjord under rus och dryckenskap, fast kyrkan knappast tillät ens förbön för folk som förlorat livet i fyllan och villan, ty det stod skrivet att drinkare skulle icke ärva Guds rike. Därför borde adressaterna avhålla sig från supning och fylleri ifall de var angelägna om Guds rike, och på inga villkor skulle de till våda för sin själ ägna någon dyrkan åt den där mannen. Inte ens om tecken och under skedde genom honom var sådan dyrkan tillåten.

Ingenstans står det i detta påvebrev att det handlar om Erik den he^lige. Nils Ahnlund som har skrivit om saken gissade att det i stället var 'rågan om den danske kungen Knut Magnusson som bevisligen förloʳade livet efter ett stort supgille och fick rykte för helighet, och Nathan Beckman har föreslagit att det kunde gälla den norske Harald Gille som mötte ett liknande öde. Andra historiker tror nog ändå att brevet gäller Erik den helige, och Sven Tunberg tänkte sig att denne blev ihjälslagen på "en efter tidens sed med icke blott mässa utan också gille firad högtidsdag".

Några år senare mottog kung Knut ett nytt brev vari den heliga stolen uttalade sig något mindre nedsättande om hans fader, men helgonförklarad av den romerska kyrkan blev den svenske S:t Erik dock aldrig.

Knut Erikssons dagar

I Knut Erikssons dagar, närmare bestämt sommaren 1187, hände det sig att en främmande flotta från de karelska kusterna kom seglande genom svenska skärgården och löpte in i Mälaren, som på den tiden alltjämt var en vik av havet. Förbi de stränder där Bromma och Hässelby ligger numera tog den sig upp till Stäket, där ärkebiskopen hade en borg vid inloppet till den vindlande segelleden mot Uppsala. Borgen överrumplades och ärkebiskop Johan som nyligen hade efterträtt Stefan dödades, varefter vägen låg öppen för piraterna till Sigtuna som plundrades och brändes. Dess storhetstid var därmed tillända, men katastrofen hade till följd att man under de följande årtiondena tog itu med att befästa det öde skär i Mälarens mynning som med tiden fick heta Stockholm. Äran av att ha anlagt orten med detta namn tillskrivs ju Birger jarl som styrde och ställde i Sverige först mot mitten av nästa århundrade, men det anses numera att en rund kastal av gråsten fanns uppförd på den blivande stadsholmens högsta punkt vid Norrström redan vid 1100-talets slut, då en annan Birger jarl med tillnamnet Brosa levde och verkade.

Birger Brosa var uppenbarligen sin tids mäktigaste man i Sverige och innehade sitt höga ämbete inte blott under Knut Erikssons tid. Man vet att han var livligt inblandad i grannländernas politik, som var dramatisk i hans dagar. Sålunda stödde han den färöiske äventyraren Sverre, som från svenskt område drog in i Norge i spetsen för en krigisk skara som kallades birkebeinar därför att de i brist på bättre måste linda björknäver om benen, säger Snorre. Expeditionen lyckades, och Sverre gjorde sig till konung av Norge och styrde landet med kraft under ständiga strider med bland annat ärkebiskoparna och den internationella kyrkan. Han gifte sig för övrigt med en syster till kung Knut Eriksson och uppehöll goda förbindelser med Sverige. Snorre Sturlason som tydligen ogillade Sverre slutar sina norska kungasagor precis vid hans entré på scenen, men Sverre har själv sett till att hans historia blev skriven, och den saga som bär hans namn är läsvärd även för svensk publik och inte minst för nykterhetsfolk, ty där finns bland annat ett storartat tal om dryckenskapens följder. Där kan man även läsa om den norske flyktingen Erling Stenvägg, som på Sverres begäran häktades i Sverige och blev satt i fängelse i slottstornet på Visingsö, varifrån han rymde med hjälp av lakan som revs i remsor och knöts ihop till ett rep.

Samtalsämnen saknades sålunda inte i Knut Erikssons dagar, och bud måste ha ingått till hans hov om än mera uppskakande sensationer. År 1185 brast bjälklaget under slottssalen i Erfurt under en talrik och lysande församling; åtta furstar och en mängd adelsmän och riddare följde med golvet och fann en kvalfull död i kloakgropen nedanför i vilken borgens toaletter mynnade, och kejsaren själv räddade sig med knapp nöd genom att klamra sig upp i ett fönster. Märkliga och ovanliga händelser inträffade emellertid även på närmare håll. Om tidens förhållanden i Danmark, dit ju även de sydsvenska landskapen hörde, finns mycket spännande upplysningar att hämta hos Saxo, som själv levde och verkade på 1100-talet. Efter den politiska oredan under århundradets förra hälft greps makten i landet av Valdemar den store, Knut Lavards son, som med hjälp av den krigiske Roskildebiskopen Absalon tog itu med att upprätta ett danskt Östersjövälde. På 1160-talet erövrade han Rügen och det vendiska fästet Arcona, där den store guden Svantevit högtidligen höggs i bitar och de besegrade venderna döptes i tusental.[1] Vid den tiden anlade biskop Absalon en borg vid en liten kustby som hette Havn, med åren mera känd under namnet Köpenhamn, och prydde dess murar med avhuggna huvuden av sjörövare till skräck och varning för deras förbipasserande kolleger i Öresund. Tio år senare blev Absalon dansk ärkebiskop i Lund och grep sig an med att införa kyrkligt tionde och prästerligt celibat i Skåne. Skåningarna stretade emellertid bistert emot, och

[1] Se Svantevit i registret.

när ingenting annat hjälpte gjorde de slutligen uppror och jagade bort Absalon, som till straff lät stänga kyrkorna och lyste hela landskapet i bann. Efter några år kom han själv tillbaka från Själland med kungen och hela hans här, och vid Dysie bro söder om Landskrona led skåningarna ett stort nederlag och måste foga sig för tillfället. Emellertid dog kung Valdemar i början av 1180-talet, och då reste sig landskapets folk på nytt under befäl av en från Sverige inkallad person som hette Harald Skrænk, vilket senare namn lär betyda rumpa. Han fick det sedan han förlorat ett slag vid Lomme å utanför Lund och måst fly tillbaka norrut över Smålandsgränsen, varefter Absalon utan hinder kunde införa sitt tionde och sitt celibat i Skåne. Denne ägnade sig sedan framgångsrikt åt att lägga en stor del av södra Östersjökusten under Danmarks spira, och sedan en pommersk hertig som hette Bogislav hade nödgats erkänna den unge konung Knut Valdemarsson såsom sin länsherre antog denne titeln *rex slavorum* eller *de Venders Konge*, vilken alla Danmarks konungar har burit alltifrån den tiden. Den krigiske ärkebiskopens politik gick vidare ut på att på allt sätt motarbeta kung Sverre i Norge, men viktigare för eftervärlden torde vara att han även smyckade Lunds domkyrka och lät anlägga ett antal landskyrkor i Skåne, där de står upprätta än. Slutligen satte han den unge klerken Saxo Grammaticus till att skriva Danmarks historia intill hans egen tid, vilket var en god gärning även om den inte var alldeles oegennyttig.

Medan allt detta inträffade bortom gränserna i väster och söder rådde fred i det egentliga Sverige. Birger Brosa som trädde alltmera i förgrunden under konung Knut Erikssons sista år tog under sitt beskydd den mördade Karl Sverkerssons son Sverker, som förmäldes med hans egen dotter och fick andel i regeringen, ty kungens egna söner var alltjämt minderåriga. I mitten av 1190-talet dog kung Knut och efterträddes utan kända intermezzon av jarlens protegé, vilken såsom svensk monark heter Sverker II Karlsson. Ett par år efter hans trontillträde kom det till honom och jarlen ett brev från den store påven Innocentius III, som anmodade dem att bekriga och fördriva den norske kung Sverre, ty denne vore ett missfoster och en Satans lem, men brevet tycks inte ha föranlett någon åtgärd. Anno 1202 dog emellertid kung Sverre sotdöden, och samma år gick även Birger Brosa ur tiden i borgen på Visingsö, varefter de politiska förhållandena i Sverige blev labilare. Knut Erikssons fyra söner som nu hade nått mogen ålder gjorde sig påminta men besegrades av kung Sverker vid Älgarås i Tiveden, där tre av dem stupade. Den fjärde som hette Erik Knutsson kom undan[1] och begav sig till Norge, där han samlade folk och på nytt bröt in över gränsen, och denna gång var hans svenska anhängare så många att kungen inte trodde sig om att ta upp kampen med egna krafter utan sökte hjälp i Danmark. I spetsen för en dansk här under befäl av fyra bröder till den nye ärkebiskopen i Lund, som hette Andreas Sunesen och företrädde den kyrkliga överhögheten även gentemot Sverige, marscherade han från Skåne upp mot Västergötland men led ett förkrossande nederlag vid Lena som numera heter Kungslena; socknens vackra medeltidskyrka sägs ha blivit uppförd av Erik Knutsson såsom en gärd av tacksamhet mot försynen för segern. Två av de danska generalerna stupade i striden och kung Sverker själv flydde tillbaka till Danmark. Efter att ha reorganiserat den slagna hären gick han på nytt över västgötagränsen och mötte sin fiende vid en plats som heter Gestilren inte långt från det förra slagfältet, men denna gång stupade han själv.

Erik Knutsson tycks vara den förste svenske konung som blivit krönt; ärkebiskop Valerius i Uppsala som under kriget hade stått honom emot förrättade den högtidliga akten, vilken från kungens sida anses ha betytt en eftergift för den allmänneliga kyrkans krav, ty den symboliserade ju att kungen fick sin krona av kyrkan. I gengäld fick den svenske ärkebiskopen en självständigare ställning gentemot sin överordnade kollega i Lund än vad som dittills hade varit fallet. En annan akt av frid och försoning var den nykrönte kungens förmälning med den danska prinsessan Rikissa, syster till kung Valdemar Sejr som nyss hade hjälpt hans olycklige motståndare med trupper. Allt var sålunda ganska gott, helst som väderleken blev förträfflig ur de svenska böndernas synpunkt några år i följd, vilket gjorde kungen ytterligt populär i lantliga kretsar. Dessvärre blev hans regering inte långvarig; redan efter sex år sjuknade han och skildes hädan. Drottning Rikissa var då med barn och nedkom kort efteråt med en prins som döptes till Erik, men den stupade kung Sverker hade också efterlämnat en son vilken hade det övertaget att han redan var fjorton år gammal. Han hette Johan, och honom valde och krönte de maktägande herrarna snarast möjligt till konung, vilket föranledde protester från kung Valdemar av Danmark som förfäktade sin nyfödde systersons intressen och därvid fick stöd av påven i Rom. De

[1] Se Fale Bure i registret.

svenska biskoparna ställde sig emellertid mangrant på den unge kung Johans sida, och denne kvitterade medhållet genom varjehanda eftergifter och nådevedermälen åt kyrkans män. Påven uppdrog åt biskoparna i Lübeck, Schwerin och Ratzeburg att göra en utredning om de svenska prelaternas åtgöranden; befanns de egenmäktigt ha förrättat kröningen trots att konungen av Danmark hade hänskjutit saken till den heliga stolens avgörande, så borde de kallas till Rom att stå till svars för den sidvördnad de visat, och vägrade de komma skulle de bannlysas. Av allt att döma rann saken ut i sanden; ingenting tyder på att det blev någon påföljd för de självrådiga svenska biskoparna, som förresten hette Valerius i Uppsala, Carl i Linköping, Benediktus i Skara, Robert i Västerås och Olof i Strängnäs, vilken sistnämnde med tiden fick efterträda Valerius som ärkebiskop i Uppsala och såsom sådan bär det egendomliga tillnamnet Basatömir. Att de inte böjde sig för de påvliga kraven är säkert, ty under hela Johan Sverkerssons regering försummade man i Sverige systematiskt att betala Peterspenningen.

Den 15 juni 1219 kom Dannebrogen nedramlande från himlen till kung Valdemar Sejr, som vid denna tid hade utvidgat danskarnas östersjövälde ända till Estland. Ärkebiskopen Andreas Sunesen stod vid tillfället på en kulle och anropade himlen om bistånd i det slag som pågick mot den hedniska övermakten, men det rödvita mirakel han därmed frambesvor överträffade hans djärvaste förväntningar. I Sverige såg man emellertid med kylig blick på danskarnas baltiska framgångar, vilka säkerligen var orsaken till att den unge kung Johan och hans gamle jarl, som hette Karl den döve, beslöt att också anordna ett svenskt korståg till Estland. Redan nästa år landsteg de med en här på fastlandet innanför Ösel, där de emellertid mottogs av en främmande biskop som visste berätta att området redan var taget i besittning för Tyska ordens räkning. Kung Johan återvände då snart till Sverige, men jarlen stannade kvar och fick inom kort känning med hedningarna, vilka med överlägsna krafter angrep korsfararhären som blev fullständigt uppriven. Jarlen själv och biskopen av Linköping blev kvar på valplatsen.

Den unge kungen överlevde dem inte länge. Bara tjugoett år gammal slutade han sina dagar i slottet på Visingsö, och därmed var Sverkers ätt utslocknad på svärdssidan. Blott en enda svensk tronarvinge fanns nu i livet, och fast han inte var mer än sex år gammal hyllades han utan motstånd som konung. Hans namn var Erik Eriksson, läspe och halte.

Erik läspe och halte

Adam av Bremen, Saxo Grammaticus och de isländska sagoberättarna var utsocknes män och är inte alltid några sanningsvittnen, men utan dem skulle Sveriges historia före 1200-talet ha varit nästan blank. En knapphändig kungalista som är fogad till Äldre Västgötalagen och lämnar några små notiser om potentaterna i landet från och med Olof Skötkonung är det vidlyftigaste inhemska vittnesbördet om händelser i Sverige i de dagar då man ute i Europa målade miniatyrer, upprättade universitet och byggde katedraler. Till Sverige kom medeltidens internationella kultur senare än till något annat land inom den romerska kyrkans maktonråde. Danmark och i viss mån även Norge hade mansåldrars försprång, och Saxos berättarglada bok med alla dess bärsärkahistorier är skriven på det elegantaste latin.

Som portalfigur i vårt lands nationella historieskrivning står, ehuru föga monumental, konung Erik läspe och halte, ty med några vänliga rader om honom börjar serien av rimkrönikor från Sveriges medeltid. Litterärt kan ingen av dessa mäta sig med Snorre eller Saxo, men de är roliga och nyttiga att läsa ändå, ty från dem härstammar nästan allt som brukar stå i skolböcker om Folkungarna, Engelbrekt, Karl Knutsson och Sturarna. De förstnämndas gärningar och dramatiska öden utgör innehållet i Erikskrönikan, som är den äldsta av rimkrönikorna och på sitt sätt ett beundransvärt verk, ty dess opyntade knittel är laddad med verkningsfulla substantiv och fastnar bra i minnet redan genom sin obevekliga knagglighet.

Om Erik läspe och halte berättar Erikskrönikan bara att han var en hygglig karl som förstod sig på allvarliga ting men inte på tornej. Hans syster Ingeborg blev gift med en östgöte som hette Birger, och denne blev sedan konungens jarl och skickades på korståg till Tavastland. Han tog framgångsrikt landet i besittning och lät invånarna välja på dopet eller döden, meddelades det, men det kan hända att korståget också har haft något samband med en krigisk expedition som inte alls omnämns i Erikskrönikan men har uppmärksammats desto mer i rysk historia. På 1240-talet då Djingis Khans mongolhorder hade översvämmat större delen av Ryssland fann svenskarna nämligen lämpligt att gå till anfall mot Novgorod men möttes vid Neva och besegrades i grund av den ryske storfursten Alexander Nevskij, som för denna bragd har rönt hedern att i senare sekler få ge namn åt flera kloster och katedraler samt åt en berömd gata i Leningrad, Nevskij Prospekt, världsbekant genom de stora ryska romanerna. Alexander Nevskijs historia är emellertid ingen enkel och entydig patriotisk hjältesaga. Han härskade i Ryssland såsom tatarkhanens handgångne man, blev fördriven från Novgorod ett par gånger och utkämpade åtskilliga strider med sina egna anförvanter. Hans bror, storfurst Andreas Jaroslavowitsch, tillbragte några år som landsflykting i Sverige, där han togs väl emot av Birger jarl.

Krig rådde även i väster i Erik läspes tid. I Norge regerade kung Håkan den gamle Håkansson som var sonson till Sverre och hade många inhemska ovänner liksom denne, och en av dem hette Sigurd Ribbung och hade goda förbindelser i det svenska Värmland dit han vid behov drog sig undan med sina friskaror. Kung Håkan klagade hos svenska regeringen, på vars vägnar västgötalagmannen Eskil Magnusson mötte honom personligen i Kongahälla, och de båda herrarna kom överens om att det borde bli ändring. Inga åtgärder vidtogs dock, och några månader senare, då kung Håkan uppsöktes av en skara bohuslänska bönder som hade blivit utsatta för våld och rån uppifrån Värmlandshållet, förlorade han tålamodet, drog ut från Oslo med några tusen man och bröt in i Värmland genom tolvmilaskogen vid Eda. Det var på nyåret 1225, och vintern var så sträng det året att havet frös vid alla Norges kuster, men hären åkte släde från härad till härad i Värmland och brände ner alla gårdar vilkas invånare hade flytt sin kos; däremot skonades en och annan by där folket stannat hemma och kunde betala brandskatt. Konung Håkans Saga, den ganska fängslande norska skrift som berättar det här, förtäljer även något litet om kungens privata strapatser. En gång tog han kvarter hos en präst som inte hade annat än vassla att ge honom att dricka, och öl fick norrmännen ingenstans i hela Värmland vilket var så mycket sorgligare som det medförda vinet blev förstört redan i början av fälttåget. Det frös nämligen under marschen genom den frostiga Edaskogen, och flaskorna kastades ut på gården vid ett ställe som hette

Medalbaer, men då tog slädkuskarna hand om dem, slog sönder dem och åt upp de inneliggande isbitarna, varav de blev så berusade att de slogs hela natten under stort oväsen som konungen inte lyckades stilla förrän morgonen bräckte.

Sorgligt nog för kung Håkan var det inte heller någon nytta med det värmländska fälttåget. När han kom hem till sitt land fann han nämligen att Sigurd Ribbung hade begagnat sig av hans frånvaro till att skövla hela Bohuslän och på den vägen hade framträngt härjande ända till Oslo, där han visserligen snart mötte sitt öde.

Folkungarna

Erik läspe dog år 1250, bara trettio år gammal, och därmed börjar den epok i Sveriges historia som traditionellt kallas Folkungatiden. Den inleds med en välkänd anekdot. Birger jarl befann sig i fält i Finland när det kom bud om det kungliga dödsfallet; han skyndade då genast hem, men innan han var tillbaka i Sverige hade en storman vid namn Joar Blå till Gröneborg förmått menigheten att till konung välja den minderårige Valdemar, som var jarlens son med Ingeborg och alltså systerson till den döde. När jarlen kom hem och fick veta detta blev han mäkta vred över att man hade kränkt hans målsmannaauktoritet och inte först frågat honom om lov, men Joar Blå lät då förstå att om jarlen inte ville ge sitt bifall till valet så skulle han själv kunna hitta en konung under den kjortel han bar. Då teg jarlen.

Varken Erikskrönikan eller någon annan medeltida skrift kallar Birger Jarl och hans efterkommande för folkungar; däremot meddelas att en politisk grupp med detta namn bekämpade dem vid flera tillfällen. År 1229 segrade, står det, all den Folkunga-rote vid en plats som hette Olustra över den omyndige Erik läspe och drev honom själv i landsflykt till Danmark, varefter en folkunge som kallades Knut Långe regerade Sverige i några år. Han lär ha varit sonsonsson till Erik den helige och residerade på Sko i Uppland. Omsider fick motpartiet åter övertaget och besegrade folkungarna vid Sparrsätra utanför Enköping, och Knuts son Holmgeir blev i sinom tid tillfångatagen och avrättad på befallning av Birger jarl, som vid det laget hade tillträtt sitt höga ämbete hos konung Erik. Sedan denne gått ur tiden reste sig folkungarna igen och bådade upp trupper mot Birger jarl, som emellertid var dem för slug. Genom att svekligen erbjuda fred och försoning fick han deras ledande män i sitt våld vid en plats som heter Herrevadsbro, varefter han glömde de löften han gav dem och slog i stället huvuna av dem, upplyser Erikskrönikan trankilt.

Hur det egentligen förhöll sig med folkunganamnet är alltså högeligen ovisst, men särskilt viktig är väl inte frågan, ty även om det kan visas att jarlen och hans efterkommande bär det med orätt torde saken numera inte stå att ändra. Själv är han känd i hävderna som Bjälbojarlen efter den östgötasocken där hans ätt ägde gård och grund, och hans far som hette Magnus Minnesköld var lagman över Östergötland. I Skänninge helt nära dessa domäner tog han mitt under brinnande inbördeskrig – året var 1248, och Holmgeir var alltjämt i livet – emot en romersk kardinal som hette Vilhelm av Sabina och var kommen till Norden för att äntligen söka införa den kyrkliga ordning som gällde på andra håll i Europa. Till den ändan hölls i staden ett berömt kyrkomöte, vars beslut tillgodosåg de påvliga önskemålen till väsentlig del. Prästerna i Sverige hade dittills betraktats som folkvalda tjänstemän och hade varit oförhindrade att bilda familj, vilket naturligtvis var ägnat att minska deras kåranda och deras villighet att lystra till fjärrboende prelaters appeller. Skänninge möte införde nu celibat även i de svenska stiften av den allmänneliga kyrkan. Kyrkans tjänare tillhölls att leva ogifta vid risk av bannlysning och fick ett nådeår på sig att skilja sig från sina hustrur om de hade sådana. Präster och prästfruar som fyllt femtio år kunde dock allt framgent få bo tillsammans om de förpliktade sig att inte sova i samma rum. Mötets beslut innehöll vidare varjehanda bestämmelser till skydd för kyrkans inkomster och egendom, och det fastslogs att den som våldför, våldgästar eller bestjäl en god präst är hemfallen under kyrkans bann, konungen och jarlen dock undantagna. Undantaget verkar något förbryllande i sammanhanget.

Skänninge möte är känt företrädesvis genom den romerske legatens

110

brev och genom en påvlig bulla som till mötets beslut fogade påbudet att svenska biskopar hädanefter skulle väljas av domkapitlen och godkännas av den heliga stolen. Sverige knöts alltså allt fastare till den internationella kyrkan i Birger jarls dagar, och genom hans ingripande bereddes även andra utländska inflytanden tillfälle att göra sig gällande i det underutvecklade landet. År 1251, samma år som hans son Valdemar kröntes i Linköpings domkyrka, avtalade jarlen med staden Lübeck att dess fartyg skulle ha tullfrihet i svenska hamnar och att tyska borgare fick rätt att fritt bosätta sig i Sverige på villkor att svenskar i Lübeck tillerkändes motsvarande rättigheter. Avtalet fick snabbt den avsedda följden att tyska köpmän slog sig ner i svenska städer och framför allt i det uppväxande Stockholm, vars namn förresten nämns för första gången sommaren 1252, då Birger jarl och Valdemar daterade ett gemensamt brev där.

För övrigt ingicks fördrag även åt andra håll. Fred slöts sålunda med Danmark efter diverse misshälligheter som hade att göra med de dynastiska striderna i detta land; där regerade för ögonblicket en kung vid namn Kristoffer som nyss hade efterträtt sin bror Abel vilken i sin tur nyligen hade mördat sin bror Erik Plogpenning, och Birger jarl själv gifte sig omsider med Abels efterlämnade gemål som hette Mechtild. Han knöt också släktförbindelser med det norska kungahuset i det att hans dotter Rikissa giftes bort med den unge prins Håkan den yngre Håkansson, och förhållandet till denne var alltid mycket gott och vårdades omsorgsfullt av jarlen. När prins Håkan vid påsken år 1257 skulle komma och hälsa på sin svenske svärfar på Lena gård i Västergötland förbjöd jarlen strängeligen allt sitt folk att göra spe av norrmännen och kalla dem för baggar, upplyser en norsk historia.

Ryktbarare än dessa Birger jarls utrikespolitiska insatser är hans gärning som lagstiftare. Under loppet av 1200-talet upptecknades i Sverige de gamla landskapslagarna som ditintills hade traderats muntligen av lagmännen, men samtidigt tillkom en ny sorts lagar som inte hörde ihop med den folkliga sedvanerätten utan utfärdades av statsmakterna för hela riket. Jarlen och de förnämsta stormännen trädde samman och kom överens om vissa rättsbud som de lovade att upprätthålla med förenade krafter. De bekräftade detta löfte med ed, och de lagar som tillkom på det sättet kallas därför edsöreslagar – ordet edsöre betyder helt enkelt edgång. De viktigaste av dessa, som närmast gick ut på att stävja blodshämnden, går under namnet Birger jarls fridslagar och påbjöd kyrkofrid, hemfrid, tingsfrid och kvinnofrid. Föremålet för den sistnämnda berördes även av Birger jarls lagstiftning om arv, vilken anses vara tillkommen under inflytande av dansk rätt. Han införde den danska regeln att syster skulle ärva hälften mot broder, en bestämmelse som ersatte det fornsvenska systemet *Gangärä hattär til ok huva fran*, Gånge hatt till och huva ifrån, såsom östgötalagen formulerar saken. Kristen rättsuppfattning ligger väl däremot till grund för de stadganden varigenom han avskaffade gävträlarna, det vill säga möjligheten att på grund av skuld ge sig själv till slav hos fordringsägaren, samt förbjöd järnbörden, det vill säga föreläggandet att inför domstol bevisa sin rätt eller sin oskuld genom att bära ett glödgat järn i händerna utan att bränna sig.

Lagen om kvinnans arvsrätt utfärdades år 1260 från Jönköping när den unge kung Valdemar firade bröllop i denna stad med den danska prinsessan Sofia. Några år dessförinnan hade Birger jarl skrivit till påven och begärt stadfästelse av vissa arrangemang beträffande arvsrätten till Sveriges rike, ty med Erik läspes syster hade han flera söner än Valdemar vilka alla borde förses med land och län att regera. Påven svarade att eftersom jarlens avsikt med detta var att förebygga framtida brödrastrider lämnade han gärna sitt gillande.

Östgötalagens ord om hatt och huva är inget lagbud; lagen säger tvärt-
om att så var det förr men inte nu, ty syster skall ärva hälften mot bro-
der. Den enda bevarade landskapslag som inte har tagit upp denna arvs-
regel är Äldre västgötalagen, som uppenbarligen är nedskriven före
Birger jarls tid och vars ärvdabalk fastslår lakoniskt: "Son är faders
arvinge. Finns ej son, då är dotter. Finns ej dotter, då är fader. Finns ej
fader, då är moder." I den yngre varianten av Västgötalagen, tillkom-
men någon mansålder senare och nästan dubbelt så omfångsrik, har den
nya tiden emellertid brutit in: "Son och dotter äro faders arvingar. Son
tage två lotter och dotter en tredjedel. Finnes ej son eller dotter, då
tage fader och moder arv, fader två lotter och moder en tredjedel. Fin-
nes ej fader eller moder, då äro bröder och systrar. Broder tage två
lotter och syster en tredjedel."

Landskapslagarna sådana de nått eftervärlden är alltså inte äldre än
från 1200-talet, vilket naturligtvis inte hindrar att deras rötter säkerligen
sträcker sig många hundra år bakåt i tiden. Att åtskilligt i lagarna går
tillbaka till heden tid är uppenbart; klarast framgår det av vissa eds-
formulär som låter parterna svära vid Gudarna. I behåll finns också ett
fragment som kallas Hednalagen och otvivelaktigt är mycket gammalt;
det har räddats från glömskan av Olaus Petri och handlar om envig
såsom ett lagligt sätt att slita en tvist utan rättegång. Texten kan vara
värd att beskåda inte minst av språkliga skäl. Den gör bruk av runan Υ
såsom tecken för det fornsvenska ordet maþær som helt enkelt betyder
man, och att söka tyda dessa rader på modersmålet kan väl vara åtmin-
stone lika nöjsamt som att lösa korsord:

Giver Υ oqueþins ord manni, þu er ei mans maki, ok ei Υ i brysti,
Jach är Υ sum þu, þeir sculu mötas a þriggia wegha motum, Cumber
þan ord hauer giuit, och þan cumber ei þer ord hauer lutit, þa mun han
wara sum han hetir, er ei eidganger, oc ey witnesbeer, hwarti firi man
eller kunu, Cumber och þan ord hauer lutit, och ei þan ord hauer givit,
þa opar han try niþingx opp, och merkir han a iorþu, þa han Υ þes
werri þet talaþi han ei halla þorþi, Nu mötas þeir baþir med fullum
vapnum, Faller þan ord hauer lutit, gilder med haluum gieldum, Faller

þan ord hauer giuit, glöper orda werster, tunga houudbani, ligger han i ogildom acri.[1]

Fornsvenska texter begriper man i allmänhet lättast om man läser dem högt; den ovana stavningen och interpunktionen gör dem konstigare för ögat än de är för örat. I modern språkdräkt bör paragrafen lyda:

Ger man okvädinsord åt man: "Du är ej mans jämlike och ej man i bröstet!" "Jag är man som du!" De skola mötas vid tre vägars möte. Kommer den som ord har givit och kommer ej den som ord har fått, då må han vara som han fick heta, är icke edgångsberättigad och icke vittnesgill, vare sig för man eller kvinna. Kommer den ord har fått och icke den som ord har givit, då ropar han tre nidingsrop – ropar Niding! tre gånger – och gör ett märke för honom på marken. Desto sämre man är då han som talade det han ej tordes hålla. Nu mötas de båda fullt väpnade. Faller den som ord har fått, gäldas med halv bot. Faller den som ord har givit: glåpord är värst, tungan är huvudets bane, han ligger i ogill åker.

Hednalagen anses vara sista resten av en försvunnen västgötsk rättsuppteckning, och Västergötland är såsom redan har antytts lagklokhetens klassiska mark i Sverige. Den bevarade urkund som kallas Äldre Västgötalagen är emellertid icke blott ett rättshistoriskt dokument utan också ett oskattbart språkhistoriskt minnesmärke. För ovetenskapliga läsare är den vidare en riktigt rolig bok vars prosa har en klang som ofta är magnifik, och i sak innehåller den många märkvärdigheter och varjehanda glimtar av livet i Sverige i en längst förgången tid. Envig föreskrivs inte längre, men lagen förutsätter ofta att den förorättade har tagit rättvisan i egna händer; det stadgas sålunda att om någon på bar gärning dräper en dråpare, en inbrottstjuv, en hotfull lösdrivare eller en förförare i sin hustrus säng, då skall han efteråt föra talan mot den döde och få honom dömd ogill på tinget. Ett utmärkande drag för västgötarätten är också att den ofta lägger ansvaret för brott på en hel grupp personer bland vilka gärningsmannen kan antas befinna sig. Blir någon dödad i en ölstuga åläggs alla närvarande gäster att vid böter skaffa fram gärningsmannen. Dödas någon på en kyrkogård äger biskopen rätt till böter av socknen, som i sin tur har att ta igen dem av den skyldige. Om

---

[1] I Olaus Petris text står: ..... "witnesbeer, er hwarti firi man" etc. Där står vidare "their sculu wapnum" i stället för "med fullum vapnum". Texten har på dessa punkter ändrats enligt L. Fr. Läfflers förslag till rekonstruktion av lagen, som också finns i en annan avskrift än reformatorns.

en häst bringas om livet på byns mark och ingen vet vem som bär skulden, så är det byn som får böta. Händer det något liknande på en ?llmänning åtalas de närmaste byarna i tur och ordning; kan allihop visa att de inte hyser förbrytaren så blir häradet skyldigt att skaffa fram vederbörande eller böta.

Att någon alltid måste göras ansvarig för det sorgliga som händer tycks vara en princip i Västgötalagen och i våra landskapslagar överhuvud taget. Det görs skillnad mellan viljaverk och vådaverk, men båda delarna bestraffas, vådaverken dock mildare. Till dem räknas också rena olyckshändelser. Om någon faller i en brunn eller kommer under ett kvarnhjul, så får ägaren av dessa så kallade handaverk ovillkorligen böta tre marker. Lika mycket kostar det en västgöte om någon blir ihjälbiten av hans hund, ihjälhuggen av hans galt eller ihjälstångad av hans tjur. Svårare är det att förstå att hela tre gånger så mycket får den böta som är olycklig nog att döda en kamrat med ett fallande träd vid skogshygge.

Femton balkar finns det i Äldre Västgötalagen; den första av dem är utan rubrik men handlar om kyrkliga frågor och inleds med de kända orden *Krister är fyrst i laghum warum*, Kristus är först i vår lag. De följande balkarna handlar om dråp, såramål, vådasår, slagsmål; de innehåller en rätt detaljerad bötesprislista. Därpå kommer en balk om urbotamål, alltså om förbrytelser som inte kan sonas med böter; dit hör sådana brott som att dräpa i kyrka eller i bad, att hämnas för lagligen ådömt straff, att härja i eget land, att bli sjörövare. Ärvdabalken, citerad härovan, innehåller bland annat föreskrifter om hur det skall bli med ens egendom om man vill resa till Rom eller gå i kloster, och Giftermålsbalkens viktigaste paragraf torde ha varit den som utsäger hur fästning skall gå till och hur fästmannen på särskild stämma skall utlova vad han vill ge för fästmön. En avdelning som heter Rättslösabalken innehåller en brokig samling bestämmelser; där står om okynnes fä och om skadegörelse av förlupna trälar, och där läses vad det kostar att kalla någon för hundvalp eller beskylla någon för feghet, otukt, tidelag, häxeri, barnamord och annat. I denna balk står märkligt nog alla våra landskapslagars mest berömda paragraf, den nämligen som handlar om konungaval och eriksgata: *Sveär egho konong at taka ok sva vräkä.*

"Svear äga konung taga, så ock att vräka. Han skall med gisslan fara med och till Östergötland. Då skall han skicka sändemän hit till alla götars ting. Då skall lagmannen utse gisslomän, två från södra delen av landet och två från norra delen av landet; sedan skall han sända fyra andra män från landet med dem. De skola fara till Junebäck att möta honom. Östgötarnas gisslomän skola följa honom dit och bära vittne, att han har kommit in i deras land så som deras lag säger. Då skall man sammankalla alla götars ting honom till mötes. Då han kommer till tinget skall han svärja att vara trogen mot alla götar, att han icke skall bryta rätt lag i vårt land. Då skall lagmannen först döma honom till konung och sedan andra, som han beder därom. Konungen skall då giva fred åt tre män, som icke hava gjort nidingsverk."

Hur denna ståtliga grundlagsbestämmelse har kommit att placeras i en balk som bär laglöshetens namn har naturligtvis diskuterats en del. C. F. Schlyter, den utomordentligt samvetsgranne utgivaren av våra landskapslagar, menade att västgötarna nog ogillade svearnas politiska företrädesrätt och därför stoppade in paragrafen härom bland laglösheterna i sin lag. Andra har sagt att det hela säkert bara beror på en skrivares vårdslöshet, och från finländskt håll har man gjort gällande att ordet Rättslösabalk helt enkelt skulle betyda en balk där man skrev in stadganden om varjehanda varom det förut inte funnits någon rätt. Enighet i frågan torde icke vara nådd och är väl knappast heller att vänta; därtill är ämnet för roligt och materialet för sprött.

De återstående balkarna i Äldre Västgötalagen är jordabalken som handlar om jordköp, skiften och råmärken, stängsel och ägotvister, en liten balk om kvarnbygge och vattenrätt över huvud taget, vidare tjuvabalken, som naturligtvis innehåller bistra bud, balken om förnäme, vilket betyder ungefär egenmäktigt förfarande, och slutligen en passus som heter Lekarerätten. Den sistnämnda är kuriös, och det är väl tvivel underkastat om den verkligen bör räknas till lagen, men det är nog sannolikt att den motsvarar vad som kunde hända en lösdrivande histrion eller musikant som förirrat sig ut bland de mantalsskrivna bonddrängarna i Västergötland. All rätt frånkänns "den som med giga gångar eller med fidla far eller bambu", dvs. trumma; får han stryk och klagar sin nöd, då skall man raka håret av svansen på en kviga och smörja in den, varpå man uppe på tingshögen skall låta lekaren hålla i denna svans under det att någon slår till kvigan med en piska. Kan lekaren då hålla henne så får han möjligen behålla djuret; varom inte får han tåla den skam och skada han lidit.

Den skriftliga uppteckningen och redigeringen av Västgötalagen har tillskrivits lagman Eskil Magnusson. Man vet om honom att han var son till östgötalagmannen Magnus Minnesköld av Bjälbo; han var alltså bror till ingen mindre än Birger jarl. Genom sitt gifte med Erik den heliges sondotter Kristina som var änka efter en norsk jarl blev han vidare styvfar till en pojke som pretenderade på Norges krona. Till familjens umgänge hörde märkligt nog själve Snorre Sturlason, som besökte den västgötska lagmansgården anno 1219, och fru Kristina skänkte honom då det fälttecken som burits framför kung Erik Knutsson i slaget vid Gestilren. Att lagmannen har utbytt litterära tankar med Snorre är väl sannolikt, och denne kan verkligen ha haft nyttiga råd och upplysningar att lämna, ty i Norge fanns det skrivna lagböcker sedan länge. Lagman Eskil bedrev emellertid själv rättshistoriska forskningar med stor iver, upplyser några biografiska rader som också kan duga till fornsvensk läsövning: "Han spurði innurlikä oc letaði al Lums lagh oc annarä at nyträ häfð lanzins foräldri. Siðän han fan lanzins lagh, þa huxäði han þem mäð mykli snilli." – "Han eftersporde innerligt och sökte all Lums lag[1] och andras efter landsens fäders goda sed. Sedan han funnit landsens lag, då begrundade han dem med mycket snille."

Atskilliga andra landskapslagar finns i behåll som ett oskattbart arv från Sveriges medeltid. Yngre Västgötalagen är ganska olik den äldre; den är mycket mer detaljerad och genomarbetad, dess språk är vackrare och dess anda humanare. Man läser där med respekt ett lagbud som detta: Stjäl fattig man lev eller fullt mål mat, och är han rätt allmoseman som ej orkar föda sig med sitt arbete, vare saklös. Mycket medryckande skriven med livliga scener och märgtulla meningar är Östgötalagen, beundransvärd inte minst för slagkraften i sina allitterationer: *viti faþir fang ok son fäþrini*, fader styrke fång och son fädernearv. Av Smålandslagen återstår bara kyrkobalken som kallas Kristnabalk; om det förlorade kan vi förmoda att där har stadgats lika arvsrätt för man och kvinna, vilket var en specialitet för Värend. Helt bevarad är däremot Gotlands-

[1] Se Lumber i registret.

lagen från 1200-talets slut; den saknar balkindelning och avviker även på många andra sätt från fastlandets lagar. Från Svealand finns i behåll Upplandslagen, Södermannalagen, Västmannalagen, Dalalagen och Hälsingelagen, av vilka den förstnämnda får anses vara den viktigaste, ty den kom i sinom tid att ligga till grund för allmänna landslagen och förblev på det viset delvis gällande ända till 1700-talet. Upplandslagen betecknas av jurister som ett ytterligt förnämligt arbete. Om dess tillkomst vet man att den är byggd på något som kallades Vigers flockar och att den redigerades av en tolvmannanämnd under ledning av Tiundalands lagman Birger Persson till Finsta, den heliga Birgittas fader; i nämnden satt också domprosten i Uppsala magister Andreas And, som hade studerat kanonisk rätt i Paris och över huvud taget var en lärd och märklig man. Lagtexten, som antogs enhälligt på tinget i Uppsala och stadfästes av konungen anno 1296, är mycket modernare än götalagarnas men har ändå på sina ställen kvar en klang av vikingatid: Konung bjuder ut ledung; skepp ligger i läge, lyfting är tältad, sköld är på stammen...

Landskapslagarna tog sikte uteslutande på bondesamhällets förhållanden. För de fåtaliga städerna gällde särskilda stadgar, och vi vet att det har funnits flera olika svenska stadsrätter. I behåll finns blott den tyska stadslagen från Visby samt den svenska Bjärköarätten som gällde i Stockholm, med tiden också i Lödöse och Jönköping. Ordet bjärköarätt är ett märkvärdigt ord; det är nämligen samnordiskt, och stadslagarna kallades så både i det danska Lund och det norska Nidaros. Emellertid

finns det ändå anledning att tro att namnet har med Björkö att göra, ty någon annan betydelse kan man väl svårligen få ut därur, och är detta riktigt bör ordet bjärköarätt ursprungligen ha betecknat den lag som gällde i det forntida Birka och efter dess fall rimligen överflyttades till det nyanlagda Stockholm i Birger jarls dagar. Sådan som bjärköarätten nu föreligger kan den inte vara äldre än från 1200-talets slut; den enda bevarade handskriften har för övrigt gällt Lödöse, som på det själlösaste sätt har låtit skriva av den stockholmska lagen utan att ens ändra namnen på stadsdelar och platser i grannskapet. Bjärköarätten har åtskilligt att säga om lån av båtar och bärgning av vrak, om priset på att knuffa folk i sjön, om bakdantande av fogden och borgmästaren, om stöld av kål i annans kålgård, om hyresgästers rättigheter och skyldigheter och om mycket annat. Den som öppnar ett vinfat och säljer vin utan fogdens tillstånd får fatet beslagtaget och böter dessutom tre marker. Den som rövar lite grand före middag på gator och torg böte tolv marker, men motsvarande röveri efter middag kostar bara sex marker. Bjärköarätten är över huvud taget ganska festlig läsning, men som lag betraktad är den rätt mager och måste säkert i tillämpliga delar ha supplerats med det kringliggande landskapets lag, för Stockholms del Upplandslagen.

Bjärköarätten har en del att meddela beträffande exekutioner; det står att den och den skall hängas, den och den skall brännas, den och den skall sättas i stadens järn och den och den skall omhändertas av kåkgreven. Landskapslagarna, i varje fall de äldsta, säger mycket litet om sådant. Det föreskrivs visserligen att grova tjuvar skall hänga eller i vissa fall dömas till konungens gård, vilket väl var liktydigt med livstids straffarbete. Straffdomar av typen öga för öga och tand för tand är däremot alltjämt okända; de trängde så småningom in i svensk rättskipning genom kyrklig förmedling och under inflytande av Mose lag, men då var landskapslagarnas tid redan över. På det hela taget räknar den nordiska rätten bara med två slags straff: å ena sidan utstötning ur rättssamhället, det vill säga fredlöshet, å andra sidan böter efter ett detaljerat, noga avvägt system som dessvärre tycks ha råkat i oreda genom inflationer redan i forntiden. I de båda västgötalagarna, typiskt nog mest i den yngre, står det nämligen ibland efter föreskrifterna om tre marks böter: de heta tre och äro två. Uttrycket har säkert något att göra med skillnaden mellan silvervärde och penningvärde.

År 1273 flyttade Sveriges rikes ärkebiskop med påvlig tillåtelse till Östra Aros från Gamla Uppsala, där det började bli glest med folk i hans kyrka. Det folkrikare Östra Aros där man redan hade lagt grunden till en ny katedral blev i samband med flyttningen omdöpt till Uppsala. I januari fördes helge Eriks ben dit i högtidlig procession, och en julidag flyttades också de jordiska kvarlevorna av alla Sveriges ärkebiskopar med undantag av Olof Basatömir, som av någon anledning fick ligga där han låg.

Vid tiden för denna händelse befann sig den siste svenske jarlen inte längre i livet. Valdemar, befriad från hans förmyndarskap, styrde med kunglig myndighet över större delen av landet, men dennes bror Magnus satt i Nyköping såsom regerande hertig av Södermanland, och sämjan mellan bröderna var inte den bästa. Den glada drottning Sofia ogillade mycket sin svåger och gav honom öknamnet Kettlaböter, Kittelbotaren, därför att han var mörklagd och något mager, upplyser rimkrönikan. Nu hände det sig, just det året då ärkebiskopen flyttade till Uppsala, att hon fick besök av sin yngre syster Jutta, som hade lämnat det danska kloster där hon var nunna. Hon var vacker som en ängel, och kung Valdemar som var en stor fruntimmerskarl blev genast mycket betagen i henne. Mot slutet av året nedkom Jutta med en son, och drottning Sofia var oklok nog att offentligen visa vad hon kände, varigenom skandalen blev fullständig. Jutta återvände till Danmark och gömde sig i ett kloster där hon dog vid unga år, och den kunglige barnafadern tvangs att företa en pilgrimsresa till Rom för att utverka påvlig absolution för sin förbrytelse. Hertig Magnus uraktlät säkerligen inte att utnyttja situationen till sin fördel, och vid Valdemars hemkomst kom osämjan mellan bröderna till utbrott och övergick snart i öppen fejd. Med en trupp harneskklädda ryttare som anfördes av den mångbesjungne marsk Stig och hade ställts till hans förfogande av danske kungen Erik Klipping bröt Magnus in i Västergötland, och vid Hova i Tiveden mötte han den kungliga svenska bondehären som besegrades i grund. Valdemar som lär ha avvaktat slagets utgång med att sova middag i Ramundeboda flydde västerut men infångades i Värmland. Han frigavs dock snart och återfick väldet över Götalandskapen, men Magnus lät kröna sig och tog hand om huvuddelen av riket. Nu var det Valdemars tur att söka stöd hos Erik Klipping som under tiden hade råkat i tvist med Magnus om betalningen för sina ryttare. Denna konflikt bilades efter diverse krigiska företag i Småland där Växjö gick upp i lågor, men året därpå råkade Magnus i stället i strid med några missnöjda svenska herrar som tillfångatog hans drottning – Helvig hette hon – och hans svärfar hertigen av Holstein på slottet Gälakvist i trakten av Skara. Sedan dessa motståndare hade nödgats släppa sina fångar och lockats att möta honom själv på slottet ifråga där de ofördröjligen blev arresterade – de avrättades inom kort, men märkligt nog inte efter svensk lag utan efter romersk rätt – satt Magnus emellertid äntligen säker på sin tron. Valdemar avsattes under dessa oroligheter helt och hållet. Han fick behålla friheten under ytterligare några år men omhändertogs slutligen och hölls sedan i fängelse på Nyköpingshus i decennier, ty han överlevde sin segerrike broder länge. Hans tillvaro tycks inte ha varit alltför oangenäm, ty det finns uppgifter om namnen på en rad damer med vilka han i tur och ordning sammanbodde.

Magnus Ladulås

Kung Magnus är känd som Magnus Ladulås. Det har sagts och upprepats av historieskrivare genom många århundraden att så kallas han därför att han satte lås för bondens lada, men det behövs föga eftertanke för att begripa att detta är barnsligheter; tillnamn uppkommer inte på det sättet. Namnet måste vara äldre än den alltför enkla förklaringen. Ett modernt antagande som låter sannolikt är att han i själva verket hette Magnus Ladislaus, vilket är den latinska formen av det slaviska förnamnet Vladislav. Att han var döpt till det kan inte bevisas men är i och för sig mycket rimligt, ty han var av slavisk släkt på mödernet; hans mormor bar det främmande namnet Rikissa som sedan gick i arv i familjen, ty så hette både hans syster och hans dotter.

Emellertid är det ändå i någon mån sant att kung Magnus satte lås för bondens lada. Han utfärdade nämligen förbud mot våldgästning och utvidgade och skärpte över huvud taget den lagstiftning som hade inletts med Birger jarls fridslagar. Det skedde genom en ukas som kallas Alsnö stagda, vilken inom kort följdes av den nästan lika viktiga Skänninge stadga som bland annat förbjöd varje slag av självhämnd. Båda dessa stadgor innehåller emellertid i främsta rummet påbud av politisk snarare än juridisk art. Genom den förstnämnda infördes sålunda det världsliga frälset i Sverige, i det att kungens och biskoparnas män samt sådana privatpersoner som åtog sig att på egen bekostnad göra krigstjänst till häst fick skattefrihet för sina gårdar. Arrangemanget anses till en början ha befrämjat ståndscirkulationen, eftersom frälset stod öppet inte blott för medlemmar av de gamla stormansätterna utan för envar som hade råd att hålla sig med häst och rustning, men i längden ledde det naturligtvis till en allt skarpare gränsdragning mellan samhällsklasserna. En svensk adel i senare tiders mening uppkom på grundval av de skatteprivilegier som beviljades kavalleristerna på Magnus Ladulås tid.

Även prästerskapet utvecklades i hans dagar alltmer till ett särskilt privilegierat stånd. Han garanterade dess rättsliga immunitet då han av kyrkan erkändes som konung, och vid sin gemåls kröning i Söderköping utfärdade han ett brev om skattefrihet för all kyrklig jord.

Ärkebiskopen som förrättade kröningen hette Jacobus Israelis och var för sin del ointresserad av jordiska rikedomar; omedelbart efter ceremonien avsade han sig frivilligt sitt ämbete och levde sedan ett kontemplativt liv, varjämte han skänkte sin gård Biskopskulla till Uppsala domkyrka att evinnerligen underhålla sex korgossar. Men även Magnus Ladulås själv var av allt att döma en from och allvarlig katolik, ty han gynnade på allt sätt det kloster som gråbröderna av den helige Franciscus' orden nyss hade fått upprätta i Stockholm på nuvarande Riddarholmen, och när S:ta Klara kloster grundades på andra sidan Norrström insatte han sin egen sexåriga dotter som nunna där. Ett livligt klosterbyggande utvecklades under hans tid av de nya bröraskapen franciskaner och dominikaner, som i Sverige kallades gråbröder och svartbröder efter färgen på sin dräkt. I motsats till de äldre munkordnarna förlade dessa alltid sin verksamhet till bebyggda trakter, och under loppet av 1200-talet inrättade de kloster i alla svenska städer av någon betydelse: Lund, Uppsala, Sigtuna, Söderköping, Nyköping, Linköping, Jönköping, Växjö, Enköping, Arboga, Stockholm, Strängnäs, Västerås, Visby, Kalmar, Lödöse, Skänninge och Skara. En strimma av boklig bildning och internationell kultur hade därmed trängt fram till alla dessa orter i den medeltida civilisationens norra utkant.

En rangställning i detta avseende intar, åtminstone från modern synpunkt, de båda sistnämnda av de uppräknade städerna, ty i dem såg litteraturen i Sverige dagens ljus. Lund som genom hela medeltiden tillhörde Danmark kan i detta sammanhang lämnas ur räkningen; där hade Saxo Grammaticus verkat redan i Birger Brosas dagar, och han var inte den ende som under 1100-talet skrev dansk historia på gott latin. Men när det egentliga Sverige någon mansålder senare nåddes av kulturvågorna söderifrån hade tiden ömsat skinn, och att berätta om denna världens gång på livfull prosa var inte längre en uppgift som kunde intressera andans män. Som Sveriges förste författare har man brukat beteckna dominikanermunken Petrus de Dacia, lektor vid klosterskolan i Skänninge; han skrev på tidens internationella språk en biografi över det tyska helgonet Kristina från Stommelen, en ung flicka som han personligen lärt känna och älskade med svärmisk glöd. Blott något tiotal år yngre än Petrus de Dacia var den förste svenske poet vars verk finns i behåll; hans namn är Brynolphus, biskop i Skara genom fyrtio år under Magnus Ladulås' och hans söners tid. Han har efterlämnat ett antal kyrkliga sångtexter i rimmade strofer på latin. Brynolphus som på svenska hette Brynolf Algotsson och tillhörde en av landets mest inflytelserika ätter stod inte i något gott förhållande till Magnus Ladulås, ty denne lät fängsla hans far och avrätta en av hans bröder; det skedde sedan den sistnämnde hade varit med om att ur Vreta kloster bortröva en flicka som älskades av en annan broder ur Algotssönernas krets vilken rymde med flickan till Norge. Historien har använts av Verner von Heidenstam i romanen Folkungaträdet.

Såväl Petrus de Dacia som biskop Brynolphus var högt bildade män; de hade båda studerat vid dominikanernas universitet i Paris, dit det genom hela Folkungatiden gick en ström av nordiska studenter. Tre svenska stift, nämligen Uppsala, Skara och Linköpings, inrättade på 1200-talet särskilda studenthem där och höll på detta sätt några dussin läsbegåvade ynglingar med mat och husrum i den franska huvudstaden; ett så positivt intresse för studier och lärdom visade sällan deras hemlands myndigheter i de sena tider då medeltiden brukat kallas mörk. Emellertid är det klart att den katolska teologiens hårdnande grepp om sinnena även hade sina mindre tilltalande sidor. Redan år 1311 utspelades sålunda den svenska medeltidens enda egentliga kätteriprocess; Upplandsbonden Botolf i Gottröra hade förnekat brödets och vinets förvandling i altarets sakrament och sagt att för övrigt ville han inte äta Guds lekamen, lika litet som han ville vara människoätare. Då han inför sina andliga domare vidhöll att han fann saken orimlig överlämnades han till den världsliga rättvisan att såsom djävulens lem brännas på bål. Hur det sedan gick finns det inga uppgifter om, men förmodligen gick väl straffet i verkställighet. Fallet är emellertid enastående i vårt land, och på det hela taget vågar man nog påstå att medeltidens prelater i sådana frågor var väl så frisinnade som den protestantiska ortodoxiens förkämpar fyrahundra år senare.

Även den materiella kulturen i det medeltida Sverige stod nog högre än vad senare släkten vanligtvis har varit benägna att tro. Från tiden för Magnus Ladulås' död härrör den första arabiska siffra som veterligen är skriven här; det är en 4, och den står i en förteckning som den blivande ärkebiskopen Nils Allison upprättade över Uppsala domkyrkas tillhörigheter. Den fyran är en ensam svala; de romerska siffrorna behöll sin dominerande ställning ännu ett par århundraden. Emellertid gick det tydligen att räkna också med dem, ty handel och näringar florerade. Från Magnus Ladulås' dagar härstammar sålunda vår äldsta skriftliga urkund beträffande gruvdrift i Sverige; den gäller Stora Kopparberget. På grund härav ansåg man länge att det svenska bergsbrukets uppkomst borde dateras till hans regering, men detta är bevisligen oriktigt, ty i Visby har man under husgrunder från 1100-talet träffat på järn och slagg som vid analys har befunnits härröra från Utö gruva i Stockholms skärgård. Även silver torde ha brutits i Sverige ganska tidigt, ehuru det är omöjligt att få något begrepp om omfattningen. När omsider det ena bergverksprivilegiet efter det andra utfärdas under loppet av 1300-talet är det emellertid redan frågan om mycket vidlyftiga företag, och otvivelaktigt utgjorde Folkungatiden en period av teknisk, industriell och kommersiell uppblomstring för gruvorna och inte minst för städerna som finansierade och exploaterade rörelsen, i främsta rummet för det snabbt växande Stockholm. En viss lyximport tycks rentav ha kommit i gång; man vet sålunda att påfåglar infördes i landet redan under 1200-talet. Men för menige man som nästan undantagslöst levde av jordbruk utgjorde den ekonomiska utvecklingen under Magnus Ladulås knappast något glädjeämne, ty bondejorden som fordom hade varit fri från pålagor blev vid denna tid skattlagd för första gången, alltmedan Uppsala öd, de över hela landet spridda kronogods som dittills hade gett staten alla dess inkomster, för de stigande försvarskostnadernas skull förskingrades i allt raskare takt genom förläningar åt det världsliga och andliga frälset.

Från Magnus Ladulås' dagar räknas vanligen uppkomsten av riksrådet och därmed av tre höga ämbeten som spelat en viktig roll i Sveriges politiska historia. Deras innehavare kallades kanslern, marsken och drotsen alias drotset. Den förstnämnde var naturligtvis chef för det kungliga kansliet med allt vad detta kunde betyda av inflytande på utrikes och inrikes ärenden. De båda övrigas funktioner och maktområden tycks däremot från början inte ha varit klart avgränsade. Marsken som lantförsvarsminister och drotsen som högste rättsvårdare är alltså senare tiders uppfinning, men män med dessa titlar var från början rikets högsta dignitärer näst konungen. Magnus Ladulås' egen marsk hette Tyrgils Knutsson, och när kungen vid jämförelsevis unga år gick ur tiden – han dog på Visingsö och var den siste svenske monark som någon längre tid hade residerat där – utsågs denne till förmyndare för hans barn som ännu var små.

Om Tyrgils Knutsson och Magnus Ladulås' tre söner handlar det blodiga sorgespel som utgör huvudinnehållet i Erikskrönikan. Dennas titelfigur och hjälte är hertig Erik som var den andre i ordningen av bröderna, medan den äldste som hette Birger och var utsedd till faderns efterträdare framstår såsom boven i dramat. Valdemar, den yngste, är en hjälte i andra planet och uppträder blott såsom Eriks medhjälpare och följeslagare.

Krönikan skildrar till en början Tyrgils Knutssons person och maktutövning i de ljusaste färger och utbreder sig vidlyftigt om en framgångsrik korstågsexpedition som han företog till Karelen. Där grundade han Viborg och erövrade Kexsholm, varpå han drog vidare till stränderna av Neva och byggde där ett fäste vid namn Landskrona, vilket snart blev taget av ryssarna, dock först efter varjehanda ridderliga bragder. Vad Tyrgils Knutssons övriga gärningar beträffar berättar krönikan i fortsättningen mest om den glans han utvecklade vid sitt bröllop. Hans dotter i ett tidigare gifte blev dessförinnan given till gemål åt den unge hertig Valdemar som nu var vuxen, och marsken stod därmed på höjden av makt och framgång, men detta tillstånd varade inte länge. En dag försköt Valdemar flickan och skickade henne hem till hennes fader under förklaring att äktenskapet enligt kyrkans lag hade varit otillåtet därför att denne hade stått fadder åt brudgummen. Kort därefter anlände de tre bröderna oväntat till gården Aranäs i Västergötland där marsken befann sig. De tog honom till fånga, och med fötterna sammanbundna under hästbuken släpades han omedelbart till Stockholm och avrättades skymfligen söder om staden.

Erikskrönikan lovprisar Tyrgils Knutsson i allmänna ordalag, men i själva verket är det inte mycket man vet om hans statsmannagärning. Han tycks ha uppträtt betydligt strävare mot det andliga frälset än Magnus Ladulås gjorde och erkände inte skattefriheten för kyrkor och kloster. När kung Birger blev myndig stod marsken på dennes sida i den konflikt med hertigarna som omedelbart uppstod, och att han ändå blev uppoffrad måste rimligen ha berott på att kungen behövde kyrkans stöd.

Den dramatiska utvecklingen av osämjan mellan Birger och hans bröder hänger samman med en del dynastiska familjeförhållanden som kom att få betydelse för alla de nordiska ländernas historia. Birgers gemål som hette Märta var syster till danske kungen Erik Menved som själv var gift med hans egen syster, och de båda monarkerna var alltså mycket fast allierade. Hertig Erik var däremot trolovad med den norska prinsessan Ingeborg, enda barnet till kung Håkan Magnusson och den litteraturintresserade drottning Eufemia.[1] Hon var visserligen bara tre år när hon bortlovades till honom, men hon var arvtagerska till Norge, som i motsats till Sverige var ett arvrike. Sin förbindelse med det norska kungahuset utnyttjade Erik nu till att skaffa sig en del av Bohuslän i förläning, och till honom överlämnades också norra Halland som hade lösryckts från Danmark av ledarna för ett upprorsparti som hade mördat Erik Menveds fader Erik Klipping och därefter hade gjorts fredlöst i hans rike.[2] Sitt svenska hertigdöme, Södermanland, hade Erik blivit fråntagen på grund av dessa sina förbindelser, men i sitt nya land i skärningspunkten mellan Nordens tre riken inrättade han sig nu som självständig suverän och kom snart i öppet krig med sin kunglige broder. Efter diverse småstrider i Värmland och Dalsland kom det slutligen till förlikning, varvid Erik och Valdemar erkände Birgers späde son Magnus såsom svensk tronföljare, och det var i detta sammanhang som de tre bröderna med förenade krafter undanröjde Tyrgils Knutsson.

[1] Se Eufemia i registret.
[2] Se Marsk Stig i registret.

Sämjan varade bara något halvår. En sensommardag år 1306 red hertigarna med stort följe norrut från ett bröllop på den gamla släktgården i Bjälbo, nådde Mälaren i Tullingetrakten och tog sig med båtar upp genom de vindlande fjärdarna till Håtuna gård inte långt från Sigtuna där den kungliga familjen för tillfället vistades. De blev mottagna och trakterades med vad huset förmådde, men på natten bröt de upp ur sitt härbärge och tog värdfolket till fånga, ett dåd som rimkrönikan kallar för Håtunaleken. En hovman som hette Arvid Smålänning ryckte den lille kronprinsen upp ur hans säng och lyckades föra honom i säkerhet hos Erik Menved i Danmark, men kungaparet var i hertigarnas våld och sattes ofördröjligen i fängelse på Nyköpingshus.

Erik var nu herre i Sverige samtidigt som han hade alla utsikter att för sin familj vinna Norges tron, och han rådde dessutom över ett stycke danskt territorium och hade goda förbindelser med Erik Menveds fiender i Danmark. Krig med den sistnämnde utbröt naturligtvis genast, och man härjade och brände en del i Skåne och Västergötland. Emellertid ändrade sig det politiska klimatet inom kort genom att norske konungen började finna Eriks maktställning betänklig och anslöt sig till den danske, och en fredsuppgörelse kom till stånd sedan Erik hade tvingats att frige Birger och hans drottning. Sverige delades nu mellan denne och hertigarna i tre suveräna stater. Denna tingens ordning blev bestående i sju år. Under denna tid gick det avtalade giftermålet mellan Erik och den norska prinsessan Ingeborg äntligen i fullbordan, och brudgummens bror hertig Valdemar förmäldes samtidigt med brudens kusin och namne vid ett lysande dubbelbröllop i Oslo. De båda höga familjerna välsignades inom kort med var sin ättelägg, och kung Håkan blev så glad över tronföljdens tryggande att han omedelbart och under stora festligheter dubbade tjugofyra norska herrar till riddare.

Kung Birger, vars rike omfattade Mälarlandskapen utom Stockholm, Hälsingland, Gotland, Östergötland och östra Småland samt det finländska Viborgs län, hade däremot anledning till oro. Skattevägran och upproriska rörelser förekom på flera håll i hans land samtidigt som hertigarnas maktställning byggdes allt fastare, och sedan sin fängelsetid måste han ofta ha lekt med tankar på någon djärv kupp som på en gång kunde ge honom och hans familj personlig säkerhet och återställa den splittrade riksenheten. Hans planer i den vägen underblåstes enligt Erikskrönikan ivrigt av hans nye drots Brunke – hans rätta namn var Johan von Brunkow – och sattes omsider i verket genom den händelse som i Sveriges historia kallas Nyköpings gästabud.

Hösten 1317 gjorde hertig Valdemar ett kort besök hos kungaparet som då höll hov i Nyköping. Han togs emot med översvallande hjärtlighet, och drottningen lyckades övertyga honom om att hon och hennes man verkligen vore angelägna om att stryka över det gångnas misshälligheter och få till stånd en uppriktig försoning. När han for vidare till Stockholm där hertig Erik befann sig hade han med sig en inbjudan till dem båda att komma och fira jul hos släktingarna på Nyköpingshus. Efter någon tvekan beslöt de att resa, och i början på december kom bröderna med stort följe till Nyköping. De hälsades välkomna vid en glad bankett, varefter de gick till sängs i sina gemak på slottet under det att deras följeslagare fick nattkvarter ute i staden. Mitt i natten kom drotsen Brunke med ett kompani armborstskyttar och arresterade de sovande, varvid enligt Erikskrönikan kung Birger själv infann sig och vredgad påminde dem om Håtunaleken:

> Mynnes jder nakot aff hatwna leek.
> Fulgörla mynnes han mik.

Krönikan skildrar i fortsättningen hur fångarna brutalt slogs i järn och sattes i stock på ömse sidor om en vattenpöl djupast i tornet. Emellertid hade konungen tydligen missbedömt det politiska läget och stämningen i landet, ty när hertigarnas vänner och anhängare grep till vapen flammade upproret upp överallt med våldsam kraft. Konungen måste fly för övermakten, och när hans fiender redan var på väg att innesluta Nyköpingshus sägs han ha kastat nyckeln till brödernas fängelse i den brusande ån utanför och lämnat dem att dö av hunger. Deras tragedi är emellertid dunkel. I augusti 1318 visades deras lik från slottets murar

för den belägrande armén, som därefter inom kort tog slottet och rev
ner det. Ännu i juni trodde emellertid Eriks gemål att han levde, och
kung Birger hade lämnat Nyköpingshus redan på vårvintern. Hertigar-
nas testamente som alltjämt finns bevarat och vari alla rikets kloster och
domkyrkor är ihågkomna är daterat i januari. Dessa data jämte rim-
krönikans uppenbart partiska berättelse utgör allt vad eftervärlden vet
om saken.

Om Birgers egna olycksöden handlar dramats sista akt. Hans unge
son Magnus, som nu var aderton år gammal, hade kommit till und-
sättning med danska trupper men blev innesluten på det fasta Stegeborg,
där han snart tvangs att kapitulera och gav sig fången mot löfte om sitt
liv. Drotsen Brunke hade sökt komma honom till hjälp med en flotta
men blev fasttagen och avrättades, sägs det, under tortyr i Stockholm på
den höga sandås som sedan dess har kallats Brunkeberg. Kung Birger
själv flydde till Gotland varifrån han snart måste bege sig till Danmark,
och därmed var allt motstånd i Sverige brutet. Vid midsommartiden
1319 samlades rikets andliga och världsliga stormän jämte fyra bönder
från varje härad till kungaval vid Mora stenar i Uppland och hyllade
hertig Eriks treårige son, som genom sin morfars bortgång någon må-
nad tidigare hade blivit konung även i Norges rike.

Den fångne prins Magnus, som ingenting hade förskyllt men vars
blotta existens utgjorde en politisk fara, avrättades året därpå efter en
rättegång som säkert gick ut på att göra det möjligt för hans besegrare
att bryta sitt offentliga löfte. Hans fader överlevde honom blott några
månader. Av personerna i det stora släktdramat återstod därmed blott
den landsflyktiga drottning Märta och den gamla drottning Helvig,
Magnus Ladulås' gemål, ensam kvar i livet efter alla sina söner.

Kung Erik Menved i Danmark hade inte kunnat hjälpa sina svenska anförvanter därför att han själv hade förlorat det mesta av sitt rike. Ständiga strider med inrikes fiender och med nordtyska städer och stater bragte våldsam oreda i hans finanser och tvang honom att pantsätta den ena provinsen efter den andra för lån i klingande mynt. Han och hans gemål, syster till alla de tre huvudpersonerna i dramat på Nyköpingshus, förföljdes dessutom av personliga olyckor som inte stod de svenska frändernas efter. De hade tillsammans inte mindre än fjorton barn av vilka elva var dödfödda och två dog strax efter födelsen, medan den fjortonde och yngste som såg ut att vara en frisk pojke föll ur sin mors knä och bröt nacken av sig i en vagn då han var något halvår gammal. Till detta kom att kungens bror – han hette Kristoffer – hade slutit sig till hans fiender i utlandet och ständigt stämplade mot hans krona och hans liv.

När Erik Menved och hans drottning gick ur tiden år 1319, snart följda av den landsflyktige konung Birger, rådde därför full upplösning i Danmarks rike. Kronogodsen och kronointäkterna på Jylland och de danska öarna liksom i Skåne och Blekinge var förskingrade till större delen. Halland som av gammalt var danskt land innehades alltjämt av den unga änkehertiginnan Ingeborg, norsk prinsessa och den svenske gossekonungens mor, som efter hertig Eriks sorgliga slut hade tagit till älskare en danskfödd riddare vid namn Knut Porse. Hon hade under några år en inflytelserik position i nordisk politik, ty hon var medlem i de båda förmyndarregeringar som förvaltade Sverige och Norge åt hennes son. Från denna ställning utmanövrerades hon dock snart av oroliga rådsherrar i båda rikena. Förhållandet mellan henne och styresmännen i Sverige var alltid spänt, och med Knut Porse som tycks ha fått styra och ställa efter behag i änkehertiginnans halländska stat låg det svenska rådet tidvis i öppet krig, men till dess lättnad dog han ung, och därmed var även hennes politiska roll utspelad.

När hennes kunglige son omsider nådde myndighetsåldern hade upplösningen i Danmark fortskridit så långt att de olika landsdelarna inte höll ihop längre. Två holsteinska grevar som hette Gert och Johan rådde över var sin halva av riket, och blott en bit av ön Lolland lydde under Kristoffer, som nominellt var bliven Danmarks konung efter sin broder Erik Menved. När Kristoffer dog och grevarna även formellt blev herrar i landet uppstod emellertid revolter här och var, framför allt i Skåne, där trehundra holsteinare påstås ha blivit ihjälslagna i själva Lunds domkyrka. Efter denna händelse sände den skånska och blekingska adeln en deputation med ärkebiskopen i spetsen till Magnus Eriksson och erbjöd landet till Sveriges krona, och 1332 hölls ett möte i Kalmar där man fick till stånd en personalunion mellan Skåne och återstoden av den skandinaviska halvön; skåningarna jämte befolkningen i Blekinge och södra Halland hyllade alltså kung Magnus men fick behålla sina egna lagar och institutioner. Den holsteinske greve Johan som hade skjutits åt sidan genom denna transaktion gick in på en förlikning som innebar att han av Magnus fick tillbaka de pengar han hade lånat danske kungen och för vilka han fått landskapen i pant. Summan var 34 000 mark lödigt silver, vilket var mer än det numera låter; Magnus Eriksson måste pantsätta en del av de svenska kronogodsen och pålägga nya skatter för att få ihop beloppet, och affären vållade honom ekonomiska bekymmer som han fick dras med i all sin tid.

Magnus Eriksson, som framgent titulerade sig Sveriges, Norges och Skånes konung, började emellertid sin regering under sällsynt lyckosamma omständigheter. Det rike han tillträdde var till arealen det ojämförligt största i Europa. Fred rådde för ögonblicket i alla väderstreck, sedan förmyndarregeringen några år tidigare hade fått till stånd ett avtal med ryssarna om gränsdragningen i öster; genom den historiskt viktiga freden i Nöteborg år 1323 bestämdes att gränsen skulle utgå från Systerbäcks utlopp i Finska viken och dras vidare norrut genom diverse orter som numera är svåra att identifiera och därför har föranlett många diplomatiska tvister genom tiderna. Det svenska väldet i Finland hade vunnit stadga under Magnus Erikssons förmyndare, och även utflyttningen till övre Norrland tycks ha tagit fart under deras tid. Ärkebiskop Olof, som naturligtvis var medlem av förmyndarregeringen, reste år 1324 till Umeå i sällskap med Hälsinglands fogde och en norrländsk storman som hette Nils Fardjäknson, och tre år senare meddelas att de tre herrarna sinsemellan hade delat Lule älv och dess bifloder – det var väl laxfisket som intresserade dem mest. Samtidigt inbjöd de alla därtill hågade kristna människor att bosätta sig i det folktomma landet mellan Skellefte och Ule älvar ovanför Bottenviken.

Kort efter sitt skånska förvärv red kung Magnus sin eriksgata genom de gamla svenska landskapen kring Mälaren och Vättern, och under denna färd utfärdade han från Skara i januari 1335 ett berömt brev om träldomens upphävande i Västergötland och Värend. Beträffande andra landsdelar finns inga liknande påbud i behåll, och det finns heller inga uppgifter om att slavarnas frigivande skulle ha förorsakat någon som helst uppståndelse i bygderna, vilket rimligen betyder att trälarna var mycket fåtaliga i Sverige vid denna tid.

Hemkommen från eriksgatan gifte sig konungen med den franska grevedottern Blanche alias Blanka av Namur, känd för sena tiders barn såsom huvudpersonen i visan Rida ranka. Året därpå förmäldes hans syster Eufemia med en hertig av Mecklenburg vid namn Albrekt, och båda de unga paren välsignades inom kort med avkomlingar. I Mecklenburg föddes ett gossebarn som fick heta Albrekt efter sin far och i sinom tid kom att spela en viktig roll i svensk historia. Den skandinaviska kungafamiljen fick två söner som döptes till Erik och Håkan, vilket var signifikativt: det var lämpliga namn på blivande konungar av Sverige och Norge. Personalunionen mellan de båda rikena var tydligen inte avsedd att bli permanent.

Såsom konung av Sverige tillsatte Magnus Eriksson någon gång under det första årtiondet av sin regering en kommission med uppgift att skaffa landet en allmängiltig lag. En sådan fanns redan i Norge. Några av de svenska landskapslagarna, framför allt Upplandslagen, hade överarbetats och moderniserats på kungligt uppdrag kring det föregående sekelskiftet, men bristen på enhetliga regler blev allt kännbarare i samma mån som den världsliga och andliga aristokratiens affärer blev riksomfattande, och även andra samhällsgrupper kunde naturligtvis ha olägenhet av den provinsiella splittringen på rättens område. De närmare omständigheterna kring den allmänna landslagens tillkomst vet man ingenting om, men arbetet måste ha fortskridit ganska raskt, ty redan på 1340-talet behandlades ett lagförslag vid en herredag i Örebro, där ett antal andans män inlade protest mot vissa bestämmelser som ansågs stå i strid med kyrkans privilegier och den kanoniska rätten. Landslagen måste ha varit färdig vid århundradets mitt, men bland annat på grund av kyrkans missnöje erhöll den aldrig någon kunglig stadfästelse och infördes först så småningom i de olika lagsagorna. Detsamma gäller om den några år senare tillkomna allmänna stadslagen, som i huvudsak bygger på landslagen och på den stockholmska så kallade bjärköarätten men även har rönt inflytande av hanseatisk rätt. Nymodiga och revolutionerande var de allmänna lagarna inte alls, och kyrkans hållning berodde just på detta. Landslagen grundade sig i allt väsentligt på den gamla svenska rätten, framför allt på Upplandslagen och på Östgötalagen som var den modernaste av götalagarna. Den stod i klar motsättning till den romerska rätten, som under medeltiden bredde ut sig över Europa och på sina håll har varit gällande där intill våra dagar.

Allmänna landslagen var icke blott ett juridiskt utan även ett politiskt rättesnöre; dess inledande avsnitt, konungabalken, utgjorde vad vi numera skulle kalla en regeringsform. Där finns sålunda bestämmelser om tillvägagångssättet vid konungaval, om konungens eriksgata, om riksrådets ställning och åtskilligt annat. Av särskild vikt var lagens stadgande att konung är väljandes och icke ärvandes, ty därmed hade Sveriges karaktär av valrike blivit klart fastslagen. Bestämmelsen utgjorde

Rikets slott och län

en seger för rådsaristokratien gentemot kungamakten, som under de första Folkungarnas tid hade visat tydliga tendenser till att betrakta ämbetet som ärftligt, vilket låg så mycket närmare till hands som landskapslagarna svävade på målet i denna fråga. Även landslagen gav emellertid företräde åt kungliga familjen, ty det stod att man helst borde välja någon av konungens söner, men det sades inte alls att det skulle vara äldste sonen.

Själv stod Magnus Eriksson inte i något gott förhållande till aristokratien, som både politiskt och ekonomiskt hade ökat sitt inflytande under hans omyndighetstid. Äldre hävdatecknare har skrivit mycket om stormännens maktlystnad, tygellöshet och andra moraliska defekter, men våra dagars historieskrivare som ju alltid är ekonomiskt sinnade har kunnat visa att stormannaväldets framväxt berodde på kronans penningnöd och på en djupgående disproportion mellan statens inkomster och utgifter. Den militära apparaten hade blivit allt kostsammare under 1300-talet; fasta slott med garnisoner av tungt beväpnade, beridna yrkessoldater växte nämligen upp i alla delar av landet och försågs med egna län såsom underhållsområden. Skatterna från dessa län inflöt huvudsakligen in natura, framför allt i livsmedel som garnisonerna på slotten direkt åt upp, och länen gav normalt inga överskott åt kronan; varje oförutsedd utgift innebar däremot ett underskott, och ur kronans synpunkt gick förvaltningen därför nästan alltid med förlust. Att panta bort länen var alltså en god affär, och de övergick därför till enskilda personer som var i stånd driva rörelsen mera affärsmässigt genom att de själva kunde övervaka intäkterna, hushållningen och militärutgifterna på slotten. Kronan undgick på så vis en rask bankrutt men förlorade samtidigt kontrollen över landet.

Magnus Erikssons situation var sålunda inte lätt, och hans personliga relationer till de maktägande storkapitalisterna var tydligtvis föga hjärtliga. Till dessas kretsar hörde otursamt nog Sveriges genom tiderna ryktbaraste författarinna, som i sina skrifter har gjort vad i hennes förmåga stod för att nedvärdera konungen. Hon hette Birgitta.

Birgitta

Den heliga Birgitta, säger en levnadsteckning som på 1400-talet kom till i Vadstena, var född *aff höghom ok gudhelikom forældrom*, och hon blev vid unga år *gifwin enom sniællom man ok ærlikom til hionalagh*. Hennes morföräldrar hette Sigrid den fagra och lagman Benkt till Ulfåsa vilken var bror till Birger Jarl, upplyser abbedissan Margareta Klawssadotter som i samma århundrade skrev en annan krönika om helgonet, och från denna källa härstammar historien om bröllopet på Ulfåsa, som har skänkt sena tiders svenskar en berömd marsch.[1] Nu lär abbedissan ha haft fel; forskningen har skänkt Birgitta en annan morfar och mormor. Emellertid var hon mycket högättad ändå, ty hon var dotter till den välborne uppländske lagmannen och storgodsägaren Birger Persson på Finsta av den ätt som senare kallade sig Brahe; han hade varit en av Magnus Erikssons förmyndare, och kungen var alltså ett slags fosterbror till Birgitta. Tretton år gammal blev hon gift med den ungefär jämbördige adertonåringen Ulf Gudmarsson som raskt steg till höga värdigheter; vid trettio års ålder var han redan lagman i Närke. Hans gods låg i Östergötland, och det unga paret bosatte sig på Ulfåsa gård där familjen snart växte; de fick under årens lopp åtta barn, fyra av vartdera könet. Som lärare för några av dem anställde Birgitta en andans man vid namn Nils Hermansson som med tiden blev biskop i Linköping, och hon gjorde också bekantskap med linköpingskaniken magister Mathias som var en lärd man och säkert en mystiker i hennes egen anda, ty han skrev en kommentar till Uppenbarelseboken.

I sinom tid gjorde Birgitta i makens sällskap en vallfart till S:t Olavs grav i Trondheim och därefter en annan till Compostella i Spanien där

[1] Betr. bröllopshistorien, se Ulfåsa i registret.

aposteln Jakob skulle vara begraven. På hemvägen blev Ulf Gudmarsson allvarligt sjuk nere i Frankrike och repade sig blott så mycket att han kunde fara hem och söka sig in i Alvastra kloster, där han gick ur tiden i februari 1344; Birgitta var då ungefär fyrtio år gammal. Trots sina vallfärder hamnade han i skärselden men hade dock fått gudomligt tillstånd att anropa Birgitta om förböner, ty i en uppenbarelse kunde han ge henne vissa upplysningar om sina förhållanden och även meddela henne sitt testamente, som han tydligtvis inte hade fått tid att skriva före sin död.

Birgitta hade haft syner och hört röster emellanåt alltsedan sin barndom, då hon vid sju års ålder fick besök av den heliga jungfrun som berörde hennes panna med en krona, men efter mannens sjukdom och död uppträdde sådana fenomen allt oftare. I den första och livsavgörande uppenbarelsen utnämndes hon till Kristi brud och sades skola bli den kanal genom vilken Herren ville skänka mänskligheten sin nåd, och uppenbarelsen ifråga borde hon förelägga magister Mathias, vilken nämligen förstode att skilja mellan lögn och sanning. Magister Mathias bekräftade att det förhöll sig så och förklarade sig vara övertygad om att det verkligen rörde sig om en gudomlig uppenbarelse och icke om något bländverk. Birgitta fick då i rask följd en rad nya uppenbarelser som magister Mathias översatte till latin alleftersom han fick del av dem – själv skrev Birgitta ner dem på svenska med vacker piktur. De utmärker sig inte för ödmjukhet precis. Birgitta är Frälsarens speciella älskling och förtrogna, och i det första halvdussinet av de utgivna uppenbarelserna uppträder han i egen person och talar till sin brud: *Thu skalt hwilas j mins gudhoms armom hwar ängin kötz luste är vtan andans glädhi ok lustilse.* I den sjunde uppenbarelsen kommer jungfru Maria och meddelar Birgitta hur hon bör klä sig i andanom: *Min son älska thik af allo hiärta. Thy skalt thu älska han. Thu skalt wara prydh mz höuiskastom klädhom.* I andra sammanhang omtalar den heliga jungfrun hurusom hon själv avlades i det renaste hjonelag vilket Kristus från sin himmel hade ordnat på bästa sätt på det att hon måtte få en värdig moder med tiden, och andra gånger förevisar hon de sju ädelstenarna i sin krona eller anförtror Birgitta alla detaljer om den korsfästes sår och blånader. För modern smak är det hela knappast anslående; bilder och liknelser är ofta ansträngda och långsökta. Själen liknas vid ett fingergull, och man får veta att fingrarna på vilka det sitter skall skäras av och kastas bort.

Den gyllene kalvens olika kroppsdelar symboliserar olika egenskaper hos onda präster: *Kalfsins rumpa är thera ilska*. Anger och bikt är närmaste steget till omvändelse liksom *särkin är näst kötteno*, och det himmelska hoppet liknas ävenledes vid ett klädesplagg, nämligen en *kiortil*, vilket på modernt språk visserligen inte betyder kjol utan snarare klänning.

I en av uppenbarelserna dikterade Kristus själv för sin utvalda brud statuterna för en klosterstiftelse som hon borde grunda i Vadstena; dokumentet kallades alltså Regula S:ti Salvatoris, den helige frälsarens regel. Birgitta lät fyra biskopar och en abbot pröva den, och det befanns att den var utgången av sanningens ande. Underpriorn i Alvastra, som hette Petrus och ibland hjälpte Birgitta med översättningarna i magister Mathias ställe, var däremot tveksam till en början och misstänkte starkt att regeln vore ett djävulens bländverk, ty den avsåg ett dubbelkloster som skulle hysa både munkar och nunnor, låt vara i skilda lokaler. Petrus togs emellertid i upptuktelse av en högre hand; en dag fick han nämligen en övernaturlig örfil i kyrkan så att han ramlade omkull och låg som död. När han kvicknade till var han vorden en hängiven anhängare av Birgitta, och lika troende som han var också hans namne magister Petrus Olai från Skänninge, Birgittas biktfar och undervisare.

Själv började hon nu avsvärja sig det jordiska, lade av sig sin vigselring, klädde sig i grova kläder, späkte sig ivrigt och tog var fredag en bitter ört i munnen. Mer och mer visionär blev hon av detta och framförde övernaturliga strafftal till kung Magnus och drottning Blanka, vilka emellertid inte tog illa upp, ty i mitten på 1340-talet gav de sierskan en magnifik gåva av sextusen mark gångbart mynt till hennes tilltänkta kloster, en enorm summa som omedelbart tryggade klostrets tillblivelse i sinnevärlden. Vid samma tid mottog Birgitta befallning från ovan att resa till Rom och få stadfästelse på sina regler. Åtföljd av ett antal andans män gav hon sig av och återkom sedan aldrig mera till Sverige; hon köpte ett hus i Rom och levde där mer än ett kvartssekel. Påven bodde i Birgittas dagar icke i Rom utan i Avignon, vilket naturligtvis hade politiska orsaker; Kyrkostaten sönderslets för övrigt av strider mellan de romerska familjerna Colonna och Orsini, och vid tiden för Birgittas ankomst hade en folkledare som hette Cola di Rienzi lyckats upprätta en kortvarig världslig diktatur i antik kostymering. Liksom nästan alla sin tids fromma ivrade Birgitta för påvestolens återkomst till Rom, och hennes uppenbarelser innehåller mycket uttryckliga påbud om den saken, men själv fick hon aldrig uppleva återflyttningen. Någon påvlig respekt för sina uppenbarelser torde hon heller aldrig ha fått glädja sig åt, men efter mer än tjugo års vistelse i Rom, där hon trädde i förbindelse med högadeln och med framstående andans män från alla länder, lyckades hon äntligen få tillstånd att upprätta ett kloster i Vadstena för sextio nunnor och sjutton bröder. Bullan om detta, vilken utfärdades av Avignonpåven Urban V i augusti 1368, säger dock ingenting om Birgittas regel, långt mindre om hennes uppenbarelser, och först några år efter hennes död erkändes hennes orden uttryckligen av den heliga stolen, dock blott såsom en underavdelning av augustinerorden. Vid det laget hade man varit i färd med klosterbygget i Vadstena länge; 1367 uttogs sålunda i Sverige en allmän skatt för dess fullbordande, en penning från var bonde.

Birgittas sista år fylldes av en pilgrimsfärd till Jerusalem, dit hon åtföljdes av sin dotter Katarina och sina söner Karl och Birger. Den förstnämnde dog emellertid på vägen, och det finns en historia om en kärlekssaga mellan honom och drottning Johanna av Neapel, i vars huvudstad han slutade sina dagar. Själv gick Birgitta ur tiden året därpå, nyss återkommen till Rom från sin resa under vilken hon också hade hälsat på drottning Eleonora av Cypern och förmedlat gudomliga besked till henne. I juli 1373 lämnade hon det jordiska. Hennes lik fördes den långa vägen till Sverige, och hennes energiska dotter Katarina som ihärdigt strävade för att få henne helgonförklarad vann till sist sitt mål aderton år senare, då drottning Margareta nyss hade förenat alla Nordens riken under sin spira och det kunde vara politiskt opportunt att tillmötesgå denna stormakt med ett eget helgon.

Birgittas uppenbarelser godtogs emellertid inte utan vidare av den romerska kyrkan. De debatterades mycket hetsigt vid flera av 1400-talets kyrkomöten där många teologer fann det tvivelaktigt om de verkligen vore gudomligt inspirerade, men sedan det nordiska prästerskapet utvecklat en del aktivitet och unionskonungen Erik av Pommern hade gjort sitt inflytande gällande kanoniserades uppenbarelserna i alla fall av kyrkomötet i Basel år 1434, och alltifrån slutet på detta samma århundrade har de tryckts i många upplagor. En ofrälst sentida läsare kan inte undgå att hysa förståelse för de kritiska medeltidsteologerna, ty Birgittas revelationer får nog sägas vara ett bra underligt verk. Bland apokalyptiska syner som ibland höjer sig till en sorts storhet möter man där uttalanden om varjehanda praktiska trivialiteter som verkligen inte låter som Guds röst, och rätt mycket av de åtta böckerna rör sig för övrigt kring politiska händelser och personer som hade dagsaktualitet i mitten på 1300-talet men numera inte är i var mans mun. Till dem hör i rikt mått konung Magnus Eriksson i Sverige.

Digerdöden

Under loppet av 1340-talet hårdnade det utrikespolitiska läget i Norden på nytt och medförde hårda påfrestningar på svenska kronans resurser. Sålunda utbröt åter stridigheter vid rikets östra gräns, och Magnus Eriksson drog själv i fält mot litauer och ryssar men skördade föga ära. I Danmark hände det sig vid samma tid att den holsteinske greve Gert blev nedhuggen mitt i sin här av en patriotisk adelsman vid namn Niels Ebbesen, och till ledare i landet valdes därpå den miserable kung Kristoffers son Valdemar, som visade sig vara en framstående statsman och slugt och målmedvetet grep sig an med att återsamla det sönderfallna riket. Han kallas i historien Valdemar Atterdag, och hans politiska gärning blev av genomgripande betydelse inte bara för Danmark. För Magnus Eriksson betydde den stora motgångar och bekymmer, men innan dessa på allvar satte in drabbades hans länder av en olycka som för tillfället kom storpolitiken att te sig oväsentlig. Dess namn var Digerdöden.

Digerdöden är det svenska namnet på en epidemi som i mitten på 1300-talet hemsökte hela världen från Kina till Irland och bortryckte ett oräkneligt antal människor. Det finns många skildringar av dess härjningar – framför allt från Sydeuropa, där exempelvis Boccaccios berömda novellsamling Decamerone är skriven med utgångspunkt från denna farsot – och det råder inte något tvivel om att det var fråga om pest i båda dess former, böldpest och lungpest. Om denna sjukdom i vilken dödligheten var nästan hundraprocentig vet man numera att den sprids av råttor och förs vidare genom ohyra, och farsotens oerhörda framfart på 1300-talet säger alltså någonting om det hygieniska tillståndet i världen då. Till Europa påstods den ha kommit med en genuesisk flotta från en stad på Krim som belägrades av tatarerna och utsattes för bakteriekrig; när sjukdomen bröt ut bland belägrarna kastade de nämligen sina döda med kastmaskiner in över murarna, vilkas försvarare snart dog som flugor. De få överlevande flydde hem till Italien, där farsoten med våldsam kraft spred sig i alla hamnstäder där deras skepp löpte in. Under de följande åren gick pesten härjande fram genom hela Västeuropa, och till Skandinavien kom den sommaren 1349 med ett engelskt skepp som drev i land vid Bergen med hela besättningen död ombord. Hösten samma år sammankallade kung Magnus ett rådsmöte i Lödöse där man beslöt att varje fredag skulle vara faste- och böndag och att varje svensk medborgare skulle offra en penning till jungfru Maria, men såväl dessa åtgärder som det nyuppfunna brännvinet visade sig vara utan verkan mot digerdöden, som under loppet av år 1350 sägs ha ryckt bort ungefär en tredjedel av den halva miljon människor som då utgjorde Sveriges hela folkmängd. Än värre härjade den i Norge, vars befolkning var på nedgång redan förut; digerdöden gav landet en ekonomisk knäck som kan spåras även i dess politiska historia under ett halvt årtusende framåt i tiden. Särskilt stor tycks dödligheten ha varit bland prästerna i båda länderna, vilket med tanke på den extraordinära kyrksamheten inte var onaturligt. Av Norges fem biskopar dog fyra, och av de femhundra svenska prästerna i Skara stift uppges bara trettiofyra ha överlevt.

Under själva peståret drog Magnus Eriksson på nytt i fält mot ryssarna men hade lika litet framgång som förra gången, och när han året därpå återvände till Sverige var hans ställning mera bekymmersam än någonsin. Med hjälp av en vän och medarbetare som hette Bengt Algotsson gjorde han då ett försök att reparera sina undergrävda finanser genom reduktion av skattegods som kommit i adelns och kyrkans händer, vilket naturligtvis väckte våldsam förbittring bland aristokratien och snart ledde till öppet uppror. I propagandan mot konungen deltog ivrigt den heliga Birgitta, som i rättan tid fick en uppenbarelse vari

högre makter anklagade honom för homosexuella böjelser – hans till-
namn Magnus Smek har med detta att göra – och hans egen son Erik
lät sig förmås att ställa sig i spetsen för resningen i vilken också flertalet
av rådsherrarna deltog. Magnus måste vika för övermakten, och vid ett
möte som hölls i Jönköping 1357 under bemedling av den unge hertig
Albrekt av Mecklenburg delades Sverige mellan far och son, varvid
Erik fick Finland och alla götalandskapen utom Västergötland.

Därmed var måttet av Magnus Erikssons olyckor emellertid ingalunda
rågat. Redan före upproret hade han upphört att vara Norges konung,
i det att hans andre son Håkan som nu nått myndig ålder hade fått
överta detta land. Sonen Erik var för sin del inte nöjd med uppgörelsen
i Jönköping, och i ett nytt fördrag tvangs Magnus att lämna ifrån sig
återstoden av riket sånär som på landskapet Närke. I sin nöd såg han nu
ingen annan utväg än att kasta sig i armarna på Valdemar Atterdag, som
förut hade stått på Eriks sida men nu sadlade om och återtog Skåne åt
Magnus. Då avled plötsligt Erik och hela hans familj under omständig-
heter som samtiden ansåg mystiska – rimkrönikan säger att de blivit
förgiftade av drottning Blanka, vilket säkert är nonsens – och Magnus
kunde på nytt ta väldet över hela Sverige för en liten tid. Emellertid
var han bannlyst av påven, som hade fått vänta för länge på en förfallen
kyrkoskatt som Magnus tillfälligt hade fått låna, hans förhållande till
den svenska rådsaristokratien var inte bättre än förut, och Valdemar
Atterdag var inte den som i ett sådant läge gick andras ärenden. Som-
maren 1360 slog han utan nämnvärt motstånd under sig de gamla danska
landskapen Skåne, Blekinge och Halland, som därmed återförenades
med Danmark för tre århundraden framåt. Sommaren därpå visade han
sig med en flotta vid Öland som han med lätthet ockuperade, och i slutet
av juli landsteg han oväntat på Gotland där hans välrustade trupper be-
segrade ett i hast sammanrafsat folkuppbåd vid Korsbetningen utanför
Visby. Eftervärlden vet mer om denna strid än om någon annan medel-
tida batalj i Norden, ty de tusentals stupade vräktes i sommarvärmen ner
huller om buller med rustningar och allt i ett antal massgravar som har
återfunnits och undersökts i våra dagar; fynden som vältaligt vittnar
om stridens våldsamhet kan beses i Visby fornsal och Statens historiska
museum och utgör en ohygglig och gripande syn. Visby borgare som av
gammalt stått i spänt förhållande till folket på öns landsbygd tycks inte
ha deltagit i striden och stod måhända på murarna och tittade på; efter

slaget öppnade de emellertid sina portar för segraren, som omedelbart utkrävde brandskatt. Enligt traditionen lät han ställa upp tre stora vinfat på stadens torg att fyllas med dyrbarheter av stadsinvånarna.

Valdemar Atterdags gotländska expedition riktade sig inte blott mot det svenska väldet utan även mot hansestäderna, till vilkas förbund det halvtyska Visby hörde. I de följande årens nordiska strider är därför även Hansan inblandad, och läget utvecklade sig inom kort så att kriget stod mellan Hansan och de svenska herrarna å ena sidan, de tre nordiska konungarna Magnus Eriksson, Håkan och Valdemar Atterdag å den andra. Den plötsliga sämjan mellan de sistnämnda hängde samman med dynastiska förhållanden. Valdemar Atterdags ende son stupade nämligen i en strid med hanseaterna utanför Hälsingborg, och hans minderåriga dotter Margareta som därmed blev hans arvtagare var trolovad med kung Håkan i Norge vilken i sin tur var den svenske Magnus Erikssons närmaste arvinge och jämte denne hyllades som konung även i Sverige. Det såg således ut som om alla Nordens tre länder snart skulle komma att förenas i en ny personalunion. För Magnus Eriksson betydde Valdemar Atterdags stöd att han såg sig i stånd att inskrida mot den svenska rådsaristokratien med helt annan kraft än tidigare, och vintern 1363 blev ett antal av de förnämsta svenska herrarna drivna i landsflykt. Samtidigt firades med stor ståt det kungliga bröllopet mellan Håkan och Margareta, som visserligen bara var tio år gammal vid tillfället; hennes fortsatta uppfostran omhändertogs därför av hennes hovmästarinna, som hette fru Märta och var en amper dam, dotter till den heliga Birgitta.

De landsflyktiga svenska herrarna begav sig efter någon tids kringirrande till hertig Albrekt av Mecklenburg, kung Magnus' svåger, och erbjöd svenska kronan åt hans son med samma namn. Hertigen tackade för anbudet och samlade med hanseaternas hjälp en flotta som redan på hösten kunde avsegla till Sverige med honom själv och hans son ombord. Utan svårighet satte han sig i besittning av Kalmar och fortsatte sedan oemotståndligt norrut. Det halvtyska Stockholm öppnade villigt sina portar, och i februari 1364 hyllades den unge Albrekt på Mora sten såsom Sveriges konung i strid med landslagens föreskrifter, ty där stod att konungen skulle vara inrikes född. Magnus Eriksson och Håkan hade under tiden samlat en här men blev slagna i grund vid Gata i trakten av Enköping, där den senare sårades svårt och den förre föll i fiendens händer och fördes fången till Stockholm. Han hölls i hårt fängelse i sex års tid i kärntornet på Stockholms slott men befriades slutligen, sedan Håkan hade lyckats sluta fred med hansestäderna och närmade sig Stockholm med en norsksvensk här. Sina sista år tillbragte Magnus Eriksson hos sin son i Norge, där han omsider, nära sextioårig, slutade sina dagar efter ett skeppsbrott bland skären utanför Haugesund.

Albrekt av Mecklenburg

Kung Håkans fälttåg till sin fångne faders befrielse försatte kung Albrekt i stort trångmål, och hans svenska rådsherrar grep omedelbart tillfället att minska hans makt och myndighet, som dittills hade varit mycket stor. Vid ett möte i Stockholms gråbrödrakloster ställde de som villkor för sin lojalitet att han åt dem skulle avstå rikets slott och län och överlåta åt dem själva att välja nya ledamöter av rådet. Kungen hade inget val och gick med på kraven i en högtidlig konungaförsäkran, det första aktstycket i vår historia med detta namn. Han blev därigenom praktiskt taget maktlös, och rådsherrarna slog under de följande åren under sig större delen av landet. Deras ledande man var riksdrotsen Bo Jonsson Grip, som torde ha varit den störste jordägare som någonsin funnits i Sverige. Hans eftermäle är icke gott, och det finns ett par historier om hans brutala metoder när det gällde att tillskansa sig andras egendom; sålunda ihjälslog han egenhändigt i själva Riddarholmskyrkan riddaren Karl Nilsson Färla, som visserligen själv var en stor våldsverkare, för att komma åt hans gods, och när hans hustru dog i barnsäng lät han öppna hennes kropp för att söka bevisa att fostret varit vid liv, varigenom han såsom barnets arvinge kunde göra anspråk på hennes egendom gentemot hennes släkt. Bo Jonssons oerhörda rikedom förklaras nog ändå inte av sådana rövarhistorier, och rätta förhållandet torde väl vara att han uppträdde som egendomsspekulant under lågkonjunkturen efter digerdöden och att han var en skicklig och ogenerad finansman som begagnade sig av kronans dåliga affärer till att skaffa sig förläningar som pant för lån. Vid sin död innehade han – utom en mängd privata gods och gårdar, däribland Gripsholms slott som bär namn efter honom – hela Finland, Nyköpings, Kalmar och Rumlaborgs – det vill säga Jönköpings – län, Hälsingland och stora delar av Östergötland och Västergötland.

Bo Jonsson dog år 1386, och i sitt testamente hade han sökt se till att hans gods och län alltjämt skulle hållas samman i hans aristokratiska arvingars händer. Kung Albrekt ingrep emellertid och sökte omintetgöra testamentet med stöd av en paragraf där det stod att den del av Bo Jonssons egendom som kunde ha förvärvats med uppenbar orätt skulle återgå till sina rätta ägare. Han vände sig till Bo Jonssons änka för att få länen återlämnade till kronan, och när detta såg ut att lyckas såg sig de tio högättade testamentsexekutorerna ingen annan utväg än att göra revolution.

I Norge och Danmark hade konungarna Håkan och Valdemar Atterdag nyligen gått ur tiden och lämnat sina länder åt sin gemensamma arvinge Margareta, den senares dotter och den förres gemål. Till henne erbjöd de svenska herrarna nu större delen av det stora arvet på villkor att de själva fick behålla återstoden. Vid ett möte på Dalaborg vid Vänern erkändes hon som Sveriges fullmyndiga fru och rätta husbonde med rätt att utse en kandidat till valet av konung i Sverige. Hon och hennes bundsförvanter ryckte därefter in i Västergötland med en här och mötte i sinom tid kung Albrekt vid Åsle nära Falköping, där det en februaridag 1389 stod ett slag som blev kort men avgörande. Albrekt själv togs tillfånga, och enligt uppgift i en tysk rimkrönika lät Margareta klä honom i narrkåpa till straff för att han hade kallat henne kung Byxlös och skickat henne en brynsten att vässa sina nålar med. Han och en son till honom som samtidigt hade fallit i hennes händer sattes i hårt fängelse på Lindholms slott i Skåne, men i ytterligare sex år pågick kriget mot Albrekts tyska anhängare, som alltjämt höll Stockholm och under namn av fetaliebröder framgångsrikt blockerade andra hamnar med sina sjörövarflottor på Östersjön. I Stockholm kom det till en blodig uppgörelse mellan stadens båda befolkningselement, i det att stadens svenska rådmän och ett antal andra borgare blev fängslade av tyskarna och levande innebrända i ett ruckel på Blasieholmen, som då hette Käpplingeholmen. Efter en uppgörelse med Hansestäderna kom Margareta emellertid slutligen i besittning även av denna stad, och Albrekt och hans son blev i det sammanhanget lösgivna ur sitt långvariga fängelse och for hem till sitt mecklenburgska land igen.

Kalmarunionen

Sommaren 1387, det år då Albert av Mecklenburg och de svenska stormännen råkade i strid om Bo Jonsson Grips testamente, avled i Falsterbo under egendomliga omständigheter den sjuttonårige Olof, Margaretas ende son, den siste Folkungen, Harald Hårfagers siste avkomling och den siste nordiske ättlingen av Danmarks gamla konungasläkt. Han hade förkroppsligat hoppet om en union mellan Nordens tre riken, och Margaretas auktoritet berodde från början på att hon hade kunnat uppträda som hans förmyndare, men hennes ställning rubbades icke genom hans bortgång, ty bortsett från den mecklenburgska familjen fanns ingen som kunde framträda som tronpretendent i hans ställe. Margareta tog sig nu an en sexårig son till sin systerdotter som var gift med en hertig av Pommern; han hette egentligen Henrik men omdöptes till Erik vilket klingade mera nordiskt, och under detta namn erkändes han genast som konung i Norge, som i motsats till Danmark och Sverige var ett arvrike. I Sverige hyllades han på Mora sten först 1396 sedan danskarna hade gått före med gott exempel, och sommaren därpå kunde Margareta sammankalla ett allnordiskt herremöte i Kalmar där den femtonårige ynglingen högtidligen kröntes till konung över alla de tre rikena av ärkebiskoparna i Uppsala och Lund. Där ingicks även det ryktbara samnordiska avtal som kallas Kalmarunionen.

Knappast något spörsmål i de nordiska ländernas historia har diskuterats ivrigare än frågan vad man egentligen beslöt i Kalmar. Unionsbrevet finns i behåll i danska riksarkivet; däri kan läsas om ett evärdligt förbund mellan de tre rikena som för framtiden skulle ha gemensam konung, gemensamt försvar och gemensam utrikespolitik men behålla sin inre förvaltning och sina egna lagar oförändrade. Avtalet, står det vidare, skulle bekräftas genom sex pergamentsbrev, två från vartdera riket, på vilka konungen, rikets råd och andra intresserade parter skulle sätta sina sigill. Nu vill ödet att några sådana urkunder inte har kunnat påträffas, och det bevarade brevet är dessutom skrivet på papper med diverse ändringar och överstrykningar; det är vidare sigillerat av bara tio herrar, nämligen sju svenskar och tre danskar men inga norrmän, under det att ett annat samtidigt aktstycke vari de församlade lovar den nykrönte konungen trohet är uppsatt på pergament och behängt med sigill av över sextio politiker från alla tre länderna. Man har därför velat hävda att något verkligt unionsavtal inte alls kom till stånd i Kalmar; det bevarade brevet skulle bara vara ett förslag som aldrig blev ratificerat. Asikterna om hur det förhöll sig med detta går alltjämt isär bland historieprofessorerna, och det enda som oomtvistligen kan sägas om Kalmarunionen är att den blev av genomgripande betydelse för de nordiska ländernas politiska öden under århundraden framåt. Även minnet därav har haft politisk betydelse, ty för 1800-talets skandinavister framstod den som en stor framtidsplan som hade olyckan att vara före sin tid. Ännu i Odhners historia presenterades den så för Sveriges ungdom.[1]

Tills vidare hade Erik av Pommern emellertid erkänts som konung över hela Norden, och Margareta fortfor i hans namn att regera de tre länderna med fast hand. I Sverige var en av hennes första åtgärder att genomdriva en reduktion av kronogods som under Albrekts tid hade

[1] Se vidare *Kalmarunionen* i registret.

De danska fogdarna

kommit i privata händer, och genom en serie räfsteting i landskap efter landskap genomfördes godsindragningen med stor energi. Rikets slott och län, vilkas förvaltning tidigare alltid hade brukat anförtros åt rådsaristokratiens medlemmar, överlämnades nu åt landshövdingar som stod i direkt beroende av kronan. De kallades fogdar, och deras maktbefogenhet i förhållande till undersåtarna var mycket stor, vilket med dåtidens dåliga kommunikationer var naturligt; i själva verket kunde det väldiga riket knappast regeras annorlunda. För att fogdarna dock inte skulle bli så mäktiga att de frestades att höja upprorsfanan besatte Margareta gärna dessa poster i Sverige och Norge med danska eller tyska män som var främlingar i sina län. Själv uppehöll hon sig mest i Danmark som obestridligen var rikets tyngdpunkt; gott och väl hälften av hela unionens befolkning bodde där.

Fogdarna som bland annat hade till uppgift att indriva skatterna var naturligt nog inte populära. Skatterna steg nämligen under Margaretas tid och utkrävdes dessutom delvis i pengar i stället för som tidigare i naturaprodukter, något som var särskilt kännbart i det kapitalfattiga Sverige. De extragärder som i vissa län brukade utgå till slottens underhåll gjordes vidare permanenta och utsträcktes till att gälla hela landet, och samtidigt kom en del nya tillfälliga pålagor för särskilda ändamål. Svenskarnas klagan över dessa utskylder tycks ha varit himmelsskriande och har gett eko i Sveriges nationella historia genom seklerna, men en sentida skattebetalare som försöker sätta sig in i hur stor skatteprocenten kan ha varit känner sig föga uppskakad. Några ordentliga sifferuppgifter finns naturligtvis inte, men det påstods långt efteråt att drottningen rentav hade tänkt lägga en rumpeskatt på all boskap och en rökskatt på var eldstad, vilket alltså var de mest häpnadsväckande skatteövergrepp som den senare unionstidens danskfientliga propaganda kunde hitta på. Numera betraktar vi det som en naturlig sak att både rumpeskatt och rökskatt, ehuru under andra namn, finns införda i alla civiliserade länder.

Drottning Margaretas penningbehov hade framför allt att göra med hennes utrikespolitik, som endast indirekt berörde Sverige och därför omfattades med föga intresse här. Gotland som under den föregående orostiden hade ockuperats av Tyska orden lyckades hon efter långa förhandlingar återfå mot en summa pengar som sammanbragtes genom en särskild allnordisk extraskatt; ön återanslöts därefter inte till Sverige, och dess ställning inom unionen förblev osäker. Mindre framgångsrik var hon i sina mellanhavanden med de tyska grevarna av Holstein som hade slagit under sig det danska Sönderjylland. Efter årtionden av tvister övergick konflikten slutligen i öppet krig, som tidvis fördes med stor förbittring och alltjämt pågick då drottning Margareta hösten 1412 angreps av pesten och dog ombord på ett fartyg i Flensburgs hamn.

Engelbrekt

Erik av Pommern som vid Margaretas död var trettio år gammal ärvde det holsteinska kriget som blev långvarigt. I slutet på 1420-talet gick hansestäderna in på den holsteinska sidan och blockerade all handel på de nordiska länderna, vilket hade kännbara följder även för Sveriges ekonomi. Kriget kostade dessutom pengar, skattetrycket blev allt starkare och drabbade alla samhällsklasser, och den kungliga penningpolitiken ledde till myntförsämring och inflation. Militärt gick kriget emellertid ganska bra, och när fredsförhandlingar äntligen kom till stånd år 1432 såg det ut som om hansestäderna kanske skulle gå miste om sina nordiska handelsprivilegier. De räddades genom en serie dramatiska händelser i Sverige.

Handelsblockaden mot Sverige hade haft svåra verkningar framför allt i Bergslagen, ty den ojämförligt största delen av landets metallexport gick normalt till Lübeck. En stor del av arbetsgivarna vid gruvorna var tyskar eller åtminstone av tysk släkt och hade således anledning till missnöje med den kungliga politiken både av ekonomiska orsaker och av känsloskäl. Men denna var impopulär också inom andra folkgrupper i Sverige, inte minst bland kyrkans män, som ivrigt opponerade sig mot reduktionen av kyrkogods och dessutom låg i tvist med konungen beträffande valet av ärkebiskop i Uppsala, ty han hade av egen maktfullkomlighet besatt posten med sin kansler Jöns Gerekesson alias Johannes Jerechini och därpå med sin danske hovpräst Arnoldus Clementis som båda visade sig klart olämpliga,[1] och när platsen blev vakant för tredje gången försökte han få dit ytterligare en av sina hovpredikanter, en norsk domprost vid namn Torlak från Bergen. Den världsliga aristo-

[1] Se Gerekesson i registret.

kratien tycktes har resignerat inför det kungliga enväldet, men bönderna knotade säkert, ty handelsblockaden ledde till brist på salt, vilket var en allvarlig sak i tider då inga andra konserveringsmedel och inga kylskåp fanns. Dessutom klagade de naturligtvis på skatterna och därmed också på fogdarna som hade att utkräva dem.

Ryktbarast inför eftervärlden av alla kung Eriks fogdar är Jösse Eriksson som residerade i Västerås. Det mesta vi vet om honom står att läsa i Engelbrektskrönikan, som är en färgstark och drastisk propagandaskrift i raden av svenska rimkrönikor. Där står att Jösse Eriksson plågade Dalarnas fattiga bönder med skatter och dagsverken över förmåga, och när de var oförmögna att betala lät han hänga upp dem i rök och spände deras kvinnor framför hölass. Därmed stod bönderna naturligt nog inte ut i längden utan valde en man vid namn Engelbrekt att fara till Danmark och klaga för kungen. Engelbrekt utförde uppdraget, men kungen hänvisade honom till Sveriges rikes råd, och då detta i sinom tid gjorde en undersökning som gav Engelbrekt rätt lämnades denna utan avseende. Då valde dalabönderna Engelbrekt till sin hövitsman och drog till Västerås för att ta livet av Jösse Eriksson. De hejdades av rådet, men efter en ny liknande marsch förflyttades verkligen den grymme mannen och begav sig till Danmark. Bönderna fick emellertid snart höra att kungen i hans ställe tänkte skicka dem en fogde som var sjufalt värre, och då grep de på allvar till vapen, säger rimkrönikan, vars enkla uppgifter länge har upprepats och förenklats ytterligare av en mängd senare historieskrivare med höga tankar om Dalarnas redliga allmogemän.

Riktigt så troskyldig var verkligheten kanske ändå inte. Man bör först och främst komma ihåg att det ursprungligen knappast var fråga om någon bonderesning. Den bergslagsbygd där oroligheterna började var vårt enda medeltida industriområde; det utgjorde till och med ett särskilt rättssamhälle med egen lagstiftning som i mycket påminner om den som gällde för städerna. Bergsmännen var arbetsgivare åt en brokig skara människor utan alltför djupa rötter i landskapets jord, ty för att få arbetskraft till gruvdriften beviljade man asyl där åt löst folk och biltoga personer, och även om flertalet väl var hederliga och dugliga människor utgjorde de i alla fall en för sin tid ovanligt lättrörlig befolkning, ty i likhet med stadsborna hade de inget omfattande jordbruk att tänka på.

Om Engelbrekts person finns några notiser hos Ericus Olai, som på latin skrev en Chronica Gothorum, göternas historia, någon mansålder efteråt. Han säger att Engelbrekt var liten till växten men storsinnad, vältalig och tapper; vidare meddelas att han hade fått utbildning vid höga herrars hov och att han hörde hemma vid Kopparberget. Det sista är bevisligen fel; moderna forskningar har rett ut att Engelbrekt i början av 1430-talet var bosatt i Norberg, och något litet är också känt om hans släkt, som hade varit bofast i Sverige i minst tre led före hans eget ehuru dess medlemmar alla bär tyska namn. Ekonomiskt tycks de ha haft det bra, och från och med Engelbrekts far var de frälse. Uppgiften om hans uppfostran hos höga herrar är alltså inte omöjlig, och redan från början av sin korta bana framstår han onekligen som väl bevandrad i politiska och militära ting.

Engelbrektsfejden bröt ut vid midsommar 1434, då den lilla träfästningen Borganäs vid Dalälven i trakten av Borlänge stormades och brändes ner, varefter Engelbrekt i snabb följd tog slotten i Köping och Västerås och drog vidare till Uppland. Landskapets lagman Nils Puke anslöt sig genast till honom och lät utlysa ett ting, vid vilket Engelbrekt lovade att skära ner skatterna med en tredjedel. Från Uppsala sände han ut brev och bud över hela landet, och effekten av denna agitation var tydligen mycket stor, ty efter sex veckor var Engelbrekt herre över större delen av Sverige norr om Kolmården. God hjälp hade han av den uppländske lagmannens son Erik Puke, som raskt tog hela Norrland och den enda befästa plats som fanns där, nämligen Faxeholms slott invid Söderhamn. Till Finland tycks resningen däremot inte ha nått.

För de kungliga myndigheterna kom upproret i Sverige tydligen alldeles överraskande, ty besättningarna på slotten var mycket små och ingen proviant fanns upplagrad. Fogdarna flydde därför vid första bud om fiendens annalkande, och slotten gav sig i allmänhet utan motstånd efter någon dags underhandling, varefter Engelbrekt överlämnade dem åt svenska adelsmän som han därmed band vid sin sak. Det har intresse att notera att hans folkuppbåd aldrig behövde kämpa mot adelns kavalleri, vilket säkert är en av förklaringarna till hans snabba framgång. Från Uppsala drog han till Stockholm där en fogde vid namn Hans Kröpelin förde befälet; denne var tysk till börden men omtalas ändå med stor aktning och respekt i de svenska källorna till tidens historia. Han vägrade att ge upp staden, och Engelbrekt som ännu inte var stark nog att sätta igång en belägring drog vidare. Hans försök att få Nyköping och Örebro i sin hand misslyckades också, men däremot kapitulerade Gripsholm, varefter Engelbrekt begav sig till Östergötland, där han på eftersommaren började belägra Ringstadaholms slott väster om Norrköping. Där fick han veta att det svenska riksrådet var församlat till ett möte i Vadstena, varvid han omedelbart begav sig dit.

Det svenska riksrådets ställning var besvärlig och brydsam nog. Två av de förnämsta rådsherrarna, biskoparna Thomas i Strängnäs och Sigge i Skara, hade befunnit sig hos konungen nere i Danmark när oroligheterna i Bergslagen började, och i ett brev som de skrev till sina kolleger hemma i Sverige omtalas Engelbrekts resning i sorgsna och bekymrade ordalag som också gäller det pågående kriget på kontinenten mot husiterna, den nyss såsom kättare avrättade tjeckiske reformatorns anhängare; det är tänkbart att biskoparna trott att det fanns något slags samband. Några sympatier för Engelbrekt fanns alltså inte i dessa kretsar, men å andra sidan låg riksrådet självt i strid med kung Erik på grund av hans ingripande i det svenska ärkebiskopsvalet. När alltså Engelbrekt plötsligt dök upp i Vadstena i spetsen för en beväpnad skara på tusen man stod rådsherrarna i valet och kvalet. Engelbrekt trängde emellertid in i salen där mötet hölls och krävde att de skulle ställa sig på hans sida, och då de svarade undvikande grep han enligt rimkrönikan den gamle Linköpingsbiskopen Knut i kragen och hotade att släpa ut honom till sina soldater och låta biskoparna Sigge och Thomas följa efter. Rådsherrarna gav då vika och skrev ett brev vari de uppsade konungen tro och lydnad, för övrigt ett mycket sällsamt aktstycke, som vittnar antingen om herrarnas motvilja eller om deras försiktighet: "Den tid vi samman voro i Vadstena kom oförvarandes Engelbrekt över oss med stor makt, grep oss och tvingade med värjande hand att vi skulle bliva honom när med allmogen och värja vårt rike för alla oskäliga skatter och mångfaldig orätt som I och flere på Edra vägnar under lång tid gjort haven, såframt vi ej ville mista liv, ära och gods. Därför äro vi nu med Sveriges allmoge så överens och storliga genom Eder orätt därtill nödde, att vi Eder uppsäga tjänst, råd och troskap, så att I ej härefter mågen hoppas eller tro på någon tjänst i någon måtto, efter det I ej haven hållit de eder som I på helgedomar och rätt kristen tro med uppräckt hand fullkomligen svurit haven." Det troliga är väl att formuleringen beror på herrarnas önskan att ha en reservutgång ifall Engelbrekt skulle bli besegrad av konungen; de kunde i så fall hänvisa till att de handlat under tvång.

Uppsägelsebrevet var emellertid av stort värde för Engelbrekt, som därmed inte längre framstod som en upprorsman utan såsom den lagliga regeringens allierade. Ringstadaholm föll inom kort, och kort därefter hade han nöjet att överlåta det småländska Stegeholm till biskop Knut som han hade hotat att kasta ut i Vadstena. Under de följande veckorna togs de små träborgarna i Småland och Värmland, och Örebro hus inlöstes för en summa pengar av fogden där – det var ingalunda den enda fogdeborg som togs på det viset, och Engelbrekt tycks i sådana sammanhang alltid ha varit stadd vid god kassa. Han inneslöt nu vidare det viktiga Axevall i Västergötland och marscherade sedan in i det danska Halland, där han med olika medel satte sig i besittning av Varberg, Falkenberg och Halmstad. En skånsk armé mötte honom på andra sidan Lagan men någon strid blev inte av; man kom i stället överens om stillestånd på obestämd tid.

Ockupationen av Halland berodde rimligtvis på att Engelbrekt väntade sig att en kunglig armé skulle sändas emot honom den vägen, men ingenting sådant skedde. I stället avseglade kung Erik med en dansk flotta direkt till Stockholm, som alltjämt var i hans hand; detsamma gällde för övrigt om Kalmar, Nyköping och Åbo. Efter en stormig resa kom han fram i början av november och tog sig utan svårighet in i staden, som var innesluten från landsidan av en ansenlig belägringsarmé. Där trädde han omedelbart i underhandlingar med riksrådet; Engelbrekt eller någon av hans förtroendemän var däremot tydligen inte med. Man kom överens om unionens förnyelse och om ett tio månaders stillestånd, varunder alla tvister skulle lösas genom skiljedom av en tolvmannakommitté med fyra ledamöter från vartdera riket. Kungen gick därefter ombord på flottan igen och seglade hem till Köpenhamn, som för övrigt hade upphöjts till dansk huvudstad under hans tid.

Omedelbart efter avtalet i Stockholm utlystes ett allmänt riksmöte i Arboga tjugondag jul, och det är sannolikt att Engelbrekt stod bakom denna kallelse. Mötet kom till stånd och har länge brukat kallas vår första riksdag, emedan det står i rimkrönikan att bland deltagarna fanns utom adel och präster även "köpstadsmen af riket mena", vilket tolkades som borgare och bönder genom att "af" påstods vara felskrivning för "oc".[1] Om förloppet av Arboga möte är ingenting känt, och om dess resultat vet man blott att Engelbrekt valdes till rikets hövitsman med Uppland som provins, medan underordnade hövitsmän utsågs för de andra landskapen. Några månader senare hölls emellertid ett svenskdanskt möte i Halmstad som rev upp besluten i Arboga. Där överenskoms nämligen att kung Erik skulle möta det svenska riksrådet i Stockholm till sommaren, då riket på nytt skulle överantvardas till honom på villkor att han styrde det efter svensk lag och tillsatte drots och marsk i Sverige, vilket inte hade skett sedan kung Albrekts tid. Engelbrekt, som för tillfället var sysselsatt med ett fruktlöst försök att neutralisera Stockholm genom att gräva en kanal till Mälaren vid Södertälje, sökte man oskadliggöra genom att ge honom Örebro slott i förläning. Hösten samma år kom kung Erik omsider till Stockholm, flera månader försenad, och halmstadsmötets beslut sattes i verket. Kungen hade emellertid vid det laget fått fred med hansestäderna och kände sig stark nog att göra en del förbehåll som väckte aristokraternas misshag; sålunda undantog han befälet på slotten i Stockholm, Nyköping och Kalmar från de poster som nödvändigtvis skulle besättas med svenska män, och enligt rimkrönikan lät han dessutom riksråden förstå att han inte tänkte bli deras jaherre och att skulden till upproret i Sverige snarare låg hos dem

[1] Se vidare *Arboga möte* i registret.

än hos Engelbrekt. Emellertid utnämnde han två rådsherrar vid namn Krister Nilsson Vasa och Karl Knutsson Bonde till respektive drots och marsk, varefter han insatte nya fogdar på ett antal slott och begav sig hem till Danmark igen.

Engelbrekt som genom dessa arrangemang hade skjutits åt sidan försummade inte att begagna sig av rådsherrarnas besvikelse, och vid ett nytt riksmöte i Arboga på nyåret 1436 kom man överens om att åter uppsäga kungen tro och lydnad såframt han inte uppfyllde vissa krav. Respiten var mycket kort och man väntade för övrigt inte på svar, ty omedelbart efter riksdagen började Engelbrekt fientligheterna, denna gång i förbund med den nyutnämnde riksmarsken Karl Knutsson, som av någon anledning hörde till de missnöjda. De begav sig genast till Stockholm och lyckades genom en snabb kupp sätta sig i besittning av staden men inte av slottet. I Svartbrödraklostret sammanträdde därefter trettio särskilt utsedda elektorer för att välja rikshövitsman för det nya kriget, och valet utföll till allmän förvåning så att Karl Knutsson fick tjugofem av rösterna medan Engelbrekt bara fick tre och Erik Puke två. De båda sistnämnda vägrade att finna sig i detta resultat och genomdrev att överbefälet delades tills vidare. Karl Knutsson skulle fullfölja belägringen av Stockholms slott medan Engelbrekt åtog sig att leda de militära operationerna vid landets södra gräns.

Engelbrekts andra marsch genom landet företogs mitt i vintern och var förbluffande snabb; alltsammans gick på bara några veckor. Han organiserade belägringen av Nyköping, Stegeborg och Kalmar varefter han i rask följd tog Ronneby i Blekinge och Laholm, Halmstad och Varberg i Halland. Älvsborg oskadliggjordes genom en överenskommelse med slottsfogden, varefter Engelbrekt begav sig till Axevall och satte i gång belägringen där. Därmed var det emellertid slut på hans krafter, ty efter denna långa resa på hästrygg i snö och kyla led han svårt av reumatism så att han rentav måste begagna kryckor. Från Axevall begav han sig därför direkt till sitt hem på slottet i Örebro.

Omedelbart efter sin hemkomst, berättar rimkrönikan, fick Engelbrekt besök av en man som tidigare hade vållat honom bekymmer. Riksrådet Bengt Stensson Natt och Dag hade varit slottsherre i Tälje och beslagtog då ett skepp från Lübeck, vilket föranledde Engelbrekt att med våld ta ifrån honom slottet; affären ledde till en långvarig process och vållade naturligtvis osämja och bitterhet. Nu kom Bengt Stensson till Örebro och föreslog att man skulle låta rådet avgöra tvisten, och Engelbrekt gick med på detta, varefter hans gäst begav sig hem till Göksholm där han bodde. Några dagar senare anträdde Engelbrekt en resa till Stockholm; på grund av hans sjukdom företogs den med båt, fast det ännu var tidigt på våren. Efter första dagens rodd hade man i kvällningen hunnit till trakten av Göksholm som ligger på Hjälmarens södra strand ett par mil öster om Örebro; där gick man i land på en holme och gjorde upp eld. Medan Engelbrekt satt och värmde sig vid den kom Måns Bengtsson, som var son till hans gamle antagonist, roende mot holmen, och rimkrönikans berättelse om vad som sedan hände är detaljerad som ett polisprotokoll. Engelbrekt sägs ha trott att Måns Bengtsson kom för att bjuda honom till slottet och gick ner till stranden för att ta emot honom. Måns Bengtsson störtade emellertid i land med en yxa i hand, och efter ett kort replikskifte högg han ner Engelbrekt, som förgäves försökte parera yxhuggen med sin krycka. Engelbrekts hustru och tjänare fördes fångna till Göksholm varefter Måns Bengtsson gjorde ett försök att sätta sig i besittning av slottet i Örebro, vilket emellertid inte lyckades.

Mordet på Engelbrekt var kanske en privat hämndeakt, men särskilt sannolikt är väl inte detta. Misstänkt för att ha stått bakom dådet är framför allt Karl Knutsson, som obestridligen hade gagn därav och som enligt en uppgift hos Ericus Olai omedelbart utfärdade ett öppet brev till mördarens skydd. Denne blev heller aldrig straffad; han flydde visserligen för ögonblicket till Danmark men kom snart tillbaka. Någon rättegång mot honom tycks aldrig ha hållits, och han blev omsider riddare och riksråd och slutade sina dagar som lagman i Närke.

Betydelsen av Engelbrekts insats i Sveriges historia kan knappast över-skattas. I vad mån hans resning syftade till nationell befrielse eller blott bottnade i politiskt och ekonomiskt missnöje är emellertid en öppen fråga; den har diskuterats mycket på senare år men torde aldrig kunna besvaras i brist på säkra vittnesmål. Den okända faktorn i problemet är naturligtvis hur stark nationalkänslan kan ha varit i Sverige under den förste unionskonungens tid, då många numera svenska landskap hörde till Danmark eller Norge, kyrkan var internationell, adelsfamiljerna i de tre länderna var ingifta i varandra och det tyska inflytandet i städerna dominerade. Några fosterländska tongångar kan inte förmärkas i den äldre medeltidens svenska litteratur, inte ens i Erikskrönikan; efter Engelbrekts uppträdande däremot uppstod en patriotisk lyrik där orden Sverige och svensk är centrala ord. Vår förste fosterländske skald av någon betydelse är biskop Thomas i Strängnäs, och av honom finns en allbekant dikt i behåll; av dess båda halvor handlar den ena om Engel-brekt och den andra om frihet, och några av dess strofer – de oftast citerade börjar med raderna Frihet är det bästa ting och En fågel han värjer sin egen bur – har senare tiders patriotiska poesi aldrig lyckats överglänsa.[1] Engelbrekts öde var fullbordat när biskop Thomas skrev sin dikt i slutet av 1430-talet, men vid årtiondets början hade han haft andra åsikter om sin hjälte, ty själv var han en av de motsträviga råds-herrar som denne hotade att kasta ut i Vadstena. Man kan alltså påstå att Engelbrekts politiska livsverk – som utfördes under loppet av bara tre år – bildar utgångspunkt för åtminstone det litterära national-medvetandet i Sverige.

Det finns en om möjligt ännu märkligare manifestation av den svenska patriotismens uppvaknande vid precis denna tid, som förresten fick be-vittna nationella väckelser även i andra länder – i Frankrike hade Jeanne d'Arc slutat sin sällsamma bana bara tre år innan Engelbrektsfejden bröt ut hemma hos oss, och i Mellaneuropa kämpade den tjeckiske refor-matorn Johan Hus' anhängare med raseri sedan han själv nyligen blivit bränd som kättare vid kyrkomötet i Konstanz. För att dryfta vad man skulle ta sig till med husiterna hölls under 1430-talet ett nytt allmänt

[1] Se vidare registret: *Frihet är det bästa ting.*

kyrkomöte i Basel, och Erik av Pommerns delegat där var Nils Ragvaldsson alias Nicolaus Ragvaldi, biskop i Växjö; han stod på god fot med kungen men var en god svensk som senare i livet blev ärkebiskop i Uppsala och till och med fungerade som riksföreståndare tidvis. När han 1434 anlände till kyrkomötet tvistade man om rangplatserna där, och Nils Ragvaldsson höll i det sammanhanget ett tal som slog de övriga delegaterna med häpnad och verkligen ledde till en förnämlig placering för svensken. Han meddelade nämligen att han representerade ett folk som fordom hade deltagit i trojanska kriget och sedermera besegrat perserkungarna Cyrus och Darius, intagit Rom genom sin ättling Alarik och var urhemmet för både göter, vandaler och sachsare. Nils Ragvaldsson syftade naturligtvis med detta på alla kungens nordiska undersåtar, men som svensk måste han ha räknat sin egen stam till de mest ärorika, och hans märkvärdiga tal i Basel kom också att bilda utgångspunkten för de följande århundradenas götiska historieskrivning i vårt land.

Klostret i Vadstena

Baselmötet, som fick åhöra denna ryktbara oration, sysslade inte så litet med saker som berörde Sverige. Rätt bister kritik riktades där mot Birgittas uppenbarelser som ingalunda ansågs gudaingivna, och man angrep följaktligen också hennes klosterorden och hennes kanonisation som helgon. Emellertid saknade hon naturligtvis inte försvarare. Birgittinerna för sin del kämpade ivrigt för att få sina dubbelkloster erkända och sina privilegier bekräftade, och i stort sett hade de framgång. Mötet återkallade vissa avlatsförmåner men rörde inte vid grundvalarna för ordens existens, och i dess svenska moderkloster i Vadstena drog man en djup lättnadens suck och fortsatte flitigt sin fromma verksamhet, vars betydelse för det religiösa och kulturella livet i Sverige under medeltidens sista århundrade verkligen var mycket stor.

Rätt mycket är känt om livet i Vadstena kloster. I behåll finns förstås först och främst själva klosterregeln, som på svenska är utredigerad i ett tjugotal kapitel av vilka det första lämnar föreskrifter om prövningstiden och klosterlöftet och om tvånget att avstå från alla ägodelar. Andra kapitlet handlar om sängar och upplyser att sådana skall vara av bräder och fyllas med halm varöver må läggas en matta eller efter särskild tillåtelse ett björnskinn, och som täcke skall man ha en vadmalsrya. Tredje kapitlet beskriver gångkläderna i detalj, fjärde kapitlet fastställer hur många paternoster och Ave Maria som skall läsas vid skilda tider på dagen, femte kapitlet lämnar föreskrifter om tystnaden som i regel bör iakttas, sjätte kapitlet handlar om fastan och om de undantag från den som kan beviljas gamla och sjuka. På denna punkt var birgittinregeln inte sträng; normalt fick man äta kött fyra dagar i veckan. Sjunde kapitlet handlar om skriftemål. I åttonde kapitlet stadgas att abbedissan bör hålla möte varje månad med systrarna samtidigt som bröderna sammanträder under konfessorns ordförandeskap, och i nionde kapitlet uttalas att systrar och bröder bör vakta sig för konspirationer, alltid lyda abbedissan, aldrig knyta förbindelser med folk utanför klostret och över huvud taget inte ha några privata intressen. Tionde kapitlet ger föreskrifter om hur intagning i orden skall gå till. Sedan följer några kapitel som har med det timliga att göra och ger noggrant besked om stekarhussystrarnas förhållanden, om systrarna utanför och bröderna utanför, om sysslomannens plikter, om gårdsmästarens tillsättande och åligganden samt om *intaektamanzins embete;* sistnämnda kapitel, som ju berör kärnpunkten i klostrets hela ekonomi, är begripligtvis ganska långt. De följande kapitlen föreskriver hur munkarnas liv skall levas. Kapitlet *Aff brödhra mat hws* stadgar hurusom de tyst skall äta sin mat vid det gemensamma bordet, och i kapitlet om deras *sömpnhws* meddelas att envar skall ha sin cell, fem alnar lång och fem alnar bred, och dessa celler får de låsa om de vill och stoppa nyckeln på sig, men de får aldrig hysa någon gäst därinne. Slutligen finns det två kapitel om sjukdom och död och hur därvid skall förfaras med bröder och systrar i Vadstena.

Klostrets liturgi var också noggrant bestämd och föreskriven. Bröderna läste tidegärden enligt de regler som allmänt gällde för Linköpings stift, men systrarna hade en speciell birgittinsk veckoritual vid namn *cantus sororum*, systrarnas sång; den fanns också översatt till svenska under den vackra titeln Jungfru Marie örtagård. Det hela består av läsestycken ur Birgittas uppenbarelser, ett urval av Davids psalmer samt något hundratal specialskrivna hymner, responsorier och sådant. Magister Petrus Olai från Skänninge, Birgittas egen biktfar som blev den förste generalkonfessorn i hennes klosterorden, lär ha gjort texten till hymnerna efter befintliga melodier; ifråga om responsorierna anses han ha skrivit musiken också. Det var fråga om idel sångstämmor, ty Birgitta tillät inga instrument i sitt kloster, inte ens orgel. Det fanns två unisona körer under var sin försångerska och därjämte två solister som sjöng samt en som reciterade.

I vad mån klosterregeln efterlevdes kan man få en föreställning om genom klostrets dagbok, det så kallade Vadstenadiariet, som är en ytterligt intressant skrift och överspänner så gott som hela klostrets historia. Diariet handlar om viktigare händelser i klostret: dödsfall, begravningar, kungliga besök, biskopsvisitationer, val av abbedissor och annat sådant, och indirekt speglar det också världens gång utanför klostermurarna, ty tronstriderna och den politiska oron lämnade inte de fromma systrarna helt oberörda. Ofta kände de personligen de agerande stormännen, ty Vadstena kloster var förvisso ingen demokratisk inrättning; nunnorna tillhörde i stor utsträckning landets främsta familjer, och det fanns rentav ett par prinsessor i sällskapet.[1] Atskilliga nunnor var av norsk börd, flera var komna från Danmark, och det fanns dessutom några stycken främmande fåglar, nämligen en italienska och en turkiska som båda hade kommit till Vadstena med Birgittas likprocession från Rom. Turkinnan hade blivit bortrövad från sitt hemland av kristna krigare som skänkte henne till drottning Johanna av Neapel som i sin tur skänkte henne till Birgitta, vilken dock hann dö innan gåvan kom henne tillhanda.

[1] Att medeltidens högadel så villigt satte sina döttrar i kloster berodde väl inte uteslutande på fromhet. Familjernas storhet och makt var avhängig av deras jordagods, som alltså såvitt möjligt inte borde splittras genom arvskiften. Detta kunde undgås på ett ståndsmässigt sätt genom att yngre söner blev andans män och överflödiga döttrar gick i kloster. Att man medvetet resonerade så blev tydligt i sinom tid; när reformationen kom drogs munkklostren omedelbart in, men nunneklostren var det inte alls lika lätt att avveckla.

Diariet är som sagt god lektyr, och händelserna i klostret är märkliga nog. En dag kommer en elvaårig dotter till hertigen av Slesvig för att bli nunna tillsammans med sin lärarinna; drottning Margareta har själv ordnat saken. En annan dag får klostret hundra mark i gåva av fogden i Stockholm, och i dagboken antecknas att pengarna såsom det tros är rättmätigt förvärvade. Kort därefter avlider syster Kristina Jönsdotter och befinns ha lämnat efter sig diverse privata ägodelar av pälsverk och annan flärd, och man är allvarligt bekymrad för hennes salighet. Året därpå begraver man riddaren Benedikt Niklisson i största hast för att inte Linköpingsbiskopen skall hinna komma och förbjuda den döde att såsom ockrare vila i klostrets vigda jord. Engelbrekts gärning omnämns bara såsom en sammangaddning av bönder som angripit ståthållaren Jo. Eriksson. Den sistnämnde, mera känd för eftervärlden under förnamnet Jösse, är däremot en förgrundsfigur i diariet, som med begriplig indignation berättar hur han lynchats av bönder som kränkt klostrets asylrätt; hösten 1436, något halvår efter Engelbrekts död, bröt sig nämligen en folkhop in i klostret där den hatade fogden vistades för tillfället, släpade honom vid benen utför trapporna så att huvudet dunkade i varje steg och förde honom till häradstinget i Motala, där han omedelbart dödsdömdes och halshöggs med yxa i ringen av blodtörstiga bönder. Han begrovs emellertid i klostrets kyrka och hade kommit ihåg det i sitt testamente, meddelar diariet. En helt annan sorts människa var nog broder Andreas Jakobsson, som några sidor längre fram har gått ur tiden; det noteras om honom att han var flitig och ivrig till att rätta böckerna i koret och att han uppfunnit klockan som tillkännagav timmarna i sovstugan. En dag antecknas att systrarna åtagit sig besväret att tvätta brödernas kläder. En annan dag händer det att det kommer en enkel danneman som heter Hemming till klostret, i vars port han förelägger klosterbröderna några funderingar som strider mot den sanna tron och mot helgonens uttalanden; han säger sig vara den heliga jungfruns sändebud. Bröderna blir mycket upprörda och anmäler saken för biskopen, som kallar Hemming till Linköping där han överbevisas om kätteri och sätts i fängelse, men i fängelset återkallar han lyckligtvis, tärd av fastor, sin villfarelse och gör därefter bot, i det att han blottad till midjan förs i högtidlig procession kring kyrkan med en knippa ved på ryggen och ett brinnande ljus i handen. Kungabesök har man i klostret då och då; alla 1400-talets regenter kommer dit och visar sig nådiga, men det händer också att de framtvingar någon abbedissas avgång. Vid århundradets mitt valdes syster Cecilia Pädersdotter till abbedissa, men hon ville inte utan sprang och gömde sig. På det sättet lämnar Vadstenadiariet besked om stort och smått alltifrån den dag då Birgitta blev helgonförklarad under ackompanjemang av diverse underverk och alltintill den tid då den stränge herren konung Götstaf förseglar brevskåpen i bokstugan och låter sina drabanter bortföra böcker och annat.

Från hösten 1495 finns en märklig och sorglig notis; då har man haft eldsvåda i klostret, och bland det förstörda var en boktryckarpress och typer av tenn i kursiv och antikva, alltsammans nyligen inköpt med stora kostnader och använt bara i ett halvårs tid. Ett enda litet tryck från den pressen finns ännu i behåll, nämligen en bönbok för Linköpings och Skara stift; exemplaret finns i universitetsbiblioteket i Uppsala och är varken vackert eller helt. Men handskrivna böcker i gott skick från tiden före tryckpressens tid finns det kvar ganska många från Vadstena, där åtskilliga nunnor sysslade flitigt med sådant arbete och idogt förmerade klostrets bibliotek, som under 1400-talet var det ojämförligt största i Sverige. Exakt hur stort det hann bli vet man inte, men någon föreställning om dess omfattning ger det faktum att vi alltjämt har kvar ett halvt tusental handskrifter och inkunabler som en gång har hört dit, trots att man något århundrade efter reformationen gjorde vad man kunde för att systematiskt förstöra all papistisk litteratur. Papperet i handskrifter och inkunabler användes bland annat till förladdningar i soldaternas musköter och är därmed borta för alltid, men handskrifternas pergament begagnades till omslag för räkenskaper och har i rätt stor utsträckning kunnat letas fram ur arkivens hyllor och läggas samman till böcker igen.

Vadstenabiblioteket var icke uteslutande en latinsk boksamling. Nästan all medeltida litteratur på svenska har på ett eller annat sätt att göra med Vadstenabiblioteket, och till de fromma och lärda systrarna och bröderna där står eftervärlden i inte ringa tacksamhetsskuld. Ett och annat som de skrivit eller förmedlat tillhör alltjämt den levande litteraturen. Dit hör den skönaste av svenska psalmer, Den signade dag, den kristliga dagvisan, vars äldsta text föreligger i en illa medfaren Vadstenahandskrift från mitten av 1400-talet.

Unionens förnyelse

Ett par månader efter Engelbrekts död hölls ett möte i Kalmar där unionen förnyades. Kung Erik var själv tillstädes och hade med sig sin pommerske kusin Bogislav som han ville ha utsedd till tronföljare, ty några barn hade han inte, och hans populära drottning, den engelska prinsessan Filippa, hade dött ung. Både svenskar och danskar var emellertid mycket kallsinniga i tronföljdsfrågan och var dessutom fullkomligt eniga om att kronans slott och län i respektive länder inte fick ges åt utlänningar. Sedan kungen motvilligt hade gått in på dessa villkor ordnades en försoningsscen på torget i Kalmar, där drotsen Krister Nilsson Vasa och övriga svenska ombud offentligen föll på knä för honom och bad om nåd. Det avtalades att kungen skulle hyllas officiellt vid ett nytt möte i Söderköping på höstkanten, och under mellantiden begav han sig till Gotland. När han skulle fara tillbaka till fastlandet råkade han ut för en våldsam västlig storm så att hans skepp drevs tillbaka och förliste vid Karlsöarna; själv räddade han livet med knapp nöd. Under tiden samlades det avtalade mötet i Söderköping där alla de svenska riksråden var med, även marsken och rikshövitsmannen Karl Knutsson. Fast man inte visste var kungen hade blivit av satte man upp en ny unionsakt som särskilt underströk likställigheten mellan de tre rikena och ingående stadgade hur nordiska kungaval skulle gå till; de skulle hållas i Halmstad, där en valnämnd av fyrtio personer från vardera riket borde samlas för ändamålet. Slotten i Sverige överlämnades nu åt svenska länsherrar med ett enda undantag, nämligen Åbo, där den allmänt aktade Hans Kröpelin fick behålla befälet. Kalmar slott, som tidigare hade innehafts av en dansk man, gavs åt Engelbrekts gamle ovän Bengt Stensson, medan Engelbrekts forne medhjälpare Erik Puke fick nöja sig med det jämförelsevis oviktiga Kastelholm på Åland.

Sämjan bland de svenska herrar som i Söderköping avtalade och arrangerade allt detta var emellertid inte stor. Unionens förnyelse var först och främst den gamle riksdrotsen Krister Nilssons verk, och mellan denne och den unge riksmarsken Karl Knutsson rådde ingen vänskap, men en tredje maktfaktor i landet utgjorde de män som hade stått Engelbrekt nära, och gentemot dessa stod drotsen och marsken tydligtvis enade. Erik Puke som hade blivit skjuten åt sidan vid Söderköpings möte anmälde genast sitt missnöje och sände inom kort ett öppet fejdebrev till Karl Knutsson, närmast med anledning av att denne hade låtit gripa och avrätta riddaren Broder Svensson som hade varit en av Engelbrekts tappraste officerare. På nyåret 1437 samlade Erik Puke en allmogehär i svealandskapen och försökte bemäktiga sig slotten i Västerås och Örebro. Detta misslyckades visserligen, men en truppstyrka som Karl Knutsson sände emot honom blev slagen. Förhandlingar om förlikning kom därefter till stånd, och med ett lejdebrev där ärkebiskop Olof och biskop Thomas i Strängnäs stod som garanter kom Erik Puke till Västerås för att möta Karl Knutsson. Sammanträdet började avtalsenligt i stadens svartbrödrakloster, men sedan någon hade ställt till kolos där flyttade man över till slottet, där Karl Knutsson inte behövde känna sig bunden av kyrkofriden och utan vidare lät arrestera Erik Puke. Denne skickades raka vägen till Stockholm, ställdes inför en av riksdrotsen tillsatt specialdomstol och blev omedelbart halshuggen utan hänsyn till de biskopliga löftesmännens protester. Fem ansedda bönder som hade stått på hans sida blev därpå levande brända på torget i Västerås, och straffdomar avkunnades även på andra håll i landet där resningen hade satt sinnena i rörelse. Sålunda utkrävdes dryga böter av östgötabönderna från Aska härad, vilka nämligen hade tagit livet av Jösse Eriksson i öppet trots mot ett skyddsbrev som denne hade fått av Karl Knutsson.

Det dröjde något år efter Erik Pukes fall innan dennes anhängare var skingrade, men med olika medel lyckades Karl Knutsson efter hand stilla oroligheterna i landet och förmå bönderna att underkasta sig. Samtidigt som hans makt växte tilltog emellertid även spänningen mellan honom och riksdrotsen Krister Nilsson, och mot slutet av 1438 blossade deras fiendskap upp med full låga. Drotsen firade jul på Revelsta gård i Enköpingstrakten, och en kall januarinatt kom marskens utskickade plötsligt dit, tvingade upp gubben ur hans varma säng, satte honom i en släde och körde till Örebro, där Karl Knutsson tog emot honom och tvang honom att avsäga sig alla sina förläningar utom Viborg i Finland, dit han därefter fick bege sig för återstoden av sitt liv.

Medan Karl Knutsson sålunda ökade sin myndighet och diverse små privatkrig avlöste varandra i Sverige satt den pommerske kung Erik på Gotland och lät dagarna gå. Åtskilliga nya unionsmöten hade hållits efter mötet i Söderköping, men kungen hedrade dem aldrig med sin närvaro. Däremot höll han envist fast vid kravet att hans kusin Bogislav skulle erkännas som tronföljare, vilket väckte motstånd både i Sverige och Danmark men kanske inte var fullt lika hopplöst i fråga om Norge, eftersom detta land var ett arvrike av gammalt. Våren 1437 seglade kung Erik från Gotland över till Preussen och vistades bland sina pommerska fränder en tid innan han återvände till Danmark, där han under den följande vintern lyckades komma i öppen konflikt med det danska riksrådet, varefter han i vredesmod seglade tillbaka till Gotland igen, medtagande kronoskatten och varjehanda klenoder. Danska riksrådet som hade även andra bekymmer – missnöjet i landet hade tagit sig luft i ett bondeuppror som närmast riktade sig mot adeln – vände sig då till hertig Kristoffer av Bayern, som var systerson till kung Erik men aldrig hade funnit nåd inför denne, och erbjöd honom att bli riksföreståndare i landet. Saken avgjordes i juni 1439 vid ett möte i Lübeck mellan Kristoffer och de danska herrarna, som därpå omedelbart skrev till kung Erik och uppsade honom tro och lydnad. Samtidigt skrev Kristoffer själv till det svenska riksrådet och erbjöd sina tjänster även åt Sverige.

Svenska riksrådet var vid tillfället församlat till rådsmöte i Stockholm, men marsken Karl Knutsson som var dess ojämförligt mäktigaste medlem var inte med; han var sysselsatt med att belägra Stegeborgs slott, ty han hade blivit ovän med Nils Stensson Natt och Dag, Bengt Stenssons bror, som på kung Eriks vägnar förde befälet där. I marskens frånvaro vågade rådsherrarna besluta att även Sverige skulle styras av hertig Kristoffer under det att kung Erik skulle pensioneras, dock med bibehållen kungatitel.

Det politiska läget i Norden var nu utomordentligt tilltrasslat. Norrmännen erkände fortfarande kung Erik, där han satt på det fjärran Gotland som han betraktade som sin privategendom. Ett kort besök som han gjorde på Stegeborg ändrade inte det svenska riksrådets beslut, men Karl Knutsson var inte heller belåten med detta och lyckades genomdriva att han själv skulle kvarstå som svensk riksföreståndare tills vidare; han lyckades dessutom försona sig med bröderna Stensson och fick därigenom både Stegeborg och Kalmar slott i sin hand. Hansestäderna stödde det danska riksrådet, men de nederländska städerna stod på god fot med kung Erik och företog en stor flottdemonstration i Öresund, varpå den avdankade monarken tacksamt lovade dem städerna Hälsingborg och Helsingör som lön för besväret. I det läget såg danska riksrådet ingen annan utväg än att omedelbart erkänna Kristoffer som konung av Danmark utan hänsyn till vad de andra unionsländerna kunde komma att besluta, något som i förstone sårade deras svenska kolleger djupt. Sommaren 1440 fick man emellertid till stånd ännu ett unionsmöte i Kalmar, och bland delegaterna där befann sig Danmarks ärkebiskop samt Karl Knutssons danske svåger, vilka med förenade krafter lyckades åstadkomma att den svenske riksföreståndaren frivilligt trädde tillbaka till förmån för Kristoffer. På hösten samma år hyllades alltså denne som konung även i Sverige, medan norrmännen under ytterligare två år troget höll fast vid Erik av Pommern.

Denne var dock i praktiken hänvisad enbart till Gotland, där han nu inrättade sig som sjörövare i stor skala och gjorde havet osäkert för sjöfarten på sina forna riken. Han höll sig kvar på ön i tio år, ty något försök att driva bort honom gjordes inte under hans systerson Kristoffers tid.

Kristoffer av Bayern har i Sveriges historia brukat korteligen avfärdas som en obetydlig, snål och lite löjlig person. Huvudkällan till dessa omdömen är Karlskrönikan, den vidlyftiga svenska rimkrönika som går ut på att i alla avseenden förhärliga Karl Knutsson Bonde; denne sägs ha varit en mycket ståtlig karl, och när Kristoffer vid hans sida gjorde sitt intåg i Stockholm uppges folket ha gjort en del bittra jämförelser. Onekligen såg Kristoffer av Bayern inte vidare majestätisk ut; hans porträtt, avtryckt i alla skolböcker efter en teckning som finns i franska nationalbiblioteket, visar en liten knubbig figur i snabelskor, kronprydd hatt som ser ut som en upp- och nedvänd diskbalja och ett klädesplagg vid namn tappert som var högmodernt i Europa på 1440-talet men i allmänhet har framstått som komiskt inför senare släkten. Karlskrönikan meddelar om konung Kristoffer vidare att han var full av onda rådslag, att han åt och drack till långt in på nätterna, att han satte en ära i att öva otukt, dobbla och svära samt att han kallades Barkekonung därför att det var dålig årsväxt i hans tid.

Krönikans alla nedsättande omdömen om den nye unionskonungen bör ses mot bakgrunden av att denne gjorde vad han kunde för att reducera förre riksföreståndaren Karl Knutssons maktställning i Sverige. Karl Knutsson hugnades vid hans trontillträde med Öland och hela Finland i förläning, men under de närmast följande åren fick han lämna ifrån sig en del av allt detta, och ehuru han fortfarande var riksmarsk förordnades han aldrig till medlem av det riksföreståndarekollegium som styrde Sverige i konungens namn då denne vistades i unionens övriga riken. Till riksföreståndarna hörde däremot ärkebiskop Nils Ragvaldsson, herre till ett nyuppfört slott vid Stäket, och upplandslagmannen Bengt Jönsson av den ätt som sedan kallade sig Oxenstierna; han bar för övrigt den nyinrättade titeln hovmästare. Även i kungens närvaro hade dessa och andra herrar mycket att säga till om, ty för att över huvud taget bli vald hade Kristoffer måst underkasta sig en ceremoni som kallades handfästning varigenom stor makt lades i rådets händer; han lovade nämligen att styra landet genom svenska män enligt svensk lag, stadfästa de förbättringar däri som kunde bli vidtagna under hans tid och inte utnämna nya rådsherrar utan de gamlas samtycke. En ny svensk lagbok tillkom verkligen under Kristoffers regering; den kallades Kristoffers landslag men är uppenbarligen helt och hållet rådets verk, ty dess anda är aristokratisk. På det hela taget skiljer den sig emellertid inte så mycket från den äldre landslagen, och märkvärdigt nog upphävdes inte denna, utan de båda lagarna kom att tillämpas jämsides under något århundrade framåt, hur nu detta var möjligt. Inte förrän på Gustaf II Adolfs tid blev det officiellt slut på detta egendomliga förhållande; då stadfästes nämligen Kristoffers landslag såsom enbart gällande.

Kristoffers regering blev inte lång. I början av år 1448 dog han plötsligt i Hälsingborg, trettiofem år gammal. Hans drottning som hette Dorotea var bara aderton, och inga avkomlingar fanns. De svenska rådsherrarna var vid tillfället församlade i Jönköping, där det var meningen att de skulle ha mött konungen, och deras kolleger i danska riksrådet skickade bud och föreslog att man gemensamt skulle välja hans efterträdare. Olyckligtvis hade de för ögonblicket ingen säker kandidat att komma med, och de svenska herrarna nöjde sig med att utse Bengt Jönsson Oxenstierna och hans broder Nils till riksföreståndare i väntan på att läget skulle klarna.

Karl Knutsson Bonde

Karl Knutsson satt i Viborg när budet om Kristoffers död nådde honom. Med stort följe skyndade han ögonblickligen till Stockholm, och vid ett herremöte där i slutet av juni valdes han, visserligen i olaga former, till Sveriges konung med överväldigande majoritet; han fick sextiotre röster av sjuttioen. Han hyllades några dagar senare på Mora sten och kröntes därpå högtidligen i domkyrkan i Uppsala, där ärkebiskop Nils Ragvaldsson nyss hade dött och efterträtts av sin närmaste man, domprosten Jöns Bengtsson Oxenstierna som var son till riksföreståndaren Bengt Jönsson och dotterson till den forne riksdrotsen Krister Nilsson, Karl Knutssons gamle fiende. Den nye ärkebiskopen medverkade på ämbetets vägnar i kröningsceremonierna, men hans känslor kan inte ha varit glada.

Under tiden hade danskarna sett sig om efter en konung. När Kristoffer valdes hade man gjort en del eftergifter för hertigen av Holstein för att försäkra sig om fred från det hållet; man hade således erkänt hertigens ärftliga rätt till det danska Slesvig och därmed strukit ett streck över drottning Margaretas och Erik av Pommerns krigiska politik på denna front. Nu öppnade sig en möjlighet att återförena Slesvig med det övriga Danmark genom att helt enkelt erbjuda den lediga tronen åt hertigen, som för övrigt hade visat sig vara en duglig och energisk man. Hertigen, som hette Adolf, tackade emellertid nej; han skyllde på sin höga ålder, fast han faktiskt bara var fyrtiosju år. I stället rådde han danskarna att välja greve Kristian av Oldenburg, som han själv hade utsett till sin arvinge, ty han hade inga egna barn. Medan man som bäst funderade på detta kom underrättelsen att svenskarna hade brutit unionen genom att egenmäktigt ta Karl Knutsson till statsöverhuvud, och därmed skingrades alla betänkligheter. Greve Kristian, som var en stor stark tjugoåring – hävderna meddelar att han kunde krama ihop en hästsko med en hand – valdes på höstkanten till Danmarks konung och hyllades och kröntes omedelbart på övligt vis, varefter han raskt trolovade sig med drottning Dorotea, Kristoffers unga änka, något som hade den praktiska följden att man inte behövde tänka på hennes ståndsmässiga försörjning.

Osäkert var nu hur norrmännen skulle göra. Även i detta arvrike var valet denna gång fritt eftersom inga tronarvingar fanns, och en grupp arbetade på att få tillbaka den gamle Erik av Pommern medan en annan och något större skara samlade sig kring norske riksdrotsen Sigurd Jonsson. För de flesta stod valet emellertid mellan den nye danske kungen och den nye svenske, och för den sistnämnde uttalade sig först och främst den myndige ärkebiskopen Aslak Bolt i Trondheim. Som kommendant på Akershus vid Oslo satt emellertid en holsteinare som hette Hartwig Krummedige, och denne erbjöd på eget bevåg Norges krona åt kung Kristian, som då omedelbart begav sig över till Marstrand där han möttes av ett antal norska rådsherrar och omedelbart förklarades vald. Karl Knutssons norska anhängare var emellertid inte overksamma, och själv kom denne i november 1449 till Trondheim efter en höstlig resa från Värmland till Hamar och därifrån vidare över Dovre. I Trondheims domkyrka kröntes han högtidligen av ärkebiskopen till Norges konung, varefter han över Jämtland drog hem till Sverige igen.

I detta land pågick för tillfället ett krigiskt företag som såg ut att gå bra. Karl Knutssons första regeringsåtgärd hade varit att utrusta en militär expedition för att återta Gotland, där Erik av Pommern för släktskapens skull hade fått sitta ostörd under Kristoffers regering. En svensk armé på ett par tusen man skeppades över och tog utan motstånd hela öns landsbygd i besittning, och framåt jultiden stormades och intogs även Visby stad men däremot inte Visborgs slott, där Erik av Pommern fortfarande höll stånd. Så småningom inleddes förhandlingar om dagtingan, men saken drog ut på tiden, och när det började våras anlände plötsligen en dansk flotta som kung Kristian hade skickat dit under befäl av en adelsman vid namn Olof Axelsson Tott. Genom en gång i kalkklippan tog sig Erik av Pommern ned till stranden och gick ombord på ett av fartygen, medan en dansk styrka samma väg begav sig upp till slottet och tog detta i besittning. Några dagar senare tog danskarna överraskande Visby stad och lyckades efter hand även bemäktiga sig den svenska flottan, varigenom Karl Knutssons utsända här blev avskuren från all förbindelse med fastlandet och måste gå in på Olof Axelssons villkor för vapenvila, nämligen att frågan om Gotlands framtida status skulle hänskjutas till en skiljenämnd av tolv svenska och tolv danska riksråd som skulle sammanträda i Halmstad i maj 1450. Den gamle kung Erik fördes under tiden hem till Pommern på danskarnas skepp och var därmed definitivt borta ur de nordiska ländernas historia, ehuru han levde ytterligare tio år och förvånade sina samtida med att slutligen bli hela sjuttiosju år gammal, vilket betraktades som en häpnadsväckande ålder.

Mötet i Halmstad kom avtalsenligt till stånd, men den viktigaste frågan på dess program gällde inte Gotland utan Norge. De tolv svenska förhandlarna, som tydligen inte stod Karl Knutsson vidare nära, enades med danskarna om att denne borde avstå från sina norska anspråk, och man kom också överens om att unionen skulle återställas så snart endera av de båda konkurrerande kungarna dog. På grund av detta avtal kom Gotlandsfrågan alldeles i skuggan och de danska erövrarna stannade lugnt kvar på ön, som sedan kom att höra till Danmark ett par århundraden framåt. Ännu mera långlivad blev den personalunion mellan Danmark och Norge som var en omedelbar följd av mötet i Halmstad, ty sedan Karl Knutsson hade skjutits åt sidan skyndade kung Kristian naturligtvis att låta kröna sig i Trondheim i hans ställe. Föreningen mellan de båda länderna kom att bestå ända till 1800-talet.

Karl Knutsson såg sig för tillfället tvungen att finna sig i riksrådets beslut och avstå från sin norska krona, men hans förhållande till kung Kristian var naturligtvis inte vänskapligt. Spänningen övergick i öppen fiendskap genom ett mindre förståndigt schackdrag av den senare. Drottning Dorotea hade fått löfte om Närke och Värmland i morgongåva vid sitt gifte med kung Kristoffer, och hennes nye gemål gjorde nu plötsligt detta anspråk gällande. Kravet avvisades begripligt nog, ehuru under varjehanda juridiska krumbukter, och i denna fråga stödde de svenska herrarna ganska helhjärtat Karl Knutsson. När kung Kristian utan vidare lät en norsk trupp rycka in i Värmland och lät sina gotländska styrkor härja Smålandskusten kunde Karl Knutsson därför med lätthet mobilisera en ansenlig här till rikets försvar, och därmed utbröt ett krig som med korta avbrott varade under hela hans regering och sedan fortgick medeltiden ut.

Historien om Karl Knutssons fejder med danskarna har intresse enbart för hembygdsforskare, ty den handlar nästan bara om härjningar på diverse platser i södra och västra Sverige. Vintern 1452, när Öresund var fullt av drivis så att inga danska trupper kunde komma över, ryckte Karl Knutsson in i Skåne där han bland annat brände ner Lund, Hälsingborg och den lilla staden Vä, plundrade Landskrona och Åhus och slog en skånsk armé vid Dalby. Sommaren därpå var det kung Kristians tur att härja och bränna i Småland och Västergötland, som helt föll i hans händer. Både där och i svealandskapen hade han i själva verket många anhängare, men hans trupper blev i alla fall stoppade i Holaveden och Tiveden där en del små träffningar gick honom emot, och inom kort återtogs Västergötland genom en lyckad offensiv av Karl Knutssons släkting Tord Bonde, hjälte i åtskilliga spännande episoder som rimkrönikan berättar om. En regnig natt överrumplade han sålunda Lödöse och kom där över ett litet arkiv som innehöll brev till kung Kristian från diverse personer i Sverige, däribland slottsfrun på Örebro slott. Hon hette fru Brita och var dotter till Olof Axelsson Tott som nyss hade erövrat Gotland åt kung Kristian, varför man kan tycka att hennes ställningstagande inte bör ha kommit som någon överraskning. Karl Knutsson tvang hennes egen make att arrestera henne och oförtövat föra henne till Stockholm där hon dömdes att brännas på bål, men man vågade inte låta domen gå i verkställighet, och fru Brita blev i stället innesluten i ett kloster i Kalmar varifrån hon snart slapp ut. Hon var inte den enda som blivit komprometterad genom breven i Lödöse, men av de svenska herrar som befunnits stå i förbindelse med kung Kristian befann sig ingen inom räckhåll för Karl Knutsson, som fick nöja sig med att ställa till en stor ekonomisk räfst och dra in deras gods till kronan. Räfsten utvidgades inom kort och fick snart karaktär av en landsomfattande reduktion som inte minst gällde kyrkogods, ty mellan konungen och de svenska biskoparna rådde ingen vänskap. Ärkebiskop Jöns Bengtsson Oxenstierna, som genom sina släktförbindelser alltid hade varit kyligt inställd, fick nya skäl att beklaga Karl Knutssons upphöjelse och framträdde under 1450-talets lopp allt mera som ledare för den kyrkliga och adliga oppositionen.

1457 på nyåret intog en dansk styrka under svenskt befäl plötsligen Öland, och Karl Knutsson begav sig strax söderut för att söka återta ön. Knappt hade han vänt ryggen till förrän ärkebiskopen samlade alla sina uppsvenska meningsfränder i Uppsala, varefter han högtidligen trädde in i domkyrkan och lade ner sin kräkla – skruven, som rimkrönikan kallar den – på högaltaret. Han klädde sig vidare i harnesk och hjälm, omgjordade sig med ett svärd och svor att inte återta kräklan förrän Sverige fått sin rätt igen, som han uttryckte saken. I spetsen för en ansenlig styrka drog han därpå till Västerås för att båda upp mera trupper från Bergslagen. Karl Knutsson hade under tiden fått underrättelse om resningen och vänt tillbaka från sitt tillämnade öländska fälttåg. Med ett par tusen man kavalleri kom han till Strängnäs varifrån han tänkte rida vidare till Västerås över Mälarens is, ty han anade inte att ärkebiskopen med sin armé redan hade gått över sjön åt motsatta hållet. Han blev alltså fullkomligt överrumplad när ärkebiskopen en februarinatt anföll honom i Strängnäs. Själv sårad flydde han hals över huvud till Stockholm, och rimkrönikan säger att när han efter en vintrig och besvärlig färd kom dit sent på kvällen dröjde det en stund innan han blev insläppt på slottet, ty svennerna där var druckna. Deras trohet var tydligen inte heller att lita på, ty Karl Knutsson använde de följande dagarna till att föra så mycket som möjligt av sina egna och kronans dyrbarheter ombord på några fartyg varefter han avseglade med alltsammans till Danzig, där han blev gästfritt mottagen av kungen av Polen. Resan tog bara tre dagar, och när han kom fram var det fortfarande bara februari.

Kristian I

Dagen efter Karl Knutssons avfärd öppnade Stockholm sina portar för
ärkebiskopens armé, och fjorton dagar senare gav sig även slottet. Vec-
kan därpå anlände en dansk flotta under befäl av Erik Axelsson Tott,
varpå denne och ärkebiskopen utsågs till riksföreståndare. Efter ytter-
ligare någon vecka inkallades konung Kristian, och vid pingsttiden kom
han seglande genom Stockholms skärgård. På midsommarafton samlades
en skara adelsmän och borgare och höll konungaval, på midsommar-
dagen höll kung Kristian sitt högtidliga intåg i Stockholm, och en av
de första dagarna i juli hyllades han på Mora sten, vilket var sista gången
denna kom till användning. Någon tid efteråt försvann nämligen Mora
sten på obekant vis och har aldrig blivit återfunnen.

Kristian I, som inte är vidare väl anskriven i Sveriges historia, skildras
av danska hävdatecknare som en tapper och vinnande man som dock
hade föga sinne för ekonomi. Ett par år efter hans trontillträde i Sverige
tilltrasslades hans affärer betydligt genom att han då blev hertig av
Slesvig och greve av Holstein efter den gamle greve Adolf, genom vars
förmedling han ursprungligen hade nått sin höga ställning som nordisk
unionskonung. Det fanns nämligen flera aspiranter på dessa båda land-
områden vid Danmarks sydgräns, och för att komma i besittning av dem
måste kung Kristian lösa ut sina konkurrenter och även åta sig att betala
den avlidne grevens skulder. För att skaffa medel till det där vidtog han
en del anmärkningsvärda åtgärder även i Sverige; sålunda beslagtog och
bortförde han diverse dyrbarheter från Stockholms slott och Vadstena
kloster och utkrävde vidare en del nya skatter, vilket naturligtvis gjorde
honom mindre populär och förskaffade honom öknamnet Botnalösa
tasko, upplyser Olaus Petri i sin svenska krönika, tilläggande att eljest
var han en from och saktmodig man. Sommaren 1459 lät han utfärda ett
ekonomiskt plakat som är av stort intresse, ty det utstakade vägen för
svensk jordpolitik intill våra dagar. Plakatet gick ut på att hålla skatte-
godsen och därmed skatterna vid makt och stadgade att hemman inte
fick delas sönder vid arvskiften; efter värdering av tolv ojäviga män
borde gården i stället lösas av den närmaste arvingen eller också säljas.
Plakatet förbjöd också envar bonde att slå under sig mer jord än vad
de tolv ojäviga männen kunde anse honom fullsädes på.

Våren 1463 påbjöds i kung Kristians namn en speciell extraskatt som visserligen inte gällde någon holsteinsk angelägenhet. Kungen tänkte börja krig med de irrläriga ryssarna, och därtill behövdes naturligtvis medel, ehuru han för ändamålet också hade fått överta en del pengar som en påvlig legat hade samlat in i Norden såsom krigshjälp mot de mohammedanska turkarna, vilka tio år tidigare hade erövrat Konstantinopel och nu hotade även den västerländska kristenheten. Det nya skattekravet väckte hårdnackat motstånd i Sverige, och upplandsbönderna marscherade till Stockholm och framförde sina protester till ärkebiskop Jöns Bengtsson Oxenstierna, som i kungens frånvaro förde befälet på Stockholms slott. Ärkebiskopen såg sig nödsakad att gå med på böndernas krav att bli fritagna från extraskatten, men när kung Kristian fick veta vad som hänt blev han ursinnig och lät arrestera ärkebiskopen under förklaring att denne vore en notorisk förrädare som säkert själv stode bakom böndernas skattevägran. Resultatet blev ett nytt bondetåg mot Stockholm, där något tusental beväpnade allmogemän hann sätta sig i besittning av Helgeandsholmen och Norrmalm innan folket i staden visste ordet av. Kungen, som denna augustidag hade råkat befinna sig i Stäket där han just hade tagit ärkebiskopsborgen i besittning, lät emellertid sin flotta löpa in i Norrström och klöv på så sätt bondehären mitt itu, varefter man gick till anfall mot bönderna på Helgeandsholmen, vilka nedgjordes till sista man efter en förbittrad strid vars blodiga slutfas utspelades inne i en kyrka. Gruppen på Norrmalm slapp något lindrigare undan, men böndernas ledare och hans närmaste män avrättades naturligtvis, varefter de överlevande skickades hem med befallning att inleverera den påbjudna skatten. Kort efteråt reste konungen sjövägen till Köpenhamn, medtagande den fångne ärkebiskopen.

Dennes öde upprörde emellertid inte blott de uppländska skattebetalarna. Hans systerson, den unge Linköpingsbiskopen Kettil Karlsson Vasa, följde sin morbrors berömda exempel att nedlägga sin kräkla och klä sig i stål i sin domkyrka, och på nyåret 1464 befann sig en stor del av Sverige i fullt uppror. Kung Kristian handlade snabbt, och efter en rask militärpromenad genom södra Sverige kom han redan i mars till Västerås, i vars närhet Kettil Karlsson var i färd med att värva mera folk till sin växande armé. För att hindra detta drog kungen skyndsamt vidare norrut men råkade in i ett bakhåll vid Harakers kyrka, där han var nära att bli kringränd och måste dra sig tillbaka, förföljd av biskopens folk. Under ständiga gerillastrider tog han sig till Stockholm, lämnade kvar en stark besättning på slottet och seglade vid midsommartiden själv hem till Danmark.

Ungefär samtidigt anlände en svensk delegation till Danzig med högtidliga återkallelsebrev till Karl Knutsson, som levde ett furstligt liv i denna stad. Han hörsammade emellertid strax kallelsen och begav sig raka vägen till Stockholm, som genast öppnade sina portar för honom, ehuru slottet alltjämt hölls av kung Kristians folk. Han hyllades vidare som konung av hären men kom nästan omedelbart i konflikt med biskop Kettil, ty Karl Knutsson visade begripligt nog inte något intresse för att få sin gamle fiende Jöns Bengtsson Oxenstierna frigiven ur fångenskapen.

Under sådana förhållanden inledde biskop Kettil på eget bevåg underhandlingar med kung Kristian om denna sak. Syftet nåddes genast, och efter en offentlig försoningsscen där kungen och ärkebiskopen ömsesidigt bad varandra om ursäkt reste den sistnämnde hem till Sverige, förenade sig med biskop Kettil och tog itu med att söka fördriva Karl Knutsson igen. Att börja med lyste han honom i bann och förbjöd prästerna att läsa upp hans brev och kungörelser i kyrkorna, medan kung Karl å sin sida förbjöd dem att läsa upp bannlysningen vid risk att bli behandlade som förrädare. De stackars prästerna stod alltså mellan två eldar, men deras dilemma varade inte länge. De båda biskoparna drog med allt sitt folk till Stockholm och inneslöt Karl Knutsson där, och en allmogehär av dalkarlar och rospiggar som marscherade upp till hans hjälp lyckades de övertala att vända om hem igen. Därmed var Karl Knutssons öde beseglat, och i januari 1465 steg han ut i burspråket på Stockholms rådhus och avsade sig offentligen sitt kungadöme, som han då bara hade innehaft några få månader. Han fick behålla konungatiteln emellertid och hugnades dessutom med Raseborgs län i Finland, men det dröjde någon tid innan han kom i besittning av detta, ty biskopen i Åbo som dittills hade innehaft Raseborg stod på kung Kristians sida och vägrade i det längsta att låta sig fördrivas, och den nye länsherren måste bo inhyses hos gråbröderna i Åbo under hela den följande sommaren. Från den tiden härrör, sägs det, en liten vers som han lär ha skrivit och som med rätta brukar återges i skolböcker, ty den är vacker och vis:

> När jag var herre till Fågelvik
> då var jag både mäktig och rik,
> men sedan jag blev konung i Sveriges land
> så vart jag en arm och olycklig man.

De båda segerrika svenska biskoparna inrättade sig nu som Sveriges styresmän och hade ingen tanke på att återkalla kung Kristian. Biskop Kettil som kallade sig rikshövitsman dog emellertid plötsligt i pesten redan samma år, och därmed var Jöns Bengtsson Oxenstierna för ögonblicket ensam herre i landet och lät välja sig till riksföreståndare. Opposition saknades dock inte, och ärkebiskopen var tydligtvis inte populär vare sig bland gemene man eller bland sina världsliga och andliga ståndsbröder, ty till och med hans eget domkapitel tog avstånd från honom. Främst bland hans motståndare stod emellertid de myndiga Axelssönerna av den dansk-svenska släkten Tott, en märklig brödraskara vars nio medlemmar spelade viktiga roller i nordisk politik kring 1400-talets mitt. Olof Axelsson som i maskopi med Erik av Pommern hade snappat bort Gotland för Karl Knutsson och Sverige var nu död, och ön innehades av hans broder Ivar. En annan av bröderna var den ovannämnde Erik, amiralen och riksföreståndaren som beredde väg för kung Kristian; han hade stora förläningar i Sverige där han en gång hade tjänat Karl Knutsson och i rättan tid övergått till dennes fiender. Vidsträckta svenska förbindelser hade även Åke Axelsson, vars äldsta dotter hade varit gift med Tord Bonde medan den yngre gifte sig med en riddare vid namn Sten Gustafsson Sture, vilken var son till en halvsyster till Karl Knutsson och med tiden skulle låta tala om sig i Sveriges historia.

Just vid denna tid hade ett par av Axelssönerna kommit i konflikt med var sin av de personer som regerade i Danmark och Sverige. Ivar Axelsson hade blivit förbittrad på kung Kristian därför att denne hade dragit in några förläningar från brödrakretsen, och samtidigt hade Erik

Axelsson, som för tillfället innehade det finländska Viborgs län, av
någon anledning blivit osams med den svenske ärkebiskopen och riks-
föreståndaren. I den situationen fann bröderna lämpligt att närma sig
Karl Knutsson, som ju stod i fientligt förhållande till båda deras inbör-
des oense antagonister. Det avtalades att Ivar Axelsson, som hade blivit
änkling för andra gången, skulle gifta sig med Karl Knutssons dotter
Magdalena som förresten var ett utomordentligt gott parti, ty efter sin
mor hade hon ärvt trettioen gårdar och tre kvarnar i olika delar av lan-
det och kunde väntas få ärva minst lika mycket efter sin far när den
tiden kom. Av en herreman som hette Nils Bosson Natt och Dag, kusin
för övrigt till Engelbrekts mördare, fördes flickan högtidligen från Fin-
land till Nyköping där man med stor ståt firade dubbelbröllop, ty me-
dan Ivar Axelsson förmäldes med Magdalena gifte sig hans bror Erik
med en något äldre dam som hette Elin Sture, Sten Stures faster. Ärke-
biskopen lyste med sin frånvaro vid detta bröllop, men eljest var den
svenska högadeln mycket mangrant företrädd, och när vigselceremo-
nierna var överståndna förvandlade sig bröllopsskaran till en politisk
församling och höll herredag för att ordna förhållandena i Sverige. Erik
Axelsson utsågs därvid till riksföreståndare utan hänsyn till att den från-
varande ärkebiskopen redan bar denna titel.

Besluten vid Axelssönernas bröllop i Nyköping var naturligtvis signa-
len till öppet krig. Nils Bosson drog till Gästrikland och Dalarna och
samlade ihop en armé, och inom kort lyckades han dessutom sätta sig i
besittning av slottet i Västerås. Ärkebiskopen skickade sitt folk emot
honom, men då drog Erik Axelsson oförtövat till Stockholm och in-
ledde förhandlingar som ackompanjerades av att hans tjänare hotfullt
bultade på dörrarna och högröstat krävde att ärkebiskopen skulle avgå
som statschef. Denne lät skrämma sig och föll undan, överlämnade
Stockholm till Erik Axelsson och drog sig avtalsenligt tillbaka till sitt
ärkebiskopssäte i Uppsala, varifrån han emellertid inom kort begav sig
till kung Kristian.

Hösten 1466 höll Nils Bosson en sorts allmogemöte i Västerås där man
uppsatte ett kallelsebrev till Karl Knutsson att åter komma och ta
Sveriges tron i besittning. Det dröjde flera månader innan man fick svar,
och då det äntligen kom var det försiktigt och undvikande. Karl Knuts-
son hade onekligen anledning att tänka sig för, ty kung Kristian och
hans svenska allierade var sysselsatta med omfattande rustningar, och

sommaren 1467 kom en dansk flotta med en ansenlig här som ärkebiskop Jöns hade samlat. Hären steg i land utanför Stockholm och slog läger på Södermalm, där den fick förstärkning av en del uppsvenska trupper under befäl av riksrådet Erik Karlsson Vasa, en bror till biskop Kettil. Emellertid hade Nils Bosson och även Sten Sture, som hade förenat sig med denne sin avlägsne släkting, lyckats samla mycket folk, och den påbörjade belägringen av Stockholm hade ingen framgång och måste upphävas efter ett lyckat utfall av Axelssönerna, vilket jagade bort danska flottan och var nära att kosta ärkebiskopen livet. Under resten av året förekom strider både i Mälarlandskapen och i Småland, men efter förnyad kallelse från ett riksmöte i Stockholm vågade sig Karl Knutsson på att återvända till Sverige dit han anlände i november och blev vederbörligen hyllad. Han gjorde omedelbart ett försök att få till stånd fred och försoning med Jöns Bengtsson Oxenstierna som då låg dödligt sjuk i Borgholm, men den gamle ärkebiskopen var oförsonlig. Han avled likväl månaden därpå, och därmed var Karl Knutsson fri från sin farligaste motståndare. Erik Karlsson Vasa, som genom en kupp i Östergötland hade lyckats tillfångata Karl Knutssons dotter, den nygifta fru Magdalena, och därefter hade haft en del framgångar i Uppland och Dalarna, blev snart definitivt slagen, och kung Kristian som hade brutit in i Västergötland blev överrumplad av Sten Sture och måste sårad dra sig tillbaka till Skåne.

Medan kriget alltjämt pågick med oförminskad häftighet sjuknade plötsligt Karl Knutsson och dog; det var i maj 1470. På sin sotsäng, berättar Olaus Petri, lät han viga sig vid sin frilla för att legitimera sin son med henne varefter han antvardade riket åt Sten Sture. Hela hans regering hade varit fylld av oro och tvedräkt, och mer än nog hade konung Karl prövat världens ostadighet och lyckohjulet, tillägger den eftertänksamme krönikören.

Det svenska unionspartiets ledande män hade aldrig erkänt Karl Knutsson såsom sin konung och kunde följaktligen hävda att han inte hade haft någon rätt att anförtro rikets styrelse åt Sten Sture. En del skriftväxling som gick ut på att få dem att ändra mening ledde till ingenting, och krigstillståndet fortfor alltså. Med kung Kristian som naturligtvis vidhöll sina anspråk lyckades man visserligen få till stånd ett stillestånd tills vidare, men hans svenska anhängare innehade de flesta av slotten i Götaland, och även allmogen var på sina håll fientligt sinnad mot Sten Sture; bönderna i Uppland utkämpade sålunda en rad rätt blodiga skärmytslingar mot hans folk. Sten Stures anhängare fanns framför allt i Stockholm och Bergslagen, där man av handelspolitiska skäl var ointresserad av den nordiska unionen, och dessutom stöddes han på vissa villkor av sina fränder Axelssönerna. Han hade, säger professor Gottfrid Carlsson, kommit till makten såsom målsman för Karl Knutssons son och änka men svek tydligtvis det förtroendet; sonen gick nämligen miste inte blott om tronföljden utan även om sitt arv, som i stället tillföll hans båda halvsystrar av vilka den äldsta var gift med Ivar Axelsson. Sten Sture köpte tydligtvis dennes politiska stöd till priset av Karl Knutssons testamente, som i lämpliga delar sattes ur kraft genom att man helt enkelt underkände rättsgiltigheten av den döde konungens sista äktenskap. Själv betecknade sig Sten Sture tidigt som Sveriges rikes föreståndare, men åtminstone formellt var hans ställning osäker och oklar. Inom riksrådet vars meningar var delade intog den nye ärkebiskopen Jakob Ulfsson en försiktig och avvaktande hållning. Det gick därför ett helt år efter Karl Knutssons död innan Sten Sture offentligen valdes till innehavare av en officiell titel, nämligen rikshövitsman; det skedde vid ett riksmöte i Arboga där alla stånd var företrädda. Olaus Petri berättar att man lät slå upp en läst, det vill säga tolv tunnor, tyskt öl åt riksdagsbönderna i Arboga, och till tack gav de då sina röster åt herr Sten.[1]

Någon månad efter detta våta val seglade kung Kristian till Sverige med sjuttio skepp, åtföljd av sex svenska och tjugo danska rådsherrar och femtusen man militär. Han mellanlandade i Kalmar och seglade sedan i juli månad vidare till Stockholm, där han lät sina trupper slå läger

[1] Se *Arboga* i registret.

på den ö som nu kallas Djurgården, under det att flottan förlades vid Skeppsholmen som då hette Vångsön. Själva staden, som alltjämt var inskränkt till den holme där slottet ligger, hölls av Sten Stures folk, och dit blev han följaktligen inte insläppt. På Helgeandsholmen som var neutral mark möttes däremot Sten Sture och kung Kristian, och efter en del underhandlingar kom man överens om en tids stillestånd. Sten Sture begav sig nu till Götaland för att samla folk medan Nils Bosson i samma ärende befann sig i Bergslagen. Själv drog kung Kristian till Uppsala och lyckades samla den uppländska allmogen från Fjärdhundraland under sina fanor. Han flyttade vidare sin armé till Brunkeberg som på den tiden var obebyggt och sluttade brant såväl mot Norrström som mot Klara och mot de träskmarker där Kungsträdgården, Norrmalmstorg och Birgerjarlsgatan ligger nu. På åsens krön anlades en del befästningar av trä som kallades skärmar, och för kommunikation med flottan lade man vidare ut en bro över sundet till Blasieholmen, som då alltjämt var en ö. Stockholmstraktens bönder kom och gick i kung Kristians läger; han lät nämligen sälja salt till hyggligt pris där, och det hade rått saltbrist i Sverige länge. Den var avsiktligt framkallad av kungen själv för att betvinga Sverige, påstår Salomon Kraft som har skrivit en del om denna sak; kungen sökte nämligen stänga Östersjön för holländarna och för det så kallade bajsaltet från Västeuropa, och de tacksamma hanseaterna gjorde honom då gentjänsten att i all stillhet stoppa exporten till Sverige även av så kallat lüneburgersalt.

Stilleståndet gick ut i september, och vid det laget hade Sten Sture hunnit mobilisera en här som numerärt var kung Kristians betydligt överlägsen. I början av oktober nalkades han Stockholm norrifrån efter att ha delat sina skaror i två avdelningar, av vilka han själv förde den ena mot Klara via den ö som nu heter Kungsholmen, där trettonhundra harneskklädda ryttare från staden anslöt sig till honom. Den andra avdelningen under Nils Bossons befäl gick fram öster om Brunkebergsåsen där terrängen var betydligt besvärligare. Den 10 oktober gick Sten Sture till angrepp – rimkrönikan upplyser att det skedde till tonerna av Örjanslåten – mot kung Kristians ställningar från Klarasidan, och när försvararna vände sig åt det hållet blev de angripna i ryggen av Nils Bossons folk samtidigt som ett utfall från staden bidrog till att sprida förvirring. Sedan skärmarna på åsen hade stuckits i brand kunde ställningen inte längre hållas, varför man försökte retirera till Blasieholmen och flottan. Stockholmare i båtar angrep emellertid bron och lyckades hugga sönder bjälkarna så att hela byggnadsverket plötsligt brast under tyngden av de flyende. Många kom i vattnet, och åtskilliga drunknade säkert; uppgifterna om antalet omkomna är emellertid skiftande och mycket opålitliga, vilket för övrigt gäller om alla siffror beträffande döda, sårade och tillfångatagna i slaget på Brunkeberg. Obestridligt är att Sten Stures seger var stor och fullständig. Kung Kristian som själv blev sårad i slaget – han fick några tänder utslagna av ett skott i munnen – avseglade inom kort med sin flotta och återstoden av sin här och återkom aldrig mera till Uppsverige. Hans hemresa till Köpenhamn blev för övrigt besvärlig; flera av fartygen förlorade masterna och vinddrevs i höststormarna ända till Danzig.

Slaget på Brunkeberg är en av de viktigaste händelserna i vårt lands politiska historia. Unionskonungens makt över Sverige var därmed bruten, och den grupp svenska rådsherrar som av sympati för unionen eller av omtanke om sin egen maktställning hade bekämpat Karl Knutsson och hans efterträdare försonade sig efter hand med segraren och återvände hem. Slotten i landet kom snabbt i hans händer, upplandsbönderna som hade ställt sig på den förlorande sidan straffades strängt, och den nationalistiska propagandan mot Danmark som gick ut på att motivera Sten Stures maktställning förfelade inte att göra verkan. Själv visade han sig vara en stor statsman även i fredliga värv, och de första tio åren av hans regering var en gyllene tid, försäkrar rimkrönikan och lämnar en lång lista på de billiga livsmedelspriserna då. Vad bönderna ansåg om dem nämns inte, men den låga prisnivån torde verkligen ha varit Sten Stures förtjänst, ty han införde en sträng handelsreglering i samband med att han centraliserade förvaltningen av kronans slott och län, vilka dessförinnan alltid hade överlåtits åt enskilda rådsherrar i brist på andra möjligheter att få skatterna indrivna och försvaret organiserat. Skickligt och tålmodigt drog han in det ena länet efter det andra under kronans direkta kontroll och tillsatte redovisningsskyldiga fogdar i stället för de aristokratiska länsinnehavarna, vilket var så mycket märkligare som hans egna officiella befogenheter egentligen inte var stora; riksföreståndaren var strängt taget ingenting annat än riksrådets ordförande under provisoriska förhållanden, och även såsom sådan stod han i rang under ärkebiskopen. Att det hela gick så bra och så länge berodde utan tvivel på Sten Stures och ärkebiskop Jakob Ulfssons personliga egenskaper. Den sistnämnde tycks ha varit en försiktig och konciliant man som hyste unionsvänliga åsikter men kunde samarbeta med riksföreståndaren i de flesta inrikes frågor.

Fyra dagar efter slaget på Brunkeberg krävde Stockholms svenska borgerskap att man med omedelbar verkan skulle avskaffa den paragraf i stadslagen som stadgade att hälften av städernas magistrat skulle vara tyskar. Förslaget bifölls genast, ty bestämmelsen var uppenbart föråldrad; endast i Stockholm och Kalmar fanns alltjämt ett tyskt folkelement av någon betydelse, men detta utgjorde å andra sidan alltid en riskabel faktor i tider av vaknande nationalism. De tyska borgmästarna och rådsmännen avsattes alltså, och därmed upphörde för all framtid de svenska städerna att utgöra stödjepunkter för främmande makter och potentater. Tänkvärt är att i samma veva beställde Sten Sture ett minnesmärke över sin stora svenska seger av en tysk, lybeckaren Berndt Notke; resultatet blev den underbara skulpturgruppen Sankt Göran och draken, uppställd i Stockholms storkyrka till tack för helgonets bistånd i slaget på Brunkeberg.

Sten Stures samarbete med Jakob Ulfsson ledde till två opolitiska händelser av varaktig vikt och betydelse. 1477 grundades Uppsala universitet som är Nordens äldsta; det danska universitetet i Köpenhamn, till vars upprättande kung Kristian i egen person hade utverkat påvlig tilllåtelse, öppnades först två år senare. Historieskrivaren Ericus Olai blev Sveriges förste professor; han föreläste emellertid ingalunda i historia, ty det ämnet fanns inte på kursplanen, utan i teologi. Tre år därefter kom den nyuppfunna boktryckarkonsten till Sverige med den tyske boktryckaren Johann Snell, som hade varit verksam i Danmark en liten tid och nu inkallades till Stockholm, där han satte i gång sin verksamhet i gråmunkeklostret på Riddarholmen. Hans vistelse i Sverige blev kortvarig; dock hann han år 1488 ge ut en latinsk fabelsamling av uppbyggligt innehåll med titeln Dialogus creaturarum moralizatus, vilken alltså är den första bok som tryckts i Sverige. Hans typer blev delvis kvar här och kom med åren till användning, först i domkapitlets tryckeri i Uppsala och sedan i Gustaf Vasas kungliga tryckeri.

Rätt mycket är känt om livet i Sverige under Sten Stures tid, ty med 1474 börjar serien av Stockholms stads tänkeböcker som ger intima inblickar i hur folk i den lilla huvudstaden hade det med sina affärer, sina bouppteckningar och sina trätor. Där möter man exempelvis pulvermakaren Tydecke som tycks ha varit brännvinets pionjär i Sverige; denna vätska framställdes nämligen under medeltiden företrädesvis av kruttillverkarna, som använde den till att därmed fukta det explosiva pulver de rörde ihop av kol, svavel och salpeter. Tydecke, som tydligtvis hade klart för sig att hans tekniska produkt även kunde duga till annat, sålde ivrigt brännvin till stockholmarna till dess rådet av skråmässiga skäl förbjöd honom att fortsätta rörelsen. En herre vid namn Kort Flaskedragare fick nämligen på 1490-talet monopol på att framställa och utskänka sådana varor.

Även ifråga om tidens politiska händelser finns diverse samtida dokument i behåll, och blott några få årtionden yngre är Olaus Petris svenska krönika, som berättar jämförelsevis fylligt om Sten Sture den äldres liv och verksamhet. Hos denne författare skildras den svenske riksföreståndaren inte alls som den redbare, folkkäre hjälte som senare släktled oföränderligen har fått möta i sina skolböcker. Tvärtom framstår herr Sten som en både slug och hänsynslös politiker vars maktställning ofta ogillades av både herremän och bönder i Sverige. Västgötarna i Kind gjorde till och med uppror en gång, och i riksrådet kom Sten Sture efter hand i konflikt även med sina forna medhjälpare. Dit hörde Axelssönerna och framför allt Ivar Axelsson, som blev fråntagen sina förläningar i Finland men hade kvar Gotland, där han bedrev sjöröveri ungefär som Erik av Pommern på sin tid hade gjort, och alldeles som denne lämnade han över den stora ön till en dansk flotta när den svenske riksföreståndaren beredde sig att ta den i besittning. Det kan vara värt att veta att den danske befälhavaren vid tillfället hette Jens Holgersen Ulfstand, byggherre till det skånska Glimmingehus.

Oppositionen mot Sten Sture fann omsider sin främste ledare i riksrådet Arvid Trolle från Bergkvara i Småland, och på hans sida ställde sig bland annat större delen av prästerskapet med ärkebiskopen Jakob

Ulfsson och Strängnäsbiskopen Kort Rogge i spetsen. Kyrkans män var nämligen i allmänhet principiella anhängare av den nordiska unionen, som ingalunda ansågs upplöst genom unionskonungens nederlag på Brunkeberg. Tio år efter den drabbningen avled kung Kristian, som de svenska rådsherrarna aldrig hade velat återinsätta och som hade gjort sig impopulär även i Norge, ty han hade förskingrat sista resten av norrmännens vikingavälde genom att ställa Orkneyöarna och Shetlandsöarna i pant för hemgiften när han gifte bort sin dotter med kungen av Skottland. Efter en del bråk i detta känsliga ämne erkändes emellertid kung Kristians son Hans såsom konung av Norge, och i samma veva kröntes han också som dansk monark. Med kung Hans hade inte heller svenskarna någonting otalt, och på hösten 1483 fick man till stånd ett möte i Kalmar där det beslöts att han skulle erkännas som konung av Sverige på vissa villkor, som sammanfattades i en urkund vid namn Kalmar recess. Sten Sture som hade misslyckats med att hindra detta beslut lyckades emellertid i stället uppskjuta dess verkställande i fjorton år och fortsatte under denna långa tid oförtrutet sitt arbete på att förstärka sin makt och inte minst sin rikedom. "Vid bedömandet av hans politik", skriver Sven Ulric Palme som har gjort reportage på hans öden och affärer, "måste man ständigt ta hänsyn också till den girige, sluge och hänsynslöse men vitt syftande och klarsynte ekonomen." Palme, vars bok om Sten Sture den äldre är mycket läsvärd, har inga höga tankar om sitt föremål och gör gällande att vad denne arbetade för var blott och bart "makten åt sig själv, icke åt sin släkt, icke åt sin grupp, icke åt sitt stånd. För nationella mål har han varit alldeles främmande, och om man ser unionens upplösning som ett nationellt mål – i och för sig en anakronism – har han icke principiellt eftersträvat den."

Längre bort från adertonhundratalets vackra tankar om gamle herr Sten kan ingen komma.

År 1471, samma år som slaget stod på Brunkeberg, underkuvades staden Novgorod och dess välde av den moskovitiske storfursten Ivan Vasiljevitj, och året därpå förmäldes denne högtidligen med den byzantinska prinsessan Sofia, brorsdotter till den siste kejsaren i Konstantinopel. I början av 1480-talet frigjorde han vidare sitt land från dess beroende av Gyllene horden, Djingis Khans arvtagare, som hade hållit Asien och Östeuropa under sitt ok under ett par hundra år. Han antog därpå titeln tsar, vilket är en rysk form av Caesar, och markerade därmed sina anspråk som de östromerska kejsarnas efterträdare. Med Ivan Vasiljevitj hade den ryska stormakten sett dagen och samtidigt nått kontakt med det svenska riket i väster.

Gränsfejder med ryssarna i Novgorod hade länge varit en nästan normal företeelse, bland annat på grund av de oklara bestämmelserna i Nöteborgsfreden om var gränsen egentligen gick. De nya förhållandena i Ryssland gjorde emellertid faran större än förr, och på svensk sida kom man så småningom till insikt om detta och slöt förbund med de tyska ordensriddarna i Balticum. Å andra sidan träffade kung Hans ett avtal med Ivan Vasiljevitj om inbördes bistånd mot den svenske inkräktaren Sten Sture och andra gemensamma fiender. Krig utbröt mycket riktigt inom kort och ledde till att Finland förhärjades vitt och brett, framför allt dess norra delar, ty det var omtvistat vart dessa i själva verket hörde, och ryssarna gjorde anspråk på Österbotten och till och med på Norrbotten. I södra Finland som var starkare försvarat stod striden framför allt om de fasta slotten Olofsborg och Viborg, som ryssarna förgäves sökte ta. Beträffande striderna kring det sistnämnda finns en apokryfisk historia om något som kallas den Viborgska smällen; den påstår att den svenske befälhavaren lät de anfallande ryssarna tränga in i ett av fästningstornen och i rätta ögonblicket sprängde detta i luften, varefter slottet var räddat. Berättelsen tillhör med all säkerhet skönlitteraturen.

Vid jultiden 1495 kom Sten Sture själv över till Finland med en del trupper och med S:t Eriks baner, som med stor högtidlighet hade hämtats från Uppsala domkyrka för ändamålet. Det heliga fälttecknet medförde dock ingen lycka. Det rådde ett fruktansvärt vinterväder i Finland vid tillfället, proviantskeppen frös fast i isen vid Åland så att livsmedlen måste föras vidare på slädar, och de hungrande soldaterna drabbades allmänt av frostskador eller frös rentav ihjäl. Emellertid var det också mycket snö som för en tid hindrade alla trupprörelser, och några större strider blev inte av. Sten Sture reste alltså snart hem till Sverige igen, men hösten därpå gjorde han ett nytt besök i Finland och kom då omedelbart i konflikt med överbefälhavaren Svante Nilsson. Denne som under sommarens lopp hade haft framgång i kriget – han gick oväntat över Finska viken och lyckades överrumpla och förstöra det ryska fästet Ivangorod vid Narva – lät nämligen förstå att han ville återvända till Sverige för att bevaka sina intressen där. Sten Sture brusade då upp och kallade honom fanflykting, varpå Svante Nilsson i vredesmod lämnade hären och reste hem för att öppet ansluta sig till riksföreståndarens fiender. Lyckligtvis var kriget vid det laget på upphällningen, båda parter var trötta på varandras härjningar och grymheter, och i mars 1497 slöt man fred utan landavträdelser på någondera sidan.

Brytningen mellan Sten Sture och Svante Nilsson hade ingenting med det ryska kriget att göra. Svante Nilsson var son till Sten Stures gamle medhjälpare Nils Bosson, och då denne dog hade riksföreståndaren dragit in en del av hans förläningar, vilket naturligtvis djupt förbittrade hans arvinge. Svante Nilsson var emellertid inte den ende som hade haft sådana upplevelser, och i själva verket stod nästan hela den svenska adeln nu i opposition mot herr Sten. När denne vid tiden för fredsslutet med ryssarna inkallade ett rådsmöte i Stockholm fick han uppleva att rådet sade upp honom från riksföreståndarskapet, och ungefär samtidigt mottog han ett fejdebrev som kung Hans på riddarevis hade skickat honom. Sten Sture var emellertid inte sinnad att ge vika och begav sig strax till Bergslagen för att mobilisera folk. Han belägrade ett slag ärkebiskop Jakob Ulfsson på hans borg vid Stäket men hade ingen framgång i detta utan måste själv dra sig in i Stockholm där han snart blev innesluten av unionspartiets folk, som dessförinnan hade satt sig i besittning av alla de andra slotten i landet. Ett manstarkt folkuppbåd som från södra Dalarna ryckte till Sten Stures undsättning blev slaget i grund vid Rotebro, och efter ett misslyckat utfall som höll på att kosta honom själv livet – han trängdes ner i Strömmen från Norrbro, men hans häst sam till en av slottets vattenportar med honom – måste han träda i underhandlingar med kung Hans och riksrådet. Man avtalade att Kalmar recess äntligen skulle sättas i verket och att Sten Sture skulle nedlägga sin värdighet som riksföreståndare mot att han fick ansvarsfrihet och stora förläningar.

På senhösten 1497 gjorde kung Hans sitt högtidliga intåg i Stockholm där han kröntes i Storkyrkan någon månad senare. Den nordiska unionen var åter i kraft.

Kung Hans

Kung Hans, som i gamla svenska kungalängder kallas för Johan II ibland, började sin regering i Sverige med att dubba några dussin adelsmän till riddare, vilket, säger rimkrönikan, var mycket efterlängtat bland damerna, ty endast riddarnas hustrur titulerades fru, och endast konungar men aldrig riksföreståndare kunde slå folk till riddare. Han utnämnde vidare Sten Sture till rikshovmästare och Svante Nilsson till marsk och försåg dem båda med lämpliga förläningar; den förre fick hela Finland, Åland, Nyköpings län och Norrbotten, varmed då menades allt land på ömse sidor om Bottenviken, och så stora landområden hade ingen svensk man innehaft sedan Bo Jonssons tid. Svante Sture, som bara fick Älvsborg utöver vad han förut hade haft, hade mindre anledning att vara belåten, och andra rådsherrar som hade bespetsat sig på god lön för sina tjänster förbisågs alldeles och kände sig redan från början besvikna på konungen. Denne begagnade dock inom kort deras avund mot Sten Sture till att dra in en del av dennes väldiga förläningar. Han passade vid samma tillfälle på att få sin adertonårige son Kristian erkänd och hyllad som tronföljare i Sverige.

Anno 1500 på våren drabbades kung Hans av en militär katastrof när han gjorde ett försök att lägga Ditmarsken vid tyska nordsjökusten under sin spira. Den kungliga hären, förstärkt med Slesvigs och Holsteins ridderskap, blev fullständigt uppriven av en skara marskbönder som tog ett ofantligt byte, däribland kungens eget bordssilver och framför allt det danska riksbaneret, Danebrog. De moraliska följderna av detta nederlag måste ha varit betydande i Sverige, där missnöjet med kungen redan var mycket utbrett i adliga kretsar. På sommaren samma

år återkom till Sverige en teolog vid namn Hemming Gadh som hade
varit Sten Stures sändebud i Rom, en fintlig, vältalig och outtröttligt
energisk politiker, som omedelbart tog itu med att söka ena den sönd-
rade oppositionen i hemlandet. Genom hans förmedling försonades Sten
Sture med Svante Nilsson och även med ärkebiskopen och biskop
Rogge, och när kung Hans på nyåret 1501 gjorde ett besök i Sverige
fann han att det politiska klimatet hade blivit betydligt kärvare. Efter
ett par stormiga rådsmöten, där det bland annat hände att en av kungens
trognaste anhängare, riddaren Ture Jönsson Tre Rosor, anklagade Sten
Sture för förberedelser till uppror, kom det slutligen till öppen strid.
Tillsammans med den norske riddaren Knut Alfsson, som arbetade på
att göra även Norge oberoende av unionskonungen, drog Sten Sture i
augusti till Dalarna för att båda upp folk medan Svante Nilsson och
Hemming Gadh begav sig till andra landsdelar i samma ärende. Kung
Hans seglade under tiden till Danmark för att hämta hjälp men kvar-
lämnade sin drottning – hon hette Kristina – på Stockholms slott med
en besättning på något tusental man. Den unge prins Kristian ryckte in
i Västergötland och lyckades skickligt skilja de svenska och norska
folkuppbåden åt, och Knut Alfsson som till en början hade haft en del
framgångar blev snart bragt om livet, men i Sverige stod resningen inte

att hejda, och redan i oktober inneslöts Stockholm av Sten Stures och Hemming Gadhs härar under det att Svante Nilsson belägrade Örebro. Sedan det sistnämnda hade fallit kunde hela den svenska armén koncentreras kring Stockholm, och efter en del dramatiska stormningsförsök måste drottningen till sist kapitulera. Det skedde i maj 1502, och av besättningen på slottet återstod då bara sjuttio man av vilka de flesta var sjuka; de återstående niohundra hade stupat eller dött av skörbjugg under belägringen. Drottning Kristina fördes fången till Svartbrödraklostret, varifrån hon i sinom tid flyttades till nunneklostret i Vadstena, påstod man förr; nyare undersökningar lär dock ha visat att så inte var fallet.[1] Några dagar efter kapitulationen visade sig hennes gemål i Stockholms skärgård med en flotta, men då han fann att undsättningen kommit för sent seglade han omedelbart tillbaka till Danmark igen.

Drottning Kristina hölls i milt fängelse i Sverige i halvtannat år, under vilken tid kriget mot unionskonungen fortfor att rasa med oförminskad häftighet kring gränserna i söder. I slutet av år 1503 kom emellertid ett fredsmöte till stånd under hansestädernas bemedling, vilket ledde till att drottningen frigavs. Av Sten Sture och Hemming Gadh jämte ett par svenska biskopar ledsagades hon högtidligen över danska gränsen till Halmstad, och på återvägen därifrån sjuknade den gamle riksföreståndaren och dog vid jultiden i Jönköping. Hemming Gadh hemlighöll dödsfallet tills vidare, och liket lär ha förts till Stockholm inlindat i bockskinn under det att en av den dödes tjänare tog plats i hans täcksläde, iförd hans kläder och riddarinsignier. Från Gränna skickade Hemming Gadh bud till Svante Nilsson som befann sig på Stegeborg, och strax före nyår hade alla intresserade personer hunnit samlas i Stockholm, där Svante Nilsson under klart olagliga former omedelbart utsågs till riksföreståndare. Först därefter kunde man ge offentlighet åt gamle herr Stens bortgång och ordna med hans begravning.

Svante Nilssons riksföreståndarskap varade i åtta år och var en tid av nästan oavbrutet krig mot kung Hans och danskarna, ty de fredsmöten som hölls med jämna mellanrum ledde till ingenting. Själv tycks riksföreståndaren inte ha varit någon särskilt framstående politiker, och som den ledande kraften i hans regering framträdde alltmera Hemming Gadh, vars personliga fördel var oupplösligt förknippad med den

[1] Se s. 812.

svenska separatismens öde. Genom gamle herr Stens försorg hade han nämligen blivit vald till biskop i Linköping, men kung Hans såg till att han aldrig blev erkänd av påven som innehavare av denna befattning. Hemming Gadh fick därför nöja sig med titeln electus, utvald, men så länge Svante Nilsson hade makten i landet kunde han likafullt uppbära inkomsterna från stiftet, vilka han använde framför allt för militära ändamål. Han tycks ha varit en framstående fältherre som bland annat ledde belägringen av Kalmar med stor framgång, och hans utrikespolitik gick framför allt ut på att åvägabringa en allians med hansestäderna, vilket också lyckades; han deltog förresten personligen i ett härjningståg med en lybsk flotta till de danska kusterna, varvid man bland annat brände ner birgittinerklostret Maribo på Lolland.

Under loppet av år 1510 återförenades alla svenska slott och län utom Gotland i riksföreståndarens hand, men i början av 1511 började kriget gå sämre. Från Norge bröt prins Kristian in i Västergötland där han brände ner ett par slott varefter han fortsatte till Jönköping som plundrades. Under inflytande av dessa händelser fick det svenska unionspartiet åter vind i seglen, och Hemming Gadh som hotades av påvlig bannlysning tvangs av sina ståndsbröder att avstå från sina inkomster som biskop i Linköping. Några månader senare hölls ett rådsmöte som förklarade riksföreståndaren avsatt. Denne vägrade att avgå, men strax efter jul löste sig frågan av sig själv; under ett besök i Bergslagen, där man bland annat överlade om bästa sättet att utvidga driften i den nyss påträffade silvergruvan i Sala, segnade nämligen Svante Nilsson plötsligt ner och dog.

Sten Sture den yngre

Till riksföreståndare i Svante Nilssons ställe hade rådet valt den småländske adelsmannen Erik Trolle, vars släkt alltid hade stått på unionskonungarnas sida; dess gods låg för övrigt på båda sidorna om gränsen till det danska Skåne. Rådets makt var emellertid numera inte stor eftersom rikets slott och län styrdes av personer som den förra regeringen hade tillsatt, och den avlidne riksföreståndarens tjugoårige son Sten Svantesson skyndade sig nu att försäkra sig om deras trohet, varefter han med stort eftertryck kunde uppträda som motkandidat till Erik Trolle. En majdag 1512 hölls ett möte i Uppsala där den gamle ärkebiskopen Jakob Ulfsson på Erik Trolles vägnar förgäves vädjade till menigheten på torget samtidigt som Sten Svantesson lät hylla sig av sina anhängare på Mora äng utanför staden, och ett par månader efteråt samlades de båda partiernas folk i Stockholm där de höll på att komma i regelrätt krig med varandra och stod redo att öppna eld med kanoner tvärs över Riddarholmskanalen, berättar Olaus Petri och tillägger att de var druckna mest allesammans. Någon skjutning blev lyckligtvis inte av, och vid riksföreståndarevalet några dagar senare segrade Sten Svantesson överlägset över sina medtävlare.

Sten Svantesson som egentligen tillhörde ätten Natt och Dag antog strax efter sin upphöjelse släktnamnet Sture, och som Sten Sture den yngre är han känd i Sveriges historia, där hans fader och hans farfader därför retroaktivt har omdöpts till Svante Sture och Nils Bosson Sture, ehuru de själva aldrig kallade sig så. Namnet fanns dock i familjen, ty Nils Bossons morfar hade tillhört en halländsk ätt som också hette Sture. Sten Sture den yngres namnbyte är helt i stil med hans politik, ty han var en skicklig demagog och propagandaman som konsekvent sökte frigöra sig från rådets inflytande genom att vädja direkt till menigheterna. Den idealisering av herr Sten den unge Sture som möter i alla äldre historieböcker tycks det inte finnas någon hävdatecknare som företräder längre, ty hans efterlämnade papper frammanar minst av allt bilden av en blid och trohjärtad riddersman. Tvärtom var han, säger professor Gottfrid Carlsson, "den mot sina fiender hårdaste och hänsynslösaste av de tre riksföreståndare som buro Sturarnas frejdade namn", och det vill inte säga litet.

Från Sten Stures första år som riksföreståndare antecknar Olaus Petri mera i förbigående ett par opolitiska händelser som han fann minnesvärda. Det året kom det zigenare till Sverige för första gången – han kallar dem förresten för tatare – och vidare uppträdde i Stockholms svartbrödrakloster en svavelpredikant som upplyste att staden skulle sjunka, varvid mycket folk skyndade sig att lämna den. Tidens politiska händelser, allvarligare men inte mindre pittoreska, hängde samman med att flera viktiga poster bytte innehavare ungefär samtidigt som Sten Sture tillträdde sitt riksföreståndareskap. Med den gamle Hemming Gadh tycks han inte ha stått på god fot; denne sköts undan till den föga viktiga befattningen som slottsherre på det åländska Kastelholm, och biskopsstolen i Linköping som han under så många år hade aspirerat på gavs i stället åt domprosten på orten Hans Brask. Ärkebiskop i Uppsala var alltjämt Jakob Ulfsson, men han var nu gammal och ville dra sig tillbaka, och till sin efterträdare begärde han Gustaf Trolle, son till den utslagne riksföreståndaren Erik Trolle och själv en lärd man, ty han var en av de första svenskar som hade läst grekiska. Sten Sture kunde inte hindra domkapitlet att välja Gustaf Trolle, som strax därpå reste till Rom och högtidligen invigdes till sitt ämbete av påven.

Kristian II

I början av år 1513 dog kung Hans efter att ha ramlat i vattnet under en vintrig resa på Jylland; han efterträddes av sin son Kristian II, en sällsynt begåvad men tydligtvis mycket obalanserad furste vars gärningar aldrig har upphört att förbrylla eftervärlden. Han hade fått sin uppfostran som ett slags fosterson i en borgerlig dansk familj och stod från början i spänt förhållande till den danska högadeln, vilket också hans fader hade gjort; och fast han vid sin tronbestigning tvingades till en handfästning som gick ut på att säkra rådsaristokratiens inflytande omgav han sig genast med rådgivare ur helt andra kretsar. En av dem var den kloke och rättrådige borgmästare Hans Mikkelsen i Malmö, en annan och ej mindre märklig var den holländska köpmansänkan Sigbrit Willums, vars dotter Dyveke kungen hade förälskat sig i när han som kronprins och norsk ståthållare gjorde ett besök i Bergen där de båda damerna då vistades. Dyveke förblev hans älskarinna och Sigbrit behöll sin ställning som ett slags finansminister även sedan kungen kort efter sitt trontillträde hade förmälts med den habsburgska prinsessan Isabella alias Elisabeth, syster till kejsar Karl V om vilken det sades att i hans välde gick solen aldrig ned, ty det omfattade inte blott Tyska riket, Italien, Nederländerna och Spanien utan även de länder bortom haven som Columbus och andra sjöfarare i spansk tjänst nyss hade upptäckt och alltjämt var i färd med att upptäcka. Av släktskapen med kejsaren fick kung Kristian dock mindre fördel än väntat, ty kejsaren blandade sig föga i Nordens affärer och hade för övrigt stora och svåra bekymmer med alla sina egna riken, och drottning Elisabeth själv var bara ett barn; hon var inte mer än tretton år då hon blev bortgift med den nordiske monarken. Dyveke dog ung, men Sigbrits inflytande över kung Kristian ökade likafullt. Hon var en av de bästa finansministrar Danmark har haft, säger Troels-Lund, den store kännaren av danskt 1500-tal, och hennes initiativ i rikets styrelse har avsatt ekonomiska spår som till någon del består än, exempelvis i de stora grönsaksfält som alla flygresenärer kan beskåda innan de tar mark på Kastrup utanför Köpenhamn, ty dessa leder sitt ursprung från holländska odlare som Sigbrit lät inkalla till Amager. Ett annat bidrag från Sigbrits dagar till allas vår ekonomiska historia var grundläggningen av det skånska Ängelholm som fick stadsprivilegier av Kristian II år 1516 i samband med att den gamla medeltidsstaden Luntertun på kunglig befallning avfolkades och ödelades. Luntertun låg strax norr om Ängelholm och sägs ha varit en rätt betydande stad under det skånska sillfiskets glanstid, men i själva verket är det inte mycket man vet om den saken.

Under de första åren av sin regering var kung Kristian fullt upptagen med att stärka sin ställning gentemot de danska stormännen under en serie våldsamma konflikter av vilka den mest omtalade är hans mellanhavande med Torben Okse, länsherre på Köpenhamns slott och en av landets mäktigaste män, vilken han lät avrätta efter en summarisk rättegång inför en bondedomstol. Händelsen skedde strax efter Dyvekes död och har därför kringvärvts med en del historier om rivalitet i kärlek, men det brott som åberopades tycks ha varit förskingring. Under dessa år låg det svenska kriget nere i det att man avslöt det ena stilleståndsavtalet efter det andra, men Sten Stures regering erkändes naturligtvis aldrig, och år 1517 flammade fientligheterna upp igen, som vanligt i samband med inbördes stridigheter i Sverige.

Året förut hade Sten Sture utlyst ett svenskt rådsmöte i Tälje dit även ärkebiskop Trolle hade kallats för att avlägga trohetsförsäkran till riksföreståndaren, men ärkebiskopen och hans meningsfränder infann sig inte. Själv befann sig denne utom räckhåll på sin fasta borg vid Stäket, men Sten Sture lät omedelbart efter rådsmötet fängsla hans fader Erik Trolle och några andra unionsvänliga herrar och började därefter belägra Stäket, och några månader senare fördes den gamle ärkebiskop Jakob Ulfsson med våld till Stockholm från sitt pensionärshem

Arnö som skövlades och brändes. Kung Kristian skickade nu några hundra man till Sverige för att undsätta Stäket, och ungefär samtidigt utfärdade den danske ärkebiskopen i Lund en bannlysning mot Sten Sture och alla andra som deltog i aktionen mot hans svenska kollega. Den lilla hjälptruppen blev emellertid grundligt slagen vid byn Vädla som låg där Östermalm i Stockholm ligger nu, och när man skickade några av de danska fångarna till Stäket för att visa att ingen hjälp mer var att vänta förlorade Gustaf Trolle modet och öppnade underhandlingar. Sten Sture inkallade då ett riksmöte i Stockholm dit även ärkebiskopen kom på given lejd och fick åhöra en bister anklagelseskrift. Han svarade emellertid att han inte erkände mötet som domare över sitt handlande och att han var ansvarig endast inför påven, varjämte han pressades att säga att Kristian II var Sveriges laglige konung, eftersom han hade hyllats som tronföljare i kung Hans' tid. Efter dessa uttalanden kunde Sten Sture genomdriva ett mötesbeslut som gick ut på att Stäkets slott skulle brytas ner och att Gustaf Trolle skulle avsättas som ärkebiskop. Mötesdeltagarna förband sig att en för alla och alla för en ansvara för detta beslut, som de därpå bekräftade med sina sigill. Det är i detta sammanhang som Olaus Petri berättar den kända anekdoten om biskop Brask, vilken sägs ha smusslat in en papperslapp med påskriften "Härtill är jag nödd och tvungen" under vaxet i sitt sigill.

Stäket föll snart, och Gustaf Trolle fördes därpå fången till Västerås efter att ha tvingats nedlägga sitt ämbete. Biskopsborgen revs omedelbart ner, vilket måste ha varit ett omfattande arbete. Den stenhög som återstår under träden och gräsrötterna på Stäkesön är alltjämt mycket stor.

Våren 1518 kom den påvlige legaten Arcimboldus och hans tyske med-
hjälpare Didrik Slagheck till Sverige och mottogs med stora ärebety-
gelser. Arcimboldus var egentligen jurist och överkommissarie för av-
laten, och hans verksamhet bestod i att på den heliga stolens vägnar
sälja avlatsbrev som berättigade innehavaren att bikta sig för vilken
präst som helst och av honom få absolution för begångna synder under
förutsättning av uppriktig ånger. Avlaten, som egentligen blott innebär
att kyrkan efterskänker den jordiska botgöring i form av vallfärder och
annat som syndare bör underkasta sig, förekommer alltjämt i katolska
länder; mot slutet av medeltiden hade det hela emellertid organiserats i
affärsmässiga former som en av kyrkans viktigaste inkomstkällor, vilket
väckte anstöt och kritik på många håll. Luthers reformation började så-
lunda med ett angrepp på den avlatshandel som bedrevs i Tyskland av
en kollega till Arcimboldus året innan den sistnämnde anlände till
Sverige.

Arcimboldus som närmast kom från Danmark gjorde förträffliga
affärer i Norden, men han hade också politiska ärenden. Han hade i
uppdrag att mäkla fred mellan Sten Sture och den svenske ärkebiskopen,
och under uppehållet i Danmark lyckades han att börja med få till
stånd ett kortare uppskov med det hotande kriget mellan Sten Sture och
kung Kristian. I Sverige tog han strax itu med varjehanda; sålunda
skickade han den tjugoåttaårige Uppsalakaniken Olaus Magnus till
nordligaste Sverige där avgudadyrkarna bodde, ett initiativ som fick
litterära följder. Av Sten Sture bemöttes Arcimboldus med all reve-
rens; hans avlatshandel gynnades på allt sätt, och riksföreståndaren före-
speglade honom möjligheten att själv bli ärkebiskop i Uppsala om han
kunde utverka påvlig bekräftelse på Gustaf Trolles avsättning. Arcim-
boldus tycks inte ha varit okänslig för denna lockelse, vilket rapporte-
rades till kung Kristian av den lömske Didrik Slagheck, och när Arcim-
boldus året därpå återkom till Danmark fick han därför ett bistert mot-
tagande av kungen, som utan vidare lade beslag på alla hans avlats-
pengar och svenska presenter och hotade att kasta honom själv i
fängelse. Den stackars legaten flydde skyndsamt till Lübeck, men där
fann han reformationen i full gång och reste därför vidare hem till

Rom, där kung Kristian redan hade låtit klaga på honom hos påven. Av denne lär han allt framgent ha betraktats som en suspekt figur efter sitt korta gästspel i Sveriges historia. Didrik Slagheck gick däremot i kung Kristians tjänst och fick snart mycket stort inflytande.

Arcimboldus diplomatiska gärningar kunde inte ens medan de pågick bevara stilleståndet mellan kung Kristian och Sten Sture. Sommaren 1518 landsteg den förre med en armé av tyska knektar utanför Stockholm och mötte en svensk här i trakten av Årsta söder om staden. Drabbningen som i hävderna kallas slaget vid Brännkyrka blev en seger för Sten Sture, men kungen som hade ockuperat Södermalm höll sig dock kvar där tills det började lida mot höst, då han måste uppge sina resultatlösa försök att inta Stockholm och gick ombord på flottan igen. Hårt väder tvingade honom att ligga kvar i skärgården, och han begagnade väntetiden till att gå i land på Upplandskusten och göra en raid mot Uppsala. Han led emellertid brist på proviant, och när hans folk av den anledningen började desertera inledde han underhandlingar med Sten Sture. Man kom överens om ett sammanträffande vid Österhaninge kyrka, och som gisslan för kungens säkerhet under mötet skulle sex svenska män av hög rang tas ombord på danska flottan. Hemming Gadh, Gustaf Eriksson Vasa, Lars Siggesson Sparre och tre andra herrar begav sig alltså iväg i en liten båt, och vid inloppet till Skurusundet togs de ombord på ett danskt fartyg som förde dem till Älvsnabben där huvuddelen av flottan låg. När de kom fram dit var det brittsommarväder och bra vind, och kung Kristian lättade då ankar och avseglade utan vidare till Danmark med gisslomännen ombord, medan Sten Sture satt och väntade förgäves i två dagar vid Österhaninge kyrka.

Sommaren därpå förekom en del strider kring Kalmar och Älvsborg, av vilka det sistnämnda var i danskarnas händer; ett svenskt försök att återta det ledde till ingenting, medan Sten Sture däremot lyckades undsätta det belägrade Kalmar. Kung Kristian själv höll sig hemma i Danmark och förberedde ett fälttåg av helt annan storleksordning, ty av sin kejserlige svåger hade han sent omsider lyckats få ut sin drottnings hemgift. Han värvade en ansenlig här av yrkessoldater för pengarna, och av påven lyckades han samtidigt utverka att Sten Sture och alla som deltagit i aktionen mot ärkebiskopen bannlystes såsom kättare. På nyåret 1520 bröt den stora armén via Småland in i Västergötland, där Sten Sture under tiden hade samlat tiotusen man och förskansat sig bakom isvallar på stranden av sjön Asunden nära den lilla staden Bogesund, som numera heter Ulricehamn. Under befäl av en general vid namn Otte Krumpen gick de kungliga trupperna omedelbart till angrepp, och striden hade knappt börjat förrän Sten Sture träffades av en kanonkula som dödade hästen under honom och krossade hans ena knä. Förvirring utbröt genast i hans här som skingrades åt olika håll, och danskarna kunde obehindrat tränga vidare åt norr. De hejdades ett ögonblick i Tiveden där marschvägen hade spärrats med bråtar av nedhuggna träd, men efter en del blodiga skärmytslingar tog de sig förbi bråtarna och stod snart ända i Västerås. Den sårade Sten Sture befann sig då i Strängnäs, och vid underrättelsen om genombrottet i Tiveden skickade han bud till den avsatte ärkebiskop Trolle och försökte försona sig med denne. Ärkebiskopen svarade mycket tillmötesgående, men på väg till Stockholm ett par dagar senare dog Sten Sture av sitt sår i en släde på Björkfjärdens is.

När våren kom var praktiskt taget hela Sverige så när som på Stockholm och Kalmar i kung Kristians händer, och i maj kom denne själv sjövägen från Köpenhamn och löpte in på Stockholms ström. Dessförinnan hade de rådvilla svenska herrarna hållit diverse möten och gjort sitt bästa för att ordna dagtingan och få slut på de främmande truppernas härjningar, som var svåra på sina håll och ledde till nya skärmytslingar och meningslös blodsutgjutelse. Biskop Mattias i Strängnäs som hade varit Sten Stures kansler var ivrigt verksam för att stoppa partisankriget och biträddes snart av den gamle Hemming Gadh, som hade återkommit till Sverige i kungens sällskap. Stockholm och Kalmar lyssnade dock icke till dessa fridsröster. Befälet fördes på båda ställena av damer; i Kalmar satt fru Anna Bielke, änka efter en son till Engelbrekts mördare och befryndad såväl med de yngre Sturarna som med Gustaf Vasa, och i Stockholm kommenderade Sten Stures änka, den tjugosexåriga Kristina Gyllenstierna, som sökte bevara väldet i Sverige åt sina efterkommande. Med en viss framgång vädjade hon till allmogen i olika landsdelar och lyckades åstadkomma en kortlivad bonderesning i Bergslagen, och hon förhandlade också med kungen av Polen om hjälp och skickade i det ärendet kanslern Peder Sunnanväder till Danzig, åtföljd av hennes sjuårige son Nils som på så vis sattes i säkerhet. Med de fredsvilliga svenska herrarna som för ändamålet samlades till ett möte vid Spånga kyrka vägrade hon att träda i förbindelse, och då Strängnäsbiskopens sekreterare Olaus Petri – den blivande reformatorn – jämte en kollega från Uppsala skickades till Stockholm med begäran om ett samtal blev de bortjagade med kanonskott från Helgeandsholmen.

Sedan kung Kristian hade anlänt med sin flotta försämrades naturligtvis läget för Stockholms försvarare, men man hade gott om proviant för att uthärda en belägring, och några utsikter att ta staden med storm fanns knappast. Emellertid hyllades kungen av de svenska ständerna vid ett riksmöte i sitt läger utanför Stockholm, varefter han på övligt sätt gjorde sig populär genom att skänka de församlade bönderna en halv tunna salt var. När det började lida mot höst blev hans situation emellertid besvärlig, ty han begynte få ont om livsmedel under det att stockholmarna alltjämt klarade sig bra, och att vidmakthålla belägringen över vintern var otänkbart. Genom biskop Mattias, Hemming Gadh och andra svenska herrar lät han därför till Kristina Gyllenstierna framföra ett anbud om dagtingan på mycket goda villkor, och vid ett möte i början av september på en holme utanför Djurgården – förmodligen Beckholmen – kom man omsider överens om alla detaljer. Kungen lovade högtidligen att det framfarna skulle vara glömt och benådade särskilt ett antal namngivna personer, däribland Gustaf Vasa, som vid tillfället hade lyckats rymma från Danmark dit han blivit förd såsom gisslan. Kristina Gyllenstierna själv skulle få Hörningsholm och hela Mörkön i förläning och fick dessutom löfte om Tavastehus i Finland. Sedan allt detta hade blivit bekräftat skriftligen gick stadens borgmästare ut på Södermalm och överlämnade stadens nycklar till kung Kristian, som därpå höll sitt magnifika intåg i Stockholm och kort därefter seglade hem till Danmark ett slag. Han återvände redan i oktober, ty då skulle hans kröning äga rum.

Allhelgonadagen år 1520 samlades den svenska adeln och ombud för alla städer och landskap till ett riksmöte på Brunkeberg i det befästa läger som kung Kristian tidigare hade låtit bygga där. Biskop Jens Beldenak från Odense tog till orda på kung Kristians vägnar och utlade hurusom denne hade obestridlig rätt till Sveriges krona, eftersom han dels hade blivit utkorad och erkänd av riksrådet i kung Hans tid, dels hade arvsrätt till riket enligt Sveriges lag, där det stod att vid kungaval borde man ta en av den förre kungens söner om det fanns någon lämplig sådan – *någon för regementet dogse*, som det hette på medeltida språk. Biskopen frågade nu menigheten om detta var riktigt talat och fick enhälligt ja till svar. Kungen hyllades därpå högtidligen, och nästa söndag kröntes han under övliga ceremonier i Stockholms storkyrka av ärkebiskop Trolle och dubbade därpå ett antal danska militärer till riddare. Han lät samtidigt förkunna att svenska herrar inte kunde vederfaras denna ära för tillfället, eftersom Sverige var vunnet med vapenmakt, men han skulle ha dem i åtanke en annan gång. Sedan gav han banketter och kalas i flera dagar, varvid även svenskarna fick vara med.

Vid den sista av dessa fester, vilken hölls i stora salen på Stockholms slott, framträdde oväntat ärkebiskop Gustaf Trolle och begärde skadestånd för den förlust som kyrkan och han själv hade lidit genom förstöringen av Stäket. Kristina Gyllenstierna som naturligtvis kände sig träffad på den döde Sten Stures vägnar begick då oförsiktigheten att genast överlämna till konungen det dokument i vilket deltagarna i 1517 års riksmöte en för alla och alla för en tog ansvar för beslutet att avsätta ärkebiskopen och riva Stäket, och därmed gav hon kungen vapen i händerna gentemot Sturarnas vänner och medlöpare. Han kunde nu hävda att för sin personliga del hade han förlåtit sina forna motståndare och lovat att det gångna skulle vara glömt, men undertecknarna av detta dokument hade blivit bannlysta av påven såsom kättare, och det var hans kristliga plikt att se till att de fick sitt straff. En rannsakning sattes alltså i gång genast och pågick vid ljus och fackelsken till sent på kvällen. Biskop Brask klarade sig med hänvisning till sin lapp, säger Olaus Petri, men biskop Mattias, biskop Vincentius i Skara, ett antal världsliga stormän och åtskilliga stockholmsborgare arresterades omedelbart och fördes i fängelse direkt från gästabudssalen.

Nästa dag, den 8 november, tillsattes i all hast en andlig domstol med uppgift att avgöra huruvida de anklagade var skyldiga till brott enligt kyrkans rätt, en fråga som de arma prelaterna inte kunde undgå att besvara jakande. När de hade avslutat sin session och just hade ätit middag – lunch, skulle vi numera säga – kom någon inrusande i salen och ropade att nu fördes biskoparna av Skara och Strängnäs fångna ut ur slottet. Budskapet, vars innebörd var alldeles klar, fyllde dem med häpnad och fasa, ty de hade inte tänkt sig att straffet skulle komma så snabbt eller bli så strängt, och biskop Jens Beldenak som var den ende dansken i sällskapet vägrade i det längsta att tro att det var sant. När uppgiften bekräftades rusade han iväg för att tala med kungen men möttes på vägen av Didrik Slagheck, som sägs ha varnat honom och domstolens övriga ledamöter för att blanda sig i saken vid risk att själva få dela de dömdas öde.

Man kan förstå Jens Beldenaks tvivel; även efterrvärlden, som dock har haft lång tid på sig att vara efterklok, står förundrad inför händelserna i Stockholm den 8 november 1520. Det hela kallas som bekant Stockholms blodbad, och vi har kvar såväl kätteridomen som en visserligen partisk men dock saklig berättelse av ett ögonvittne, nämligen Olaus Petri, sekreterare hos biskop Mattias som blev det första av offren. På morgonen, förtäljer Olaus Petri, lät kung Kristian blåsa i trumpet och påbjuda att ingen fick gå ut ur sitt hus. Vid middagstiden fördes fångarna från slottet till Stortorget varvid tydligen utegångsförbudet upphävdes, ty en dansk rådsherre vid namn Niels Lykke trädde därefter ut på rådhusets bursprråk och höll tal till folket, som fick höra att vad som skulle ske skedde på den svenske ärkebiskopens begäran. Biskop Vincentius ropade då till honom att han ljög och beskyllde kungen för lögn och förräderi. Ett par stockholmska rådmän bland fångarna tog också till orda, vädjade till folket om vedergällning mot tyrannen och nedkallade himlens hämnd. Emellertid började avrättningarna; först halshöggs biskop Mattias och biskop Vincentius, därpå fjorton världsliga aristokrater, sedan tre borgmästare och fjorton rådmän i Stockholm och slutligen en skara vanliga borgare. Olaus Petri namnger sammanlagt femtio personer men tillägger att offren var ännu flera, och enligt ett annat åsyna vittne, nämligen Olaus Magnus, avrättades denna dag nittiofyra personer på Stockholms stortorg. Blodbadet fortsatte även de följande dagarna, då man dessutom hängde en massa folk i en galge på torget. Kropparna fick ligga kvar där i tre dagar, och rännilar av blod och lerigt vatten rann utför grändernas rännstenar i novembervädret. Slutligen forslades de döda till Södermalm och brändes såsom kättare på bål ungefär där Katarina kyrka ligger nu. Liken av Sten Sture, en liten son till honom och en nyss avliden stockholmspräst grävdes samtidigt upp och brändes såsom olagligt jordfästa under den tid då Sverige hade varit belagt med påvligt bann och interdikt. Tesen att Stockholms blodbad blott var den världsliga verkställigheten av kyrkans dom över kättare vidhölls alltså mycket konsekvent.

Vem som egentligen anstiftade Stockholms blodbad är en fråga som har diskuterats mycket i svensk historieskrivning, inte minst på senare år. Det förefaller nu säkert att Gustaf Trolles roll i sammanhanget varit mindre demonisk och mera tragisk än man förr trodde. Olaus Petri, som knappast var hans vän, säger att ärkebiskopen föll i onåd hos kungen därför att han inte allvarligt stod de svenska herrarna efter livet när han krävde skadestånd för Stäket, och det finns även andra skäl att tro att han inte kan ha önskat att saken skulle ta den vändning den tog. En annan av gammalt illa utmålad person är Didrik Slagheck, men honom är det svårare att försöka rentvå, ty att han spelade en betydande roll under blodbadet omvittnas enhälligt av alla källor. Han hade för övrigt personlig fördel av vad som skedde, ty han fick efterträda Vincentius såsom biskop i Skara under det att Jens Beldenak tog hand om Strängnäs stift. Emellertid är det klart att avgörandet och ansvaret i sista hand låg hos kung Kristian själv. Han kallas som bekant Kristian Tyrann i Sveriges historia, och det kan hända att han själv inte skulle ha haft något att invända mot det namnet, som för furstar i det tidiga 1500-talet bör ha haft en helt annan klang än det har för oss. Han var en klassiskt bildad renässansmänniska som säkert beundrade den antike kejsar Augustus, vars väg till makten verkligen inte var vacker och moralisk. Man vet också om kung Kristian att han tänkte låta översätta en nyutkommen italiensk bok som än i dag är mycket berömd och beryktad, nämligen Macchiavellis Fursten, där det utvecklas hurusom en god härskare måste vara i stånd att begå vilka trolösheter, grymheter och brott som helst och gärna bör hyckla mildhet och ädelmod på samma gång Furstens höga mål enligt Macchiavelli är att härska till statens bästa, och detta kan endast ske genom att de mäktiga och förnäma i samhället berövas möjligheten att göra uppror under det att folket hålls lugnt genom att dess timliga välfärd tillgodoses. Emellertid var det för kung Kristian tydligtvis inte alls frågan om att topphugga den svenska adeln. Vad han ville krossa och utrota var Sturarnas parti, och professor Gottfrid Carlsson har visat att bara ett fåtal av blodbadets offer var högättade, högförnäma personer; riksrådet och aristokratien kom sålunda undan med bara fyra undantag. De avrättade var till allra största delen Stockholmsborgare, Sturarnas personliga tjänare eller lågfrälse. Det hindrar inte att flera av de danska aristokrater som åtföljde konungen ställde sig mycket betänksamma, och såväl Otte Krumpen som den tappre och ridderlige amiralen Sören Norby lär ha gjort vad de kunde för att rädda olyckliga svenska ståndsbröder undan blodbadet i Stockholm.

Utrensningen av personer som kunde tänkas bli besvärliga framdeles var emellertid inte avslutad med detta. Kristina Gyllenstierna och ett antal andra högborna damer, däribland Gustaf Vasas mor och syster, fängslades och fördes i sinom tid till Danmark, där några av dem dog i fångenskapen. Borta i Finland avrättades den gamle Hemming Gadh på kunglig befallning medan han som bäst gick kungens ärenden, och när denne i början av december lämnade Stockholm och långsamt reste söderut markerades hans väg av nya blodsdåd och ogärningar. Abboten och några av munkarna i Nydala kloster dränktes av obekant anledning, i Vadstena avrättades på ett barbariskt sätt två bönder som hade tagit del i partisankriget, och i Jönköping avlivades en adelsman som hette Lindorm Ribbing och två små barn av hans släkt, säger Olaus Petri. Uppgiften om de båda barnen har gett upphov till en välkänd historia som säger att när den yngste pojken sett sin brors huvud falla och själv stod i tur att halshuggas vände han sig till bödeln med orden: "Snälle man, bloda inte ner min skjorta, för då får jag stryk av mor." Bödeln blev då rörd och kastade svärdet ifrån sig, varpå den grymme konungen lät avrätta både honom och pojken. Lyckligtvis är detta en urgammal anekdot; den förekommer i annat sammanhang redan hos romerska historieskrivare och var kanske inte sann då heller.

Medan han ännu var kvar i Sverige var kung Kristian också sysselsatt med att söka organisera hela Norden till ett stort handelsförbund, avsett att knäcka Hansan; ett avtal om detta hade träffats i samband med hans kröning i Stockholm, där borgmästarna i Malmö och Köpenhamn hade varit med och diskuterat saken med sina svenska kolleger. Mynt, mått och vikt skulle bli gemensamma för alla tre länderna, ett postväsen skulle organiseras med brevbäring i städerna, förbindelserna med de gamla vikingakolonierna på Grönland nära det nyupptäckta Amerika skulle återupptas – man visste inte att den nordiska folkstammen på Grönland redan var utdöd. Det blev ingenting av dessa storstilade planer, och kungens försök att förbättra de livegna danska böndernas ställning hann heller aldrig fullföljas. När han återkom till Köpenhamn i februari 1521 var Sverige redan på väg ut ur unionen, denna gång för alltid.

1520

Olofsborg

Viborg

Trondheim

Raseborg

Åbo

Kastelholm

Uppsala

Brunbäck
Sala

Stockholm

Örebro

Akershus

Vadstena

Visby

Bergen

Linköping

Skara

Jönköping

Älvsborg

Kalmar

Rönneby

Halmstad

Aalborg

Lund

København

Viborg

Ribe

Sönderborg

Låbeck

0   100   200 KM

Vid tiden för Stockholms blodbad, alltså på senhösten 1520, befann sig Gustaf Vasa på sin ägandes gård Rävsnäs nära Mariefred. Han anförtrodde sig åt gamle ärkebiskop Jakob Ulfsson som nu njöt sitt otium hos kartusianerbröderna i Mariefred, och denne uppmanade honom att förtro sig åt kung Kristian och förlita sig på dennes nåd och ridderlighet, men Gustaf Vasa följde inte det välmenta rådet, som den gamle prelaten inom kort fick anledning att skämmas för. Gustaf Vasas syster och hans svåger Joakim Brahe, som residerade på Tärna gård i grannskapet, hade fått inbjudan till kröningen i Stockholm och reste dit; några dagar efteråt återkom en av deras tjänare till Mariefredstrakten med besked om Stockholms blodbad. Gustaf Vasas fader och svåger hörde till offren, hans mor och syster hölls i fängelse, själv var han efterlyst och satt naturligtvis inte säker på Rävsnäs. Han skrapade omedelbart ihop allt vad han kunde komma över av kontanter och begav sig via Selaön över Mälaren och vidare norrut till Dalarna.

Gustaf Vasa var vid denna tid en ung man på tjugotre eller tjugofyra eller tjugofem år; krönikorna, som är överens om att han hade födelsedag den 12 maj, är oense om födelseåret och även om födelseorten. Emellertid var han upplänning och tillhörde den högsta aristokratien i landet – hans farmor var syster till Sten Sture den äldre, hans halvdanska mor var halvsyster till Kristina Gyllenstierna, hans faster var gift med Ture Jönsson Tre Rosor, och på olika sätt var han släkt med diverse andra prominenta personer både i Sverige och Danmark. Enligt en legend som återfinns hos alla äldre historieskrivare upptogs han som något slags fosterbarn hos gamle herr Sten på Stockholms slott, och klyftig, hurtig och välväxt som han naturligtvis var valdes han alltid till hövding av de andra småsvennerna och uppmärksammades därför av kung Hans, som en gång åskådade pojkarnas lek i kungasalen och imponerad bevittnade hur den lille Gustaf regerade över skaran och utdelade kloka befallningar som villigt åtlyddes. Han klappade då den duktige pysen på huvudet och utlät sig: "Än blifver du en märkelig man i dine dagar, hvar du får lefva!" Han ville också ta gossen med sig till Danmark att uppfostras vid hovet där, men gamle herr Sten lyckades avstyra detta genom att skicka pojken hem till hans föräldrar.

Berättelsen om leken på slottet är en antik anekdot som har förtalts om många olika personer i olika tider och länder; mest känd är den säkert på tal om den store Cyrus i Persien. Svenskt original är väl däremot den historia som handlar om Gustaf Vasas sorti från trivialskolan i Uppsala, där han sägs ha gått någon tid och till lärare skall ha haft en dansk mäster Ivar, en person som märkligt nog verkligen tycks ha existerat i sinnevärlden. Mäster Ivar, berättar en källa från 1700-talet,[1] var allom led och gav Gustavo stut när denne frimodige gosse hade sagt sig ämna slå juten på näsone. Uppbragt över avbasningen högg den hurtige pilten sin lilla värja genom skolboken – Alexandri Doctrinale puerorum hette den förresten, ett fruktansvärt verk som användes i århundraden överallt i Europa och måste ha vållat latinskolornas elever outsäglig plåga – och lämnade mäster Ivar med orden: "Hej, jag tör gifva dig och din skola tusan!" Mäster Ivar uttalade då ett latinskt rim: "Nobilium nati nolunt aliquid pati – adelsmäns söner vill ingenting tåla." Den repliken har aldrig blivit bevingad – Olof von Dalin och efter honom alla som har berättat anekdoten lät Gustaf Vasa få sista ordet och stolt lämna skolan.

Gustaf Vasas bokliga bildning torde alltså ha blivit mager, ehuru inte nödvändigtvis magrare än hans ståndsbröders i allmänhet. Aderton år gammal kom han till den siste riksföreståndarens hov och deltog därefter i de militära företagen mot Gustaf Trolle och kung Kristian, till dess han hösten 1518 togs ombord på danska flottan såsom gisslan och svekligen fördes fången till Danmark, såsom redan är berättat. Han anförtroddes där åt sin släkting Erik Banner – av den släkt vars svenska gren kallade sig Banér – som residerade på Kalö slott på Jylland. Denne var förständigad vid sextusen dalers vite att inte låta fången rymma men behandlade honom dock mycket väl, säger Peder Swart, författare till den märkligaste och roligaste av krönikorna om Gustaf Vasa; det enda han hade att klaga över på Kalö var kosthållet, som utgjordes av salt öl, svart grovt bröd och härsken sill, vilket ju låter illa nog. Han fick dessutom utstå en del skryt och smälek av de danska junkrarna på gården inför det förestående fälttåget mot Sverige, och en vacker dag rymde han och lyckades ta sig ner till Lübeck. Erik Banner reste efter dit, beskyllde Gustaf Vasa för trolöshet och försökte få honom utlämnad, men lybeckarna som hade allt intresse av att hjälpa danske kungens svenska fiender skyddade rymlingen, och Erik Banner nödgades återvända tom-

[1] Fant: Diss. de institutione publica juventutis ante tempora Gustavi I.

hänt till Danmark och betala sina sextusen riksdalers vite till den upp-
bragte konungen. Några månader senare, närmare bestämt den sista maj
1520, landsteg Gustaf Vasa från ett lybskt skepp på Stensö udde vid
Kalmar, där han blev väl mottagen av Anna Bielke som fortfarande höll
slottet och staden. Därifrån drog han vidare norrut genom det herrelösa
och krigströtta Sverige, och en mycket sannolik anekdot säger att när
han försökte mobilisera bönderna i Småland så svarade de att kung
Kristian var dem en nådig herre som hade lovat att det skulle inte tryta
dem salt och sill om de lydde honom. De jagade alltså bort flyktingen
och sköt rentav efter honom med skäktor och pilar, berättar Peder
Swart, men denne klarade sig dock vidare utan svårighet, och i julmå-
naden samma år befann han sig alltså i Dalrna, där han upplevde ett antal
apokryfiska äventyr av stort värde för turistnäringen.

Vad eftervärlden har sig bekant om Gustaf Vasas äventyr i Dalarna
är en frukt av många mansåldrars litterära möda. Något litet står verk-
ligen att läsa i Peder Swarts krönika från mitten av 1500-talet, men det
mesta är århundraden yngre, och färdigdiktad föreligger den präktiga
berättelsen först mot slutet av 1700-talet, då Gustaf III drog till Dalarna,
reste minnesmärken och utdelade belöningar. För nutiden med dess de-
mokratiska jämnstrukenhet ifråga om kläder har äventyren väl inte
riktigt samma glans som för tidigare generationer, för vilka själva po-
ängen bestod i att den högättade Gustaf Vasa var förklädd till bond-
dräng när han förföljd av danska spejare irrade genom Dalarna. Att
känna till huvudinnehållet i den traditionella sagocykeln hör väl i alla
fall alltjämt till allmänbildningen i Sverige.

Det hela börjar på gården Rankhyttan, dit Gustaf Vasa kom vandran-
de med rundklippt hår, vadmalströja och yxa på axeln och fick tjänst
hos bergsmannen Anders Persson, på vars loge han tröskade för daglön
tillsammans med de andra drängarna. Efter några dagar avslöjades emel-
lertid hans identitet sedan någon hade sett en silkeskrage sticka fram
under hans vadmalströja, och Anders Persson vågade inte hysa honom
längre utan manade honom att dra vidare norrut. Gustaf Vasa begav sig
då till Ornäs och anförtrodde sig åt Ornässtugans ägare, vilken hette
Arendt Persson Örnflykt och hade varit kamrat med honom i Uppsala.
Arendt Persson tog väl emot honom och låtsades vilja hjälpa honom,
men i själva verket hörde han till det danska partiet och var för övrigt
svåger med fogden Brun Bengtsson i Säter. Han begav sig alltså nattetid

iväg till denne och angav sin gäst, men hans högsinnade hustru Barbro Stigsdotter omintetgjorde förräderiet och firade ned Gustaf Vasa med en lång handduk från det luftiga avträdet i Ornässtugans övervåning – varför hon valde denna väg meddelas inte närmare, men dörren var väl låst eller bevakad. När Arendt Persson följande morgon återvände i sällskap med fogden och tjugo man var Gustaf Vasa under alla förhållanden borta, körd med släde av drängen Jakob till prästen Jon i Svärdsjö. På vägen dit fick han nattkvarter på ett ställe som heter Bengtsheden, där det föll ett par historiska repliker; värdinnan i huset sade nämligen om aftonen: "Ung karl, gör mig några korvstickor!" varvid den förklädde Gustaf Vasa svarade: "Icke kan jag göra edra pölsepinnar." Dagen därpå kom han fram till prästen Jon i Svärdsjö, där han vistades tills det hände att en tjänsteflicka överraskade prästen då denne artigt stod och höll handduken åt den förmente bonddrängen vid hans morgontoalett. Efter det intermezzot vågade prästen inte ha honom kvar i huset utan förde honom till kronoskytten Sven Elfsson i Isala. Knappt hade Gustaf Vasa hunnit installera sig i stugan hos denne redlige man förrän några av fogdens utskickade trädde in. Sven Elfssons hustru, som gräddade bröd i ugnen vid tillfället, gav då sin förklädde gäst ett slag i ryggen med brödspaden och yttrade rådigt de bevingade orden: "Hvi står du här och gapar på främmande! Packa dig genast ut på logen och tröska!" Han lunkade lydigt ut, och spaningsmanskapet som verkligen utvecklade föga skarpsinne släppte då omedelbart sina misstankar och ansåg bevisat att drängen var en genuin dräng. Sven Elfsson fann det emellertid säkrast att söka upp nya tillflyktsorter åt honom och gömde honom därför i ett lass halm som han körde norrut med, men på vägen mötte han olyckligtvis en dansk patrull som undersökte lasset genom att sticka sina spjut kors och tvärs genom halmen. Gustaf Vasa fick därvid en rispa i benet men höll sig tyst och orörlig ändå, och danskarna märkte ingenting utan lät Sven Elfsson köra vidare. Efter en stund upptäckte emellertid denne att blod sipprade ur halmlasset och lämnade spår i snön, och som den förståndige man han var tog han då genast fram sin kniv och skar ett sår i benet på sin häst för att vid behov kunna säga att blodspåren kom därifrån. Oantastad nådde han en by som heter Marnäs där han överlämnade åt andra behjärtade personer att sörja för den förföljde Gustaf Vasa, som under den närmaste tiden hölls gömd under kullfallna furor och liknande; patriotiska ortnamnsförklarare på 1700-

talet räknade ut att han måste ha hållit till dels på en kulle som kallades
Kungshögen, dels vid ett ställe som nog hette Närbo därför att Marnäs-
bönderna närde honom där. Från dessa historiska platser i Leksands
socken kunde han i sinom tid förpassas vidare till Rättvik och därefter
till Mora. I denna sistnämnda socken dvaldes han hos bonden Tomt
Mats i Utmelands by, och de dumma danskarna som sökte honom där
blev lurade av Tomt Mats' förträffliga hustru. Hon gömde nämligen
Gustaf Vasa i sin källare dit man kom genom en lucka i stugans golv,
och denna lucka dolde hon genom att hastigt vältra dit ett stort bryggkar
som lyckligtvis fanns tillhands, ty hon var i färd med att brygga julölet.

Åtskilligt i dessa historier är internationellt allmängods och har be-
rättats om olika ryktbara flyktingar i olika länder, exempelvis om roma-
ren Marius, som gömdes i ett hölass av en antik Sven Elfsson i Isala.
Det finns också bibliska förebilder, exempelvis 1. Sam. 19: 11–12 där det
berättas hur Mikal, Davids hustru och Sauls dotter, räddade den förre
undan den senare genom att fira honom ut fönstervägen ur sitt bevakade
hus, och 2. Sam. 17: 18–20, som förtäljer hurusom en forntida Tomt
Mats' hustru gömde flyktingarna Ahimaas och Jonatan i en brunn som
hon höljde med ett skynke varöver hon strödde gryn. Dalaäventy-
rens fortsättning låter emellertid mindre romantisk och mera inhemsk.
En söndag vid jultiden talade Gustaf Vasa till allmogen på kyrkbacken i
Mora och manade till resning mot det danska tyranniet, säger krönikor-
na, som också kan meddela att det blåste frisk nordan vid tillfället.
Morakarlarna ansåg denna vindriktning vara ett gott tecken men hade
ändå ingen lust att följa talarens appeller, och Gustaf Vasa måste med
tungt hjärta lämna socknen och drog vidare uppåt Västerdalarna i rikt-
ning mot norska gränsen. Om hans upplevelser där finns en tunn historia
som en kyrkoherde i Malung skrev ner redan i slutet på 1500-talet, vilket
inte betyder att den är trovärdig; den meddelar att Gustaf Vasa drack
vatten ur en källa i Lima och fann drycken så god att han döpte källan

till Söta påtta. Han gav även konunganamn åt en lada i Malung där han hade tillbragt en natt: Konungsladan.

Medan han nu sysselsatte sig med sådant uppe i obygden kom emellertid en del andra flyktingar till Dalarna med färska nyheter om kung Kristians framfart, och dalkarlarna i Mora kyrkby började ändra åsikt. De sände ett par skidlöpare att hämta tillbaka Gustaf Vasa, som anträffades i Sälen och ofördröjligen återfördes till Mora; våra dagars Vasalopp har ju tillkommit till åminnelse av den färden. I Mora utkorades han till hövitsman av ombud från alla socknar i övre Dalarna, vilket

skedde på nyåret 1521. I början av februari drog han med några hundra man till Kopparberget, där han bemäktigade sig kronans uppbörd och beslagtog en del köpmansgods, däribland sidentyg som man gjorde fanor av. Kort därefter slöt sig Bergslagen till resningen, vars rykte nu hade nått såväl den hemresande kung Kristian som myndigheterna i Stockholm. En trupp landsknektar sändes ut för att kväva upproret och stötte ihop med dalkarlarna vid Brunbäcks färja, vilket var namnet på ett övergångsställe över Dalälven; där led de emellertid nederlag och blev slagna på flykten. Den psykologiska betydelsen av denna dalahärens första seger var tydligtvis överväldigande. Ett par bekanta folkvisor om slaget vid Brunbäcks färja har med skolböckernas hjälp hållit sig levande till vår tid och besjunger med patriotisk vällust jutarnas våta öde i träffningen, som väl i sak inte var så omfattande. "Sveriges befrielse under Gustaf Vasa är en historia som folket sjelft gjort, och det har hvarken räknat sig sjelft eller fienderna", säger den romantiske Erik

Gustaf Geijer på tal om visans uppgift att dalkarlarnas pilar regnade så-som hagel från skyn. Moderna forskare, som inte har lika höga tankar om folkets diktande förmåga, har tänkt sig att de segerglada folkvisorna om slaget vid Brunbäcks färja kanske i stället kan vara utprånglade från Gustaf Vasas kansli, där man bevisligen aldrig hade några hämningar när det gällde att bearbeta opinionen.

Gustaf Vasa själv var inte med vid Brunbäcks färja. Hans begåvning låg inte åt det militära, men hans politiska fantasi och energi var outtöm-liga, och som propagandaman har han säkert ingen jämlike bland poten-taterna i Sveriges långa historia. Vid tiden för drabbningen vid Brun-bäcks färja befann han sig på resa i Hälsingland och Gästrikland och talade för sin sak; framgången var störst i det sistnämnda landskapet. Återkommen till Dalarna upprättade han ett nödmyntverk i Hedemora och slog klippingar av koppar att finansiera kriget med,[1] och i slutet av april utfärdades en formlig krigsförklaring mot kung Kristian varefter hären marscherade söderut mot Västerås. Staden intogs efter en del skärmytslingar men sköts samtidigt i brand, och i den allmänna viller-vallan lade plundrande dalkarlar beslag på vinförråden i domkyrkan och i rådhuset och satte sig att pokulera tills Gustaf Vasa själv ingrep och slog banden av faten så att allt vinet rann ut, berättar Peder Swart. Fien-den var alltjämt nära, ty slottet i staden kunde Gustaf Vasa inte ta.

Slotten i Sverige var naturligtvis alla i händerna på personer som var trogna kungen i Köpenhamn; danska eller tyska män förde befälet på de flesta. Men den landsknektshär med vars hjälp kung Kristian hade gjort sig till herre i landet hade dragit bort igen, och den lydregering han hade tillsatt hade rätt obetydliga maktmedel till sitt förfogande och leddes dessutom av personer med små utsikter att bli populära, nämligen de nyvordna biskoparna Didrik Slagheck och Jens Beldenak samt den återinsatte ärkebiskopen Gustaf Trolle. Under intryck av dalkarlarnas framgångar reste sig nu Sturarnas gamla anhängare överallt i Sverige, och under våren och försommaren anslöt sig det ena landskapet efter det andra till Gustaf Vasa, som i maj kunde skicka hem sina veteraner till socknarna kring Siljan att ta itu med vårsådden där. I Uppsala och trakten däromkring förekom en del skärmytslingar med ärkebiskopens folk, men annars fördes befrielsekriget mest med politiska medel. Vid midsommartiden inneslöts Stockholm från landsidan, i början av juli tog

[1] Se *Hedemora* i registret.

västgötalagmannen Ture Jönsson Tre Rosor öppet Gustaf Vasas parti, och i slutet av samma månad träffade denne ett avtal med biskop Hans Brask i Linköping, som var det svenska riksrådets ojämförligt främste man. Biskopen lovade uppsäga kung Kristian huldskap och manskap och överflytta dessa ting på den svenske rikshövitsmannen i stället, men Gustaf Vasa åtog sig i gengäld en lång rad förpliktelser beträffande biskopens ställning i riket och lovade förstås dessutom att stadfästa och försvara alla kyrkans privilegier och ägodelar. Som en följd av dessa överenskommelser hölls månaden därpå en herredag i Vadstena, där Gustaf Vasa högtidligen hyllades som Sveriges rikes föreståndare.

Alla rikets slott hölls nu belägrade och inneslutna, och några stycken av dem föll under höstens lopp, däribland Stegeborg, Stegeholm, Nyköpingshus och Skarabiskoparnas Läckö. Flertalet motstod emellertid alla erövringsförsök, och ifråga om de båda viktigaste, Stockholm och Kalmar, hölls sjöförbindelserna utan svårighet öppna av Sören Norbys danska flotta, ty svenskarna hade knappast ett skepp. Att inta dessa fasta stödjepunkter med svenskt allmogeinfanteri och utan tillgång till örlogsfartyg var uppenbart omöjligt, och försvararna höll sig för övrigt inte alltid på defensiven; i april 1522 gjorde danskarna i Stockholm sålunda ett antal utfall som ledde till att alla svenska läger och belägringsverk kring staden brändes ner och förstördes, och det dröjde en hel månad innan de svenska trupperna kunde sätta sig fast i stadens närhet igen. Under sådana förhållanden inledde Gustaf Vasa förhandlingar med Lübeck, som stod i spänt förhållande till den nordiska unionskungen och strax befanns villigt att hjälpa svenskarna med vad de kunde behöva. På försommaren kom ett antal lybska skepp med en trupp krigsvana tyska knektar ombord och började blockera de båda städerna. Sören Norbys försök att bryta blockaden ledde till svåra förluster för hans flotta, och mot slutet av året blev Stockholm allt trängre inneslutet. Från kung Kristians sida var vid det laget inte längre någon hjälp att vänta.

På nyåret 1522, fem månader innan Gustaf Vasa fick hjälp av Lübecks skepp, lämnade de tre regeringsmedlemmarna Didrik Slagheck, Jens Beldenak och Gustaf Trolle det belägrade Stockholm och begav sig till Danmark, där de mottogs av kung Kristian med ringa entusiasm. Jens Beldenak kastades omedelbart i fängelse; han hade aldrig stått väl till boks hos konungen. För Didrik Slagheck hade denne ett helt annat förtroende och hade för inte länge sedan sökt hålla honom skadeslös för förlusten av Skara stift genom att i stället låta utnämna honom till ärkebiskop i Lund. Sedan några veckor före jul hade Danmark emellertid besök av en påvlig legat som ställde närgångna frågor om vad det egentligen var för en kätteriprocess som i den heliga kyrkans namn hade ägt rum i Stockholm för något år sedan; det svenska sändebudet Johannes Magnus hade nämligen klagat i Rom för påven och upplyst att även två biskopar hade blivit halshuggna. Kung Kristian, som på sista tiden hade inkallat lutherska predikanter i Danmark och uppenbarligen hade planer på att införa reformationen vid tillfälle, vågade likväl inte avvisa påvens utsände, som upplystes om att ansvaret för blodbadet i Stockholm bars av Didrik Slagheck. Denne fängslades därpå, ställdes ofördröjligen inför en andlig domstol, dömdes raskt till döden av legaten själv och blev utan dröjsmål levande bränd på Gammeltorv i Köpenhamn. Kungen höll sig borta från staden, och Sigbrit sköt igen alla sina fönsterluckor den dagen.

Detta människooffer ägde rum i januari, och de följande månaderna kom med nya prövningar och faror för kung Kristian. Med sin farbror, hertig Fredrik av Holstein, stod han på spänd fot; huvudskälet var att denne vägrade erkänna den länsrätt över detta tyska hertigdöme vilken kung Kristian året förut hade fått i present av sin svåger kejsar Karl V. Sverige var redan förlorat till största delen, och i och med Lübecks allians med Gustaf Vasa fördes kriget inte blott framför de belägrade svenska städerna utan drabbade även Danmarks kuster; i augusti nedbrändes sålunda Helsingör, och kung Kristian måste uppbåda tiotusen själländska bönder för att hindra vidare ödeläggelse. I detta läge förlikte han sig med den holsteinske hertigen, avstod uttryckligen från sin överhöghet över hertigdömet och utfäste sig dessutom att betala en stor summa pengar mot att hertigen lovade hålla sig neutral i kriget. Kungens sjunkande prestige försämrades ytterligare genom denna förödmjukelse, och den danska adeln vågade låta sitt länge undertryckta missnöje träda i dagen till sist. Vid jultiden 1522 utfärdade ett antal jylländska biskopar och baroner ett upprop som blev inledningen till en överklassens revolution i Danmark. Kung Kristian befann sig själv på Jylland när den bröt ut, men i det avgörande ögonblicket tycks han alldeles ha tappat huvudet; det påstås att han seglade tjugo gånger fram och tillbaka över Lilla Bält på en enda natt, obeslutsam huruvida han borde stanna på Jylland och hålla stånd mot de upproriska eller bege sig till öarna och organisera försvaret. Han valde slutligen det senare alternativet, höll ting med folket på Fyn och Själland och tog trohetsed på nytt av köpstadsmän och allmoge, men något försök att kalla dem till vapen gjorde han inte. Hertig Fredrik, som naturligtvis hade stått i förbindelse med de danska upprorsmännen sedan länge, drog under tiden norrut i spetsen för en här på några tusen man, och i Viborg hyllades han i mars 1523 som Danmarks konung samtidigt som Kristian II:s lagar och förordningar högtidligen brändes och förklarades skadliga och fördärvliga.

Själv satt denne nu handfallen och overksam i Köpenhamn, och tre veckor senare lät han föra sin familj, sitt arkiv och sin magra kassa ombord på tjugo skepp och seglade till Flandern för att söka hjälp hos sin kejserlige svåger. Stränder, vallar oc᠎ torn i hans huvudstad var vid avfärden fulla av människor som sorgmodigt vinkade farväl. Han följdes på färden inte blott av Sigbrit utan även av Hans Mikkelsen och andra utmärkta personer, och borgarna i Köpenhamn och Malmö var honom alltjämt obrottsligt trogna och lovade att försvara städerna i tre månader, ty inom denna tid hoppades han kunna återkomma med undsättning.

Unge kung Gösta

På våren 1523, då kung Kristian nyss hade landstigit i Holland med sitt pick och pack men Malmö och Köpenhamn alltjämt höll stånd mot belägrarna på hans vägnar, skrev den nyutnämnde kung Frederik I till Sveriges ridderskap och allmoge och bad dem betänka nyttan av att den nordiska unionen fick bestå. Appellen väckte ingen anklang i Sverige. I början av juni samlades i Strängnäs ett möte av rikets samtliga råd och män, som det hette i kallelsen; åtskilliga världsliga och andliga dignitärer hade infunnit sig. Biskop Brask var sjuk och lyste med sin frånvaro, men samtliga de prelater som var påtänkta till biskopar i de många lediga stiften var närvarande. En av dem var den forne sturekanslern Peder Sunnanväder, som nu var satt till biskop i Västerås, en annan var förre Västeråsdomprosten Knut Mickelsson alias Mäster Knut, som de svenska myndigheterna hade placerat som ärkebiskop i Uppsala i stället för Gustaf Trolle men som snart skulle slås ur brädet av den påvlige legaten Johannes Magnus, vilken för övrigt också var närvarande vid mötet i Strängnäs. Förhandlingarna öppnades i alla fall av Mäster Knut, som sade att Sveriges rike inte längre borde vara andras ladugård; det var därför tid på att de svenske slöt sig samman och utkorade en monark. Förslaget antogs med acklamation, varpå Gustaf Vasa enhälligt valdes till konung av Sverige. Han avlade omedelbart konungaed med två fingrar på lagboken, som hölls fram av ärkedjäknen Laurentius Andreae med alla domkyrkans reliker på pärmen såsom på en bricka.

Nu skulle han krönas och rida eriksgata enligt landslagens föreskrifter, och biskop Brask som inom kort skriftligen framförde sina gratulationer framhöll det önskvärda i att dessa ceremonier ägde rum snarast möjligt, men detta tyckte inte Gustaf Vasa. Kröningen var förbunden med vissa löften och utfästelser som han fann lämpligast att lämna ogjorda tills vidare, och skäl att uppskjuta den fann han utan svårighet: det finansiella läget var ytterst ansträngt, och befrielsekriget var ännu inte avslutat. Däremot omgav han sig omedelbart med ett fulltaligt riksens råd, där Ture Jönsson Tre Rosor förordnades till rikshovmästare och Lars Siggesson Sparre till riksmarsk; i rådet upptogs vidare sachsaren Berend von Melen, som var gift med en syssling till Gustaf Vasa och hade gått över i dennes tjänst från kung Kristians efter att ha blivit tillfångatagen vid

215

erövringen av Stegeborg. Lars Siggesson och Berend von Melen beklädde viktiga militära befäl för ögonblicket, ty den förstnämnde bröt in i Norge och ockuperade landskapet Viken som numera heter Bohuslän, och den sistnämnde gick över gränsen till Skåne och Blekinge för att åt Sverige söka vinna dessa danska provinser, där den landsflyktige kung Kristian hade varit populär och hans holsteinske farbror ännu inte hade hunnit göra sig till herre. Blekinge besattes men interventionen i Skåne kom av sig, sedan det danska riksrådet hade utvecklat en del diplomatisk aktivitet. Däremot kom Berend von Melen i besittning av Kalmar och därmed också av Öland, sedan Sören Norby vid underrättelsen om kung Kristians landsflykt hade koncentrerat alla sina stridskrafter på Gotland och inte bryddе sig om att stödja den småländska fästningen längre. Kalmar slott gav sig i juli, då Stockholms stad och slott redan var i svensk hand sedan ett par veckor; Gustaf Vasa hade dragit dit direkt från kungavalet i Strängnäs och tog själv emot kapitulationen. Midsommarafton 1523 kunde han hålla sitt berömda intåg i den uthungrade och illa åtgångna staden, som var den största i Sverige men inte precis landets huvudstad, ty några fasta ämbetsverk eller andra centrala inrättningar fanns ju inte än.

Under de månader som närmast följde togs alla slotten i Finland i besittning av Gustaf Vasas utsända generaler, och i samma veva gav sig Malmö och Köpenhamn till den förste kung Frederik av Danmark efter att ha hållit stånd mot hans trupper mer än dubbelt så länge som de hade lovat kung Kristian. I Nordtyskland hade denne försökt samla en armé som emellertid skingrade sig av sig själv därför att den inte fick ut sin sold, och själv levde han nu i rätt små omständigheter i en flandrisk landsortsstad söder om Antwerpen och åtnjöt föga aktning och sympati hos sina kejserliga anförvanter, som bland annat ogillade hans lutherska böjelser. Emellertid hade han alltjämt många anhängare i Norge, där kung Frederik inte vann erkännande förrän på eftersommaren 1524, och än mer trofast var Sören Norby, som nu i början av samma år satt på Gotland och bedrev storpolitiskt sjöröveri alldeles som Erik av Pommern hade gjort en mansålder tidigare.

I samförstånd med sina lybska allierade beslöt Gustaf Vasa att skicka en expedition till Gotland för att fördriva Norby och återförena ön med Sverige, och uppdraget anförtroddes åt Berend von Melen, vilken såsom kommendant i Kalmar och militärbefälhavare på Smålandskusten låg närmast till. Han landsteg på Gotland vid pingst och satte strax igång med att belägra Visby, men i den situationen vände sig Sören Norby till sina hemmavarande landsmän och ställde ön under kung Frederiks beskydd eftersom han inte såg sig i stånd att bevara den åt kung Kristian. Allt det där utlöste naturligtvis ett livligt politiskt tanke-utbyte mellan de berörda länderna, och under hanseatisk bemedling fick man till stånd ett möte i Malmö i september mellan kung Frederik och kung Gustaf för att om möjligt lösa de uppkomna problemen i samför-stånd och på fredlig väg. Den förstnämnde föreslog till en början att svenska kronan skulle erkänna danska kronans överhöghet på det att Nordens enhet måtte bevaras, men sedan Gustaf Vasa hade svarat att han var villig att bli danske kungens vän men inte hans undersåte fick denna fråga falla, vilket innebar att man stillatigande erkände att unionen var upplöst. Man övergick därpå till att debattera var ländernas gränser skulle gå, varvid man naturligtvis omedelbart kom i gräl om Gotland. Med någon svårighet lyckades de lybska medlarna emellertid få parter-na med på ett avtal som är känt i historien under namnet Malmö recess. Där bestämdes att tvisterna beträffande landskapen Gotland, Blekinge och Viken skulle hänskjutas till skiljedom av Lübeck, Danzig och andra tyska östersjöstäder; domen skulle avkunnas året därpå, och i väntan på den borde svenskarna strax utrymma Blekinge, medan de däremot fick behålla Viken tills vidare. Vad Gotland beträffar skulle det förvaltas av den som i skrivande stund innehade Visby; om svenskarna inte hade erövrat staden än borde de följaktligen omedelbart häva belägringen och lämna ön. Sören Norby skulle emellertid inte heller få stanna där utan ofördröjligen ersättas med en välsinnad landshövding som inte be-drev sjöröveri.

Arg och missbelåten med avtalet lämnade Gustaf Vasa Malmö och svor att aldrig i livet bege sig utanför svenska gränsen mer, säger Peder Swart. Det finns en annan historia om hans vrede, som framför allt rik-tade sig mot de lybska fredsmäklarna. Sedan han nödd och tvungen hade undertecknat recessen mötte han på en gata i Malmö händelsevis Lü-becks sändebud Hermann Israel som han kände sedan gammalt. Honom rök han på med ett föga diplomatiskt anförande: "Var är nu det myckna goda som du med ditt kreditiv och dina stora eder på de lybskes vägnar har tillsagt mig? Var är brandskatten och den ersättning som du för-tröstade mig med till Gotlandståget? Du skall en gång få härför skam, din arge förrädare!" Därmed drog han sitt svärd, men kanslern Laurentius Andreae och de andra herrarna skyndade till och lyckades få honom att sticka svärdet i skidan igen, under det att den förskräckte lybeckaren darrade i alla leder och grät strida tårar.

Den planerade skiljedomen kom aldrig till stånd; skiljedomarna fick vänta förgäves på Sveriges sändebud när de skulle säga sitt ord året därpå. Blekinge och Gotland utrymdes emellertid av de svenska trupperna. Berend von Melen återvände till Kalmar med sitt krigsfolk, men Sören Norby som planenligt borde ha gett sig av samtidigt såg inget skäl att rätta sig efter Malmö recess och stannade lugnt kvar på Visborg.

De båda slottsherrarna var gamla vänner och krigskamrater från kung Kristians segrars tid. Under belägringen av Visby sägs de ha funnit varandra på nytt och fraterniserat livligt till stor förbittring för patriotiska svenska soldater, som därigenom hindrades från att inta fästningen. Sedan belägringen nu hade hävts hade de tydligtvis nått ett privat samförstånd även i politiska frågor. Berend von Melens släktskap med Gustaf Vasa utgjorde därvidlag inget hinder; hans gemål avskydde djupt och hjärtligt sin kunglige syssling som ansågs ha skott sig på hennes bekostnad vid ett arvskifte, och själv delade han i hög grad hennes ovilja. Hos detta par på slottet i Kalmar vistades nu den tolvårige Nils Stensson Sture, Kristina Gyllenstiernas äldste son, och till Kristina Gyllenstierna själv som nyss hade blivit frisläppt ur sin danska fångenskap och även hälsat på i Kalmar friade Sören Norby och lämnades tydligtvis inte utan hopp. Om detta gifte kom till stånd skulle han kunna uppträda i Sverige inte blott såsom kung Kristians ställföreträdare utan även som förkämpe för huset Sture gentemot usurpatorn Gustaf Vasa, och det var begripligt att denne var bekymrad, ty han saknade inte underrättelser vare sig om Norbys kontakter med Melen eller om äktenskapsförhandlingarna.

Peder Sunnanväder och Mäster Knut

Uppgifter om onda anslag i Sturarnas namn nådde honom vid samma tid även från andra väderstreck. Peder Jakobsson Sunnanväder, Sturarnas forne kansler som var vald till biskop av domkapitlet i Västerås, hade av någon anledning stött sig med konungen, och denne tvang inom kort domkapitlet att avsätta honom med stöd av några komprometterande brev som han hade fått tag i. Domprosten Knut Mickelsson, samme Mäster Knut som hade fört ordet vid kungavalet i Strängnäs några månader tidigare, tog Peder Sunnanväders parti och blev till straff själv avsatt. Nu på hösten 1524 befann sig de båda prelaterna på agitationsresa i Dalarna och manade till revolution. De vann gott gehör, ty kronoskatten var impopulär och priset var högt på salt. I häftiga skrivelser anklagade dalamännen konungen för detta och gav även luft åt sin förbittring mot de utlänningar han dragit över dem, framför allt Berend von Melen, vars nya position de väl alltså inte kände. Vissa förbindelser mellan rebellerna i Kalmar och upprorsmännen i Dalarna fanns inte desto mindre.

Än så länge hade det inte kommit till handgripligheter och vapenskifte på någotdera hållet, och konungen sökte dämpa oron med motpropaganda och diplomatiska metoder. Till folket i Dalarna skrev han öppna brev och utvecklade vem som var skuld till det höga saltpriset. Berend von Melen lät förmå sig att själv komma upp till Stockholm på uttrycklig lejd från konungen och rådet, men dessförinnan hade han låtit sina trupper svära trohetsed till sig personligen, och befälet i Kalmar överlämnade han åt sin bror Henrik. Gustaf Vasa befallde honom naturligtvis att lämna slottet ifrån sig, men detta var förutsett, och när kungens utskickade kom till Kalmar vägrade Henrik von Melen helt sonika att öppna portarna för någon annan än sin bror personligen. Berend von Melen måste alltså skickas dit för att ombesörja överlämnandet, men när han kom dit tillsammans med Gustaf Vasas förtroendemän överfölls och nedhöggs plötsligen dessa av knektarna på slottet. Bröderna Melen avreste därpå inom kort till Tyskland och trädde i förbindelse med kung Kristian, vars aktier för tillfället stod högre än på länge, ty hans svåger kejsaren hade nyss besegrat fransmännen i grund och tagit deras kung Frans I tillfånga vid det italienska Pavia, och det antogs att han nu kunde ha råd att låna kung Kristian en armé. Kejsaren själv var emellertid av annan åsikt, och Berend von Melen som hade hoppats få återvända till Kalmar i spetsen för hans härar fick för

219

framtiden stanna i Tyskland, där han ivrigt ägnade sig åt att smida ränker och utge nidskrifter mot Gustaf Vasa livet ut. Den sistnämnde drog nu personligen till Kalmar med en här och inneslöt slottet, vars besättning försvarade sig med förtvivlans mod och avslog den ena stormningen efter den andra, tills den slutligen måste ge sig på nåd och onåd och halshöggs till sista man. Den unge Nils Sture skickades till Gripsholm och hölls sedan under kungens särskilda uppsikt under några år.

Sören Norby, ur stånd att undsätta Kalmar, misströstade emellertid inte om kung Kristians sak, och sin egen storpolitiska giftermålsplan hade han inte uppgivit. Våren 1525 riktade han plötsligt ett angrepp mot Blekinge och Skåne, satte sig raskt i besittning av slotten i Ahus och Sölvesborg och fick på kort tid igång en folkresning mot högadeln och den nya regimen i Danmark. Meningen var att i sinom tid rycka in i Sverige och i Sturarnas namn söka samband med upprorsrörelserna där, ty av kung Kristian hade han nyss fått skriftlig försäkran att om han fick Kristina Gyllenstierna till äkta och därigenom kom till makten så skulle han, stod det, riket fritt få anamma som konungens ståthållare mot årlig skatt. Denna vackra dröm fick emellertid ett brått slut. Med sitt stora bondeuppbåd som intog och plundrade adelns gårdar satte han sig utan svårighet i besittning av hela Skåne med undantag av det befästa Malmö, men när kung Frederiks duglige fältherre Johan Rantzau kom över Sundet i spetsen för själländska adelsfanan och två fänikor yrkesknektar skingrades de dåligt övade bönderna snart efter ett par blodiga nederlag vid Lund och Landskrona, varpå den segrande adeln tog en skoningslös hämnd för plundringarna. Norby själv blev innesluten i Landskrona och måste slutligen dagtinga. Han ställdes inför domstol i Köpenhamn men blev märkvärdigt nog frikänd – domstolen fann att han alltid hade förhållit sig som en ärlig riddare. Därpå fördes han till Gotland för att medverka till att Visborgs slott öppnade sina portar, och till lön för det fick han i stället i förläning Sölvesborgs slott, där han emellertid inom kort återupptog sina kaperier och sina förbindelser med kung Kristian. En allierad svensk-dansk flotta drev bort honom året därpå, och han flydde då till Ryssland men blev strax satt i fängelse av tsaren. Fortsättningen av hans äventyrliga liv har ingenting att göra med Sveriges historia.

Medan allt detta utspelades i Sydsverige fortgick bullret i Dalarna.

Peder Sunnanväder och Mäster Knut agiterade flitigt mot Gustaf Vasa hela vintern, våren och sommaren 1525, och ett hotfullt uppsägelsebrev avsändes i vilket kungen erinrades om att det var de fattiga dalkarlarna som hade hulpit honom till makten, men på hösten kom han själv plötsligen med stort följe till Dalarna och höll ting i Tuna. Han lät trupperna slå ring kring tingsplatsen och höll sedan ett strafftal till den obeväpnade menigheten, och de förfärade dalkarlarna bad då om nåd, som beviljades sedan de hade gett honom en skriftlig trohetsförsäkran och bekräftat den med sina bomärken och sigill. De båda prelaterna hade satt sig i säkerhet för tillfället genom att fly till Norge där ärkebiskopen i Trondheim tog dem under sitt beskydd, men Gustaf Vasa skrev till norska riksrådet och begärde att få dem utlämnade, och i sinom tid lyckades han. Mäster Knut hemsändes först och dömdes strax till döden av en domstol vars andliga ledamöter protesterade mot utslaget. Peder Sunnanväder, som hade legat sjuk och sedan gjort ett misslyckat flyktförsök i Norge, anlände någon månad senare, och när han nalkades Stockholm togs Mäster Knut ut ur fängelset för att tillsammans med sin olyckskamrat hålla ett skymfligt intåg i staden. Ridande baklänges på var sin utmärglade hästkrake och utstyrda i trasiga korkåpor, träsvärd och andra hånfulla attribut fördes de av ett stojande följe genom de båda långgatorna och måste slutligen dricka brorskål med bödeln vid skampålen på Stortorget. Peder Sunnanväder var varken dömd eller rannsakad när detta skedde, och när Gustaf Vasa något halvår senare oväntat ställde till en rättegång inför rådet protesterade biskoparna, men en dödsdom frampressades naturligtvis i alla fall.

1523 i Strängnäs, vid den riksdag som gav honom hans kungatitel, gjorde Gustaf Vasa bekantskap med två andans män som hette Laurentius Andreae och Olaus Petri, båda med den akademiska titeln magister som på svenska brukade förenklas till mäster. Den förstnämnde var ärkedjäkne, det vill säga domprost, i Strängnäs och styrde stiftet alltsedan biskop Mattias bragtes om livet vid Stockholms blodbad. Olaus Petri, som hade varit biskopens sekreterare, verkade nu som lärare vid domkyrkoskolan och hade väckt ett visst uppseende genom sina föreläsningar över Bibeln, ty han hade studerat i Wittenberg när Martin Luther först framträdde där och tagit djupa intryck av dennes förkunnelse. Laurentius Andreae, som var hans chef, lyssnade till hans ord och lät sig övertygas av den nya åskådningen, vars politiska möjligheter han tidigt måste ha insett, ty han var en statsvetenskapligt skolad man med djupa insikter i den kanoniska rätten. Kort efter kungavalet kallades han till kansler hos Gustaf Vasa, vilken bara några veckor tidigare hade satt sitt namn under ett påbud som vid livsstraff förbjöd envar att gynna Luther eller införa dennes skrifter i riket.

Gustaf Vasas teologiska intressen var knappast stora; mer hans intresse för kyrkliga frågor var starkt och brinnande, detta av politiska och ekonomiska skäl. Det statsfinansiella läget efter befrielsekriget var ytterst bekymmersamt, ty segern hade vunnits på kredit, och vid valriksdagen i Strängnäs uppträdde två sändebud från Lübeck och presenterade en krigsmaterielräkning på 68 681 lybska mark, vilket var oändligt mycket mer än det numera låter. Anstånd med betalningen medgavs endast på bistra villkor; hansestäderna betingade sig monopol på hela den svenska utrikeshandeln och tullfrihet för alla varor som de förde in och ut. Svenska kronan hade emellertid även andra skulder, i främsta rummet innestående avlöning åt det värvade krigsfolket, och den erforderliga summan skaffades genom lån av silver från kyrkor och kloster. Däri låg ingenting uppseendeväckande, ty de kyrkliga institutionerna fungerade under medeltiden ofta som bankinrättningar. Emellertid förbättrades inte statens affärer under de år som följde, de ordinarie skatterna förslog inte långt, och nya krav och pålagor drabbade gång efter annan kyrkorna och prästerskapet. Den misslyckade Gotlandsexpeditionen betalades sålunda till stor del av Linköpings stift dit ön av ålder räknades, domkapitlen fick ibland knektar och ryttare att underhålla, och prästernas tionden togs emellanåt om hand av kronan för att användas till betalning av riksgälden. Det betonades alltid att det var frågan om lån som skulle återbetalas, och i försiktiga ordalag talades det rentav om ränta, men kyrkans män blev begripligt nog mer och mer ovilliga att stå till tjänst. När Gustaf Vasa avpressade Vadstena kloster en silverskatt som var avsedd till ett skrin för den heliga Katarinas ben talade man på kyrkligt håll rentav om helgerån, och detta föranledde Laurentius Andreae att på kungens vägnar göra ett principuttalande. Han förklarade att enligt den heliga skrift var kyrkan detsamma som de troendes samfund, det vill säga folket; kyrkans pengar var alltså samfundets, och dem kunde konungen vid behov kräva ut och begagna till folkets nytta, liksom de rättfärdiga judakonungarna Joas och Hiskia hade gjort gentemot templet i Jerusalem. Biskop Brask skyndade sig att inlägga en bestämd gensaga mot denna nymodiga kyrkouppfattning hos kungen, vilket inte hindrade att denne just vid samma tid, våren 1524, kallade Olaus Petri till Stockholm där han anställdes som stadens sekreterare och dessutom fick rätt att predika i Storkyrkan.

På sommaren det året uppträdde två ännu radikalare predikanter i Stockholm, nämligen de tyska vederdöparna Rink och Knipperdollinck som predikade baptism och rasade mot påvekyrkans avguderi och styggelser, vilket framkallade en del skadegörelse på helgonbilder och annat i Stockholmskyrkorna. De arresterades inom kort på kunglig befallning och utvisades barskt ur landet, ty någon religiös väckelse eftersträvade förvisso inte Gustaf Vasa.

Vår Nåd och Eder Nåd

Biskop Brask var i religiöst avseende en strängt konservativ man, vilket har förskaffat honom oförtjänt dåligt rykte i den protestantiska eftervärldens historieskrivning. I Rasmus Ludvigssons krönika[1] finns en bekant anekdot som säger att han en dag fick besök i Linköping av ett par Uppsaladjäknar och frågade dem vad lutheranerna predikade. Djäknarna upplyste att lutheranerna kallade påven för antikrist och prelaterna för antikrists anhang, och biskopen utbrast då: "Det är inte längesedan riksföreståndaren herr Sten förde mig vid sin högra sida, och nu skall jag utropas till antikrist!" Han sporde vidare varpå lutheranerna grundade dessa nya läror, och då djäknarna svarade att de åberopade sig på Paulus rusade biskopen upp från sin stol och utropade: "Bättre hade varit om Paulus blivit bränder än att han skulle vara av var man känder."

Den berömda repliken är kanske inte alldeles omöjlig, ty det var inte blott ur politisk och ekonomisk synpunkt som den nya förkunnelsen upprörde biskop Brask. I brev till en ämbetsbroder i Rom har han gett autentiska uttryck för vad han kände: allting är bedrövligt ställt, men det är att hoppas att det är en prövning i stället för skärselden, *in loco purgatorii nostri*. Själv hade han från första stund ivrat för att den lutherska agitationen borde stoppas med maktmedel, men därvidlag lyckades han inte få med sig de andra biskoparna och i synnerhet inte sin kollega i Uppsala, den nye ärkebiskopen Johannes Magnus, ty denne var en fridens man som dessutom i det längsta trodde Gustaf Vasa om gott.

Emellertid sörjde konungen för att han inte länge fick förbli i den villfarelsen. Hösten 1525, sedan Peder Sunnanväder och Mäster Knut

[1] Se s. 296.

224

hade drivits på flykten, tog han det uppseendeväckande steget att för sin egen privata del återfordra Gripsholm av kartusianermunkarna i Mariefred, vilka hade fått godset och marken där deras kloster låg efter gamle herr Sten Sture, vars rätte arvinge Gustaf Vasa emellertid sade sig vara. Han genomdrev inför Strängnäsbiskopen att detta krav godkändes, varpå han omedelbart lät avhysa munkarna. Året därpå fick han höra talas om att folk i Marks härad nere i Västergötland hade gjort en insamling för att bygga ett kapell åt *en helig pigha*, vem nu det kan ha varit; han skrev då omedelbart till ståthållaren i landskapet, sade sig inte vilja veta av *slikt tåperi* och befallde honom att *anamma* de pengar man hade samlat ihop för ändamålet, vilket utan vidare skedde.

Ärkebiskop Johannes Magnus åtog sig på hösten 1526 att framföra Gustaf Vasas frieri till en polsk prinsessa; han begav sig därför till Danzig där han kom att stanna i flera år tills giftermålsplanen slutligen sprack, och vid det laget var förhållandena i Sverige sådana att han inte brydde sig om att komma tillbaka mer. Dessförinnan hade han emellertid inte brutit med Gustaf Vasa, vilket vittnar om okristlig koncilians och kristligt tålamod hos Sveriges siste katolske ärkebiskop. Om ett av de sista mötena mellan honom och kungen finns en känd 1700-tals-anekdot som härrör från en krönikeskrivande biskop vid namn Rhyzelius; den är nog inte sann, men den är berömd. När kungen en gång gästade ärkebiskopen i Uppsala utbringade den sistnämnde en skål med orden: "Vår Nåd dricker Eder Nåd till", varvid Gustaf Vasa strax genmälde: "Din nåd och Wår nåd trifvas inte under samma tak." En annan ännu enklare historia från samma Uppsalabesök påstår att domprosten Göran Turesson Tre Rosor talade latin men råkade kasta om ett par bokstäver i ordet decretales så att det lät som dricketales. När han slutat behagade konungen yttra en folketymologisk vits: "Ja, I dricken nog och talens vid, men riket hafver skadan."

Efter hand började han konsekvent sätta sig över den andliga doms-rätten och ingrep såsom domare i andliga mål av alla slag; han upp-hävde rentav en bannlysning som biskop Brask hade utfärdat över en viss Olof Tyste, vilken hade gift sig med en flicka som hennes för-äldrar hade försökt skydda för honom genom att sätta in henne i Vad-stena kloster. Ett äktenskap som i än högre grad upprörde biskop Brask var Mäster Olofs, ty inte långt efter sin Stockholmsflyttning bröt denne sitt prästerliga celibat och gifte sig med en flicka som hette

Kristina. Det var säkert med nöje som Gustaf Vasa höll sin hand över paret. "Han vill det med Guds lag försvara", skrev han i sitt svar till biskop Brask, när denne hos konungen kritiserade detta brott mot katolsk sed.

Ur stånd att undertrycka de nya lärorna sökte den energiske biskopen i stället bekämpa dem med andliga vapen, och till den ändan upprättade han ett tryckeri i Söderköping, varifrån diverse antilutherska trycksaker utgick under några år. 1526 fick han emellertid plötsligen kunglig befallning att stänga detta tryckeri, och till yttermera visso beslagtogs och bortfördes typerna av kungens fogde på Stegeborg. Vid det laget stod det nyupprättade kungliga boktryckeriet i Stockholm helt till reformatorernas förfogande, och där utkom det ifrågavarande året inte mindre än tre arbeten av Olaus Petri, nämligen de katekesliknande skrifterna Een nyttwgh wnderwijsning och Een skön nyttugh underwisningh samt framför allt det första Nya Testamentet på svenska.

Bibelöversättningarna

Medeltidens svenska biblar – det fanns nämligen en del fragmentariska sådana – hade i regel inte varit bokstavstrogna översättningar utan vad man kallar parafraser, alltså ett slags förtydligade referat. De var alla byggda på den latinska bibeln, Vulgata, och ett original att översätta fanns i själva verket inte tillgängligt i västerlandet förrän år 1516, då den lärde Erasmus från Rotterdam lät trycka en visserligen rätt slarvig grekisk text. Denna låg till grund för Luthers berömda tyska översättning som i sin tur begagnades av de nordiska ländernas bibelöversättare.

Hans Mikkelsens Testamente

Den landsflyktige Malmöborgmästaren Hans Mikkelsen, kung Kristians medhjälpare och följeslagare, var först av dem; hans Nya Testamente på danska trycktes i Antwerpen 1524 och antas ha haft betydelse för reformationen i Skåne, där hans efterträdare i ämbetet, den djärve och duglige borgmästare Jörgen Kock i Malmö, på allt sätt gynnade den lutherska predikoverksamhet som under 1520-talets senare hälft bedrevs i staden av en vältalig tunnbindare vid namn Klaus Mortensen. Hans Mikkelsens danska bibelöversättning hade sina brister och ersattes inom kort av andra, men den svenska bibeln av 1526 var ett mästerverk som stod sig i fyrahundra år och i viss mån kan sägas stå sig än, ty språkligt har den varit av omätlig betydelse och brukar anses inleda ett nytt skede, nysvenskans, i vårt språks historia.

Bibelöversättningens tillkomst är höljd i dunkel, ty några översättarnamn meddelas inte på titelbladet eller i företalet, men att Olaus Petri har utfört mycket av arbetet kan knappast betvivlas; han var närmast till det, och stilen låter som hans. Emellertid är det möjligt att han har haft medhjälpare, som inte nödvändigtvis behöver ha varit lutheraner. 1525 uppdrog ärkebiskop Johannes Magnus åt de svenska domkapitlen och klosterordnarna att göra en översättning av Nya Testamentet; hur det sedan gick med detta vet man ingenting om, men det är inte alldeles uteslutet att ärkebiskopens rundskrivelse kan ha frambragt manuskript som kommit till användning i bibelutgåvan från den kungliga tryckpressen, vilken nu var den enda i landet.

Daljunkaren

I januari 1527 skrev Gustaf Vasa ett brev till allmogen i riket och sade att det gick ett rykte i landet att han skulle vara i färd med att låta några predikare förkunna en ny tro, men detta var inte alls sant. Däremot hade de kyrkliga dignitärerna infört en mängd oseder till menige mans förtryck, och han tänkte inom kort sammankalla de förståndigaste männen i riket att närmare utreda det där. Den värsta oseden var att påven och biskoparna hade tillskansat sig en orättmätig makt, och när nu konungen var betänkt på att avskaffa osederna ifråga tog biskoparna illa vid sig och utspred rykten.

I februari halshöggs Peder Sunnanväder och Mäster Knut. Båda hade varit biskopar, och deras öde väckte ovilja i landet, där folk även hade andra skäl att känna olust. En allmän gärd som skulle gå till avbetalning på skulden till Lübeck hade nyss påbjudits, och i Hälsingland och Dalarna stretade folk emot och begärde att få slippa betala.

I mars fick Gustaf Vasa höra talas om Daljunkaren, som sökte förmå folket till uppror och utfärdade öppna brev som började: "Jag Nils Sture, rätter arvinge till Sverige och härnäst med Guds hjälp hövitsman." Han skyndade sig att stämpla denne som en skalk och en tjuv som falskeligen utgav sig för Nils Sture.

Fallet Daljunkaren är en fantasieggande men alltjämt ouppklarad detektivhistoria. Nils Sture, Kristina Gyllenstiernas son som hade blivit tillfångatagen och omhändertagen i Kalmar av Gustaf Vasa, sägs ha dött i Uppsala någon gång under 1527, men det finns inga bevis för att så varit fallet, och det är inte helt uteslutet att Daljunkaren verkligen var den han utgav sig för. Det kan nämligen bevisas att han i varje fall inte var den Gustaf Vasa påstod honom vara, en förrymd stalldräng vid namn Jöns Hansson, ty denne var en person i Daljunkarens följe. Bönderna i Mora, Orsa och Leksand lät sig övertygas om att Daljunkaren talade sanning och utsåg ett antal starka unga män till livvakt åt honom, och Sturefamiljens vänner bland den norska aristokratien på andra sidan landskapsgränsen trodde honom också och hjälpte honom med vapen och pengar. Främst bland dem stod den högättade fru Inger till Østraat, numera känd framför allt såsom huvudperson i ett tidigt drama av Ibsen, vilken med diktarens självtagna rätt har låtit henne vara mor till Nils Sture alias Daljunkaren.

I Sverige vann Daljunkaren knappast någon anslutning utanför de tre socknarna vid Siljan, och bortsett från några mindre slagsmål med kungens folk kom det egentligen aldrig till öppet uppror, men Gustaf Vasa var inte den som underskattade sina fiender och deras möjligheter. Daljunkarens agitation besvarades med ivrig och skicklig motpropaganda, både öppen och underjordisk; i ett brev till sin fogde i Östergötland, daterat i maj 1527, befaller konungen sålunda denne att i djupaste hemlighet preparera ett antal personer med kungliga antiklerikala synpunkter och skicka ut dem att tala till bönder på böndernas vis vid tingen i landskapet. Dalarnas landsting i Stora Tuna lyckades han förmå att skicka ett förmaningsbrev till de tre socknar som slutit sig till

Daljunkaren, och han skickade vidare ett antal av sina gamla bekanta från frihetskrigets tid att ordna stillestånd, varvid man kom överens om att de missnöjda dalkarlarna skulle skriftligen framlägga till kungen de klagomål de kunde ha.

Resultatet blev ett dokument som verkligen inte var svårt för Gustaf Vasa att bemöta. Dalkarlarna klagade över att det nya mynt han låtit slå var för stort och svårväxlat, att de betungades med extraskatter, att livsmedlen var dyra, att klostren började förstöras, att sönderskurna kläder kommit i bruk, att lutheriet tilltog och att man börjat hålla mässor på svenska. På detta svarade Gustaf Vasa bland annat att det stora myntet var avsett att avlöna krigsfolket med, mindre mynt skulle slås med tiden, extraskatten var beslutad med rådets samtycke till rikets skuld, dyrtiden kunde han inte rå för, och sönderskurna kläder var tidens mod som han varken kunde eller ville avvika från. Vad lutheriet beträffar hade han inte befallt prästerna något annat än att de skulle predika Guds ord och inte bedra menige man med egna påfund, och för sin del tyckte han att det var lika gott att lova Gud på begriplig svenska som på latin. Han slutade med att säga att dalamännen tydligen inte hade hittat på sina klagomål själva, utan bakom det hela stod ljusskygga präster och munkar. Denna skrivelse utfärdades från Uppsala, och dagen därpå höll kungen möte – burspråk kallades det med tidens terminologi – med Upplands allmoge som därpå skickade sändebud att varna och förmana dalkarlarna, som fick veta att de blott vore en part och ledamot bland många andra i riket och att de ingalunda så oförnumstelig en borde företaga slikt obestånd. I stället borde de skicka ombud till den riksdag som skulle hållas i Västerås om någon månad.

Upplänningarnas skrivelse förfelade inte att göra intryck i Dalarna, och de upproriska lovade överge Daljunkaren på villkor att de fick amnesti och inte påtvingades någon ny tro eller luthersk lära; de fordrade också att det skulle tas avstånd från främmande sätt med uthackade och brokota kläder samt att folk som åt kött på fredagar och lördagar skulle brännas. Om detta lyckades de emellertid aldrig komma överens med Gustaf Vasa, och från de tre socknarna kring Siljan kom det därför inga representanter till riksdagen i Västerås, där kungen, biskoparna och de världsliga riksråden infann sig med starka ryttarföljen, ty staden låg ju inte långt från Daljunkarens marker.

Västerås riksdag öppnades vid midsommar 1527, och förhandlingarna
började med att kanslern Laurentius Andreae läste upp den kungliga
propositionen eller framsättningarna, som den kallades på tidens språk.
Han började med en översikt över Gustaf Vasas gärningar och skild-
rade honom som den gudasände räddaren undan den okristlige kung
Kristian Tyrann. Dalkarlarna var emellertid otacksamma, höll inte sina
eder och gjorde anspråk på att vara förmer än folket i andra landskap,
och skulden till allt detta låg ytterst hos ett antal prelater som spred
uppviglande rykten och beskyllde kungen för att vilja införa en ny tro.
Eftersom denne sålunda var utsatt för varjehanda förrädiska stämplingar
hade han skäl att be att få slippa regera i Sverige längre. Han tackade
för äran och för den tid som varit, men nu vore han tacksam om han
kunde få avgå från sin post och få ett län att styra i stället, ty prelaternas
stämplingar var olidliga och kronan saknade resurser vilket det världs-
liga frälset också gjorde, eftersom större delen av dess egendom hade
kommit under kyrkor och kloster.

Oppositionens svar på denna salva lämnades av biskop Brask, som en-
ligt Peder Swart sade att påven hade befallt honom och hans kolleger
att försvara kyrkans egendom i Sverige och att de därför inte kunde
avstå något som helst. Kungen frågade bistert de andra rådsherrarna
om de ansåg att detta vore rätt talat, och Ture Jönsson Tre Rosor sade
då att det enligt hans mening var i det närmaste rätt. Då brusade Gustaf
Vasa upp och höll enligt krönikan ett tal som Peder Swart kanske har
bättrat på betydligt men vars historiska betydelse är stor ändå, ty
det har refererats ordagrant i barnens skolböcker genom flera genera-
tioner. "Det förundrar oss icke", sade han bland annat, "att allmogen
bevisar oss all olydnad, harm och förtret, då den får sådana tillskyndare.
Få de icke regn, så skylla de oss; få de icke solsken, så göra de detsamma.
Vi må arbeta för edert bästa så mycket vi kunna och förmå både i and-
liga och världsliga saker, så hava vi dock intet annat att vänta till lön än
att I gärna sågen yxan sitta i huvudet på oss, ändock ingen av eder vill
själv hålla i skaftet. Munkar, präster och allehanda påvens kreatur vil-
jen I sätta oss över huvudet, och uti en summa sagt viljen I alla döma och
mästra oss, ändock vi äro utkorade till eder konung och herre. Men

vem kan på slikt sätt vara eder konung? Vi tro icke att den värste i helvetet skall vilja vara det, än mindre någon människa. Därför mån I veta att vi med sådana skäl icke vilja vara eder konung, utan säga oss slätt därmed av och äro tillfreds att I mån eder utkora och välja vem eder synes. Dock skolen I vara betänkte att lösa oss redligen ut här av riket och först betala oss vårt fasta fäderne- och mödernearv som vi äge här i jordagods och gårdar och sedan allt det vi hava kostat på riket av vårt eget. När detta skett lova vi eder att vi vilja draga vår kos utav riket och aldrig någon tid komma här in igen."

Därmed brast konungen i gråt, försäkrar Peder Swart, lämnade hastigt salen och begav sig upp på slottet. De församlade riksdagsmännen satt bestörta och nedstämda och visste inte vad de skulle ta sig till varför mötet upplöstes, men Ture Jönsson Tre Rosor lät pipa och trumma för sig när han vandrade hem till sitt härbärge och yttrade därvid så högt att Peder Swart hörde det: "Trots, att någon skall göra en hedning, Luther eller kättare av mig detta året!" De följande dagarna fortsatte emellertid förhandlingarna i kungens frånvaro, och denne hade inte missräknat sig på sin styrka, ty enligt krönikan sändes nu den ena deputationen efter den andra till slottet för att förmå honom att återta regeringen, vilket han slutligen gjorde efter många tårar och knäfall från riksdagsmännens sida. Till dessas uppbyggelse anordnades också en disputation i religiösa frågor mellan Olaus Petri och en teologiprofessor i Uppsala vid namn Peder Galle; det meddelas att de nappades väldeliga, men i vad mån åhörarna lät sig påverkas i luthersk eller påvisk riktning är fördolt för eftervärlden.

Något litet är känt om Västerås riksdag även ur mindre partiska källor än Peder Swarts roliga krönika. Per Brahe den äldre, vilken också har skrivit en krönika om Gustaf Vasa som var hans morbror[1], berättar att kungen i hemlighet bearbetade opinionen bland de församlade, något som för övrigt märks på de beslut som fattades. Västerås riksdag var den första riktiga ståndsriksdagen i Sverige, såvitt man vet; adel, präster, borgare och bönder sammanträdde nämligen var för sig där. Prästerna lämnade inget svar på de kungliga framsättningarna, men de tre världsliga stånden tillmötesgick kungen på alla punkter. Adeln och bönderna lovade att i värsta fall hjälpa till att näpsa dalkarlarna med våld, medan borgarna förklarade sig hoppas att saken skulle kunna klaras

[1] Se vidare s. 296.

upp i godo. Vad den religiösa frågan beträffar meddelade borgare och bönder att saken övergick deras förstånd och att de ville förlita sig på de i skrifterna höglärdes avgörande, men adeln begärde däremot att rena Guds ord måtte predikas och inte människofunder som hittills. Beträffande kronans och adelns krav på kyrklig egendom sade sig de ofrälse stånden vilja överlåta åt konungen och rådet att lösa den frågan; "förty det är ont att döma vidare och djupare än förståndet tillsäger", yttrade bondeståndet. Adeln däremot svävade inte på målet utan begärde att frälset skulle få tillbaka allt som kommit i kyrkans ägo efter Karl Knutssons räfst. Vidare borde biskoparna komma överens med kungen om hur mycket krigsfolk han ville tillåta dem att hålla och därpå överlämna sina överflödiga inkomster åt honom att hålla knektar för i deras ställe.

Resultatet av Västerås riksdag sammanfattades i två aktstycken som kallas Västerås recess och Västerås ordinantia, men ingetdera av dessa är något riksdagsbeslut. Recessen, vars original numera är förlorat, utställdes inte av riksdagen utan av riksrådet och bekräftades därpå genom att några representanter för vart och ett av de tre världsliga stånden satte sina namn under aktstycket; prästerna undertecknade det inte, naturligt nog. Recessen var ett slags kontrakt av ungefär samma slag som beslutet om ärkebiskop Trolles avsättning och Stäkets rasering på sin tid hade varit; undertecknarna förpliktade sig att en för alla och alla för en genomföra och ta ansvaret för vissa åtgärder. Man lovade näpsa alla orosstiftare och alla som beskyllde konungen för att vilja införa en ny tro, och framför allt förklarade man sig enig om att kronan skulle få överta biskoparnas, domkyrkornas, kanikernas och klostrens överflödiga inkomster samt biskoparnas slott. Man förklarade sig vidare överens om att adeln skulle få tillbaka alla gods som kommit i kyrkans besittning efter 1454, och slutligen anhöll undertecknarna att Guds ord måtte rent och klart predikas.

Den andra urkunden från Västerås riksdag, ordinantian, är blott och bart en kunglig förordning, utfärdad av riksrådets världsliga ledamöter. Den ger föreskrifter om biskoparnas befogenheter, vilka hädanefter inte var stora. Frågorna ses enbart ur ekonomiska, juridiska och administrativa synpunkter; någon religiös reformation beslöts alltså inte alls vid riksdagen i Västerås, och om läran sägs inte ett ord i ordinantian, som ofördröjligen sattes i kraft. Biskop Brask kvarhölls i staden medan

kungens folk skickades till Norsholm och tog hans fasta slott Munke-
boda i besittning, och först när detta var gjort tilläts han att fara hem
till Linköping. Dit kom kungen inom kort efter och övertog även bi-
skopspalatset i staden; han mottogs mycket väl av Brask som rentav gav
ett muntert gästabud för honom, men kort efteråt flydde den gamle
biskopen till Danzig för att aldrig mer återvända hem. Under tiden tog
Gustaf Vasa hand om Skarabiskopens Läckö och Strängnäsbiskopens
Tynnelsö, reducerade en mängd jordagods och kyrkliga klenoder och
gjorde efter hand rent hus med flertalet kloster.

Hans makt och myndighet hade fått en stadga som den inte alls hade
haft före Västerås riksdag, och nu kunde han omsider låta kröna sig
utan att behöva lova och svära mer än han tänkte hålla. På nyåret
1528 förrättades den högtidliga ceremonien i Uppsala ärkebiskopslösa
domkyrka med Skarabiskopen som officiant, och Olaus Petri höll krö-
ningspredikan och sade att Gud hade ynkat sig över Sveriges folk och
uppväckt ett kungligt svenskt blod som ägde inte blott snille och för-
nuft utan även ett saktmodigt hjärta, fritt från blodgirighet och allan
egennytta. Kröningseden som hörde till ritualen hade förkortats något,
vilket väckte uppseende. Gustaf Vasa svor inte att beskärma kyrkans
personer och egendom.

Kort efter kröningen drog Gustaf Vasa till Dalarna med stort följe och kallade dalkarlarna till landsting i Stora Tuna. Han lät hälsa att de kunde möta honom i vapen eller i underdånighet efter eget val; önskade de inte komma till Stora Tuna så kunde han gästa dem hemma så att det skulle svida efter det. Även Siljanssocknarna sände då ombud till tinget, där konungen omedelbart omringade menigheten med sina trupper och sitt artilleri, varpå riksrådet Måns Bryntesson Lilliehöök trädde fram och höll ett strafftal. Kungen lät därpå skilja ut dem som hade gått Daljunkarens ärenden eller talat illa om honom själv. De utpekade framfördes, dömdes raskt till döden av de närvarande rådsherrarna och avrättades på fläcken, varvid panik utbröt bland de omringade landstingsmännen som började skrika och gråta, föll på knä och tiggde om nåd, säger Peder Swart. Nåd fick de, men först efter långt parlamenterande och många löften.

Daljunkaren själv hade dragit sig undan till Norge, men där satt han inte säker utan följde en hanseatisk köpman till Rostock och sökte skydd hos rådet i denna stad. Rådet anmälde emellertid hans ankomst för Gustaf Vasa som strax skickade sin tyske sekreterare Wulf Gyler dit för att försöka få Daljunkaren fasttagen och utlämnad. Fasttagen blev han, och Gustaf Vasa sände då också sin tyske svåger greve Johan av Hoya till Rostock; hans gemål, Gustaf Vasas syster Margareta som förut hade varit gift med Joakim Brahe, var också med på resan. Greven hade med sig ett brev i vilket Kristina Gyllenstierna förklarade att den föregivne Nils Sture inte var hennes son, och med stöd av detta lyckades han verkligen få Daljunkaren utlämnad och lät skyndsamt avrätta honom. Omständigheterna är emellertid dunkla, och märkvärdigt är framför allt att man inte vet det ringaste om var den rätte Nils Sture hade tagit vägen. Kanske var han redan död, såsom senare har påståtts; men i sin propaganda mot bedragaren borde Gustaf Vasa i så fall ha bevisat eller åtminstone uttryckligen sagt detta, vilket han icke gjorde. I början av 1527 levde Nils Sture i alla fall och skickades då av Gustaf Vasa till sin mor med ett brev i vilket det stod att pojken hade platt ingen vilja eller kärlighet att vara när kungen utan drog sig så mycket som möjligt ifrån honom, trots att han hade blivit straffad för detta både med ord och skälig aga.

Knappt hade Daljunkaren och hans anhängare mött sitt öde förrän oroligheter flammade upp på andra håll i landet, men denna gång åberopades inte Sturarnas namn. Kristina Gyllenstierna hade på kungens önskan nyss gift om sig, och hennes politiska roll var därmed utspelad, ty hennes make som hette Johan Turesson var kungens handgångne man. Inte desto mindre var han son till den gamle rikshovmästaren Ture Jönsson Tre Rosor, vilken efter biskop Brasks flykt var den konservativa oppositionens främste man och stod i spänt förhållande till Gustaf Vasa även av personliga skäl, ty kungen som alltid var om sig hade nyligen processat till sig en del gårdar av honom såsom sitt privata arvegods. Ture Jönssons känslor delades i de vidaste kretsar framför allt bland andans män, ty den kyrkliga reduktion som beslutats i Västerås pågick nu som bäst, och även menige man upprördes av konfiskationerna från kyrkor och kloster, vilket var den enda reformatoriska verksamhet som ännu märktes ute i bygderna. Ett prästmöte hölls i februari 1528 i Örebro där man kom överens om det andliga livets former inom den nya nationella kyrkan, och mötets beslut innebar att praktiskt taget ingenting skulle förändras i ritual eller kult; man skulle sålunda ha kvar vigvatten, kyndelsmässoljus, helgonbilder, latinska böner och fastedagar, ehuru meningen med dessa saker och seder borde uttydas i mindre magisk anda. Bortsett från att ett antal smärre helgdagar avlystes företog man sig ingenting uppseendeväckande, och menigheterna i Sveriges socknar visste säkert inte att Olaus Petri året förut hade gett ut inte mindre än sju olika skrifter där han gjorde ner de katolska lärorna om de sju sakramenten, celibatets nödvändighet och klosterlivets nytta. Han införde svensk mässa i Stockholm under år 1528, och året därpå avskaffades den latinska mässan i Storkyrkan, men något tvång för andra församlingar att följa detta exempel förelåg inte.

Vad som närmast kom oro åstad var plundringen av klostren, ty gentemot dem uppträdde Gustaf Vasa från första stund med stor bryskhet och stack inte under stol med sina utåtvända åsikter om dessa inåtvända institutioner. Hans utsända gick fram med stort barbari, ryckte guldsiraterna från altarskåpen och kopparplåtarna från kyrktaken och samlade ihop korkåpor och bårtäcken i stora högar på fogdegårdarna. Kostbarheterna smältes mestadels ner eller gjordes om, till stor förlust för eftervärlden och ringa gagn för kronan; Hans Forssell har beräknat att metallvärdet av allt kyrksilvret inte kan ha varit större än vad som

235

på ett enda år inflöt till den kungliga skattkammaren från Sala silver-gruva. Svartbröder och gråbröder motades efter hand bort ur alla städer, och byggnaderna togs om hand av staten för andra ändamål. I Stockholm förstördes raskt Klara kloster, varigenom kungen kom i besittning bland annat av den dithörande välbelägna ö som sedan dess har hetat Kungsholmen. Nunneklostret i Vadstena vågade han sig inte på, men munkarna drevs bort från orten; någon av dem avgick för övrigt som missionär till Lappland. De gamla cistercienserklostren skonades inte heller, och både Alvastra och Varnhem tycks ha lagts öde utan intermezzon, det sistnämnda först frampå 30-talet. Vid det småländska Nydala däremot slog bönderna ihjäl en fogde som Gustaf Vasa skickade dit – Gottfrid Sure hette han förresten. Detta hände på våren 1529, och de förbittrade smålänningarna lyckades därpå tillfångataga kungens syster Margareta, som tillsammans med hans tyske sekreterare var på hemresa genom landskapet från Rostock och Daljunkarens avrättning. Hon sattes nu i fängelse i Jönköping, varpå man höll stora folkmöten i Svenarum och Lekeryd och utfärdade uppsägelsebrev och upprors-appeller till östgötar och västgötar.

Som alltid när det var fara på färde satte Gustaf Vasa omedelbart i gång med att skriva vänliga och försonliga brev. Östgötar och kalmariter lyckades han förmå att se tiden an, och till Anders Persson i Rankhyttan och Måns Nilsson i Aspeboda skrev han bevekande och bad dem hålla folket i Dalarna stilla, vilket de också lyckades göra. Sämre effekt hade hans brev till Jönköpings stad, i vilket han tackade så mycket för att hans syster hade blivit omhändertagen; han förstod att det hade skett av idel omtanke på grund av rykten om oroligheter i Uppsverige, men ryktena var falska och han anhöll därför att hon måtte få resa vidare. Vad den ihjälslagne fogden beträffade hade han kanske överträtt sina befogenheter och gjort skäl för sitt öde, föreslog den förbindlige lands-fadern.

Västgötaherrarnas uppror

I Västergötland, där de småländska upprorsappellerna omedelbart vann resonans, utlyste ett antal herremän med Ture Jönsson och Skarabiskopen Magnus Haraldsson i spetsen ett landsting på Larvs hed i slutet av april. Deras skrivelse till Jönköpings stad och smålänningarna finns i behåll, utfärdad från Larv på mötesdagen; där står att man vid tinget samfällt hade uppsagt Gustaf Vasa huldskap, manskap och tjänst och att man hade skickat ut delegater till alla andra landskap för att förmå dem att följa exemplet. Peder Swart säger däremot att Ture Jönsson och biskopen uppmanade menigheten i Larv att välja ny kung men att allmogen inte ville veta av detta. Som lämplig kandidat till posten påstås de ha tänkt sig Måns Bryntesson Lilliehöök, som varit Gustaf Vasas vän och förtrogne alltifrån ungdomen men nu hade slutit sig till upprorsrörelsen liksom flera andra av hans gamla medarbetare, däribland Nils Olofsson Vinge och hövitsmannen på Läckö Ture Eriksson Bielke.

Peder Swarts påstående att Västergötlands allmoge ställde sig ovillig till upproret är kanske sant. En del militära förberedelser vidtogs visserligen – man byggde bråtar och ställde ut vakt i Tiveden och Holaveden – men Gustaf Vasas propagandaoffensiv förfelade inte sin verkan, och bara någon vecka efter tinget i Larv hölls ett nytt möte i Broddetorp där man kom överens med kungens ditsända delegater att resningen skulle vara en platt förfallen och död sak, som det stod i avtalet. Kungens syster skulle friges och upprorsmännen skulle få amnesti. Ture Jönsson och biskop Magnus Haraldsson vågade inte lita på detta utan flydde till Danmark, men de övriga inblandade västgötaherrarna stannade lugnt kvar i landet, och kungen visade sig till en början mycket nådig mot dem och för övrigt även mot de båda flyktingarna, som i vänlig ton uppmanades att komma hem igen. Det gjorde de inte, vilket visade sig vara klokt.

Vid midsommartiden hölls ett riksmöte i Strängnäs, dit Måns Bryntesson, Nils Olofsson och Ture Eriksson fick nådig kallelse och kom utan betänkande. Efter förhandlingar om diverse saker uppträdde kungen oväntat som åklagare mot de tre herrarna och visade fram en del komprometterande brev som en spion vid namn Hans Våghals hade snappat upp åt honom. Alla tre erkände och dömdes till döden. Måns Bryntesson gjorde ett förtvivlat rymningsförsök genom att hoppa ut genom ett fönster i andra våningen men bröt ett ben och blev strax gripen igen. Dödsdomen över honom och Nils Olofsson gick i verkställighet medan Ture Eriksson blev benådad på släktens förbön. Ture Jönssons yngste son Göran, som var domprost i Uppsala och hade läst upp sin fars agitationsbrev för rospiggar och hälsingar, slapp också undan med livet för sina bägge bröders skull, vilka hade visat orubblig trohet mot sin kunglige kusin. Denne skrev nu också till kung Frederik i Danmark och begärde utlämning av biskop Magnus Haraldsson och Ture Jönsson, och efter upprepade påminnelser lyckades han åstadkomma så mycket att de förvisades från Danmark tillsammans med ärkebiskop Gustaf Trolle och måste söka sig en fristad i Mecklenburg.

Klockupproret

Västgötaherrarnas uppror var alltså kväst och hämnat, men lugnet i bygderna varade inte länge. På nyåret 1530 lät kungen ett herremöte besluta en ny och egendomlig skatt efter förebild från utlandet, där artilleriet nu hade hunnit bli ett viktigt vapenslag och kanongjuterierna florerade. Kanoner göts av brons som därför var en begärlig vara, och därigenom framkallades en stegring av priset på kyrkklockor som ju var tillverkade av samma material. Hansestäderna drev ivrigt skrothandel med sådana och hade köpt en del bland annat från Danmark. Till en början vågade Gustaf Vasa emellertid inte kasta sina blickar på andra klockor än dem i städerna, vilkas representanter beredvilligt gick med på att varje kyrka skulle lämna ifrån sig sin näst största klocka. Emellertid visade det sig snart att det inte alls fanns så många klockor som man hade tänkt sig, och året därpå beslöt ett för ändamålet inkallat rådsmöte att klockeskatten skulle gälla även landsbygden. Församlingarna kunde få lösa in sina klockor med klingande mynt om de ville, och fanns det bara en klocka i sockenkyrkan kunde de få lösa den för halva värdet. Vidare skulle församlingarna emellertid låta kronan få överta årets tionde och eventuella dyrgripar i deras ägo, och det var inte förvånande att alla landsdelar omedelbart fylldes av knot och klagan.

Uppbörden sattes dock i gång, ackompanjerad av kungliga skrivelser om rikets nöd och klockeskattens nödvändighet och skonsamhet, och på det hela taget gick den bra och gav goda inkomster. Bara i Dalarna kom det till obestånd, som Gustaf Vasa uttryckte saken. Där utbröt i själva verket fullt uppror, denna gång under ledning av kungens gamla vänner och medhjälpare.

Peder Swart berättar att när sockenmännen i Leksand, Ål och Gagnef hade fått besök av några kungliga förhandlare visste de inte riktigt vad de skulle svara beträffande den begärda klockeskatten varför de skickade bud till Måns Nilsson på Aspeboda och Anders Persson på Rankhyttan och bad om råd. De båda herrarna rådde dem att driva bort skattmasarna med hugg och slag när de kom för att hämta klockorna, och Måns Nilsson höll vidare ett ståtligt tal i vilket han bland annat sade att det väl månde förtryta alla som bodde ovan Långheden att Gustaf Vasa kom oanmäld över Brunbäcks färja så ofta och med så stort följe, medan alla föregående konungar och riksföreståndare hade begärt lejd innan de gick över landskapsgränsen. Dalkarlarna lyssnade med gillande till dessa ord, vidtalade därpå en viss Nils i Söderby att bli deras hövitsman och överföll sedan kungens utskickade som misshandlades svårt. De tog vidare tillbaka sina klockor i den mån de redan hade utlämnats. Exemplet vann efterföljd även i angränsande landskap, och när kungen utlyste ett riksmöte som skulle sammanträda i Uppsala i maj skyndade sig dalkarlarna att inbjuda till ett konkurrerande riksmöte i Arboga.

Gustaf Vasa lyckades med sina fogdars hjälp hindra spridningen av denna kallelse, och Arbogamötet torkade in. Riksmötet i Uppsala kom däremot till stånd och blev en dramatisk historia som isolerade dalkarlarna genom att knäcka motståndet mot klockeskatten på andra håll. Vid Eriksmässan, det vill säga den 18 maj, höll kungen burspråk med allmogen vid högarna i Gamla Uppsala; han kom inte obeväpnad, ty han hade med sig en massa krigsfolk, däribland en fänika tyska ryttare, och själv uppträdde han i full rustning. Han frågade bistert allmogen varför de inte lydigt betalade klockeskatten, varvid några sin vana trogna begynte bruka munnen och slita skändliga ord på honom, säger Peder Swart – vad de sade var utan tvivel att de ansåg klockeskatten olaglig. Kungen ilsknade till, drog svärdet, kastade om hästen och lät förstå att han tänkte inte tåla böndernas kritik; han såge hellre att de ville slå honom än banna honom och uppmanade dem att hugga till, så fick man se om han kunde värja sig eller inte. Vid detta tal föll bönderna strax på knä och bad om nåd, vilket beviljades, men därmed var det också klart att klockeskatten skulle betalas utan prut.

Under tiden gick dalkarlarna och höll krigiskt vakt bakom sin land- skapsgräns vid Brunbäcks färja, men Gustaf Vasa låtsades inte om de- ras existens, och när ingenting hände började de bli betänksamma. När det en vacker dag kom en skrivelse från rådet med maning att åter- vända till ordningen var de mogna att kapitulera och finna sig i klocke- skatten, men de beslöt dock att ställa vissa villkor, nämligen att kungen skulle förplikta sig att inte olovandes komma över Brunbäcks färja med stort följe och att endast infödda dalmasar skulle få bli fogdar i Da- larna. Gustaf Vasa svarade inte direkt på detta, men han skrev strax till en av upprorsledarna vid namn Ingel Hansson och bad honom tjänst- göra som fogde och skatteuppbördsman tills vidare. Därmed kom klockeupproret av sig helt och hållet, och dalkarlarna skrev till kungen och bad om förlåtelse för sitt oförståndiga buller varjämte de erbjöd ett par tusen mark i lösen för sina kyrkklockor. På detta svarade Gustaf Vasa att han inte hade lust att träta med sina undersåtar och att han därför ville låta sig nöja med vad de bjöd.

Hans stora medgörlighet borde ha gjort dalkarlarna misstänksamma. Den kom sig av att han för ögonblicket hade fått allvarligare saker att tänka på.

I september 1531 förmäldes den trettiofemårige Gustaf Vasa under till-
börlig pompa med en adertonårig tysk prinsessa som hette Katarina av
Sachsen-Lauenburg. Det hade kostat honom mycken möda att få sig ett
furstligt gifte, ty vid de utländska hoven betraktades han naturligtvis
som en uppkomling. Han var därför angelägen om att ingen mindre än
ärkebiskopen skulle förrätta vigseln, men Sverige hade inte på länge
haft någon hemmavarande ärkebiskop, och påven kunde inte förväntas
godkänna att man nyvalde en sådan så länge både Gustaf Trolle och
Johannes Magnus levde. För att få fram en vigselförrättare var Gustaf
Vasa nödsakad att föra fram en ärkebiskopskandidat som inte brydde sig
om påven, och en sådan fann han i Olaus Petris yngre broder Lauren-
tius Petri med släktnamnet Phase, skolrektor i Uppsala för ögonblicket
och en lärd och klok lutheran som dessutom på ett invecklat sätt var
en smula släkt med Gustaf Vasa, ty han var gift med en dotter till
kungens farfars syster. Laurentius Petri gjordes alltså till ärkebiskop på
kungens önskan men i hävdvunna former, ty han valdes enhälligt av
biskopar och klerker från hela riket och invigdes i sitt ämbete på
kanoniskt giltigt vis av en invigd katolsk biskop. Asidosättandet av på-
vens sanktion innebar likafullt att Sverige officiellt hade brutit med den
romerska kyrkan.

Två dagar efter sin invigning förrättade den nye ärkebiskopen den
kungliga vigseln och drottningens kröning i lutherska former på Stock-
holms slott. Med anledning av sitt bröllop frigav kungen en fånge efter
övlig medeltida sed och valde då att släppa ut sin kusin Göran Tures-
son, domprosten i Uppsala.

Den nygifte monarkens smekmånad fylldes av oroande händelser.
Nere i Holland satt alltjämt kung Kristian II som ingalunda hade gett
upp sina anspråk på Nordens tre riken; han hade omsider lyckats få
ihop en liten armé och en liten flotta, och flyktingar som Gustaf Trolle
och Ture Jönsson Tre Rosor befann sig i hans omgivning och bistod
honom ivrigt med råd och dåd. I oktober förde han sina åttatusen man
ombord på sina tjugofem skepp och avseglade från Holland till Norge.
Han hade otur med vädret, och flottan skingrades av en storm vari
några av fartygen förliste, men med elva skepp kom han i alla fall fram

till Oslo ocn hyllades strax av det stora flertalet av Norges folk. De befästa slotten i landet hölls emellertid av ett antal beslutsamma adelsmän som helhjärtat stod på hans fienders sida.

Detsamma var fallet med slotten i det gamla norska landskapet Viken, det nuvarande Bohuslän, som i Gustaf Vasas dagar tillfälligt lydde under Sveriges krona och hade fått vara med om att betala klockeskatten. Ture Jönsson Tre Rosor och hans vän Skarabiskopen Magnus Haraldsson steg i land där och begav sig med en liten truppstyrka till Kungälv, där de utan framgång sökte förmå kommendanten på Bohus slott att ta kung Kristians parti. De försökte då storma slottet men blev tillbakaslagna med ansenliga förluster. Själv gjorde kung Kristian ett försök att storma Akershus vid Oslo men misslyckades ävenledes. Han drog då söderut till Viken och förenade sig i Kungälv med Ture Jönsson och Skarabiskopen. Dessa herrar och även Gustaf Trolle bedrev en ivrig propaganda för hans sak genom brev till sina bekanta i Sverige, men effekten av detta var uppenbarligen klen.

På det sättet förflöt vintern. I mars månad samlades en svensk armé vid Lödöse under befäl av riksmarsken Lars Siggesson Sparre och närmade sig Kungälv, och vid samma tid fann man en morgon Ture Jönssons kropp liggande huvudlös på gatan i denna stad, säger en patriotisk Vasakrönika av en småländsk 1500-talspräst som hette Joen Petri Klint. En sammandrabbning på Hisingen mellan kung Kristians folk och en avdelning svenska ryttare slutade med klart nederlag för de senare, men kung Kristians här var svårt försvagad av strider och umbäranden och räknade nu bara tvåtusen man, varför han såg sig tvungen att dra sig tillbaka till Norge.

När det vårades på allvar kom kung Frederiks danska flotta till Oslo, förstärkt med en del lybska skepp. Den undsatte Akershus, brände alla kung Kristians skepp och förstörde hans sjöbodar och upplag. Därmed var hans öde beseglat, och när hans anhängare började desertera massvis såg han sig ingen annan råd än att anförtro sig åt den danske överbefälhavaren, som förresten var biskop och hette Gyldenstierne. Denne rådde honom att förhandla med kung Frederik personligen och lovade honom säker lejd om han ville följa med flottan till Danmark. Han gick in på detta och fördes på ett av skeppen till Köpenhamn men släpptes inte i land där utan fick vänta ombord i fem dagar medan kung Frederik rådförde sig med svenska, holländska och lybska befullmäktigade och bestämde sig för med vilken motivering man skulle bryta den utlovade lejden. Skeppet lättade därefter ankar igen och seglade till ön Als med den farlige passageraren, som sattes i fängelse på Sönderborgs slott och aldrig mer återfick friheten fast han levde ytterligare ett drygt kvartssekel.

I samband med dessa händelser återlämnades Bohuslän av svenskarna till Norge genom den danske landshövdingen på Bohus slott. Han hette Claus Bilde, och med honom förde Gustaf Vasa en livlig korrespondens för att om möjligt komma åt Ture Jönssons efterlämnade papper, som Claus Bilde hade funnit i den dödes kläder. Vad Bohuslän beträffar åtog sig Claus Bilde att betala tolvhundra gyllen till Gustaf Vasa, onekligen ett billigt pris för landskapet, som visserligen avtalsenligt skulle lämnas tillbaka till Norge förr eller senare. Att affären så lätt kom till stånd redan nu berodde nog mest på att svenskarna inte hade militärt fotfäste i Bohuslän mer. Karlsborgs fästning vid Abyfjorden, den enda fasta plats de innehaft där, hade nämligen blivit erövrad och nedriven av kung Kristians anhängare.

Skräckmötet vid Kopparberget

1533 i januari, då den gamle unionskonungens undergång hade hunnit firas med en halvårslång serie muntra kalas på Stockholms slott, höll Gustaf Vasa allmän vapensyn i Västerås med frälse från hela riket. Han fick ihop en välrustad armé på femtontusen man, vilket var det största militäruppbåd han någonsin hade haft samlat under sitt befäl. Särskilda kallelsebrev hade gått ut till dannemän och bergsmän i Dalarna, som manades att komma mangrant till Västerås, men de främsta männen i landskapet anade oråd och stannade hemma.

Från Västerås avlät konungen en ny skrivelse till Dalarnas befolkning och meddelade denna gång rent ut vad det var frågan om. Han uppmanade dalkarlarna att se till att han fick Måns Nilsson i Aspeboda i sitt våld och upplyste också att han tänkte komma till Kopparberget med allt sitt krigsfolk för att hålla räfst, varför de förständigades att sörja för truppernas underhåll. Tolv gode män från varje socken i landskapet stämdes vidare till möte vid Kopparberget, dit Gustaf Vasa nu marsche-

Varken hund eller hane

rade med huvuddelen av sina femtontusen man, medan några kompanier skickades ut åt olika håll för att arrestera huvudmännen för det längesedan bilagda klockeupproret. Anders Persson blev gripen på Rankhyttan, men Måns Nilsson flydde från Aspeboda och lär ha hållit sig gömd i en kolmila ute i Skinnarboskogen där kungens utskickade hittade honom först sedan de hade hittat på att låta hans trogna hund visa vägen. Även de övriga upprorsledarna blev snart fasttagna och fördes fångna till Kopparberget, där de inkallade landstingsmännen lydigt samlades på utsatt dag för att möta konungen.

Denne lät omedelbart sina trupper slå ring omkring folkförsamlingen, som föll på knä och med bävan avvaktade sitt öde. Sedan ett par av riksråden hade öppnat mötet med var sitt bistra tal tog konungen själv till orda, sittande till häst i full rustning framför leden av beväpnade knektar. Enligt Peder Swart som har refererat hans tal frågade han dalkarlarna om de höll honom för en spelefågel som vart år skulle spela för dem. Detta skulle i alla fall bli det sista spelet. Dalarna skulle antingen bli en lydig landsända, eller också tänkte han lägga den så öde att där skulle höras varken hund eller hane. Han frågade dem vidare om de menade att landamäret skulle vara vid Brunbäcks älv och om det inte skulle vara lovligt för honom att gå över den utan att tigga dalkarlarna om gunstelig lejd. I den tonen talades det från morgonen intill sena kvällen till folket, som låg på knä hela tiden och svarade med största undergivenhet när de blev tillfrågade. På befallning angav de tillskyndarna av klockeupproret vilka omedelbart fängslades, och vidare plockade man ut alla som hade varit med om misshandeln av kungens utskickade. Det var ett obeskrivligt gråtande och skriande och ropande på nåd, säger Peder Swart.

Nils i Söderby och fyra personer till blev omedelbart avrättade vid Kopparberget, medan Måns Nilsson, Anders Persson, Ingel Hansson och flera andra fördes till Stockholm för att dömas och dödas. Den övriga menigheten skickades hem, vilket Peder Swart framställer såsom ett utslag av Gustaf Vasas mildhet och nåd. Med landskapets gamla friheter var det emellertid för alltid slut.

Grevefejden

Några veckor efter skräckmötet vid Kopparberget dog kung Frederik I på Gottorps slott i Slesvig. Detta var en allvarlig händelse som inte blott angick Danmark, ty eftersom landet var ett valrike var tronföljden inte utan vidare klar, och det rådde djupa meningsmotsättningar mellan olika folkgrupper om hur det nu skulle bli. Bönder och borgare vände strax sina tankar till den fångne kung Kristian. Den lösningen avvisades enigt av den maktägande adeln, som emellertid hade två andra kandidater att välja på. Närmast till hands stod den döde kungens äldste son, som hette Kristian och omedelbart hyllades som hertig av sina arvländer Slesvig och Holstein. Han var ivrig lutheran och gjorde ingen hemlighet av detta, vilket gjorde att alla prelaterna och en stor del av det världsliga frälset motarbetade hans kandidatur i det kommande kungavalet. Reformationen hade införts i Danmark under Frederik I, som med brutala metoder hade framtvingat klostrens avfolkning samtidigt som han klokt och försiktigt höll sin hand över en del lutherska predikanter av vilka Hans Tausen var den mest betydande, men något protestantiskt land var Danmark alltjämt ingalunda, och antalet av dem som inte ville veta av någon lutheran på tronen var stort. Dessa samlade sig kring hertig Kristians halvbror Hans, som de hoppades kunna få uppfostrad i den katolska tron, ty han var ännu bara tolv år gammal. Vid en herredag som kort efter Frederik I:s död hölls i Köpenhamn visade det sig att partierna var ungefär jämnstarka, och man beslöt därför uppskjuta kungavalet på ett år.

Borgarståndets ledare, bland vilka borgmästare Jörgen Kock i Malmö var den främste, satt emellertid inte overksamma. Jörgen Kock och hans kollega i Köpenhamn, Ambrosius Bogbinder, uppsöktes inom kort av borgmästaren i Lübeck, som hette Jörgen Wullenwever och nyss hade kommit till makten genom en revolution i den gamla hansestaden. Lübecks ställning var inte vad den hade varit, vilket ytterst berodde på omvälvningarna inom den europeiska handeln sedan man hade upptäckt vägen till Amerika och andra transoceana länder. De patriciska familjer som förut hade regerat staden hade fört en betänksam och försiktig politik både gentemot de nordiska staterna och gentemot de nederländska städerna, som framstod som Lübecks farligaste medtävlare. De nya männen var djärvare och siktade i första hand till att stänga ute konkurrenterna från Östersjön, och till den ändan tog Wullenwever kontakt med de båda Öresundsstäderna och uppgjorde tillsammans med deras borgmästare en äventyrlig men lovande plan. Kristian II skulle befrias ur sitt fängelse och sättas i besittning av sina tre nordiska riken. Malmö och Köpenhamn skulle bli fria riksstäder i Danmark, och kronans slott på båda ställena skulle rivas ned.

Att befria Kristian II var ingen lätt sak, ty Sönderborg på Als där han satt fången låg i Slesvig där hertig Kristian härskade, och fängelset var för övrigt mycket solitt. Våren 1534 började Lübeck emellertid plötsligt krig. En legohär som skickades in i Holstein gav hertigen full sysselsättning med att försvara sitt arvland, och under tiden gick lybska flottan till Öresund under befäl av en bildad och beläst ung militär som hette greve Kristoffer av Oldenburg, efter vilken hela detta krig har fått namnet grevefejden. Han gick i land på Själland strax norr om Köpenhamn och mottog folkets hyllning på den fångne kungens vägnar. Köpenhamn öppnade strax sina portar och även slottet och flottbasen gav sig, och därmed var hela Själland i grevens händer. Därefter erövrades Skåne lika lätt, och i augusti hyllades han såsom kunglig ställföreträdare i Lund och vann anslutning även bland adelsmännen. Gustaf Trolle, som skyndsamt hade infunnit sig i Danmark för att verka för kung Kristians sak, sattes till biskop i Roskilde men förflyttades inom kort till biskopsstolen i Odense på Fyen, ty den avsatte själländske biskopen köpte tillbaka sitt ämbete av greven. Denne gick dock ingalunda den katolska reaktionens ärenden: tvärtom innebar hans seger att luthersk gudstjänst återinfördes överallt i städerna där den efter Frederik I:s död hade avskaffats av biskoparna.

Helt annorlunda gick det på Jylland, vars adel genast vid krigsutbrottet hade samlat sig till möte vid foten av Himmelbjerget. Prelaterna tvangs där att gå med på att välja hertig Kristian till kung av Danmark, och till att bringa honom bud om detta utsåg man bland andra hans dittills mest energiske motståndare biskop Styge Krumpen, känd i våra dagar såsom titelfigur i en vidlyftig roman av Thit Jensen. Hertig Kristian hörsammade naturligtvis villigt kallelsen och hyllades i augusti såsom dansk monark av Jyllands ständer utanför Horsens. Samtidigt utbröt en allmän bonderesning på norra delen av halvön, där en fribytarkapten vid namn Skipper Klement satte sig i besittning av Aalborg och därefter organiserade ett bistert gerillakrig mot adeln, vars gårdar till stor del brändes ner och förstördes. Han vann också ett regelrätt fältslag mot en kavalleristyrka under befäl av Erik Banner på Kalö, Gustaf Vasas släkting och forna värd, men därmed var det också slut på hans framgångar, ty kriget avgjordes i själva verket i andra ändan av halvön. Under befäl av holsteinaren Johan Rantzau som var en utmärkt fältherre gick hertig Kristians trupper till angrepp direkt mot Lübeck, vars försvarare greps av panik och skyndade sig att sluta separatfred med hertigdömena Slesvig och Holstein. Därmed hade lybeckarna prisgett sina danska allierade, och Rantzau vände sig först mot den jylländska bonderesningen som slogs ner snabbt och eftertryckligt; Aalborg togs med storm vid jultiden och fick uppleva ett ohyggligt blodbad. Skipper Klement tillfångatogs och avrättades så småningom. Bönderna ådömdes ofantliga böter och förlorade därigenom i stor utsträckning äganderätten till sina gårdar, som övergick i adelns hand.

Johan Rantzau överförde nu sin armé till Fyn. Befälet över motsidans styrkor på denna ö fördes av Gustaf Trolle och greve Johan av Hoya, Gustaf Vasas svåger som nyss hade råkat i tvist med denne; kungen hade nämligen vägrat godkänna vissa betalningsutfästelser som greven på hedersord hade gjort i egenskap av svensk förhandlare i Lübeck, och sommaren 1534 rymde Johan av Hoya med sin familj från Sverige över Östersjön, lämnade sin grevinna i Reval och fortsatte själv till Lübeck där grevefejden just hade börjat och hans tjänster var välkomna. Gustaf Trolle och Johan av Hoya angrep nu Johan Rantzau vid en fynsk plats som heter Øksnebjerg, men där led de ett förkrossande nederlag som i all synnerhet gladde Gustaf Vasa, ty Johan av Hoya blev kvar på valplatsen och Gustaf Trolle föll svårt sårad i fiendens händer och fördes fången till Gottorp. Gustaf Vasa skrev omedelbart till segraren och begärde att få denne sin dödsfiende utlämnad, men innan denna önskan kunde effektueras dog den forne svenske ärkebiskopen lyckligtvis av sina sår.

Gustaf Vasa var svåger även med hertig Kristian, vars gemål nämligen var syster till hans egen unga drottning, men med denne stod han på bästa fot eftersom deras politiska intressen för ögonblicket sammanföll fullständigt. Medan greve Kristoffer lät hylla sig i Skåne på Kristian II:s vägnar hade svenska trupper brutit in i Halland, tagit Halmstad efter hårda strider och ingått vapenvila med den aristokratiske kommendanten Truid Ulfstand på Varbergs slott. Den framstående lybske generalen Marcus Meyer, Wullenwevers främste medhjälpare, hade sedan tillfångatagits av en svensk-dansk styrka vid Hälsingborg i en drabbning som avgjordes på det viset att danske riksmarsken Tyge Krabbe, som dittills hade förhållit sig avvaktande alldeles som Ulfstand, plötsligen lät alla kanoner på Hälsingborgs slott spela mot den lybska hären, som då greps av panik och måste dagtinga inom kort. Svenskar och danskar råkade emellertid strax i tvist om vem som skulle ta hand om Marcus Meyer, och frågan löstes tillfälligt så att han sattes i förvar hos tredje man, nämligen hos Truid Ulfstand i Varberg.

Denne var för tillfället en glad och lycklig man, ty han firade just sin smekmånad med fru Görild Faderdotter Sparre, ägarinna till otaliga gods i Norge och Sverige och en behövlig styvmor till sju små Ulfstandar från ett tidigare gifte. Möjligt är att han var rent förblindad av sin lycka. En natt i mars hände det nämligen att den borgerligt sinnade kaplanen på slottet oförmärkt genom ett lönnligt hål lyckades hissa upp en skara fientliga knektar som raskt överrumplade besättningen och befriade Marcus Meyer. Herr Truid befann sig just då av någon anledning i sitt stall som låg utanför borggården, och när beväpnade borgare kom springande nerifrån staden för att ta honom till fånga fick han i all hast ut en häst och red i galopp från Varberg till svenska lägret i Lund, där han mottogs med bekymrade miner. Emellertid fick han inom kort med sig en armé och tog oförtövat itu med att belägra Varberg, där fru Görild och de sju barnen nu var Marcus Meyers fångar. I november ökades deras antal för övrigt med en åttonde liten pilt som fru Görild märkligt nog lät döpa till Niels fast en av hans halvbröder redan hette så.

Kuppen i Varberg var nästan den enda militära medgång som Jörgen Wullenwever, Jörgen Kock och greve Kristoffer kunde fägna sig åt sedan år 1535 gått in. På sommaren detta år, ungefär samtidigt som

Gustaf Vasa blev av med sina personliga fiender vid Øksnebjerg, besegrades den dansk-lybska flottan i grund utanför Svendborg på Fyn av en svenskdansktysk eskader på bortåt femtio stora skepp under befäl av svensken Måns Svensson Some och dansken Peder Skram. Därmed var kriget i det närmaste avgjort, ty motgångarna hade till följd att det utbröt revolution i Lübeck varvid Wullenwever störtades och den patriciska styrelsen återinfördes. I maj 1536 tog Truid Ulfstand äntligen tillbaka Varberg och hela sin stora familj efter ett bistert bombardemang med fartygsartilleri. Malmö och Köpenhamn höll stånd ännu en tid och öppnade först under hösten sina portar för segraren, som redan föregående sommar hade hyllats av den skånska menigheten på Lybers hög vid Lund under namn av konung Kristian III. Marcus Meyer blev avrättad, Ambrosius Bogbinder i Köpenhamn begick självmord och hertig Kristoffer lämnade Danmark efter att knästående ha nödgats åhöra ett ampert strafftal av konungen, men den smidige Jörgen Kock lyckades vinna dennes förtroende och återfick tämligen snart sin ställning som borgmästare i Malmö, vars politiska självständighetsdröm var skrinlagd nu.

Följderna av grevefejden

Grevefejdens utgång fick viktiga verkningar i alla Nordens länder. I Danmark hade bondeståndets frihet krossats under inbördeskriget, och borgarståndets politiska självständighet var också förbi. Några dagar efter sitt intåg i det besegrade Köpenhamn lät Kristian III plötsligen häkta biskoparna av Ribe, Roskilde och Lund och genomförde en kyrklig reformation vars statuter för övrigt genomlästes och godkändes av ingen mindre än Luther själv. Biskopsämbetet avskaffades officiellt i Danmark och kyrkan ställdes under ledning av sju kungliga superintendenter, men biskoptiteln för dessas del kom snart tillbaka av sig själv.

I Norge blev förändringarna om möjligt ännu större. Det norska riksrådet upplöstes, sedan ärkebiskop Olav, som i det längsta sökte göra motstånd mot den nya ordningen, hade måst gå i landsflykt. I den handfästning som Kristian III fick avge till det danska riksrådet på hösten 1536 sades det uttryckligen ifrån att Norge hädanefter inte skulle kallas ett kungarike för sig utan en provins under Danmarks krona. Det styrdes för framtiden av ett antal danska landshövdingar som alla lydde direkt under riksstyrelsen i Köpenhamn.

För Sveriges del hade deltagandet i grevefejden närmast gått ut på att få till stånd en uppgörelse med Lübeck, vars nederlag markerade slutet på Hansans ekonomiska maktställning hos oss. I verkligheten betydde detta visserligen inte mycket. Eli Heckscher har visat att fastän Lübeck berövades sina privilegier gick Sveriges export och import precis samma vägar som förut genom hela Gustaf Vasas regering, och svenska folkets levnadsstandard kan knappast ha berörts alls av förhållandet till Hansan, ty svenskarna i gemen hade ingenting att exportera och ingenting att köpa importvaror för. Exporten var viktig för bergsmännen allenast; importen upptog bara en enda nödvändighetsvara, nämligen salt, och var i övrigt mest en överklassens angelägenhet, ty drygt en tredjedel av allt som infördes var varjehanda lyxvaror som högadeln och framför allt kungen själv köpte hem. Nästan alltid gjordes dessa affärer upp i Lübeck, men känslan av ekonomiskt oberoende gentemot Hansan fanns där ändå och saknade naturligtvis icke fog, ty Sverige ägde nu en örlogs-flotta som hade kunnat göra sig gällande gentemot den lybska, och det var dessutom slut med de skeppningar av osmundsjärn, smördrittlar och annat som hade utgjort avbetalning på lånen från befrielsekriget.

Gustaf Vasa kunde rentav själv uppträda som långivare nu. De för-sträckningar han lämnade Kristian III under grevefejden bedömde han naturligtvis mycket affärsmässigt och skrev till sina medhjälpare att det gällde att skaffa sig säkerhet för utläggen innan danskarna kom i besitt-ning av Malmö och Köpenhamn; när de kunde klara sig utan svensk hjälp skulle deras förhandlingsläge nämligen bli ett annat. Påtryck-ningarna måtte ha varit starka, ty en septemberdag 1535 då belägringen av Malmö och Köpenhamn alltjämt pågick kom Kristian III plötsligt resande till Stockholm för att personligen tala om saken med sin svåger, som han aldrig hade träffat förut. Han ville också låna mer pengar, och efter en del parlamenterande fick han verkligen utkvittera några tusen lödiga mark och thaler, men som säkerhet för sina försträckningar fordrade Gustaf Vasa landskapet Viken och fästningarna Bohus och Akershus. Danskarna tyckte med skäl att detta var hårda villkor och uppfyllde heller aldrig avtalet så som den svenske kungen hade tänkt sig, ty de skickade honom för framtiden mycket ordentligt den influtna uppbörden men överlämnade aldrig själva territoriet.

Nyss återkommen till sitt land efter besöket i Stockholm nåddes kung Kristian av ett budskap som förundrade honom. Hans unga svägerska, Gustaf Vasas drottning som var frisk och kry när han reste, hade plötsligt och oväntat gått ur tiden. Det viskades en del om orsaken, och den svenske kungens fiender i Tyskland och annorstädes visste berätta att hon i själva verket hade blivit ihjälslagen av sin argsinte gemål med en yxhammare som denne ofta brukade ha i handen, ett rykte som spreds vitt och brett genom den lybska propagandan och aldrig har kunnat vare sig styrkas eller gendrivas av eftervärlden. Officiellt framfördes beskyllningen dock aldrig. Några månader efter dödsfallet anlände från Sachsen-Lauenburg hovkanslern i denna stat för att på släktens vägnar ta reda på drottningens kvarlåtenskap och förhandlade i det ärendet med Gustaf Vasas betrodde kamrerare Olof Bröms, som instruerades av sin husbonde att inte gärna låta den dödas kläder gå ur landet. Han borde, dock utan att låta förstå att det var kungens idé, föreslå att de lauenburgska fröknarna i stället förärades "ett stycke sölv" som arv efter sin syster, ty det vore lättare för tyskarna än för Gustaf Vasa att komma över "gyllene duck, Perlor, samett och annet sligt oc för eth ringere ock skäligere köp". Olof Bröms tycks ha ordnat saken till belåtenhet, och en tid efteråt fick han själv resa till Tyskland i kungens ärenden, men då begagnade han tillfället att dra sig ur spelet och lämna sin tjänst, vad det nu kunde bero på. Han återvände aldrig till Sverige.

Någon nämnvärd sorg eller saknad efter sin döda drottning visade aldrig Gustaf Vasa. Tvärtom såg han sig med det snaraste om efter en ny gemål, och på årsdagen av begravningen kunde han fira bröllop i Uppsala med en ung svensk adelsdam som hette Margareta Leijonhufvud. Hon hade varit förlovad med Svante Stensson Sture och måste på kunglig befallning bryta den förbindelsen, men det ser inte ut som om hon skulle ha haft något att invända, och det kungliga äktenskapet blev såvitt man vet ganska lyckligt och välsignades i sinom tid med inte mindre än tio barn. Den övergivne fästmannen kompenserades med brudens syster, och om den kärlekshandeln finns det en legend som säger att Svante Sture satt fången i Lybeck när kungens bröllop stod. När han kom hem och fick höra talas om saken blev han djupt förtvivlad och sökte strax upp sin forna fästmö på Stockholms slott, där han kastade sig för hennes fötter och utgöt sig i kärleksförklaringar, klagan och förebråelser. I det läget överraskades han av Gustaf Vasa, men Margareta Leijonhufvud fann sig strax och lät kungen förstå att den knäböjande riddaren hade bekänt sin kärlek till hennes syster Märta och vore i färd med att be om bistånd och bemedling att vinna hennes hand. När Gustaf Vasa fick höra detta blev han mycket belåten och såg genast till att hans svägerska blev gift med Svante Sture, som tydligtvis höll god min i vått och torrt.

Vid sitt eget bröllop med Margareta Leijonhufvud hände det sig att Gustaf Vasa kom i gruff med biskop Magnus Sommar från Strängnäs. Denne hade varit tillmötesgående mot konungen vid Västerås riksdag och tyckte inte utan skäl att kyrkan och han själv hade fått röna föga tacksamhet för de offer som gjorts. Då kungen nu vid bröllopsmiddagen riktade några mindre vänliga ord till honom dristade han sig att svara i samma ton, men då fick brudgummen ett vredesutbrott och lät omedelbart arrestera sin gäst, som fördes i fängelse direkt från gästabudsbordet och dessutom förklarades avsatt. Han blev utsläppt efter något halvår därför att man inte lyckades finna någonting åtalbart att anklaga honom för, men till sin biskopsstol fick han aldrig återvända utan tillbragte sina sista år som ett slags intern i Krokeks övergivna kloster i Kolmården.

Krutkonspirationen

Magnus Sommar var god katolik och höll fast vid den gamla kyrkan, men Gustaf Vasa visade sig inte fryntligare mot den nya kyrkans män. Våren 1536 medan grevefejden ännu pågick avslöjades i Stockholm en sammansvärjning mot kungens liv; inblandade var en skara tyska borgare och även en del svenska, och en av huvudmännen för det hela var myntmästaren Anders Hansson som stod Olaus Petri nära. Året förut hade dessa två låtit måla en tavla över ett järtecken, nämligen sex eller åtta vädersolar som hade visat sig över Stockholm en aprildag 1535 och antogs båda någon stor politisk förändring, en åsikt som beställarna inte var ensamma om, ty samtidens lärda män menade allmänt detsamma om detta meteorologiska fenomen. Vädersolstavlan, som är vår äldsta bevarade bild av Stockholm, finns som bekant alltjämt kvar i Storkyrkan, där Olaus Petri använde den som illustration vid sina predikningar. Han tycks ha sagt att vädersolarna vore ett tecken på kommande revolutioner såsom ett Guds straff för överhetens försyndelser.

Någon gång i den vevan måste Anders Hansson ha satt i gång sin sammansvärjning tillsammans med andra prominenta stockholmare. Borgmästaren Gorius Holst hade av någon anledning nyligen blivit arresterad av kungen och insatt på livstid i Tynnelsö slott, så han hade förhinder, men rådmännen Kort Druwehagel och Hans Bökman delade också Anders Hanssons åsikter och gick med i sammansvärjningen, som för övrigt tycks ha omfattat rätt många personer. Att börja med hade man tänkt sig att mörda kungen med blanka vapen, men detta var tydligen inte så enkelt, och Hans Bökman gjorde då upp en annan attentatsplan. En fjärding krut skulle läggas under kungens stol i Storkyrkan och i rättan tid antändas genom en stubin i ett kopparrör. Psalmsöndagen 1536 skulle smällen äga rum, och på lördagseftermiddagen sammanträdde några av attentatsmännen för att närmare dryfta detaljerna vid en bägare. En alkoholistisk skeppare som titulerades Hans Vindrank blev därvid invigd i planen, och när denne kom hem till sitt kunde han inte hålla tyst utan berättade skrytsamt alltihop för en kvinnlig granne som i sin tur talade om det hela för sin man. Denne skyndade strax till slottet och underrättade myndigheterna, och redan samma kväll blev de sammansvurna häktade. Anders Hansson lät sig emellertid inte tas levande utan störtade sig ut från tornet Tre Kronor och slog omedelbart ihjäl sig. De övriga avrättades eller dömdes i bästa fall till fängelse och höga böter, och kungen skrev till dannemännen ute i bygderna att om de möjligen fick höra talas om något förräderi även där så borde de inte låta sig lockas utan i stället troget låta honom veta vad de visste.

Att Olaus Petri haft vetskap om sammansvärjningen i Stockholm är säkert, och även Laurentius Andreae har bekänt att han varit medveten därom. De båda reformatorerna hade i tur och ordning beklätt kanslersämbetet hos konungen och åter avskedats därifrån, sedan ingen av dem befunnits följsam nog inför hans allmänna kulturlöshet och växande anspråk på allt och alla. Om deras tankar och levnadsförhållanden vid denna tid är inte mycket känt, men man vet att Olaus Petri i Storkyrkan höll ett antal predikningar som väckte kungens misshag; en av dem finns för övrigt i behåll och handlar om det myckna svärjandet vari överheten föregick undersåtarna med sitt syndiga exempel. Den trycktes 1539, och i slutet av det året slog konungen plötsligt till mot reformatorerna, som häktades och ställdes inför rätta på själva nyårsafton vid ett herremöte i Örebro.

Anklagelseakten finns kvar och är ett underligt, delvis rätt dunkelt aktstycke som skildrar dem såsom två bovar som under lång tid gjort varjehanda ohägn. Om Laurentius Andreae upplyses att han hade förmått kungen till kyrkliga förändringar och därefter fröjdat sig åt de uppror de framkallade; han hade liksom vid håret fört konungen ut på havsdjupet utan att fråga efter om han förmådde rädda sig i land eller inte, han hade vidare uppträtt pockande mot den stackars monarken, och en gång när denne ville hålla efter en oärlig kamrerare hade mäster Lars frågat honom vad han skulle med så mycket pengar; goda vänner vore bättre än många pengar. Slutligen hade han arbetat på att göra biskoparna mäktiga och oberoende i förhållande till konungen, ehuru han till en början hade yttrat att de inte borde ha större makt än kungen ville unna dem. Olaus Petri beskylls för att ha missbrukat Guds ord genom att från predikstolen agitera mot konungen och jämföra honom med Herodes och Farao, och genom sina utgivna skrifter hade han vidare *suptiligen och skickligen difamerat och beskriat* majestätets goda rykte i all världen. Båda reformatorerna anklagas vidare för delaktighet i vederdöparnas ofog femton år tidigare, för att ha velat ställa så att borgarna i kungliga huvudstaden skulle råda över slottet i stället för tvärtom, för att i anabaptistiskt svärmeri ha dömt efter sitt samvete i stället för efter lagen samt först och främst för att ha haft kännedom om den hanssonska sammansvärjningen utan att slå larm. Kungen sade sig först nu ha fått kännedom om dessa deras brott.

I domstolen, som omfattade femton herrar av konungens råd, satt biskoparna i Strängnäs och Västerås och dessutom ärkebiskop Laurentius Petri, mäster Olofs bror. Om själva rättegången vet man egentligen bara att mäster Olof betygade vid Gud och sitt samvete att han alltid hade velat konungens bästa och att mäster Lars begärde att skriftligen få svara på de många och långa anklagelserna, vilket inte beviljades. Två dagar senare bekände emellertid de båda anklagade att de hade känt till sammansvärjningen, men de hade fått kännedom om den under biktens insegel och hade därför ansett sig förhindrade att tala om vad de visste. De bad nu på sina knän om nåd. Domstolen dömde dem enhälligt till döden, men tre av domarna och ett par andra personer gick upp till konungen och anhöll om nåd för de dömda, vilket beviljades; straffet förvandlades till höga penningböter.

Dödsdomen över reformatorerna har förbryllat och besvärat många historieskrivare i senare sekler, och för rojalistiska lutheraner på 1800-talet framstod det hela vanligtvis som ett tillfälligt vredesutbrott varunder den häftige monarken gjorde sig skyldig till en orättvisa mot sina ärliga och trofasta undersåtar; dödsdomen hade för övrigt aldrig varit allvarligt menad. Som en fläck på Gustaf Vasas minne tycks saken ha uppfattats redan av Karl IX, ty denne strök bort hela historien ur Erik Göransson Tegels krönika om Gustaf Vasa. I våra dagar har man emellertid börjat undra om reformatorerna verkligen var så oskyldiga som eftervärlden har tagit för givet; de hade i själva verket skäl till mycket missnöje både på det allmännas vägnar och för egen del, och det är högst begripligt om de inte var alldeles lojala. Hur därmed förhöll sig lär vi aldrig få veta, men även på grundval av det magra material vi har är det möjligt att säga att Gustaf Vasa i det här fallet inte gick särskilt brutalt fram efter sin tids sätt att se. Rättshistorikern Jan Erik Almquist har hävdat att dödsdomen var väl motiverad och att kungen om han hade velat skulle ha kunnat få reformatorerna lagligen halshuggna med stöd av flera valfria paragrafer i landslagen.

Laurentius Andreæ som hade varit en mycket förmögen man blev praktiskt taget ruinerad genom domen i Örebro. För Olaus Petri vars tillgångar var blygsamma betalades böterna märkligt nog av Stockholms stad. Båda levde från den tiden ett tämligen tillbakadraget liv tills de gick ur tiden i april 1552 med bara en veckas mellanrum. Olaus Petri, tagen till nåder igen, var vid sin död kyrkoherde i Stockholm sedan ett tiotal år. Det hade han inte varit när han i Storkyrkan höll sina förgripliga predikningar om vädersolarna.

Samma Örebromöte som dömde reformatorerna till döden beslöt högtidligen att Gustaf Vasas söner skulle vara rätte arvherrar till Sveriges krona och rike. Mötet godkände med andra ord vår första successionsordning, och därmed var det för alltid slut med fiktionen att tingsmenigheterna valde konung i Sverige. Land och folk framställdes tvärtom såsom konungahusets egendom, och däremot hade mötesdeltagarna tydligtvis ingenting att invända, ty tankegångar av det slaget var högsta mode i Europa på 1500-talet. Arvrikets införande gick så till att Gustaf Vasa, omgiven av sönerna Erik och Johan, drog sitt svärd inför rådsherrar och biskopar och uttalade en för ändamålet författad tirad på imposant rotvälska: "I namn Guds faders, sons och den helige andes, och utav den allsmäktigste Guds gudomliga kraft och makt, av vilken Oss och alla Wåra kungliga och furstliga livsarvherrar ifrån arvinge till arvinge unte och förlänte äro över eder och alle Wåra undersåtar på jorden att styra och råda, utsträcka Wi detta rättvisans svärd över eder till ett vittnesbörd, och därmed svärjer!" Rådsherrarna och biskoparna föll då på knä och eftersade i korus en ed som konungen förestavade; de lovade att vara honom och hans söner hulda och trogna i alla skiften intill döden.

Man kan fråga sig om inte Gustaf Vasa, själv en oöverträffad språkets mästare, log invärtes när han deklamerade det där, men det gjorde han nog inte. Texten, som ju blott är illa översatt tyska, återgår på högtidliga utländska formulär, och författaren var en man som antogs vara mycket sakkunnig beträffande sådana ting och ansågs känna till skick och bruk vid själva det kejserliga tyskromerska hovet. Han hette Konrad von Pyhy och stod för närvarande högt i gunst hos Gustaf Vasa, som tog honom i sin tjänst 1538 och nästan omedelbart upphöjde honom till rikets främste ämbetsman med titel av överstekansler samt regements-, krigs- och secrete råd. Följande år anlände till Sverige en annan tysk som egentligen hade engagerats som informator för de kungliga barnen på rekommendation av ingen mindre än Martin Luther; han hette Georg Norman och var expert på kyrkliga förhållanden, och hösten 1539 förordnades han till svenska kyrkans högste styresman med rang av konungens ordinator och superintendent. I ett öppet brev som

Gustaf Vasa utfärdade i sin egenskap av den kristna trons högste beskärmare underrättades det förvånade prästerskapet att den nye superintendenten omedelbart skulle företa en visitationsresa för att utöva den domsrätt som tillhörde konungen av hans konungsliga namns fullkomlighet. Biskop Henrik i Västerås skulle resa med såsom superintendentens råd och adjunkt, och de två herrarna skulle se till att predikanterna i landet såsom brinnande lampor förelyste konungens undersåtar med sanna kristliga exempel och även att de från predikstolarna förmanade till kärlig fruktan, frid och hörsamhet mot överheten. En ämbetsman med titeln konservator skulle tillsättas i varje stift med uppgift att tillse att den nya ordningen efterlevdes, och under konservatorn lydde ett antal äldste, som skulle hålla visitationer oavbrutet. Alla dessa skulle vara lekmän. Ett religionsråd för hela landet skulle också inrättas, och detta tillsammans med superintendenten, adjunkten och konservatorerna skulle utgöra ett kyrkomöte som sammanträdde emellanåt när konungen fann lämpligt.

Visitationerna sattes ofördröjligen i gång. Redan 1539, alltså strax efter sin ankomst till Sverige, reste Norman med sin biskoplige adjutant omkring i Västergötland, och året därpå gick färden till Värmland och Östergötland. De båda herrarna ingrep mycket djupt i församlingarnas angelägenheter och förhörde prästerna på deras kristendomskunskap, som inte befanns särskilt god; en del präster fick rentav böta för okunnighet. På katekesfrågan Vad är evangelium? svarade nämligen en att det vore dopet, och en annan lär ha uttalat att hans församling hade ingenting att göra med Gamla Testamentet, ty det hade förkommit i Noe flod. En mängd prästerliga tjänster indrogs, framför allt i Skara stift, genom att man slog ihop de små pastoraten, och till kronan indrogs vidare de två tredjedelar av tionden som förut hade delats mellan biskoparna, kyrkorna och de fattiga. Dessutom bokförde man noggrant kyrkornas klenoder av guld och silver och lade också beslag på sådant i stor utsträckning. Det är begripligt om superintendentens visitationsresor knappast var ägnade att göra Sveriges folk mera konungsligt till sinnes, och kyrkans tjänare som direkt drabbades av konfiskationerna greps naturligtvis av förbittring. I Vadstenaklostrets diarium finns några anteckningar som skälver av sorg och vrede; där berättas huru superintendenten magister Jeorgius kom och förbjöd mässan och tillintetgjorde alla klostrets ceremonier sånär som på bönen för friden, varefter han avsatte konfessorn och skrev upp alla reliker och dyrbarheter i sakristian. Dessa åtgärder följdes av andra; ett par år senare förseglade kungen själv klostrets båda brevskåp och lät sina drabanter föra bort böcker och annat, och i samma veva kom Linköpingsbiskopen magister Nikolaus och fullföljde superintendentens verk genom att definitivt omintetgöra gudstjänsten för birgittinerna. Man kan inte förtänka dem att de önskar livet ur detta superintendentens redskap och skriver in en bönesuck i sitt diarium: Bed för oss, varde hans dagar få, och hans ämbete tage en annan.

Den nye överstekanslern, superintendentens mera världsliga kollega, uppväckte ävenledes föga jubel i landet. I motsats till Norman, vilken sägs ha varit en personligen hederlig och aktningsvärd man, framstår Konrad von Pyhy som en rätt tvivelaktig figur, men han var otvivelaktigt en duglig och energisk centralbyråkrat med goda insikter i kontinental statskunskap, och detta var vad Gustaf Vasa vid denna tid ansåg sig behöva. Missnöje med honom och de nymodigheter han införde anmäldes genast ute i bygderna, men Gustaf Vasa tog mycket energiskt sin kansler i försvar och hutade samtidigt åt sina undersåtar i en ton som inte bådade gott för friheten i landet. 1539 aviät han till menigheten i Uppland ett brev som är märkligt ur många synpunkter, inte minst ur litterära, ty det personliga tonfallet är omisskännligt. "J fattige män kunnen icke besinna", skrev han, "huru högt och märkeligen Oss och detta rike anligger om en förfaren och skickelig Canceller. – Och förundrar Oss storligen att J så oförståndige äre, att J sådant intet besinna kunne eller vete, utan att J låte eder så lätteligen förföra och bedraga till allt obestånd. När J ville låta eder nöja och hafva omsorg om eder plog och näring, snacke och tale därom och huru J eder bäst nära och bärga kunne, och låte oss regera och försörja den annan sak, som är om Riksens regemente, så stode det eder bäst." Han upplyser vidare "hurulunda Vi uti vår regementstid icke annorledes än liksom den helige Moses hos Israels barn kristeligen och väl handlat hafve" genom att sätta sig upp mot den gruvlige blodhunden konung Kristian, i vars tid "J varken någon frid eller rolighet haden utan edre hustrur, barn, fränder och vänner och allt det som var uti landet var försoffadt och utan all tröst. Edert legofolk, pigor och drängar, så ock eder boskap och fä gingo både sent och arla bedröfvade och med sorger uti marken efter deras näring och uppå deras arbete. Edra gårdar, hus, åkrar och ängar nödgadens J att låta mest öde, oplöjde och osådde ligga och alltid lida, att edra föräldrar, bröder, vänner och fränder genom de förrädelige biskopar och deras anhang likasom en hop boskap slaktade blefvo. Edra ynkelige änkor och faderlöse barn, med deras suckande, gråt och tårar, alle andar, själar och människor ropade och begärde af Gud och hans helgon hjälp, tröst och förlossning." Nu däremot, sedan han själv i egen person förjagat den grymme tyrannen, "kunna både människorna och eder boskap om morgonen tideliga med god frid uppstå och hvar och en glad gå till sitt arbete och näring. Edra drängar och pigor gå utan sorg fridlige och gladelige ut i marken uppå sitt arbete; sammalunde komma de alle om aftonen gladelige och uti frid hem igen. Alle berg, dalar, åkrar och ängar stå nu utöfver allt lustige och väl tillflidde. Dock likväl ären J så otacksamme och förstoppade, att när någre löse förrädare och svärmande andar komma till eder med lögnaktige och diktade tidender, till sådana ställen J snart tro och tänken lika såsom J haden själfve gått till skola och voren fast bättre lärde än Vi och flere gode män i riket, så att J väl vissten hvad J göra skullen eller låta, viljandes också lära Oss huru Vi regera eller hvad Vi tro skole. Nej, icke så! Vakter J edre hus, åkrar, äng, hustrur, barn, fä och boskap och sätter Oss intet mål före uti Vårt regemente eller religionen! Förty Oss tillkommer på Guds och rättvisans vägnar att Vi såsom en kristelig konung Våre undersåtar bud och regler sätta skole. Vi vilja att J, såframt J undfly viljen Vårt svåra straff och vrede, skolen vara Våre konungslige bud hörige och lydige både uti de världslige saker så ock uti religionen."

Denna underbara skrivelse av den störste demagogen i vår historia, förmodligen själv i god tro när han i hastigheten gör anspråk på att genom sitt regerande ha gjort livet gladare till och med för boskapen, bör ha utgjort ett gott handtag åt överstekanslern Konrad von Pyhy, som från första stund ägnade sig åt sina uppgifter med all iver. Omedelbart efter sin ankomst till Sverige tog han itu med att utarbeta förslag till *en god politia*, såsom konungen med ett nyimporterat ord uttrycker sig i ett annat brev. Det var frågan om en helt ny förvaltningsorganisation som gick ut på att avskaffa vad som återstod av självstyrelse i de svenska landskapen och stärka kronans insyn och inflytande över allt och alla. Den 9 april 1540 utfärdades såsom ett första steg en Regementsform för Västergötland. Detta landskap skulle på kungens vägnar styras av en regeringsnämnd där ståthållaren, biskopen, fyra medråd, en sekreterare och en polischef med titeln Ridtmästare skulle ha säte och stämma. Nämnden, som i urkunden kallas för Regementet, skulle sköta och övervaka praktiskt taget allting, inte minst rättskipningen; alla mål av någon vikt skulle nämligen skriftligen hänskjutas till Regementet. Denna landskapets överhet skulle också ha vård om kronans gårdar och rättigheter, driva in skatterna, övervaka handeln och se till att det inte exporterades några ätande varor, som Gustaf Vasa brukade uttrycka sig.[1] Ridtmästaren skulle ständigt hålla landskapet under bevakning med hjälp av en *umridande rote* av beväpnade knektar, som skulle bespeja alla vägar, ge akt på alla vägfarande och kontrollera deras wägabref eller passeport samt i lämpliga fall arrestera vederbörande och överantvarda dem till Regementet. Landstinget avskaffades på det hela taget, och i praktiken avskaffades till någon del även den svenska landslagen. Regementets domböcker finns i behåll för ett par år och ger vid handen att rättskipningen har brutaliserats; exempelvis tillämpade man obönhörligt dödsstraff för dråp, ett brott som normalt sonades med böter. Ofta åberopas Mose lag och kejsarlagen i stället för inhemsk rätt.

Detta slag av landskapsstyrelse infördes ofördröjligen i Västergötland, dit Gustaf Vasa nämligen reste direkt från Örebro efter att ha infört arvriket och dömt reformatorerna till döden. Stadgan om Regementet utfärdade han från Nya Lödöse, ett samhälle som han i den vevan bråkade mycket med, ty han ville flytta det längre ut mot havet i skydd av Älvsborgs slott. Stadsborna stretade helt naturligt emot, ty bara ett par årtionden tidigare hade de befallts att flytta till sitt hemvist vid Säveåns

[1] Gustaf Vasa, alltid försörjningspolitiskt inriktad, var vanligen mera intresserad av varor än av pengar och ansåg det vara ett självklart intresse att landets varuförråd ökades. Alltså lade han aldrig några hinder för importen. Exporten däremot, säger Eli Heckscher i Sveriges Ekonomiska Historia, "var så gott som alltid en nåd, och denna nåd förvärvades genom att vederbörande gjorde sig förtjänta om landet genom att importera."

Lars Jonssons hunahär

mynning från det gamla Lödöse, som låg högre upp vid Göta älv och därför alltid löpte risk att få sin sjöfart avskuren av norrmän och danskar på Bohus fästning. Gustaf Vasa drev med tiden igenom sin vilja beträffande Nya Lödöse men hade inte samma framgång ifråga om de andra västgötastäderna, som han också fann illa belägna. Minst bråkade han nog med Skövde, vars äldsta privilegiebrev han själv hade utställt på 1520-talet. Mest onådig var han gentemot Bogesund, det nuvarande Ulricehamn, vars borgare fick den ena befallningen efter den andra att flytta till annan ort men lyckligtvis inte brydde sig om att lyda. Ett slag fick han för sig att Skara, Falköping och Bogesund borde slås ihop till en ny stad som skulle ligga vid Hornborga, men i ingendera av de tre gamla västgötastäderna visade befolkningen minsta tecken till att ha uppfattat denna order från överheten, och saken fick till sist förfalla, sedan Gustaf Vasa hade fått annat att tänka på.

Det var tydligen meningen att Regementet efterhand skulle införas också i rikets övriga landskap, och redan efter något år började man så smått tillämpa den nya ordningen i Östergötland och Småland, vilket emellertid ledde till oroligheter på båda hållen. En östgötabonde som hette Lars Jonsson satte sig i spetsen för ett upprorsförsök; han sade sig vilja resa en hunahär och slå ihjäl allt ridderskap och adel och alle som ville hålla sig till den reformerade läran, står det i Erik Göransson Tegels krönika. Upproret kvävdes dock lätt i sin linda, och Lars Jonsson avrättades naturligtvis.

Allvarligare var oron i Småland, ty sent omsider hade Gustaf Vasa tagit sig det orådet före att hålla räfst med smålänningarna för det längesedan stillade och bilagda uppror som hade föregått västgötaherrarnas resning och fall. Vintern 1537 skickades rikets hela krigsmakt till Småland under befäl av Lars Siggesson Sparre, Holger Karlsson Gera och Johan Turesson Tre Rosor; enligt den medskickade kungliga skrivelsen skulle de straffa alla skalkar och ogärningsmän men hålla dannemän och de fromma vid makt. Det var tydligen frågan om en småländsk räfst av samma slag som dalkarlsräfsten 1533, och någon skonsamhet skulle inte visas i Småland heller, ty att börja med förbjöds de adliga godsägarna i landskapet strängeligen att ingå någon enskild förlikning med sina underhavande.

Själv följde Gustaf Vasa inte med sina knektar denna gång, vilket är stor skada, ty det gör att det inte finns någon skildring i behåll av hur

261

det hela gick till. Att man for brutalt fram kan det emellertid inte råda något tvivel om. I de nordliga landsändarna fick varje fyrtal bönder lämna ifrån sig en oxe och något silver i förlikningsböter, men nere i Värend och Möre nöjde man sig inte med det utan krävde flera oxar och mer silver, och de som inte kunde betala fick behålla friheten endast mot borgen av förmögnare bönder vilka i så fall skulle infinna sig på Kalmar slott och stanna där tills böterna hade blivit erlagda.

I nära samband med denna räfst för gamla försyndelser utfärdades en del kungliga brev om nya skyldigheter och förbud. Redan förut hade smålänningarna blivit förbjudna att exportera oxar över gränsen till Skåne och Blekinge, vilket sedan århundraden var ett av deras viktigaste näringsfång, och exportförbudet ackompanjerades av en bestämmelse om maximipris på oxar på den svenska marknaden. Detta dråpslag mot den kommersiella friheten följdes inom kort av nya ukaser som stod i strid med hävdvunna äganderättsförhållanden och även med det allmänna rättsmedvetandet. 1537, den småländska räfstens år, utfärdades en stadga vari alla ek- och bokskogar förklarades vara kronans egendom, och envar förbjöds att göra någon avverkning där eller anlägga något nybygge. Sådana skogar, till största delen härads- eller sockenallmänningar, fanns det många i Småland; de utnyttjades framför allt som betesmark för svin, och kronan krävde nu vart femte svin såsom sin andel i det så kallade ollonfläsket. De nybyggare som fanns här och var på allmänningsskogarna avhystes bistert av konungens fogdar.

Den stränga framfarten mot smålänningarna fick helt annan effekt än räfsten i Dalarna. Upprorsstämningen, som Gustaf Vasa hade trott sig kunna kväsa med skräck och maktövergrepp, slog i stället ut i full låga.

Dackefejden

Upproret i Småland, den ojämförligt farligaste av de resningar som Gustaf Vasa hade att bekämpa, kallas som bekant för Dackefejden, och berättelsen om den i svenska historieböcker har inte sällan brukat inledas med en skildring av smålänningarnas vilda sinne och sed att spänna bälte. "Bland dem", skrev i mitten på 1800-talet Anders Magnus Strinnholm som tycks ha gett uppslaget till det där, "har varit öflig en bardalek, som bestått deruti, att tvenne spänt omkring sig ett bälte så fast, att de icke kunde åtskiljas, och stående så mot hvarandra med hela qvarters långa knifvar, sporde den ene den andra till: *huru långt tål du kallt jern?* hvarpå de med fingret utpekade på knifven, huru långt de månde sarga och skära; sedan gick kampen an med den lösen: *jag skall skära dig ena flise så sol och måne skall skina däri,* och icke sällan slutades sådan kamp dermed, att de dråpo hvarandra, hvarföre ock hustrurna, när de gjorde sina män följe till gästabud och samqväm, skola, efter sägen, vanligen hafva tagit sveplinne med sig, osäkra att få sina män derifrån med lifvet."

Strinnholm har fått denna notis av Samuel Rogberg som på 1700-talet skrev en Historisk Beskrifning om Småland, och denne i sin tur hade läst om saken hos den karolinske fornforskaren och regementskvartermästaren Petter Rudebeck i hans fantasifulla Småländska Antiquiteter. Anders Fryxell tog naturligtvis upp historien, som också kom in i skolböcker, och ännu Carl Grimberg tycks tro på den; han säger att bland ett folk som var så vant att pröva kallt stål var det inte svårt att ställa till uppror. Ingen av dessa patriotiska och evangeliska hävdatecknare är emellertid blind för att det fanns goda yttre skäl till upproret, och på det hela taget kan man säga att Dackefejden är en företeelse som har skildrats med förvånande stor objektivitet av dem alla, ehuru Fryxell i förbifarten meddelar att "Dacke var en afskyvärdt elak man."

I själva verket hade det varit oroligt i Småland i drygt ett årtionde innan blekingebonden Nils Dacke, ägare till en gård i Konga härad på den svenska sidan om gränsen, tog befäl över de upproriska och gav sitt namn åt resningen. 1529 års oväsen, då fogden Gottfrid Sure blev ihjälslagen i Nydala och kungens egen syster togs till fånga i Jönköping, hade visserligen blivit stillat och officiellt förlåtet, men bestämmelserna om exportförbud och maximipris på oxar hade utfärdats redan 1532 och avklippte omedelbart varje utsikt till överhetens popularitet i Småland. Ett par år senare genomtågades landskapet av de kungliga trupper som på Sveriges vägnar tog del i grevefejden, men allmogen i de småländska socknarna längs riksgränsen var inte okunnig om de danska böndernas öde och hade helt naturligt inga sympatier för de aristokratiska intressen som de svenska knektarna tjänade.

Efter detta krig kom så den kungliga räfsten i Småland. Den ledde till att många bönder måste gå från gård och grund eller hotades av fängelse eftersom de inte kunde betala de ådömda böterna, och dessa personer tog då sin tillflykt till gränsskogarna, såsom folk som kommit i konflikt med samhället hade brukat göra sedan urminnes tid. Nybyggarna som avhystes från allmänningsskogarna vandrade ofta samma väg, och det uppstod på det viset ett antal farliga fribytarband som fick ständig förstärkning. De väckte tidigt uppmärksamhet och bekymmer på högsta ort. Gustaf Vasa kallade dem konsekvent för skogstjuvar och utfärdade diverse arga skrivelser beträffande dem, och vi har hans egna ord på att de slog ihjäl den ene efter den andre av hans tjänare. I januari 1538 skrev han till frälsemännen i Småland och förmanade dem att bistå de kungliga fogdarna i deras kamp mot skogstjuvarna, vilka vid det laget hade hunnit bygga upp en organisation som var utbredd över hela Växjö stift och leddes av en bonde vid namn Jon Andersson. Appellen till frälsemännen fick effekt; adelsuppbådet lyckades tydligen spränga fribytarorganisationen, och Jon Andersson måste fly över gränsen till Blekinge men var inte säkrare där, ty Gustaf Vasa skrev till den danske ståthållaren Axel Ugerup om saken, och denne höge aristokrat lämnade villigt all handräckning. Inte desto mindre lyckades Jon Andersson på något vis klara sig ut ur Blekinge och ta sig över till Lübeck, där han omedelbart trädde i förbindelse med Berend von Melen och Erik av Hoya, son till Gustaf Vasas forne svåger. Dessa herrar klädde upp honom och försåg honom med en del vapen, nämligen sju bågar av horn och sex hakebössor, och med denna arsenal återvände han till Blekinge men hade otur, ty knappt hade han kommit i land förrän han blev upptäckt och eftersatt av Ugerups folk varvid han måste lämna sina vapen i sticket. Själv klarade han sig tillbaka till gränsskogarna, men hans politiska roll var tydligen utspelad; han hörs inte av vidare.

Nu var det relativt lugnt i Småland några år, och sommaren 1541 kunde de båda nordiska kungarna stämma möte på själva Blekingegränsen, ehuru inte inne i skogarna precis utan vid Brömsebro helt nära Kalmarsund. Per Brahe har utförligt skildrat mötet som under stor pompa ägde rum på dansk mark i kung Kristians för ändamålet uppsatta paulun.¹ Efter långa och vidlyftiga förhandlingar som hade pågått i flera månader kom man omsider överens om ett anfalls- och försvarsförbund på femtio år, och framför allt skulle kungarna lämna varandra inbördes hjälp mot upproriska undersåtar. Från detta gränsmöte återvände Gustaf Vasa därefter till Kalmar där utrikespolitiska förhandlingar av annan art väntade honom, ty ett sändebud från kung Frans I av Frankrike kom till Sverige i den vevan. Det var frågan om att få till stånd en handelstraktat som eventuellt skulle kunna leda också till en politisk allians, och samtalen utvecklade sig tydligen mycket lovande, ty Gustaf Vasa beslöt att med det snaraste skicka en utomordentlig ambassad till sin franske kollega. I spetsen för den ställdes överstekanslern Konrad von Pyhy som fick med sig riddaren Knut Andersson Lillie och kungens egen svåger, den tjugofyraårige Sten Eriksson Leijonhufvud. I januari 1542 gav sig dessa herrar iväg med stort följe och hade att göra i fyra månader innan de kom fram till Vassy i Champagne där Frans I råkade hålla till just då.

Brömsebroavtalet beträffande de upproriska undersåtarna blev aktuellt nästan omedelbart. I maj 1542 lät skogstjuvarna på Blekingegränsen på nytt höra av sig, denna gång under ny ledning. Med en styrka på hundra man bröt en viss Nils Dacke in i Södra Möre, brände och

¹ För den som vet hur det ser ut vid Brömsebro är Per Brahes skildring rätt förbryllande. Han säger att Gustaf Vasa kom sjövägen och slog upp sitt fältläger på en passelig stor holme som hörde Sverige till, och där hade på förhand byggts en stor sal av trä, några små stugor som invändigt var klädda med rött engelskt kläde samt många tält och pauluner. Flottan, som utgjordes av galejor, bojortar och små pinkor, låg mellan holmen och sidlandet. Danske kungen hade däremot inga båtar; det begärdes därför att kung Gustaf skulle komma över till hans paulun på landet mitt emot. I våra dagar är gränsbäcken i vilken den historiska holmen ligger förvisso inte navigabel med galejor, bojortar eller ens små pinkor.

Man vet att de svenska underhandlarna hade sitt högkvarter i Grisbäcks by och att de under sommarens lopp satte i sig bland annat fyra tunnor skånsk sill, sexhundra stycken spetfisk, adertonhundra krampasillar, fjorton läster och tio tunnor herreöl, sex läster och elva tunnor svenneöl, fyra tunnor stocköl, sex oxar, åttio får, nittioett rökta får och tre tunnor smör.

skövlade adelsgårdarna i detta rika härad och slog ihjäl underfogden Nils Andersson. Han höll vidare ting med sockenmännen i Vissefjärda och Torsås, Linneryd, Elmeboda och Långasjö och drog sedan vidare till Voxtorp söder om Kalmar, där häradsfogden Nils Larsson och en framstående militär vid namn Arvid Västgöte togs tillfånga, fastbands nakna vid var sitt träd och sköts ihjäl med pilar. Den gamle fogden Gudmund Slatte som låg sjuk på en gård i närheten blev också ihjälskjuten. Två adelsmän i Väckelsång klarade däremot livet genom att ta sin tillflykt till kyrkan, och Dackes underbefälhavare Lille Jösse sägs ha varit nära att komma i strid med sina egna för deras skull, ty han hade lovat dem säkerhet för sina liv om de ville komma ut och var angelägen om att hålla ord.

Vad man vet om Dacke och hans medhjälpare är inte mycket. Han sägs ha börjat sin offentliga bana med att slå ihjäl en fogde som hade dömt till hans nackdel i en egendomstvist, och för detta dåd lär han ha suttit fången på Kalmar slott sedan han hade fått lämna ifrån sig allt vad han ägde till böter, men tydligen lyckades han rymma från Kalmar och sluta sig till något av banden i gränsskogarna. Han uppges också ha haft goda förbindelser med borgmästare Henrik Hoffman i Ronneby och fått bistånd från det hållet med vapen och annat.

Gustaf Vasa satte i gång sin vanliga publicistiska aktivitet när han fått besked om händelserna i Voxtorp. Han skrev att börja med till smålänningarna: "Vi hafva hvarken lust eller vilja att örliga eller vara i någon träta eller buller med eder, hvar Vi eljest någorlunda kunna blifva för eder tillfreds. Synes Oss rådligt vara och vore mycket godt värdt, att I eller de som hafva så stor lust och vilja till att kriga och slåss här inbördes ville understundom vara tillstädes där riksens hätske fiender för handen voro; der finge J utan tvifvel släcka eder lusta till att slåss och parlamenta." Han skrev vidare till sina befallningsmän och fogdar i Västergötland, i Dalarna och annorstädes att i nuvarande läge vara försiktiga med skatteindrivning och sådant, så att menige man inte frestades att följa smålänningarnas exempel. Något liknande tillhöll han en av sina fogdar i ett brev varav en bit ofta har citerats i historieböcker som exempel på hans landsfaderliga omtanke: "Likväl rive och slite J utaf de arma stackars bönder allt det de äga, tilläfventyrs under tiden för en ringa sak, och göra så först den ene bosliten efter den andre, och följer då derefter, att när de utarmade äro hafva de inga andra utvägar

utan nödgas att gifva sig ifrån hus, hemman, hustru och barn ut till skogstjuvarna, såsom nu sker i Småland, Oss och riket till intet ringa förtret, skada och nackdel." Summan av detta brev är emellertid bara att man inte borde döma folk till böter utan avrätta dem i stället. Konungen rekommenderar att "när någon brottslig vore till lifvet för några dråpeliga och viktiga saker, att man då hellre läte honom stå sin rätt och icke besvärade honom med så stort saköre, så blefve utan tvifvel icke så många skogstjufvar, som nu alltid sker."

Han gav också order om militära åtgärder mot skogstjuvarna, som skulle angripas i första hand av västgötafrälset och östgötafrälset, varefter Lars Siggesson Sparre skulle komma efter med hela den uppsvenska frälsehären. Västgötarna kom först iväg, i det att ståthållaren Gustaf Olofsson Stenbock raskt marscherade mot Växjö med några hundra man. När han kom dit kom han underfund med att han totalt hade missbedömt läget, ty Dacke hade nyss anlänt till samma trakter med en här på ungefär tusen man, och på Inglinge hög vid Ingelstad höll han ting med bönderna i kringliggande socknar och fick till stånd ett folkuppbåd på ytterligare något tusental. Stenbock såg sig oväntat omgiven av överlägsna styrkor på alla sidor och måste söka skydd på Bergkvara slott, som ägdes och beboddes av riksrådet Ture Trolle. Slottet inneslöts genast av Dackes folk, och frampå högsommaren inledde man underhandlingar och kom överens om ett stillestånd på några månader. Stenbock fick fritt avtåg till Västergötland med sitt folk mot att han utrymde Bergkvara, som därpå intogs och skövlades av bönderna. Dess fästningsverk nedbröts, och Ture Trolle själv måste ge sig av och kunde med knapp nöd rädda med sig sin fru som låg i barnsäng på den närbelägna sätesgården. Framgången vid Bergkvara ledde till att alla häraderna i Värend öppet anslöt sig till Dacke, som inom kort hade nöjet att avböja en inbjudan att komma till Stockholm för att personligen sammanträffa med konungen på utlovad lejd.

Gustaf Vasa som alltid kunde bida sin tid godkände utan vidare det ingångna stilleståndet men vidtog naturligtvis alla mått och steg för att återuppta kampen. Ett par fänikor värvade tyska knektar skickades omedelbart till förstärkning av östgötafrälset, som drog in i Ydre och Kinda härader vid Smålandsgränsen och slog läger vid Kisa. Samtidigt samlades den kungliga krigsmaktens huvudstyrka i Jönköping; den omfattade enligt Rasmus Ludvigsson tolvtusen man fotfolk och tusen ryttare. I början av september marscherade den söderut, men om de närmare omständigheterna i detta fälttåg är just ingenting känt. Hären lär ha haft stridskänning med Dackes huvudstyrka i en skog i Växjötrakten, men i slutet av månaden tågade den tillbaka till Jönköping igen och därifrån vidare norrut, och Gustaf Stenbock som samtidigt hade gjort en ny expedition till Värend återvände till Västergötland utan att ha åstadkommit någonting. Under mellantiden hände det nämligen att den häravdelning som stod vid Kisa plötsligt blev överfallen och uppriven av östgötabönderna, och de kungliga trupperna i Småland hade inte längre ryggen fri och kunde riskera att få sina förbindelser avskurna, ty resningen tycktes på väg att sprida sig över stora delar av Götaland.

Gustaf Vasa som själv befann sig i Östergötland uttalade sig mycket pessimistiskt beträffande denna provins, som enligt honom hängde så gott som på en silkestråd; i synnerhet misstrodde han mycket städerna där. Han blev inte gladare då han fick veta att de danska hjälptrupperna som avtalsenligt hade skickats till Småland inte alls motsvarade vad man väntat sig; de var, står det i Rasmus Ludvigssons och Per Brahes krönika, allehanda kribbelikratt, svåra illa utrustade med en hop gamla rostiga pålyxor och illa klädda. Dacke tog nu inte bara Växjö utan även Kronobergs slott i besittning, och i oktober begav han sig därifrån till Östergötland med hela sin styrka och slog läger inte långt från Linköping, medan Gustaf Vasa residerade på det fasta Stegeborg bara några mil därifrån.

Den sistnämnde, som aldrig underskattade någon motgång eller någon fiende, var nu mycket missmodig och funderade allvarligt på att samla alla sina styrkor till Stockholms skydd. Militärerna i hans omgivning påpekade vilken psykologisk effekt det skulle få om Östergötland blottades på trupper, och han böjde sig genast för det argumentet vars sanning ingen insåg bättre än han, men på det hela taget vidhölls planen i alla fall, vilket framgår av diverse brev som han utfärdade denna höst.

Att han inte hade resurser att slå ner upproret var han uppenbarligen medveten om och visade sig för ögonblicket angelägen om en uppgörelse i godo. Med hans medgivande hade Lars Siggesson Sparre öppnat underhandlingar med Dacke redan under expeditionen till Småland, men Dacke nöjde sig tydligtvis inte längre med bara ett militärt stilleståndsavtal. Ett sådant avslöts den 7 oktober mellan Dacke och de kungliga fältöverstarna, vilka personligen sammanträdde på en plats vid namn Slätbacka, men Dacke krävde kungens egen stadfästelse på avtalet och fick den också.

Under den månad som följde arbetade konungen ivrigt på att få till stånd ett fördrag som förutsatte att striden hade förts icke mellan honom och Dacke, utan mellan adeln och fogdarna å ena sidan och menige allmogen å den andra. Meningen var tydligen dels att rädda konungamaktens värdighet, dels att skilja Dackes sak från de småländska tingsmenigheternas. Detta lyckades av någon anledning inte, och den 8 november fick konungen och rådet bekväma sig till att sluta fördrag med upprorsledaren själv, vilken skrev under avtalet "på menige mans hans anhängares i Småland vägnar". Konungen utfäste sig att nådeligen överse med vad som hänt och även att "allting i Småland i god christelig skick laga och skicka, så att den menige man därinne, näst Guds hjälp, skulle sig väl åtnöja låta och till freds vara". Dacke å sin sida lovade att "med trohet härefter vara vår nådigste herre med, som han härtilldags med sina medföljare honom mot hafver varit".

Över hela Småland utfärdade nu Dacke en del öppna brev vari han lyste frid över adelns gårdar, förbjöd rov och plundring och beordrade rannsakning beträffande skövling som skett utan hans vetskap. Stränga straff utfästes för brott mot dessa bud och utkrävdes också; det finns uppgifter om att Dacke lät avrätta bland andra en av sina bästa hövitsmän, en myndig bonde som hette Måns Hane, vars stora släkt därmed stöttes bort. Att Dackes popularitet snabbt avtog är nog sannolikt, när han i sin iver att hålla det ingångna avtalet förvandlade sig från ledare för ett frihetskrig till ett slags provinsguvernör. Han byggde upp en ny administration och tillsatte till och med några egna fogdar, bland dem hans svåger Sven Gertrudsson i Konga härad. Själv residerade han på Kronobergs slott, där julen 1542 lär ha firats med stor glans och glädje. Där mottog han också ett antal brev och skrivelser från politiker och potentater på främmande ort.

I Tyskland hade Gustaf Vasa nämligen hunnit få många fiender. Berend von Melen, som nu var i tjänst hos kurfursten av Sachsen, och den unge greven av Hoya hade haft förbindelser med den småländska upprorsrörelsen redan före Dackes tid, och av de landsflyktiga svenska prelaterna var åtminstone den forne Skarabiskopen Magnus Haraldsson politiskt verksam; han uppehöll sig i ett kloster utanför Rostock. Ett par av Gustaf Vasas forna ämbetsmän hade också rymt sin kos och tjänade nu tyska furstar. Wulf Gyler som hade varit hans sekreterare och gång på gång råkat ut för hans raseri talade förvisso inte väl om honom, och kamreraren Olof Bröms, som av konungen beskylldes för att ha förskingrat, hade anställning hos hertig Albrekt av Mecklenburg och skrev på dennes vägnar ett brev till Dacke, vari meddelades att hertigen inte var ohågad att låta uppsätta sig på svenskarnas tron men att han behövde en summa pengar att värva trupper för. Dacke svarade att bönderna hade gjort uppror för skatternas skull och inte tänkte underkasta sig nya sådana till förmån för hertigen; för övrigt var de för ögonblicket nöjda med Gustaf Vasa och hoppades att denne skulle hålla sina löften, men i motsatt fall kunde de reflektera på hertigens anbud, dock på villkor att han själv skaffade de pengar han kunde behöva. Denna skrivelse nådde dock aldrig adressaten utan uppsnappades av danskarna i Sölvesborg där budbäraren blev gripen och avrättad; kung Kristian underrättade därpå sin svenska kollega om innehållet. Det är möjligt att just detta var brevskrivarens avsikt och uträkning; det låg utan tvivel i Dackes intresse att Gustaf Vasa fick läsa det brevet.

Hertig Albrekt drog sig tydligen snart tillbaka och överlät sina aspirationer på en pfalzgreve vid namn Fredrik, vilken var gift med Kristian

II:s dotter Dorothea och på hennes vägnar ansåg sig ha arvsrätt till Sveriges tron. Dorothea var ju systerdotter till ingen mindre än kejsar Karl V, och denne förmåddes att låta sin kansler ta skriftlig kontakt med den svenska upprorsrörelsen, som alltså var bliven en faktor i det storpolitiska maktspelet och en fruktansvärd motståndare för Gustaf Vasa.

Denne väntade sig inte att vapenvilan skulle bli långvarig och hade ingen avsikt att själv hålla vad han kallade hönefreden. Hela hösten var han outtröttligt verksam med att mobilisera trupper; frälset fick order att värva soldater bland bönderna eller ännu hellre försäkra sig om frivilliga militäruppbåd från allmogens sida, och i Tyskland där Konrad von Pyhy befann sig lyckades han få ihop inte mindre en tio fänikor yrkessoldater som under vinterns lopp anlände till Kalmar och därifrån fördes vidare till Östergötland. En del trupper importerades dessutom från Livland till Stockholm, och efter en del underhandlingar med kung Kristian sände denne redan under hösten några fänikor danska knektar till Sverige. Vidare förmåddes dalkarlarna på ett eller annat sätt att frivilligt sätta upp ett par tusen infanterister, vilket var viktigt inte minst ur propagandans synpunkt.

Ty propagandan var, alla landsknektar till trots, Gustaf Vasas viktigaste vapen, och ingen sentida expert på psykologisk krigföring har haft språket så i sin makt som han. Hans överlägsenhet i det avseendet framträder i all sin glans mot bakgrunden av det lilla man vet om hans motståndares utförsgåvor. Vid förhandlingarna med Lars Siggesson Sparre under det småländska fälttåget överlämnade Dacke en lista på de fel och brister som bönderna ville ha bort; där stod i sak bland annat att kungen och fogdarna inte höll ord, att olagliga skatter infördes ideligen, att adeln inte tillät bönderna att klä sig hur de ville, att det blivit förbjudet att bära vapen, att man inte fick fälla bokskogen ens när den var skadlig för åkrarna och att kyrkor och kloster utplundrades, alltså en hel rad klagomål som verkligen inte saknade tyngd men som i Dackes skrivelse framlades kraftlöst och tråkigt som i ett skattebetänkande. Gustaf Vasas språk är däremot medryckande och levande även då han skriver om triviala ting, och inte minst mästerliga är de brev han utfärdade till folk i olika landsdelar under Dackefejdens år. På nyåret 1543 upplästes sålunda på sina håll i götalandskapen hans berömda skrift om vad gammalt och fornt är:

"Vi hafve förstått att ett allmänneligt tal är uppkommet att allmogen begärer det som gammalt och fornt varit hafver, menandes dermed förminskning uppå skatten och andra utlagor, förhoppandes sig derigenom att komma till store friheter och godt bestånd.

När allmogen riksens ränta så förminska vill, hafvandes icke akt uppå tiden och lägenheten, så vill det härefter följa, att man litet hoffolk bekommer i riket. Därigenom skulle riksens fiender en god tillgång till riket igen bekomma – som gammalt och fornt varit hafver.

Vi hafve i stället låtit Oss till hjärtat gå den store skada och fördärf som riket förr öfvergånget är med rof, mord och brand. Och hafver Oss så tyckts nyttigt för en god sedvana vara, att riket förstärkt blifva måtte med väldigt, godt, dugeligt krigsfolk, item med väldige och sköne örlogsskepp, desslikes dråpelige bössor och värjor, hästar och harnesk och andra krigsbehöringar, hvilket icke gammal sedvana före Oss varit hafver. Och hoppas Vi derigenom icke hafva förtjänt någon otack för sådane nye sedvanor. Och till sådan dråpelig hop krigsfolk hörer en stor utläggning, mycket större än hon efter gammal sedvana varit hafver, det man intet betänka vill utan ropar alltid 'gammal sedvane'. Så är allmogens mening detta, att de vilja vara försvarade för fienderna och der litet uppå kosta, såsom ett gammalt ord är, att man vill gärna hafva en varm stuga, men man vill icke bryta vedekasten.

Den tid de gamle sedvänjor rådde höll man ganska ringa folk, item en hop skärjebåtar och annat prackeri, der hvarken hjälp eller tröst med följde. Hvad gagn riket utaf sådane gamle sedvanor hade, det gifve Vi eder själfve till att betänka. Ja, detta är det gagn som riket derutaf hade. Först: köpmännen, som riket tillföra skulle salt, humle, kläde och andre nödtorfter blefvo röfvade till skepp och gods; folket kastades öfver bord och dränktes som hundar. Efter alle gamle sedvanor skola räknas gode, tyckes Oss likväl, efter Vårt förstånd, denne icke vara mycket nyttig.

Item hvad skada fienderne gjorde på de fattige män som såto i skärgården, uti gamle herr Sten Stures tid, i herr Svantes tid och nu senast i unge herr Sten Stures tid med mord, rof och brand, hafva de ännu icke förglömt. De förhindrade dem deras fiske, borttogo deras boskap, uppbrände husen; desslikes hvar de dem uti hafsklipporne bekommo vordo de då dränkte som hundar. Item så som det är tillgånget i Västergötland och Uppland esomoftast i kung Hans' och nu senast i den gamle konung Kristierns tid med mord och brandskattning, detta är ock gammal sedvana. Der låg mång fattig svensk man både för hund och korp och måtte icke komma i kyrkogården. Och sätte Vi till hvar förståndig, trogen svensk man att öfverväga om desse gamle sedvanor vårt fädernerike i så måtto nyttige äro."

Den ståtliga retoriken gjorde nog intryck, även om mången undersåte rimligen alltjämt hade sin egen tanke om nyttan av skatter till de många kungliga knektarna. Emellertid inskränkte sig Gustaf Vasa inte till att utfärda sådana öppna appeller. Till sina fogdar och även till sin gemål skrev han att de borde klä ut lämpliga personer till bönder och skicka ut dem i bygderna att bearbeta och spionera på folk, och man borde vidare i största hemlighet ge en hacka åt två eller tre personer i var socken, dock så att den ene inte visste av den andre, och avtala med dem att de "bespanade allmogens sinne, tänkesätt och förehafvande, hvad snack och tal bland dem vankade". Att Gustaf Vasas propagandakampanj under dessa kritiska vinterveckor var effektiv är alldeles otvivelaktigt, ty upprorsstämningen som under hösten hade behärskat stora delar av landet sjönk snabbt tillbaka.

I februari 1543 sammandrogs adelns och konungens trupper i Vadstena, vilket Dacke inte var okunnig om, ty medan samlingen ännu pågick kom han plötsligen dit upp med några tusen bönder och slog läger i Skrukeby någon mil från Vadstena. Där angreps han av kungens folk varibland en fänika dalkarlar, men bönderna skyndade då att fatta posto i ett skogsparti vid Mjölby och slog tillbaka anfallet. Fördraget i Slätbacka var därmed brutet, och på båda sidor beredde man sig nu på den avgörande striden. Dacke hade utlovat skattefrihet för året till alla härader i Småland på villkor att bönderna köpte sig vapen för pengarna, ett anbud som tacksamt togs emot på de flesta håll; ett undantag var emellertid Sunnerbo härad som därför brandskattades av Dackes folk, trots att Gustaf Stenbock höll en del trupper där.

Sin huvudstyrka drog Dacke nu samman kring Kalmar som försvarades av en duglig militär vid namn Germund Svensson Some. Dacke, som behärskade även Öland, avskar utan svårighet all tillförsel till slottet, där livsmedelsbristen inom kort blev mycket svår. En annan bondehär under befäl av en viss Erik Larsson marscherade norrut på kustvägen från Tjust till Söderköping, som fick betala brandskatt. Därifrån drog bönderna till det fasta Stegeborg där Svante Sture förde befälet, men efter en del skärmytslingar och underhandlingar med dennes folk blev de slagna och skingrade av tillskyndande kungliga styrkor, och Erik Larsson själv togs till fånga. Ungefär samtidigt hävdes Kalmars belägring genom att Germund Svensson Some oförmodat ryckte ut ur slottet och med alla sina resurser överföll de belägrande böndernas läger vid Kläckeberga; angreppet kom fullkomligt överraskande, och efter svåra förluster i döda och sårade flydde bönderna i panik.

De kungliga trupperna i Östergötland satte sig nu i rörelse söderut. En mindre avdelning marscherade till Tjust under befäl av Svante Sture, som var personligen populär bland bönderna och snabbt lyckades pacificera dessa trakter, ehuru Gustaf Vasa gav order om att femton av de bästa bönderna skulle lämnas som gisslan och att ingen skonsamhet skulle visas mot dem som aktivt hade deltagit i upproret. Härens huvudstyrka under Lars Siggesson Sparre och Johan Turesson Tre Rosor drog emellertid mot Småland genom Kind och Ydre, och någon gång i mars stod den avgörande drabbningen på en frusen sjö, ovisst vilken; enligt alla äldre historieskrivare skulle det ha varit Åsunden ett par mil norr om Vimmerby, men senare forskare vill förlägga slaget till sjön Hjorten vid Virserum. Säkert är att det blev en katastrof för Dacke och hans folk. Själv blev han skjuten genom båda låren men räddades till livet av sina vänner Peder Djup och Sven i Flaka, säger legenden; dessa bar honom nämligen ut ur striden och förde honom i säkerhet, och hans gömställe har sedermera visats för turister såväl i Södra Vi som i Rumskulla socken på Östgötagränsen. Många av hans anhängare stupade, andra tillfångatogs, och hans fångne hövitsman Jödde Hane dog av skräck vid blotta åsynen av det stegel på vilket han skulle rådbråkas till döds, berättar Per Brahe.

Någon skonsamhet mot de slagna visades nämligen inte. Åt soldaterna medgavs fri plundring i större delen av Småland, samtidigt som övriga landskap förbjöds att sälja spannmål eller andra livsmedel dit. Socknarna dömdes att erlägga kollektiva böter som togs ut framför allt i gestalt av så kallade soningsoxar; över tusen sådana drevs i sinom tid från Småland till kronans fållor. Särskilda kompanier av gångekarlar beordrades att kamma igenom provinsen; de skulle vara förklädda till bönder och ta fast alla och envar som hade haft med upproret att göra. Alla som hade varit med om att plundra herrgårdar eller dräpa kronans tjänstemän skulle obönhörligen mista liv och gods, och flera präster som hade stått på upprorsmännens sida avrättades också som grova förbrytare. Tydligen var det genomgående den romerska rättens förräderistraff man tillämpade; rådbråkning, fyrdelning och dylika skrämmande avrättningsmetoder var flitigt i bruk. Denna skräckinjagande framfart framkallade i sin tur några förtvivlade överfall och plundringståg från böndernas sida, men någon fara för det kungliga väldet utgjorde de inte längre, och i maj beordrades frälseuppbådet, dalkarlarna och de utländska knektarna att åter utrymma Småland, som var utblottat och inte kunde försörja dem mer.

I juni framträdde Nils Dacke igen, mer eller mindre återställd efter sina sår. En dag i början av månaden stod fogden Peder Nilsson och höll räfsteting uppe i Ydre, omgiven av ett par hundra knektar, och då uppträdde plötsligen Sven i Flaka som med tingsmenighetens hjälp sårade fogden och drev knektarna på flykten men olyckligtvis stupade själv. Dacke hade under tiden lyckats samla ihop några hundra man av sina trogna och uppehöll sig vid Högsby, där han hade medhåll av konungens egen länsman som hette Harald i Valåker. Emellertid fick Gustaf Vasa snart veta var upprorsledaren fanns och satte strax till alla klutar för att fånga honom. Den sista juni anlände från Kalmar en officer som hette Jakob Bagge med sjuhundra man till Högsby, varvid Dacke drog sig undan västerut. Jakob Bagge höll emellertid förhör, krävde trohetsförsäkran av bönderna, tog gisslan samt lät omedelbart avrätta så många, han lyckades få tag i av Dackes anhängare, bland dem länsman Harald. Dagen därpå uppträdde Dacke vid Fagerhults kyrka och försökte förmå sockenmännen att gå man ur huse mot Jakob Bagges knektar, vilket hade varit klart vanvett, ty det fanns bara tvåhundra vapenföra män i hela socknen. Bönderna sade alltså nej, och Dacke fortsatte till grannsocknen Älghult där både länsmannen och kyrkoherden stod på hans sida och varnade honom då Jakob Bagge inom kort kom dit; båda två fick sedan plikta för detta med sina liv. Dacke själv drog

vidare till Lenhovda, där han med sitt folk stötte ihop med en trupp
militär som var utsänd från Kronobergs slott för att hjälpa Jakob Bagge.
Denna trupp slogs på flykten, men detta är det sista man hör om Dacke
som ledare i strid, ty i dessa trakter tycks han ha upplöst sin sista skara
varefter han gick sin egen väg.

Spaningarna efter honom bedrevs dock alltjämt med våldsam iver,
ty vetskapen om Dackes utländska förbindelser fyllde Gustaf Vasa med
fruktan för den ensamme flyktingen. Man bearbetade outtröttligt de
danska myndigheterna i Blekinge i ärendet, eftersom det kunde väntas
att han förr eller senare skulle försöka ta sig över gränsen i sina hem-
trakter. Det tycks han också ha gjort; traditionen säger att han så små-
ningom kom till sin egen gård Henstorp, där han med sin mors hjälp
lyckades gömma sig i en källare undan kungens utsända. Därifrån gick
han till sist över Blekingegränsen och tog sin tillflykt till Rödebyskogen,
där han såsom skogstjuvarnas anförare hade börjat sin offentliga bana
året förut och där han omsider mötte sitt öde, förrådd av en viss Peder
skrivare som hade varit inblandad i resningen och nu köpte sitt eget liv
såsom vägvisare åt knektarna. Man hittade flyktingen men lyckades inte
ta honom levande, såsom Gustaf Vasa gärna hade velat; i stället blev
han ihjälskjuten med pilar, varefter kroppen fördes till Kalmar, höggs i
fyra bitar och sattes på stegel och hjul efter tidens sed. Gustaf Vasa
skrev till Germund Svensson Some att han fick väl låta sig nöja med
detta, ehuru Dacke hade förtjänt värre; nu gällde det att också få tag i
hans sällskap och hans kona och trollkäringen hans moder.

Hur det gick för Dackes mor och hustru är obekant; det finns inga
uppgifter alls om saken, men man kan befara det värsta. Hans farbror
Olof Dacke och hans bror eller kusin Åke Dacke infångades nämligen;
den förre fördes till Stockholm och rådbråkades och steglades på Brun-
kebergsåsen, medan Åke Dacke avrättades i Växjö. En tioårig son till
den döde upprorsledaren råkade också i kungens våld och släpades via
Stegeborg till Stockholm, där man inom kort kunde rapportera att han
dött i pestilentia. Gården Henstorp beslagtogs naturligtvis och lades
under kronan.

I juli 1543, då det småländska upproret var i det närmaste kuvat, kom Konrad von Pyhys ambassad tillbaka till Kalmar. Han hade med sig sex fänikor tyska knektar som inte längre behövdes, och med sig hade han också hertig Otto av Braunschweig-Lüneburg och rhengreven Johan Philip av Solms, två furstliga personer som gärna ville ha någon hög och bra anställning i svensk tjänst. Han medförde vidare en gyllene krona, spira, äpple och svärd åt prins Erik samt dessutom den franska S:t Michaelsorden, vilken med biträde av franske ministern högtidligen överlämnades till Gustaf Vasa från konung Frans I såsom ett tecken på dennes vänskap och belåtenhet med det ingångna fördraget. Ambassaden hade nämligen resulterat i ett sådant av innehåll att göternas konung och gallernas konung i krig skulle hjälpa varandra med minst sex tusen man, och beträffande det handelspolitiska hade göternas konung tillerkänts rätten att från galliska hamnar skattefritt utföra en del salt.

Fördraget med Frankrike var i sin ordning, men Gustaf Vasa var inte nöjd med ambassaden, ty den hade gjort slut på alla hans medskickade tärepenningar och dessutom lånat upp en massa kontanter som också hade gått åt. Ambassadörerna hade vidare blivit osams, och Sten Leijonhufvud klagade på Konrad von Pyhy inför sin kunglige svåger, som emellertid inte var belåten med herr Sten heller. En obetalbar passus om detta finns i Per Brahes krönika, där det står att kungen inte intresserade sig mycket för deras rådslag eftersom han hade fått umbära deras råd under kriget då de hade "haft pension och goda dagar i Frankrike och haft fördanser med madamma de Tampås, madamma de Sell, madamma de Massa; men hava Vi dansat här före med Gudmund Fässing, Per Skegge och Nils Dacke men fast med olika fördel." Madamerna ifråga, idel inflytelserika damer vid franska hovet, stavade själva sina namn något annorlunda; madamma de Tampås är sålunda identisk med hertiginnan Anne d'Estampes, maitresse en titre hos Frans I.

Gustaf Vasa tog hand om de båda främmande furstarna på bästa sätt, ty hertigen begåvades med en svensk pension på fem hundra gyllen under det att rhengreven anförtroddes att ta befälet över de sex fänikorna och föra dem till konungen av Frankrike. Skyndsamt grep han sig därpå an med att likvidera sin egen ambassad. Knappt hade S:t Michaelsorden överlämnats och franska sändebudet dragit sig tillbaka förrän Gustaf Vasa lät arrestera Konrad von Pyhy och ställa honom inför rätta, anklagad för förskingring. Man räknade ut att under de fem år han varit i rikets tjänst hade han uppburit 58 646 daler, vilket var mer än det låter i moderna öron. Mycket pengar hade han lånat av franske kungen och även av handelshuset Fugger i Augsburg, och guldregalierna hade han på eget bevåg pantsatt i Bremen ett slag. Han hade vidare bytt skrivare ideligen och trasslat till sin bokföring så att kungen inte kunde revidera räkenskaperna. En reformert fransk läkare vid namn Dionysius Beurreus hade följt med ambassaden till Sverige och avgav ett illvilligt vittnesmål mot den anklagade, som dömdes att förlora sitt ämbete och all sin egendom och sattes i livslångt fängelse på slottet i Västerås, där han fjorton år senare lämnade det jordiska i en åkomma som hävderna kallar lussjukan.

När domen redan var fälld kom det brev till Gustaf Vasa från ingen mindre än Martin Luther, som kunde upplysa att Konrad von Pyhy egentligen hette Peutinger och var ofrälse samt att han hade gjort sig skyldig till tvegifte. Detta brev torde inte finnas till påseende numera. I behåll finns däremot bouppteckningen över Konrad von Pyhys rika lösörebo med alla dess klädesplagg, utensilier och kostbarheter varibland en spegel av stål samt många ringar, kedjor och sådant. Drottning Margareta Leijonhufvud tog sig en titt på det hela och anammade för egen del diverse föremål av guld och silver, står det antecknat.

Att Konrad von Pyhys fall hade samband med Dackefejden har man alltid antagit, och i nästan alla svenska historieböcker kan läsas att Gustaf Vasa tog varning av det småländska upproret och från den tiden inte skänkte sitt förtroende åt utlänningar mer utan beflitade sig om svensk styrelse i Sverige. I varje fall lät han i all tysthet Regementet falla. Detta innebar ingalunda att han frångick de principer som den tyske överstekanslern hade företrätt, ty det skrivardöme och ämbetsmannavälde som denne hade grundat utvecklades ytterligare och består väl på sätt och vis än, och de kontinentala tankar han hade formulerat om konungadömet av Guds nåde övergavs inte heller. Men tonen i konungens offentliga skrivelser är onekligen lite mjukare alltifrån det stora propagandaåret 1543, och i slutet av det året skrev han mycket hjärtligt till menigheterna i de olika landskapen och kallade till ett allmänneligt riksmöte i Västerås, där man borde göra slut på all söndring och tvedräkt i riket och vinna frid och sämja i både andliga och världsliga ting.

Mötet, där även de ofrälse stånden var representerade, kom till stånd i januari 1544 och samsades om någonting som kallas arvföreningen. Beslutet därom utfärdades av adeln ensam på allas vägnar och innebar att kronan skulle vara ärftlig på manliga linjen av Gustaf Vasas hus och att hans döttrar skulle få en ärlig brudskatt när de gifte sig; deras ättlingar borde komma i åtanke vid eventuella konungaval, som naturligtvis skulle komma till stånd endast ifall alla manliga linjer av Vasahuset hade utslocknat, vilket mänskligt att döma inte var att vänta i brådrasket. Mötet hyllade nu högtidligen den elvaårige prins Erik som landets blivande konung, och hävderna meddelar att det åskade och blixtrade vid tillfället och att en präktig regnbåge dessutom visade sig, vilket nog inte är att lita på, ty det var mitt i januari.

Försvaret

Arvföreningsriksdagen i Västerås fattade också beslut om en vidlyftig försvarsplan och ett antal fästningsbyggen. De kom alla till stånd och står delvis än: Uppsala slott, Vadstena slott, Gripsholm. Ett antal huvudsakligen tyska byggmästare sattes dessutom i arbete med att bygga om medeltidsborgarna i Stockholm, Kalmar och Örebro, Kronobergs slott, Stegeborg, Gamla Älvsborg och annat. Krutet var ju uppfunnet, skjutvapnen hade utvecklats raskt, och fortifikationskonsten befann sig överallt i en sjudande utveckling. I Danmark hade man sålunda nyligen blivit färdig med den ultramoderna fästningen Malmöhus. Militär användes i viss utsträckning vid byggnadsarbetena. Några regementen av värvade svenska knektar, huvudsakligen från Dalarna och Småland, sattes upp efter Dackefejden, och kungen var angelägen om deras anseende. 1552 skrev han till rådet, adeln och fogdarna och förbjöd dem att underkuva, pucka eller illa traktera hans rekryter, som inte heller fick kallas tröskare, burbänglar och andra obekväma namn.

At sådana omsorger ägnade sig Gustaf Vasa ivrigt under de år han hade kvar att leva och regera. Inga inrikes motståndsmän stack upp vidare, men förhållandet till främmande makter var på väg att bli desto sämre. Med ryssarna utbröt öppet krig i mitten av 1550-talet; det började med tvister om var riksgränsen egentligen gick genom tassemarkerna i Savolaks och Karelen, och de militära operationerna inskränkte sig till en del gränsraider i trakten av Viborg. Gustaf Vasa for emellertid själv dit och ordinerade brännvin, rhenvin, mjöd och pryssing åt soldaterna, på det att de skulle bli mera oförfärade och lättsinnige till att gripa fienden an, som han uttryckte saken. Han föreskrev också att finska knektar från armén skulle sättas till befallningsmän över finska folket och befallas att utsprida att ryssarna behandlade sina fångar på det mest barbariska sätt, varefter han hoppades att finnarna skulle göra bättre motstånd. Läget var nämligen ganska bekymmersamt ett slag därför att en epidemi härjade i hären med hosta, värk och magplågor, som man med ringa framgång sökte bota med vitlök och åderlåtningar. Lyckligtvis blev det aldrig någon riktig fart på kriget, och inom ett år var man redan mogen för fredsförhandlingar som fördes i Moskva, där ärkebiskop Laurentius Petri, Abobiskopen Michael Agricola samt tre högadliga svenska riksråd undfägnades med stort kalas av Ivan den förskräcklige, vilken omsider gjorde veterligt att han hade avlagt sin vrede och av nåd hade täckts befalla sin ståthållare i Novgorod att hålla fred med konungen av Sverige i fyrtio år.

Större bekymmer än konflikten med ryssarna vållade nog förhållandet till Danmark. Tre år efter det högtidliga Brömsebromötet lyckades Kristian III få trygghet för sin dynasti genom ett fördrag med tyske kejsaren, vilken därefter inte längre stödde Kristian II:s döttrar i deras och deras mäns tronanspråk men däremot utverkade att Kristian II själv fick det drägligare i sin fångenskap och bereddes tillfälle till jakt och förlustelser. Från den tiden var Kristian III inte ovillkorligen hänvisad till vänskap med Gustaf Vasa, och denne å sin sida hade nu fått slut på Dackefejden och behövde inte mer danskarnas hjälp i det inrikespolitiska. De svenska arvprinsarna och den danske kronprins Frederik – som förresten residerade på Malmöhus – var alla rätt aggressivt sinnade, och förhållandet mellan de nordiska länderna blev därför under 1550-

talets lopp ganska ovänskapligt igen, ehuru freden bestod tills vidare.

I själva verket var det mycket stora tvistefrågor som låg latenta. En av de viktigaste gällde Gotland, vars ställning ju hade varit oklar ända sedan drottning Margaretas tid, men även den var i själva verket en detalj i det stora frågekomplex som gällde avvecklingen av Kalmar-unionen och som hade skjutits på framtiden i Brömsebrofördraget. Efter arvföreningen i Västerås, som ju förbehöll Sverige åt Vasarnas ätt, tog sig danska kungahuset för att markera sina vilande arvsanspråk genom att sätta in det svenska vapnet tre kronor i sitt signet och så småningom även i Danmarks riksvapen, vilket naturligtvis väckte stor uppståndelse i Sverige. Gustaf Vasa protesterade hos Kristian III som svarade frid-samt och undvikande, men vapnet fick vara kvar. Själv hade han för övrigt redan på 1540-talet lagt sig till med titeln Vendes konung, som de danska kungarna hade burit i århundraden. Denna sak, som märkligt nog aldrig uppväckte gräl på tillnärmelsevis samma sätt som usurpatio-nen av de tre kronorna, hängde ihop med att tidens nordiska lärde hade för sig att vender vore samma sak som vandaler, om vilka sistnämnda det står skrivet hos Jordanes att de underkuvades på sina gamla bo-platser vid Östersjön av de från Norden utvandrade götarna. Med stöd av den notisen kallade sig götakonungen Gustaf Vasa alltså även för *rex Vandalorum*, Vendes konung, en titel som ju alltjämt bärs av hans efter-trädare i sena led.

Frågan om de tre kronorna har varit livligt debatterad i svensk och dansk historieskrivning genom seklerna. För moderna människor ser den ut som en obetydlig etikettsfråga, och Henrik Schück avfärdade på sin tid det hela som barnsligt käbbel, men i det heraldiskt engagerade 1500-talet var det nog inte så enkelt, och för Gustaf Vasa framstod saken i varje fall som upprörande och oroande. De tre kronorna representerade för honom ett land som han på det hela taget betraktade som sin privat-egendom. Han var angelägen om att det skulle stanna i familjen.

Landsfadern

När Gustaf Vasa blev äldre, säger en söndagsskoleberättelse som 1800-talet älskade, hände det ofta att han samlade sina barn framför brasan och höll konungaskola med dem, vilket bestod i att han uttalade varje-handa kärnord: "Görer nödde krig, onödde fred. Men hotar grannen så slår vi till; varer svenske! – Det är den befallandes fel om den lydan-de icke lyder, ty lagen skall utan krus följas och städse. – Ingen ämbets-man må lidas som ej är tarflig, nyttig och flitig. Morgonstund har guld i mund. Dagdrifvaren bort! – De svenske äro mycket hastige till att sam-tycka, innan de väl utrannsakat hvad sant och nyttigt är. De äro orolige, ombytlige och klandra gärna och afundas hvarandra. De lida icke ut-länningen vid landets sysslor, också för det han är näsviser. De svenske äro regeringssjuke och allmänneligen så till lynnet, att de behöfva karla-sinne och orädder utaf sin konung. De lida ingen orättvisa och träldom, ej heller gärna en meser. Dem höfves en glädtig men ock barsker; icke fingret emellan! De äro starke, vige och modige, af lynne att gerna blifva namnkunnige; äro ock duglige till något hvarje. I krig vilja de veta av blod och skämmas att hafva litet gjort. De äro snälle och på-hittuge, och rätt så till lärdom fallne som något folkslag, fastän något dröngöther."

Dessa vältaliga maximer – och många flera – torde ha lagts i Gustaf Vasas mun av friherre Adolf Ludvig Stierneld som i början av 1800-talet gav upphov till det förträffliga Kongl. Samfundet för utgifvande af Handskrifter rörande Skandinaviens historia och vars nitälskan på området var så stor att han egenhändigt skaffade fram ett antal apo-kryfer. Alldeles omöjlig är berättelsen väl ändå inte. Gustaf Vasa på äldre dagar uppbyggde gärna sina barn med förmanande ordspråk, vilket framgår av hans brev; framför allt älskade han att hänvisa till

Jesus Syrach, en nykter gammaltestamentlig apokryf som manar till försiktighet, misstänksamhet, lydnad för föräldraauktoriteten och andra sådana negativa dygder. Otvivelaktigt är Gustaf Vasa emellertid själv en större skribent än Jesus Syrach, och någon citerande och broderande tråkmåns blev han förvisso aldrig. Det finns åtskilliga samtida vittnesbörd om Gustaf Vasas talegåva; folk ville gärna höra honom tala, och utan tvivel var han alltid rolig att höra försåvitt det inte var strafftal han höll. Att lyssna till hans ord är i viss mån även eftervärlden förunnat; utgivna av Riksarkivet fyller de tjugonio tunga volymer i det stora bokverket Konung Gustaf den förstes registratur. Detta innehåller inte tal utan brev som är ömsom officiella och ömsom privata, och somliga är nog utformade av hans sekreterare och bara underskrivna av kungen, men anmärkningsvärt många är uppenbarligen dikterade ord för ord. Man misstar sig aldrig på Gustaf Vasas personliga närvaro i dessa handlingar från hans kansli. Hans språk är oefterhärmligt friskt och originellt, och inte många svenska författare har behandlat modersmålet med sådant medryckande mästerskap som han.

Några djupsinnigheter är det naturligtvis aldrig frågan om; Gustaf Vasas tankar var helt av denna världen. Vad som sysselsatte honom kan tidvis följas dag för dag, och breven handlar till den långt övervägande delen om ekonomiska ting. Hans insyn i rikshushållets tusen detaljer är häpnadsväckande, och någon skillnad på sina egna och statens angelägenheter gjorde han aldrig. Rätt många av skrivelserna i registraturet är kvitton på kyrksilver och andra kronans inkomster som han *udi egen konglige persone anammat*, andra handlar om gårdsbyten, förläningar, skattekrav, arvsanspråk – bland annat gjorde han anspråk på arv efter präster med motivering att han hade övertagit den ställning som medeltidens biskopar hade haft gentemot det celibatära katolska prästerskapet. Uppbyggligare att läsa är hans ukaser till fogdarna och hans brev till allmogen, som ideligen uppmanas till ett strävsamt, förnöjsamt liv utan gästabud och många helgdagar. Han befaller dannemännen att dika sina åkrar och hålla skogen borta från sina ängar så att kronans jord och hemman inte fördärvas. Bönderna på Öland förständigas att ta in sitt hö senast på S:t Olofs dag och ha all sin säd under tak senast vid S:t Bartolomei *vidh Vårt straff och vreede*. Ett par år senare skriver han till ståthållaren i Kalmar och ger honom order att skaffa *rumpefår* att ha på Öland; södra delen av ön skall hägnas in för ändamålet, och bönderna bör inte få hålla så många små vildmärrar längre. Mälardalens bönder befaller han att bygga rior efter finsk modell att torka hö i, och ett kärt ämne för hans skrivelser till Sveriges allmoge är att de bör skaffa sig goda dragoxar i stället för alla hästarna som de högfärdas med. Deras svinavel bekymrar honom också; svinen bökar nämligen i åker och äng så att *thet som kon skulle haffva, thet förderffvar son.* Inte heller är han vidare förtjust i svenska får och getter. Allmogen på Dal ville traditionsenligt betala sin skatt i sådana djur efter kursen sex får eller getter per ko, varom kungen skrev till sin fogde att han fick ordna och byta bäst han kunde, men till kronan skulle skatten inlevereras i nötkreatur.

Det brukar sägas att Gustaf Vasa regerade Sverige som om landet hade varit en enda stor gård, och det ligger djup sanning i detta, men hans omtanke gällde naturligtvis inte bara jordbrukets produkter. Åtskilliga av hans brev handlar om järnet från Bergslagen och silvret från Sala, i all synnerhet det sistnämnda, som han i alldeles särskild grad tycks ha betraktat som sin privategendom. Endast i undantagsfall, nämligen när han hade värvade utländska knektar att besolda, lät han silvret gå ut i rörelsen i form av mynt, och i regel lagrades det upp på Stockholms slott i ett rum som brukades kallas *Her Eskills maak* efter hans mångårige räntemästare Eskil Michaelison, som jämte kungen själv var den ende som hade nyckel dit. Gustaf Vasa hade personligen hand om vissa nycklar också till lagerhusen vid Salberget; en gång när hans söner Erik och Johan skulle fara dit för att inspektera och ordna ett och annat skickade han dem dessa nycklar i förseglat skick. Sala var i hans och hans söners tid ett förskräckligt ställe; gruvan användes nämligen som förvisningsort för förbrytare som dödsdömts men benådats till livstids straffarbete, och förhållandena blev med tiden sådana att Johan på äldre dagar greps av ruelse och funderade på att lägga ner alltihop. Gustaf Vasa hade inga funderingar åt det hållet och tog rentav upp en skatt på två öre i veckan av de lösa kvinnor som uppehöll sig vid berget. Däremot var han inte nöjd med de ekonomiska resultaten av gruvdriften. Det finns en del utomordentligt onådiga brev till bergsmännen: allting gör de dåligt, de står rentav utan kol fast han nyss har försträckt dem en märkelig summa pengar. "Oss förundrar icke litet att det vid Vårt och kronans berg går så skröpeligen, mäktigt ludet och skammeliga till."

Ifråga om järnhanteringen är hans brev i allmänhet mindre pittoreska, men väl så intressanta i sak. I hans dagar infördes stångjärnssmidet i

Sverige, och Gustaf Vasa kämpade en oförtruten kamp mot det så kallade osmundsjärnet, som var resultatet av äldre tekniska metoder. Osmundsjärnets kvalitet tycks ha lämnat mycket övrigt att önska – kolhalten var tydligen mycket ojämn – och dess pris på exportmarknaden var inte högt. Under 1540-talet inkallades en del tyska hammarsmeder av vilka Marcus Klingensten tillvann sig Gustaf Vasas förtroende och gjordes till uppsyningsman över alla de nya järnbruken i landet; han var en duktig karl och uträttade åtskilligt, så att han rentav fick en kunglig uppsträckning för att han byggde för stort: "Så må du allvarligen vara förtänkt att Vi ingalunda vilje att du bygger så store domkyrkor och med så svåra bekostnader."

Mest i sitt esse var Gustaf nog ändå när han fick driva handel. Hans landsfaderliga omtanke sammanföll på ett förunderligt sätt med hans privata affärsintresse, och en överväldigande mängd av hans brev innehåller föreskrifter till hans fogdar och bokhållare hur det skall förfaras med kronans varulager; skatterna inflöt nämligen huvudsakligen in natura i form av exempelvis spannmål, smör eller oxar, vilka sistnämnda hade den fördelen att de transporterade sig själva. Han skriver till hövitsmannen på Älvsborg att denne skall låta brygga öl och salta ner oxar när skatten flyter in; oxarna kan emellertid väntas vara *flux sultne*, och en liten höskatt bör under sådana förhållanden läggas på allmogen så att oxarna kan gödas lite innan de slaktas och saltas. De kungliga instruktionerna är ofta mycket detaljerade. 1534 underrättar han Lasse Skrivare i Lödöse om att det är bra pris på smör i Holland; denne bör alltså skyndsamt lasta ett gott skepp med varan och själv följa med på resan för att på ort och ställe sälja smöret för goda portugalöser eller dubbla crassater. Om sedan klädet är någorlunda billigt – det är nog billigare i Antwerpen än i Amsterdam, upplyser konungen med fruktansvärd sakkunskap – bör han köpa gott hosekläde för tio ungerska gyllen stycket, och han borde också inhandla rött carmesie-flogell och taft carmesie, både den bästa, den medelgoda och den billigaste. Han har intresse för allt och tänker på allt. Brev avgår till Peder Krämare "att han lather sin hustru komme till Julete gårdh och ther achte opå miölcken". Slottsfogden i Viborg får sig tillsänt ett parti rävskinn och förständigas att byta dem mot goda ryska hudar, lin och hampa, "rammandes Wår fördeel thet yttersta tu kan". Befallningsmannen på Stegeborg får order att sända något av de finska gäddorna och den saltgröna

ålen till Vadstena och Linköping, där det är hopp om att de kan gå åt, och han tillhålls vidare att hälla lite färsk saltlake över den lax och ål han förvarar på slottet så att varorna inte fördärvas. Han bör dessutom erinra Söderköpings borgare om hur ofta de gnällt över att det inte funnits fisk att få; nu när kungen har tänkt på deras bästa vill de inte köpa hans fisk, och det ska han nog komma ihåg till en annan gång. Ett brev i samma ämne drabbar år 1551 borgmästaren i Jönköping som görs ansvarig för att stadsborna inte vill köpa de finska gäddor kungen låtit skicka dit; de hade tidigare klagat över att det var ont om fisk, och nu är de så goda och betalar kungen för hans gäddor *utan all gensägelse.* En annan gång skriver han till kronans ombud i Uppsala och befaller att ett parti malt som legat där i fyra år skall skyndsamt säljas; *malen begynner flux vanka däri.* Däremot är han förmodligen ute i ogjort väder när han hutar åt norrlänningarna beträffande deras sura strömming, som han säger vara illa saltad. ”Oeh vilje Wi edher härmedh åtvarnatt haffva att i ingen suur eller förderffadh fisk hit i landet sällja skolen.”

Gustaf Vasas omättliga förvärvsbegär och välutvecklade sinne för affärer blev till stor välsignelse för Sverige. Det vimlar i hans brev av föreskrifter om livsmedelssändningar kors och tvärs genom landet från platser med överskott till platser med brist, och resultatet av hans verksamhet blev, säger Eli Heckscher, en rikligare varuförsörjning och en fullständigare ekonomisk riksenhet än vad som annars skulle ha varit möjligt. Han kunde också konsten att hålla folk sysselsatta, och enbart hans personliga önskningar och initiatıv måste ʰa åstadkommit ett sjudande liv på sina håll. Knekthövitsmannen i Dalarna får kunglig befallning att gräva upp en skatt som skall vara begravd under högaltaret i Mora kyrka. Ståthållaren i Stockholm beordras att skaffa fram en person som kan blanda gott mjöd, passeligt starkt. Från Finland efterskickas fågelfängare som kan fånga järpar, och fogden i Ångermanland tillfrågas om det inte fångas en del bäver i landskapet; "förundrer Oss fördenskull att thu icke skaffer Oss någre skiöne svarte biureskinn". Till dessa trakter utskickades vidare folk att spåra upp om det fanns några sötvattenspärlor, och fogden fick order att betala de lokala pärlfiskarna något så när på det att de inte måtte styggas vid att överlämna sina fynd till kungen. Ett berömt exempel på Gustaf Vasas oförblommerade brevstil i detta slags ämnen är en skrivelse från 1539 till hövitsmannen på Älvsborg Severin Kil: "Tu haffver utan tvil väl förnummet att Vi nu en lång tid, snart ett fjärdungs åhr, effter Gudz vilje till Vår likame fast svage och krankelige varit have, och hade forthenskuld formodet att tu och the andre gode män flere skulle uti någen måtte haffva tänkt opå Oss medh ett eller annet thet godt vore, som thär hos tig vanker, synnerligen med ett fat gott Embstöl, thärutaff Vi dog till thenne tijd ingen synnerlig tidende fornummet haffva. Så tyches Oss likväl thet vore tig en stor heder och hade tu thärutaff en ringa afsaknadh, att understundom och besynnerligen nu uti thenne Vår sjukdom ville tänkje opå Oss medh ibland, effter tu haffver i then måtten godh råd och vest väl siälff, att all tin välfartt haffver tu af Gud och af Oss." Han ger därefter order om att ölet skall skickas med första före och bör komma fram *ofråsit*, och han meddelar vidare att snart ämnar han själv göre en pelegrimsresa till Västergötland fast maten brukar vara dålig därnere; Severin Kil bör därför beflita sig om att traktera honom med det som gott vore och i god tid skaffa fram sex eller åtta utvalda västgötaostar, somliga på ett halvt skeppund och somliga större.

En vänlighet, ett erkännsamt ord, en uppmuntran är sällsynta företeelser i Gustaf Vasas brev, som är rolig lektyr för eftervärlden men mestadels måste ha varit nedstämmande läsning för mottagarna. Han är nästan alltid missnöjd, misstänksam och otillfredsställd. Fogdar och slottskommendanter som skriver och frågar hur de bör förfara med ett eller annat blir ofta avsnästa – *måtte thu vell sielff någett vette, och icke altijd bekymbre Osz ther medh* – men har de utfört någonting utan order är vanligtvis inte heller det bra. Trevligast är han begripligt nog när han skriver till sina barn eller ger föreskrifter om deras behandling; innehållet i dessa brev är inte precis sådant som man väntar sig att finna i rikets registratur. Ännu i sitt sista år skriver han till sin nygifta dotter

Katarina att han har hört att hon har varit sjuk och att detta säkert beror på att hon inte äter ordentligt utan sätter i sig "allehanda skafvel, som ähr äpple och frusne nötter, thesslikes zucker och annet som forslemmer maghen". Tjugo år tidigare hade han skrivit från Älvsborg till sin svåger och sin sekreterare beträffande det kära unga livherrskapet, som han kallade de sina; han ville ha dem flyttade från Örebro till något av Mälarslotten och lämnar faderliga anvisningar om allt. "Barnen kunne få then maat som the hafve lust till, hvad thet ähr mere kiött, fisk eller annet. Dock må mann forholle them färsk fisk, finske gädder och annen fisk som them icke bekväm ähr, och late giffve them godh Bärendth fisk, gode flundrar och spetfisk, dock icke for mygit lutblött. – Item så sände Wij ock våre barn här medh någon pomerantser; så skole the icke late giffve them thär utaff allt for mugit i sänder, utan passelig." I samma gladlynta ton avslutar han brevet med att tala om att drängen Hans Gammal som tjänstgjort som brevbärare har haft att göra i nästan tre veckor till Älvsborg från Örebro; "therföre vore tillbörlige att I måtte afflöse honom for then syndh, forthy han vore honom för svår att draghe till himmelrikis medh sig. Therföre görer thet bäste med honom, fortiter, fortiter". Drängen fick säkert känna av att han levde medan de kungliga barnen åt sin lutfisk och sina apelsiner.

Tonen i sådana brev stämmer förträffligt med det porträtt som Per Brahe i sin krönika har tecknat av sin kunglige morbror. Han var, säger Per Brahe, en *colerisk sanguineus*, men när han "var obekymrad och oförtörnad så var han en ljuvlig, lustig och lättsinnig herre till att umgå både med snack och tal." Vid hans hov gick det mycket muntert och ridderligt till, och han var angelägen om att de unga adelsmännen inte skulle vara några oxemickler. "Var dag var efter middagen förordnad en timma när alla herremän måtte komma på dansesalen. Där kom då hovmästarinnan in med fruntimret, och voro då konungens spelemän

En artist på luta

där tillstädes och lekte dansen för dem. Varannan eller tredje dag red konungen ut med sina herremän och fruntimmer, antingen i jakt eller eljest till att spatsera och med vällust tiden till att fördriva." Själv hade han ett övernaturligt gott minne och utomordentlig förmåga att sätta sig in i saker och ting, men han var dessutom en mycket vacker karl som ståtligt bar upp sina konungsliga kläder, och han var vidare synnerligen musikalisk och en artist både till att sjunga och spela på luta. Han var också, skriver den insiktsfulle krönikören, "svåra lyckosam i sina dagar, icke allenast med spel och dobbel med tärningar, när man kom honom därtill, det dock icke ofta skedde, utan ock med seger och övervinning uti krigssaker, med allehanda åkerbrukning, allehanda boskap att pålägga, hemliga och fördolda skatter till att uppfinna uti jorden, uti murar, bergverk till allehanda malmer, så ock uti sjöar och strömmar med allehanda fiske, så rikligen och överflödigt, så att alle hans konungslige slott och gårdar blevo härigenom med ymnoghet uppfyllde."

Den kungliga familjen

Sommaren 1551 dog Margareta Leijonhufvud på Tynnelsö slott, bara trettioåtta år gammal. Hon efterlämnade åtta barn varav det äldsta var fjorton år och det yngsta mindre än ett; dessa två hette respektive Johan och Karl. Det fanns vidare en mellanpojke som hette Magnus och var nio år gammal, och de fem flickorna lystrade till namnen Katarina, Cecilia, Anna, Sofia och Elisabeth och var tolv, elva, sex, fyra och två år. Till familjen hörde också den adertonårige tronföljaren prins Erik, Gustaf Vasas son i första giftet.

Kungen själv, nu femtiofem år eller så, såg sig omedelbart om efter en ny gemål. Hans svägerska Brita Leijonhufvud, gift med Gustaf Olofsson Stenbock på Torpa i Västergötland, hade en sextonårig dotter vid namn Katarina. Hon var visst förlovad med en ung man som hette Gustaf Johansson Tre Rosor, sonson till Ture Jönsson och son till Kristina Gyllenstierna, men sådant bekymrade inte Gustaf Vasa, som inom kort besökte Torpa och talade med föräldrarna. Flickan själv sprang ut i trädgården och gömde sig bakom en buske, säger en anekdot som inte låter alltför osannolik, men saken ordnades naturligtvis i alla fall, och sommaren 1552, mindre än ett år efter den förra drottningens död, firade Gustaf Vasa bröllop med Katarina Stenbock.

Han hade haft några strävsamma månader innan han kom så långt. Saken var ytterst ömtålig efter tidens sätt att se, ty att gifta sig med sin makas systerdotter står i strid med Mose lag och betraktades av kyrkan som en förbindelse i förbjudna led. Gustaf Vasa vände sig först i djupaste förtroende till biskop Henrik i Västerås med begäran om hans dispens och välsignelse, men biskopen ville inte, och lika avvisande ställde sig Laurentius Petri i Uppsala. Kungen frågade sig då för hos superintendenten Georg Norman som befanns vida medgörligare, och därefter sammankallade han de kyrkliga dignitärerna till ett möte i Linköping, där frågan sällsamt nog dryftades under ordförandeskap av prinsarna Erik och Johan. Alla de svenska biskoparna satte sig energiskt på tvären med undantag av den nytillsatte mäster Claus i Linköping, som instämde i Normans uttalande. En lämplig vigselförrättare var därmed funnen, och några veckor efter kyrkomötet ägde bröllopet rum med pukor och trumpeter på det nybyggda Vadstena slott. Biskoparna i Uppsala, Strängnäs och Skara tog uttryckligen avstånd, vilket stod dem dyrt; biskop Botvid i Strängnäs, som klandrade förmälningen i en särskild skrift, sattes rentav i fängelse och hölls sedan skild från sitt ämbete i all Gustaf Vasas tid.

Det omaka äktenskapet blev trots allt lyckligt, upplyser alla historieskrivare; emellertid berättar de vanligtvis också en liten anekdot som säger att den unga drottningen brukade tala i sömnen och att Gustaf Vasa en gång fick höra henne mumla: "Konung Gustaf håller jag mycket kär, men Roosen förgäter jag aldrig." Den sistnämnde blev för övrigt hennes svåger inom kort; han kompenserades nämligen med hennes syster Cecilia, om det kan intressera. Fryxell, den förträfflige anekdotberättaren som naturligtvis också har omtalat ovanstående, tror att Gustaf Vasa med tiden insåg att ärkebiskopen hade haft rätt, ty i sitt sista levnadsår satte han sitt namn under en förordning som förbjöd prästerna att gifta ihop *olika folk, ett ungt och ett gammalt*. Emellertid var det ju inte den sidan av saken som biskoparna hade funnit anstötlig i kungens fall.

Katarina Stenbock var helt säkert en duktig ung dam. Hon tog omedelbart itu med hushållet. På Kalmar slott, dit man reste direkt från

Vadstena frampå höstkanten, satte hon nämligen igång med att tillverka skjortor och underhosor åt kungen och prinsarna av tjugoen alnar holländskt linne, och något år senare satt hon på Gripsholm med tolv alnar och lät förfärdiga motsvarande plagg åt prinsessorna och sig själv. Den praktiske Gustaf Vasa borde ha varit mycket lycklig, men han blev i stället allt vresigare och bittrare under 1550-talets lopp, och fast hävderna inte säger ett ord i den riktningen är det väl knappast för djärvt att gissa att drottningens ungdom gick honom på nerverna och kom honom att känna sig gammal. Själv klagar han ofta över ålderdom och trötthet, och i sina brev är han otåligare och oresonligare än någonsin. Särskilt irriterade det honom att han fick allt svårare att läsa fogdarnas redovisningslängder, som han dock inte ville avstå från att granska själv; tydligen skulle han ha behövt glasögon. Man vet numera också – genom medicinsk undersökning av hans jordiska kvarlevor – att han måste ha haft tandvärk, och i ljuset av den upplysningen blir hans talrika vredesutbrott verkligen djupt förståeliga och hans alltjämt obrutna energi och arbetsförmåga än mera imponerande.

En viss hjälp hade han numera av sina två äldsta söner, av vilka Erik redan bar konunganamn och fick förestå regeringen emellanåt, medan Johan alltifrån 1556 då han blev aderton år satt som regerande hertig i Finland. Året därpå fick Erik större delen av Småland och Öland att styra på egen hand och inrättade sitt kungliga hov i Kalmar. Båda två försökte visa sig självständiga, men detta tilläts naturligtvis inte, och den gamles förbud och förmaningar i både stort och smått gjorde tidvis stämningen i familjen rätt irriterad. Framför allt Erik, som visserligen var i stort behov av förmaningar, fann honom småsinnad och gnatig. 1558 i fastlagen hade han tänkt ge ett skådespel och hade fördenskull rekvirerat några harnesk, vilket renderade honom ett brev från hans tydligen inte alls teaterintresserade fader: "Så kere sonn, vele Vij her medh haffve tig faderligenn förmanet att thu ville betencke något yttermere thenne farlige och svinde verldennes lägenhet som nu opå färde ähr, och venije tijt sinne till thet såsom alles våres fäderneslandhz gagn, nytte och achtsamhet tiltiäne kann." I stället för att spela teater bör Erik begagna sig av det goda vinterföret till att resa genom landet. "Och när thu ville haffve något skouspel förhänder, att thet kunne i så motte skee, att thu kunne holle vakensynn med Våre ryttere."

Gustaf Vasa bekymrade sig sålunda mycket för sönernas framtid, och det gällde även de båda yngsta som inte hade hunnit få några her-tigdömen än men som skulle få, ty att furstar måste försörjas med furstendömen fann han självklart. Hur deras förhållande till varandra och till riket skulle ordnas var han däremot inte helt på det klara med, och sitt testamente som skulle handla om detta sköt han gång på gång på framtiden under stort suckande. I sitt sista levnadsår blev han av nödtvång färdig med det, men definitivt genomtänkt var det tydligtvis inte då heller, ty formuleringen är farligt obestämd och oklar på denna centrala punkt.

Om Gustaf Vasas sista tid finns en rätt utförlig skrift av hans själa-sörjare mäster Hans alias Johannes Ofeegh, kyrkoherde i Stockholm efter mäster Olof men naturligtvis en vida enklare författare än denne. Skildringen börjar med år 1557 då konungen märkbart började tackla av; hans hälsa, hans fantastiska minne och hans lynne försämrades tydligt. Han gav akt på varjehanda järtecken i himlen och på jorden och konsta-terade att endast sorgligheter återstod honom i detta livet. Vid jultiden 1559 uppskakades han av en övernaturlig gråt som hade hörts om nätter-na på Svartsjö kungsgård; före midnatt lät den som en gammal män-niskas klagan, sedan som barnskrik och slutligen som en späder grises röst. På nyåret någon vecka senare tog han emot kyrkoherden med orden: "Johannes, min själ är bedrövad intill döden." Den gången fanns det verkligen objektiva skäl till hans missmod.

I oktober 1559 hade Gustaf Vasa gift bort sin dotter Katarina med greve Edzard av Ostfriesland. Bröllopet firades i Stockholm, och när de nygifta månaden därpå begav sig på hemresa följdes de åt inte blott av de tyska bröllopsgästerna utan även av brudens syskon Erik och Ce-cilia. I mitten av december kom de till Vadstena slott, där hertig Mag-nus residerade. Där inträffade det en natt att en vaktpost fick se greve Johan av Ostfriesland, yngre bror till Edzard, klättra upp på en stege och ta sig in genom den nittonåriga prinsessan Cecilias fönster. Saken rapporterades för arvkonung Erik, som blev oerhört upprörd. I stället för att tala med sin misstänkta unga syster rådgjorde han med sin bror Magnus och några andra herrar, och eftersom det antogs att de unga tu såvitt möjligt skulle förneka alltsammans beslöt man i underbart oförstånd att försöka ta greven på bar gärning. Ett par kvällar senare sågs denne igen slinka in genom fönstret, varvid vakten i enlighet med sin instruktion omedelbart tog bort stegen och larmade prinsessans brö-

Skandalen med Cecilia

der. Dessa skickade omedelbart sina handgångna män till hennes rum, där greven mycket riktigt anträffades *havandes näppeligen hosorna på sig*, upplyser det protokoll som Erik samma dag lät sätta upp över händelseförloppet. Erik sände strax greven i fängelse och lät kastrera honom, varefter han skickade såväl delinkventen som protokollet till Gustaf Vasa i Stockholm. Saken var därigenom bliven en öppen skandal som till råga på allt snart blev internationell, då den gamla grevinnan av Ostfriesland i sin ångest för sonens liv anropade andra tyska furstehus om deras bemedling för att få honom fri. Han släpptes också sedan han i kungens, hertigarnas och riksrådets närvaro hade svurit på prinsessan Cecilias oskuld, men hennes rykte var naturligtvis i alla fall förlorat. Av allt att döma undgick hon inte handgriplig bestraffning, ty från mars 1560 finns det ett brev från Gustaf Vasa till sonen och tronföljaren, vilken tydligen vid närmare betänkande gjorde vad han kunde för att bistå sin olyckliga syster. "Tig förtänker väl", skriver den sorgsne fadern, "huru samme tin syster Oss falskeligen förklaget hade och stod på knä för tig, så att Wi henne slaget och allt håret av huvudet rifvit hade, hvilket dog intet sannt var, uten håret lopp dog eljest af henne, som månge nog vitterligit är."

Gustaf Vasa hade ingen ro denna vår och reste fram och tillbaka mellan kungsgårdarna vid Mälaren. I juni begav han sig till Stockholm och tog emot rikets ständer för sista gången. Hans testamente lästes då upp, och från detta tillfälle har hävderna vidare bevarat ett retoriskt praktstycke som kallas Gustaf Vasas avskedstal till ständerna. Att han verkligen har hållit ett sådant är säkert; i behåll finns för övrigt en promemoria för det anförande varmed testamentsuppläsningen skulle inledas. Där står att konungen borde tacka ständerna för att de kommit, påminna dem om hans bedrifter, vedervärdigheter och välgärningar, påpeka att han nu var gammal och svag och erinra dem om att de borde vara honom tacksamma och utsträcka sin tacksamhet även till hans arvingar. Krönikorna om Gustaf Vasa nämner ingenting om talet, men mäster Hans refererar det i all korthet, och dessutom finns det tre fristående referat av respektive Peder Swart, Rasmus Ludvigsson och Sven Elofsson, som alla bör ha varit närvarande vid tillfället. Enligt dem höll konungen tydligtvis en grandios oration med ledning av promemorians magra mall; han liknade sig vid herdegossen David, som Gud hade upphöjt till kungligt stånd och skänkt seger över den väldige

Goliat, och han sade också att om det varit några brister och fel i hans maktutövning så hade det skett av mänsklig svaghet som han hoppades att hans folk ville förlåta. Detta goda material har av senare skriftställare förbättrats ytterligare, och hos 1700-talsprofessorn Olof Celsius föreligger Gustaf Vasas avskedstal omsider färdigt i det ståtliga skick vari det har mött senare tiders barn till exempel i Folkskolans Läsebok, där Gustaf Vasa ännu i början av 1900-talet utbrast: "Tider skola komma då Sveriges barn skulle vilja rifva mig upp ur mullen, om det stode i deras makt."

Några veckor efter testamentsuppläsningen och talet till ständerna blev Gustaf Vasa definitivt sängliggande, och mäster Hans' skildring av hans sjukdom är ytterst detaljerad; denne nöjde sig för övrigt inte med rollen som själasörjare utan uppträdde också som konungens läkare, ehuru antagligen ingen bra sådan. När den sjuke bad honom om bot för sina plågor satte han nämligen igång med en lång förmaning till tålamod med härliga exempel ur Skriften, varjämte han föreläste ur Petri och Jakobs epistlar. Konungen sade då att han ville ju gärna lida vad som kan vara en fattig syndare möjligt, men han ville dock helst ha hjälp genom sådana världsliga läkemedel som kunde vara Gudi behagliga. En dag kom Sten Eriksson Leijonhufvud till kyrkoherden och bad honom tala till kungen på de häktade fogdarnas vägnar; denne hade nämligen under de sista knarriga åren kastat åtskilliga statens tjänstemän i fängelse för att deras redovisade skatteuppbörd var mindre än han hade räknat med. Kyrkoherden lyckades i viss mån; en del av fångarna släpptes verkligen. En annan dag klagade konungen över att han hade samlat stora rikedomar med omsorg och möda, och nu i nödens tid var de honom till ringa nytta, ty inte ens en förfaren läkare kunde de skaffa honom. Filosofisk till sinnes tycks han emellertid aldrig ha känt sig; tvärtom gav han luft åt sin förbittring mot påvens lem och djävulens ståthållare bisp Gustaf, förrädaren biskop Brask och den gamle räven Jakob Ulfsson i Uppsala, alla tre döda sedan årtionden tillbaka. Kyrkoherden hade ett styvt arbete med detta sitt skriftebarn, som otåligt klippte av hans kristliga förmaningar: "Att predika för mig om mina synder göres dig icke behov; att de äro många och stora vete Vi bäst själve, men hur de förlåtas, därom vill jag försäkras i samvetet!" Kyrkoherden dristade påpeka att det var nödvändigt att bekänna sina synder för att få förlåtelse, men då blev kungen arg: "Icke vill du att jag skall

röja mina synder för dig?" – "Nej, för Gud", svarade kyrkoherden.
– "Ja, det kan jag göra dig förutan och jag gör så." Det är tydligt att
Gustaf Vasa saknade respekt för den kyrka han reformerat och de
präster han själv hade tillsatt, och inför sin hädangång, säger Troels
Lund vars sakkunskap på detta område var överväldigande, avvek han
punkt för punkt från vad som var skick och bruk på 1500-talet. Trött
på de evinnerliga förmaningarna till syndabekännelse var han väl också
En dag kom den teologiskt bildade hertig Johan in och ville tala reli
gion med honom, men då äskade konungen penna och bläck och skrev
"Ena gångo bekändt och därvid blifvit eller hundrade gånger taladt".
Detta, säger mäster Hans som är nöjd med litet, var "en stadig mans
hjärtans bekännelse hvilken icke förgätas borde", och kungens barn
började gråta när de fick orden upplästa för sig, varvid den sjuke åter
fick mål i mun och utbrast: "Ja, I begynner allaredan göra min skjuts-
färd."

En septembermorgon 1560 gick Gustaf Vasa ur tiden. Exakt hur gam-
mal han var visste ingen, och hans söner hade olika åsikter om hans
ålder. Karl IX skrev i sinom tid en rimkrönika där han rimmar att fadern
dog "när han war siutio åhr och där till tu, som jag förnam och sade
nu," men på en marmortavla vid hans grav i Uppsala domkyrka hade
Johan III dessförinnan låtit inrista en latinsk hexameter med andra sif-
feruppgifter: "Hic jaceo ter quinque senex ubi lustra peregi. Här vilar
jag på ålderdomen sedan jag har framlevat tre gånger fem lustrer." Rätt
hade förmodligen ingendera.

Ingen annan person ur Sveriges långa historia träder eftervärlden så nära som Gustaf Vasa. Det finns mycket skrivet om och av honom. Knappt var han död och begraven förrän krönikor om hans liv och gärning började spridas i avskrifter, och det kan antas att han själv hade haft något att göra med tillkomsten av dem. Märkligast och roligast är den som härrör från Peder Swart, som på 1550-talet var kungens hovpredikant; den räcker emellertid, såsom tidigare nämnts, bara till år 1533. En annan krönika eller snarare en samling notiser skrevs ihop av Rasmus Ludvigsson, riksarkivarie i Gustaf Vasas och hans söners tid med huvudsaklig uppgift att samla ihop kyrkliga brev och adliga genealogier till stöd för jordindragningarna. Han var en flitig man som med väldig handstil skrev mångahanda ting vilka dock, säger Johannes Messenius en mansålder senare, var otryckbara *propter ingenui tenuitatem,* på grund av litenheten av hans snille. Ett exemplar av Rasmus Ludvigssons notissamling råkade i händerna på Per Brahe, som på gamla dagar redigerade om det hela med stor sakkunskap och gjorde en mängd välskrivna rättelser och tillägg. På det viset uppstod den intressanta och viktiga skrift som kallas Per Brahes krönika. Några årtionden senare tillkom Erik Göransson Tegels krönika, egenhändigt rättad och censurerad av Gustaf Vasas yngste son, och beträffande kungens sista år finns det vidare en samling minnesanteckningar av sekreteraren Sven Elofsson som började sina långa ämbetsmannabana i Gustaf Vasas tjänst. Dessa skrifter av personer som kände kungen kompletteras och korrigeras på ett storartat sätt av breven i registraturet och även av andra bevarade handlingar, till exempel av slottsräkenskaper och inventarier som lämnar uppgift om vad den kungliga familjen exempelvis åt och drack och klädde sig med, köpte och rekvirerade, byggde och planerade, läste och studerade.

I behåll finns också åtskilliga mycket goda porträtt av Gustaf Vasa, hans gemåler, hans söner och döttrar, ty inte så få utländska konstnärer arbetade som konterfejare vid det svenska hovet under hans senare år. På den bekanta reliefen från Gripsholm kan man se att på gamla dagar klippte han av sig den långa dalkarlslugg som är så välkänd från våra hundralappar, vilka återger kungens drag efter det så kallade Uppsalaporträttet från 1542. Gripsholmsreliefen visar honom vidare i pluder-hosor, det ryktbara plagg som de upproriska dalkarlarna hade uttalat sig om med sådant ogillande år 1527, då de framförde sina klagomål beträffande sönderskurna kläder. Pluderhosorna, som var en mycket märklig konstruktion av band från midjan till knäna, slog igenom enbart i lutherska länder och fördömdes med stor energi av alla teologer, men i Sverige var det faktiskt Gustaf Vasa som gick i spetsen för modet.

Han var mycket intresserad av kläder, och hans garderob var väl-försedd; vid en inventering år 1548 hade han trettio tröjor, femtiotvå huvudbonader och femtioett par hosor där. Han hade sinne för lyx över huvud taget och var angelägen om att hans hov inte skulle stå de tyska furstehoven efter ifråga om prakt och glans. En vidlyftig lyx-import kom därför i gång under hans tid och har satt spår i räkenska-perna, som upplyser exempelvis att kungens papegojor åt upp tjugoåtta skålpund russin och tjugotre skålpund mandlar under ett år och att hans hov anno 1559 drack upp 4 640 liter vin i månaden. Importen av kläde steg till mer än det fyrdubbla i hans huvudstad, som florerade och växte betydligt så att där vid konungens död fanns något sådant som sju tusen invånare, vilket visserligen inte låter överväldigande. Det norska Ber-gen som då var Nordens största stad hade mer än dubbelt så många, och även det danska Köpenhamn låg långt före.

Till lyxen vid Gustaf Vasas hov hör att han inkallade en tysk renäs-sanspoet som hette Henricus Mollerus att skriva dikter på latin till den kungliga familjens ära. Ingen svensk fanns som dög till det, ty skriv-kunnigheten och lärdomen i Sverige var förkvävda eller drivna i lands-flykt. Ärkebiskop Johannes Magnus, de svenska monarkernas störste lovprisare genom tiderna, hade dött i Rom år 1544, bara femtiosex år gammal men orkeslös av bekymmer och umbäranden; hans stora verk om alla svearnes och göternas konungar utgavs tio år efter hans död av hans bror Olaus Magnus, som skickade ett exemplar till Gustaf Vasa med dedikation till hans söner. Dessa blev mycket gripna av vad de fick läsa om göternas potentater i urtiden, men Gustaf Vasa var klokare och såg djupare, ty han kände på sig att den grymme och girige tyrannen Gostagus på villoläraren Mahumetes' tid var misstänkt lik honom själv. Mäster Oluff Swinefot, skriver han till sina söner, säger i sin krönika att han inte vill skriva om händelserna i Gustaf Vasas tid, men det har han i alla fall gjort, eftersom han överallt i sin bok "laster, häder och smäder uthan all sanningh, skäll och bewijss både Wårt Christelige Regemente så och Wår egenn person till thet högxte."

Så skarpsynt var ingen av hans söner, allesammans lärda unga män.

Kung Eriks tronbestigning

När Gustaf Vasa gick ur tiden på Stockholms slott befann sig arvkonung Erik på resande fot i trakten av Älvsborg, ty han var på väg till England för att personligen fria till drottning Elisabeth. Idén var mindre förflugen än den kan låta, säger Ingvar Andersson och andra nutida historieskrivare. Elisabeths syster och företräderska, den blodiga Maria, hade varit gift med kung Filip II av Spanien vars maktställning därigenom var dubbelt lysande, men till den nya drottningen av England var hans förhållande spänt, och en allians med en protestantisk furste kunde måhända vara i hennes intresse. För Sveriges del kunde en union västerut bli av överväldigande politisk betydelse, bryta den danska inringningen och göra Älvsborg till ett handelscentrum av största vikt. Även Gustaf Vasa lekte en tid med sådana tankar och intresserade sig i början mycket för sin sons frieri. Sonderingar i London på sommaren 1559 hade lämnat uppmuntrande besked, och på hösten samma år hade hertig Johan rest över till England som sin broders talesman och ambassadör.

Han mottogs mycket magnifikt och hans anbud avslogs inte direkt, men drottning Elisabeth lät förstå att hon ju inte kunde ge något löfte åt en friare som hon aldrig hade sett. Med det beskedet kom Johan hem till Sverige på våren 1560, och Erik uppfattade strax hennes ord som en invit att komma till England. Gustaf Vasa, informerad om ambassadens förlopp genom Sten Leijonhufvud som hade åtföljt Johan, insåg att så var det nog inte. Ivrigt bearbetad av de båda sönerna gick han emellertid med på att Erik skulle få fullfölja sitt frieri, och en ståtlig expedition utrustades för att överskeppa den unge fursten, som var på väg till det väntande örlogsskeppet Elefanten i Älvsborg då han nåddes av budet om Gustaf Vasas död.

Han reste genast tillbaka genom Sverige, men i sakta mak. Efter två månaders färd, varunder han i officiella former mottog menigheternas hyllning, återkom han den sista november till Stockholm, där Johan under tiden hade förberett begravningen. Dagarna före jul gick ett väldigt liktåg hela den långa vägen från Stockholms slott till Uppsala domkyrka i vintermörkret; sjuhundra knektar, två hundra ryttare och sexhundra sjungande djäknar skred sorgklädda före furstarna och ridderskapet som omgav den svarta hästbår där den döde konungen vilade mellan sina två första drottningar, vilkas lik dittills hade stått insatta i Stockholms Storkyrka.

Ett halvår senare var kung Erik färdig för en ny färd till Uppsala, nämligen för att krönas. Liksom alla tidens potentater lade han stor vikt vid denna ceremoni, och hans diplomatiska agenter i utlandet var ivrigt anlitade för att hemförskaffa varjehanda praktdräkter, juveler och kuriositeter för det högtidliga tillfället. Kröningen var inte alls någon tom formalitet, ty den gick ut på att manifestera konungens makt och upphöjdhet över alla hans undersåtar och inte minst över hans bröder, som enligt Gustaf Vasas testamente hade fått en ställning som halvt oberoende vasallfurstar efter tyskt föredöme. För Erik var detta ingen önskvärd tingens ordning, och de flesta rådsherrarna med Svante Sture och Per Brahe i spetsen delade för övrigt hans mening.

Kort efter faderns begravning ansattes alltså hertigarna med vissa krav beträffande den kungliga överhögheten, och när Johan kämpade emot drog Erik saken inför en riksdag, som sammanträdde i Arboga i april 1561 och på alla punkter gav konungen rätt. Riksdagsbeslutet ifråga kallas Arboga artiklar och berövade i realiteten hertigarna deras suveränitet. Själva var dessa inte närvarande och godkände alltså inte artiklarna, men Erik skickade inom kort ett par adelsmän till Johans finska hertigdöme och avfordrade alla hans undersåtar trohetsed direkt till konungen, och därmed var saken klar.

Kröningen ägde rum i Uppsala i slutet av juni, och vi är väl underrättade om ceremonierna, processionerna och kalasen i samband med den. Det finns exempelvis en reseberättelse av en tysk vid namn Simon Fischer som åtföljde de pommerska hertigarnas representant vid tillfället; den är rätt rolig lektyr och ger tänkvärda glimtar av livet i Stockholm och Uppsala under dessa festliga dagar. De tyska gästerna hade att göra i nästan tre veckor med att ta sig över Östersjön, och framkomna till Stockholm fick de bevittna diverse fyllerislagsmål med dråp och sådant, varjämte värden på deras härbärge försökte skörta upp dem under det att hans hustru slog tjänstflickorna med ett mangelbräde och tog ifrån dem deras drickspengar. En onsdagsmorgon beskådade främlingarna hurusom kung Erik avreste till Uppsala sjövägen med fyra galejor under stor salut från slottet, och meningen var att hovets damer och alla kröningsgästerna skulle resa samma väg dagen därpå, men då visade det sig att kungen fortfarande låg strax utanför stan och inte kunde komma fram för motvind, och först på söndagen avgick nästa transport, i det att änkedrottning Katarina Stenbock och hela hovfruntimret stack ut med några galejor framemot kvällen. De utländska gästerna dröjde i Stockholm ytterligare några dagar, men på onsdagen gick de i alla fall ombord, låg stilla för motvind hela torsdagen, for vidare med hjälp av åror under fredagen och kom fram till Flottsund någon gång på lördagen, varvid de fick skåda fem renar och två lappflickor som stod utställda på stranden varjämte kungen visade sig med mer än tusen ryttare. Via en tillfällig bro över Fyris fördes sedan gästerna, hovfruntimret och andra bemärkta personer i kunglig procession från Flottsund till Uppsala, och så snart de var över revs bron varefter alla skeppen satte av uppför ån under stort gräl, grundstötningar och kollisioner, ty alla ville komma först och titta på ståten. Kungen själv red på en snövit häst i silverstickad och pärlbesatt ridrock och barett med röda och vita plymer, landsknektar bildade häck, prästerskapet och djäknarna sjöng psalmer, och intåget i Uppsala ägde rum under kanonsalut.

Själva kröningen var en rituell procedur av visst intresse. En stor

skara prelater i full ornat tog emot konungen vid ingången till domkyr-
kan och ledde fram honom till koret där han efter en ed som föresta-
vades av ärkebiskopen kläddes av till midjan och knäböjande smordes
till konung med helig olja; smörjningen ägde rum på pannan, på bröstet,
på skuldrorna, på armlederna och på händerna under ideligt uttalande av
en bön om kraft från ovan till folkets beskärm och varjehanda dygdiga
verk. Därpå kläddes han högtidligen på igen och leddes fram till sin
tron, där man under övliga hyss satte kronan på hans huvud och över-
lämnade spiran, riksnyckeln, riksäpplet och svärdet. Dessa förnöden-
heter var alldeles nya och hade utförts i Stockholm av en koloni hol-
ländska guldsmeder som nog var framstående yrkesmän, ty deras verk
beundras mycket av sakkunskapen som säger att kronan, spiran och
äpplet intar en rangplats bland världens regalier. Som bekant finns de
i behåll än och framdukas varje år vid riksdagens högtidliga öpp-
nande; kronan har dock undergått en del förändringar under senare år-
hundraden.

Efter kröningen slog kungen en del personer till riddare, däribland
några utländska delegater som inte alls var trakterade av detta. Han ut-
nämnde vidare tre grevar och nio friherrar som knäböjande ifördes
fotsida dräkter och ståtliga hattar framför altaret och därefter svor
honom trohetsed. Konungens bröder hade strax förut gjort detsamma,
och klyftan mellan dem och högadeln var nu inte så stor längre. Både
grevar och friherrar förlänades landområden att styra, ehuru de inte
var stora. Grevskapen omfattade i genomsnitt något femtiotal hem-
man, och i jämförelse med de tre grevarnas privata jordinnehav var
detta inte mycket, ty Svante Sture ägde sexhundrasextio gårdar och
torp, Gustaf Johansson Tre Rosor hade över femhundra och Per Brahe
nära trehundra. Dessa herrar fick sin grevetitel emedan de var köttsli-
gen släkt med konungen, under det att övriga anförvanter till konunga-
huset fick nöja sig med att bli friherrar; i den gruppen hamnade sålunda
såväl Sten Eriksson Leijonhufvud som änkedrottning Katarina Stenbocks
fäder och bröder.

Kröningsceremonierna följdes naturligtvis av stort kalas, inför vilket
fyra djäknar hade stått och stött kryddor i fjorton dagar på Uppsala
slott. Allmänheten utspisades med helstekt oxe, och vin eller öl fanns
efter behag att hämta ur var sin brunn. Under de följande dagarna an-
ordnades fyrverkerier och djurhetsningar, i det att man lät åtta arga

hundar slåss först med två björnar och sedan med en björn och en tjur. Man höll vidare tornering, där Erik Gustafsson Stenbock bröt ena benet till allmän tillfredsställelse, ty en tornering utan olyckshändelse ansågs aldrig lyckad. I sinom tid lämnade konungen därefter Uppsala med sitt följe och reste sjövägen tillbaka till Stockholm, där han två dagar senare kunde göra ett triumfatoriskt intåg. Alla gator var skönt sopade och beströdda med gräs, det hängde girlanger överallt mellan husen, kungens pipare blåste i basuner och krumhorn, salut dundrade från slottet, det flaggades på alla torn och galejor, och det kungliga följet red fram genom en triumfbåge av målat trä med kungens porträtt under vilket det stod på latin att stora ting anstår stora män: Magnos magna de-

cent. Sedan blev det förstås bankett igen, och en kväll förunnades stockholmarna och bröllopsgästerna att beskåda hurusom en lina spändes från Storkyrkans torn ned till Slottets trädgård varefter en av kungens lakejer gjorde konster på linan. Några dagar senare anlände en skara bröllopsgäster från Polen, mer än fjorton dagar för sent; de togs emellertid emot med pukor och trumpeter.

Omedelbart efter dessa lustbarheter tog konung Erik på nytt itu med tillrustningarna för sin engelska resa. Med stor svit kom han i början av september till Älvsborg och gick ombord på en ståtlig flotta som strax lättade ankar. Vinden var god, men när man kom till Skagen blev det full storm, och flottan splittrades och måste vända till stor sorg för kung Erik, som nu fick sätta sig att författa ett sirligt latinskt brev till drottning Elisabeth där han i tidens kruserliga stil klagar över det motiga ödet som hindrat honom att skynda till hennes sida med all sin osjälviska, rena kärlek.

Erik XIV:s hovliv var även i vardagslag en tillvaro i glans och prakt
Han hade höga tankar om sitt kall och var den förste i Sverige som lät
sig tituleras Kunglig Majestät, vilket han naturligtvis inte hade hittat
på själv; majestätstiteln, som under medeltiden hade varit förbehållen
de tyskromerska kejsarna och hade att göra med föreställningen om det
världsliga herradömet av Guds nåde, usurperades vid denna tid av de
lokala potentaterna överallt i Europa. Den svenske monarken, helt fri
från humor och sjukligt ömtålig om sin värdighet, bluffade därvidlag
inte; att han verkligen trodde på sin gudomliga utkorelse får anses all-
deles säkert. Han trodde också fullt och fast på Johannes Magnus'
historier och betvivlade inte att de götiska konungarna till vilkas rad
han själv hörde intog främsta platsen i världshistorien. Tilliten till Jo-
hannes Magnus har avsatt spår i hans eget namn, ty det var han själv
som räknade sina företrädare med namnet Erik i det stora verket och
fann att hans eget nummer borde vara XIV.

Idén om konungadömet av Guds nåde stod i dålig samklang med
svensk lag, och det var då naturligt att Erik i väsentliga stycken skulle
undanskjuta denna. Vid furstehoven i Tyskland var den romerska rätten
föremål för livligt intresse; i denna mäktiga juridiska byggnad som stod
färdig sedan antiken flyttade de nya maktmänniskorna begärligt in. Den
romerska rätten låg till grund för kejsar Karl V:s nya strafflag och för
den kungliga lagstiftningen i många länder, och det hade varit märk-
värdigt om den latinkunnige, tidsmedvetne och juridiskt intresserade
Erik XIV inte skulle ha följt exemplet. En av hans första regerings-
åtgärder var att skapa en central domstol som kallades Konungens
nämnd; ofrälse jurister satt som bisittare i den, och dess ledande själ blev
en bildad och duglig ung man som hette Georgius Petri alias Jöran
Persson. Han hade studerat i Wittenberg och rekommenderades av
ingen mindre än Filip Melanchton till Gustaf Vasa, i vars tjänst han
avancerade till sekreterare i det kungliga kansliet och fullgjorde åtskil-
liga viktiga uppdrag. 1560 kom han till arvkonung Eriks hov i Kalmar
och gjorde sig snart oumbärlig hos denne, och efter Gustaf Vasas död
tillväxte raskt hans inflytande och anseende. Han tjänstgjorde som
konungens kansler och spelade dessutom en viktig roll som prokurator

och åklagare inför Konungens nämnd. Det innebar att han var ett slags polisminister och självskriven chef för spioneriväsendet, som var väl utvecklat i Sverige i Erik XIV:s tid.

Konungens nämnd omtalas först i en stadga som kallas konung Eriks Hof-artiklar, utfärdade någon månad efter hans trontillträde. De innehåller detaljerade bestämmelser om statstjänstemännens, slottspersonalens, hovets och allt det kungliga gårdsfolkets förhållanden och ovillkorliga skyldighet att blint lyda konungens vilja; överträdelser eller uraktlåtenhet gentemot dessa stadgar var frikostigt belagda med dödsstraff. Dessa Hof-artiklar åberopas minst lika ofta som landslagen i de många hundra mål i vilka Konungens nämnd avkunnade dom, och nämnden utvecklade sig också till en verklig blodsdomstol vars efterlämnade handlingar bär vittne om suveränt förakt för människoliv. En finländsk dräng som hade målat svenska riksvapnet – de tre kronorna – upp och ner på några portar på Norrmalm dömdes obevekligt till döden, och samma sak hände konungens båda paulunvaktare när de en gång hade lagt tre käppar i kors på ett avsides ställe; i mitten av det hela hade de ställt en kanna, en kappe och ett halster, och kungen som själv hade upptäckt anordningen kunde inte tänka sig annat än att det var fråga om något slags trolldom. Det stora flertalet mål gällde ju emellertid mindre pittoreska saker. Under sina första år anställde nämnden sålunda en del räfster beträffande gårdar som Gustaf Vasa hade slagit under sig och tog i anmärkningsvärt många fall avstånd från den gamle kungens ogenerade metoder att öka sina och kronans ägodelar.

Det finns en del exempel på att Konungens nämnd inte nödvändigtvis fällde de personer som Jöran Persson förde talan emot, men i allt väsentligt kan det nog sägas att det var han som styrde nämnden. Misshagliga ämbetsmän som frikändes för en anklagelse kunde alltid anklagas för något annat som möjligen stred mot hovartiklarnas krav på ovillkorlig lydnad gentemot konungen. Jöran Persson var en outtröttlig polisminister och prokurator. Han var uppenbarligen också en mycket skicklig och begåvad man vars gruvliga eftermäle är tecknat och kolorerat av hans fiender, men till någon sympatisk människa kan Jöran Persson nog ändå aldrig omvärderas inför eftervärlden. Det finns bevis på att han tog mutor, och han satte sig också i besittning av gårdar som hade tillhört personer som dömts från livet av Konungens nämnd.

Den baltiska politiken

I början av år 1561 skickades amiralen Klas Kristersson Horn över till Estland för att förhandla med myndigheterna i Reval och bemäktiga sig staden. Förhållandena där borta var invecklade. Tyska orden, det medeltida riddarsamfund som sedan korstågens tid hade behärskat de baltiska länderna, var bliven mycket otidsenlig och hade länge haft svårt att hävda sig gentemot grannstaterna. Orden leddes av en sorts president med titeln högmästare, och de sista som beklädde denna post ansträngde sig att rädda vad som räddas kunde genom att förvandla ordensländerna till monarkier åt sig själva. En som hette Albert av Hohenzollern gjorde sålunda Preussen till ärftligt hertigdöme under polsk överhöghet; det skedde på 1520-talet, och han blev för övrigt också protestant. Hans efterträdare som högmästare hette Wilhelm von Fürstenberg och trädde efterhand i förbindelse med bland andra Gustaf Vasa, i vars näst sista år det hände sig att Ivan den förskräcklige, nybliven tsar av Ryssland, lät sina skaror bryta in i Balticum där de erövrade Narva i Estland. Gustaf Vasa, alltid försiktig, drog sig för att blanda sig i ordensstatens affärer, och högmästaren försökte då i stället få hjälp av hertig Johan som residerade i Åbo och befanns långt medgörligare än sin far, ty han lovade genast högmästaren ett lån på tvåhundratusen daler mot pantförskrivning av en del fasta orter söder om finska viken. Just i den vevan erövrade ryssarna också Dorpat, och staden Reval som insåg att ordensriddarnas beskydd inte var mycket värt längre övervägde att ge sig under någon annan. I första förskräckelsen tänkte man på hertig Johan vars land ju låg närmast, men Gustaf Vasa som inte ville stöta sig med ryssarna höll Johan tillbaka. Högmästare Fürstenberg undanträngdes inom kort av en annan ordensriddare som hette Gotthard Kettler, och denne begärde också lån i Sverige men sökte framför allt Polens beskydd. Ordensstaten hade sålunda praktiskt taget upphört att existera, och dess norra landsdelar gick sina egna vägar. Biskopen av Ösel sålde sitt område till kung Frederik av Danmark, och det förelåg risk för att staden Reval kunde gå samma väg.

Vid Gustaf Vasas död uppehöll sig två baltiska ambassader i Stockholm, den ena från högmästare Kettler och den andra från borgerskapet i Reval. När kung Erik kom tillbaka till huvudstaden avfärdade han omedelbart den förra av dessa, men beskickningen från Reval tog han nådigt emot och träffade en viktig och vittutseende uppgörelse med den. Reval gav sig nämligen under Sveriges krona på det uttryckliga villkoret att Sverige hindrade handeln på Narva som gick Revals näsa förbi.

Klas Kristersson Horn kom till Reval i mars och utförde sitt uppdrag skickligt och djärvt. Han togs väl emot av stadens råd som stod bakom ambassaden till Stockholm, men i Reval fanns även andra makter och myndigheter, nämligen dels högmästarens trupper på slottet som militärt behärskade staden, dels en styrka tyska landsknektar som hade besatt den biskopliga borgen såsom pant för obetald sold. Med stor smidighet kom Klas Kristersson Horn överens med stadens råd om alla detaljer, förmådde därpå de tyska landsknektarna att gå i svensk tjänst och satte slutligen igång med att belägra slottet, som inom kort föll i hans händer genom överenskommelse med kommendanten. Under intrycket av dessa händelser gav sig också den kringboende adeln på Estlands landsbygd under Sveriges krona.

Allt det här var utan tvivel en besvikelse för hertig Johan i Åbo. Han hade intresserat sig för den baltiska frågan länge, och han hade låtit bruka sig som sin broders representant vid det engelska frieriet mot löfte om hjälp till att förverkliga sina baltiska aspirationer, men när saken blev mogen bad han förgäves att få sända sina egna ombud till Reval, och Erik inhöstade i själva verket frukterna av Johans bemödanden. I olikhet med Johan, som hade velat utvidga sitt välde genom att beskydda Tyska orden, var Erik emellertid angelägen om att bevara freden med ryssarna och tog omedelbart diplomatisk kontakt med Ivan den förskräcklige beträffande de baltiska angelägenheterna. I gengäld kom han praktiskt taget i krig med Polen, ty efter den misslyckade ambassaden till Stockholm hade Tyska orden anslutit sig dit. När han jämlikt sitt löfte till Revals borgare tog itu med att hindra sjöfarten direkt på Narva kom han vidare i konflikt med Lübeck och naturligtvis även med Danmark, vars estniska planer han gjorde allt för att korsa samtidigt som han uppträdde bryskt i den heraldiska tvistefrågan och lade sig till med Danmarks tre lejon i sitt vapen såsom svar på usurpationen av de tre kronorna. Det var sålunda ingen ofarlig politik han förde.

Utestängd från Estland såg sig hertig Johan om efter andra möjligheter att driva en självständig politik. Den polske konungen Sigismund August hade inga legitima barn men däremot två ogifta systrar som inte var så unga längre, och en del trevare gjordes beträffande giftermål mellan hertig Johan och den yngsta av dessa. Ett villkor för att saken skulle kunna gå i lås var naturligtvis att det blev slut på spänningen mellan Polen och Sverige, och sommaren 1561 tycktes det finnas goda utsikter till detta. En polsk greve Tenczin anlände då som kungligt sändebud till Stockholm för att förhandla om ekonomiskt bistånd, förbund mot Ryssland och eventuellt prinsessbröllop, och ambassadörens personliga charm gjorde intryck på kung Erik så att han svarade mycket förbindligt på dessa förslag. Den militära verksamheten i Estland stod därpå stilla några månader, i det att Klas Kristersson Horn på eget bevåg slöt stillestånd med de polska slottsbesättningarna till årets slut.

Greve Tenczin drog nu till hertig Johan i Åbo, som inför de utsikter som öppnade sig strax var villig att bifalla den polske konungens begäran om ett lån, och i januari 1562 skickades en av hans förtrogna till Polen med pengarna. Tillfället var illa valt, ty vid ungefär samma tid kom det order från Stockholm till Klas Kristersson Horn att ofördröjligen återuppta fientligheterna. Saken ledde naturligtvis till en upprörd brevväxling, där Erik ivrigt uppmanade Johan att avstå från det polska frieriet medan Johan svarade att han inte kunde ta tillbaka sitt givna ord och att han för övrigt inte kunde begripa varför Erik skulle leva i ovänskap med kungen av Polen.

Den sistnämnde hade för sin del inga andra betänkligheter mot giftermålsplanerna än att den äldre systern borde bli bortgift först, en invändning som Johan lyckades bemöta genom att förmå sin yngre bror Magnus att fria till prinsessan ifråga. Johan begav sig nu till Danzig och väntade där i nära två månader på Magnus, men denne kom inte. I stället kom det ett brev från Erik som i energisk ton tillhöll Johan att återvända, men detta föll honom inte in. I september mötte han högtidligen kung Sigismund August i Kaunas, överlämnade ytterligare femtiotusen daler till denne och mottog sju slott i Livland som pant för sina lån. Om hertig Magnus talades det inte längre. Tre veckor senare firades i Vilna hertig Johans bröllop med prinsessan Katarina, som i historien kallas Jagellonica efter sin stamfar Jagiello, grundaren av Polens utdöende konungahus.

Hemresan till Åbo blev besvärlig; de nygifta trakasserades i Riga av högmästaren Kettler som vägrade att släppa in dem i staden, och i det av svenskarna erövrade Pernau var det med största tvekan de blev insläppta. Slotten som Johan hade fått i pant hotades av de kungliga svenska trupperna, och ett av dem hade belägrats och intagits. Kort före jul anlände paret sent omsider till Åbo slott, och i februari 1563 mottog hertigen där en särskild ambassad från sin kunglige broder som krävde klart besked huruvida han ville hålla sig till Sverige eller till Polen. Johan avgav då en högtidlig trohetsförsäkran till svenska kronan men ville inte avstå de livländska slotten och inte heller göra rusttjänst mot polackerna i Estland.

I april lät Erik plötsligt häkta en ung finländsk adelsman som hade varit i Johans tjänst men nu befann sig i Sverige; han hette Johan Bertilsson. Inför Konungens nämnd och i konungens närvaro underkastades denne en barbarisk tortyr som gick ut på att avpressa honom bekännelser beträffande upprorsplaner från hertigens sida, och under plågorna sade han tydligen en del som ansågs graverande, fast hans yttranden enligt protokollet är hållna i misstänkt allmänna ordalag. Med utgångspunkt från detta stämdes nu hertigen till Stockholm inom tre veckor för att svara på beskyllningarna. Samtidigt utfärdades kallelse till en riksdag i Stockholm i juni, och en speciell beskickning avgick vidare till Finland med uppgift att söka infånga hertigens förtrogna tjänare. Detta lyckades bra; två av de personer som stod honom närmast snappades bort och fördes till Sverige där de underkastades pinligt förhör, vilket dock gav anmärkningsvärt ringa utbyte. Deras öde hade emellertid den effekten att många av hertigens hovmän och officerare blev medvetna om den fara de själva svävade i, och den ene efter den andre flydde under vårens lopp från Åbo till Stockholm, där de frivilligt berättade för kungen vad de visste om Johans handlingar och planer. Själv satte denne nu Åbo slott i försvarstillstånd och skrev till kungen av Polen med begäran om understöd, men denne hade ingen flotta och kunde ingen hjälp lämna. Slottet inneslöts alltså snart av de överlägsna kungliga trupperna från Sverige.

Riksdagen sammanträdde programenligt i Stockholm och mottogs av konungen med ett trontal som handlade om det utrikespolitiska läget; han sade att konungarna av Polen och Danmark hade föresatt sig att bekriga Sverige och antydde att Johans politik borde ses mot bakgrunden av detta. Inför en samling riksdagsmän som utvalts att förstärka Konungens nämnd framträdde därefter Jöran Persson med den konkreta anklagelsen för landsförräderi, och någon vecka senare var riksdagen färdig med sin dom, som lydde på dödsstraff för hertigen, dock med hänvisning till konungens benådningsrätt.

Hertig Johan försvarade sig tappert på Åbo slott i ett par månaders tid, men soldaterna deserterade och besättningen glesnade efterhand, och mot mitten av augusti måste han slutligen dagtinga och ge sig fången med sin gemål och sina återstående trogna. Han överfördes till Sverige och mottogs i Vaxholm av Jöran Persson, som på konungens vägnar höll ett strafftal och meddelade att hertigen skulle hållas i fängelse på Gripsholm, medan hertiginnan var fri att bosätta sig var hon ville. Katarina Jagellonica började gråta och höll upp sin vigselring mot Jöran Persson så att han kunde läsa dess latinska inskription *Nemo nisi mors* – ingen utom döden. Hon tilläts då att följa sin man i fängelse.

Hertigen skonades alltså till livet, men mot hans medhjälpare visades ingen misskund. De avrättades hoptals, och när Johan på en galeja fördes genom Söderström på väg till Gripsholm tvangs han att sitta uppe på däck för att låta sig beskådas och betrakta liken av vänner och anhängare som låg på stegel på Södra bergen.

Dagen efter hertig Johans kapitulation i Åbo anlände till Stockholm ett danskt och ett lybskt sändebud och förklarade högtidligen krig. Kung Erik tog emot dansken i solenna former på slottet men hade nöjet att hänvisa lybeckaren till de kommunala myndigheterna eftersom han inte var utsänd av en konungs jämlike utan av en stads borgmästare och andre späckhökar, som han uttryckte saken. Ingendera krigsförklaringen kom överraskande; öppna fientligheter av olika slag hade förekommit nästan hela året efter många månader av diplomatiskt käbbel inte blott om de estniska affärerna och handeln på Ryssland, utan i ungefär lika hög grad om riksvapnens kronor och lejon. Frederik II av Danmark, glad dryckesbroder med mera ärelystnad än omdöme, tog allvarligt på sådana ting, och kusinen Erik XIV stod honom inte efter i uppblåst aggressivitet.

De båda monarkerna var till råga på allt rivaler. Kung Frederik hade visserligen på Malmöhus gjort bekantskap med en adelsdam som hette Anna Hardenberg och förälskat sig i henne så djupt att han nödvändigtvis ville upphöja henne till drottning av Danmark, men hans energiska mor lyckades hindra den mesalliansen, och diplomatiska frierier till utländska furstinnor pågick nu för hans del liksom för kung Eriks. Denne blev aldrig i tillfälle att återanträda sin engelska resa, men hans giftermålsförhandlingar med drottning Elisabeth fortgick. Jämsides giljade han försiktigt på ett par andra håll. En sondering beträffande den skotska drottning Maria Stuart lämnade strax nedslående resultat, men bättre utsikter fanns i fråga om prinsessorna Kristina av Hessen och Renate av Lothringen, som båda var betydelsefulla brickor i det storpolitiska spelet; den sistnämnda var sålunda dotterdotter till Kristian II och arvinge till hans anspråk på Danmark och Norge. I kärlek var den unge kung Erik full av realpolitisk beräkning och klokskap, påstår Ingvar Andersson som har forskat i dessa ting.

För ögonblicket intresserade han sig mest för Kristina av Hessen, vilket direkt hade med den danska konflikten att göra. Frederik II hade nämligen en värdefull allierad i kurfursten av Sachsen som var hans svåger, och det låg då nära till hands att Erik XIV skulle närma sig den andra av de två större makterna i det protestantiska Tyskland. Lantgreve Filip av Hessen, berömd för sitt tvegifte som han ingick med Luthers motvilliga medgivande,[1] hade många oförsörjda döttrar och upptog de svenska giftermålstrevarna synnerligen väl, och i februari 1563 skickades Sten Leijonhufvud och två andra högättade svenskar att göra upp det kungliga äktenskapskontraktet. De reste via Köpenhamn, men där blev de kvarhållna därför att en dansk förhandlingsdelegation samtidigt befann sig i Sverige och ansågs löpa vissa risker där. Sten Leijonhufvud uppvaktade gång på gång den danske rikskanslern och begärde pass för att få fara vidare, men då detta inte hade minsta effekt beslöt han att ge sig iväg genom Danmark ändå. Han blev hejdad i Västerport och försökte då tränga sig igenom med våld, vilket förstås ledde till ett stort uppträde under vilket herr Sten upplyste att han gav Köpenhamns myndigheter samt de danska förrädarna i allmänhet tusan djävlar. Det slutade med att den svenska ambassaden häktades, och kung Erik fick skicka en annan person med kopior av dess dokument till lantgreve Filip i Kassel, där det sedan förhandlades hit och dit under någon tid om den politiska allians som den svenske kungen satte som villkor för giftermålet.

På försommaren avseglade en svensk flotta för att eventuellt hämta prinsessan i Warnemünde och i all synnerhet för att göra en militär demonstration i södra Östersjön. Befälhavande amiralen hette Jakob Bagge, och hans instruktion var häpnadsväckande; han borde nämligen på sin väg till Tyskland söka upp danske kungens skepp och göra dem avbräck och skada. På pingstdagen fick han syn på en underlägsen dansk eskader vid Bornholm, och dess amiral råkade vara Jakob Brokkenhus, som hade varit chef för den nyss återkomna förhandlingsdelegationen till Sverige

[1] Lantgrevens hustru var sjuklig och kallsinnig, enligt vad han förklarade; han hade därför otaliga utomäktenskapliga förbindelser. Detta plågade mycket hans samvete, eftersom det stod i strid med sjätte budet och eftersom det stod skrivet att horkarlar skola icke ärva Guds rike. Ytterligare skriftstudium visade honom emellertid att Gamla Testamentets patriarker hade haft flera hustrur, och han hänvände sig då till Luther och Melanchton och frågade dem om det kunde visas att Kristus eller hans apostlar hade tagit avstånd från Mose lag ifråga om månggiftet. Reformatorerna svarade i ett gemensamt brev att engiftet vore det bästa, men om lantgreven inte kunde avhålla sig från hor och skörlevnad vore det väl bättre att han ånyo inträdde i det äkta ståndet; dock borde detta nya äktenskap hållas hemligt för att inte väcka förargelse. Lantgreven ingick då sitt tvegifte fullt öppet, och reformatorernas ställning blev besvärlig, ty saken väckte naturligtvis ett enormt uppseende.

vilken förgäves hade sökt lösa frågan om riksvapnens kronor och lejon. Jakob Brokkenhus nalkades omedelbart och krävde att svenskarna skulle fälla sina toppsegel till danske kungens ära, men Jakob Bagge vägrade naturligtvis, och inom kort var de båda flottorna invecklade i ett regelrätt sjöslag som slutade med att svenskarna erövrade det danska amiralsskeppet och två andra fartyg med sammanlagt sexhundra man ombord, medan resten av eskadern flydde. Amiral Brokkenhus och de andra fångarna fördes till Stockholm där de fick göra sitt intåg med rakade huvuden och vita käppar i händerna, föregångna av en hovnarr som blåste flöjt. Allt detta utspelades medan den kungliga svenska krigsmakten gick till kamp mot hertig Johan i Åbo. Med Danmark rådde officiellt alltjämt fred.

Efter slaget gick Jakob Bagge programenligt till Warnemünde med sin flotta, men prinsessan Kristina infann sig aldrig där, ty giftermålsförhandlingarna i Kassel hade inte lett någon vart. Kung Erik hade i själva verket inte bestämt sig till fullo utan höll även andra möjligheter öppna. En vacker dag skrev han till drottning Elisabeth i England att det var endast för att pröva henne, Elisabeth, som han friade till Kristina av Hessen. Det brevet avsändes med en engelsk köpman som skulle resa hem från Stockholm med en skuta, men vid Gotland råkade denne ut för en dansk styrka till vilken han överlämnade brevet, som därigenom kom i händerna på Frederik II. Denne skickade det med ilbud till sin svåger i Sachsen som i sin tur tog kontakt med lantgreve Filip, och därmed tog giftermålsförhandlingarna naturligtvis ett brått slut. Den förbittrade lantgreven kallade till sig de svenska delegaterna och lät dem veta att han hädanefter inte ens ville ge sin hund åt deras kung och att de hade att omedelbart packa sig bort från Hessen.

När detta hände hade det hunnit gå några veckor från krigsförklaringen i Stockholm, och Sveriges krig med Danmark, Lübeck och Polen hade kommit i gång på allvar. Det kom att vara i sju år och är sorgligt i åminnelse.

En dansk armé som nästan uteslutande bestod av värvade tyska yrkes-
soldater marscherade i krigets första månad upp genom Skåne och Hal-
land mot Älvsborg, som föll efter fjorton dagar. Det var i september
1563. Månaden därpå ryckte kung Erik själv in i det danska Halland
och belägrade Halmstad utan lycka; han måste snart dra sig tillbaka
över Smålandsgränsen igen. En svensk expedition till Jämtland och
Härjedalen under vintern hade däremot framgång; svenskarna gjorde
sig utan svårighet till herrar i de båda norska landskapen och ockupera-
de för en tid också Tröndelagen, men när de därifrån försökte dra
vidare mot Bergen blev de slagna och måste ge sig på nåd och onåd.
Misslyckandet berodde till stor del på att de hade uppträtt med grymhet
och dumhet gentemot norrmännen, som därigenom bragtes att föredra
det danska väldet.

På det hela taget gick kriget under de första åren bättre för Danmark
än för Sverige, men danska statens finanser blev tidigt svårt medtagna
under det att den svenska delvis fick medel till kriget genom att helt
enkelt slå mynt av det silver som Gustaf Vasa hade lagrat upp. Danskar-
nas utgifter var också större. De främmande legoknektarna var mycket
dyra och gav föga valuta för sin sold; det sades rentav om deras över-
befälhavare, den tyske generalen Günther von Schwarzburg, att han var
mest intresserad av att röva bort kreatur som han sedan lät driva söderut
genom Danmark hem till sitt lilla privata furstendöme. Han avskedades
så småningom och ersattes med ingen mindre än Otte Krumpen, som
på sin tid hade besegrat Sten Sture och erövrat Sverige åt Kristian II,
men han var nu nittio år gammal och inte så stridbar mer. Huvudbefäl-
havare på den svenska sidan var fransmannen Charles de Mornay, som
stod högt i gunst hos kung Erik alltsedan Kalmartiden; inte heller han
var någon vidare aktiv fältherre. Krigföringen å ömse sidor bestod där-
för mest i raider som gick ut på att förvandla gränsområdena till öde-
marker. Halland förhärjades med stort barbari, och på sensommaren
1564 gjorde kung Erik i egen person en brutal marsch genom Blekinge,
brände alla gårdar i sin väg och tog livet av mycket folk. Om sin fram-
fart i Ronneby har han själv berättat i ett brev till svenska folket någon
vecka senare; han var mycket stolt över denna sin erövring. Efter storm-

ningen, säger han, "blev därinne ett väldigt mord. Rött som blod färgades vattnet i älven. Och voro fienderna så försagde att man föga omak hade för dem, utan man stack i dem såsom i en hop vildsvin, och skonade man ingen utan slog ihjäl alla varaktiga" – vapenföra – "så att i staden blevo mer än 2 000 man om halsen utom några kvinnor och barn, vilka finnarna slogo ihjäl". Glädjen blev dock kort, ty danskarna återtog snart Ronneby och hela Blekinge, varefter det var deras tur att fara blodtörstigt fram i Möre och på Öland.

Också till sjöss vägde kriget tämligen jämnt under dessa år. I maj 1564 skingrades svenska flottan av en svår storm, och den gamle Jakob Bagge ombord på det nybyggda amiralsskeppet Mars Jutehataren alias Makalös hade bara två fartyg med sig då han utanför Öland fick syn på den samlade danska flottan. Makalös var det största skepp som dittills hade visat sig i Östersjön; det förde 173 kanoner och hade en besättning på 700 man. Den strid som uppstod varade i tre dagar och slutade med att Makalös fick rodret bortskjutet, äntrades och sprang i luften; Jakob Bagge togs tillfånga. De båda andra svenska skeppen flydde och förenade sig med resten av den vinddrivna flottan, vilken därefter gick till Bornholm där den hade turen att möta tjugosex rikt lastade lybska handelsfartyg som kom från Narva. Lybeckarna seglade aningslöst rätt i fördärvet, ty de hade hört talas om Makalös' undergång och tog för givet att örlogsflottan som de såg måste vara den danska. Litet senare på sommaren, då Klas Kristersson Horn hade blivit svensk överbefälhavare till sjöss, stod ett slag vid Ölands norra udde där några danska fartyg blev tagna och den skånske storgodsägaren Arild Urup blev fången, men härjningarna på ön kunde flottan inte hindra, och när den i slutet av september gick hem till sin vinterhamn vid Älvsnabben hände det sig dessutom att det stora amiralsskeppet Elefanten stötte på grund och gick under.

Året 1565 var lyckligare för den svenske amiralen; han hotade rentav Köpenhamn, uppbar tull i Öresund och slog den danska flottan mellan Fehmern och Wismar. Sjöfarten på Sverige från Västeuropa förblev emellertid blockerad, och som vanligt i sådana lägen blev det brist på salt, som var den enda importvaran av nämnvärd ekonomisk betydelse. Dessutom blev det brist på nattvardsvin, vilket också var en allvarlig historia. Kungen, som befarade andlig oro i landet inför denna följd av kriget, lät den reformerte Dionysius Beurreus lägga fram ett förslag av innehåll att man borde kunna använda mjöd, äppelsaft eller någon annan åtkomlig dryck i stället för vin till nattvarden, men gentemot denna tanke uppträdde den gamle ärkebiskop Laurentius Petri med stor bestämdhet, och församlingarna fick alltså iaktta sträng sparsamhet med sakramentet eller rentav vara utan nattvard. Bekymmersammast var väl ändå saltfrågan. På kunglig befallning gjordes det diverse försök att få till stånd saltsjuderier på kusterna av Östersjön, Finska viken och Bottenhavet, men resultaten var naturligtvis magra. En del skojare i saltsjuderibranschen uppträdde också. Ett engelskt konsortium som lovat att sätta den svenske monarken in i alla konstens hemligheter meddelade sålunda inom kort att en ny epokgörande metod var på väg att utarbetas och att han borde ersätta bolaget för dess stora utlägg därvidlag; det rörde sig ju om struntsummor om man betänkte att Sverige med denna metod skulle bli oberoende av saltimport för all framtid.

Hösten 1565 lyckades svenskarna erövra Varberg, men den utmärkte danske generalen Daniel Rantzau som hade efterträtt Otte Krumpen i överbefälet slog dem i gengäld eftertryckligt vid Axtorna ett par mil från staden; det var för övrigt ett mycket blodigt slag med flera tusen döda. Året därpå gjorde Rantzau en raid in i Västergötland där han brände slotten Torpa, Läckö och Orreholm och städerna Bogesund, Falköping och Skara. Vid samma tid råkade danska flottan vid Gotland ut för en storm som sänkte fjorton stora fartyg med bortåt sjutusen man ombord, och den svenska överlägsenheten på Östersjön var därmed så betryggande att Klas Kristersson Horn kunde flyttas i land för att överta befälet i Västergötland. På väg dit insjuknade han emellertid och dog i pesten. Strax därpå överrumplades och tillfångatogs Charles de Mornay av Rantzaus ryttare, och kort därefter drabbades kung Erik själv av uppenbar sinnesförvirring, varom mera i annat sammanhang.

Rantzau var emellertid ur stånd att omedelbart utnyttja situationen, ty även i Danmark rådde stor oreda. Statens finanser befann sig i det miserablaste tillstånd, och spänningen mellan kungen och högadeln var stark. Finanskrisen löstes så småningom genom vissa skattearrangemang och genom att Öresundstullen omkonstruerades så att den utgick på tonnage i stället för på antalet skepp – en från landsflykten hemkallad adelsman vid namn Peder Okse styrde om detta – men det dröjde i alla fall ett helt år innan Rantzau – som för övrigt var personlig ovän med Peder Okse – blev i stånd att gå till offensiv på allvar. Först i oktober 1567 kunde han marschera över riksgränsen i spetsen för en armé på 8 500 man och nio hundra rustvagnar för tross och artilleri. Expeditionen är av intresse för eftervärlden, ty därom finns en samtida berättelse som lämnar detaljerat besked om krigarliv i Sverige på 1500-talet; den skildrar händelserna dag för dag och är full av klagan över vägförhållandena.

Rantzau tågade från Halmstad uppför Nissastigen, som var blockerad med bråtar här och där varjämte alla broar var rivna. Vagnarna blev efter och många av dem gick sönder, men armén tog sig i alla fall på en vecka fram till Jönköping, där man fann rikliga förråd av allt möjligt. Man tog för sig vad man behövde och satte sedan eld på staden, varefter hären drog vidare på den så kallade västra Holavägen – nuvarande europafyran – där en av landsknektarna lyckades fånga ett rådjur med bara händerna, vilket ansågs vara ett gott omen. Utan större svårigheter kom man fram till Östergötland, som härjades vitt och brett. Källrarna i Vadstena befanns vara fulla av vin. I slottet kom Rantzau aldrig in, men klostret låg naturligtvis öppet för danskarna. Där gick en nunna och höll i en duk några reliker som hon hoppades skulle ge beskärm, och vid åsynen härav lät en skotsk kapten på skämt tända eld på klosterkyrkan för att pröva relikernas kraft, varpå staden brann ner. Alvastra kloster avbrändes också. I Linköping påträffades korn och malt i mängd, i Norrköping järn och varjehanda handelsvaror, och i Söderköping hittade man förråd för svenska flottans behov; det var bara att ta för sig. Söderköpings borgare var beredda att betala brandskatt, men detta förhindrades av ditsänt svenskt kavalleri som i stället brände staden. Bönderna på landsbygden, som hade betalat sex lod silver var för att rädda sina hus från elden, fick i sinom tid plikta för detta; profossen Peder Gadd avrättade sjuttioåtta stycken för landsförräderi. Linköping och södra delen av Norrköping avbrändes av svenskarna, som också rev alla broar över Motala ström. En svensk styrka som stod norr om strömmen vid Norrby blev ändå överrumplad och slagen av Rantzau som hade lyckats hitta ett vadställe.

Emellertid var överlägsna svenska förband nu på väg mot Östergötland från alla håll, och Rantzaus ställning började bli vansklig. Han drog sig därför söderut igen, avbrände Skänninge i förbifarten och slog därefter in på den så kallade östra Holavägen där det var isgata så att hästar och fordon halkade hit och dit. Neråt Smålandsgränsen var vägen spärrad av svenskarna, men kölden gjorde att Sommen frös till, och på dess is kunde hären ta sig förbi alla förskansningar och posteringar. Vid Säby söder om Tranås kom det till en skärmytsling där Rantzau hade turen att tillfångata två höga officerare som hette Sten Banér och Hogenskild Bielke, men på sin fortsatta väg mötte han nya bråtar och spärrar och måste lämna ifrån sig en del av bytet från Östergötland. Han slog sig i alla fall igenom, brände Eksjö, drog i ilmarscher mot sydväst genom Småland och nådde i februari 1568 omsider dansk mark bortom Hallandsgränsen. Armén var då mycket decimerad och led brist på det mesta, men Rantzaus härnadståg genom Sverige anses visst ändå vara en märklig krigshistorisk bedrift som har åtnjutit stor beundran bland militära fackmän genom tiderna.

Sturemorden

En kedja av händelser som mycket intresserade 1800-talets historiemålare fyller de sista åren av Erik XIV:s regering. Allbekant är väl alltjämt Georg von Rosens stora tavla där monarken sitter rödklädd men svårmodig på golvet och hålls i hand av den ljusa Karin Månsdotter, medan den svarte Jöran Persson på hans andra sida uppfordrande räcker fram en penna och tydligen vill ha en dödsdom undertecknad. I kungens bälte sitter en dolk som nästan är tavlans tyngdpunkt; den är noggrant målad efter äkta modell som alltjämt finns att bese på Skokloster.[1]

Karin, dotter till en fångknekt som hette Måns, inträdde i kung Eriks liv år 1565 då hon var femton år gammal, och enligt en vacker historiebokstradition som härstammar från Johannes Messenius stod hon och sålde nötter på Stockholms torg när kungen först fick syn på henne. Olyckligtvis är detta antagligen inte sant, ty man vet numera att hon före sin upphöjelse var i tjänst hos en hovmusiker vid namn Gert Cantor och därefter var kammarjungfru hos Eriks syster Elisabeth. Hon hade också hand om hans lilla dotter Virginia, vars mamma hade blivit bortgift med en officer fyra år tidigare; hon hette Agda Persdotter och hade skänkt kungen ännu en dotter som han lät döpa till Constantia. Han satt alltså ingalunda och trånade i väntan på svar på sina furstliga frierier; ytterligare fem halvt officiella älskarinnor är förresten kända till namnet. I och med Karin Månsdotters ankomst träder de alla i bakgrunden. Sommaren 1565 följde hon kungen till Västergötland i glans och prakt i sällskap med hertig Karl och hans systrar. Återkommen till Stockholm i början av nästa år omgavs hon av ett eget litet hov av tjänare och underlydande, men kungen lät ta livet av en ung man som hette Maximilian och hade varit hennes ungdomsvän. Kung Erik var sålunda varmt fästad vid Karin Månsdotter, som nog var den enda människa han kände trygghet hos. Hans aldrig vilande misstänksamhet förvärrades nämligen med åren, och hans andliga balans var inte den bästa.

Framför allt misstrodde han Sturarna. "Konung Erik", skriver Erik

[1] Se s. 822.

Gustaf Geijer i sin Svenska Folkets historia, "förmente sig i stjernorna läsa, att en man med ljust hår skulle beröfva honom kronan. Tecknet inträffade både på hertig Johan och Nils Sture. Visst är, att, efter den förres fängslande, den senare blev hufvudföremålet för konungens fruktan." Om Erik XIV:s läsande i stjärnorna är numera åtskilligt känt, framför allt genom Ingvar Anderssons forskningar och skrifter i ämnet. I behåll finns nämligen dels två av kungens dagböcker som gäller åren 1566 och 1567, dels en del anteckningar som han gjort i marginalerna av några andra böcker, bland dem en astrologisk kalender.[1] Intresset för astrologi delade han med hela sin samtid, som däri såg den exaktaste av vetenskaper. Alla universitet lämnade undervisning i stjärntyderi och alla potentater höll sig med hovastrologer; exempelvis kejsar Karl V, Kristian II, drottning Elisabeth av England och själve den utåtvände Gustaf Vasa hade stor respekt för sådana ting. Gustaf Vasas yngre söner trodde fullt och fast på tecknen i stjärnorna, och att Erik XIV sysslade med sådant är alltså i och för sig ingenting märkvärdigt. Hans intresse för saken och hans lärdom på området var dock av sällsynta dimensioner. Själv ställde han sålunda Karin Månsdotters horoskop, vilket var besvärligt, ty hon var inte säker på sin födelsestund. Hon visste att hon var född klockan 7.20 en höstdag år 1550, och hon visste också att födelsedagens datum var den 6, men hon kunde inte säga om det var 6 oktober eller 6 november. Kungen fick därför göra två alternativa horoskop för hennes del.

Hur det förhöll sig med stjärnornas budskap beträffande den ljushårige mannen är ovisst. Dagböckerna och almanacksanteckningarna bekräftar inte direkt den gamla notisen, men den kan vara sann i alla fall,

[1] Erik XIV:s dagböcker och almanacksanteckningar har hamnat i svenska bibliotek efter egendomliga öden. Det gäller framför allt dagboksvolymen, som pantsattes av hans landsflyktige son Gustaf hos en värdshusvärd i Vilna varifrån den i början av 1600-talet inlöstes av en svensk som hette Gregorius Larsson Borastus och var sekreterare hos de polska konungarna av huset Vasa. Han måtte ha skänkt boken till den siste av dem, Johan Casimir, ty efter dennes död föll den i händerna på hans dvärg, som sålde den och en mängd andra svenska handlingar till en kryddkrämare i Paris. Denne hade redan hunnit svarva strutar av det mesta då en ung svensk adelsman vid namn Åke Rålamb fick syn på dagböckerna och räddade dem undan förstörelsen.

Almanacksanteckningarna identifierades först i vårt århundrade av bibliotekarien C. M. Stenbock vid K. B. Kalendern, som kallas Statius' Ephemerider, hade dessförinnan gått ur hand i hand utan att ägarna anat vad det var för en skrift.

ty ett horoskop över Nils Sture förekommer faktiskt i en horoskopsamling som kungen lät utarbeta, och i hans almanacksanteckningar nämns namnet Nicolaus Sture efter en serie olycksbådande astrologiska tecken under några majdagar 1567, då det inträffade en serie händelser som kostade några av Sveriges främsta män livet och i sinom tid kostade kung Erik själv hans krona och hans frihet.

Nils Sture, kusin till kungens halvsyskon, hade trots sin ungdom varit mycket använd i rikets tjänst, men vidare framgångsrik hade han inte varit. Han hade deltagit i en beskickning till England i samband med det resultatlösa frieriet till drottning Elisabeth, och i det olyckliga slaget vid Axtorna där han hade haft befäl över kavalleriet hade han måst förstöra rikets huvudbanér för att det inte skulle falla i fiendens händer. För dessa och andra misslyckanden ställdes han inför rätta på sommaren 1566 och dömdes av Konungens nämnd till döden för ohörsamhet mot vissa kungliga instruktioner. Dödsdomen förvandlades av nåd till ett skymfligt intåg i Stockholm, samma slags bestraffning som hade drabbat den olycklige Sturekanslern Peder Sunnanväder fyrtio år tidigare. Nils Sture sattes på en utsvulten hästkrake och fick rida genom en triumfbåge av två uppochnedvända granar, föregången av en skara fattighjon på två led, och på Järntorget möttes han av en kunglig sekreterare som satte på honom en halmkrans och läste upp en del hånfulla haranger. Efteråt frigavs han emellertid och anförtroddes det viktiga uppdraget att resa som legat till Lothringen och avsluta giftermålsförhandlingarna beträffande prinsessan Renate.

Nils Sture var inte den ende svenske adelsman som ådrog sig konungens onåd och via domstolen utlämnades åt hans godtycke. Den unge Olof Gustafsson Stenbock, också han nära befryndad med konungahuset eftersom han var bror till Gustaf Vasas tredje drottning, anklagades för att ha talat illa om monarken och dömdes därför till döden av Konungens nämnd varefter han benådades. En annan av kungens styvmorbröder, Sten Eriksson Leijonhufvud, stod under bevakning en tid sedan han 1565 hade fått återvända ur den danska fångenskapen. Den godmodige och försiktige Svante Sture med sin stora familj – han hade med Märta Leijonhufvud mer än dussinet barn av vilka Nils Sture var äldst – misstroddes ävenledes, ty hemkallad från ställningen som generalguvernör över Estland, en ny och svår post som han nog inte var vuxen, stod han under uppsikt av en ung spion som hette

Gustaf Ribbing. På nyåret 1567 kunde denne meddela konungen att Svante Sture, Per Brahe, Gustaf Olofsson Stenbock och Sten Eriksson Leijonhufvud brukade prata om att hans giftermålsförhandlingar borde saboteras på det att han skulle dö utan legitima arvingar. Tre veckor senare uppvaktades Svante Sture och Sten Eriksson Leijonhufvud med en skrivelse som de ombads underteckna. Där stod att det fanns personer som genom förrädiska ränker motarbetade kung Eriks frierier till främmande furstinnor, och samma personer hade också lockat hertig Johan till uppror och hade möjligen också drivit hertig Magnus från förståndet. Med anledning härav hade konungen infordrat greve Svantes och herr Stens råd och betänkande, som var att kungen först och främst borde gifta sig med vem han fann för gott utan hänsyn till stånd eller nationalitet. De förpliktade sig i så fall att ära och akta vederbörande såsom Sveriges drottning och anse hennes barn som legitima tronarvingar, och de lovade även att på allt sätt hjälpa till med att straffa envar som kunde tänkas ha velat hindra kungens giftermål. Herrarna blev förfärade vid åsynen av den skrivelsen och svor och bedyrade att de inte visste av något sabotage på området, men kungens sekreterare lät förstå att om de inte skrev under skulle deras bröd snart vara ätet, och under sådana förhållanden skrev de på.

I februari detta år hände det sig att kungen på en gata i Stockholm mötte en av Svante Stures tjänare som bar en söndrig bössa till lagning. Mannen arresterades genast och underkastades tortyr för att förmås att bekänna att ett attentat var planerat, men fast man hällde ut två kannor brännvin över hans nakna bröst och tände på bekände han ingenting sådant. Kungens misstankar och rädsla gentemot högadeln höll emellertid i sig, och i början av april utfärdade han en befallning att tre präster och sex bönder från varje härad i riket skulle samlas till ett riksmöte i maj. Ärendet var att rannsaka och avkunna dom beträffande förmodade omstörtningsplaner. De misstänkta herrarna kallades med personliga, ganska nådiga brev till Svartsjö slott, där konungen själv befann sig. Dit anlände i tur och ordning under första hälften av maj Erik Svantesson Sture, Abraham Gustafsson Stenbock, Ivar Ivarsson Liljeörn, Sten Axelsson Banér, Svante Sture och Sten Eriksson Leijonhufvud, och allesammans arresterades till sin bestörtning vid ankomsten. Märta Leijonhufvud som skyndade till Svartsjö för att försöka få de sina fria blev hejdad och stängdes in på en bondgård i byn Nyble, varifrån hon skrev förtvivlade brev till Karin Månsdotter, titulerande henne Allra-käraste Karin, hjertans kära Karin, och bönföll om hennes förbön hos kungen. Karin Månsdotter, som personligen inte hade någon anledning att lägga sig ut för de högadliga familjerna, gjorde det inte desto mindre, men kungen hörde inte på det örat.

En illvillig rättegång mot de fångna herrarna igångsattes strax och pågick dag efter dag på Svartsjö inför Konungens nämnd, ibland även inför konungen själv och hans frände hertig Magnus av Sachsen-Lauenburg. I behåll finns en del handlingar med otydliga och osammanhängande vittnesmål, delvis avgivna under tortyr, men i detalj kan man inte följa rättegången. Några av de anklagade fälldes emellertid av nämnden, och eftersom det var fråga om majestätsbrott var domen utan vidare given; en vacker dag kunde Jöran Persson meddela kung Erik att Abraham Stenbock och Ivar Ivarsson hade dömts till döden. Hur det förhöll sig ifråga om de andra herrarna är inte alldeles klart. Säkert är dock att åtminstone Svante Sture inte hade kunnat fällas.

Den sjuttonde maj kom kungen till Uppsala där riksmötet skulle hållas, och i hans dagbok finns en anteckning som vittnar om att hans själsliga hälsa inte var den bästa. Han antecknar nämligen att hela hans betjäning lämnade honom på vägen från Flottsund så att han skymfligen nödgades gå in i staden, där inget hus var i ordning för honom och där ingen tog emot honom utom ärkebiskopen och två andra personer. De fångna herrarna från Svartsjö hade också förts till Uppsala, och den nittonde öppnades riksmötet av konungen, som skriver i sin dagbok att han blivit fylld med starkt vin dagen före; han hade därför inte kunnat hitta konceptet till sitt öppningstal utan måste oförberedd framföra sina beskyllningar. Sammanträdet blev därför mycket oredigt och måste strax upplösas. Under de följande dagarna var det Jöran Persson och Dionysius Beurreus som förde hans talan och försökte få till stånd en dom över alla de anklagade, vilket också lyckades. Den tjugoförsta maj anlände Nils Sture till Uppsala från sin expedition till Lothringen, som av allt att döma inte hade gett något resultat; han kunde alltså anklagas för att än en gång ha saboterat konungens giftermålsplaner, häktades omedelbart och sattes liksom sina fränder i fängelse på Uppsala slott.

Vad kung Erik tänkte och gjorde under de närmast följande dagarna är höljt i gåtfullt dunkel. Uppenbart är att han var ett rov för stridiga känslor och inflytanden, och von Rosens naiva 1800-tals-tavla är kanske inte så osann när allt kommer omkring; kung Erik slets nog verkligen mellan Jöran Persson och Karin Månsdotter. Han lär ha skrivit till Svante Sture och manat honom att vara vid gott mod, ty allt skulle sluta väl, och tidigt på morgonen den 24 maj kunde Karin Månsdotter meddela Märta Leijonhufvud att hon kunde vara lugn för de sina. Samma förmiddag besökte konungen Sten Eriksson Leijonhufvud i hans fängelse och tog honom med in till den fångne Svante Sture, föll på knä inför denne och bad om hans vänskap, men plötsligt lämnade han åter de fångna herrarna, mumlande att de säkert aldrig kunde förlåta vad som vederfarits Nils Sture.

Ute på slottsbacken sammanträffade han sedan med en präst som hette Peder Carlsson alias Petrus Caroli, superintendent i Kalmar och Jöran Perssons förtrogne; med honom och några drabanter hade han ett allvarligt samtal av obekant innehåll. Knappt hade han skilts från denne förrän han tryckte sin huvudbonad djupare i pannan och åtföljd av drabanterna rusade iväg till Nils Stures fängelse. Sten Eriksson Leijonhufvud som satt fången i rummet bredvid hörde genom väggen hur Nils Sture sjöng en tysk psalm: "Må jag olyckan ej undgå men onåder få..." Därefter hördes konungen komma in och kalla honom förrädare, och efter ytterligare några repliker där Nils Sture bad konungen skona hans unga liv följde ett stort tumult och sedan tystnad. Ett annat vittne har berättat att kungen stack Nils Sture i armen med en dolk och att denne strax drog ut vapnet, kysste det och ödmjukt återlämnade det till ägaren. I övrigt kan tragediens detaljer inte följas så noga. Säkert är att Nils Sture dödades i sitt fängelse av konungen och dennes följeslagare.

Följd av några drabanter skyndade kung Erik nu bort från Uppsala slott, uppenbart sinnessjuk och otillräknelig. Hans gamle lärare Dionysius Beurreus, som nyss gått hans ärenden i rättegången mot de fångna, skyndade efter honom för att bringa honom till besinning. Han hann upp honom någonstans söder om staden – vid Alsike, säger en berättelse,

men det finns diverse andra uppgifter också – och besvor honom att lugna sig och vända tillbaka, men kungen fick då ett raseriutbrott och befallde drabanterna att späka den skälmen, som han uttryckte saken. Beurreus flydde förskräckt men blev upphunnen vid en gärdsgård och genomborrades av drabanternas vapen. Därefter skickade konungen av allt att döma bud till riksprofossen Peder Gadd med order att döda alla fångarna utom herr Sten. Själv gav han sig iväg från sina följeslagare och irrade ensam omkring på Upplands landsbygd, där han fyra dagar senare återfanns i Odensala, omtöcknad, slö och skygg.

Peder Gadd samlade nu knektarna på slottet och meddelade att de fångna herrarna var dödsdömda och skulle avrättas. Orden "utom herr Sten" i konungens order vållade emellertid huvudbry, ty det fanns två fångar med det namnet, och enligt en uppgift vände sig Peder Gadd till Jöran Persson och begärde besked om vilken som avsågs, men Jöran Persson – som för övrigt var sysselsatt med att spela kort – svarade att Peder Gadd fick bestämma själv. Han löste dilemmat genom att skona både Sten Banér och Sten Eriksson Leijonhufvud. De övriga fångarna mördades obarmhärtigt. Bödlarna begav sig först till Svante Stures fängelse som var tämligen mörkt, ty det led redan mot kväll, och en av dem raglade in och stötte till den gamle greven, som emellertid svarade så saktmodigt att knekten vände sig till sina kamrater och sade: "Intet kan jag göra't." En annan knekt knuffade emellertid ut Svante Stures tjänare, varpå Peder Gadd upplyste att de hade konungens befallning att ta honom av daga. Efter en del fåfängt parlamenterande pekade han på sitt bröst och bad dem sticka till, och en drabant gav honom en stöt med sin hillebard varvid greven utropade: "Gud vare mig, arme syndare, nådelig, och du arme man stack ej rätt!" De andra drabanterna fullbordade då dådet. Därmed var isen bruten, och de övriga morden verkställdes resolut och utan tvekan. Abraham Stenbock avdagatogs av fem knektar i sitt fängelse. Erik Sture och Ivar Ivarsson lär ha förts ut över borggården och in i ett mörkt valv där någon stod i bakhåll och slog dem i huvudet med ett vedträ; slagen var emellertid inte dödande, utan båda två värjde sig en stund men dukade naturligtvis under till sist för knektarnas vapen. Därefter, påstår Johannes Messenius, ställde mördarna till ett stort kalas som hölls i gång i flera dagar med hjälp av all den mat och dryck som de mördades aningslösa fränder skickade till dessa.

Kung Eriks olösliga dilemma

Annus infelicissimus Erico regi, det olyckligaste året för kung Erik, står det på första sidan av dennes dagbok för 1567. Att han led stor ångest var tydligt även för utomstående. Återförd till Uppsala kallade han till sig änkedrottning Katarina Stenbock och en del herrar som stod de mördade nära och bad dem på sina knän om förlåtelse och försoning. Alltjämt var han dock uppenbart sinnesförvirrad och helt ur stånd att återuppta riksstyrelsen, som då övertogs av de överlevande rådsherrarna. I kungens namn ingicks en förlikning med de mördades anhöriga som tog emot stora summor som ett slags mansbot; fru Märta fick tusen gyllen och hennes bror Sten Leijonhufvud ungefär lika mycket. Begravningarna skedde med stor högtidlighet på konungens bekostnad, och skulden till det skedda lades på hans rådgivare. Jöran Persson kastades alltså i fängelse och dömdes till döden av rådet och Konungens nämnd i förening, men tills vidare vågade man inte verkställa domen. Samtidigt arbetade man på att få hertig Johan fri, vilket lyckades lätt nog, helst som konungen i sitt omtöcknade tillstånd trodde sig vara maktlös och fången på Svartsjö slott där han vistades under denna svåra tid. I början av oktober fördes hertig Johan av sin morbror Sten Leijonhufvud från Gripsholm till Väntholmen utanför Svartsjö varefter bröderna möttes vid vattuporten till slottet. I sin ömsesidiga rädsla bar de sig båda ömkligt och underligt åt i det att de knäföll och ivrigt försäkrade varandra om underdånighet. Ytterligare ett par möten mellan bröderna kom till stånd under den följande tiden, och då Johan begärde att med sin gemål få vistas på Arboga gård bifölls genast detta.

Kung Eriks förhållande till hertig Johan var emellertid vid denna tid ytterligt komplicerat och bidrog nog till hans flykt in i sinnessjukdomen från rikets affärer. Han befann sig nämligen i ett dilemma varur det knappast fanns någon acceptabel utväg. En hörnsten i hans baltiska politik hade varit att söka bevara freden med Ryssland, där Ivan den förskräcklige regerade, ty även denne stod i spänt förhållande till konungen av Polen, bror till Katarina Jagellonica som den ryske självhärskaren tidigare hade friat till utan framgång. Efter gammal österländsk sedvänja, säger Harald Hjärne, ville han gärna bemäktiga sig hennes person som gisslan och politiskt påtryckningsmedel, och diplomatiska kontakter i detta ömtåliga ämne ägde rum i flera års tid mellan kung Erik och Ivan den förskräcklige, den konstälskande renässansmannen och den i senbysantinsk munkvisdom bereste tatarvännen, för att använda Hjärnes ord om de båda potentaterna. I behåll finns en underbar redogörelse[1] för en svensk ambassad till Ryssland vintern 1566–67 under ledning av rikskanslern Nils Gyllenstierna, som hade kunglig fullmakt att i värsta fall lova storfursten vad han begärde. Trakterad ömsom med kalas och ömsom med hot och förolämpningar måste Gyllenstierna snart rycka fram med detta hemliga anbud beträffande polackinnan, som hon titulerades i instruktionen. Tsaren blev då mycket belåten och lät förstå att om kung Erik ville unna honom den person han åstundade så ville han i gengäld hålla svenske kungen för sin broder, vilket innebar att han lovade frångå de dittillsvarande säregna formerna för det diplomatiska umgänget; kungen betraktades nämligen ingalunda som tsarens jämlike utan brukade hänvisas till att förhandla med hans ståthållare i Novgorod. Man satte nu upp en formlig traktat beträffande Katarina Jagellonica, "den som Vår broder hertig Johan haft haver", och kung Erik förband sig att låta en rysk beskickning komma och hämta henne i Sverige; för säkerhets skull lovade han dessutom att inte förgifta henne eller på annat sätt göra henne något ont. Den ryska beskickningen anlände mycket riktigt till Stockholm inom kort; den var tvåhundra man stark och leddes av tre åldriga dignitärer av hög börd och rang. Den kom i maj, alldeles lagom till Sturemorden och kung Eriks andliga kollaps. Året ut satt den i Stockholm och väntade förgäves på företräde.

Framemot jul började kung Erik omsider återvinna sin själsliga hälsa, och på årets sista dag meddelade han rådsherrarna att han offentligen tänkte gifta sig med Karin Månsdotter. Han begärde att de skulle er-

[1] Tryckt i Historisk Tidskrift 1887.

känna henne som landets drottning och hennes söner efter giftermålet såsom lagliga arvingar till Sveriges tron, och rådsherrarna lovade detta. På nyåret 1568 bröt han upp från Svartsjö och drog med livgardet och en del andra trupper söderut mot danskarna som härjade i Östergötland. Hans bröder Johan och Karl nödgades följa med på detta fälttåg, och i Södertälje begagnade han tillfället att offentligen ingå förlikning med Johan, som därvid lovade erkänna äktenskapet med Karin Månsdotter som lagligt. I Nyköping tillstötte för övrigt hertig Magnus, och brödrakretsen var alltså samlad för en gångs skull, men Magnus' sinnestillstånd var sådant att han måste tas om hand, och han skickades diskret till Uppsala slott medan de övriga bröderna fortsatte marschen söderut.

I de retirerande danskarnas spår drog den kungliga armén nu in i Östergötland och därifrån vidare genom Småland, men med Rantzau fick den aldrig känning. I stället bröt kung Erik skövlande in över gränsen till Skåne men vände snart tillbaka, och när det började våras satt han åter på Svartsjö slott och förhandlade om arvegods och hertigdömen med sina bröder, vilka i maj fick hans tillstånd att slå sig ner på Eskilstuna kungsgård som tillhörde hertig Karl; de stod där under ett slags övervakning av en nyss invandrad fransk överste som hette Pontus De la Gardie. Jöran Persson befriades, förklarades oskyldig och återinträdde i kungens tjänst; en av hans närmaste uppgifter skulle vara att kräva tillbaka de syndapengar som hade utbetalats för Sturemorden. Till folket utfärdades ett manifest om allmän tacksägelse med anledning av att konungen nu vore förlossad från sin svaghet och anfäktning, ett mycket märkligt aktstycke som berättar om huru djävulen hemsökt honom med mångahanda frestelser så att han hade hållit Nils Sture för en konkurrerande konung och sedan inte hade haft kraft att beställa om riksens ärenden, men till sist hade Gud allsmäktig upplyst honom med sin helge ande så att han hade kunnat driva fienden ur landet. Sådana anfäktelser som hade vederfarits honom plägar komma av trolldom och djävulens konst, och om undersåtarna kände till någon som sysslade med sådant så vore det bra om de ville berätta vad de visste. Emellertid hade hans iråkade svaghet visat dels hur det går då Gud tar sin hand från överheten, dels hur ondskan rasar och regerar då ingen överhet är. Tron hjälper dock mot alla anfäktelser, och folket borde därför komma samman till tacksägelse och förbön på trettonde söndagen efter Trefaldighet.

Emellertid var det ingalunda slut med hans bekymmer. Borta i Moskva satt Ivan den förskräcklige och väntade på Katarina Jagellonica, och en ny brevdragare från honom rapporterades vara på väg. Kung Erik lät uppehålla denne på Åland över vintern, men när det våradeskom han i alla fall fram till Stockholm, och tonen i det brev han medförde var otålig och irriterad. Till svar fick han med sig en skrivelse där det stod att rådets mening i ärendet skulle inhämtas på ögonblicket. Därpå uppdrog kung Erik verkligen åt rådet att ta upp förhandlingar med den ryska ambassad som väntade i Stockholm sedan länge. Frampå sommaren kom ett sammanträde äntligen till stånd, och från svensk sida upplystes då att man vore villig att på grund av tidens ändrade lägenhet försöka skaffa tsaren den polske konungens alltjämt ogifta syster i stället för Katarina Jagellonica.

I början av juli höll kung Erik själv bröllop med Karin Månsdotter, och den gamle ärkebiskop Laurentius Petri förrättade vigseln. Dagen därpå kröntes högtidligen den nya drottningen, varvid rikskanslern Nils Gyllenstierna svimmade och tappade kronan i golvet, vilket tyddes som ett dåligt omen. Hertigarna höll sig borta från både bröllopet och kröningen, som de naturligtvis djupt ogillade; deras förhoppningar om arvsföljd försämrades ju oerhört genom upphöjelsen av denna enkla flicka av folket. Gustaf II Adolf har skriftligen sammanfattat vad hans far och farbror säkerligen kände och sade: "Adelen styggdes vid att tjäna en sådan drottning, hertigarne kunde ej lida en sköka vara deras svägerska."

Fem dagar efter kröningen red hertigarna ut från Eskilstuna kungsgård, åtföljda av några adelsmän och av trehundra ryttare i hertig Karls sold. De red raka vägen till Vadstena, där de utan svårighet överrumplade och intog slottet, ty befälhavaren Jakob Turesson Rosengren var på besök på Hörningsholm, vilket knappast var någon slump. Från Hörningsholm kom strax den gamla fru Märta och hennes måg Ture Bielke till Vadstena med en massa pengar, däribland de tusen gyllen som hon hade fått i mansbot för sina söner och sin man. Hennes och hertigarnas högadliga släktingar kom nu ditströmmande från alla håll, först och främst Sten Leijonhufvud och den gamle Gustaf Olofsson Stenbock med ett par av sina vildsinta söner. Hertig Karl drog skyndsamt till Stegeborg vars kommendant inom kort lät förmå sig att överlämna slottet, och även Norrköpings stad fick han raskt i sitt våld. Under tiden ägnade sig hertig Johan åt diplomatien och propagandan, lät hylla sig som riksföreståndare av trupperna och av allmogen och utfärdade en appell till allmänt uppror.

Det dröjde märkligt nog en hel vecka innan kung Erik fick besked om allt detta. Medan bröllopsfestligheterna i Stockholm ännu pågick så smått hade det rapporterats till honom att hertigarna hade lämnat Eskilstuna och ridit söderut i stället för att hörsamma hans bjudning, men det antogs då att de hade beslutat fly från riket, varför kurirer omedelbart skickades iväg till myndigheterna vid gränsen och särskilt till kommendanterna i Varberg och Kalmar, som strängt förbjöds att släppa in hertigarna på slotten om de skulle visa sig där. Först på fjortonde dagen efter sitt bröllop fick kungen veta vad som verkligen hade hänt och vidtog då en rad snabba och välberäknade motåtgärder, men han var för sent ute. Med fru Märtas pengar – en del silver som hon hade medfört myntades förresten i Vadstena till något som kallades blodsklippingar – hade hertigarna skyndat sig att avlöna och ta i sin tjänst det utländska krigsfolket som inte hade fått ut sin sold av konungen; de hade vidare utverkat stillestånd i kriget med Danmark, och överallt i Götaland föll slotten och städerna i deras hand praktiskt taget utan strid. Innan juli månad var förbi satte sig hertig Karl vidare i besittning av Nyköpings slott, och i de trakterna utkämpades under augusti en del drabbningar mellan de trupper konungen hade lyckats mobilisera och hertigarnas folk, som under befäl av deras förre bevakare Pontus De la Gardie obevekligt banade sig vidare mot norr. Vid Botkyrka lyckades kung Erik personligen slå tillbaka en överlägsen styrka genom en beslutsam och skicklig manöver varefter han intog en stark ställning på näset mellan Aspen och Bornsjön, men De la Gardie angrep honom inte där utan tog i stället Gripsholm och gick sedan över Mälaren vid Kvicksund. Västerås gav sig utan motstånd, likaså Uppsala, och i mitten av september marscherade hertigarna mot Stockholm där deras förtrupp gjorde halt på ängarna vid Rörstrand.

Kung Erik var vid det laget bliven ganska ensam. Änkedrottning Katarina Stenbock, prinsessan Elisabeth och hertig Magnus av Sachsen-Lauenburg hade nyss rymt över till hertigarna under sken av en lustfärd på Mälaren, och även den siste trogne bland rådsherrarna, Per Brahe, höll sig nu undan. Den truppstyrka som återstod var opålitlig och även obetydlig; den uppgick till något över tretusen man inklusive ryttare och artillerister.

Från Rörstrand skickade hertigarna en parlamentär till staden med anbud om förhandlingar på villkor att Jöran Persson först utlämnades till dem. Dalkarlsfänikan som hade vakten på slottet ställde sig strax bakom detta krav och sade sig vilja kämpa för konungen men aldrig för Jöran Persson, och kungen kunde inte hindra att den arme sekreteraren med kläderna i trasor fördes ut ur slottet tillsammans med sin mor, som man satte munkavle på för att hon inte skulle kunna säga de trolldomsord hon eventuellt kunde. I hertigarnas läger lades Jöran Persson omedelbart på pinbänken för att avpressas så graverande bekännelser som möjligt beträffande kung Eriks planer och åtgärder, men medveten om vad som under alla förhållanden väntade honom motstod han tortyren med stor själsstyrka och vittnade endast gott om sin herre. Han förnekade också all vetskap om en stor skatt på femtiotusen ungerska gyllen och en massa silver som kungen och han skulle ha grävt ner i slottsträdgården; hertigarna och alla deras syskon förblev livet ut övertygade om existensen av denna skatt. När det stod klart att inga upplysningar var att vänta från Jöran Persson tog man kärleksfullt itu med hans avrättning, som var en ohygglig historia uppe på Brunkeberg; man skar öronen av honom och lät honom sedan hänga en halvtimme i galgen med ett rep om livet, därpå togs han ner och sträcktes

mellan fyra pålar, vidare krossade man långsamt först hans ben och
därefter hans armar, pryglade honom sedan på bröstet så att han skrek
och halshögg honom slutligen. Vad modern beträffar sägs hon ha brutit
nacken av sig, men uppgifterna om hur det gick till varierar. Den barm-
härtigaste varianten säger att hon föll av hästen när hon fördes ut från
Stockholm för att utlämnas.

De underhandlingar som Jöran Persson hade fått betala med sitt liv
ledde till ingenting, och i kung Eriks omgivning fanns nu ingen på vil-
ken han obetingat kunde lita. I slutet av september ordnade kanslern
Nils Gyllenstierna och ståthållaren Anders Rålamb att Söderport hölls
öppen för en avdelning av hertigarnas folk, som vid överenskommen
tid hade satts över på flottar från Kungsholmen till Långholmen och
därifrån vidare till Södermalm. Under befäl av Sten Leijonhufvud och
Pontus De la Gardie marscherade denna trupp raka vägen till slottet,
och på den öppna platsen framför vindbryggan som ledde dit möttes
de av kung Erik i spetsen för en skara drabanter. Sten Leijonhufvud
ställde sig i vägen för honom och uppmanade honom att ge sig men
blev då nedstucken av en drabant. Pontus De la Gardie och Anders Rå-
lamb fick smärre blessyrer, och kungen kom åt att rädda sig genom
slottsporten varpå vindbryggan drogs upp, men inom kort insåg han att
vidare försvar var omöjligt och vände sig då till hertig Karl med vil-
ken han förde ett samtal från slottsmuren om kapitulationsvillkoren.
Hertigen lovade honom mild behandling och ställde i utsikt att han
kunde få behålla Svartsjö slott. Konungen gav sig då och mötte her-
tigen och ett antal rådsherrar i Storkyrkans högkor, där han nödgades
åhöra en föreläsning om sina förbrytelser och felsteg och gick med på
att nedlägga kronan. Han hölls först i husarrest i kungsvåningen men
flyttades snart med sin unga familj till de kalla valven i Herr Eskils
gemak, Gustaf Vasas forna skattkammare, som nu stod tom.

På nyåret 1569 samlades ständerna i Stockholm och tog högtidligen Johan till Sveriges konung. Fången ställdes därefter inför rätta och frändömdes riket, varvid det kom till en upprörd ordväxling mellan honom och bröderna; dessutom anklagade han adeln för otacksamhet. Hela detta år och halva nästa hölls han sedan i fängelse på Stockholms slott där han åsamkades svåra lidanden av olika slag; hans barn rycktes sålunda ifrån honom, och till fångvaktare hade han en tid sin fiende Olof Gustafsson Stenbock som var ett brutalt råskinn och tillfogade honom ett svårt sår. Hans korthuggna dagboksanteckningar är gripande och beklämmande; där berättas till råga på allt om våldsamma gräl med Karin Månsdotter. En vacker dag upptäcktes en sammansvärjning för hans befrielse; inblandade var kung Eriks kaplan och Karin Månsdotters tjänarinna, och de hade haft kontakt med fången genom en flicka som passade upp i fängelset. Avslöjandet ledde så småningom till att han flyttades från Stockholm till Åbo, där han satt inspärrad i något år och hade det rätt bra; han fick åter ha sin familj omkring sig, försågs med nya kläder och pälsverk och fick söta viner att dricka. Åbo låg emellertid inom tänkbart räckhåll för Ivan den förskräcklige, och fången flyttades därför västerut igen, först till Kastelholm på Åland, sedan till Gripsholm, där han med sin familj bebodde ett stort tornrum, och därnäst till Västerås, varest Karin Månsdotter omsider togs ifrån honom. Orsaken var säkert att man inte ville att det skulle bli fler barn i den avsatta kungafamiljen.

Alltifrån midsommartiden 1573 var kung Erik ensam i sitt fängelse livet ut. Under hans Västeråstid hände det att hans gamle vän Charles de Mornay närmade sig hertig Karl med planer på en resning, men efter diverse skumma manövrer tog hertigen till sist avstånd från företaget, varefter de Mornay skickades till Stockholm och halshöggs på Stortorget. Ett par andra små upprorsförsök i Västergötland och Småland kvävdes också i sin linda men ledde till att den fångne konungen inte ansågs säkert förvarad i Västerås, och han flyttades därför efter något år till det gamla Vasaslottet Örbyhus, ett fyrkantigt torn som omgavs av en kraftig gråstensmur vilken effektivt stängde ute allt solsken från fängelserummen i jordvåningen. I hans anteckningar från denna tid spåras ibland nya utbrott av själssjukdom, men i marginalerna till några böcker har han med en kolad trästicka gjort teckningar och skrivit invecklad kontrapunktisk musik som vittnar om hans konstnärliga begåvning och hans artistiska kunnande. Tidvis levde han i en egendomlig fantasivärld där erotiska tankar naturligtvis spelade stor roll, och det finns underliga namnlängder som gör ett osunt och skrämmande intryck, men det finns också klara och sansade reflexioner i syllogistisk form, och åtminstone en av hans slutledningar är gripande:

En man är icke mera än en man.

Den länge lider ont, han bliver därutav icke mycket lystig, dejlig eller stark.

Jag kong Erik den 14:e, är icke mera än en man och haver lidit mycket ont i sex år halvsjunde.

Så kan jag icke vara så dejlig, lystig eller stark som tillförne.

Åtta år varade hans fångenskap. En ny sammansvärjning för hans befrielse upptäcktes på hösten 1576 och skrämde kung Johan, som i början av följande år skickade sin sekreterare Johan Henriksson att ta hand om bevakningen av fången på Örbyhus. Några dagar efter hans ankomst tillkallades kyrkoherden i Vendel för att ge nattvarden åt fången, som då hade blivit sjuk i bröstet och i magen. Han tog emot sakramentet med god beskedlighet, meddelar kyrkoherden, men då han manades att förlåta alla människor som han hade något otalt med svarade han först vrångliga, och först när han låg i själatåget svarade han något likligare på kyrkoherdens maning. Den 25 februari gick han ur tiden, och det råder väl knappast något tvivel om att han hade blivit förgiftad. Kung Johan försökte göra gällande att brodern hade dött en naturlig död, men hertig Karl trodde aldrig på detta, och i behåll finns vissa indicier som talar ett mycket tydligt språk. Redan 1573 hade kung Johan utfärdat en instruktion till broderns vaktare att i händelse av något befrielseförsök strax ta honom avdaga; han borde förgiftas med opium eller kvicksilver eller i brådskande fall åderlåtas till döds. Två år senare förmådde kungen riksrådet och några präster att underteckna en formlig dödsdom över brodern. Traditionen om hur förgiftningen skall ha gått till är gammal. *"Toxicum ignarus in pisorum, ut fertur, iusculo praebitum absorpsit*, sig ovetande förtärde han giftet vilket som det påstås gavs honom i en ärtsoppa", skriver Johannes Messenius några årtionden senare.

Erik XIV begrovs utan all pompa i Västerås domkyrka, och på minnestavlan över hans grav står ett latinskt bibelspråk ur Första Konungaboken: "Translatum est regnum et factum est fratris mei; a Domino enim constitutum est ei." Det lyder på modern bibelsvenska: "Så gick konungadömet ifrån mig och blev min broders; genom Herrens skickelse blev det hans." Bibelspråket i fråga kan möjligen räknas till indicierna på att brodermord förelåg; i sitt sammanhang – 1. Kon. 2: 15 – uttalas det nämligen av konung Davids son Adonia som bragtes om livet av sin yngre broder Salomo, och denne var ju en mycket vis och helig man, väl ägnad att gå den teologiskt bildade kung Johan III tillhanda med bibliska argument och exempel.

Striden med Ivan den förskräcklige

Ivan den förskräckliges högförnäma ambassad blev misshandlad och plundrad av hertigarnas folk när Stockholm föll; de kejserliga dignitärerna stod där i bara skjortan, påstår tsaren förbittrat i ett brev till kung Johan något år senare. Den sistnämnde svor sig fri från allt ansvar och säger sig omedelbart ha gjort vad han kunde för att reparera skadan. En av hans första regeringsåtgärder var vidare att skriva till tsaren och underrätta denne om sin tronbestigning, varjämte han sade sig tro att de ryska sändebuden som hade tänkt hämta hans drottning hade kommit till Stockholm på kung Eriks initiativ och ingalunda på tsarens. Han hoppades nu att denne ville hålla fred och vänskap. Tsaren svarade i en majestätisk skrivelse att det hade han ingenting emot och att kungen borde låta den ryska ambassaden resa hem oantastad, ty den hade kommit till Stockholm i de bästa avsikter; tsaren hade nämligen hört att Johan skulle ha dött i sitt fängelse, och han hade bara velat hjälpa Katarina Jagellonica loss ur fångenskapen och skicka henne hem till hennes bror i Polen för att få fred med denne.

Efter denna skriftväxling kunde den ryska ambassaden omsider ge sig av, och ungefär samtidigt skickades fyra svenska herrar med stort följe till Ryssland för att förhandla närmare om förhållandet mellan de båda länderna. I mitten av september 1569 kom de till Novgorod där de förständigades att framföra sitt ärende till ståthållaren, vilken enligt rysk uppfattning var svenske kungens jämlike under det att tsaren stod långt högre. Sändebuden vägrade, ty enligt sin instruktion skulle de förhandla direkt med storfursten i Moskva, såsom tsaren kallades i Sverige. Ståthållaren blev då mycket förnärmad, spärrade in dem i deras härbärge och satte dem på svältkost, och på nyåret gick de med på att förhandla med ståthållaren i dennes egenskap av tsarens ställföreträdare. Han tog emot dem med stor högtidlighet men vägrade att höra på dem försåvitt de inte först erkände honom såsom sin konungs jämlike, och då de sade sig vara förhindrade att så göra blev de utkastade ur salen varefter de plundrades på allt vad de ägde, bands med remmar, kläddes av in på bara kroppen och förevisades för folkhopen. Därpå fick de igen sina kläder och sina tomma resväskor och fördes sedan i fångtransport till Moskva i vinterkölden, men något företräde för tsaren blev det aldrig fråga om. Denne, som tydligen ville hämnas den ryska beskickningens lidanden i Sverige, såg till att de hade det så obehagligt som möjligt; de fråntogs sålunda sina tolkar, som sannolikt pressades att ta tjänst i tsarens kansli, och de hölls hela tiden avspärrade från yttervärlden. När ambassaden efter nära tre års tid fick tillstånd att resa hem till sitt land igen hade inemot hälften av dess personal dukat under, och de kvarlevande måste underkasta sig varjehanda förödmjukelser; sålunda måste de knäfalla i snön för tsaren i närvaro av en polsk beskickning, och slutligen fördes de till Novgorod där de likaledes gjorde en del knäfall. Av köld och umbäranden var ambassadörernas hälsa ohjälpligt bruten, och till råga på allt hade de blivit osams inbördes.

De båda beskickningarnas vedermödor ackompanjerades av en furstlig brevväxling som är rolig lektyr några hundra år senare men som säkert inte gjorde något komiskt intryck när den var aktuell.[1] Tsaren

---

[1] En del av breven finns tryckta genom Harald Hjärnes försorg i Silfverstolpes Historiskt Bibliotek, VII.

skrev nämligen till kungen att eftersom dennes sändebud stod som trä-beläten inför ståthållaren i Novgorod borde han ofördröjligen skicka en ny ambassad; varom inte tänkte tsaren, upptänd av vrede, i egen person komma och besöka de svenske holmar och med egen mun fråga vad som var meningen. På detta svarade kung Johan att han var lika hög potentat som tsaren, vilket omsorgsfullt styrktes och exemplifierades med många historiska hänvisningar, och att om tsaren ville att han skulle rycka sitt svärd ur baljan så borde han bara säga till. Ivan den förskräck-lige genmälde att han måste förundra sig och le över en sådan för-hävelse av en person som på fädernet stammade från en bondby i Små-land, och Johan borde inse att lika långt som det är från jord till himmel, lika ouppnåeligt vore det för honom att ingå fördrag med tsaren i stället för med ståthållaren i Novgorod. Ville han månntro reta vår furstliga stormäktighet med sin svåra förhävelse? Gustaf Vasa hade funnit sig i att förhandla med ståthållaren. Tsaren hade dock benådat kung Erik med att få nalkas honom direkt, och om Johan ville skicka honom sin drottning och sina barn så kunde han möjligen få åtnjuta samma nåd. Svärdet som han hotade att dra ur baljan var nog inte så skarpt, och det vore bättre om han skickade sändebud till Novgorod för att blidka vårt furstliga majestäts stormäktiga vrede.

Inför denna skrivelse blev kung Johan tydligen alldeles utom sig och skrev ett berömt skällebrev som torde sakna motstycke i vår utrikes-politiska korrespondens genom tiderna: "Wij haffue bekommit thin schriffvellse och ther utaf nu som tillförenne förnummit, hvad oförnuf-tigt bondactig högferd, lögn och föractellse tu bruker emot oss, menn vm wij iche hade hört, att thin fader war storförste vdi Ryðzlandh, då hade wij wäl hafftt orsak att tage then mening ther aff, att någenn munnck eller bondekar hade warit fader åth tigh, effter thu schriffuer

Freden i Stettin

så obeschedligh, lijke som thu hade warit vpfödd ibland bönder eller annet lööst partij, som ingenn ähre wethe. Mmen wij förnimme, att thu haffuer satt tigh i sinnet, att thu med thin oförnufftt och högferdige ord will förfäre oss, och ther med willt tu före krijg emot oss, ändog tu tillförenne wäl haffuer förnummidt, att wij slätt inthet fruchte för thin macht. Menn effter titt breff förmäller ähnnu som tillförenne om een stor oförskämd lögn i så motte, att wår salige käre her fader, then stormectige, högborne furste och herre, her Gustaff, Suerigis, Göthes och Wendes framlidne konungh, salig och höglåfflig i åminnelse, schulle ware een bonde, småleningh och iche utaf herre slecte, ther liuger du skenneligh vdi thin hals, så offte thu thet säger." Han upplyser därefter utförligt om Vasarnas anor och släktförhållanden och framhåller att Lindholmen där Gustaf Vasa föddes ligger ingalunda i Småland, "så som tu och andre flere haffue skenneligen dictet oc lugit." Att familjen var mycket fin borde tsaren kunna förstå av det faktum att det ingenstans i kristenheten är sed att välja ringa män till konungar: "Menn vm thet är scheedt i Rydzland tilförenne, då weest tu best bescheed ther vm aff thine rydzsche crönicker. Men thu schriffuer så myckit gäckerij och flärd och haffuer oreenet och besmittet thin munn med så mychin lögnn, att han näppelig någen tijd kan bliffue rheen igen."

När denna officiella skrivelse avläts var det naturligtvis redan krig mellan kontrahenterna, och rätt blodiga strider utkämpades mellan svenska trupper i Estland och manstarka ryska förband som gång på gång bröt in över gränsen. Det var ett invecklat krig, eftersom även andra makter var inblandade; tyske kejsaren Maximilian II gjorde anspråk på överhöghet över de tyska städerna och riddarborgarna i ordenslandet, den polske kung Sigismund August som var Sveriges bundsförvant gentemot ryssarna stödde kejsarens krav och försökte samtidigt bevara ett gott förhållande till Danmark, och på Ösel satt den danske hertig Magnus som i detta läge allierade sig med tsaren för att jaga svenskarna ur landet.

Mellan Sverige och Danmark rådde lyckligtvis fred till sist; den slöts 1570 i Stettin några månader innan det ryska kriget bröt ut och gick ut på att allting förblev vid det gamla. Danskarna behöll sålunda Gotland och Jämtland; det sistnämnda landskapet, som från urminnes tid hade räknats till Uppsala stift ehuru det världsligen hade varit norskt land i århundraden, lades nu under biskopsstolen i Trondheim. Danskarna fick vidare behålla de tre kronorna i riksvapnet i väntan på att en särskild konferens skulle samlas att avgöra denna viktiga fråga; konferensen kom verkligen också till stånd ett par år senare men ledde enbart till ofruktbart historiskt käbbel beträffande de tre kronornas eventuella förekomst på Mora sten och andra gamla monument. Lättare kom man överens i sakfrågorna. Älvsborg som danskarna hade innehaft sedan krigets början fick lösas igen med en summa pengar, ty i krigets elfte timme hade svenskarna haft oturen att förlora Varberg som annars kunde ha varit ett lämpligt bytesobjekt. Förhållandet till Lübeck ordnades också upp genom Stettinfreden i det att hansestadens gamla privilegier erkändes från svensk sida, men det stadgades samtidigt att de skulle underkastas en översyn med hänsyn till tidens förändringar, vilket i själva verket innebar att de i all stillhet försvann.

Vad det ryska kriget beträffar finns det en del mycket dramatiska historier hos en svensk skribent vid namn Aegidius Girs, som var verksam någon mansålder senare; han har skrivit en Johan III:s krönika som är ganska medryckande. Där finns sålunda embryot till Gustaf Jansons roman om Nils Dobblare, denna livligt uppskattade pojkbok. Girs berättar att en tysk överste som hette Kursell förrädiskt bemäktigade sig slottet i Reval från den svenske ståthållaren Gabriel Oxenstierna, som togs till fånga med hela sin familj. I det läget uppträdde den svenske hövitsmannen Nils Dobblare, som med hjälp av ett par soldater som hölls fångna på slottet för dråp lyckades locka vaktmanskapet att dricka sig redlöst, varpå han med trehundra man lät sig hissas in i slottet via en av de vindomsusade toaletterna på muren och raskt tillfångatog Kursell och hans folk. Blodiga och grymma uppträden förekommer talrikt i Girs' krönika. Där kan läsas hurusom tsaren själv intog slottet Wittensten och stekte alla de svenska försvararna på spett, men man inhämtar också att svenska soldater efter en lyckad batalj stod på torget i Reval och sålde hästar, sablar, pälsverk, guldkedjor och guldringar för billigt pris. I stort sett fick Ivan den förskräcklige snart övertaget, erövrade Estland utom Reval och vände sig därefter mot Livland, där plats efter plats intogs under fruktansvärda grymheter. Kring Reval slogs man förbittrat gång på gång och staden utsattes för ideliga bombardemang med fyrbollar, som tidens primitiva brandbomber kallades, men den höll tappert stånd, och i sinom tid fick Ivan den förskräcklige annat att tänka på. Mot slutet av 1570-talet hade svenskar och polacker en del militära framgångar, och en vacker dag anlände till Sverige en ambassad från *Keysaren öfver det Crimiska Tartariet* och förärade kung Johan *tvenne Cameler och en stålt Tartarisk wallak*. Tatarerna hade till ärende att erbjuda förbund mot ryssen, vilket tacksamt accepterades. Tsaren fick i det följande så mycket bekymmer med dem att den svenske överbefälhavaren Pontus De la Gardie, hans fältmarskalkar Carl Hinricsson Horn och Jöran Boye och amiralen Claes Fleming hade ett jämförelsevis lätt arbete med att driva de kvarvarande ryssarna ut ur Balticum. Hösten 1581 erövrades Narva med storm, och ett fruktansvärt blodbad följde; sjutusen ryssar, varav flertalet fredliga civilister inklusive kvinnor och barn, bragtes utan vidare om livet av soldatesken. Vid tillfället gjordes en erövring som består, nämligen den ena av de ståtliga bronskanoner som kallas Galten och Suggan och sedan århundraden pryder yttre borggården på Gripsholm.

Erövringen av Narva ledde till många utrikespolitiska komplikationer under de år som följde. Staden hade varit ryssarnas enda hamn vid Östersjön och hade därför haft stor betydelse för västmakterna och framför allt för danskarna, som tog upp tull i Öresund av engelska och holländska skepp. De var i färd med att bygga Kronborgs slott vid denna tid, och medan holländarna var upptagna av sitt frihetskrig och England ännu inte var så starkt – det utvecklade sig till en världsmakt först efter sin seger över spanska armadan 1588 – hade Öresundstullen byggts upp till danska kronans viktigaste inkomstkälla. Inför utsikten att få betala tull också till Sverige för sin Rysslandshandel började emellertid engelska skepp nu segla på Arkangelsk vid Ishavet i stället för på Narva. Frederik II av Danmark krävde visserligen tull vid norska ishavskusten också, och engelsmännen erkände märkvärdigt nog att han principiellt hade rätt till det, men den tull de gick med på att betala däruppe var bara tusen mark ett för allt, så det var ett ansenligt inkomstbortfall danskarna fick vidkännas när den ryska östersjöhamnen föll i svenskarnas händer.

Johan III hade högadeln att tacka för sin krona, och belöningen uteblev inte. Grevskapen förstorades betydligt. Per Brahe hugnades med bortåt fyrahundra nya hemman och åtskilliga hela socknar på ömse sidor om Vättern. Sexton socknar i norra Småland lades till Sturarnas grevskap där konungens moster Märta Leijonhufvud satt i orubbat bo; hon residerade mestadels på Hörningsholm. Hennes broder Sten hade bara varit friherre, men dennes änka upphöjdes raskt till grevinna och utrustades med stora besittningar i Finland – hon hette förresten Ebba Lilliehöök och var dotter till den olycklige Måns Bryntesson. Sex ärftliga friherrskap med ansenliga landområden upprättades också och tillföll respektive Erik och Olof Stenbock, Nils Gyllenstierna, Hogenskild Bielke, Claes Fleming och Pontus De la Gardie. Grevar och friherrar tillerkändes domsrätt över sina underlydande och erhöll även en del andra suveräna rättigheter; sålunda fick Per Brahe tillstånd att anlägga en köpstad på sina marker när han så fann för gott.

Även den lägre adeln hade glädje av tronskiftet; från Johan III härrör rentav den första formella bekräftelsen på existensen av ärftligt frälse i Sverige, i det att det uttryckligen fastslogs att frälseman som inte förmådde göra rusttjänst fick behålla sin vapensköld likafullt. Adelsprivilegierna utfärdades redan 1569 men offentliggjordes inte genast, ty man anade att den ofrälse allmänheten skulle vara lugnast och lyckligast så länge den ingenting visste. Speciell förbittring, när saken omsider blev känd, väckte en bestämmelse som gick ut på att kronobönderna betungades hårdare med skatter och skjutsningar än adelns bönder, vilka i sin tur utnyttjades på allt sätt av sina herrskap och ingalunda uppfattade kronans eftergifter som någon förmån.

På det hela taget var den svenska adeln nämligen knappast sin nya maktställning vuxen. De högvälbornaste familjerna tillhandahöll med få undantag varken militärer eller diplomater utan intresserade sig huvudsakligen för sina gods och domäner, som förresten till rätt stor del låg i hertig Karls sörmländska furstendöme; Erik Sparre ägde sålunda Sundby och Hogenskild Bielke residerade på Åkerö. Familjerna var förenade sinsemellan genom en härva av släktskapsförbindelser dit även konungahuset hörde. Rätt många medlemmar av detta släktförbund har gått till historien som stora bondplågare, och inte minst gäller detta om kungens moster som bevisligen var ett ampert fruntimmer. Hon kallades kung Märta och styrde med järnhand sina 572 hemman, 49 kvarnar och 63 stadsfastigheter förutom grevskapet, som i sinom tid övertogs av sonen Mauritz Sture. Kung Märtas fem döttrar – hon hade sammanlagt haft fjorton barn med Svante Sture, och tio av dem levde till mogen ålder – blev alla gifta med högadliga storgodsägare: Ture Pedersson Bielke, Ture Nilsson Bielke, Hogenskild Bielke, Gustaf Banér och Erik Stenbock. Den sistnämnde av dem hade hon visserligen inte själv valt eller godkänt utan rörde tvärtom upp himmel och jord då han enleverade hennes dotter Malin, en historia som i hög grad intresserade det romantiska 1800-talet, då det skrevs flera romaner över ämnet, som också har utbroderats av Gustaf Fröding i en liten dramatisk pastisch.[1]

Slott och kyrkor

Själv var Johan III en praktälskande, konstförståndig, högt bildad man som har lämnat många ting efter sig åt svenskarna att äga och förvalta. Han hade mani på att bygga. Brev till byggmästare på olika håll i landet utgör en försvarlig del av hans registratur, och han ger befallning och anvisning om alla tänkbara detaljer i sina många byggen. Bibliotekarien Victor Granlund som på 1870-talet gav ut de där breven skriver i sitt företal att byggnadsvurmen till den grad tycks ha behärskat kungen att den nog var huvudorsaken till den overksamhet i andra riktningar som sägs känneteckna hans regering. Många av de byggnadsverk som hans intresse måste ha gått åt till att planera och övervaka är nu brunna och försvunna eller förändrade till oigenkännlighet; så är fallet med Stockholms slott och Svartsjö slott, Stegeborg, Borgholm och många andra palats och fästningar, däribland åtskilliga i Finland och Estland. Kvar står emellertid slotten i Kalmar, Vadstena och Uppsala, Riddarholmskyrkan, Uppsala domkyrka, Jakobs kyrka i Stockholm och en mängd andra större och mindre hus som Johan III låtit ombygga eller nybygga. Hans gärning på detta område är av oskattbar betydelse, ty han räddade faktiskt medeltidsminnena i Sverige, där flera av domkyrkorna stod med trasiga valvkappor och tillfälliga halmtak efter reformationstidens vanvård. Han gjorde rentav vad han kunde för att hejda förfallet i de avfolkade klostren, och till sin gamle kusin Per Brahe som hade börjat släpa sten från Alvastra till sina byggen på Visingsö skrev han ett ampert brev som räddade åtminstone något. Ett antal framstående byggmästare var verksamma i Sverige i hans dagar, exempelvis tre bröder av den italienska arkitektfamiljen Pahr och flamländarna Hans Flemming och Willem Boy. Alla dessa var goda konstnärer som inte bara byggde hus utan också inredde dem och dekorerade dem praktfullt; vittnesbörd om deras smak och kunnande bär sådana ting som slottsbrunnen, portalerna och panelerna i Kalmar, åtskilliga kyrkointeriörer och inte minst en del stenskulptur såsom Katarina Jagellonicas gravmonument i Uppsala, den lilla prinsessan Isabellas alabasterbild i Strängnäs eller fantasiporträtten av Karl Knutsson och Magnus Ladulås i Riddarholmskyrkan.

Röda Boken

Laurentius Petri var sjuttio år gammal och hade varit ärkebiskop i mer än fyrtio år när han förrättade Johan III:s kröning, vilket han säkert gjorde gärna; han hade en tid stått på ganska spänd fot med Erik XIV som inte var någon pålitlig lutheran utan lutade åt det reformerta hållet. I motsats till denne var Johan III mycket kyrkligt intresserad och även teologiskt bildad; han hade vidare stor respekt för det biskopliga ämbetet och för den gamle ärkebiskopen personligen. Kort efter kröningen trycktes en ny kyrkoordning som denne hade låtit utarbeta; konungen utfärdade ett påbud om dess efterlevnad och gick även med på att sammankalla ett kyrkomöte till att bekräfta och stadfästa den så att den skulle få karaktär av grundlag. Sommaren 1572 kom mötet till stånd och antog planenligt den nya kyrkoordningen, en skrift som har haft betydelse för rikets andliga tillstånd under århundraden.

Den är ett intressant dokument icke blott för teologer. Den ärkebiskoplige författaren är god lutheran och visar samtidigt djup pietet inför det hävdvunna. I företalet vänder han sig dels mot *thenne Påweska wilfarelsen, bedrägerijt och affguderijt*, dels och framförallt mot *thesse Suermare, wedderdöpare, Sacramentz skändare, Zwinglianer och Caluinister*, som ville göra rent hus med alla riter och ceremonier. Själv ville han ha kvar så mycket som möjligt av kyrkliga seder och bruk från den katolska tiden. Latin, säger han, bör inte föraktas i mässan; man bör sjunga latinska sånger ibland. Beläten som enfaldigt folk plägar knäfalla för och klä i guld och dyrbarheter bör visserligen tas bort, men annars skall bilder, ljus, altarprydnader, mässkrudar och annat sådant tolereras i kyrkorna. Det finns ett kapitel om biskopsvigning, ett om skriftermål och avlösning och ett om bannlysning, det sistnämnda åtföljt av ett formulär som svenska kyrkans tjänare borde använda närhelst de lyste i bann. Det finns slutligen ett par kapitel om skolor, och dessa utgör i själva verket vår första allmänna skolstadga. Där står att det är föräldrars plikt mot Gud att skicka barn till skola så att det inte blir prästbrist. Skolmästaren bör vara en god grammaticus och aldrig tala annat än latin med djäknarna, och han skall ha fri bostad och god försörjning genom domkyrkosysslomännens eller i tillämpliga fall stadsmagistraternas försorg. Vidare meddelas i detalj hur skolarbetet skall skötas. Det ges föreskrifter om läroböckerna: Donatus, Melanchtons latinska grammatik, Catos Moralia, Terentius, Vergilius, Libellus Erasmi de civilitate morum, bibeln och katekesen. Schema lämnas för varje dag i veckan: måndag och torsdag mest grammatik, tisdag och fredag en del latinsk textläsning, onsdag och lördag idel repetition. På söndagen efter aftonsången skall de små examineras i lilla katekesen, och då kan det dessutom gå an att skolmästaren ger barnen lov en timme eller två.

När kyrkoordningen väl var i hamn gick Laurentius Petri ur tiden, och när han låg på sitt yttersta kallade han till sig en hovpredikant och bad denne hälsa kungen och tacka för hans omtanke om kyrkan samt mana honom att för framtiden bevara henne i renhet och stadga. Kung Johan blev mycket glad över den hälsningen och uppfattade den tydligtvis inte som någon kritik. Han var varmt fäst vid sin gemål som var hängiven katolik, men han var också bevandrad i tidens ekumeniska litteratur i den milde Melanchtons efterföljelse och lär ha läst bland annat en luthersk teolog vid namn Cassander, vilken menade att den söndrade kristenheten nog kunde återförenas igen på basis av kyrkofäderna; åtskilliga avskaffade gudstjänstbruk från den katolska tiden borde till den ändan återinföras eller i varje fall tolereras. Sådana försonliga meningar hyste också den gamle ärkebiskopens efterträdare, som ävenledes hette Laurentius Petri och var svärson till sin mera berömde namne; de båda prelaterna skiljs i historien åt genom tillnamnen Nericiensis och Gothus, Närkingen respektive Göten. Laurentius Petri Gothus var en lärd, from, god och mycket konciliant man. När han invigdes i sitt ämbete bar han kåpa, mitra och kräkla på katolskt vis och räddade därigenom dessa utensilier åt fäderneslandet och eftervärlden; i hans företrädares kyrkoordning står nämligen ingenting om mitra och kräkla. Redan några månader dessförinnan hade han i samförstånd med konungen utfärdat en ordinantia som lät förstå att mässan skulle bringas i bättre överensstämmelse med gammal kyrklig sed. Två år därefter, 1576, utkom av trycket en ny gudstjänstordning som är ryktbar i Sveriges historia; den hette officiellt Liturgia Suecanae Ecclesiae catolice & orthoxe conforma, Svenska kyrkans liturgi allmänneligt och rättroget sammanställd, men är mera känd i hävderna såsom Röda Boken. Företrädesvis var den utarbetad av kungens sekreterare Petrus Fecht som hade varit studiekamrat med ärkebiskopen hos Melanchton i Wittenberg, och den anslöt sig formellt till den nyantagna katolska mässboken men företrädde samtidigt luthersk lära.

Röda boken framkallade omedelbart stort buller i landet. Hertig Karl, som personligen närmast var kalvinist, satte sig bestämt på tvären och var fast besluten att inte införa den i sitt hertigdöme. Med hjälp av Erik Sparre, Erik Stenbock, Hogenskild Bielke och andra höga herrar lyckades kungen förmå lantprästerna på de flesta håll att godkänna den, men ett litet antal prelater gjorde ivrigt motstånd, främst bland dem Uppsalaprofessorn Olaus Luth och Stockholmsrektorn Abrahamus Angermannus, som var svågrar med Laurentius Petri Gothus och svärsöner till den gamle ärkebiskopen liksom han.

Striden gällde i själva verket inte blott liturgiska frågor. Peder Fecht som bar huvudansvaret för Röda Boken uppges ha varit nära lierad med

Katarina Jagellonicas polske hovkaplan, som hette Herbestus och var en ivrig katolsk propagandist; en av den gamle ärkebiskopens sista gärningar i det jordiska hade varit att bemöta ett angrepp av Herbestus på den lutherska uppfattningen av det prästerliga ämbetet och av nattvardens sakrament. Till Stockholm anlände nu även två jesuiter för att bli lärare vid den kungliga teologiska högskola, Collegium regium, som i samband med liturgiens tillkomst inrättades i det forna gråmunkeklost-

rets lokaler på Riddarholmen. De hette Florentius Feyt, holländare till börden, och Laurentius Nicolai, som var från Norge och som stockholmarna kallade för Kloster-Lasse därför att han hade sin tjänstebostad i klostret. Laurentius Nicolai var en framstående pedagog och lyckades mycket bra med sin uppgift, som var att vinna så många som möjligt av sina elever för katolicismen. Under hans inseende ställdes i realiteten inte blott kollegiet utan även Stockholms latinskola som Abrahamus Angermannus hade fått lämna, och för att effektivt kunna bearbeta själarna inrättade han vidare för de mest lovande bland sina elever ett seminarium som var internat. Redan första året lyckades han omvända trettio stycken, och sex av de duktigaste skickades omedelbart till Rom för att fullborda sin utbildning vid jesuitskolan Collegium germanicum. En av pojkarna var för övrigt brorson till gamle biskop Brask. Kungen själv försåg dem med respengar, och kostnaderna för deras vistelse i Rom hade påven åtagit sig att bestrida. Under de följande åren skickades ytterligare ett femtiotal ynglingar ut, men nu inte till Rom utan till ett par nyinrättade jesuitseminarier i Polen.

Kung Johan ville alltså verkligen återinföra katolicismen i Sverige fullt ut, och skälen var bland annat politiska skäl. Ett gott förhållande till påven kunde vara till nytta i åtskilliga avseenden, till exempel i fråga om de syditalienska små furstendömena Bari och Rossano som Katarina Jagellonica hade arvsanspråk på och ville förmå kung Filip II av Spanien att lämna ifrån sig. Med påvens hjälp hoppades man också kunna förmå tyskromerske kejsaren att döma till Sveriges förmån i tvisten med Danmark beträffande de tre kronorna i riksvapnet. Diplomatiska trevare ledde till att ett påvligt sändebud kom till Stockholm redan sommaren 1574, och 1577 skickades Pontus De la Gardie som svensk ambassadör till Rom. Kort därpå sände påven – han hette Gregorius XIII, och det är han som har gett namn åt gregorianska kalendern – ingen mindre än jesuitordens sekreterare till Sverige för att se vad som kunde åstadkommas. Denne som hette Antonius Possevino och var en man av stora kvalifikationer – han lär bland annat ha skrivit en svensk grammatik till tjänst för katolicismens missionärer – vistades i landet något år och saknade därvid icke glädjeämnen. Guldsmeden Hans Rosenfälth var vid den tiden sysselsatt med att tillverka ett skrin åt Erik den heliges ben; det skedde på kungligt uppdrag, och guldsmeden hade att göra i fem år innan skrinet med relikerna kunde placeras i Uppsala domkyrka där det alltjämt står. Katolicismen vann uppenbart terräng i Sverige och behövde inte vara så försiktig längre, och Kloster-Lasse framträdde rätt ohöljt som det påvliga sändebudets handgångne man.

I sin iver att vinna inflytelserika personer för den papistiska saken begick Kloster-Lasse emellertid en vacker dag en stor dårskap. Han väckte nämligen skandal då han på Possevinos vägnar gav tillstånd åt en kunglig sekreterare som hette Johan Henriksson att gifta sig med en dam vars man denne nyligen hade låtit mörda. Den annars så medgörlige ärkebiskop Laurentius Petri Gothus reagerade starkt och utfärdade en skrivelse vari Kloster-Lasse förklarades avsatt från sin prästerliga värdighet i svenska kyrkan, och kung Johan vågade inte sätta sig över detta utan lät strax avskeda honom som rektor för Collegium regium, där han emellertid fick vara kvar som lärare tills vidare. Men Abrahamus Angermannus, som i vredgad ton hade predikat mot den jesuitiska infiltrationen, arresterades i samma veva och förvisades därpå till det lantliga Åland som sockenpräst.

Allt detta hände våren 1578, och vid den tiden reste Antonio Possevino åter hem till Rom för att konferera med påven angående svenska kyrkans eventuella återinträde i den romerska kristenheten. Kung Johan hade nämligen ställt vissa besvärliga villkor: prästernas äktenskap, gudstjänst på modersmålet och nattvardens utdelning till alla borde få bibehållas i ett katolskt Sverige. Personligen biktade han sig emellertid ödmjukt för den lärde jesuiten och fick avlösning av denne innan han for.

Någon månad efter hans avfärd anlände till Sverige en annan delegat från Sydeuropa, nämligen en spansk kapten som hette Francisco de Eraso och var hitskickad av kung Filip II. Hans ärende var att försöka få trettio eller fyrtio stora örlogsskepp med svensk besättning till hjälp åt spanjorerna i deras kamp mot de upproriska Nederländerna, och i gengäld skulle han förespegla kung Johan ett skäligt tillmötesgående beträffande hans anspråk på de italienska furstendömena. Kapten Eraso fick i Sverige förbindelse med kungens äventyrliga syster Cecilia, markgrevinna av Baden och nyss bliven änka; hon var numera katolik och vistades i Arboga, som hade utsetts att underhålla henne under hennes besök i det gamla hemlandet. Hon var emellertid en riskabel bekantskap att göra, ty under sina kontakter med henne ådrog sig den spanske krigaren kungens djupa misstroende, och en vacker dag blev han arresterad som spion. En livlig diplomatisk aktivitet från den katolska världens sida åstadkom att han snart blev frigiven och fick tillstånd att resa sin väg, men några svenska skepp åt kungen av Spanien fick han naturligtvis inte med sig, och hela affären var ägnad att betydligt minska kung Johans intresse av att stå väl med påven.

Vid det laget hade drygt ett år hunnit gå sedan Possevino drog bort, och sommaren 1579 kom han tillbaka med påvens svar på kung Johans förslag. Den helige fadern lät meddela att nattvarden åt folket vore en särskilt betänklig sak i ett land där det inte växte något vin och där det hade inträffat att man av nödtvång hade hällt öl i kalken. Beträffande frågan om prästernas äktenskap hänvisade han till den grekisk-ortodoxa kyrkans avskräckande exempel och till den straffdom som Gud hade låtit övergå dess bekännare genom att göra dem till trälar under turkarna. Svaret var alltså helt avvisande, vilket naturligtvis var att vänta, men kung Johan tog mycket illa upp och bemötte för framtiden papismens ambassadörer rätt kyligt.

Den hösten tog sig Kloster-Lasse till att öppet klandra Röda Boken och stämpla den som kättersk, vilket hade den pinsamma effekten att kronprinsen Sigismund en vacker dag vägrade vara med om en liturgisk gudstjänst i Västerås, där hovet höll till en tid. Det kom till ett häftigt gräl mellan far och son, och för kung Johan måste denna händelse ha varit en ödesdiger och skakande upplevelse. Sigismund, som på grund av förhållandena i sin mors släkt hade stora utsikter att bli kung även i Polen, hade enligt lärarinstruktionen uppfostrats *in spem utriusque regni*, till hopp om bägge rikena, och man kan förmoda att omtanken om hans framtid varit en av orsakerna till tillkomsten av Johan III:s kompromissande gudstjänstordning.

Denne gav dock inte upp hoppet om sitt verk. I Linköping avsattes skymfligen biskop Martinus Olai som hade motarbetat liturgien, och därmed stod fyra stift av landets sju till kungens förfogande; Laurentius Petri Gothus, hans besvikne och förgrämde medhjälpare, hade nämligen nyss dött i Uppsala, och biskopsstolarna i Västerås och Åbo hade också blivit lediga genom dödsfall. Alla fyra fick stå obesatta tills vidare. I Stockholm inträffade att en pöbelhop med eller utan kunglig välsignelse stormade Collegium regium på Riddarholmen och drev ut katolikerna; Kloster-Lasse undgick med knapp nöd att bli lynchad vid tillfället. Kungen förbjöd honom därefter att återvända till kollegiet och förvisade honom till trakten av Drottningholm som Katarina Jagellonica nyss hade anlagt; drottningtiteln i slottets namn är alltså hennes. Där bodde även Possevino, men våren 1580 begav sig denne till Vadstena där kungen då vistades.

Birgittinerklostret i Vadstena fanns alltjämt kvar, en blomstrande, hägnad örtagård i kätteriets vildmark, som den lärde främlingen uttryckte saken på sitt latin. I Johan III:s tid gick det ingen nöd på institutionen; kungen och hans gemål visade alltid stor välvilja gentemot nunnorna, och nya sådana togs alltjämt in. Det finns en anekdot som säger att kung Johan en gång underhöll sig med abbedissan och undrade om de unga noviserna aldrig anfäktades av kärlek, varpå abbedissan svarade att man kunde inte hindra fågeln att flyga över klostrets murar, men medelst bön och fasta kunde man hindra honom att bygga bo. Possevino samtalade också en del med denna spirituella abbedissa; han mottogs i klostret med all vördnad och kunde rapportera till den helige fadern om nunnornas ståndaktighet i tron. Han sammanträffade naturligtvis också med kungen som bemötte honom med all aktning, men om återgång till påvekyrkan var det inte längre tal. Possevino lämnade inom kort Sverige och följdes på resan av Kloster-Lasse, vars roll i detta land därmed var utspelad. Johan III:s katolska period var förbi, och när Katarina Jagellonica tre år senare lämnade det jordiska hade papismen inget brohuvud i Sverige mera. Collegium regium, Kloster-

348

Lasses skapelse, ställdes under luthersk ledning och blev inom kort mera protestantiskt än kungen, ty det utvecklade sig raskt till en högborg för oppositionen mot Röda Boken.

Motståndet mot liturgien hårdnade nämligen alltmer under 1580-talets lopp. Motståndsmän som rönte förföljelse i konungariket fann alltid asyl i hertigdömet, och hertig Karl gick mycket långt i hjälpsamhet mot broderns vedersakare. Den avsatte Linköpingsbiskopen Martinus Olai gjordes sålunda strax till pastor i Nyköping, uppsalaprofessorn Petrus Jonae som hade satts i fängelse av kungen men lyckats rymma förordnades av hertigen till biskop i Strängnäs, och Abrahamus Angermannus fick hjälp att rymma till Tyskland, varifrån han på hertigens bekostnad gav ut och skickade hem en rad teologiska stridsskrifter av argaste slag. De delar av sitt hertigdöme som hörde till Skara stift drog hertigen undan från det liturgiska inflytandet genom att tillsätta en superintendent i Mariestad till att andligen regera Värmland, Dal och ett par härader av Västergötland.

1587 höll hertigdömets präster ett möte och förkastade uttryckligen liturgien, vilket framkallade en ursinnig kunglig skrivelse med många gruvliga okvädinsord: förrädare, huvudljugare, trosspillare, ärelösa skändare, olärda stympare och åsnehuvuden, satanister vilka lyda lögnens fader. Kungen sade sig inte kunna tåla sådana djävulsledamöter och förklarade dem fredlösa i sitt rike, men de hertigliga prästerna lät sig inte förfäras av denna salva utan gav svar på tal. Efter denna tid undergrävdes liturgiens ställning oavbrutet, och mot slutet av sitt liv tycks kungen ha insett att dess dagar var räknade. Därom föreligger rentav ett resignerat yttrande av denne koleriske man: "Vilja de ej hålla den nya mässordningen så må de hålla den gamla. Vi äro ej deras samvetens konung."

Konungslig och furstlig rättighet

Konungens åsikter och hertigens gick starkt isär även beträffande det timliga. I Sörmland, Närke och Värmland bedrev hertig Karl en partikularistisk ekonomisk politik som i viss mån var riktad mot rikets övriga invånare. Han lade särskild tull på främmande borgares bodar på Södertälje marknad och reserverade handeln på Värmlands bergslag för hertigdömets nyanlagda städer Karlstad och Mariestad.[1] Den viktiga Larsmässo marknad i Örebro stängdes praktiskt taget för kungens direkta undersåtar. Exporten, som var tullbelagd i resten av riket, gjordes tullfri i hertigdömets båda hamnstäder Nyköping och Södertälje. Hertigen slog också egna pengar, ehuru han på grund av kungens starka reaktion gick med på att tills vidare låta sin myntmästare utföra arbetet vid det kungliga myntverket i Stockholm och hålla samma silverhalt som hölls där. Den varierade mycket, ty myntet försämrades oerhört i början av Johan III:s regering, och efter en myntrealisation som återställde valutans värde kom snart en ny och ännu våldsammare försämring. Krigen och slottsbyggena hade raskt gjort slut på alla reserver från Gustaf Vasas dagar, något som hans söner och döttrar fann otroligt och obegripligt. De kunde inte förstå annat än att deras avsatte äldre broder måste ha gömt undan en del, och under en lång följd av år anställde de höga syskonen ivriga men fåfänga spaningar efter denna kung Eriks skatt.

Samtidigt grälade de om arvet; ty hertig Karl ansåg sig ha fått för litet såväl av faderns privata jordegendomar som av hertigligt territorium. Han gjorde också anspråk på en del suveräna politiska rättigheter som kungen vägrade att tillerkänna honom, närmast rätten att tillsätta lagman i hertigdömet och att kräva rusttjänst av dess adel. När han därtill gav skydd och hjälp åt konungens motståndare i den liturgiska striden fann denne måttet rågat och hänsköt saken till rikets ständer, som för ändamålet sammankallades till Stockholm i januari 1582. Såväl rådet

[1] Intresset att grunda nya städer var gemensamt för bröderna. Hertigen började med att 1582 ge stadsrättigheter åt Bro på platsen för det nuvarande Kristinehamn, men när han två år senare upphöjde marknadsplatsen Tingvalla till Karlstad fick Bro sjunka ner till landskommun igen. Vid samma tid utfärdade Johan III stadsprivilegier för Hudiksvall och Härnösand. Han bekräftade dessutom privilegierna för Hjo.

som riksdagen ställde sig helt på konungens sida, och riksdagsbeslutet, rubricerat som "stadga om konungslig och furstlig rättighet över furstendömen", är i allt väsentligt en ny upplaga av de Arboga artiklar varmed kung Erik hade kringskurit sina bröders suveränitet tjugo år tidigare och om vilka den dåvarande hertig Johan hade uttalat sig med sådan avsky.

1583 på senhösten dog Katarina Jagellonica, och kungens lynne som aldrig hade varit vidare soligt blev märkbart sämre och retligare. En dag fann sig rådet föranlett att inleda en skrivelse med en underdånig förhoppning att "h.k.maj:t ville öffvergifva och falla låta then svåra hastighet, thermedh h.k.maj:t esomoftast uptändes, therigenom h.k.maj:ts helsa mycket blifver förminskad", och på detta svarade adressaten att han gärna skulle se att han förskonades för anledningar att bli ond, ty han förnam sig vara av kolerisk komplex och martialisk natur och hade för den skull svårt att tåla motsägelser, i synnerhet i sin nuvarande ensörjande lägenhet. Kort efteråt skrev han till rådet och upplyste att han hade beslutat gifta om sig "för många orsakers skull och besynnerligen till att undfly tillstundande sjukdomar och ohälsa, så ock många melankoliska affekter, store djupe tankar och annat mycket bekymmer, som av ensörjenhet följa och förorsakas kunde".

Hans val hade fallit på en sextonårig skönhet vid namn Gunilla Bielke som hade varit hovdam hos den förra drottningen. Hon var förlovad med en jämnårig och lär ha sagt bestämt nej till den kunglige fyrtiosjuåringens frieri, varvid han blev så arg att han kastade sin handske i ansiktet på henne, men de anhöriga lyckades snart blidka honom och få flickan att ta reson. Kungens syskon och även hans barn dolde inte sitt ogillande av mesalliansen. Hans systrar gav anledning till ett skriftligt vredesutbrott där det hette att hans arm kunde väl räcka dem därute därest de inte upphörde med sitt bjäbbande, men farligare var hans reaktion gentemot hertig Karl som kallt tackade nej till bröllopsbjudningen. Kungen blev då så uppretad att hans dotter Anna, som själv var emot giftermålet, i sin ångest skrev till hertiginnan Maria och bad henne övertala sin man att trots allt komma till bröllopet för att undvika inbördeskrig. Hertigen lät sig dock inte övertalas. Han skickade ett sändebud i sitt ställe till bröllopet som firades i prakt och glans i februari 1585 på slottet i Västerås, men brudgummen blev då ännu mera uppbragt och körde omedelbart sändebudet på porten.

Stadgan om kungliga och furstliga rättigheter fick ingen effekt, ty hertigen ignorerade den, och spänningen mellan bröderna skärptes oavbrutet, så att krigsrisken slutligen var uppenbar för alla. Rådet föreslog dem till slut att hänskjuta sitt politiska mellanhavande till en domstol som borde tillsättas för ändamålet, men det ville hertigen inte vara med om utan föredrog att göra vissa eftergifter. Underhandlingar kom då till stånd och ledde verkligen till förlikning, sedan hertigen hade gett vika i allt utom ifråga om liturgien. Överenskommelsen publicerades och stadfästes vid ett riksmöte i Vadstena.

Det polska kungavalet

I januari 1587 när Vadstenamötet ännu var samlat ingick bud från Polen att konung Stefan Batory hade dött där. Budet kom från hans efterlämnade drottning, som hette Anna och var syster till Katarina Jagellonica. Hon hade inga barn och erbjöd sig att använda allt sitt inflytande till förmån för sin svenske systerson i det polska kungaval som förestod.

Märkligt nog visade sig kung Johan denna gång inte särskilt angelägen om saken, och inte heller Sigismund föreföll vidare intresserad. Emellertid avsändes hovmarskalken Erik Brahe och riksrådet Erik Sparre till Polen för att förhandla om anbudet. De hade instruktioner att utlova en del ekonomiska eftergifter för det fall att Sigismund blev vald; något löfte om svenska landavträdelser skulle de däremot inte få ge. I Polen hade man nämligen tänkt sig att Sigismund skulle föra med sig Estland. Det fanns också andra kungakandidater därnere; ryske storfursten Feodor, son till Ivan den förskräcklige som nyss hade gått ur tiden, och ärkehertig Maximilian av Österrike hörde till dem som sökte platsen, och opinionen i Polen var delad. För Sigismund arbetade emellertid inte bara änkedrottningen utan också den mäktige rikskanslern och kronfältherren Zamoisky, och när kung Johan under valkampanjen lät sina ambassadörer inge polackerna vad han kallade en "lös förtröstning" om Estland fick Sigismunds parti övertaget. Kungavalet hölls i Warszawa i augusti i Zamoiskys regi, och Sigismund valdes enhälligt, ty de andra kandidaternas anhängare höll sig helt enkelt borta.

Johan och Sigismund residerade för tillfället i Kalmar för att vara så nära händelsernas centrum som möjligt. När nyheten om valutgången nådde dem där utbröt stort jubel, kanonsalut, kyrkliga tacksägelser och annat sådant, men glädjen försvann snart när det visade sig att polackerna menade allvar i fråga om Estland. En vacker dag avskedade Johan deras sändebud och lät förstå att på det villkoret skulle Sigismund aldrig komma till Polen, men sedan rådet hade påpekat de politiska vådorna av detta förolämpande handlingssätt – polackerna kunde ju till exempel välja ryssen till kung i stället – och sedan änkedrottning Anna och en del polska ädlingar hade skickat honom ett antal älskvärda och inbjudande brev ångrade han sig och beslöt att Sigismund skulle få resa. En präktig flotta utrustades för ändamålet och seglade till Danzig med Sigismund och hans syster Anna ombord; den sistnämnda var förresten mycket sjösjuk vilket i detta sammanhang var ett riksviktigt bekymmer, ty flottan kunde inte löpa in i hamnen förrän man hade fått fullgod lejd utan fick provisoriskt söka skydd under Helahalvön för den stackars prinsessans skull. Sedan formaliteterna ordnats och skeppen löpt i hamn kom de polska politikerna omedelbart ombord och började tala om Estland under hänvisning till de svenska sändebudens uttryckliga löfte, men Sigismund svarade att löftet ifråga var obilligt och omöjligt eftersom det stred mot hans fars uttryckliga förbud. I tre dagar höll man på och förhandlade förgäves om denna sak tills något ljushuvud kom på att man kunde ju uppskjuta avgörandet om Estland så länge kung Johan levde. Det förslaget passade båda parter, och därmed var vägen till polska tronen öppen för Sigismund, som omedelbart gjorde sitt intåg i Oliva och Danzig och därpå anträdde resan till den gamla konungastaden Krakow för att krönas. Legenden påstår att bland pöbeln som stod och stirrade på ståten befann sig den landsflyktige prins Gustaf, Erik XIV:s son med Karin Månsdotter; med sin syster Sigrid som var med i det höga följet lyckades han också få till stånd ett sentimentalt möte.

Polackerna glömde aldrig Estlandsfrågan, och Sigismund gjorde det nog inte heller; han var i sitt leverne en redlig och ordhållig man. Populär i Polen blev han aldrig, och sitt betyg som konung har han fått i en liten vers på det aristokratiska rikets officiella språk:

> Tria T
> fecerunt regi nostro vae:
> Tarditas, Tacurnitas, Tenacitas.

Tre T har gjort vår konung ve: tröghet, tystnad, trulighet.

Konungarna och rådet

Kung Sigismund trivdes inte med den maktägande adeln i sitt nyvunna rike, och i Sverige satt kung Johan och saknade sin son. Sommaren 1589 möttes de emellertid i Reval, där de var tillsammans i ett par månader och delgav varandra sina bekymmer. De kom överens om att Sigismund borde följa med till Sverige och låta kröna sig, men när deras rådgivare kom underfund med detta tog de strax itu med att söka avstyra saken. De polska dignitärerna i Sigismunds svit uttalade sig i rätt hotfull ton gentemot denne, och de svenska rådsherrarna framhöll med eftertryck att om han övergav sitt polska rike kunde följden för Sverige bli ett krig med Polen till råga på det ryska kriget. Deras åsikt delades av krigsbefälet, och vid ett stort möte i Revals domkyrka enades rådet, adeln och officerarna om en varnande skrivelse till majestäterna. Johan svarade skriftligen att Sigismunds ställning i Polen inte anstod en konung och att han hade hamnat i en sorts babylonisk fångenskap som skulle brytas tvärtemot herrarnas råd; vad krigsrisken beträffade så visste han nog medel att förekomma den, fast han tills vidare inte kunde redogöra för dem. Detta svar föranledde nya skrivelser och resolutioner – en av dem kom från invånarna i gränsstaden Narva där man hade särskild anledning att frukta ett nytt krig – och då dessa ledde till ingenting ställde officerarna till en demonstration; de påstås ha marscherat upp till slottet där de lagt ner fanorna utanför kungarnas fönster under dyra eder att aldrig ta del i rikets försvar om kungarna onödigtvis ådrog sig fiender. Säkert är att Sigismund slutligen gav vika; den sista september tog han sorgmodigt avsked av sin fader och begav sig till Polen. Dödligt förbittrad mot sina rådsherrar och generaler drog Johan hem till Sverige, där han fann sin broder hertigen försänkt i djup sorg och mildare till sinnes än vanligt, ty han hade nyss förlorat sin gemål; hon hette Maria av Pfalz och var bara tjugosju år när hon dog. I antipatien mot råds-aristokratien fann bröderna varandra omsider, och från den tiden hade hertigen mycket att säga till om även i konungariket.

Rådsherrarna hade nu ingen vänlighet att vänta. Erik Sparre, Klas Tott, Ture och Hogenskild Bielke och Gustaf och Sten Banér ställdes under bevakning, och man försökte utan framgång få dem att under-teckna en skrivelse där de förklarade sig brottsliga och bad om nåd. Man bemödade sig också om att skilja den övriga högadeln från dessa, men detta lyckades knappast. Den orolige Axel Leijonhufvud och hans manhaftiga mor grevinnan Ebba planerade tvärtom ett uppror i Väster-götland för att tvinga kungen till eftergift, men det hela var så huvud-löst att Erik Sparre avstyrkte, och mor och son nödgades skriva till kungen och be om förlåtelse. I mars 1590 hölls därpå ett riksmöte i Stockholm dit de bevakade herrarna inte tilläts komma men där de an-klagades för att ha velat kullstörta arvföreningen, varpå riksmötet för-klarade att om de inte kunde eller ville försvara sig mot denna anklagelse hade de förtjänat konungens onåd. Man fastslog också uttryckligen att arvsrätten till Sveriges krona i första hand gällde Johans manliga av-komlingar, men i kungens frånvaro var det hertigen som skulle styra landet. Man förbättrade vidare privilegierna för den lägre adeln, och även de kyrkliga stridsfrågorna var på tal; det beslöts att man skulle hänskjuta dem till ett särskilt kyrkomöte längre fram.

En tid efteråt kallades de anklagade – utom Klas Tott som hade dött under mellantiden – till Stockholm och sattes i hårt fängelse. Frampå sommaren släpptes de hem igen men återfick inte sin rörelsefrihet, och efter något år sammankallades ständerna ånyo och de anklagade hämta-des från sina gods för att stå till svars. Kungen uppträdde själv som åklagare och läste upp en rad punkter: herrarna hade bidragit till hans fängslande och skrivit under hans dödsdom, de hade styrkt kung Erik i hans planer på att utlämna Katarina Jagellonica till ryske tsaren, de hade ställt till att Sigismund kom iväg till Polen och därvid lovat bort Estland, de hade lockat soldaterna i Reval till uppstudsighet, de hade sökt utså split mellan kungen och hertigen och bringa Vasahuset på fall, de hade tvingat kungen att följa deras råd vilket var förräderi, och slutligen hade de gjort sig skyldiga till egennyttiga affärer, förskingring av statens medel, förtryck och annat. När de anklagade började försvara sig blev kungen ursinnig, beskyllde dem för feghet vid åtskilliga tillfällen och drog och skakade sin värja under förklaring att den vore honom given av Gud till att straffa förrädare. Det hela slutade med att de åter burades in, och nya försök gjordes oavbrutet att få dem att erkänna sig skyldiga. Även Axel Leijonhufvud fängslades men slapp snart ut igen genom hertig Karls bemedling, dock på det förödmjukande villkoret att inte som hittills hålla sig till hertigen utan alltid stå på kungens sida vid tänkbara framtida konflikter. Svår onåd drabbade också Carl Hinricsson Horn som var kommendant i Narva då kriget med Ryssland blossade upp igen på våren 1590; han hade sett sig tvungen att gå in på ett fördrag om vapenvila varigenom han avstod från Ivangorod och ett par andra gränsfästningar, och för detta dömdes han till döden men fick nåd på avrättningsplatsen och kvarhölls i stället i fängelse.

Hösten 1592 lät sig kungen plötsligen bevekas att frige de fångna herrarna. Då var han nämligen dödssjuk och dog strax därpå, ständigt upprepande ett latinskt bibelspråk: Scio quod redemptor meus vivit. Jag vet att min förlossare lever.

Två dagar efter broderns död skrev hertig Karl till rådet och föreslog ett allmänt möte, som borde ta ställning till ett och annat innan den nye konungen hann hem till sitt ärvda land. Vid den kungliga bisättningen några veckor senare ackorderade han med de tillstädeskomna prästerna om saken, och på nyåret 1593 utfärdades kallelse till ett *fritt concilium* i Uppsala. Kallade var enbart andans män, men hertigen och rådet som gemensamt hade undertecknat kallelsen skulle ävenledes komma, och närboende adelsmän och borgare hade tydligtvis också tillstånd att bevista mötet.

Om förloppet av Uppsala möte, som ägde rum i början av mars 1593, finns inget samtida protokoll men däremot diverse berättelser från nästa århundrade. Några av dem verkar emellertid ytterst initierade, och på det hela taget är vi nog pålitligt underrättade om denna märkliga sammankomst. Fyra biskopar och över trehundra präster hade infunnit sig, och till ordförande valdes med knapp majoritet Uppsalaprofessorn Nicolaus Bothniensis. Förhandlingarna började med att mötet antog några teser som ordföranden hade formulerat, nämligen att den heliga skrift skulle vara det enda rättesnöret för svenskarnas tro, att fornkyrkans tre symboler rätt sammanfattade skriftens lära och att kyrkofädernas vittnesbörd alltså vore obehövligt. Dagen därpå gick man igenom augsburgska bekännelsen punkt för punkt och enades om att den kunde godkännas. Prästerskapet hemställde därpå till rådet och hertigen att fördriva och avsätta alla oliktänkande. Sedan mötesdeltagarna vidare hade svarat ja på en högtidlig fråga av Strängnäsbiskopen Petrus Jonae huruvida de ville stå fast vid den antagna bekännelsen även om det skulle behaga Gud att låta dem lida för detta, utbrast ordföranden i de bevingade orden: "Nu är Sverige blivet en man, och alle have vi en herre och Gud."

Nästa dag gick det inte fullt så ståtligt till. Då tog man nämligen itu med Röda boken, varvid biskopar, domprostar och kyrkoherdar steg fram i långa rader och bad om förlåtelse för att de med *liturgiae bejakelse och underskrifning hade syndat emot Gud och förargat hans heliga försambling. The bekände sig hafva illa giort och önskade liturgiam i helvetit.* Herr Nils Gyllenstierna tackade Petrus Jonae och prästerna i hans stift för att de hade stått fasta i sanningen, varefter herr Hogenskild Bielke förmanade prästerskapet att hädanefter inte så lättfärdeligen gilla och underskriva vad som eventuellt kunde påbjudas. Ordföranden frågade sedan om de *alle samptelige ville förkasta liturgiam och dess tillbehör*, och svaret blev enhälligt ja.

Så här långt var allting frid och fröjd. En lördagsförmiddag i det följande antogs emellertid reformationskyrkans gamla gudstjänstordning och Laurentius Petris kyrkoordning i nästan oförändrat skick, vilket hertig Karl såg med mycken ovilja, ty därigenom hade mötet konserverat en del katolska kyrkobruk som stötte hans reformerta sinne. Han opponerade sig framför allt mot att man hade bibehållit exorcismen, "den besvärjelse som sker vid döpelsen, där satanas varder utmanad från menlösa barn, liksom de därmed lekamligen besatta vore." Han vägrade alltså att stadfästa mötets beslut på denna punkt, och därmed blev det avbrott i förhandlingarna. När de återupptogs efter några dagar tog man först itu med en annan fråga, nämligen val av ärkebiskop, och till detta höga ämbete utsågs med stor majoritet den landsflyktige Abraham Angermannus. Ej heller detta var riktigt i hertigens smak, och när prästerna och rådsherrarna följande dag uppvaktade honom beträffande beslutet om gudstjänstordningen visade han sig alldeles omedgörlig, vilket hade till följd att det nu var slut med enigheten på Uppsala möte. Nicolaus Bothniensis och en del andra prominenta mötesdeltagare fann det oklokt att reta upp hertigen med onödiga avståndstaganden från hans reformerta teologi, och åtminstone ett sammanträde upplöstes i oreda sedan ordföranden lämnat salen, men de stränga lutheranerna som var lika rädda för Calvin som för påven stod ihärdigt på sig och drev slutligen igenom att Calvin och Zwingli uttryckligen nämndes bland de villolärare och kättare som mötet beslöt att ta avstånd ifrån. Om hur hertigen förmåddes att gå med på det finns en historia. När det såg ut som om alltsammans skulle gå sönder begav sig ordföranden samt biskoparna i Linköping och Strängnäs till hertigen på Uppsala slott och bad underdånigast att han måtte gå med på att orden calvinister och zwinglianer togs upp på fördömelselistan på det att inte hertigen själv skulle misstänkas för detta slags kätteri. Hans replik har gått till eftervärlden: "Setter in alla dem som I vetten vara af det slaget, och fanen i helvetit med, ty han är ock min fiende."

Dagen därpå undertecknades mötets beslut av hertigen, riksråden och tre dussin präster, biskopar och professorer. Det fick konsekvenser för livet i Sverige i flera hundra år och fastslog bland annat att *the, som någon kättersk lärdom hafva, icke skall tillstadt eller efterlåtidt vara att hålla några uppenbara samqvemder i hus eller annorstädes.* Avskrifter skickades omedelbart ut till alla landsorter och underskrevs där på städernas, häradernas och församlingarnas vägnar av ett par tusen myndighetspersoner, därav femtonhundra präster.

Konungen, hertigen och rådet

Som en direkt följd av Uppsala möte återupprättades universitetet i Uppsala. Hertigen och rådet utfärdade frampå eftersommaren ett brev om den saken och påbjöd att det skulle finnas sju professorer, men tills vidare kunde man inte uppdriva mer än fyra, därav tre teologer och en i världsliga ämnen. Den sistnämnde hette Erik Skinnerus och hade dokumenterat sig som en lysande vältalare vid Uppsala möte; han förordnades nu till rektor. De tre teologiprofessorerna hette Petrus Kenicius, Jacobus Erici och Nicolaus Bothniensis, den förre mötesordföranden. Vid det laget hade också Abraham Angermannus kommit hem till Uppsala och med kung Sigismunds djupa ogillande tagit ärkebiskopsstolen i besittning.

Sigismund, kvarhållen i Polen hela sommaren av diverse trassel, kom till Sverige först i slutet av september. Han åtföljdes av sin gemål som hette Anna av Österrike, av en påvlig legat vid namn Malaspina samt av en trupp polska gardister som titulerades hejdukar. I hans följe befann sig vidare ett antal polska och svenska ädlingar varibland rådsherrarna Claes Fleming och Axel Leijonhufvud som stod på spänd fot med hertigen. Några dagar efter intåget i Stockholm lät denne överlämna en skrivelse vari kungen uppmanades att stadfästa Uppsala mötes beslut och godkänna ärkebiskopsvalet, men kungen svarade undvikande på detta. Han lät strax ställa i ordning Katarina Jagellonicas katolska kapell på Stockholms slott och på Drottningholm, vilket mycket förargade det svenska prästerskapet och i all synnerhet den nye kyrkoherden i Stockholm Ericus Schepperus, norrlänning liksom nästan alla de nitälskande lutherska förgrundsfigurerna från Uppsala möte. Denne dundrade alla söndagar i Storkyrkan om papismens dårskap och vederstygglighet och lär ha fått svar på tal av en jesuit som hette Peter Justus och predikade i Slottskapellet. Påskveckan 1594, då kungen och drottningen enligt katolskt bruk tvådde tolv fattigas fötter och deltog i en del andra medeltida riter och hyss, nådde denna predikoduell sin kulmen, men redan dessförinnan hade det kommit till handgripligheter mellan de troende. Slagsmål mellan hejdukar och stockholmare hörde till ord-

ningen för dagen, och när kungen lät hålla katolsk begravning i Riddarholmskyrkan – en av hans polska musikanter hade dött – blev det ett gruvligt rabalder. Några lutherska präster och djäknar höll nämligen vakt vid predikstolen och vägrade släppa dit katolikerna, men hejdukarna som åtföljde liktåget drog ner dem med våld och lär ha misshandlat dem eftertryckligt.

I februari ägde Johan III:s begravning rum i Uppsala, där de katolska prelaterna i Sigismunds följe fick lämna tåget innan det trädde in i domkyrkan. Det hela avlöpte emellertid utan bråk, och begravningen var ytterligt imposant med bortåt femhundra svenska präster i processionen. De hade samlats till riksdag tillsammans med de övriga stånderna, ty den nye konungen skulle krönas i detta sammanhang, och från svenskt håll krävde man nu att han skulle bekräfta Uppsala mötes beslut innan det blev någon kröning av. Sigismund erbjöd sig att i stället lova vidmakthålla religionen i Sverige sådan den varit i Gustaf Vasas tid, och han ville alltså tillförsäkra sina katolska undersåtar fri religionsutövning, vilket undertecknarna av mötesbeslutet naturligtvis inte kunde gå med på. Båda parterna var således helt fastlåsta i sina positioner, och efter någon veckas förhandlande utan minsta resultat förklarade hertigen till sist att han skulle hemförlova riksdagen och själv lämna staden ifall kungen inte gick med på det svenska kravet inom tjugofyra timmar.

Den hemliga protesten

Kungen föll då till föga och stadfäste Uppsala mötes beslut. Han utfäste sig att inte till något riksens ämbete bruka andra än lutheraner. Till sina katolska rådgivare avgav han emellertid en hemlig protest och betecknade stadfästelsen som avtvungen; i detta dokument, som finns i behåll i Vatikanens arkiv, står att han på grund av undersåtars sammansvärjning, förrädares illvilja och allas befarade uppror hade måst falla undan för att inte äventyra sin krona och sitt liv, men att han när han kom ordentligt till makten skulle verka för att katolicismen bleve tillåten om inte i hela Sverige så åtminstone i en del – *si non ubique, tamen aliquam in regni partem.* Samma dag som detta skrevs såg han sig vidare tvungen att utnämna Abraham Angermannus till ärkebiskop, och därmed var det sista hindret undanröjt för kröningen som ägde rum dagen därpå med stor pompa. När Erik Sparre började förestava eden lät kungen sin hand falla något, men hertigen sade åt honom att hålla upp fingrarna ordentligt, och då gjorde han det. Strängnäsbiskopen smorde honom därpå till konung med olja i pannan och på händerna, rådsherrarna tillhandahöll regalierna och Abraham Angermannus läste renläriga böner.

Sigismunds förhållande till den nye ärkebiskopen förbättrades under vårens lopp, och en marsdag 1594 utfärdade märkligt nog denne katolske monark det äldsta dokumentet om den svenska kyrkans och det lutherska prästerskapets privilegier. Där stadgades bland mycket annat att ärkebiskopen var överordnad de andra biskoparna och kunde hålla visitation över hela landet. Hertig Karl kan inte ha gillat detta, och han fick vid samma tid många anledningar till missnöje också i fråga om det världsliga. Konungen beredde sig att för någon tid återvända till sitt polska rike; under hans frånvaro måste ju Sveriges styrelse ordnas på något sätt, och till den ändan uppdelades riket i sex ståthållardömen under var sin landshövding som skulle lyda direkt under konungen. Finland styrdes av Claes Fleming vars lojalitet mot Sigismund var att lita på och som för övrigt förfogade över en här och en flotta, ty formellt rådde krig med Ryssland alltjämt. Till ståthållare i Stockholm och landshövding över hela norra Sverige utnämndes Erik Brahe som var katolik, bröderna Erik och Arvid Stenbock fick respektive Västergötland och Östergötland att regera, Erik Sparre förordnades till landshövding över Västmanland och Dalarna och Nils Gyllenstierna som nu var en gammal man fick Småland på sin lott. Resten av Sverige eller landskapen Sörmland, Närke och Värmland utgjorde hertig Karls hertigdöme, och denne såg sig alltså reducerad till en landskapsfurste bland många, ty det var inte meningen att han skulle ha någonting med de andra provinserna att skaffa utom såtillvida att han skulle ha säte och stämma i rådet, som skulle fungera som riksstyrelse i kungens frånvaro. I detta fann sig naturligtvis inte hertigen, som gjorde anspråk på att själv vara regent med rådet under sig. När Sigismund i juli avseglade från Stockholm på väg till Polen stod denna fråga alltjämt öppen. Kungen hade otur med vädret, fick ligga kvar i skärgården för motvind i flera veckor och undgick på det viset inte sin energiske farbrors bearbetning med skrivelser och anspråk, men när han måste formulera ett svar sträckte han sig inte längre än till att säga att hertigen och rådet gemensamt skulle sköta regeringen i Sverige medan han själv var borta.

Med sin vanliga viljekraft tog hertigen omedelbart ledningen över rådet som erkände honom som *förmann och Rikzens förstonndere*. Till konungen skrev han därpå och krävde fullmakt såsom sådan; fick han inte det tänkte han vädja till ständerna. Kungen svarade inte på detta, men hertigen utövade naturligtvis sitt riksföreståndarskap likafullt. De kungliga landshövdingarna avsattes eller sköts åt sidan; endast Claes Fleming i Finland var oåtkomlig. Han vägrade öppet att lyda vare sig hertigen eller rådet, som utan framgång sökte ta ifrån honom hans militära befäl genom att utnämna en annan general. Det ryska kriget avslutades visserligen inom kort – freden slöts i maj 1595 i en ingermanländsk håla som hette Teusina, där ryssarna avstod från alla anspråk på Estland och Finlands gräns reglerades ända upp till Ishavet – men Fleming behöll med Sigismunds goda minne både här och flotta. Ett argt brev från honom till rådet i Stockholm finns i behåll; han skriver att *jagh är inthet idher skiutzbonde.*

Hertigen och riksföreståndaren residerade denna oroliga höst på Stockholms slott, där hans nya gemål i september nedkom med ett gossebarn som inom kort döptes till Gustaf Adolf eller Gustafwus Adloff,

som den lycklige fadern själv stavar namnet i sin almanacka. Erik Sparre stod fadder, och barnets horoskop lär ha ställts av ingen mindre än Tycho Brahe, som vid den tiden alltjämt bodde på Ven. Horoskopet upplyste att barnet en gång skulle bli kung och gjorde därigenom hertigen betänkt på att tränga undan Sigismund från tronen, säger Johannes Messenius och efter honom många senare hävdatecknare som dock aldrig har sett till horoskopet i fråga utan bara har tittat i facit. Barnaföderskan som hette Kristina av Holstein hade en gång varit förlovad med Sigismund som emellertid gav henne på båten; sommaren 1592 blev hon vid nitton års ålder gift med hans farbror i stället. Hennes känslor för den forne fästmannen motsvarade fullständigt hertigens, vilket bidrog till lyckan i äktenskapet. Överhuvud taget passade kontrahenterna utmärkt bra ihop, säger alla historieskrivare som har berört saken; de grälade visserligen fruktansvärt på äldre dagar, men i början rådde stor sämja och förståelse, ty till lynnet liknade de varandra i mångt och mycket. Kristina av Holstein var sålunda ett ampert och bistert fruntimmer som höll sträng ordning vid hovet och var en förträfflig ekonom. Om hennes hushållsamhet finns ett par pittoreska notiser som förr stod i skolböcker; de meddelar att hon brukade mäta upp sytråden med aln åt sina underlydande och att hon förbjöd hovfolket att bena strömmingen.

Mellan hertigen och de hemmavarande herrarna av rådet var förhållandet för ögonblicket rätt gott. Så förblev det inte länge. När ingen bekräftelse på riksföreståndarskapet kom från Sigismunds sida beslöt hertigen att sammankalla ett riksmöte för att få sin makt och myndighet av detta. Rådet var helt naturligt emot denna sak, ty ett regeringsuppdrag till hertigen direkt från ständernas sida betydde ju att inte blott kungen utan även rådet sköts åt sidan, men hertigen lät sig inte hejdas, och efter många om och men kom riksmötet omsider till stånd i oktober 1595. Den sinnessjuke hertig Magnus av Östergötland hade dött den sommaren, och mötet förlades därför till Söderköping med hänvisning till den förestående begravningen i det närbelägna Vadstena.

Söderköpings riksdag beslöt programenligt att hertigen skulle vara riksföreståndare i konungens frånvaro och att Claes Fleming och andra motsträviga personer skulle straffas. Man godkände vidare hertigens yrkande att den påviska gudstjänsten skulle kriminaliseras och alla katoliker förvisas ur riket. Från en tribun som benämndes majestätspall talade hertigen därpå till riksdagen på Söderköpings torg och vände sig därvid företrädesvis till gemene man. Han slutade, säger kamereraren Knut Persson som bevittnade denna mönsterlektion i demagogi, med en fråga: "Ären I till sinnes att försvara hvad här gjordt och beslutadt är, och stå derför, alla för en och en för alla? Dertill svarade den gemene man: Ja, ja, ja, nådige herre; och gjorde sin ed med uppräckta händer, att stå med hans fursteliga nåde, alla för en och en för alla, hvilket ordasätt fursten alltid brukade. Sedan vände han sig till riksens råd, biskoparne och adeln, som med honom stodo på majestätspallen, och sporde dem till med dessa ord: Än I, hvad sägen I härtill? Hören I hvad dessa hafva svurit, velen I söndra eder ifrån dem? Riksens råd svarade på samteliga ridderskapets och adelns vägnar, och lofvade hans fursteliga nåde hörsamhet i allt det som lände Kungl. Maj:t och fäderneslandet till gagn och goda. Men fursten hof upp handen och sade: Så svärjen, att I velen vara mig lydige i det jag påbjudandes varder. Då hofvo meste parten upp händerna; men många voro som icke ville upplyfta handen. Derefter talade fursten om fröken Annas brudskatt och krigsfolkets betalning och sade: Wi vele låta göra en förordning, att det icke skall löpa mycket på hvar man. Då lofvade menige man strax ut skatten och tackade hans fursteliga nåde, att han ej för högt ville skattlägga dem."

Rådsherrarnas politiska roll var på det hela taget slutspelad i och med Söderköpings riksdag. Något verkligt inflytande på riksstyrelsen hade de inte längre, och för dem gällde det i fortsättningen bara att avfatta sina rådslag så att de såvitt möjligt inte stötte sig ohjälpligt med hertigen eller konungen eller bådadera. Den ende som riktigt lyckades med denna balanskonst var den gamle drotsen Nils Gyllenstierna, som i farliga frågor lät bli att avge något yttrande alls; tillfrågad av hertigen beträffande instruktionen för ett sändebud till Sigismund svarade han sålunda att de polniske handlinger ginge vida över hans förstånd. Även de övriga herrarna yttrade sig dock mestadels mycket försiktigt, och till och med i sin familjekorrespondens som till stor del finns i behåll undviker de förgripliga uttryck, väl vetande att hertigen aldrig drog sig för att läsa andras brev som till äventyrs föll i hans händer. Sams inbördes var de inte alltid heller, och just detta år, 1595, höll det på att utbryta släktfejd mellan Bielkar, Brahar och Gyllenstiernor med anledning av en romantisk tilldragelse som i hävderna kallas för onsdagsbröllopet. En Erik Bielke hade friat till en Sigrid Brahe och fått ja på villkor att han inte hade syfilis. Några månader efter trolovningen uppstod emellertid ett tycke mellan flickan och en Johan Gyllenstierna, och prinsessan Anna som residerade på Stegeborg fick del av deras hjärteangelägenheter och beslöt att hjälpa de unga tu. En onsdag i mars befallde hon allt sitt folk till slottskyrkan och lät utan vidare sammanviga Sigrid Brahe och Johan Gyllenstierna till stor förvåning inte minst för brudens bror, som händelsevis kom till slottet senare på dagen. Det skedda blev förstås en stor skandal, ty Bielkarna svalde ingalunda sin förtret i tysthet utan krävde att vigselprästen skulle straffas och Johan Gyllenstierna dömas till döden. Prinsessan Anna skrev brev åt alla håll och försökte ställa till rätta sedan hon själv hade fått bistra skrapor av sin farbror hertigen, vilken dessutom måste ingripa mot de inblandade manspersonerna och förbjuda dem att duellera. Slutakten i hela denna historia utspelades nu vid Söderköpings riksdag, där Johan Gyllenstierna officiellt bad Erik Bielke om tillgift och fick den på vissa villkor, nämligen åttahundra daler i böter till Uppsala universitet och tvåtusen daler i skadestånd till den försmådde rivalen. Dessutom fick de nygifta lova att ett år framåt hålla sig hemma på sina gods för att inte förolämpa Bielkarna med sin åsyn.

Ärkebiskop Abrahams räfst

Raka vägen från Söderköping drog hertig Karl till Vadstena och trädde in i klostret vid skenet av facklor och bloss. Han åtföljdes av ett antal världsliga herrar och av ärkebiskop Abraham Angermannus. Nunnorna som tog emot sällskapet hälsades med en förmaning att överge den påviska villfarelsen och bekänna sig till rena evangeliska läran; i så fall skulle de få stanna kvar i klostret. De svarade att de var beredda att lida vad som helst för sin tro. Ärkebiskopen förebrådde dem då att de stod emot evangelii ljus i det att de brukade stoppa vax och bomull i öronen för att slippa höra lutherska predikanter. Därpå tog hertigen själv till orda; han frågade dem var de hade klostrets dyrbarheter. Nunnorna försökte svänga sig men lyckades naturligtvis inte; det kom fram att vad klostret hade kvar av dyrgripar hade skickats till Visingsborg där katoliken Erik Brahe residerade. S:ta Birgittas och S:ta Katarinas ben hade tagits upp ur helgonskrinen dessförinnan och gömts på ett ställe som hade bedömts som säkert, men hertigen tog snart reda på var de fanns och såg sedan till att relikerna blev begravda på okänd plats utom räckhåll för nunnorna. Han skickade vidare efter de på Visingsö deponerade sakerna och anställde samtidigt en razzia efter dolda skatter i klostret; Krister Claesson Horn gick med slagruta för detta ändamål och man slog hål på väggar och murar här och var men fick olyckligtvis ingen lön för mödan. Mässkrudar och altarkläden delades ut bland hertigens följeslagare att sys om till kläder. Nunnorna, som var elva till antalet, befalldes att ge sig av snarast möjligt. Abbedissan, två gamla nunnor och fem något yngre begav sig då till birgittinerklostret i Danzig och fann ett hemvist där. Bara tre stannade kvar i Sverige. En av dem gifte sig, en togs omhand av släktingar, och den tredje, som ännu var helt ung, blev upptagen vid hovet av hertigens gemål. Hon trivdes inte där och fick slutligen efter mycket tjat återvända till det tomma klostret där hon snart lämnade det jordiska, berättar katoliken Johannes Messenius, som själv var från Vadstena och har lämnat dessa uppgifter om de sista Vadstenasystrarnas öden.

Under de år som följde plundrades Vadstenaklostret på allt lösöre. De tomma helgonskrinen, som märkvärdigt nog inte bortfördes av hertigen, fick kung Sigismund omsider tag i; en adelsman som hette Lars Rålamb förde dem till Kalmar åt honom och blev dödsdömd och avrättad för detta när han därpå föll i hertigens våld. Av klostrets övriga egendom fördes det mesta till Vadstena slott, där den unge hertig Johan hade fått efterträda sin farbror Magnus såsom regerande hertig över Östergötland. Dit flyttades sålunda en del av klosterbiblioteket för att användas till förladdningar åt knektarna.

Katolicismens sista fäste på svensk mark var därmed intaget och ödelagt, men man hade klart för sig att fortfarande var det dåligt ställt med tillämpningen av rena evangeliska läran på sina håll i Sverige. Mycken papistisk villfarelse fanns kvar och mycken okristlig styggelse. För att göra slut på det där och upprätta kyrkotukten drog ärkebiskop Abraham Angermannus till våren ut på en visitationsresa som är ryktbar i häverna, ty en del av protokollet finns kvar och utgör en fantastisk läsning. Ärkebiskopen hade fullmakt av hertig Karl att med biträde av stiftens biskopar, landskapens lagmän och ståthållare samt militärbefälet inventera och beivra synden i landet. I varje församling skulle allt folket möta ärkebiskopen vid kyrkan där kyrkoherden då skulle överlämna en förteckning på sockenbor som hade gjort sig skyldiga till trolldom, hor, svalg, kiv, svordom eller olydnad mot föräldrar och överhet, och anmälas skulle vidare alla som inte var rättrogna, bröt sabbaten, försummade gudstjänsten eller inte kunde katekesen. Kyrkoherdarna var vid risk av avsättning skyldiga att lämna dessa uppgifter. Deras egen gudlighet skulle också undersökas, och deras församlingsbor skulle få komma med eventuella klagomål.

De bevarade visitationsprotokollen gäller Linköpings stift som på 1500-talet var mycket större än nu, ty dit hörde alltjämt större delen av Småland samt Öland. Den energiske biskopen hann handlägga vid pass sjuttonhundra mål och utdöma en massa straff som vanligen verkställdes omedelbart; han åtföljdes för det ändamålet av några starka studenter, *robusti scholastici*, som pryglade folk med ris och därpå hällde iskallt vatten över dem. I en enda församling fanns ingenting att anmärka, nämligen Klockrike, och för en del skogiga socknar är protokollet magert därför att syndarna visligen höll sig undan, men annars är det en färgstark och fantasieggande bild man får av livet i Sverige. Det resolverades att det skulle bli slut på ölförsäljningen vid Lofta kyrka om helgdagarna. Joen Trummeslagare i Söderåkra fick slita ris därför att han i fyllan och villan hade predikat och härmat prästerskapet. Fyra pojkar i Ryssby hade för bättre fiskelycka gjort metkrokar av järn som de knyckt från kyrkdörren, ett knep som de hade lärt av sina föräldrar; för detta fick de stå på knä och göra kyrkobot, medan en annan gosse som hade fiskat på annandag påsk fick böta en kanna vin till kyrkan. Många personer dömdes för bristande kyrksamhet; i Misterhult var det till exempel fem män som fick slita ris för att de sällan gick i kyrkan, ty de hade oändlig väg dit. I Jönköping uppräknas ett halvt dussin motvilliga kyrkobesökare och i Vadstena ännu fler, nämligen dels ett antal fyllbultar och liknande, dels klosterfolket. Abbedissan och fyra nunnor fanns ännu kvar denna sommar, och envisa katoliker var också deras medhjälpare Oluf i kryddgården, Arendt i trädgården och fyra karlar till. På Visingsö antecknades ävenledes sex personer inklusive greve Erik Brahe såsom *oense med osz i lärdomen*.

Ett brott som i viss mån hade att göra med den gamla läran var signeri. I Högby på Öland fanns det en gumma som kunde tre ramsor mot tandvärk som hon hade lärt av en gammal munk; det kunde inte bevisas att hon någonsin hade försökt bota någon tandvärk med ramsorna, men för det faktum att hon kunde dem fick hon böta en daler till domkyrkan och dömdes att mista rygghuden om det kom fram att hon läste upp dem. En gubbe i socknen som också kunde en latinsk harang slapp spö men ställdes under övervakning av prästen. Signerskan Ragnill i Svartorp slet däremot ris, tjugofem slag för att hon hade läst mot tandvärk, och Svens hustru i Axamo fick femton slag för sitt läsande över en annan åkomma som hette vredet. I Gränna fanns inte mindre än fyra gummor som hade läst över sjuka och fick ris allihop, och i Rappestad socken straffades en kvinna som också hade försökt lindra andras plågor med besvärjelser; hennes man skällde ut djäknarna medan de slog henne, och för det fick han tillbringa natten i finkan. Än värre gick det för klockaren i Nykil som nätt och jämnt benådades till livet; han var nämligen *en förfärlig och förskreckelig besweriare och trulkar, där många ogudelige böner, konster, characteres, figurer, bochstefwer och elliest myckin truldom och wyskepelse drifwit och öfwat.* Han hade rentav många skrivna böcker och slet ris med trettionio slag, vilket var maximum; därpå fick han nio ämbar vatten över sig. Trolldom bestraffades i princip efter Mose lag, som hade fått inflytande på svensk rättskipning först genom reformationen; där stod ingenting om manliga häxmästare men stadgades uttryckligen att *Een trolkona skal tu icke låta leffua*[1], och det första häxbålet i Sverige hade tänts i Gustaf Vasas sista år jämlikt denna bibliska paragraf.

Några stycken häxor påträffades i bygderna under ärkebiskop Abrahams räfst. En fanns i Böda på Öland och hade sagt att det skulle gå illa för en man i Grankulla, varpå han fick ont i bröstet och lite varstans; för detta slet hon ris och skickades till världslig domstol, men hon bekände ingenting. Två andra häxor fanns på Visingsö; de var systrar och hette Anna och Gunnel. Den sistnämnda hade trollat sjukdom på folk, och en gång när man skulle brygga öl på Visingsö vägrade pannan att komma i kokning tills någon kom på att ge Gunnel en halv tunna spannmål, vilket omedelbart hjälpte. Vad Anna förmådde omtalas inte i protokollet, men båda systrarna hade kastats i sjön och befunnits flyta varför de fängslades. Anna hade försökt skära halsen av sig i fängelset, men såret läktes, vilket ansågs misstänkt. Hon ville inte bekänna något häxeri fast hon fick slita ris. Systern Gunnel däremot

[1] 2. Mos. 22: 18.

erkände att hon kunde ta bort fisken i sjön och nyttan från boskapen, och hon hade också trollat olycka på kyrkoherdens kalvar och barn. Domen över henne hänsköts till den världsliga överheten.

Kriminalfall som kom i dagen under ärkebiskopens räfst hänsköts ofta till häradstinget, vilket visserligen aldrig uteslöt en omedelbar avbasning på köpet. Slagskämpar, bråkmakare och hustyranner fick dock vanligtvis sin dom direkt. En kalmarbo vid namn Jordans hade slagit sin hustru fördärvad och straffades med maximidosen av prygel varpå han sattes in på vatten och bröd, och en arg käring i Räpplinge på Öland slet ävenledes ris med trettionio slag för att hon brukade slåss med alla möjliga tillhyggen och hade tilltygat en piga illa. Folk som var kända för att svära rannsakades i många socknar och risades för detta med liv och lust; de kallades edebukar för resten. En sådan var Erich Helsing på Ottenby gård, vilken dessutom trätte med sin hustru; han var gammal och gick på kryckor, men det hindrade inte att paret tilldelades nio slag vardera av riset. Ett liknande öde drabbade Matz Larsson i Vannborga som klagade att hans egen son hade stött till honom med en yxhammare; då det befanns att han själv inte var utan skuld till osämjan pryglades bägge två.

Vad som emellertid framför allt kännetecknar protokollet över ärkebiskop Abrahams räfst är de många domarna angående sjätte budet. Ärkebiskopen satt till doms över bortåt sjuhundra fall av mer eller mindre tillfälliga sexuella förbindelser, och en sentida läsare sänder mången medlidsam tanke tillbaka genom seklerna framför allt till de stackars kvinnorna.[1] Flickor som råkat i olycka fick mestadels slita ris offentligen, och deras barn stod säkert och såg på ibland, ty brottet blev visst aldrig preskriberat eller ens sonat. Fadern till en flicka i Madesjö kom och meddelade domstolen att hans dotter redan hade fått både världsligt och andligt straff, men ärkebiskopen gav sig inte: *hon skall inför domkyrkian och slita rijs.* Oluf Joenson i Myckleby hade legat med Scisse i Ås som påstod att han hade lovat henne äktenskap, men han nekade och hon kunde ingenting bevisa. *På itt åminnelse till sitt fall sleet hon rijsz och fick 20 slagh,* men han slapp undan med en silversked till domkyrkan. I Halltorps socken var det en fattig flicka som

---

[1] Lutherdomen, säger Troels-Lund, motarbetade alltid kvinnans likställighet, och i ortodoxiens tid fick hennes mera underordnade ställning ett litet uttryck i den nya seden att hon vid giftermålet lade bort sitt eget släktnamn.

fick barn med en karl vilken hade lovat henne *itt kåpakläde och en götnisk kiortel*, men rätten resolverade att han i stället skulle skänka dessa ting till hospitalet, under det att hon skulle mista huden. Män som hade en ställning i samhället klarade sig alltid. Adelsmannen Nils Bröms i Locknevi hade en *bislåperska* och många oäkta barn, och till honom skickades en ärkebiskoplig skrivelse som han förständigades att underteckna; där stod att han med omedelbar verkan lovade avstå från sitt vederstyggliga boleri och sodomitiska leverne eftersom bolare icke skola ärva Guds rike (1 Kor. 5) utan kastas i den sjön som brinner av eld och svavel (Upp. 21). Socknens prästerskap skulle stå som garanter för löftet. Nils Bröms lät emellertid hälsa att han ingalunda tänkte skriva under det där, men däremot tänkte han med Guds hjälp se sig om efter ett gott giftermål snart.

Var det fråga om trolovning eller därmed jämförlig förbindelse fick dock även karlarna se på annat. I mest varannan socken fanns det folk som ville bryta sina trolovningar, men detta medgavs nästan aldrig av ärkebiskopen, som tvärtom brukade låta viga ihop kontrahenterna på fläcken. Så gick det för Oluf Erlenson i Fliseryd som motiverade sin önskan med att hans fästmö var för lång och han själv för kort; själv var han inte tillstädes vid kyrkan, men ärkebiskopen skickade strax fästmön och sockenprästen hem till honom, och det står inte skrivet att brudgummen protesterade. Protokollet räknar upp ett hundratal liknande fall av spruckna trolovningar som med våld förvandlades till äktenskap. Mindre häpnadsväckande är väl att ärkebiskopen genast lät viga bortåt tvåhundra par som sammanlevde utan att vara gifta, men inte heller i dessa fall var hans uppträdande alltid så finkänsligt precis. Håkan i Skrikeboda utanför Eksjö sammanlevde med en trätgirig dam som inte ville bli gift med honom, men sedan hon hade fått slita ris med tjugofem slag kunde vigseln äga rum. En pendang till detta fall gäller en ung Jönsson i Törnsfall nära Västervik vilken hade kränkt sin fars tjänstepiga, dock först sedan han officiellt hade begärt henne till äkta; när han efteråt ångrade sig dömdes han av ärkebiskopen att i så fall ta emot 39 slag och 5 ämbar vatten samt att leva ogift tills flickan hade fått sig en annan man. Inför det hotet föll han till föga och gifte sig med henne; huruvida de blev lyckliga vet ingen. Föreläggandet att leva ogift tills andra parten blivit gift förekommer i flera av de fåtaliga fall där ärkebiskop Abraham gick med på upplösning av en trolovning. Det

drabbade exempelvis Måns Joensons dotter i Edeskvarna, ty till skillnad från Jönsson i Törnsfall stod hon på sig och slet hellre ris än hon återtog sin trolovade.

Skilsmässa i äktenskap var naturligtvis än sällsyntare. Prästen i Ryd, vars hustru hade varit förlamad i fjorton år, fick det verkligen; den stackars frun bad och bönföll under tårar att det måtte bli honom tillåtet att gifta om sig med någon annan, och då beviljades det med tvekan. Men i Skeda socken utanför Linköping förekom i gengäld ett groteskt fall av obönhörlig nitälskan för äktenskapets helgd. En man som hette Sivard hade för aderton år sedan övergett sin lagvigda maka för en annan kvinna som han alltjämt sammanbodde med; de hade tillsammans nio barn. Han anklagades nu för hor, och domen blev att han skulle försona sig med sin hustru och skiljas från sina barns mor. De skulle dela barnen och ägodelarna mellan sig, dra iväg åt var sitt håll och bosätta sig i skilda stift. Han fick trettio slag och nio ämbar vatten, hon tjugofem slag men inget vatten, ty hennes tionde barn var på väg. De fick dessutom veta att om de vidare befattade sig med varandra skulle det kosta dem livet.

Åtskilliga imbeciller och sinnessjuka figurerar naturligtvis i ärkebiskop Abrahams dombok. Där är Wåpekajsa i Norrköping som sade efter vadhelst man ville att hon skulle säga inför domstolen; hon fick ris för säkerhets skull, ty hon misstänktes för att ha legat med hustruplågaren Ewert Fysenborgh som samtidigt uteslöts ur församlingen. Där är en dansk kvinna som på hospitalet i Linköping meddelade domstolen att hon anfäktades av mycket underligt och anhöll att få slita ris; hon hade blivit med barn och blivit av med barnet utan att hon visste hur någondera delen gick till, och domstolen lät förstå att sådant var tecken på att hon var Gudi kär, ty annars skulle satan säkert inte anfäkta henne till den grad. Bakom många av rättsfallen kan man också ana manier och fixa idéer för att inte tala om avund, hat och agg. Räfsten inbjöd till angiveri, och det var knappast av ädla moraliska motiv som så många ytterligt privata synder bragtes till offentligheten. En bonde i Halltorp på Kalmarkusten lagfördes till exempel för att han en gång legat med sin hustru innan de vigdes; tydligen hade han skrutit med detta inför någon.

Emellertid är det klart att man inte får se med vår tids ögon på Abraham Angermanni räfst. Människornas världsbild och livssyn var i allo en annan, och även om den stränge prelatens våldsamma framfart väckte bitterhet i bygderna var det veterligen ingen som bestred riktigheten av den tanke som vägledde honom, nämligen att det gällde att avvända Guds vrede genom att själv beivra synden i landet. Hertig Karl uttryckte detta mycket klart i sin fullmakt till ärkebiskopen, där det står att många grova synder och missgärningar bland hög och låg säkert hade blivit nedtystade och att om detta fick fortgå *Gud alzmectig warder at senda sit harda straff öffuer oss alla.*

Inbördeskriget

Sommaren 1596 mottog hertig Karl en skrivelse från kung Sigismund där denne förklarade Söderköpings riksdags beslut ogiltigt och meddelade att han inte ville besvära hertigen längre med landets regering. Hertigen svarade strax att själv begärde han inte bättre än att få nedlägga riksföreståndarskapet, men dessvärre hade han mottagit sitt uppdrag av ständerna och måste därför fråga dem först. Mot slutet av året utlyste han ett allmänt riksmöte i Arboga, men dessförinnan var han ivrigt verksam med att bearbeta opinionen bland de ofrälse och hade därvid stor nytta av ett bondeuppror mot Claes Fleming i Österbotten, en blodig och ohygglig uppgörelse som i hävderna kallas Klubbekriget och som han efter förmåga underblåste. Det gick dåligt för de finländska bönderna, och Claes Flemings framfart mot dem blev ett stort propagandanummer för hertigen vid Arboga möte, när detta omsider kom till stånd i februari. Alla moderata element lyste med sin frånvaro där. Bara en enda rådsherre hade infunnit sig, den orolige och opålitlige Axel Leijonhufvud. Hertigdömets adel hade kommit men inte det övriga frälset, och ärkebiskop Abraham Angermannus hade hörsammat kallelsen, men inte i spetsen för sitt prästerskap. Hertigen vände sig därför företrädesvis till bönderna och fick med deras hjälp raskt till stånd ett riksdagsbeslut som gick ut på att han skulle fortsätta att regera landet i egenskap av riksföreståndare. De andra stånden begärde att han skulle förlika sig med rådet, eftersom icke ens konungen, än mindre riksföreståndaren enligt Svea rikes lag kunde regera utan råds råde, men hertigen svarade att han inte ville rådet något ont och att det ju i efterhand kunde få ta ställning till riksdagens beslut inom viss tid, förslagsvis sex veckor. Sedan detta hade genomtrumfats fick var bonde sex öre av hertigens räntmästare. Efter riksdagen for dennes handgångne män omkring och skaffade med lock och pock underskrifter på Arboga mötes beslut av adelsmän och menigheter ute i landet; de sammankallades till den ändan häradsvis.

Arboga möte var en signal till öppen strid mellan hertig Karl och kung Sigismund. De sex veckorna förgick utan att rådet officiellt tog ställning i den konflikten, men dess ledande män höll sig borta från alla regeringssammanträden under varjehanda ursäkter och förevändningar, och de av dem som uppehöll sig i Stockholm fann det snart rådligt att bege sig till sina kolleger i götalandskapen där hertigens popularitet bland allmogen ansågs vara mindre än vad fallet var i Mellansverige. Till ett ständermöte som hölls i Stockholm på eftersommaren blev de formligen stämda, och då de inte kom drev hertigen igenom att de förklarades förlustiga sitt ämbete. Om förloppet av detta möte finns det en berättelse av en präst som hette Aschanæus; den är bitvis mycket drastisk och ger nog en trovärdig bild av hertigens språk och demagogiska förmåga. En ofta citerad bit handlar om hans meningsutbyte med en adelsman som hette Hans Åkesson Soop, vilken dristade ifrågasätta hertigens rätt att dra i fält mot Claes Fleming och andra rikets råd. "Då svarade hans furstl. Nåde: 'Drag då du åstad, och efter du äst en förfärligt stor och långer karl, får jag gå och skyla mig bakför dig, ty jag ser väl så gärna tio pilar uti dig som en i mig!' Och allmogen i salen log däröfver och sade: 'Fickst du svar!' Sade hans furstl. Nåde: 'Menar du att jag skall se på mitt fäderneslands fördärf, att den ene efter den andre så uppsätter sig emot mig, eller hvad besked och fullmakt har du därpå att förbjuda mig värja riket för förrädare och på ditt uppträdande här?' Han sade: 'Konungens.' Hans furstl. Nåde sade: 'Låt mig se det!' Då talade han annan strunt. Hans furstl. Nåde sade: 'Du vet aldrig hvad du bjäbbar, du och de andre, som med dig äre. Gån bort ifrån mig!' "

Om rådsherrarnas tankar och planer är eftervärlden jämförelsevis väl underrättad, ty deras inbördes korrespondens finns i behåll. Tonen i dessa brev mellan bröder och nära anförvanter är mestadels rätt kurial och opersonlig, men de var tidigt på det klara med att för dem gällde det livet; redan på tal om mötet i Arboga uttalar de farhågor för ett tillämnat blodbad. Deras motstånd var hela tiden passivt, och någon resning tycks de inte ha planerat. Däremot försökte de få till stånd ett stort adelsmöte i Östergötland eller Västergötland eller på Visingsö för att åstadkomma ett kompakt uttalande mot Arboga mötes beslut, men hertigen förekom dem och sammankallade själv västgötaadeln som tvangs att underskriva beslutet. Därmed var spelet förlorat för rådet, och Erik Sparre tog strax konsekvenserna och gick över gränsen till det danska Halland. Han följdes snart av Ture Bielke och Gustaf Banér, och på andra vägar avvek också riksråden Sten Banér och Göran Posse ur riket och begav sig till kung Sigismund i Polen, där Erik och Gustaf Brahe sedan länge befann sig.

Vid samma tid dog Claes Fleming sotdöden på Åbo slott efter att ha vunnit fullständig seger i Klubbekriget och låtit avliva alla upprorets ledare på det grymmaste sätt. I honom förlorade kung Sigismund sin beslutsammaste anhängare, och hertig Karl gjorde ingen hemlighet av sin belåtenhet. På eftersommaren kom han själv över till Finland och angrep Åbo slott, som försvarades av Claes Flemings änka. Hon hette Ebba Stenbock och var en modig och tapper dam, och hennes utsikter att hålla stånd var ganska goda, ty angriparens kanoner var små och gjorde föga skada på de väldiga murarna under det att slottets artilleri anställde stor förödelse bland hertigens skansgrävare. En student som hette Daniel Hjort, känd i våra dagar som titelroll i en tragedi av finländaren F. F. Wecksell, lyckades emellertid för hertigens räkning undergräva moralen bland försvararna, så att de vid tillfälle deserterade till fienden eller åtminstone avsiktligt sköt bom. När detta upptäcktes gav Ebba Stenbock alla som så ville tillåtelse att fritt gå sin väg. De allra flesta avmarscherade då, och den besättning som återstod var visserligen pålitlig men så gles att vidare försvar var otänkbart, varför slottet gav sig till hertigen. Om dennes entré finns en bekant anekdot, förevigad genom en berömd tavla av Albert Edelfelt. Hertigen lät omedelbart föra sig till slottskapellet, där hans gamle ovän Claes Fleming alltjämt låg obegravd. Han lät öppna kistan för att övertyga sig om att den innehöll rätt person, och då han fann att så var fallet grep han den döde vid skägget och utbrast: "Om du nu lefvat hade ditt hufvud icke suttit mycket säkert!" Ebba Stenbock svarade: "Om min salige herre lefvat, så hade Hans Nåde aldrig kommit här in."

Befälhavarna på rikets fästningar tycks undantagslöst ha hetat Stenbock detta år, och för dem alla hade det gått ungefär som det gick fru Ebba. Arvid Stenbock som kommenderade på Vadstena slott var redan bortdriven; det hade skett när hertigen och rådet i stor sämja sköt de kungliga ståthållarna åt sidan. Men på Älfsborg residerade Erik Stenbock, och när hertigen kom för att försäkra sig om slottet gav han genast upp hoppet, steg ombord på ett skepp med allt sitt pick och pack och seglade till Danmark. Något mindre medgörlig var Karl Stenbock som förde befälet i Kalmar, ty han vägrade överlämna slottet till hertigen till dess denne hade hämtat dit två grova skeppskanoner och bragt dem i ställning mot slottsporten; då gav han sig fången och stängdes in på Gripsholm. Därmed hade hertigen fått kontroll över alla rikets fästningar av någon betydelse med undantag av Stegeborg där prinsessan Anna residerade. Också dit kom han emellertid galopperande en vacker majdag detta år, dock inte för själva slottets skull. Han hade kommit över ett brev från Erik Sparre till Sigrid Brahe, bruden från onsdagsbröllopet; det var skrivet på chiffer, men hertigen löste detta och fann att det handlade om en kista som fanns i förvar hos prinsessan Anna på Stegeborg. Prinsessan var inte hemma för tillfället – hon var på besök hos sin döende styvmor, drottning Gunilla Bielke på Bråborg – men hertigen tvingade sig in på slottet i alla fall förbi hennes förskräckta tjänstfolk. Den nygifte Johan Gyllenstierna – som förresten var katolik – rymde hastigt sin kos och lämnade sin sängliggande hustru att ta emot hertigen, som barskt förhörde henne om kistan, vilken han trodde innehålla rikets regalier och Sparres hemliga korrespondens. Efter tre timmars tårefyllt uppträde fick han omsider fatt i dyrgripen, som dock inte alls rymde så graverande saker som han hade hoppats.

Korvtåget

I Finland återtogs Åbo slott inom kort av hertigens motståndare; en erfaren officer som hette Arvid Stålarm hade nämligen efterträtt Claes Fleming som Sigismunds ståthållare där. Själv dröjde kungen av nödtvång kvar i Polen ända till början av 1598, då en riksdag i Warszawa omsider ställde en liten armé på femtusen man till hans förfogande; han kunde ha fått en större styrka om han hade gått med på att låta Estland övergå från sitt svenska rike till sitt polska, men det ville han inte. I juli avseglade han äntligen från Danzig, följd av de landsflyktiga svenska rådsherrarna. Han steg i land i Kalmartrakten och lyckades snart sätta sig i besittning av såväl Kronobergs slott som Kalmar slott, där ett par ursvenska kavalleriregementen, Smålands ryttare och Västgöta ryttare, mötte upp och ställde sig under hans befäl. En expedition som Arvid Stålarm ungefär samtidigt företog mot Uppland misslyckades visserligen – ett allmogeuppbåd under ledning av professorerna i Uppsala lär ha skrämt den landstigna finska styrkan på flykten, och det hela kallades av någon anledning för korvtåget – men några veckor senare kom Sigismunds flotta under en polack som hette Lascy till Stockholm och intog staden utan motstånd. Däremot lyckades han inte sätta sig i besittning av den svenska flottan, vars amiraler var pålitliga anhängare av hertigen, och ett försök att dra officerarna över på den kungliga sidan utvecklade sig till en tragedi som inte saknar sina poänger. En ung marinkapten som hette de Wijk misstänktes för förbindelser med Lascy och det svenska rådet, och för att få bevis mot honom ställde hans överordnade till ett dryckeslag där det frampå småtimmarna kommenderades att alla skulle ta av sig ett klädesplagg för varje skål som dracks. Skålandet fortgick under glam och skratt tills alla satt nästan nakna, men under tiden genomsöktes de Wijks och andras kläder noga av nyktra säkerhetstjänstemän. Man hittade verkligen en del komprometterande papper, och de Wijk blev omedelbart dödsdömd och arkebuserad på en holme i skärgården.

Själv drog kung Sigismund nu med sin armé sjövägen till Stegeborg, där hans syster Anna som sagt vistades. Hertig Karl befann sig också i Östergötland där han hade dragit samman ett par tusen ryttare och några tusen man infanteri, och en septembermorgon ryckte han med denna styrka mot Stegeborg. Försöket gick illa för honom; frampå dagen var han och hans folk praktiskt taget omringade av de kungliga trupperna och under eld av polackernas artilleri. Sedan ett par hundra man hade stupat på hertigens sida och något tjugotal på kungens vände sig riksrådet Göran Posse till den sistnämnde och bad honom besinna att det var hans egna undersåtar som föll på båda sidor. Sigismund, slagen av sanningen i denna tanke, lät då avblåsa striden och sände bud till hertigen att han kunde dra sig tillbaka, vilket omedelbart skedde. Under de följande dagarna gjordes åtskilliga försök att åstadkomma en förlikning vilket ett slag såg ut att lyckas, men då hertigens flotta under tiden ankom till Östgötaskärgården höjde denne sina fordringar till den grad att förhandlingarna omedelbart avbröts – han krävde nämligen att kungen skulle skicka bort sina trupper, finna sig i tingens nuvarande tillstånd och gå med på att hertigen, inte han själv, skulle sköta regeringen i Sverige.

Inför hotet från sjösidan fann Sigismund det rådligast att dra sig inåt landet från Stegeborg, som mycket riktigt intogs av hertigens folk i slutet av månaden; de polska skeppen, fyrtio till antalet, blev också tagna och plundrade. Med sin armé begav sig kungen till Linköping, och en lugn och disig septemberdag sammandrabbade han med hertigens trupper vid de två broarna över Stångån. Slaget, den sista större drabbning som stått inom det egentliga Sverige, slutade med klar seger för hertigen som satte sig i besittning av bägge broarna, ty han var överlägsen i alla avseenden; han hade tolvtusen man mot kungens åttatusen och tjugoen kanoner mot kungens sju. Det hela var för sin tid en blodig historia med ett par tusen man i döda och sårade, och redan tidigt på förmiddagen var utgången given. Kungen skickade då ett par parlamentärer till hertigen som strax lät avblåsa striden och dikterade sina villkor tvärs över Stångån för de utsända herrarna som stod på andra stranden. Han krävde först och främst att riksråden Erik Sparre, Ture Bielke, Gustaf och Sten Banér och Göran Posse skulle utlämnas, och efter en del förhandlande såg sig kungen nödsakad att gå in på detta. Herrarna slets ur sina gråtande fruars armar och fördes över bron, sedan hertigen muntligen hade lovat att de skulle dömas efter Sveriges lag på en fri riksdag i kejserliga, konungsliga och furstliga sändebuds närvaro.

Längre fram på dagen träffades kungen och hertigen personligen, och den förre gav middag för den senare inne i Linköping. Konversationen vid bordet rörde sig kring likgiltiga ämnen.

Linköpings blodbad

Den storpolitiska uppgörelsen på östgötaslätten ackompanjerades av en serie råa kravaller i Dalarna, där en skotskfödd domare som hette Jakob Neaf blev lynchad sedan han hade läst upp ett kungligt brev mot hertigen. Uppträdena, som efter Neaf kallas Nävtåget, har skildrats i skrift av Leksandsprästen Elof Terserus som utsågs till anförare av sina blodtörstiga församlingsbor men inte förmådde hålla disciplin, och hans berättelse om deras våldsdåd, fylleri och mord på sina fångar är ingen upplyftande läsning fast den också innehåller en del tirader om Gud, fäderneslandet och de ärlige dalamän. Skocken drog plundrande nedåt Mälardalen men samlades slutligen vid Brunbäcks färja, dit Carl Carlsson Gyllenhielm, hertigens son på sidolinjen, omsider kom och tog befälet. En mängd hurtiga drängar klev upp på taket till en stuga för att genom takfönstret beskåda kungasonen när han hade gått in där, och taket störtade plötsligt in under tyngden, men Gyllenhielm tycks ha klarat sig utan skador av de nedramlande. Han höll tal i det fria och berättade om slaget vid Stångebro varefter han omedelbart skickade hem hela sällskapet.

Kung Sigismund skulle avtalsenligt ha begett sig till Stockholm från slagfältet vid Linköping, men återkommen till Stegeborg tappade han begripligt nog lusten och seglade i stället söderut med sina återställda skepp. I Kalmar inväntade han sin armé som marscherade dit landvägen. Han satte Johan Sparre till kommendant på slottet och styrde därpå raka vägen till Danzig, och dit anlände vid samma tid Lascy som med sina polacker hade utrymt det höstliga Stockholm.

I stället begav sig hertig Karl med det snaraste till denna stad. Han höll omedelbart räfst och lät fängsla en del folk, däribland Abraham Angermannus och Erik Schepperus vilka i det avgörande ögonblicket hade föredragit kungen framför hertigen. Han avsatte vidare borgmästare och rådmän och skällde i egen person ut hela borgerskapet som hade kallats till mönstring på Helgeandsholmen. Åtskilliga personer avrättades och ännu fler frändömdes gods och ägodelar.

Det följande året, 1599, blev ett år av idelig räfst och ständiga rättarting. I februari hölls en riksdag i Jönköping där man beslöt uppmana kung Sigismund att strax återvända till Sverige och anta rena evangeliska läran eller också skicka sin son Vladislav att under hertigens förmynderskap uppfostras i denna sanna tro; varom inte skulle man se sig om efter en konung på annat håll. Ett prästerligt utskott vid denna riksdag satt till doms över Angermannus och Schepperus. Den förstnämnde förklarades avsatt som ärkebiskop och slapp aldrig ut ur fängelset mer, under det att Schepperus tycks ha blivit utsläppt med åren.

Under vårens lopp stormades och intogs Kalmar. Slottet gav sig i maj efter svår hungersnöd, varpå Johan Sparre och hans närmaste män avrättades på borggården utan dom och rannsakning. Ett par månader senare drog hertigen till Finland med hela sin här, intog slotten och städerna och gjorde processen kort med en mängd människor. Stålarm och dennes underbefälhavare Axel Kurck togs till fånga. Först i november kom hertigen tillbaka och drog då försorg om att de fängslade rådsherrarna fördes till Linköpings slott; de hade dittills suttit inspärrade i Nyköping och på Gripsholm. En riksdag för att döma dem sammankallades mot slutet av vintern.

Rättegången som ägde rum i Linköping i mars var offentlig, och till domare hade utnämnts hundrafemtiotre personer ur rikets alla ständer utom prästeståndet, som bett att få slippa. I domstolen satt trettioåtta adelsmän inklusive några nära släktingar till de anklagade: ett par bröder Brahe, ett par bröder Bielke, ett par bröder Leijonhufvud. Där satt vidare tjugofyra kavalleriofficerare, tjugo infanteriofficerare, tjugofyra borgare, tjugotre fogdar och tjugofyra bönder. Flera utländska furstar hade inbjudits att skicka observatörer till rättegången, men .endast hertigen av Holstein hade hörsammat kallelsen; han var ju åklagarens svärfar, ty hertig Karl uppträdde själv som åklagare. Hans uppträdande i den rollen kan knappast ha tilltalat främmande makters civiliserade sändebud, ty han röt och svor mest hela tiden, och när det visade sig att försvaret var ganska starkt i sak och att de flesta av de anklagade inte kunde skrämmas till att erkänna någonting straffvärt förlorade han tålamodet totalt. "Sjutusand dieflar hafver jag lofvat dem, och det skall jag hålla", utbrast han en gång. "Jag lofvade dem fyra månaders uppskof med domen, och nu stå de här efter ett och ett halft år ännu med friska lemmar." God hjälp med anklagelser och argument hade han av sin sekreterare Erik Göransson Tegel, son till den Jöran Persson som en gång hade varit kung Eriks förtroendeman. När rådsherrarna fastslog att de inte kunde godkänna en dom av sina vederdelomän svarade denne: "Om hela rikets ständer äro edra vederdelomän, så är det ju ett klart bevis att I ären hela rikets fiender." Repliken ansågs så bra att den upprepades ofta i fortsättningen, och hertigen slutade sin plädering med orden: "Efter de hafva vedersakat domstolen så vill jag med dem ingen rättegång hålla, utan emedan de under påstående slag utan några villkor äro som fiender öfverlämnade vill jag med dem som fiender handla låta, så framt jag öfver dem icke bekommer laga dom."

De vid Stångebro utlämnade rådsherrarna var inte de enda som ställdes inför rätta i Linköping och anklagades för högförräderi. Talan fördes också mot ett halvt dussin andra rådsherrar, främst Hogenskild Bielke, som var förvärkt av reumatism och måste bäras in i en stol, samt mot en del höga militärer som hade stått hertigen emot i Finland. Några av de anklagade erkände sig brottsliga och bad hertigen om förlåtelse, vilket var villkoret för att han skulle nedlägga sin talan mot dem. Innan den slutliga domen föll skickades fyra biskopar jämte kyrkoherden i Nyköping till Erik Sparre, Gustaf och Sten Banér och Ture Bielke för att söka förmå dem att bekänna vad de anklagades för, men prelaterna fick återvända med oförrättat ärende.

Domstolen hade det under sådana omständigheter inte lätt. Axel Leijonhufvud, som under förhandlingarnas gång hade blivit allt mera betänksam, vädjade vid det sista sammanträdet till domarna att betänka att här gällde det icke kalv- eller gåsblod, och tystnad och förlägenhet uppstod då i salen, ty alla var rädda för att göra hertigen emot. Erik Tegel och hans medhjälpare gick emellertid omkring med ett utkast till dödsdom och samlade snart majoritet för detta, ehuru några få av högadeln dristade uttala sig för ett mildare alternativ. Domen som avkunnades gick alltså ut på att rådsherrarna Erik Sparre, Gustaf och Sten Banér, Ture Bielke, Göran Posse, Krister Horn, Klas Bielke och Erik

Leijonhufvud dömdes från liv, ära och gods, medan Hogenskild Bielke och Karl Stenbock skulle hållas kvar i fängelse tills deras sak hann undersökas närmare.

Att några av de dödsdömda skulle skonas var underförstått; Horn, Posse, Klas Bielke och Erik Leijonhufvud slapp undan sedan de officiellt hade svarat ja på hertigens fråga om de ville skilja sin sak från de övrigas, erkänna sina brott och falla till föga. I övrigt gick dödsdomarna i verkställighet efter några dagar, sedan alla försök att åstadkomma mildring hade misslyckats. På prästeståndets vägnar åtog sig de holsteinska sändebuden att försöka beveka hertigen, men detta togs mycket illa upp, och när de dömdas hustrur och barn ställde sig att knäböja i snödrivorna vid hans väg över slottsgården låtsades han inte se dem. Om delinkventernas avsked från sina familjer finns ett gripande dokument i behåll, skrivet av en dotter till Gustaf Banér. Avrättningen är också känd i alla detaljer; alla herrarna utom Sten Banér, som inte var någon ordets man, höll tal till folket om sin oskuld och om den orättfärdiga domen, och Erik Sparre läste upp en formell protest som avsåg att ådagalägga olagligheten av både domstolen och domen. Efter uppläsningen rev han manuskriptet i tusen bitar vid åsynen av Erik Tegel som trädde fram och begärde det, men texten överlevde ändå, och hertig Karl satte sig med tiden att skriva ett försök till vederläggning.

Stålarm och Kurck, som hade dömts att dö med riksråden, fick nåd på avrättsplatsen. Deras krigskamrat Bengt Falk, som var katolik och avböjde all beredelse från de lutherska prästernas sida, halshöggs däremot utan omsvep såsom det sista offret för det stora justitiemord som inleder 1600-talet i Sveriges historia. Dess namn är Linköpings blodbad.

När kung Sigismund kom hem till sina polska undersåtar biföll han änt-
ligen deras gamla krav på Estland och fick i gengäld löfte om större
militära resurser än han hade haft vid Stångebro. Öppet krig med Polen
var alltså att vänta, och Linköpings riksdag beslöt att rusta ut en del
soldater och ryttare för att möta denna fara. Själv drog hertig Karl på
sensommaren till Reval och ryckte efter någon tid in i Livland där
framgångarna till en början var rätt stora. Våren därpå hade den
polska hären emellertid hunnit samlas under befäl av storkanslern
Zamoisky som återtog ort efter ort, varvid de svenska befälhavarna
Jakob De la Gardie och Carl Carlsson Gyllenhielm föll i polsk fången-
skap; den sistnämnde, som ju var son till hertigen, hölls sedan i ganska
hårt fängelse i mer än ett årtionde. Själv reste hertigen tillbaka till
Sverige på den långa omvägen runt Bottniska viken; det var vintern
1602, och med sig hade han sin gemål och sina båda söner Gustaf Adolf
och Karl Filip, åtta respektive två år gamla. Hemkommen till Stock-
holm mötte han ständerna som krävde fred men förmåddes till nya
krigsbevillningar. Mindre framgång hade han i en kontrovers med
prästerskapet och framför allt med Olaus Martini, som hade efterträtt
den fängslade Abraham Angermannus och den nyss avlidne Nicolaus
Bothniensis som ärkebiskop i Uppsala. Han var oomkullrunkelig luthe-
ran liksom de och lyckades fördriva hertigens reformerte hovpräst var-
efter han stoppade en katekes som hertigen hade låtit ge ut.

Vid det laget hade den sistnämnde ändrat titel och kallade sig Sve-
riges rikes utkorade konung och arvfurste, ty 1602 års riksdag antog
också en arvförening till förmån för hans söner och i andra hand för
hertig Johan av Östergötland. Två år senare utfärdades en ny arvför-
eningsakt vid en riksdag i Norrköping; hertig Johan framträdde där och
höll en oration vari han avstod från sin egen rätt till kronan till förmån
för sin farbror och sina små kusiner. Man införde kvinnlig tronföljd på
samma gång, men prästerna såg till att arvsrätten gick förlorad för en-
var prinsessa som till äventyrs avföll från augsburgska bekännelsen.

Den nyvordne Karl IX – numret hade han räknat fram ur Johannes
Magnus' historia, som han läste flitigt och tog på stort allvar – kunde
nu ordna regeringen efter sitt sinne. Säker på sin tron kände han sig

visserligen aldrig, och de politiska blodsdomarna tog inte slut – våren 1605 avrättades sålunda den gamle invaliden Hogenskild Bielke, sittande i sin stol, och året därpå tog man under fruktansvärd tortyr livet av en kryptokatolik i det kungliga kansliet vid namn Petrus Petrosa. Ett nytt riksens råd sattes emellertid till, och vid sidan av detta tillsattes vidare sex hovråd som alltid skulle uppehålla sig hos monarken och ställdes under ledning av en hovkansler vars namn var Nils Chesnecopherus, en lärd närking som hade varit professor i Tyskland en tid och hjärtligt avskyddes av aristokratien i Sverige. Detsamma gällde sekreteraren och historieskrivaren Erik Göransson Tegel, som också tillhörde den inre kretsen kring konungen. Denne förblev alltjämt hertig av Södermanland och gav såsom sådan stadsrättigheter åt det lilla Mariefred, men med hertigdömets särställning i staten var det dessbättre förbi, eftersom lagstiftningen och förvaltningsförhållandena där efterhand kom att gälla hela riket. Den hertigliga mynträtten försvann i all tysthet. 1605 kom den första allmängiltiga förordningen om mått och vikt i Sverige; den bestämde att Rydaholmsalnen skulle gälla i hela riket och att viktualievikterna skulle regleras efter Örebro besman.

Över huvud taget var Karl IX intresserad för ekonomi och näringsliv. De så kallade birkarlarna fråntogs sitt monopol på lappmarkshandeln. På Hisingen mitt emot Älvsborg lät han anlägga en ny stad som fick namnet Göteborg; den byggdes företrädesvis av inkallade holländare. Vidare gjorde han mycket för järnhanteringen i Bergslagen, som ju till stor del tillhörde hans hertigdöme, genom att anlägga statliga bruk och även genom att ge hjälp åt folk som ville bygga hammarsmedjor. De första vallonerna kom till Sverige i hans tid, och samtidigt kulminerade invandringen av finnar till Norrlands och Värmlands skogsbygder. Deras svedjebruk hade han ingenting emot. I ett brev till Värmlands allmoge befaller han envar att årligen röja så mycket skogsmark att en tunna råg kan sås där om hösten: "och det kunnen I lätteligen hvart år åstadkomma, när I velen något trefne och idkne vara i boet." Hans brev och skrivelser i sådana ämnen påminner om Gustaf Vasas men är om möjligt ännu vresigare. Slutfrasen i en del brev till hans underhavande har blivit ett bevingat ord: "Det rätter och packer eder efter!"

Mera märkvärdiga än Karl IX:s ekonomiska insatser förefaller nu hans åtgärder på lagstiftningens område. Vid 1602 års riksdag tog han ett lättförståeligt initiativ när han föreslog att allmänna landslagen skulle revi-

Landslagen och Mose lag

deras och befordras till trycket; den fanns nämligen alltjämt bara i handskrifter, och det rådde, påstod han, sådan oreda på området att det i hela landet näppeligen fanns två lagböcker som stämde överens. Ständerna gillade hans förslag men anade också ugglor i mossen; de begärde därför att de skulle få ta del av den reviderade lagen innan den fick tryckas. Kungen gick med på detta utan vidare, varpå man tillsatte en lagkommission på nio personer till att utföra arbetet. I fortsättningen bryddе han sig emellertid inte om dessa herrar utan lät några av sina egna kanslitjänstemän sätta i gång med ett utkast till lagbok. Vid 1604 års riksdag tillsattes en ny kommission vars främsta namn var frälsemannen Ture Jakobsson Rosengren, och under några år framåt arbetade nu de båda grupperna jämsides och utarbetade var sitt lagförslag, men år 1607 sköt konungen med råds råde plötsligen hela revisionsarbetet åt sidan och lät i stället trycka två av landskapslagarna, nämligen Upplandslagen och Västgötalagen. Året därpå utgavs en edition av Kristoffers landslag, försedd med ett appendix som innehöll ett antal bibliska paragrafer ur Mose lag beträffande sådana brott och försyndelser som svordom, mened, olydnad mot föräldrar, dråp, hor, våldtäkt, blodskam och tidelag, ocker och falskt vittnesbörd.

De gammaltestamentliga lagbuden är klara och tydliga och svävar aldrig på målet vad straffen beträffar. *Hvilken som Herrans nampn lastar, han skal Dödhen döö; heele menigheeten skal stena honom. Then som bannar sin Fadher eller Modher, han skal Dödhen döö. Then som Hoor bedrifwer med någhon mans Hustru, then skal Dödhen döö, bådhe Horkarlen och Horkonan.* Denna primitiva rätt hade alltså plötsligen gjorts till gällande lag i Sverige, vilket naturligtvis innebar en våldsam brutalisering av rättskipningen. I praktiken kunde Karl IX visserligen benåda de dömda till livet ibland, vilket i och för sig är märkligt; det visar att personligen kände han sig inte bunden till den bibliska lagens bokstav, vilket det ortodoxa prästerskapet utan tvivel gjorde. Olaus Petri på sin tid hade velat införa dödsstraff för svordom, och hans bror ärkebiskop Laurentius propagerade ivrigt för att överheten borde lyda Gud och undgå hans vrede genom att ta livet av avgudadyrkare, trollpackor, dråpare och svärjare. Rättshistorikern Jan Erik Almquist, som har skrivit en intressant uppsats om det här, säger att i Karl IX:s Sverige fanns det en betydande motsättning mellan teologer och jurister beträffande den mosaiska rätten. "Visserligen betvivlade

384

ingendera parten att Mose lag var ett uttryck för Guds vilja, men trots detta vägrade juristerna hårdnackat att draga de fulla konsekvenserna härav. Det skulle kunna sägas att juristerna därvid representerade den gyllne medelvägen, medan teologerna i sin fanatism blint följde det gamla testamentet utan hänsyn vare sig till kristlig barmhärtighet eller billighet. Trots sina utpräglade teologiska intressen ställde sig Karl IX i denna tvist oförbehållsamt på juristernas sida." Enligt denne forskare gick kungen med på att sätta in de mosaiska bibelspråken i landslagseditionen bara som en provisorisk ersättning för landslagens kyrkobalk, vilken på grund av reformationen inte kunde tillämpas längre. Provisoriet blev långvarigt i alla fall; de mosaiska lagbuden åtföljde landslagen genom hela 1600-talet och ända till 1734, då det nya lagverket omsider befriade domstolarna från skyldigheten att i Herrans namn döma folk till döden.

En viss spänning mellan Karl IX och de svenska teologerna bestod obestridligen genom åren. 1607 i februari och mars var det kröningsriksdag i Uppsala, och ärkebiskop Olaus Martini satte högtidligen kronan på hans huvud, men kort därefter blev Uppsala universitet av med sina privilegier; professorernas lutherska renlärighet kändes för tålamodsprövande. Året därpå återkom kungen till Uppsala i sällskap med en skotsk kalvinist vid namn Forbes alias Forbesius och ställde till en teologisk disputation. Forbesius sammanfattade och förfäktade den reformerta läran i sextioåtta teser, men teologerna i Uppsala blev honom inte svaret skyldiga, och under debatten om nådavalet hände det att främlingen ett par gånger hade svårt att finna svar, vilket har skänkt eftervärlden ett bevingat ord. *Ad haec Forbesius nihil*, på detta hade Forbesius inget svar, är en ofta citerad fras som från början gällde den här disputationen. Karl IX missräknade sig nog alltså på sin protegé som snart fick lämna landet, och hans förhållande till kyrkan och universitetet blev bättre inom kort. Några professorer som hade fått lämna sina tjänster blev återkallade; en av dem var den unge Johannes Rudbeckius, som skulle låta tala om sig med åren, en annan var Laurentius Paulinus Gothus, som inte blott var en lärd lutheran och en framstående pedagog utan även en sakkunnig kometskådare. 1607 uppträdde en stor komet i skyn och förfärade mycket Karl IX, men Laurentius Paulinus Gothus kunde lyckligtvis lugna honom och utnämndes därpå till biskop i Strängnäs.

Den avbrutna eriksgatan

1609 i början av året red Karl IX sin eriksgata, som var en praktfull
tillställning; han åtföljdes av hela sin kungliga familj och en mängd
dignitärer och militärer och eskorterades genom varje landskap av den
lokala adeln, som i siden och sammet red med i processionen. I alla
städer på vägen upprepade han sin kröningsförsäkran beträffande den
rena evangeliska läran och uppmanade alla och envar att komma med de
klagomål det kunde finnas skäl till. I Vadstena förekom en del cere-
monier med Östergötlands fana, som av hertig Johan överlämnades till
kungen och av denne återlämnades till hertig Johan under mycket trum-
petande, och i Jönköping hölls ett högtidligt möte angående adelsprivi-
legierna; någon riktig överenskommelse i ämnet träffades dock inte.

Karl IX tog eriksgatan på stort allvar; han var till allt annat en troende
historieromantiker som till och med har skrivit något litet om medel-
tidskungarnas legitimitet och svenska folkets skyldighet att stå vid sina

löften till dem. Hunnen till Arboga måste han inte desto mindre avbryta sin ceremoniella färd, ty det kom oroande underrättelser från andra sidan Östersjön. Jäktad och mörk i hågen arbetade han nu i Stockholm några veckor, tills han på midsommardagen plötsligen fick ett slaganfall vid middagsbordet. I augusti fick han ett till, och från den tiden var han på det hela taget ur stånd att regera. Chesnecopherus och några rådsherrar, bland dessa den unge Axel Oxenstierna, fick ta hand om det hela, ty kronprins Gustaf Adolf var bara en fjorton års pojke.

Han var visserligen en mycket lovande sådan. En allbekant historia påstår att den bistre fadern om honom brukade säga *ille faciet*, han skall görat[1], och om gossens tidiga gry finns några lika välkända som obetydliga anekdoter som härrör från hans halvbror Carl Carlsson Gyllenhielm. Tillfrågad om vilket av skeppen i Kalmar han tyckte bäst om utvalde femåringen utan betänkande det som hade de flesta kanonerna, och när han vid ungefär samma ålder spatserade med sin far på ängen vid Örstigsnäs nära Nyköping och varnades av sin sköterska för att det kunde finnas ormar i buskarna svarade det lilla livet: "Gif mig en käpp, så skall jag slå ihjäl dem", vartill den stolte fadern leende replikerade: "Tro icke att han är rädd." En annan av Gyllenhielms anekdoter, mindre ofta återberättad i adertonhundratalets sedelärande historieböcker, upplyser att när sköterskan en gång stannade och pratade med någon bekant blev pojken otålig och sade till den främmande: "Gack ur vägen, eller vet du ej att jag är en herre."

För närvarande gick prinsen i skola för två lärare som båda var märkliga män: Johan Skytte och Johan Bure. Den förre, som var borgarson från Nyköping och från början hette Schroderus, var en mycket lärd man och tydligtvis en utmärkt pedagog som bibragte sin elev goda kunskaper i politiska och teologiska ämnen och naturligtvis inte minst i latin, som alltjämt var det diplomatiska huvudspråket i Europa. Johan Bure alias Johannes Bureus låg mera åt det konstnärliga hållet och intresserade sig mycket för svenskt språk och svensk fornhistoria, återupplivade kunskapen om runorna, skrev poesi, var god tecknare och xylograf och hängav sig dessutom åt mystik och kabbalistiska grubblerier. Tronföljarens utbildning blev alltså särdeles allsidig, men fast han artade sig väl var han dock alltjämt ett barn när Karl IX fick sitt första slaganfall och måste släppa rikets angelägenheter ur sina händer.

[1] Se *Loccenius* i registret.

Den ryska oredan

Rapporterna från öster var verkligen ödesdigra nog. Kriget mot Polen hade nu varat i ett årtionde och hade aldrig gått bra; den svåraste motgången hade kung Karl för övrigt varit med om själv när han sommaren 1605 var över i Estland och därifrån marscherade söderut mot Riga med en numerärt överlägsen armé. Vid en plats som heter Kirkholm blev den hären oförmodat slagen i grund, varvid halva styrkan stupade och kungen själv var nära att bli tillfångatagen; han lär ha räddats av en livländsk adelsman vid namn Henrik Wrede, som avstod sin häst till honom och själv förlorade livet därvid. Märkvärdigt nog fick nederlaget inga svårare följder, ty inre oroligheter hindrade polackerna att i sin tur gå till anfall mot svenskt område, och kriget stod därför stilla en tid. Men något halvår efter slaget vid Kirkholm började det inträffa märkliga och ovanliga händelser i grannskapet, vilka öppnade nya, oväntade vägar för kriget och politiken i öster.

I Ryssland hade Ivan den förskräcklige gått ur tiden 1584 efter att ha tagit livet av sin äldste son; han efterträddes i stället av sin son Feodor som var sjuk till kropp och själ, och regeringen fördes därför i dennes namn av hans svåger Boris Godunov. Det fanns ytterligare en prins av blodet vid namn Dimitri, men denne försvann på obekant sätt i början av 1590-talet, och när Feodor dog 1598 var det därför praktiskt taget slut på den gamla moskovitiska härskardynasti som kallas Ruriks ätt. Boris Godunov lyckades göra sig själv till tsar och förde en osäker och orolig regering till sin död år 1605. Vid den tiden hade det uppenbarat sig en tronpretendent som sade sig vara identisk med den försvunne Dimitri och möjligtvis också var det; hans livs historia är insvept i djupaste dunkel. Han erkändes omedelbart av kung Sigismund i Polen, och en stor del av Rysslands befolkning avföll omedelbart till honom. Strax efter Boris' död undanröjdes dennes son och efterträdare till förmån för Dimitri, som därpå etablerade sig i Moskva som tsar av hela Ryssland. Han gifte sig med en polska och förde en polskorienterad politik. 1606 mördades han emellertid plötsligen av några sammansvurna bojarer under ledning av furst Vasilij Sjujskij vilken därpå lät utropa sig till tsar, för övrigt den siste av Ruriks ätt.

Detta var välkomna nyheter i Stockholm, ty Vasilij Sjujskij kom naturligtvis i fiendskap med polackerna, och Karl IX var genast villig att ge honom hjälp och bistånd. Sådant behövde han verkligen, ty hans myndighet var inte stor i Ryssland där det rådde ren anarki i hans dagar, och mot honom uppträdde diverse pretendenter av vilka en kallade sig Dimitri och påstods vara samme Dimitri som Vasilij Sjujskij sade sig ha dödat. En svensk hjälpexpedition under befäl av den unge Jakob De la Gardie skickades till Ryssland, förenade sig med Vasilij Sjujskijs anhängare och undsatte med tiden Moskva, där sistnämnde potentat belägrades av polacker och inhemska motståndare. Några veckor senare försökte de la Gardie ävenledes undsätta det av polackerna belägrade Smolensk men blev slagen i grund och beviljades fritt avtåg på villkor att han övergav Vasilij Sjujskijs sak. Denne avsattes därefter av de ryska bojarerna. Moskva öppnade sina portar för den polska hären och kung Sigismunds son Vladislav utropades till tsar. Den andre Dimitrij blev ihjälslagen i samma veva, men hans anhängare och andra ryska styrkor förenade sig nu mot polackerna och drev dem i sinom tid till kapitulation i Moskva.

Under tiden var inte heller svenskarna overksamma. I mars 1611 intog De la Gardie Kekskolm och i juli erövrade han efter blodiga strider det stora Novgorod, som därefter fick hysa det svenska högkvarteret under flera år. Nyheten om Novgorods erövring var det sista politiska budskap som nådde den gamle Karl IX i Sverige; han mottog det på sin sotsäng i Nyköping, och det lär ha varit det enda som vid det laget kunde bereda honom någon fägnad i detta livet. De rapporter han fick från närmare håll, i den mån han var i stånd att ta del av dem i sitt sista år, var nämligen inga glädjebud.

Kalmarkriget

Nere i Danmark hade Frederik II dött år 1588, den stora armadans år. Han efterlämnade sju minderåriga barn med sin unga drottning, som hette Sofie och var en husmoderlig natur vars hela intresse gick ut på att skaffa sig och barnen bästa möjliga försörjning. Den äldste av hennes pojkar bar förstås namnet Kristian och var bara elva år vid faderns frånfälle. Det blev följaktligen förmyndarregering, som låg i händerna på danska rådsaristokratien; en av männen vid rodret var för övrigt skåningen Arild Huitfeld, rikskansler till ämbetet men mera känd för eftervärlden som författare till en Danmarks Riges Krønike. Änkedrottningen och förmyndarna kom inte överens så bra, och en tredje maktfaktor i landet var den tyska högadeln i hertigdömena Slesvig och Holstein, där änkedrottningen försökte få sin son myndigförklarad som regerande hertig långt innan han blev myndig som kung i själva Danmark. Politiskt drog änkedrottningen det kortaste strået och fick dra sig tillbaka till Nyköpings slott på Falster, varifrån hon skötte jordbruket på sina gods och gårdar med sådan duglighet att hon snart blev miljonär flera gånger om. Statens affärer var inte lika goda, men förmyndarregeringen var på det hela taget berömvärd och lyckosam. Fred rådde åt alla håll, först och främst med Sverige.

Även sedan den unge Kristian IV hade hunnit bli myndig stod sig freden en tid, men det saknades inte irritationer. Efter Teusinafreden där ryssarna avstod landet från Österbotten till Varangerfjord betraktade sig hertig Karl som strandägare vid Ishavet och tog sig även för att kräva skatt av lapparna som följde sina renar fram och tillbaka över landgränserna däruppe. Dessutom utfärdade han privilegium för invånarna i det nygrundade Göteborg på fisket vid ishavskusten från Tysfjord till Varanger, vilket naturligtvis upprörde sinnena i högsta grad. En vacker dag fick Kristian IV syn på en holländsk karta där en del av nordkalotten räknades till Sverige, vilket fyllde honom med stor förbittring och föranledde honom att ägna en sommar åt att personligen resa längs ishavskusten; det hade ingen dansknorsk potentat gjort före honom. Han förde sitt skepp själv och nöjde sig inte med att utforska territoriet utan kapade också några engelska fartyg som inte ville betala tull, och dessutom drack han alla dagar tappert med sina män och

avslutade resan med ett dundrande kalas i Bergen, där sällskapet slog ut alla fönsterrutor hos apotekaren och till åminnelse lät sätta in nya fina fönster med alla dryckesbrödernas vapen inklusive de tre kronorna i konungens. Striden om dessa var inte bilagd, och ytterligare tvisteämnen erbjöd naturligtvis Östersjöfrågorna med den svenska spärren för Rysslandshandeln vid Narva och det danska herraväldet över Gotland och Ösel. Att ett krig måste komma stod klart för båda parter, och kung Kristian förberedde sig på det på allt sätt. Han inledde vänskapliga förbindelser med tsaren i Ryssland, han lät Sigismunds anhängare finna tillflykt i Danmark, och han rustade militärt med stor energi. I Blekinge strax söder om riksgränsen byggdes fästningen Kristianopel som också kallades Styr-Kalmar, och danska flottan växte sig allt starkare; kungen lär förresten själv ha ritat en del skepp och roade sig rentav med att egenhändigt gjuta en kanon som fick heta Rosenkartoven.

Svensk-danska gränsmöten mellan förhandlande rådsherrar hölls åtskilliga gånger under 1600-talets första årtionde, men ingendera av de båda kungarna var villig att kompromissa, och på nyåret 1611 meddelade kung Kristian sina rådgivare att nu tänkte han gå i krig antingen de samtyckte eller inte; i det sistnämnda fallet skulle han föra kriget i sin egenskap av hertig av Slesvig och Holstein. Rådet böjde sig då, ehuru med motvilja, och våren 1611 utfärdade kung Kristian sitt fejdebrev, som nådde den gamle Karl IX i de dagar då han var i färd med att grundlägga Filipstad och ge staden namn efter sin yngste son. Det var hans sista egentliga regeringshandling, ty hans krafter var på upphällningen; efter sina slaganfall två år tidigare kunde han knappast tala mer.

Inte desto mindre drog han genast söderut med huvudstyrkan av hären. Danskarna hade redan ryckt in i Sverige med två arméer av vilka den ena marscherade mot Älvsborg medan den andra under kungens eget befäl gick till storms mot Kalmar, och meningen var att de efter att ha tagit var sin fästning skulle förena sig i Jönköping och fortsätta mot Mellansverige. I slutet av maj stormades Kalmar stad, och segrarna anställde ett ohyggligt blodbad bland dess befolkning. Först ett par veckor senare anlände den svenska hären till trakten för att undsätta slottet som nu belägrades av danskarna, vilka var underlägsna i antal men bättre övade och rustade. Arméerna stod och bevakade varandra en tid utan att någonting hände.

Vid midsommar gjorde den unge svenske kronprinsen en raid in i Blekinge med en mindre styrka och lyckades överrumpla Kristianopel. Vindbron var nedfälld när han kom och vakterna var berusade; de anade ingen fara förrän stadsporten plötsligt sprängdes av en petard som svenskarna i all tysthet placerade dit. Fästningskommendanten kom genast rusande i spetsen för sitt manskap men blev inom kort nedskjuten av de inträngande svenskarna som därpå högg in på befolkningen och dödade män, kvinnor och barn utan åtskillnad. Staden blev raserad och bränd och dess militära förråd gick upp i lågor. Den sextonårige segraren, som bara några veckor tidigare hade blivit förklarad vapenför – *varaktig* hette det förresten på tidens språk – lär också ha hållit ett hånfullt strafftal till ortens kyrkoherde i brist på någon annan åtkomlig representant för den danska överheten.

Inom kort lyckades svenskarna också undsätta Kalmar slott och föra in en trupp på femhundra man, en ansenlig mängd livsmedel samt en ny kommendant som hette Krister Some. Ett försök att återta staden misslyckades däremot och ledde bara till att den brann upp helt och hållet – den låg inte på Kvarnholmen som nu, utan i omedelbar anslutning till slottet. Efter blodiga gatustrider måste svenskarna dra sig tillbaka och slog då läger i Ryssby ett par mil längre åt norr. Veckan därpå gav sig slottet oväntat till danskarna; ett par hundra kanoner, fyra krigsfartyg och ett stort spannmålsförråd följde med på köpet. Orsakerna till kaputulationen var flera – man började till exempel få ont om krut – men huvudskälet lär ha varit att Krister Some var förtörnad på Karl IX; han förklarade senare att han inte stod ut med Chesnecopheri skrivarvälde och kungens örfilar utan föredrog att gå i dansk tjänst. Han återsåg heller aldrig Sverige och slutade i sinom tid sina dagar som godsägare nere i Holstein.

Fem dagar efter Kalmars fall föll också Borgholms slott och hela

Öland i danskarnas händer. Karl IX blev alldeles utom sig när han fick veta detta och gav sitt vanmäktiga raseri luft i ett brev till sin motståndare, som anklagades för att inte ha handlat som en kristlig och ärlig konung när han satte sig i besittning av Kalmar slott genom förräderi. Han utmanade honom därför på envig. "Inställ dig efter de gamla Göters loflige sedvänjo i kamp med Oss uppå slät mark, och tag två dina krigsmän eller riddare med dig. Och Vi skola möta dig uti läderkyller, utan någon kyriss och harnesk, allena med en stormhufva på hufvudet och sidovärja i händer. Möter du icke hålle Vi dig för ingen ärlig konung att vara." Kung Kristian avböjde naturligtvis denna tokenskap, men tonen i hans svarsbrev till den slagrörde kunde ha varit ridderligare. "Vi lade dig vide, at dit grove og uhøflige Brev er os overleveret af en Trompeter. – Hvad den Enekamp angaar, som du tilbyder os, da synes saadan os meget latterlig, efterdi vi ved at du est skrøbelig og at det er dig tjenligere at blive bag en god Kakkelovn end at fægte med os, og at du mere har en god Medicus fornøden, der kan kurere din Hjerne, end at møde os i Duell. Du borde blues ved, du gamle Gjæk, at angripe en ærekær Mand. Du har maaske lært saadant blandt gamle Kællinger, som er vant til at bruge Munden."

I slutet av september ansåg Kristian IV årets fälttåg avslutat och reste hem till Köpenhamn. Knappt var han borta förrän den unge Gustaf Adolf gick över till Öland med ett par tusen man och tog tillbaka ön; till ståthållare och militärbefälhavare där utnämndes förresten stamfadern för släkten Hammarskjöld, en officer som hette Peder Michelsson. Själv återvände kronprinsen till lägret vid Ryssby där han fann sin far i ett bedrövligt tillstånd, och nästa dag förde han honom till Mönsterås och därifrån vidare med båt till Nyköping. När kungen kom fram dit hade han tappat talförmågan helt och hållet och befann sig i en sorts dvala. Några dagar senare lämnade han det jordiska.

Kammarjunkaren hos Karl IX Axel Oxenstierna hade studerat i Wittenberg, Jena och Rostock under 1600-talets första år. Han förde anteckningar över rättegångar och avrättningar vid 1605 års riksdag, där bland andra Hogenskild Bielke miste livet. Några år senare blev han riksråd. Genom konungens testamente sattes han in i förmyndarregeringen för den sjuttonårige Gustaf Adolf, och vid den riksdag som samlades i Nyköping strax efter konungens död fungerade han redan som ett slags statsminister. Han var då tjugoåtta år gammal.

Axel Oxenstierna som genom sin eminenta duglighet hade imponerat så på Karl IX var en ståndsmedveten aristokrat och hade inte så litet gemensamt med de högadliga svenska herrar som slutade sina dagar på torget i Linköping – hans mor hette för övrigt Bielke. Han var uppenbarligen inte tilltalad av det slags monarki som den döde kungen i likhet med sin fader och sin äldste broder hade utformat med ofrälse sekreterares hjälp, och han vidtog omedelbart en del mått och steg för att i all stillhet få den förändrad i konstitutionell anda. Tronföljaren Gustaf Adolf, nu betitlad storfurste av Finland och hertig av Estland och Västmanland, skulle enligt bestämmelserna i Norrköpings arvförening inte bli myndig konung på flera år, men dessa paragrafer undanröjdes omedelbart av riksdagen, som beslöt att han skulle få tillträda regeringen genast och sade sig hoppas att förståndet skulle ersätta vad som fattades i ålder. Villkoret var emellertid att han först undertecknade en konungaförsäkran som satte en gräns för hans maktbefogenheter. Sedan man blivit överens om detta hyllades sjuttonåringen vid årsskiftet såsom fullmyndig och antog därvid titeln Sveriges, Götes och Vendes utvalde konung och arvfurste; däremot lät han bli att likt sin fader kalla sig *de lappars i Nordlanden konung*, ty den titeln hade retat Kristian IV så att han tog upp den bland krigsorsakerna i sin krigsförklaring.

Den unge monarken underskrev omedelbart nya och fylligare privilegier för Sveriges adel. En av hans första regeringsåtgärder var vidare att på nyåret 1612 utnämna Axel Oxenstierna till rikskansler med mycket vidsträckta befogenheter, ty i instruktionen stod att överheten honom "icke så egentligen föreskriva må hvad han i sådane kall och ämbete göre och beställe bör, utan ställe det till hans beskedenhet och förstånd."

Själv begav sig konungen omedelbart till armén i Småland, där kriget hade stått någorlunda stilla en tid. En trumpetare skickades till Varberg med fredsförslag från svenska riksrådet till Danmarks riksråd men fick återvända utan svar, och det var tydligt att Kristian IV stod fast vid sin erövringsplan utan hänsyn till tronskiftet i Sverige. För svenskarna var det utsiktslöst att direkt söka återta Kalmar, och Gustaf Adolf beredde sig att i stället rycka in i Blekinge, men vid den tiden gick en dansk styrka över Smålandsgränsen längre åt väster, brände sjuttio hemman i Sunnerbo och härjade sedan vitt och brett i Värend, där Kronobergs slott, Växjö stad och domkyrka och en mängd byar och gårdar gick upp i lågor. Gustaf Adolf marscherade då emot inkräktarna med tretusen man från Ryssby, men något slag kom inte till stånd; danskarna drog sig bara tillbaka till Skåne igen, och konungen följde efter dem dit. Vid Loshult bröt han in i Östra Göinge härad och hemsökte sedan norra Skåne med eld och brand, ödelade fullständigt staden Vä och förstörde kyrkor och herresäten i tjugofyra socknar. Det befästa Åhus kunde han inte ta utan marscherade i stället västerut för att söka kontakt med de svenska styrkorna vid Hallandsgränsen i Västergötland, där hertig Johan förde befälet. Kommen till Vittsjö i Västra Göinge överfölls han emellertid en februaridag av en dansk kavalleriavdelning och led ett fullständigt nederlag; själv var han nära att drunkna när isen på en sjö brast under honom, och till danskarnas segerbyte hörde hans häst med dess dyrbara sadel, hans pistoler, hans med turkoser besatta värja och hans pärlstickade handskar. Med knapp nöd räddade han sig hem till Småland, och de danska och tyska ryttare som förföljde honom dit tycks inte ha vågat fortsätta över riksgränsen.

Under tiden hade Kristian IV brutit upp från Varbergs slott med några tusen man och marscherat mot Gullbergs fästning, som låg där skansen Göta lejon ligger i det nuvarande Göteborg. Fästningen försvarade sig tappert och ett stormningsförsök misslyckades, varför kung Kristian i stället ödelade det nya Göteborg, lät avliva den manliga befolkningen i staden Nylödöse samt gjorde ett härjningståg in i Västergötland där städerna Skara och Gamla Lödöse, slotten Gripsnäs, Lärkesholm och Höjentorp och en mängd byar och gårdar lades i aska. Samtidigt härjade hertig Johans trupper det lika försvarslösa Halland, där Varbergs stad delvis brändes ner och stor förödelse anställdes i aderton socknar innan det kom till någon egentlig strid, men i slutet på februari drabbade hertigen händelsevis samman med den från Västergötland återvändande kung Kristian i Varbergstrakten vid ett ställe som hette Frägnared, där ett antal högättade danskar stupade och kungen själv red ned sig i ett moras och med knapp nöd klarade sig undan döden. Träffningen fick ingen betydelse, och krigföringen fortsatte med ömsesidigt härjande och brännande ännu en tid. Från Västergötland

gick den svenske fältmarskalken Jesper Krus över gränsen till Norge, brände Kungälv och förödde allt på kustvägen fram till Uddevalla. Norska strövkårer härjade i gengäld i Värmland och Dalsland, men längre norrut ockuperades Jämtland och Härjedalen av svenska trupper som hade order att enbart slå ihjäl landskapets danska myndighetspersoner men behandla jämtarna som svenska medborgare. Ordern tycks inte ha åtlytts något vidare, ty ett par överstar och en superintendent som inom kort blev osams inbördes anklagade varandra på högsta ort för att på olika sätt ha utplundrat befolkningen för egen räkning.

Större krigshändelser inträffade när våren kom. I maj ryckte kung Kristian upp mot Göta älv och började belägra Älvsborg, som föll efter några veckor sedan mer än hälften av besättningen hade stupat, och kort därefter intogs även Gullberg. Ungefär samtidigt återtogs Öland av danska flottan, och Sveriges läge hade därigenom blivit mycket prekärt. Från Kalmar marscherade nu den danske generalen Gert Rantzau norrut genom Småland, erövrade med lätthet det befästa lägret vid Ryssby och intog Vimmerby och Västervik som gick upp i lågor. Västerifrån kom kung Kristian själv och nådde Jönköping i slutet av juli, men när han anlände dit hade den unge svenske kungen redan lyckats tvinga Rantzau till reträtt, och även kung Kristian måste då vända om. I augusti var han tillbaka i Köpenhamn och gick ombord på danska flottan för att söka få till stånd ett avgörande till sjöss. Svenska flottan drog sig då tillbaka till Stockholms skärgård, och kung Kristian följde efter dit men kunde inte ta sig förbi Vaxholm. Eftersom han saknade landstigningstrupper måste han snart lätta ankar igen och återkom till sin huvudstad i mitten av september. Därmed var krigsoperationerna slut för det året, och i själva verket var hela kriget förbi. Dess sista minnesvärda händelse inträffade i Gudbrandsdalen i Norge, där ett bondeuppbåd överrumplade och slog ihjäl ett kompani skottar som hade värvats för svensk räkning och försökte ta sig över till Sverige den vägen, eftersom ingen svensk hamn fanns i väster mer.

Impulserna till fred kom utifrån. Holländarna som hade mycket att frukta av danskarnas maktutvidgning på de nordliga havens kuster hade verkat för fred rätt länge, men deras framstötar avvisades bryskt och ohövligt av kung Kristian. Villigare lyssnade han till sin svåger Jakob I av England, vars undersåtars handel också led avbräck genom det svensk-danska kriget. Denne skickade en ambassadör till vardera av de stridande och lyckades få till stånd ett avtal om ett fredsmöte som under engelsk bemedling skulle hållas samma höst i Knäred i Halland alldeles intill Smålandsgränsen. Dit begav sig i november 1612 en svensk delegation under ledning av Axel Oxenstierna, och i januari 1613 undertecknades freden, den sista segerfreden i den danska stormaktens historia. Den gick ut på att svenska kronan högtidligen avträdde all höghet och rätt över befolkningen vid Ishavskusten och gick med på att även danske kungen fick föra de tre kronorna i sitt vapen. Danmark återlämnade Kalmar och Öland medan Sverige å sin sida återställde Jämtland och Härjedalen, men Älvsborg, Nya och Gamla Lödöse, Göteborg och de sju västgötahäraderna Sävedal, Askim, Hising, Bollebygd, Ale, Vättle och Flundre behölls av Danmark som pant för en miljon riksdaler silvermynt som Sverige skulle betala i fyra terminer under loppet av sex år. Det var, säger den store pedagogen Claes Theodor Odhner i en mening som har blivit bevingad, en ofantlig summa på en tid då en riksdaler var priset på en tunna råg, och kung Kristian hoppades allvarligt att det skulle klicka med avbetalningarna så att han fick behålla panten evinnerligen.

Kriget i Ryssland

Borta i Ryssland satt Jakob De la Gardie som svensk befälhavare i det stora Novgorod, med vars myndigheter han hade ingått ett fördrag i Karl IX:s namn omedelbart efter stadens erövring sommaren 1611. Det förutsattes att bojarerna och folket i det av polackerna besatta Moskva skulle ansluta sig till fördraget, som gick ut på att ryssarna erkände svenske kungen som sin beskyddare och att en av hans båda söner skulle hyllas som rysk storfurste. Ett moskovitiskt parti gick verkligen in på det där, och en ambassad avsändes till Stockholm för att uppvakta Karl IX i ärendet, men under dess resa genom Finland ringde man där i kyrkklockorna med anledning av kungens död, som de la Gardie i det längsta försökte hemlighålla. Ryssarna, som begripligt nog inte hade någon tanke på att bli svenska kronans undersåtar, preciserade då i ett brev sin begäran till att gälla hertig Karl Filip, Gustaf II Adolfs yngre bror, och anhöll att denne måtte komma till Novgorod och bli deras storfurste. På detta svarade den unge svenske konungen att han hade beslutat besöka de novgorodska och moskovitiska furstendömena och att novgorodborna till dess borde lyda hans store bojar och vojvod Jakob De la Gardie.

Gustaf II Adolf har faktiskt företagit regeringshandlingar såsom rysk storfurste; han har exempelvis utfärdat förläningsbrev för ryssar beträffande gods i Novgorod. Tills vidare hindrades han av danska kriget att bege sig dit och ta emot eventuell hyllning, men så länge hans planer gick i den riktningen hade han naturligtvis ingen tanke på att låta sin bror resa över ryska gränsen. För övrigt var änkedrottningen orolig för att släppa iväg denne sin yngste son, och det är dessutom sannolikt

398

att Axel Oxenstierna, som fick läsa alla brev som avgick till Novgorod, inte var vidare tilltalad av De la Gardies dispositioner. Denne, angelägen om att inte utmana den ryska nationalismen, hade nämligen tagit emot en del kapitulerande orter i Karl Filips namn under försäkran att de skulle förbli ryska. Han skrev också upprepade gånger till Stockholm och hemställde att hertigen skulle komma över snarast möjligt. Detta avslogs inte uttryckligen, men man lät De la Gardie veta att han måste gå försiktigt fram.

I februari 1613 upphöjdes i Moskva den sextonårige Michael Romanov, vars faders faster hade varit en av Ivan den förskräckliges fem gemåler, till tsar av Ryssland. På svenskt håll fäste man inte stort avseende vid detta; förhållandena i Moskva var så labila. Gustaf Adolf hade emellertid vid det laget börjat anse att det kanske var bäst att eventuellt låta brodern resa, och fram på sommaren skickades denne därför till Viborg, där en svensk och en novgorodsk regeringsdelegation samtidigt samlades för att överlägga om villkoren för hans villighet att bli rysk storfurste. Riksrådet Henrik Horn inledde sammanträdet med att erinra om alla de tjänster svenske kungen hade gjort ryssarna; inte ens danska kriget hade kunnat avhålla honom från att beskydda deras rike mot polacker och andra fridstörare, och nu skulle alltså hertig Karl Filip samla de förspridda ryssarna under sin spira. Archimandriten Cyprian svarade att från moskoviterna hade tyvärr inget svar anlänt, men Novgorod var mäktigt nog att hålla sig med egen storfurste; det hade ju för övrigt i äldre tider haft en storfurste från Sverige vid namn Rurik. Sändebuden anhöll därför att hertig Karl Filip äntligen måtte komma till deras stad, och detta var det enda uppdrag de hade; de hade ingen fullmakt att resonera om landavträdelser, handelsutfästelser och annat som svenskarna önskade överlägga om. Därmed strandade förhandlingarna omedelbart, ty Gustaf Adolf förbjöd sina kommissarier att göra eftergifter och lät förstå att fanns det ingen utsikt till att moskovitiska furstendömet anslöt sig till Karl Filip så tänkte han bevaka Sveriges fördel genom att bemäktiga sig Novgorods område som ersättning för svenska kronans krigsutgifter, ty Novgorod var för svagt att försvara sitt oberoende och kunde omöjligen förbli ett självständigt rike. Därefter var man inte ens artig längre utan bemötte herrarna från Novgorod såsom medborgare i en erövrad stad. Delegaten Igolkin som råkade säga att hans land lika litet ville lyda under Sverige som under

Polen fick uppbära skarpa förebråelser, men sedan det förklarats att han hade varit drucken då han fällde sitt förgripliga yttrande lät man nådeligen saken bero. En grupp av de ryska sändebuden avlade nu trohetsed till svenske kungen och bekräftade eden genom att kyssa korset, varpå de fick resa hem, men en annan grupp kvarhölls och behandlades halvt som fångar. Hertig Karl Filip å sin sida reste runt Bottniska viken hem till Sverige, där hans mamma blev mycket glad att återse honom.

I själva verket var anarkien i Ryssland nu övervunnen, och efter Michael Romanovs upphöjelse var det inte längre möjligt för utsocknes att förfoga över tronföljden där. I stället fortgick kriget, och svenskarna gjorde ett par misslyckade försök att ta det starkt befästa Pskov söder om Peipus för att därifrån kunna *cultivera rika commercier*, som Gustaf Adolf sedermera uttryckte saken.[1] Däremot intogs metodiskt ort efter ort i Ingermanland så att hela territoriet kring Finska viken kunde hållas besatt, samtidigt som De la Gardie höll furstendömet Novgorod nere. Man vet att det ryska kriget var ohyggligt och människornas lidanden fruktansvärda; det finns berättelser om kannibalism bland den svältande befolkningen i det förhärjade landet, och många hemlösa människor frös ihjäl i vinterkölden. Även de svenska trupperna hade det svårt, ty man led brist på nästan allt: kläder, proviant, krigsmateriel och framför allt pengar. Soldater som inte fått ut sin sold på länge rymde i stora hopar, och detta gällde inte bara det värvade tyska, franska och skotska krigsfolket utan även svenska förband; en stor del av västgötafänikornas manskap stack sålunda iväg till Finland. Besättningen i Novgorod måste slakta sina hästar i brist på foder. Generalerna och myndigheterna lånade

---

[1] Vilken roll de kommersiella synpunkterna kan ha spelat i Vasakungarnas utrikespolitiska överväganden är en fråga som har diskuterats rätt mycket i vårt århundrade. Artur Attman som har gjort betydelsefulla forskningsinsatser på området menar att den svenska expansionen i Balticum framför allt gick ut på att få grepp om de hamnar där den ryska handeln mynnade ut. Wilhelm Tham, som har skrivit om ifrågavarande tid i "Den svenska utrikespolitikens historia", tror inte mycket på det där; han lägger huvudvikten vid de militära vinsterna och anser t.ex. inte alls att Erik XIV:s engelska frieri kan ha haft någonting att göra med djupa handelspolitiska insikter och planer, såsom framför allt Ingvar Andersson har hävdat. Historiker som senare har uttalat sig i ämnet tycks nog mest luta åt Attmans sida. "Tar man bort strävan att behärska exporthamnarna som det grundläggande motivet till Vasakungarnas erövringspolitik, så återstår det att finna en något så när förnuftig förklaring till att man har samlat på svårförsvarade kustremsor och potentiella svåråtkomliga fiender med en sådan iver och konsekvens", skriver Erik Lönnroth.

pengar till höger och vänster, och krediten blev allt mera ansträngd. När kungen och rikskanslern på sommaren 1614 kom över till Narva hade man bekymmer till och med för den kungliga taffeln, som ju måste vara representativ; man fick hämta oxar från Åland och kryddor och socker från Stockholm, men något drickbart vin att skicka fanns för tillfället inte i denna stad.

I början av år 1615 kom fredsunderhandlingar så smått i gång. En deputation från Novgorod reste med svenskarnas goda minne till Moskva och mottogs nådigt av tsaren, och samtidigt var engelska och holländska sändebud energiskt verksamma för att få slut på kriget. Att sammanföra svenska diplomater och ryska var emellertid inte lätt, ty titelfrågorna föreföll nästan olösliga. Michael Romanov ville inte titulera Gustaf Adolf storfurste av Novgorod, och Gustaf Adolf ansåg sig inte kunna degradera sig själv genom att kalla Michael Romanov *samoderschets*, självhärskare. Engelska sändebudet lyckades i alla fall lirka med parterna så att de blev i stånd att utväxla lejdebrev för sina underhandlare mot slutet av året; tsaren fick då heta *samoderschets* sedan ryssarna å sin sida hade gått med på att icke nämna Novgorod och Livland bland hans besittningar. Man kom också överens om att potentaternas alla titlar skulle räknas upp bara en gång vid underhandlingarnas början och att man i fortsättningen kunde nöja sig med att säga Hans tsariska Höghet och Hans Majestät Konungen. Därefter kunde man övergå till sakfrågorna, men några gemensamma sammanträden hölls inte, utan den engelske medlaren – som närmast stod på ryssarnas sida – gick emellan parterna och meddelade dem motpartens krav och fordringar. Detta tog tid, och man hade att göra ett helt år innan man lyckades komma till en kompromis mellan svenskarnas anspråk och ryssarnas medgivanden; de förra krävde från början att få behålla alla sina erövringar, och de sistnämnda ville på sin höjd avstå några obetydliga orter i Livland. I januari 1617 kunde emellertid fyra fullmäktige från vartdera landet mötas i den ryska staden Stolbova söder om Ladoga för att underteckna ett fredsfördrag, sedan man hade tvistat en stund om ordet *obladatel* i tsarens titel; svenskarna samtyckte dock till detta ord sedan det visats att det kunde översättas med "övervinnare" och icke nödvändigtvis måste betyda "behärskare". I sak var freden en av de fördelaktigaste i Sveriges historia; den innebar att ryssarna avstod Kexholms län och Ingermanland och därmed utestängde sig själva från havet. De båda rikena slöt vidare förbund med varandra mot kung Sigismund och Polen varjämte ryssarna förpliktigade sig att betala tjugotusen rubler i gott mynt till Sveriges krona. Det sistnämnda låter numera småaktigt i sammanhanget, men pengarna behövdes verkligen.

Allbekant är en passus ur det tal som kung Gustaf Adolf i augusti 1617 höll till svenska riksdagen med anledning av freden i Stolbova. Han fröjdar sig åt att ryssen *hafwer måst till efwig tid släppa the rofhus therutur han oss tilförende skadat hafver.* Det är en stor Guds lycka att kunna besegra ryssen, som *en rådande herre är öfver en stor del af Europa och Asia, the förnämbste werldenes delar.* Finland är nu skilt från Ryssland genom den stora Ladogasjön som är lika bred som havet mellan Sverige och Åland eller mellan Estland och Nyland, *der än här till dags ingen pålack hafver tort öfverkomma. Så förhoppas jag till Gud att det ock skall ryssen härefter blifva svårt öfver denna bäcken att hoppa eller springa.*

Han misstog sig ju.

Augustiriksdagen i Stockholm som undfägnades med orden om bäcken Ladoga var inte det enda riksmötet under året 1617, ett av de händelserikaste i Gustaf II Adolfs historia. I februari hade man hållit riksdag i Örebro och utfärdat en religionsstadga som blev långlivad och ödesdiger; den fastslog att det var landsförräderi att bli katolik eller att besöka katolska skolor och universitet. Stadgan riktade sig naturligtvis närmast mot propagandan från Polen, vilken alltjämt var energisk och livlig; just detta år utgavs där en ryktbar pamflett som hette Hertig Karls Slachtare-Bänck, och kung Sigismund – som för sin del ogillade denna skrift och till och med lät dra in den – hade försökt närma sig sin halvbror hertig Johan, vars östgötska hertigdöme för övrigt ansågs mera papistiskt anstucket än resten av Sverige. Örebro riksdag kännetecknades därför av stark inre spänning och handlade bland annat om räckvidden av hertigarnas rättigheter i sina hertigdömen. På den punkten kom konungen i konflikt inte blott med hertig Johan utan också med sina närmaste, ty hans omyndige bror Karl Filips södermanländska och värmländska intressen företräddes energiskt av hans mor änkedrottningen. Missämjan var stor och öppen, och i det officiella protokollet relateras hurusom Karl Filip förgäves försökte överlämna en skrivelse från modern till Gustaf Adolf, vilken slutligen tappade tålamodet och kastade papperet oläst på brasan i spisen. Han lät vidare häkta änkedrottningens rådgivare Chesnecopherus och avtvang denne en förödmjukande avbön för vad han på hennes och hertigens vägnar hade skrivit i ämnet. I sak löstes tvistefrågorna emellertid inte utan sköts på framtiden; man kom överens om att låta ständerna avkunna skiljedom. Innan någon sådan kom till stånd hann hela det stora problemet emellertid försvinna av sig självt; hertig Johan av Östergötland dog nämligen redan följande vår, och hertig Karl Filip hade ännu inte fyllt tjugoett då han gick ur tiden några år senare såsom den siste innehavaren av ett ärftligt hertigdöme i Sverige.

Örebro riksdag antog vidare vår första riksdagsordning. Den var egentligen bara en ordningsstadga för sammankomsterna men fick grundläggande betydelse ändå, ty där lagfästes för första gången att riksdagen skulle bestå av de fyra stånden adel, präster, borgare och

bönder och alltså icke blott var ett adelsmöte. Stadgan innehöll vidare en del ceremoniella föreskrifter och bestämmelser till sekretessens skydd, ty det ansågs ha hänt att polacker och danskar på besök i Sverige hade nästlat sig in vid riksdagarna ibland och lyssnat till förhandlingarna.

I omedelbar anslutning till Stockholmsriksdagen ägde Gustaf II Adolfs kröning rum i Uppsala på hösten 1617; den var en magnifik tillställning där Magnus Brahe överlämnade kronan, Jakob De la Gardie bar fram svärdet och Axel Oxenstierna tillhandahöll riksäpplet, sinnebilden av maktens fullhet. Vid tornerspelet efteråt uppträdde den nykrönte såsom konung Berik, och vid universitetet förrättade Axel Oxenstierna den första doktorspromotionen i Sverige och promoverade ärkebiskopen – men ingalunda konungen – till teologie doktor. Allmogen knotade lite ute i bygderna, ty det hade tagits upp en särskild kröningsgärd samtidigt som man alltjämt hade Älvsborgs lösen att tänka på. Men vid den församlade riksdagen förmärktes ingen opposition, och till den höll konungen strax före kröningen ett tal som med rätta har blivit flitigt citerat genom tiderna. Det handlade om den polska tesen att han vore en usurpator som med våld hade tilltvingat sig Sveriges tron. "Vem var jag", utbrast den unge mannen, "då jag till regementet kom, att jag någon skulle tvinga kunna? Var jag icke en yngling om sjutton år, som ingen sådan auktoritet hade, därmed någon kunde tvingas? – Vad krigsmakt haver jag litat uppå, ett helt konungarike till att tvinga? Vad utländsk hjälp och bistånd haver jag brukat, sådant till verka att sätta? Sannerligen, jag haver aldrig, näst Gud, litat till någon annan makt än den som av svenske mäns trohet kommer."

Det har ofta påpekats att tjugotreåringen som yttrade dessa ord verkligen förfogade över svenske mäns trohet i mycket högre grad än dessa hade tänkt sig när de avkrävde sjuttonåringen hans konungaförsäkran. I den hade han lovat att inte utfärda eller avskaffa lagar och förordningar utan rådets och ständernas bifall och att inte betunga de sistnämnda med många herredagar. Gustaf II Adolf höll obrottsligt dessa löften genom hela sin regering och uppnådde stort mästerskap i att vända dem till sin fördel; framför allt ifråga om utrikespolitiken blev hans förhandlingar med ständerna ett medel att nå slagkraft för hans nationella propaganda, säger hans hängivne beundrare Nils Ahnlund. Men även gentemot de högvälborna herrarna i rådet förstod han att genom sin politiska genialitet och personliga charm göra sin vilja gällande utan att kränka eller kringgå de föreskrivna formerna. Rikskanslern Axel Oxenstierna, som i sin generation företrädde ungefär samma slags stormannaintressen som Erik Sparre och Hogenskild Bielke hade representerat, var lyckligtvis också en snillrik statsman och bara elva år äldre än konungen, en lagom differens som gav pondus men inte uteslöt vänskap. Till sina många positiva egenskaper – mångsidig lärdom och kunskap, politisk fantasi, oerhörd arbetsförmåga och imponerande gestalt – ägde Axel Oxenstierna ett orubbligt lugn som motbalanserade kungens häftiga lynne och möjliggjorde ett gott samarbete. Det finns en allbekant anekdot om det där; enligt Fryxell och många andra historieskrivare tröttnade konungen en gång på rikskanslerns bristande iver och utbrast: "Om icke min hetta satte liv i eder köld, så skulle alltsammans förstelna och stanna av." Oxenstierna svarade omedelbart: "Om icke min köld svalkade eders majestäts hetta, så skulle eders majestät redan hava brunnit upp." Historien, betydligt åtstramad och förbättrad av hävdatecknarna, tycks ha en kärna av verklighet och härrör ursprungligen från den engelske ambassadören Whitelocke, som i sin dagbok har refererat vad den svenske rikskanslern själv sagt honom i ämnet. De båda replikerna lyder där: "Blandade jag ej något av min hetta med eder flegma, så skulle ej mina affärer gå så väl som sker." – "Om jag ej med mitt flegmatiska temperament blandade någon köld uti eders majestäts hetta, skulle icke heller affärerna gå så lyckligt som sker."

Omedelbart efter kröningsriksdagen reste Axel Oxenstierna ut i landet för att tillsammans med kammarrådet Broder Andersson Rålamb skaffa pengar till sista avbetalningen på Älvsborgs lösen, vilket inte var någon lätt uppgift. Till den särskilda skatten för detta ändamål bidrog alla samhällsklasser, men den hade inte beviljats av någon riksdag, utan regeringen hade bara sammankallat ett utskott av två adelsmän från vart landskap, biskoparna· och en domkapitelsledamot från vart stift samt borgmästare och råd i Stockholm, och denna lilla församling hade pressats att besluta att adelsman skulle betala trettiotvå riksdaler, biskop tjugo, pastor sexton, knekthövitsman tolv, skolmästare åtta, borgare och bonde två, tjänstedräng en och tjänstepiga en halv riksdaler till Älvsborgs lösen. I alla samhällsklasser klagade man förstås, men betalade gjorde man dock, och överheten föregick med gott exempel i det att konungen lät mynta sitt bordssilver under mycken publicitet. Emellertid var finansieringen av Älvsborgs lösen en mycket mer komplicerad historia än sådana troskyldiga notiser låter ana. Enligt Eli Heckscher gick nämligen skattebetalarnas pengar ingalunda i direkt betalning till Danmark för Älvsborg, utan de användes till att köpa koppar av bergsmännen i Falun. Kopparen överläts därpå med ungefär trettio procents vinst till exportörer som sålde den i Tyskland för silverriksdaler och lämnade sådana till kronan som likvid, och kronan betalade sedan Älvsborgs lösen med denna valuta. Mycket litet pengar gick alltså ur landet genom skadeståndet, ty skattepengarna som kronan hade överlämnat till bergsmännen fortsatte ju att cirkulera i Sverige. Det var således kopparn som betalade Älvsborgs lösen, ingalunda det kungliga bordssilvret eller pigornas skärv. Emellertid täckte kopparaffärerna inte på långt när hela beloppet, utan till nära trettio procent finansierades Älvsborgs lösen med holländska lån som för övrigt aldrig återbetalades till fullo. En lång rad privata finansmän med holländaren Louis De Geer i spetsen lånade också ut stora summor för ändamålet och fick i allmänhet betalt genom godsavsöndringar från svenska kronan; sommaren 1618 överläts sålunda Finspong och dess länsområde till en nyinflyttad holländsk industriman som hette Welam de Besche såsom säkerhet för Louis De Geers fordran.

Lösensumman sammanbragtes alltså och utbetalades även inom föreskriven tid till kung Kristians stora besvikelse. Han ville till en början inte alls skiljas från Älvsborg och dess län, och det var först efter engelska påtryckningar som han lät förmå sig att uppfylla Knäredsfredens bestämmelser på denna punkt. Territoriet återlämnades sålunda i mars 1619, och från svensk sida grep man sig omedelbart an med återuppbyggnaden och utfärdade utan dröjsmål interimsprivilegier för ett nytt Göteborg, dit Nylödöses få kvarvarande invånare förständigades att flytta och där holländska köpmän inbjöds att slå sig ned. Ett kungligt brev frampå sommaren fastslog att staden skulle anläggas *vedh Utrella på Gulbergs engierne* under ledning av ett par holländska stadsplanerare, och ett par år senare lämnades en del märkliga föreskrifter om de kommunala förhållandena i den nya staden, som fick en helt annan administration än andra svenska städer; dess råd skulle sålunda bestå av fyra svenskar, tre holländare, tre tyskar och två skottar, vilket väl alltså speglar sammansättningen av dess första befolkning. Kungen själv, som besökte orten upprepade gånger under pionjärtiden på 1620-talet, står ju numera staty där, utpekande från sin utsiktspost var han ville ha staden anlagd vid foten av Utrella alias Otterhällan.

Städerna

Det nya Göteborg var inte den enda stad som vid denna tid blev grundlagd i Sverige. Även bortom gränserna i söder och väster grundades för övrigt sådana; 1614 anlades sålunda det skånska Kristianstad som en ersättning för det nedbrända Vä, och i Norge där det gamla Oslo hade härjats av eld lät Kristian IV bygga det nya Kristiania under skydd av Akershus kanoner till en huvudstad i detta sitt lydrike. Kristian IV hade mani på att bygga och har framför allt satt sin prägel på Köpenhamn, där Börsen, Holmens kirke, Rosenborg, Kristianshavn, Regensen, Nyboder och Nytorvet förskriver sig från hans tid. Också på nutida svensk mark finns många spår av hans lidelse, oftast igenkännliga på initialerna R. F. P. som återfinns överallt på hans byggnader. Bokstäverna betyder Regna firmat pietas, Fromhet styrker riket, vilket var hans valspråk; han hade genom hela sitt liv en stark barnatro på Guds hjälp i sitt regerande och var överhuvud taget en allvarlig och strängt renlärig lutheran som utan betänkande avsatte prästen Nils Mikkelsen Aalborg i Hälsingborg när denne hade predikat *den hæslige Vildfarelse at Hedningerne ved Guds Naade kunde blive salige.* I det världsliga skapade han icke blott byggnader; 1624 inrättades sålunda på hans bedrivande en reguljär dansk postlinje som gick från Hamburg över Kolding och Nyborg till Köpenhamn och därifrån via Hälsingborg till de skånska, halländska, bohuslänska och norska provinserna.

De svenska myndigheternas intresse för städer var nödvändigtvis mindre monumentalt än den danske monarkens. Ungefär ett dussin nya städer kom emellertid till i det egentliga Sverige under Gustaf II Adolfs regering, vilket är en hög siffra om man betänker att det dessförinnan fanns bara ett fyrtiotal. Varken kungen eller Axel Oxenstierna hade någon hög tanke om dessa; den förre betecknade dem som "handelslösa, ruttna och kullrivna", och den sistnämnde kallade dem med ett tyskt ord för *fläckar,* varmed han menade att de var lantliga och små. Man gjorde skillnad på stapelstäder och uppstäder och på aktiv och passiv stapelrätt, varmed menades respektive rätten att själv driva handel på utlandet och rätten att ta emot utländska fartyg. Uppstäderna hade ingendera delen utan skulle blott vara privilegierade centra för handel och hantverk i sin landsbygd, ty det var en trosartikel i tidens ekonomiska föreställningsvärld att sådana näringar blott borde bedrivas i städer. Myndigheterna bekämpade därför ständigt det så kallade landsköpet, det vill säga den affärsverksamhet som trots all lagstiftning bedrevs utanför städernas hank och stör, men därav följde att man också kände sig ha skyldighet att förse landsorterna med städer inom räckhåll; man kommenderade helt enkelt ett antal människor att flytta samman på platser som överheten anvisade. En sådan plats var Borås, som blev stad år 1622, och samma ära hade två år tidigare vederfarits Alingsås i en annan västgötabygd där allmogen gärna gjorde förbjudna affärer. Mera positivt var kronans intresse för Norrtälje och Söderhamn, ty där anlade man vapenfaktorier. Stadsrättigheter under 1620-talets första år fick vidare en plats som hette Brätte, föregångare till det nuvarande Vänersborg, samt en hel rad norrländska orter: Sundsvall, Umeå, Skellefteå, Piteå, Luleå, Torneå. Privilegiebrev utfärdades dessutom för Sala och Kopparberget, av vilka dock endast den förstnämnda brydde sig om att bli stad i Gustaf II Adolfs tid; först ett par årtionden senare tog Falun denna värdighet i besittning. Åtskilliga städer fick sina privilegier översedda och bekräftade; det gällde exempelvis Falköping, Skövde, Hjo och Jönköping, som kungen förresten ville döpa om till Adolfsberg sedan den hade bränts ner under danska kriget och på hans bud hade flyttats till den låglänta sandreveln mellan Vättern och de båda småsjöarna från sin vida hälsosammare belägenhet lite längre åt väster.

Stora eller ståtliga var inte de svenska städerna; deras historia, säger Eli Heckscher, handlar mest om kålgårdar, betesmarker, åkerfält och kreaturshjordar. Stockholm, som var den ojämförligt mest stadsmässiga, antas ha haft på sin höjd niotusen invånare vid denna tid, vilket var

ungefär en procent av hela rikets befolkning. En god föreställning om stadslivet i Gustaf II Adolfs Sverige lämnar de boskapslängder som finns i behåll från vissa år på 1620-talet; man utläser där att i Stockholm fanns 327 hästar, 6 oxar, 1 stut, 1 tjur, 738 kor, 12 kvigor, 21 får, 5 bockar, 3 getter och 1 383 svin, och Uppsala som inte var begränsat till ett par vattenomflutna holmar var ännu rikare på fänad: 305 hästar, 27 stutar, 14 oxar, 2 tjurar, 599 kor, 148 kvigor, 734 får och 1 720 svin. Någon industri att tala om fanns inte, men de styrandes intresse var alltid stort för vad som på tidens språk kallades manufakturer, och utländska män fick efter hand i gång ett och annat. I början av Gustaf II Adolfs regering kom två tyska bröder Struve till Jönköping och satte upp ett vantmakeri, det vill säga en klädesfabrik, vilken var Sveriges första; med dem associerade sig efter påtryckningar från högsta ort den rike borgmästaren Peder Gudmundsson, och vantmakeriet levererade sedan uniformstyg – varan kallades för resten pjuk, och man skilde på gement pjuk och körpjuk – till kronan i alla regnbågens färger och i rätt stora kvantiteter. En annan industri av viss betydelse var det pappersbruk som vid samma tid inrättades i Uppsala och till vars råvaruförsörjning kronan tog upp en särskild lumpeskatt i form av en halv mark granne förslitne rene linnekläder för varje gård.

En ekonomisk insats av helt annan verkningsgrad var naturligtvis Louis De Geers. Själv bodde han kvar i Holland ända till 1627, men vid det laget hade hans affärsintressen i Sverige vuxit ut till en väldig koncern som oavbrutet växte ytterligare, och hans inflytande över Sveriges näringsliv blev efterhand överväldigande och enastående. "Det är lättare", skriver Eli Heckscher, "att säga vad han icke behärskade i Sveriges ekonomi än att räkna upp vad som berodde av honom." Han övertog alla kronans vapenfaktorier och förestod handeln med koppar, som var svenskt statsmonopol. Kärnan i hans industriella domäner var Finspong, där Welam de Besche på hans vägnar anlade masugnar, stångjärnshammare och ett kanongjuteri. Genom denne sin landsman inrättade han vidare ett mässingsbruk i Norrköping, och av kronan arrenderade han dessutom Dannemora gruva och ett antal järnbruk i Uppland, i första hand Österby, Gimo och Leufsta. Det sistnämnda namnet med sin egendomliga stavning är ett monument över en företeelse som tog fart genom Louis De Geers åtgöranden ehuru den hade börjat så smått redan i Karl IX:s tid: valloninvandringen.

Vallonerna, som kom från trakten av Liège i det nuvarande Belgien, företrädde den högsta metallurgiska sakkunskap som stod att få i det dåtida Europa, och de kom till Sverige som instruktörer och tekniska specialister vid De Geers många bruk, där de införde en överlägsen teknik både i masugnsprocessen och i stångjärnssmidet. Så värst många kan de inte ha varit; hela invandringen med kvinnor och barn torde ha omfattat blott några tusen personer, och många av dessa återvände efter några år till sin fädernebygd. Vallonsmidets betydelse har nog ofta överskattats, säger Heckscher, som funnit att ännu i slutet av 1600-talet behärskade det gamla tysksmidet den ojämförligt största delen av Sveriges järnhantering; det var helt enkelt frågan om två olika tekniska förfaranden som tillgodosåg olika behov. Men i masugnsprocessen blev vallonernas insats av revolutionerande verkan, och som hammarsmeder åstadkom de ett svenskt järn som ansågs vara världens näst bästa, överträffat i pris endast av det spanska järnet från Bilbao.

Gustaf Adolfs giftermål

Våren 1620 steg konungen i djupaste hemlighet ombord på ett skepp i
Älvsnabben och for till Tyskland tillsammans med pfalzgreven Johan
Kasimir, som var gift med hans halvsyster Katarina sedan fem år till-
baka. Han reste inkognito under namnet Adolf Karlsson, och pfalz-
greven var officiellt ledare för expeditionen som också omfattade några
andra unga herrar, däribland Johan Banér och en som hette Johan Hand,
vars dagbok från resan finns i behåll. Färden gick närmast till Berlin,
och ändamålet var att personligen fria till den brandenburgska prin-
sessan Maria Eleonora. Om giftermål med henne hade det förhandlats
länge utan resultat, ty det fanns också andra friare: Vilhelm av Oranien,
prinsen av Wales – den blivande Karl I – och prins Vladislav av Polen
som var son till kung Sigismund. Framför allt för den sistnämndes
önskemål var man känslig vid hovet i Berlin, ty kurfursten Georg Wil-
helm var också hertig av Preussen som lydde under polske kungens
överhöghet. Han ville inte på några villkor ge sin syster åt Gustaf Adolf,
som ju ur Sigismunds synpunkt var en usurpator och en fiende. Hans
mamma som hette Anna och var ett ampert fruntimmer var emellertid
av annan åsikt, och när Adolf Karlsson kom till Berlin där kurfursten
för tillfället råkade vara bortrest fick han träffa både henne och prin-
sessan och lyckades tydligen charma de båda damerna. Något avtal
träffades dock inte, och den kunglige friaren som nu hade hittat på att
kalla sig kapten Gars – initialerna i Gustavus Adolphus Rex Sueciae –
reste i pfalzgrevens sällskap vidare till Sydtyskland för att även ta sig
en titt på andra tänkbara prinsessor. I Heidelberg träffade han en rund-
hyllt sådan, och en diplomat på ort och ställe framhöll för honom att
den ömsesidiga fylligheten innebar giftastycke, men tydligtvis fann han
inte det argumentet vidare vägande. Någon månad senare var han ånyo
i Berlin där kurfursten alltjämt var frånvarande, och denna gång blev
det förlovning av. Han hastade därpå hem till Sverige för att ordna
med bröllopet. Kurfursten kom inom kort tillbaka till sin huvudstad
och sökte förfärad göra det hela om intet, men den gamla furstinnan
skickade prinsessan utom räckhåll för honom till Braunschweig, där
Axel Oxenstierna i sinom tid kom och hämtade henne. Bröllopet stod i
Stockholm på hösten, och brudens mor var med; hennes förtörnade son

gav henne visserligen ingen reskassa, men då knyckte hon i stället med sig en del dyrgripar från brandenburgska skattkammaren.

Sverige hade sålunda fått en drottning av furstlig familj, och den gamla änkedrottning Kristina kunde andas ut. Hon hade haft bekymmer på denna punkt. Några år tidigare hade den unge konungen förälskat sig djupt och allvarligt i den sjuttonåriga Ebba Brahe, som inte var något omöjligt parti; dotter till riksdrotsen Magnus Brahe var hon också nära släkt med änkedrottning Katarina Stenbock och var även på annat sätt befryndad med kungahuset. Hon var hovdam hos änkedrottning Kristina, som tycks ha utgjort det enda verkliga hindret för hennes upphöjelse till rikets främsta dam. Från Ebba Brahes och den unge Gustaf Adolfs kärlekssaga finns det i behåll något dussin brev, av vilka alla utom ett är skrivna av konungen. Några av dem är lustig lektyr för eftervärlden, som väl har lättare att glädjas åt det drastiska språket än åt sakinnehållet. "Tusen, tusen godh natt min hiertans allerkerste – farvell, farvell, mitt hierta, mitt höns." Ofta citerat är framför allt det brev som den unge älskaren inleder med att säga att han haver den dristigheten uppå sig tagit detta grova och skittna papper med sin onda stil till att bemåla.

En folklig och barnslig historia av yngre årgång handlar om Ebba Brahes och änkedrottning Kristinas rimristningar på fönsterrutor i den förstnämndas kammare på Stockholms slott. Den säger att när det kungliga frieriet pågick som bäst gick drottningen en dag fram till fönstret och ristade däri med diamanten i sin ring:

> Det ena du vill, det andra du skall.
> Så plägar det gå i dylika fall.

Ebba Brahe gick då i sin tur till fönstret och försåg rutan med ytterligare en vers:

Jag är förnöjd med lotten min
Och tackar Gud för nåden sin.

Midsommardagen 1618 giftes flickan bort med den berömde gene-
ralen Jakob De la Gardie och blev av allt att döma lycklig med honom,
ty paret fick med åren inte mindre än fjorton barn. Gustaf Adolf trös-
tade sig efterhand på sitt håll; 1615 under det ryska fälttåget ingick han
en förbindelse med en ung holländska som äldre historieskrivare kallar
Margareta Cabeliau men som i våra dagar har befunnits heta Margareta
Slots. Han fick en son med henne, och hon fick det ekonomiskt ganska
bra, försågs med en gård i Uppland och giftes bort med en över-
fyrverkare som hette Trello. Sonen uppfostrades ståndsmässigt och upp-
höjdes i sinom tid till greve under namnet Gustaf Gustafsson av Wasa-
borg.

Med sin gemål fick Gustaf Adolf däremot inga söner, och det furst-
liga äktenskap som han så resolut hade bragt till stånd blev inte lyck-
ligt. Med Axel Oxenstierna talade han öppet om sitt *malum domesticum*,
sin husliga olycka, och alla i rådet visste att han hade bekymmer med
sin drottning. Maria Eleonora visade honom en hysterisk kärlek och
klagade att han försummade henne för sitt arbete. Deras första barn var
en dotter som hette Kristina; hon dog i sitt första år. Tre år senare
föddes en ny dotter som fick ärva namnet; hon överlevde, men för-
äldrarnas glädje över det barnet var blandad med bitter malört. Det var
nämligen någonting underligt med henne; när hon föddes tyckte alla
de närvarande kvinnorna att det var en kronprins som hade kommit till
världen och stort jubel utbröt, men när man tittade närmare på den ny-
födda befanns det att det nog närmast var frågan om en flicka. Jublet
tvärtystnade, och pfalzgrevinnan bar sorgmodigt den lilla varelsen till
sin bror, som dock betvingade sin bestörtning och befallde att man skulle
sätta igång med alla de tacksägelser och fröjdebetygelser som var bruk-
liga vid manliga tronarvingars födelse.

I Polen satt kung Sigismund och höll sig noga underrättad om sin svenske kusin. I olikhet med denne hade han en blomstrande familj, och sitt hopp om en återkomst till Sverige för sig och sitt hus uppgav han aldrig. Kretsen av svenska flyktingar i hans omgivning glesnade visserligen med åren; den ene efter den andre av den yngre generationen försonade sig med de makthavande i hemlandet och reste hem. Inte så få stannade emellertid, engagerade i en oavbruten agitation under ledning av den energiske Gabriel Posse, kusin till Axel Oxenstierna.

En av dem som tidigt vände hem var Johannes Messenius. Han var ingen politiker; uppfostrad i Vadstena medan klostret ännu fanns kvar hade han skickats av sina lärare till jesuitskolan i Braunsberg och studerade sedan vid diverse katolska universitet innan han öppnade en privatskola i Danzig och gifte sig med en dotter till Arnold Grothusen, Sigismunds lärare. Ett panegyriskt arbete om Sigismunds härstamning inbragte honom inga fördelar, och stucken gav han i stället ut en genealogisk skrift om Karl IX, vilket hade bättre effekt; han fick omedelbart tillstånd att flytta hem, hugnades med ett underhåll och utnämndes till juris professor i Uppsala. I Sverige användes han till att bemöta propagandan från Polen, ty han skrev ett förträffligt latin; han utgav också av egen drift några politiska pamfletter och framför allt en rad historiska skrifter till fäderneslandets ära och heder. Han skrev vidare de första historiska skådespelen på svenska; det äldsta och bästa av dem, Disa, framfördes av hans studenter vid distingen i Uppsala år 1611.

Messenius var synnerligen populär bland studenterna men kom i obotlig konflikt med universitetsrektorn Johannes Rudbeckius, och det hela slutade med att Axel Oxenstierna som var universitetskansler flyttade båda dessa stridbara herrar från Uppsala och placerade Messenius som riksarkivarie i Stockholm. Där blev han också bisittare i den nya hovrätten, som var avsedd att företräda den kungliga domsmakten och tjänstgöra som högsta instans i svensk rättskipning; dess första session öppnades med ett magnifikt tal av Axel Oxenstierna i maj 1614. I Stockholm råkade Messenius emellertid snart i strid med Erik Göransson Tegel och Nils Chesnecopherus, med vilka han nämligen processade med framgång om diverse egendom som tidigare hade ägts av Messenius' svärfar, och en vacker dag såg dessa sin chans att ta hämnd, störta sin antagonist och behålla sitt rov.

Sommaren 1616 greps i Stockholm en viss Jöns Hansson alias Jöns Papista, vilken nyss hade gjort en resa till Danzig. Det omvittnades att han hade haft med sig ett brev från Messenius' hustru till hennes mor i Polen, och Messenius själv hade bett honom hälsa till en del namngivna katolska prelater och försöka få ut en del gamla papper som biskop Brask på sin tid hade fört till klostret i Oliva. Messenius drogs naturligtvis strax inför rätta och uppgav då att det varit fråga om handlingar beträffande Sveriges rätt till Gotland, och tillfrågad hur han kunde tro att rikets fiender skulle lämna ut sådana dokument svarade han att han för den goda sakens skull hade låtsats vara enig med dem i religionen och dessutom hade ställt i utsikt att göra dem någon gentjänst. Hans domare – Axel Oxenstierna, Magnus Brahe och Johan Skytte – frågade med skäl varför han inte hade underrättat sina överordnade om dessa manipulationer, och misstänkt var också att han hade låtit ta hem och kopiera handlingar ur rikskansliet, vilket han inte hade tillstånd till. Slutet på rättegången blev att Messenius befanns skyldig till olovliga förbindelser med rikets fiender, och kungen som länge hade funnit honom suspekt – han hade Johannes Rudbeckius till hovpredikant – dömde honom att på obestämd tid hållas fången på Kajaneborgs fästning vid Ule träsk uppe i Österbotten. Det skedde, som Axel Oxenstierna några årtionden senare påpekade i ett förebrående brev till kyrkohistorikern Baazius vilken hade påstått att Messenius överbevisats om statsfientliga stämplingar, blott för att "förekomma och avvärja all fara, som man eljest hade honom misstänkt för och af honom befruktade". Han hölls inte desto mindre kvar i sitt hårda fängelse i tjugo år och återsåg aldrig Sverige.

Domen över Messenius följdes så småningom av en serie andra förräderiprocesser. Zacharias Anthelius som var borgmästare i Södertälje, Jöran Behr som var anställd i kungliga kansliet och Nicolaus Campanius som var skolrektor i Enköping befanns vara kryptokatoliker; någon politisk komplott kunde de trots tortyr inte förmås att erkänna, men de hade haft kontakt med en jesuit som smugit sig in i landet, och för detta dömdes de utan betänkande till döden och avrättades. Det var 1624, och vid det laget hade kriget med Sigismund åter hunnit slå ut i full låga.

Under åren närmast efter Stolbovafreden omorganiserades det svenska krigsväsendet, i det att man införde ett slags allmän värnplikt. Folk stretade naturligtvis emot på sina håll, till exempel i det småländska Möre. där en viss Jon Stind som påstås ha varit släkt med Dacke ställde till ett soldatuppror, och i Dalarna, där en tysk skräddare som kallades för Duken reste hela Orsa socken. Sådana uppträden kvävdes dock lätt, och en bit frampå 1620-talet var det nya systemet fullt genomfört. Det bestod i att man genom särskilda utskrivningskommissioner tog ut en viss procent av rikets manliga befolkning och sammanförde de utskrivna till truppförband landskapsvis. Resultatet blev en armé som nog var den modernaste i Europa. Den begåvades med ett berömt dokument som kallas Gustaf II Adolfs krigsartiklar, där det stadgas dödsstraff för trolldom, hädelse, insubordination, fanflykt, desertering och våldtäkt och där det påbjuds att predikan skall hållas var söndag, varjämte soldaterna förbjuds att plundra, stjäla eller anlägga mordbrand utan order.

Sommaren 1621, då polackerna var invecklade i ett bekymmersamt krig med turkarna, seglade Gustaf Adolf med hundrafyrtioåtta örlogsskepp och tio trupptransportfartyg till Riga. Ett stort diplomatiskt oväsen utbröt överallt i utlandet; även protestantiska stater som England och Brandenburg lät förstå att Sverige snarare borde hjälpa polackerna när de kämpade för Europas frihet mot kristendomens arvfiende. Gustaf Adolf hörde emellertid inte på det örat utan inneslöt och belägrade Riga efter alla konstens regler. Efter en del rätt blodiga strider kapitulerade den gamla hansestaden, och en söndag i september gjorde Gustaf Adolf sitt högtidliga intåg, bekräftade Rigas stadsprivilegier, stadfäste dess myntningsrätt, fastslog dess rätt att hädanefter skicka riksdagsombud till Sverige samt mottog dess förbindelse att efter överenskommelse lämna bidrag till svenske kungens kröning och svenska prinsessors utstyrsel. Ryska köpmän i staden fick försäkringar om att de kunde driva sin handel som förut. All kunglig och katolsk egendom indrogs naturligtvis under svenska kronan. Konungen lät kalla till sig jesuitkollegiet i staden och träffade bland dess medlemmar den gamle Kloster-Lasse som han underhöll sig med mycket onådigt: "Du helvetes gubbe!" Han frågade honom barskt om han vid sin ålder ännu inte hade insett att falska villolärare hade straff att vänta i det kommande livet, vartill Kloster-Lasse värdigt svarade att lutheranerna borde vara beredda på det. Jesuiterna fick därefter ge sig iväg till Wilna, men deras bibliotek skickades till Sverige och överlämnades inom kort till Uppsala universitet såsom den första av de bokgåvor som 1600-talets svenska fältherrar systematiskt lade vantarna på för att därmed höja bildningen i sitt underutvecklade hemland.

Under höstens lopp fortsatte fälttåget i Livland, så att bara ett par fasta platser alltjämt var i polsk hand när Gustaf Adolf i januari reste hem till Stockholm. Ett stillestånd i kriget inträdde sedan på nytt.

Pedagogik och ekonomi

1623 och 1624 var fredliga år då mycket hände hemma i Sverige. I slutet av det sistnämnda donerade konungen en stor del av sina egna arvegods till Uppsala universitet, som därmed definitivt sattes på fötter; redan tidigare hade antalet akademiska lärartjänster höjts till sjutton, vilket var en hög siffra för sin tid, och alla fakulteter hade blivit verklighet. Johan Skytte som var universitetskansler kom också med en donation och skapade därigenom den skytteanska professuren i vältalighet och politik. En ung student som hette Lars Wivallius studerade vid universitetet under just dessa båda år; han var mycket begåvad, men hans levnadsbana kom att utveckla sig helt annorlunda än hans akademiska lärare torde ha önskat.

Redan dessförinnan hade Sverige fått sitt första gymnasium. Johannes Rudbeckius, som efter flyttningen från Uppsala hade varit hovpredikant i några år och följt kungen på hans ryska fälttåg, blev därefter biskop i Västerås och styrde tydligtvis sitt stift med järnhand; domkapitlets protokoll från hans tid finns delvis publicerade och utgör en amper lektyr. 1623 kom såväl kungen som Axel Oxenstierna till Västerås undan pesten som härjade i Stockholm, och Rudbeckius begagnade tillfället att utverka ett privilegium för Västerås skola, som därigenom fick pengar till fem lektorat och kunde byggas ut till ett läroverk som inte blott utbildade präster. Rudbeckius lade också grund till den svenska kyrkobokföringen genom att ålägga kyrkoherdarna att föra ett antal längder över socknarnas befolkningsförhållanden och mycket annat, något som med tiden vann efterföljd också i andra stift. Som skolman sägs Rudbeckius ha anslutit sig till tidens reformpedagogik, vilket

tog sig uttryck i att han ordnade en skriv- och räkneklass med ordentlig undervisning i modersmålet, men huvudämnet vid Västerås skola var naturligtvis likafullt latin, som ju alltjämt var tidens internationella språk. Vid examen ålåg det varje lärjunge i högsta klassen att framlägga ett tal som han själv hade skrivit och offentligen hållit samt att framvisa de teser över vilka han under året hade disputerat offentligen, och det är klart att pojkarna därvid talade latin försåvitt de inte föredrog grekiska eller hebreiska, vilket hände. Katekesen på latin lärde de sig i första realskoleklassen. Lyx eller nymodigheter i klädedräkten fick de passa sig för, annars fick de böta, och ertappades de med att bära djäknekappan under armen fick de märkvärdigt nog slita spö.

Den svenska statsförvaltningen, vilken inte längre kunde överblickas av kungen personligen såsom fallet hade varit i Gustaf Vasas dagar, nyorganiserades också vid denna tid. Kammaren, det centrala ämbetsverk som hade hand om rikets finanser, näringar och fasta egendom, delades upp på ett par avdelningar som kallades räknekammaren och räntekammaren, och kansliet som dittills hade varit ett slags kunglig expedition förvandlades till ett verkligt ämbetsverk med fixerade tjänster och bestämda arbetsuppgifter. Den drivande kraften i detta moderniseringsarbete var naturligtvis Axel Oxenstierna, den störste kontorsman som vår historia känner. Han bragte också ordning och reda i alla våra papper genom sitt intresse för vad han kallade Richsens Archivum, där sekreteraren Per Månsson Utter sedan 1618 satt placerad som föreståndare efter Rasmus Ludvigsson. Han var en framstående genealog och gjorde vidare vidlyftiga utredningsarbeten åt kronan, exempelvis om adelns privilegier och om förhållandena mellan Sverige och Danmark före Kalmarkriget.

På det ekonomiska området inträffade än märkligare ting. En av Sveriges viktigaste exportindustrier var kopparframställningen, och under 1600-talets första årtionden gick det mesta av kopparn till Spanien som därav gjorde ett slags pengar som kallades velloner – Spanien, ägare av världens största silvergruvor, hade nämligen underligt nog kopparmyntfot då. På 1620-talet övergick spanjorerna till silvermynt, och det gällde för de svenska statsmakterna att finna andra marknader för kopparn, som i det dåtida Europa praktiskt taget var en svensk monopolvara. Detta visade sig besvärligt; järnet hade vid denna tid börjat tränga ut kopparn också för sådana ändamål som kittlar och kanoner. Som ett medel att i det läget hålla kopparpriset uppe och samtidigt finna avsättning för kopparn infördes plötsligt kopparmyntfot i Sverige; det skedde 1624. Idéns upphovsman var av allt att döma konungen själv, som hade mycket höga tankar om kopparns värde och ständigt framhöll att den inte borde få säljas *i wanwyrd.* I en instruktion till sin kansler – som alltid intog en kritisk hållning i denna fråga – fastslog han att om kopparpriset steg till en viss gräns borde man strax sluta med myntningen och slå silvermynt i stället, men i motsatt fall borde all koppar gå till myntverket. Detta låg i Säter, där en holländare som hette Silentz nyss hade anlagt landets första gårmakeri, varmed menades ett raffinaderi för framställning av ren koppar. Den svenska kopparmyntningen blev bestående i mer än ett århundrade trots sina uppenbara olägenheter, ty världsmarknadspriset på koppar varierade oavlåtligt, och när det svenska myntets köpkraft av någon anledning sjönk under metallvärdet strömmade pengarna naturligtvis omedelbart ur landet och såldes som kopparskrot på utländska marknader, varvid svenska staten icke blott nödgades sänka priset på sin exportkoppar utan också förlorade vad utmyntningen hade kostat.

Kopparmyntfoten löste sålunda inte Sveriges ekonomiska problem. Den statsfinansiella situationen, som var förtvivlad efter det danska kriget och ingalunda förbättrades under de följande krigen trots segrarna i öster, karakteriserades av oavbrutet lånande och ihärdigt växelrytteri för att skaffa medel till det mest närliggande. Skatterna i Sverige inflöt alltjämt till stor del in natura, men vad kronan först och främst behövde var kontanter till förfallna löner och annat, och att omsätta naturapersedlarna i pengar kunde ta lång tid. I början av 1620-talet tog sig Gustaf Adolf för att utarrendera skatteuppbörden i landet till penningstarka affärsmän; kronan fick då sina pengar i förskott, och arrendatorerna drev sedan in skatterna för egen räkning. Systemet var ytterligt impopulärt men ägde i alla fall bestånd så länge kungen levde.

Med åren tämligen fet

Konung Gustaf II Adolf blev, säger Odhner med en vändning som har blivit bevingad, med åren tämligen fet. Orsaken är icke fördold för eftervärlden. Hans måltider hade alla en likartad prägel; på en solid grundval av olika stekar följde ett par lättare rätter, därpå kokta kötträtter, sedan fisk och slutligen ett par olika pastejer samt kakor. Vi har kvar hela matsedeln för hans kosthåll under en februarivecka 1623. Den 12 februari började hans middag sålunda med oxstek, fårstek, kalvstek, stekt järpe, gås, hare, höns och orre. Därefter fick han oliver, kaprissoppa och slånbär tillagade med vin. Sedan han sålunda brutit udden av den värsta hungern serverades ärter och fläsk, höns med buljong, oxkött med soppa, surt oxkött, vitt oxkött, fårkött med russin, fårkött med rosmarin, gåskött med saffran, hare med stekt fläsk samt svart älgkött. Efter ett nytt mellanspel med oliver hugnades han vidare med färsk gädda med fläsk, färsk gädda med salt spad, ostron med smör, bergfisk med lök samt salt lax. Därpå kom orrtuppspastej och fårköttspastej, varefter det hela avrundades med sockertårta och stenkakor.

Måltider som denna nedsatte synbarligen varken hans initiativkraft och arbetsförmåga eller hans oförvägna mod. Sommaren 1625 var han åter i Livland där stilleståndet med polackerna nu hade gått ut, och sedan de sista fasta platserna där hade inneslutits och fallit gick han på nyåret över Dyna och besegrade en polsk armé vid en plats som hette Wallhof. Som vanligt deltog han personligen i drabbningen, vars utgång hade stor betydelse eftersom det var första gången de svenska trupperna hade visat sig vuxna det polska adelskavalleriet. Segern ledde till ny vapenvila, varunder han beredde sig att flytta kriget till en annan front. Efter några vårmånader i hemlandet seglade han vid midsommartiden plötsligt till Ostpreussen och satte sig utan skrupler i besittning av Pillau, som tillhörde hans brandenburgske svågers land. Därifrån marscherade han mot det närbelägna Braunsberg där den katolska offensiven mot Sverige hade haft sitt högkvarter alltsedan Johan III:s dagar. Staden intogs utan svårighet, jesuitkollegiet skingrades och dess stora bibliotek skickades till Uppsala. Samma öde drabbade domkapitlets bibliotek i Frauenburg, det berömda Bibliotheca Varmiensis. I samma veva intogs staden Elbing vid Weichselmynningen. Königsberg tvangs med bistra hotelser till underkastelse. Danzig lyckades konungen däremot inte betvinga, fast han inneslöt staden både till lands och sjöss. Överfallen på de preussiska städerna som ju endast indirekt hörde ihop med Polen väckte våldsam förbittring litet varstans i Europa, och kurfurst Georg Wilhelm i Berlin kände sig bitter och djupt kränkt; han hade onekligen skäl till det. "Det ligger", skriver Erik Lönnroth på tal om dessa händelser, "ett drag av grandios buffelaktighet över förspelen till de flesta av Sveriges segerrika krig under Vasatiden."

Våren därpå gjordes ett misslyckat försök att storma Danzig från sjösidan, och kungen upplyser i ett brev att "efter i sådana occasioner något varmt tillgår, blevo Wi ock med ett skott sargade i baken". Några

veckor senare blev han allvarligt sårad under en spaningsritt vid en plats som på tyska heter Dirschau; en polsk kula träffade honom i halsen, och man trodde först att pulsådern var genomskjuten. Han tillfrisknade så småningom men blev aldrig riktigt densamme för framtiden; kulan satt nämligen kvar i kroppen och axeln var öm så att han inte kunde bära harnesk mer. Ett par fingrar hade dessutom blivit stela vilket besvärade honom mycket när han måste skriva.

Tre år i följd fortgick kriget i Preussen, och det var under de åren svenskarna prövade de beryktade så kallade läderkanonerna, en uppfinning som tycks ha fascinerat eftervärlden mer än den imponerade på samtiden. Läderkanonerna, som naturligtvis var lättare än annat artilleri, bestod av ett metallrör som var omlindat med järntråd och beklätt med läder på utsidan; de tillverkades i Stockholm av en österrikisk friherre som hette Wurmbrandt, och vid enstaka tillfällen tycks de ha befunnits effektiva och användbara, men i stort sett var de nog en besvikelse, ty tillverkningen lades ner innan kriget slutade. Överhuvud taget var de svenska fälttågen inte alltid så framgångsrika, men man behöll i alla fall greppet om flodmynningarna och pressade mycket pengar ur de erövrade orterna. Brandskatt och plundring förekom ständigt, ty kronan var som alltid utan kontanter, och soldaterna måste ju underhållas.

Hösten 1627 kom Axel Oxenstierna tillstädes och slog sig ner i Elbing som generalguvernör över de ockuperade områdena. Vid den tiden fick polackerna tidvis hjälp av kejserliga tyska trupper, samtidigt som Gustaf Adolf omsider fick till stånd ett fördrag med kurfursten i Berlin vilken såsom hertig av Preussen var Sigismunds vasall. Det politiska läget var, formellt åtminstone, mera invecklat än någonsin.

1618 utbröt trettioåriga kriget. Det började i Prag som ett de böhmiska protestanternas uppror mot kejsarmaktens katoliceringssträvanden och fortsatte med habsburgsk ockupation av Pfalz, vars kalvinistiske unge kurfurste hade låtit välja sig till konung i Böhmen. Det lutherska Sachsen stod från början på kejsarens sida, och kriget var sålunda inte bara ett religionskrig. Emellertid gick det illa för de tyska protestanterna, och deras regerande trosförvanter i England, Holland och de nordiska länderna följde utvecklingen med oro. Även det katolska Frankrike, som kände sig inringat mellan habsburgska länder, såg sig om efter någon möjlighet att hejda kejsarens framgångar. Många protestantiska koalitionsförsök gjordes under 1620-talets första år, men intressena gick alltid isär och den inbördes misstron var stark och levande. Inte minst var detta fallet i fråga om Danmark och Sverige. Gustaf II Adolf och Kristian IV möttes i Halmstad våren 1619 och konstaterade att det förhöll sig så.

Båda de nordiska kungarna var till hälften tyskar. I synnerhet gäller detta om Gustaf Adolf, som med sällsynt skicklighet rörde sig med tyska språket i både tal och skrift och i själva verket var mycket mera tysk än kejsaren och flertalet av den katolska sidans generaler med deras spansk-italienska bildning. Kristian IV talade helst danska och uppfattades av sina undersåtar som särdeles dansk, men han var också hertig av Holstein och som sådan djupt personligt engagerad i den tyska småstatspolitiken. Söder om Elbe vid hans rikes sydgräns låg de andliga stiften Bremen och Verden vilka efter reformationen skulle ställas under världsligt styre, och han sökte nu få sin son Frederik placerad som regerande biskop där. Det lyckades; hösten 1621 valdes prins Frederik till statsöverhuvud i stiften Bremen och Verden med titeln koadjutor.

Kort därefter kom en engelsk ambassadör till Danmark och en annan till Sverige med förslag om allians och krig mot den habsburgska övermakten. Gustaf Adolf ställde sig inte ovillig, men han ansåg att bästa vägen till Wien gick genom Polen och ställde krav på starkt militärt stöd från engelsk sida. Kristian IV var vida medgörligare, och när han fick veta att anbudet också hade gått till Sverige blev han rentav ivrig. Enligt danska historici finns det inget tvivel om att hans handlande be-

stämdes av fruktan för att Gustaf Adolf skulle komma före. Han stod, säger Povl Engelstoft, i valet mellan att söka Sveriges vänskap till nästan varje pris eller att gripa sin chans. "Det er psykologisk og politisk fuldt forstaaeligt, at han valgte det sidste, og det er ikke just dansk Histories Sag at tadle ham derfor."

1625 i juni bröt Kristian IV upp från Holstein med aderton tusen man och fyrtiosex kanoner och marscherade till Hameln vid Weser. Mot honom med en något mindre här kom den frejdade generalen Tserclaes de Tilly, vallon till börden och fanatisk katolik, och ett fältslag var när som helst att vänta. En vacker julikväll hände det sig emellertid att kung Kristian red ner sig i en grop utanför Hamelns vallar; han slog sig medvetslös och låg sedan sjuk resten av sommaren. Hans bestörta underbefälhavare erbjöd vapenstillestånd, men Tilly avslog, och den danska hären drog sig då tillbaka en bit och lämnade Weserlandet öppet för hans härjningar. Så stod saken i slutet av augusti, och i september försämrades läget, ty då dök det upp ännu en katolsk general som med tjugotusen man stod i Magdeburg och Halberstadt. Han hette Albrecht von Wallenstein och var en mycket märkvärdig man som hade skaffat sig en förmögenhet under konfiskationerna från de slagna protestanterna i Böhmen; han var själv av tjeckisk nationalitet. Sina tillgångar ökade han oerhört såsom medlem i ett konsortium som för sex miljoner gulden fick arrendera myntningsrätten på ett år i en del av kejsarens arvländer; konsortiet kastade ut trettio miljoner gulden i underhaltigt mynt i marknaden och kammade hem en vinst på två miljoner, varefter dess medlemmar enskilt köpte konfiskerade gods av staten för sina billiga pengar. Samtidigt som kung Kristian beredde sig att gripa in i Tyskland kom Wallenstein till kejsaren och erbjöd sig att för egna medel sätta upp en armé på tjugotusen man mot att han själv fick föra befälet, och kejsaren som saknade medel till värvningen slog genast till och utnämnde Wallenstein till riksfurste och kejserlig överfältherre.

Kung Kristians ställning var sålunda inte angenäm. Rivaliteten mellan fältherrarna hindrade emellertid de båda katolska härarna att samarbeta effektivt, och det första krigsåret löpte ut utan minnesvärda händelser. Under vintern förhandlade man om vapenstillestånd utan resultat samtidigt som man rustade energiskt. När kung Kristian på våren åter drog i fält hade hans här mer än fördubblats, men den utlovade hjälpen från England syntes inte till, och de tyska bundsförvanterna var svaga och opålitliga. Han hade en del framgångar under våren, och på sommaren drog den wallensteinska hären österut till Schlesien där andra fiender till kejsaren hade uppenbarat sig. För ögonblicket hade han således bara Tilly emot sig och satte sig snabbt på marsch söderut för att undsätta diverse platser som denne försökte ta. Mötet mellan härarna ledde till ett tre dagars fältslag i mitten av augusti kring en liten fästning som hette Lutter am Barenberge, där danskarna förlorade åtskilliga tusen man i döda, sårade och fångna medan resten flydde. Nederlaget var en katastrof för Danmark och kung Kristian, som omedelbart drog sig tillbaka till Holstein med spillrorna av sin armé, medan Tilly lugnt besatte allt protestantiskt land ända till Elbe.

Året därpå kom Wallenstein igen. Man hade satt igång med omfattande utskrivningar och folkbeväpningar till försvaret av själva Danmark, men det hjälpte inte; den kejserliga armén av tyskar, italienare, kroater och kosacker översvämmade raskt hela Jylland under plundring och härjande. Öarna och Skåne låg utom räckhåll tills vidare, men också där led man naturligtvis av invasionen, framför allt på Fyn där man hade att dras med en del legotrupper som hade flytt från halvön och nu försörjde sig med plundring i eget land. Olyckorna ledde också till inrikespolitisk oro i Danmark och ovilja mot kungen som var skuld till alltihop. Utifrån var ingen hjälp att vänta, ty England och Frankrike hade just blivit invecklade i ett krig sinsemellan, det krig som de tre musketörerna deltog i med sådan bravur. Holländarna, som hade kommit på bättre fot med Danmark på sistone och hade lämnat ekonomiskt understöd för det tyska fälttåget, svävade nu mellan hopp och fruktan beträffande Öresundstullen och erbjöd sig att besätta Kronborg till skydd mot Wallenstein, ett anbud som kunde avslås utan betänkande. I Sverige räknade man också med möjligheten att Wallenstein kunde ta sig över till de danska öarna och beredde sig att i sådant fall ta hand om Skåne.

Utsikterna till en sådan utveckling var onekligen stora. Wallenstein var redan i färd med att bygga en östersjöflotta, och av kejsaren utnämndes han högtidligen till general över de oceaniska och baltiska haven. Flottbygget ägde rum i Wismar, som jämte Rostock var den enda han hade lyckats få grepp om av de fria hansestäderna; Lübeck, Hamburg och Bremen vägrade nämligen att bli kejserliga marinbaser, och detsamma gjorde Stralsund som Wallenstein då försökte ta med våld. En viss glädje hade han däremot av Danzig, som det svenska angreppet hade gjort till örlogshamn åt kung Sigismund; under ledning av Gabriel Posse byggdes där en kunglig polsk flotta, men först på nyåret 1529 seglade den omsider till Wismar för att slås ihop med den kejserliga. Vid det laget var de stora planerna inte aktuella mer.

Wallensteins angrepp på Stralsund misslyckades därför att danska flottan alltjämt var herre över sjön i dessa trakter. En liten dansk hjälptrupp landsattes i staden och hjälpte omedelbart till med att avstyra ett stormningsförsök, och strax därpå skickade Gustaf Adolf ett kompani svenska trupper från Preussen till Stralsund, som nämligen hade begärt hjälp också av honom. Både svenskar och danskar ökade efterhand sina kontingenter, och Wallenstein måste efter många misslyckade stormningar häva belägringen. Strax därpå, i augusti 1628, samma månad som det nybyggda regalskeppet Wasa plötsligen kapsejsade på Stockholms ström och gick till botten med sextiotvå kanoner och över femtio människor, anlände Axel Oxenstierna till Stralsund för att konsolidera ställningen och framför allt för att förhandla med danskarna. Kung Kristian förmåddes att lämna stadens försvar helt i svenskarnas händer och drog strax hem sina trupper. Ett fördrag slöts därefter med den tacksamma hansestaden, som därigenom knöts ganska fast till Sverige.

I början av 1629 öppnades en fredskongress i Lübeck mellan Danmark och de katolska makterna; både Wallenstein och Tilly var där. Gustaf Adolf skickade också några ombud dit, men de avvisades av Wallenstein som på goda grunder menade att de bara hade kommit för att hindra en fredsuppgörelse. Ett möte kom i stället till stånd mellan de

båda nordiska monarkerna, som träffades i Ulfsbäcks prästgård i det småländska Markaryd och utbytte en del tankar samt drack mycket "af ondt vin, som till äfventyrs ock frusit varit hade", berättar Gustaf Adolf själv i ett brev. Denne lät sin danska kollega känna på kulan från Dirschau som han hade kvar i kroppen och försökte på alla sätt egga kung Kristian till fortsatt krig mot kejsaren, men den danske kungen var ovillig och frågade rentav vad kejsaren hade gjort kungen av Sverige. "Då", skriver Gabriel Oxenstierna, rikskanslerns bror som bevittnade mötet, "stegh H K Mtt ett eller 2 stegh nhärmare till K. j D. och facien forändrande swarandes: Ist das fragenswerdt?" Han utlade därpå hurusom kejsaren hade förföljt trosfränderna i Tyskland, belägrat Stralsund och hjälpt den polske kungen mot svenskarna. "Och der skall E K wara försäkrat vppå, att wari hwem dett will som oss detta gör, dett må wara kaisare eller kongh, förste eller respublike eller hwem tusen kneffla dett will (och dermedh wedret knuste) wij skole så taga hwarandra widh öhron, att sylstron skole ryckia der widh, och dermedh tystnade H. K Mtt och Konunghen i D swarade eij heller der uppå ett ordh."

Danskarna slöt emellertid sin separatfred med kejsaren. Biskopsstiften Bremen och Verden gick därvid kung Kristian och hans ätt ur händerna, men i övrigt fick han tillbaka alla sina länder mot löfte att inte blanda sig i de tyska frågorna vidare. Ockupationstrupperna lämnade därpå Jylland och Holstein och skickades till Polen och Danzig till hjälp mot svenskarna, som därför fick det besvärligt under 1629 års fälttåg. I en beryktad kavalleristrid vid Stuhm fick kungen sin hatt avslagen i handgemänget och var nära att bli bortsläpad av en fientlig ryttare som hann få ett stadigt grepp om hans arm innan han själv blev nedskjuten. Några större drabbningar kom emellertid inte till stånd, vilket mest berodde på att polackerna inte drog jämnt med sina kejserliga allierade, vilka därför höll sig overksamma. Den makthavande polska adeln var trött på kriget som utarmade landet och lamslog flodtransporterna av spannmål och annat, och när den franska diplomatien gjorde en framstöt för att åstadkomma fred och skilja dem från kejsaren befanns polackerna inte ovilliga. Under fransk bemedling mötte Axel Oxenstierna och den unge generalen Johan Banér ett par polska fullmäktige på en plats vid namn Altmark, och ambassadsekreteraren Charles Ogier som förde dagbok i Sverige några år senare har berättat om upptakten. Fredsombuden gick gravitetiskt emot varandra med avmätta steg, fixerade varandra och iakttog djup tystnad; det var naturligtvis finare att bli tilltalad än att tilltala. Den polske rikskanslern Christopher Zadzick, som var svag och krasslig och knappt orkade stå på benen längre, såg sig slutligen nödsakad att först bryta tystnaden och yttrade då på latin i avmätt ton: "På det att vi må vara artigast, önska vi eder, I ädle svenske herrar, goddag." Axel Oxenstierna, lite stucken, svarade då ögonblickligen på samma språk: "På det att vi ej må vara otacksamme, önska vi eder, I ädle polske herrar, gott förstånd!" Därpå övergick man till förhandlingarna och slöt ett stillestånd på sex år, under vilken tid svenskarna skulle få behålla det mesta av sina erövringar i Livland och Preussen och uppbära de inbringande flodtullarna där. Det var hösten 1629.

Sverige och det tyska kriget

Långt innan det polska kriget var slut, nämligen vid jultiden 1628, skrev kung Gustaf Adolf en promemoria på makaroniska till rådet beträffande förhållandet till kejsaren. Han frågade sig om det kunde anses att Sverige redan var i krig med denne och svarade att det var nog så, trots att ingen krigsförklaring hade kommit. Sverige hade utan tvivel rätt att försvara sig mot kejsarens angrepp, ty så bjöd icke blott naturen och förnuftet utan även Gud själv i den heliga skrift, vilken nämligen gillade att Moses och Josua slog tillbaka de amalekiter och att Jefta försvarade sina gräntzor emot the ammoniter. Rådet som tog ställning till detta gav konungen rätt och diskuterade sedan var man skulle få pengar och soldater till kriget. Skulle man sammankalla riksdagen, skulle man sätta igång med nya utskrivningar utan vidare, skulle man lägga skatt på handkvarnarna? Kvar finns en rad rådsprotokoll där dessa frågor diskuteras på underbar svensklatinsk rotvälska. De flesta rådsherrarna tyckte nog att det var onödigt med någon riksdag, och kungen påpekade att det inte alls var frågan om att folket skulle få bestämma, utan det gällde bara att pejla stämningen: *quaeritur, an almogen kan tåla mer?* Gabriel Gustafsson Oxenstierna var en av de få som röstade för riksdag, eftersom det hade varit olust i landet i somras: *quia ovillig fuit almogen hac aestate.* Han tyckte att ständerna gott kunde sammankallas så att man kunde få berömma de välsinnade och plocka bort de illasinnade: *laudare benevolos, carpere malevolos.*

Det blev verkligen en riksdag 1629, och den är minnesvärd, ty den gick med på att det skulle föras krig mot kejsaren och de påviske och beviljade utskrivning i förskott för två år framåt. Riksdagen begärde dock att kriget måtte föras så långt från Sveriges gränser som möjligt, och bondeståndet förtydligade denna sin önskan med ett ordspråk: *geten gnager där hon är bunden.* Kungen själv var i Preussen och krigade när detta yttrades; riksdagen leddes alltså av riksrådet. Men några månader senare var han hemma igen och mötte då ett så kallat utskottsmöte med representanter för de tre högre stånden; bönderna var sålunda inte kallade. Med sin lilla dotter Kristina på armen höll han inför denna församling ett berömt tal som förr stod i skolböcker och brukar kallas Gustaf II Adolfs avskedstal till ständerna, obestridligen en mycket ståtlig oration som börjar med en försäkran att kriget vore honom påtvingat och att det gällde att befria förtryckta trosförvanter från påvens ok. Han säger vidare att han måste räkna med att förlora sitt liv och att han därför vill anbefalla alla Sveriges undersåtar i Guds beskärm; han hoppas få möta dem igen i den himmelska glädjen. Talet slutar med en rad välgångsönskningar till alla samhällsklasser. Rådsherrarna må aldrig lida brist på goda råd till fäderneslandets trygghet, adeln – genom vars protokoll talet har bevarats till eftervärlden – må sprida ny glans över de götiska fädernas berömliga namn samt vinna gods och gårdar, prästerna bör predika hörsamhet mot överheten, och de båda lägsta stånden tillönskas varjehanda materiell framgång. "Eder av borgerskapet vill jag ock hava önskat att edra små kåtor måge bliva store stenhus, edra små båtar store skepp och farkoster, och att oljan i edre krukor aldrig må tryte och felas. Den gemene man och allmogen vill jag ock hava önskat, att deras ängar må grönska, deras åkrar bära hundradefalt så att deras lador blive fulla, och att de i all ymnoghet måge tilltaga och växa till att med glädje och utan suckan kunna utgöre deras plikt och rättigheter."

När detta tal hölls låg flottan, sammanlagt ett hundratal fartyg, redan segelklar vid Älvsnabben med de svenska landstigningstrupperna ombord. Man hade envis motvind i fem veckor, men den 17 juni kunde man äntligen definitivt sticka till sjöss, och i kvällningen på midsommardagen ankrade man utanför Peenemünde på Usedom under dramatiska omständigheter, ty åskan gick, och längs hela kusten brann de tyska vårdkasarna som varnade för anfallet. Landstigningen ägde i alla fall rum utan svårigheter, och kungen föll omedelbart på knä på stranden och nedkallade Guds välsignelse över det förestående krigsföretaget.

I vad mån det var religionen som drev honom in i detta nya krig är, trots det stora materialet av rådsprotokoll, brev och andra vittnesbörd, en klassisk stridsfråga i svensk historieskrivning. För Anders Fryxell var han idel troshjälte, "född och uppfostrad i och till protestantiska lärornas försvar, hafvande från far och farfar ärft detta uppdrag. Det instämde med hans egen känsla, lifligt och varmt lågande för mensklighetens, ljusets och frihetens heliga sak". Denna 1800-talsretorik täcker väl ungefär vad folkskolebarnen i Sverige fick lära sig i ämnet ännu en god bit in på 1900-talet. Mindre naiv och skönare formulerad är Geijers uppfattning: "Lutherska teologer hafva velat göra honom till ett slags helgon i deras mening. Om han dertill hade för mycket af Caesar och Alexander (hvilka han beundrade), så måste man å andra sidan erkänna, att han var bättre än sina prester och i kristlig tålsamhet långt öfver sin tid. – Det finns ett *fjerran* i hela Gustaf Adolfs lefnad, som lättare låter sig kännas än beskrifvas. Det är den gränslösa blicken öfver verlden, som är alla eröfrare medfödd." Att de politiska skälen övervägde ansåg framför allt den tyske hävdatecknaren Gustaf Droysen, som på 1860-talet skrev en bok om Gustaf Adolf; han "påstår att de religiösa förhållandena för honom endast vore medel att uppnå de ändamål han eftersträvade". Liknande åsikter hyste vid samma tid skåningen Abraham Cronholm, författare till det tjockaste verk som någonsin har skrivits om denne konung, sex fullmatade volymer; han säger om sin hjälte att "den religiösa ödmjukheten stod tillsammans med kunglighetens stolthet och befallande skick i ord och hållning" och påpekar att "trosförvanternas politiska rättigheter voro för sjuttonde århundradet, hvad nationaliteternas anspråk äro för det nittonde århundradet". Mycket mera luthersk var C. T. Odhner, den store läroboksförfattaren vars åsikter har påverkat ett par generationer av svensk skolungdom; han menade att de religiösa och politiska frågorna var oskiljaktigt sammanvävda för Gustaf Adolf, som var "genomträngd av en utpräglad religiös övertygelse, av en äkta protestantisk troskraft". Ungefär samma mening förfäktar Nils Ahnlund, som i vårt århundrade torde vara den som mest har intresserat sig för ämnet; han talar om Gustaf Adolfs ljusa fromhetstyp och säger att hans politiska trygghetskrav, som kom honom att gripa till vapen, "hade en religiöst motiverad kärna av sällsynt fasthet". Mera okomplicerat uttrycker sig Carl Grimberg: "Det upphöjda i Gustaf Adolfs livsgärning ligger innerst däri, att han lät sina rika gåvor tjäna ett ädelt syfte: att rädda trosfrihet åt människor, som förtrycktes, eller som hotades av våldet."

De sista satserna kunde ha varit hämtade direkt ur 1630-talets svenska propaganda. Denna var, såsom Göran Rystad har visat, riklig och skicklig och sköttes på den inre fronten mest genom kyrkan, under det att man i Tyskland skickade ut en stor mängd trycksaker som framställde Gustaf Adolf som den evangeliska kristenhetens försvarare mot påven och hans anhang. På tyska spreds en del apokalyptiska skrifter om Lejonet från Norden, der Löwe aus der Mitternacht, som var kommet till de troendes räddning. Gustaf Adolf var redan från början av det tyska fälttåget omgiven av stor publicitet, och kejsar Ferdinand bör ha vetat bättre än att besvara budet om hans landstigning med orden: "Vi hafva åter fått oss en liten fiende på halsen." Det stod förr i alla svenska skolböcker att han sade så, vilket ingen människa tror numera.

Däremot är det sant och visst att kejsaren avskedade Wallenstein vid denna tid. Den mäktige fältherren avskyddes av de katolska kurfurstarna och störtades på deras tillskyndan, och att detta skedde nästan i samma ögonblick som Gustaf Adolf steg i land på Usedom är en ödesdiger slump. Den kejserliga hären smälte raskt samman; en del av dess herrelösa landsknektar gick rentav över i svensk tjänst. Gustaf Adolf kunde inte ha valt en lämpligare stund till att dra i fält mot kejsaren.

Från Stettin till Lützen

Öarna Rügen, Usedom och Wollin ockuperades utan nämnvärt motstånd, och konungen drog därpå till Stettin. En hertig som hette Bogislav regerade där, den siste av sin vendiska ätt; han var barnlös och omtalas alltid i hävderna såsom mycket gammal, fastän han bara var femtio år. Några medel att försvara sig hade han inte utan såg sig tvungen att släppa in svenskarna i staden, vilket mycket upprörde kurfursten av Brandenburg som var hans arvinge. Överhuvud taget hälsades den svenska frammarschen av Tysklands protestantiska furstar med föga glädje. Inte ens de landsflyktiga hertigarna av Mecklenburg, fördrivna av Wallenstein och rätt nära släkt med Gustaf Adolf, vågade öppet gå över till honom. De enda som gjorde det var hertigarna av Sachsen-Lauenburg, lantgreven av Hessen-Kassel och administratorn av det sekulariserade biskopsstiftet Magdeburg. Direkt avvisande ställde sig den lutherske kurfursten av Sachsen, som skyndade sig att organisera ett neutralt evangeliskt förbund och sade bestämt nej när Gustaf Adolf begärde genommarsch för att undsätta Magdeburg som raskt hade inneslutits av Tilly, vilken nu förde befälet över den kejserliga armén.

En katolsk bundsförvant vann svenskarna däremot. I Frankrike styrde kardinal Richelieu, som förde krig med huset Habsburg i Italien; han skickade nu en ambassadör till Gustaf Adolf och ingick med honom ett fördrag som fastslog att Frankrike skulle betala fyrahundratusen riksdaler om året i fem år mot att kungen höll en armé på trettiotusen man i Tyskland och lämnade den katolska kyrkan oantastad på erövrade orter. Avtalet träffades på nyåret 1631 i en brandenburgsk by vid namn Bärwalde. Några veckor senare intog svenskarna Frankfurt an der Oder, men den framgången överskuggades snart av en svår motgång i det att Tilly lyckades storma Magdeburg, som gick upp i lågor efter ett fruktansvärt blodbad; den av Gustaf Adolf ditsände kommendanten stupade också. Gustaf Adolf gjordes ansvarig för vad som skett, och att hans situation inte var avundsvärd framgår av hans brev till Axel Oxenstierna, vilka för övrigt mest handlar om hans ekonomiska bekymmer: "Så framt vi ännu icke bliva av Eder undsatte med samma post, då vete vi icke våre saker härtill att utföre, ty vi äre alldeles förblottade på penningar, ej heller hava våre ryttare i någre månader bekommit en penning, utan have uppehållit sig av rov."

Någon månad efter Magdeburgs fall såg han sig tvungen att marschera mot Berlin och med kanoner öva påtryckning på sin brandenburgske svåger, som tvangs till förbund. På dennes mark inrättade han därpå ett befäst läger vid Werben där Havel flyter ut i Elbe, och även därifrån avsändes en del nödrop till Oxenstierna om nödvändigheten av att ofördröjligen skicka pengar till de plundrande soldaternas avlöning. Ett angrepp av Tilly slogs tillbaka med stor förlust för denne, men pesten härjade i stället i lägret, och det betraktades som en synnerlig Guds nåd att den upphörde just under den starkaste sommarhettan. Emellertid fick konungen en del förstärkningar hemifrån, och i mitten av augusti kunde han lämna Werben och begav sig då till Sachsen, där kurfursten nu hade ändrat mening, ty Tilly vägrade att respektera hans neutralitet och hade härjande brutit in i hans land. I början av september slöt han förbund med Gustaf Adolf, varpå den förenade svensk-sachsiska hären marscherade mot Leipzig som nyss hade intagits av Tilly. I en fördelaktig ställning vid byn Breitenfeld någon mil därifrån väntade denne med trettiotvå tusen man på de anryckande styrkorna, som tillsammans räknade trettiotre tusen.

At slaget vid Breitenfeld, länge betraktat som höjdpunkten av Sveriges historia, ägnade Folkskolans Läsebok i sin första upplaga sex och en halv tättryckta sidor. Barnen i Oscar II:s tid kunde där inhämta icke blott att sachsarna flydde och svenskarna segrade, utan även hur terrängen såg ut, hur trupperna grupperades och vad alla överstarna hette. En del ståtliga repliker meddelades också. "Skjuten icke, gossar", sade konungen åt soldaterna, "förrän I sen hvitögat på fienden!" – "Låten Saxarne löpa", ropade Tilly, "och vändom oss mot Svenskarne!" – "För Guds skull, hugg in, Callenbach, hugg in!" ropade konungen, pekande på luckan, der fienden höll på att tränga igenom. Regementet störtade fram. Redan vid första mötet föll Callenbach genomborrad till marken; men hans ryttare fortsatte anfallet med lika ordning, med lika mod. "Försvaren er, gossar!" tillade konungen, i det han vände sin häst.

Det finns en annan kunglig replik, mindre ofta citerad men mera mänsklig, från det blodiga slagfältet vid Breitenfeld. När mörkret bröt in och striden var över ställde konungen upp sina överlevande och tackade dem för ett gott dagsverke, varpå han begav sig till ett marketenteri och fick sig en bit mat. "Jag tror inte att någon större tillfredsställelse kan finnas på jorden", anmärkte han mellan tuggorna, "än fältherrens efter en seger." Han hade onekligen anledning att vara belåten. Den fientliga hären var skingrad till större delen. "Fångar", skriver konungen några dagar senare i ett brev till Oxenstierna, "hafva vi fåt så månge, att vi deraf kunne både låta komplettera våre gamle och uppsätta nya regementen." Kejsarens militära makt var bruten, hela tyska riket låg för tillfället öppet för segrarna, och kurfursten av Sachsen kunde bryta in i Böhmen där han besatte Prag. Gustaf Adolf själv föredrog egendomligt nog att bege sig till Bayern och Rhenlandet.

Likt de flesta fältherrar i äldre tid visade Gustaf Adolf en påfallande likgiltighet för förbindelserna med sina baser, ty trupperna försörjdes ju ändå alltid med krigsskådeplatsernas resurser. Sydvästra Tyskland hade dittills varit oberört av kriget, och den svenska hären hade det bra där. I ett brev från diplomaten Adler Salvius finns en ofta citerad passus om deras leverne: "Våra Finnepojkar, som nu vänja sig i vinlandet däruppe, lära ej så snart komma till Savolax igen. I de lifländska krigen måste de ofta taga till godo med vatten och mögladt groft bröd till ölsoppa; nu gör Finnen kallskål i stormhatten med vin och semla." Emellertid uträttades militärt alltjämt ett och annat. I början av oktober överrumplades Würzburg där det ärkebiskopliga biblioteket togs i beslag och skickades till Uppsala. De fria riksstäderna Nürnberg och Frankfurt am Main öppnade godvilligt sina portar, och Mainz på västra Rhenstranden intogs efter en strid med några tusen man spanska trupper. Sitt högkvarter tog konungen i Frankfurt am Main, som under några vintermånader blev en medelpunkt för den europeiska storpolitiken. Axel Oxenstierna och även drottning Maria Eleonora mötte upp där. Ekonomien var nu jämförelsevis lysande, och armén ökades oavbrutet genom fortsatt värvning, så att konungen omkring nyåret 1632 förfogade över mer än åttiotusen man, vilket var en ofantlig krigsmakt då för tiden. Hans arméer var verksamma på många håll och hans officerare vann framgång och ära; sålunda gjorde Gustaf Horn diverse erövringar i Elsass vid Frankrikes gräns under det att Johan Banér besatte Magdeburg och Ake Tott tog Wismar, där den kejserliga flottan, fjorton skepp, föll i svenskarnas händer. Större delen av hären stod emellertid i Rhenlandet under konungens direkta befäl, och dennes planer och kombinationer inskränkte sig inte längre till den svenska östersjöpolitiken.

I Polen låg kung Sigismund för döden, och Gustaf Adolf ansåg det tydligen inte omöjligt att han kunde få efterträda sin papistiske kusin i dennes katolska rike. Han uppträdde nämligen som medtävlare till Sigismunds son Vladislav när polackerna gick till val inom kort. Framgången uteblev fullständigt; hans kandidatur och valpropaganda var icke blott onyttig utan även skadlig för hans rykte i Polen, och Vladislav utsågs enhälligt, vilket var någonting enastående i polska kungaval. Hur Gustaf Adolf hade tänkt sig den nya svenskpolska personalunionen är dessvärre fördolt för eftervärlden, men beträffande religionsfrågan föreligger ett slags besked; på invändningen att han ju var protestant svarades nämligen att enligt protestantisk lära borde ingångna avtal hållas och ingen tvingas i trossaker; man kunde därför hoppas på fullständig och obrottslig trosfrihet i Polen om Gustaf Adolf blev vald.

Gentemot katolicismen blev han obestridligen alltmera tolerant med åren. Hans första möte med den hade inte varit lovande; det var under friarresan 1620, då han betalade en dukat till en dominikanerbroder i Erfurt för att få tillstånd att osedd bevista mässan i klosterkyrkan, och en av hans reskamrater har vittnat om att han efteråt var mycket upprörd över vad han kallade offerprästernas hyss. Avtalet med kardinal Richelieu tio år senare markerade en sinnesändring. Vid det laget hade han hunnit få se många papister i både Polen och Tyskland, och han hade för övrigt inhämtat en del kunskap också om den grekisk-ortodoxa bekännelsen, ty genom Stolbovafreden hade han fått många ryska undersåtar vilka alltid behandlades med största varsamhet i det religiösa. Under det sydtyska fälttåget visades överallt stor tolerans mot katolikerna; invånarna i de erövrade städerna och stiften försäkrades omedelbart om trygghet för sin religion och sin egendom såsom utlovat var i avtalet med den franske kardinalen. Märkligare var att Gustaf Adolf på dessa orter lät ordna officiella hyllningar för sig och Sveriges krona, och inte alltid slogs det fast att det var frågan om en tillfällig suveränitet. I tryckta påbud till befolkningen uttrycker han sig ibland som markägare av Guds nåde: Unser Herzogthum Franken, Unsere Stadt Würzburg.

Det tycks vara rätt säkert att Gustaf Adolf vid denna tid hade planer på att bli tysk kejsare, stödd på ett förbund av rikets protestantiska stater. Det finns många uttalanden om detta, även av djupt initierade personer vilkas ord väger tungt; dit hör exempelvis diplomaten Adler Salvius. Vintern 1632 var han det på sätt och vis redan och omgav sig med ett lysande hov av tyska furstar och potentater, men de mest betydande av hans trosfränder var motvilliga bundsförvanter och gick i möjligaste mån sina egna vägar. Hans ställning var mindre stark än den såg ut, och hans habsburgske motståndare var redan på väg att hämta sig efter katastrofen vid Breitenfeld. Wallenstein hade på nytt tagits till nåder och var i färd med att organisera en ny stor här, vars första gärning blev att driva sachsarna ur Böhmen.

Detta skedde i april, och vid den tiden hade krigsrörelserna kommit igång också för svenskarnas del, ty i väster hade Tilly åter fått ihop en slagkraftig armé. Gustaf Adolf intog emellertid Nürnberg, gick över Donau och dess biflod Lech under en berömd batalj där Tilly stupade, samt gjorde ett magnifikt intåg i München. Han återställde vidare religionsfriheten i Augsburg, den protestantiska bekännelsens stad, där hans tyske hovpredikant Jakob Fabricius höll en dundrande predikan mot jesuiterna. Däremot lyckades han inte erövra Ingolstadt där den bayerske kurfursten låg med sin obesegrade här, och till dennes hjälp kom nu Wallenstein marscherande från Böhmen. Gustaf Adolf tvangs att hastigt dra sina trupper till Nürnberg som hotades av Magdeburgs öde. Även Wallenstein slog sig nu ner utanför Nürnberg vid en borgruin som kallades Alte Veste där han inrättade ett befäst läger, och från början av juli stod nu de båda härarna och bevakade varandra i nio veckor utan att någonting hände. I slutet av augusti gjorde Gustaf Adolf ett försök att storma Wallensteins läger men led svåra förluster, och i början av september lämnade han Nürnberg med sin här, som av strider och farsoter hade smält ihop till halva sin styrka. Den nyutnämn-

de generalen Lennart Torstenson, som med en avdelning infanteri be-
täckte återtåget, blev fången.

Efter denna framgång bröt även Wallenstein upp från Nürnberg och
brände sitt läger, där ohyra och sjukdomar också hade härjat svårt. Han
marscherade mot Sachsen, där Leipzig öppnade sina portar och landet
ockuperades ända till trakten av Elbe. Gustaf Adolf, som på nytt hade
ryckt in i Bayern efter att ha lämnat kvar en del av sin här för att trygga
erövringarna i Rhenlandet, blev nödsakad att åter dra norrut, och på
senhösten drabbade han samman med Wallensteins armé vid den
sachsiska staden Lützen. Slaget stod den 6 november, som alla skolbarn
och beväringar vet, och utgången avgjorde inte kriget, men konungen
själv stupade.

Berättelsen om Gustaf Adolfs död vid Lützen torde vara den mest
kända av alla bataljskildringar i Sveriges historia. Wallenstein hade nyss
skickat bort sin underbefälhavare Pappenheim med tolvtusen man mot
Halle, och det var vid underrättelsen om detta konungen beslöt att
angripa. Våta vägar och höstplöjda åkrar försenade emellertid an-
marschen, så att Wallenstein blev varnad i tid och hann skicka bud till
Pappenheim att återvända. När svenskarna kom fram till hans ställ-
ningar vid vägen mellan Leipzig och Lützen var det redan kväll, och
nästa morgon var det tät dimma som helt skymde sikten, varför an-
fallet måste uppskjutas ytterligare. Väntetiden fördrevs bland annat med
psalmsång; man sjöng enligt uppgift *Vår Gud är oss en väldig borg* och
senare den nyskrivna *Förfäras ej, du lilla hop*. När dimman lättade vid

Gustaf Adolfs död

elvatiden stod härarna plötsligt ansikte mot ansikte, och striden började omedelbart. Svenskarna lyckades ta sig över vägen med några infanteribrigader som emellertid led svåra förluster och ansattes av fientligt rytteri. Konungen, omgiven av ett antal tyska herrar, ställde sig då i spetsen för Smålands ryttare och satte över de breda vägdikena men fick omedelbart en muskötkula i armen och bad sitt sällskap att diskret föra honom ut ur striden. På återvägen mötte han emellertid strax fientligt kavalleri och fick en ny kula genom kroppen så att han inte längre kunde hålla sig kvar på hästen, som också hade blivit träffad; han släpades med en bit vid stigbygeln men kom sedan loss och blev liggande. Hans följeslagare blev nedhuggna eller förjagade med undantag endast av en tysk page som hette Leubelfing; denne, som också sårades svårt och dog några dagar senare av sina blessyrer, är huvudvittnet beträffande omständigheterna kring konungens död. Pagen försökte ge konungen sin häst men orkade inte lyfta honom upp i sadeln, och under dessa bemödanden angreps han av ett par fientliga ryttare som rände värjan genom Leubelfing och sköt konungen en kula genom huvudet. De drog därefter kläderna av dem och lämnade de nakna kropparna kvar på fältet. Konungen var som bekant klädd i ett älghudskyller som finns i behåll, återlämnat i våra dagar av österrikiska staten såsom gåva till Livrustkammaren i Stockholm.

Konungens död blev strax känd, ty man såg hans sårade häst springa omkring med sadeln tom och blodig. Befälet övertogs emellertid av hertig Bernhard av Weimar, och anfallet fortsatte, denna gång med framgång. Wallensteins armé var redan på väg att skingras när Pappenheim plötsligt anlände och kastade sig över svenskarna, vilkas manfall blev stort; sålunda föll halva det värvade livregementet, Gula brigaden, med Nils Brahe i spetsen. Samtidigt stupade emellertid också Pappenheim, och när hertig Bernhard satte in sin andra linje, som bestod av tyska trupper under befäl av en utmärkt officer som hette Kniephausen, drog sig Wallenstein tillbaka, men i god ordning. Slaget vid Lützen slutade oavgjort.

Hertig Bernhard, som i alla fall behöll slagfältet, skickade på kvällen ut en manstark skara folk att söka rätt på konungens lik. Det återfanns under högarna av fallna och fördes på en ammunitionsvagn till en by bakom fronten, men det var så vanställt av sår att det befanns nödvändigt att genast begrava en del av inälvorna i bykyrkan. Dagen därpå fördes återstoden till staden Weissenfels, där apotekaren balsamerade liket, ehuru konungen i livstiden hade uttalat sig mycket bestämt mot balsamering. Drottning Maria Eleonora som alltjämt befann sig i Tyskland skyndade genast dit och tog hand om hans hjärta som hon sedan bar med sig i en gulddosa. Hon följde sedan liket till Sverige via den pommerska hamnen Wolgast; sommaren 1633 hämtades det där av riksamiralen Carl Carlsson Gyllenhielm och överfördes till Nyköping, där det fick stanna nästan ett helt år innan gravkoret blev färdigt i Riddarholmskyrkan och begravningen äntligen kunde äga rum. På drottningens begäran uppsköts den nämligen gång på gång, och hennes makabra kult av sin makes kvarlevor vållade rådet en del bekymmer. I Nyköping, där hon bodde i ett rum som var helt överdraget med svart kläde och upplyst endast av vaxljus, lät hon ideligen öppna kistan för att betrakta liket, och ett slag fick hon för sig att det borde föras till Strömsholm där hon tänkte bygga ett mausoleum efter sitt sinne, ett projekt som det kostade myndigheterna mycken möda att avstyra. Dagen efter begravningen ville hon gå ner i gravkoret och öppna kistan igen, men när hon till den ändan begärde nyckeln av ståthållaren i Stockholm ansåg sig denne böra fråga rådet först, och rådet frågade i sin tur biskoparna, som avstyrkte. Hon förklarade då att hon tänkte besöka graven ändå, varvid rådet lät hälsa att det i så fall såg sig nödsakat att låta avvisa henne med våld vid kyrkdörren. Efter mycket parlamenterande – bland annat mobiliserades prästerskapet och avgav ett högtidligt betänkande emot de dödas betraktande och deras grifters öppnande – nödgades hon slutligen ge med sig, och man lyckades också förmå henne att lämna ifrån sig hjärtat, som därpå i all stillhet lades ner i konungens kista i Riddarholmskyrkan.

Axel Oxenstiernas regering

Budet om Gustaf II Adolfs död kom till Stockholm med ordinarie post den 8 december 1632, således mer än en månad efter slaget vid Lützen. Det hade gått rykten i staden om en stor svensk seger, och chocken blev desto större. "Senaten tillbrachte den dagen uthi grååt och klagan", meddelar rådsprotokollet. Innan herrarna upplöste sitt sammanträde hade de emellertid, berättar Per Brahe, fattat "ett fullhogsat råd att leva och dö med varandra för fäderneslandets värn, nytta och försvar."

Axel Oxenstierna, som befann sig i Frankfurt am Main och hade händerna fulla av utrikespolitiken, fick naturligtvis underrättelsen mycket tidigare. Den 14 november skrev han hem till rådet och uttryckte sin sorg, och någon vecka senare avsände han ett nytt brev som handlade om hur styrelsen nu borde ordnas, ty statsöverhuvudet var ju bara ett sex års barn. Konungen, sade han, hade långt före sin död befallt honom att koncipiera en regeringsform, men han hade inte fått mycken tid till detta och det hela hade dessutom varit honom *in privato* något farligt, efter det ett hett järn var att röra"; dock hade han utarbetat ett koncept borta i Preussen och visat detta för konungen, som hade gillat det i sak men inte hade hunnit underteckna det. Det gick ut på att "capita för de fem collegier" skulle ha hand om styrelsen. Nu skickade Oxenstierna inom kort hem ett utkast till en "Förordning på riksens stat och regering", vilken i princip antogs av en riksdag som rådet sammankallat; den hölls i februari 1633. Där hyllades också den lilla Kristina omedelbart såsom utkorad drottning, vilket skedde för att mota alla tronanspråk från kung Vladislav i Polen och även från pfalzgrevinnan Katarina, den döde konungens halvsyster, som hade manliga avkomlingar. Riksdagen beslöt vidare tilldela den bortgångne den postuma titeln Gustaf Adolf den andre och den store, vilket fick den oberäknade följden att en rysk ambassad som kom till Stockholm samma år inlade en allvarlig protest; ryssarna, alltid känsliga i titelfrågor, misstänkte väl att denna titulatur kunde överglänsa tsarens. De fastslog att den stred mot texten i gällande fredsfördrag.

Sommaren 1634 sammanträdde i Stockholm en ny riksdag, som blev synnerligen bullersam och ackompanjerades av slagsmål och anonyma smädelser, ty bönderna klagade högljutt över skatterna och kunde endast med största svårighet förmås att gå med på att de skulle bibehållas liksom i Gustaf Adolfs tid. Däremot gjorde de inga svårigheter när det gällde att få regeringsformen antagen. Denna, som är daterad i juli 1634, har varit av grundläggande betydelse in i våra dagar; den var nämligen inte blott en stadga beträffande statsskicket utan också ett reglemente för ämbetsverken och hela förvaltningen. Där stod att såväl kungen som undersåtarna skulle bekänna sig till den rena lutherska läran, att kungen vid sin sida skulle ha ett riksens råd på minst tjugofem personer, och att i detta skulle ingå fem höga riksämbetsmän med titlarna drots, marsk, amiral, kansler och skattmästare. Dessa skulle vara ordförande i var sitt kollegium, nämligen respektive hovrätten i Stockholm, krigskollegium, amiralitetskollegium, kanslikollegium och räknekammaren. Det skulle vidare finnas en riksmarskalk som förestod hovet, en rikstygmästare för artilleriet, en riksstallmästare för kronans stall och stuterier samt en riksjägmästare för kronoskogarna. Riket indelades i ett antal län eller hövdingadömen, av vilka tolv i det egentliga Sverige; beträffande deras gränser följde man huvudsakligen den gamla landskapsindelningen, men Västergötland klövs i två och Småland likaledes i två län, Närke och Värmland slogs ihop till ett län med residens i Örebro, och hela Norrland inklusive Lappland bildade ett län under en landshövding i Hudiksvall. Stockholms stad gjordes till överståthållarskap. Regeringsformen innehöll vidare bestämmelser om krigsmaktens och domstolsväsendets organisation – Göta hovrätt i Jönköping kom sålunda till nu. En viktig paragraf i regeringsformen gällde förstås arvsrätten till kronan, men den innehöll ingenting nytt; det fastslogs bara att vad som redan gällde skulle gälla.

1634 års regeringsform är helt och hållet Axel Oxenstiernas verk, och i själva verket var det han och hans familj som nu styrde Sverige. Av de fem höga riksämbetsmän som utgjorde förmyndarregeringen var tre Oxenstiernor, nämligen rikskanslern själv, hans bror Gabriel som var riksdrots och hans kusin Gabriel Bengtsson som var riksskattmästare.

De båda militärerna i sällskapet, riksmarsken Jakob De la Gardie och riksamiralen Carl Carlsson Gyllenhielm, utövade mindre inflytande, helst som de båda var skröpliga till hälsan. På det hela taget var endräkten stor i denna regering, och samarbetet var mestadels gott även med riksrådet, där förmyndarna hade säte och stämma bland idel högadliga släktingar och gelikar. Personliga spänningar förekom naturligtvis ändå; särskilt Per Brahe och Johan Skytte var ofta av annan mening än Oxenstiernorna. Vad den förre beträffar löstes svårigheterna snart genom att han gjordes till generalguvernör i Finland, där han fick handla på egen hand och gjorde en betydelsefull insats; ett ofta citerat uttalande av honom om den saken står inristat på hans staty i Abo: "Jag var med landet och landet var med mig väl tillfreds."

Höga poster att placera rådsherrar på saknades ju inte. Till generalguvernör över Livland och Ingermanland sattes en annan Oxenstierna, halvbror till riksskattmästaren och alltså kusin till Axel och Gabriel Gustafsson; han hette Bengt Bengtsson och är känd i historien som Resare-Bengt, ty han hade i sin ungdom besökt både Egypten, Armenien och Persien och lär ha kunnat tala turkiska och persiska förutom fem andra främmande språk.

Högsta befälet i Tyskland fördes av fältmarskalken Gustaf Horn som hade varit konungens närmaste man men också stod Oxenstiernorna nära; han var nämligen gift med en dotter till rikskanslern och hade med henne en liten flicka som hette Agneta, minnesvärd därför att hon har efterlämnat en självbiografi som intar ett framstående rum i det magra arvet av läsvärda ting från Sveriges stormaktstid.

Själv var Axel Oxenstierna alltjämt kvar i Tyskland, utrustad med utomordentliga befogenheter; ingen enskild svensk förr eller senare har haft en sådan makt. Han hade rätt att besluta om krig, fred och förbund utan att fråga någon till råds. Hans uppgift var emellertid ytterst svår, ty gentemot de tyska furstarna och generalerna ägde han ingen kunglighetens pondus utan var bara en vanlig friherre. Lyckligtvis höll sig Wallenstein overksam under den kritiska tiden närmast efter konungens död, och Axel Oxenstierna fick tid att förhandla och träffa sina mått och steg. Våren 1633 lyckades han samla de protestantiska furstarna och städerna i Sydtyskland till ett förbund för vilket han själv blev ledare med titeln "direktor för det evangeliska väsendet". Trupperna och fältherrarna var emellertid besvärliga och pockade på pengar och besittningar i de erövrade länderna, vilket måste beviljas i viss utsträckning; sålunda insattes hertig Bernhard av Weimar såsom länstagare i det nya hertigdömet Franken, varvid Axel Oxenstierna lär ha yttrat att det inte borde glömmas i historien att en tysk furste hade begärt en sådan sak av en svensk adelsman. Än större besvär vållade förhållandet till de protestantiska staterna i Nordtyskland, där Sachsen och Brandenburg ingick ett inbördes förbund och den pommerske hertigen otåligt protesterade mot den svenska ockupationen. Mindre bekymmer hade man för ögonblicket med kejsaren, ty denne hade kommit i konflikt med den alltid opålitlige Wallenstein.

En vinternatt 1634 mördades emellertid Wallenstein på kejserlig befallning i den böhmiska staden Eger, och under befäl av en son och namne till kejsaren blev hans armé åter en makt att räkna med i kriget mot svenskarna. Ärkehertig Ferdinand bröt med lysande framgång in i Bayern och erövrade raskt en rad orter. När han började belägra staden Nördlingen ryckte det evangeliska förbundets härar till dess undsättning, och operationerna ledde till ett fältslag vars utgång gav Axel Oxenstierna hans andra sömnlösa natt i livet. Enligt drottning Kristina, som på gamla dagar skrev ner en del minnen om den store mannen, brukade han säga att han varje kväll lade av sina bekymmer med kläderna och att hans goda nattsömn hade blivit störd endast två gånger, nämligen efter beskedet om konungens död vid Lützen och efter budet om nederlaget vid Nördlingen.

I svensk historieskrivning har alltid framhållits att inte ett enda svenskt regemente var med i detta slag, och skulden för utgången har kastats på hertig Bernhard av Weimar, som jämte Gustaf Horn hade överbefälet på den protestantiska sidan. Gustaf Horn – som även han tycks ha varit mera tysk än svensk; även till svenskar skrev han nämligen sina brev på tyska – blev fången i slaget men skickade från fängelset hem en skildring där det görs gällande att han hade velat undvika strid men tvingats in i det olyckliga slaget av den oförsiktige hertigen. Denna framställning godtogs helt av Axel Oxenstierna, för vilken det gällde att upprätthålla de svenska vapnens prestige bland bundsförvanterna i Tyskland, och en sentida historiker vid namn Göran Rystad har övertygande visat hur den svenska propagandan under trettioåriga kriget ivrigt spelade på den strängen. Det kunde behövas, ty nederlaget vid Nördlingen fick omedelbart katastrofala politiska följder, i det att praktiskt taget alla svenskarnas bundsförvanter avföll och slöt fred med kejsaren på de villkor som kunde fås. Sachsen trädde avgjort på kejsarens sida, och för att Brandenburg inte skulle gå samma väg måste Oxenstierna uttryckligen lova att Sverige inte skulle hindra kurfursten att ta det ockuperade Pommern i besittning när den gamle hertig Bogislav en gång gick hädan.

Till råga på hans bekymmer utgick också det sexåriga stilleståndet med Polen vid denna tid. Med stor möda fick man i Sverige ihop en liten armé att skicka till Preussen under befäl av riksmarsken själv, men en förhandlingsdelegation där Per Brahe och rikskanslerns son Johan var medlemmar anlände samtidigt till den västpreussiska byn Stuhmsdorf, där man under brandenburgsk, engelsk, fransk och holländsk bemedling fick till stånd ett avtal om stillestånd på tjugosex år av innehåll att de preussiska sjöstäderna och tullstationerna skulle återlämnas till Polen under det att Sverige fick behålla Livland. Axel Oxenstierna, som hade räknat med att evinnerligen få ha kvar vad som vunnits i Altmark, var ytterst upprörd och missnöjd med delegaternas eftergifter. Han talar i ett brev till sonen om deras "flepiga rådslag", och till sin bror riksdrotsen skrev han att han hisnade över villkoren.

Nederlaget vid Nördlingen inverkade också på förhållandet till Frankrike, vilket under de stora framgångarnas tid hade blivit allt mindre hjärtligt. En stor fransk ambassad kom samma höst via Köpenhamn till Stockholm med uppgift att bevara freden i Norden och hålla Sverige kvar i det tyska kriget. Ambassaden, som är minnesvärd därför att dess sekreterare, en klarögd latinpoet vid namn Charles Ogier, förde dagbok och skänkte eftervärlden en god källa till kunskap om livet i Sverige på 1630-talet, var egentligen mycket ovälkommen här, helst som ambassadören ägnade änkedrottning Maria Eleonora en uppseendeväckande hyllning, men ett närmande till det katolska Frankrike var ofrånkomligt inte desto mindre. Hertig Bernhard av Weimar hade gått i fransk tjänst, franska trupper besatte Elsass, och en del av det evangeliska förbundets stater slöt förbund med Frankrike, allt på bekostnad av Sverige, som måste ta konsekvenserna av denna förskjutning i maktbalansen. Den berömde holländske rättsfilosofen Hugo Grotius, som hade övertalats att gå i svensk tjänst, skickades som Sveriges sändebud till Paris, och våren 1635 reste Axel Oxenstierna själv dit i spetsen för en manstark ambassad för att personligen förhandla med kardinal

Richelieu. Efter ett par dagar av flitigt resonerande på latin kom de båda statsmännen fram till en överenskommelse som gick ut på att de båda länderna gemensamt skulle försvara de tyska staternas oavhängighet gentemot kejsaren, varjämte Frankrike skulle hålla Mainz, Worms och några andra orter åt Sverige samt lämna ekonomiska subsidier till ett belopp som skulle fastställas senare.

Svenskarnas ställning i Tyskland hade nu blivit mycket besynnerlig. Hemma i Sverige var man hjärtligt trött på kriget; det förekom sporadiska oroligheter och ett konstant knorr över de tunga pålagorna. I rådet lät Adler Salvius förstå att Oxenstiernas stolthet vore det egentliga hindret för en nödvändig fred, och denne uppmanades av sina kolleger att söka sådan till varje pris, vilket ledde till en del trevare och förhandlingar som ofelbart strandade på kravet att svenskarna skulle ge upp sina erövringar och upplösa sina arméer. Den sachsiske kurfursten hade i sin fred med kejsaren betingat sina förutvarande bundsförvanter en miljon riksdaler för deras krigskostnader på villkor att även de erkände freden och omedelbart drog bort från tysk mark; vägrade de skulle de fördrivas. När kriget blossade upp igen var det därför ett krig med det lutherska Sachsen, och våren 1636 kom en krigsförklaring även från det reformerta Brandenburg.

Banér och Torstenson

Svensk överbefälhavare i Tyskland efter den fångne Gustaf Horn var Johan Banér, svåger till Axel Oxenstierna men sällan överens med denne. Under den politiska oredan efter Nördlingenslaget lyckades han dra några tusen man av sin sönderfallande armé i säkerhet uppåt Östersjökusten, där han så småningom fick förstärkning av de svenska regementen som hade legat i det nu återlämnade Preussen. Vintern 1636 kunde han åter bryta in i Sachsen för ett hämndekrig, som Geijer uttrycker saken; det fördes med ohygglig förbittring och grymhet även gentemot civilbefolkningen. Generalmajoren Gustaf Björlin, som i början av detta århundrade skrev Johan Banérs biografi i tre stadiga volymer, säger inledningsvis att denne "obestridt och obestridligen af alla tiders sakkunniga på det militära området ansetts för den störste af våra okrönta hjältar", men läser man vidare i hans sakrika, väldokumenterade bok är det väl inte precis en stor man som man möter. En annan samtidig historiker som något sysslade med Banérs tid, uppsalaprofessorn Oscar Alin, har kort och populärt karakteriserat denne med fel och förtjänster. Han säger att Banér var "såsom fältherre utmärkt i synnerhet för rådighet i faran och af fienden fruktad för de snabba och oväntade rörelser, med hvilka han öfverraskade och gäckade sina motståndare. Ingen hade efter Gustaf Adolfs död hären så i sin makt som han. Men däruti var han den store konungen olik, att han lämnade sina soldaters roflystnad alltför fria tyglar. Hans fel som människa voro öfvermod och stark benägenhet för sinnliga njutningar."

Banérs tyska krigföring under 1630-talets återstående år utgör för lekmannabetraktaren en invecklad härva av marscher fram och tillbaka och kors och tvärs. Vid staden Wittstock i norra Brandenburg segrade han i augusti 1636 över en förenad kejserlig och sachsisk här, vilket hade stor psykologisk betydelse men knappast fick några politiska följder. Resten av året tillbragte han i Sachsen och Thüringen, där trupperna for fram som busar och banditer. På nyåret 1637 började han belägra Leipzig, men staden fick undsättning av mycket överlägsna arméer, och Banér inrättade sig då i ett befäst läger i Torgau vid Elbe, där han höll stora fientliga truppmassor bundna i fyra månader till outsägligt lidande för traktens befolkning. Därifrån drog han sig plötsligen tillbaka norrut; manövern, som i hävderna kallas hans "underliga retirade", innefattar den ryktbara episod då han instängd mellan Oder och polska gränsen lyckades lura fienden att dra bort sina styrkor från passagerna över floden och därpå raskt tog sig över med hela armén. En replik som han lär ha fällt om denna händelse har blivit bevingad genom Odhners historia: "De hade mig i säcken, men de glömde att knyta till den."

Genom detta återtåg lyckades han sålunda föra hären till Pommern utan nämnvärda förluster, men han kunde naturligtvis inte hindra fienden att följa efter och göra sig till herre över större delen av området. Med stor möda bet han sig emellertid fast i själva kustremsan, där han fick pengar och förstärkningar hemifrån, och när motståndarna efter något halvår måste dra bort från det utsugna landet som inte kunde försörja dem längre gick han på nytt till offensiv, trängde åter in i Thüringen och Sachsen, vann ett fältslag vid Chemnitz och bröt in i Böhmen, där han höll sig kvar hela år 1639 under härjningar, plundring och brandskattning. Följande vår förenade han sig i Erfurt med den forna weimarska hären som nu stod under franskt befäl, och i december 1640 gjorde han tillsammans med denna ett försök att överrumpla den tyska riksdagen, som med kejsaren och många furstar och potentater var samlad i Regensburg; kuppen misslyckades bland annat därför att det blev töväder så att den tillfrusna Donau gick upp igen. Banér drog då åter till Böhmen, och när de överlägsna kejserliga härarna marscherade upp mot honom där räddade han sig genom ett nytt mästerligt återtåg mot nordväst.

Vid det laget var den svenske fältherren ständigt vid dåligt lynne och stötte sig med nästan alla sina underordnade, och en dag fick han ett vredesutbrott som slutade med att han hostade blod, blev gul i hyn, hörde dåligt och blev allmänt omtöcknad. Nedbäddad i sin stora förgyllda kaross följde han därefter hären genom Sachsen, där horisonten ideligen skymdes av brandrök från gårdar och byar. Ett helt läkarkollegium tillkallades från olika större städer och behandlade den sjuke med lavemang, purgativ, bröstsaft, upplösta pärlor och bezoar, det sistnämnda ett motgift som framställdes av en sorts sten som lär finnas i magsäcken på asiatiska getter. En vacker aprildag blev han märkvärdigt nog bättre, kunde stiga upp ur sängen, ta emot audienssökande sändebud och officerare och även bege sig ut till armén, vilande i en mjuk *ryssebår* mellan två vackra och väl dresserade mulåsnor. Den färden blev emellertid hans sista i detta livet. Han dog i Halberstadt i maj 1641, och hans kista följde alltjämt hären när den sex veckor senare drabbade samman med en kejserlig styrka vid Wolfenbüttel i Braunschweig och slog tillbaka dess anfall. Snoilsky har skrivit en berömd dikt om det där.

I en ljus mellanstund under sin sista sjukdom skrev Johan Banér till Axel Oxenstierna och satte betyg på alla sina generaler. Stålhandske, skrev han, kan icke få fortfara i sin dåsighet; hans befäl bör övertas av Lennart Torstenson som inte längre bör få skylla på sin klena hälsa ty hans sjukdom plågade honom ju bara två, tre gånger om året. En duktig kavallerigeneral är von Pfuel, men han är nygift och torde vara betänkt på att dra sig tillbaka till fred och ro. Königsmarck är också en bra soldat men kan inte allt vad han borde kunna. Carl Gustaf Wrangel är en onyttig general; allt vad han tar sig till är lutter barnlek eller à la modeaffärer, och under sin vistelse i Frankrike har han utvecklats till en sprätt med sena morgonvanor; får han order att stiga upp ett par timmar före dager visar han sig tidigast framemot åtta. Den ende svensk som i denna mönstring fann nåd för Banér var sålunda Lennart Torstenson, vilken nyligen hade tagit avsked från krigstjänsten och sedan några veckor befann sig hemma i Sverige, där han ofördröjligen hade utnämnts till riksråd, ty han tillhörde trots sitt föga aristokratiska namn en av landets förnämsta ätter.

Axel Oxenstierna hade alltså inga avstånd att övervinna när han samma dag som beskedet om Banérs död kom till Stockholm vädjade till Lennart Torstenson på hela rådets vägnar att denne ville se mera till fäderneslandets nöd än sin egen sjuklighet och åta sig överbefälet. Lennart Torstenson betänkte sig i tre dagar och svarade sedan ja. Han utnämndes då på fläcken till fältmarskalk med sjuttontusen riksdalers lön och styresman över Pommern med ytterligare tolvtusen riksdaler samt utrustades med andra utomordentliga befogenheter; sålunda fick han rätt att avsätta och tillsätta överstar efter behag. Han försågs vidare med nära en kvarts miljon riksdaler att dela ut bland trupperna vid sin ankomst. Allt det här var färdigt på försommaren, men just då fick Torstenson en svår attack av sin fotgikt, en åkomma som han hade ådragit sig under krigsfångenskapen i Ingolstadt och som tidvis hindrade honom att gå. Först på höstkanten kunde han ge sig av till armén, som hade det lugnt för tillfället. Under vintern blev hans gikt allt värre och angrep även händerna, så att han inte kunde skriva. Plågorna minskade emellertid när det vårades igen, och i april 1642 marscherade Torstenson till det österrikiska Schlesien, vars starkaste fästning togs med storm i första anfallet och vars kejserliga försvarare blev slagna i grund vid en plats som heter Schweidnitz. Marschen gick därpå vidare till Mähren,

där fästningen Olmütz intogs inom kort; hundratjugofem stora vinfat fulla med böcker skickades därifrån hem till Sverige, och en livländsk adelsman placerades som svensk kommendant på fästningen och utövade ett skräckregemente ända till krigets slut. Hela Mähren plundrades nu, och vägen var inte längre så lång till Wien; kejsaren själv flyttade för säkerhets skull till Graz. Under sommaren försökte Torstenson ta en fästning som hette Brieg, men detta lyckades inte, och när det kom manstark undsättning från kejserligt håll såg han sig tvungen att upphäva belägringen. Med tvåhundra vagnslaster krigsbyte och tiotusen rövade kreatur i sin tross drog han sig tillbaka mot Pommern där han fick förstärkning med några tusen man som Carl Gustaf Wrangel hade varit och hämtat i Sverige. I augusti var han tillbaka i det ödelagda Schlesien och försökte ta sig in i Böhmen, men den kejserlige generalen Piccolomini var på sin vakt och stoppade alla sådana försök. Hären, som började lida brist på livsmedel, fördes då av Torstenson in i Sachsen, där han började belägra Leipzig, och Piccolomini tvingades att skynda till undsättning för denna viktiga ort. Resultatet av dessa rörelser blev ett stort fältslag som utkämpades vid byn Breitenfeld på nästan samma mark där det första och berömdare slaget vid Breitenfeld hade stått elva år tidigare. Den svenska segern blev övertygande även denna gång, men förlusterna var stora, och ingendera sidan hade krafter över till mera krigande det året. Det följande året, 1643, började däremot rätt illa för svenskarna. Torstenson, som hade fått gikt igen och måste låta sig bäras på bår, försökte i januariregnet ta en sachsisk fästning vid namn Freiberg vilket kostade nära tvåtusen man livet utan att någonting blev vunnet.

När det vårades på allvar tog sig Torstenson än en gång in i Mähren. Där hölls han hela sommaren under plundringar och skärmytslingar tills det i september månad plötsligen kom ett ilbud från Sverige. Han hette Törnsköld och kunde utantill ett viktigt budskap från Axel Oxenstierna.

Frälseköpen · Ridderskapet

Axel Oxenstierna hade lämnat Tyskland och rest hem till Stockholm redan i juni 1636; några preussiska hamnar att förvalta stod då inte till förfogande längre, och det evangeliska direktoratet var ävenledes ett avslutat kapitel. Ett ständernas utskott mötte honom i Stockholm och fick åhöra en redogörelse för kriget och det politiska läget men tillfrågades inte om någonting. I rådet förklarade han varför, ty han avrådde där "att man något skulle communicera med ständerna, förr än in senatu är resolveradt hvad raisonabelt och practicabelt är; ty att taga råd af dem som intet förstå saken är fåfängt och otryggt; först måste vi här hafva concluderat, och sedan se till att man kan vinna ständernas applausum". Efter denna regel regerade rikskanslern framdeles alltid, och vid de närmaste riksdagarna som sammankallades vart och vartannat år förekom ingen opposition trots skatterna och de ideliga soldatutskrivningarna. Först år 1642 fick missnöjet luft; då klagade bönderna nämligen högljutt över att regeringen sålde bort så mycket kronogods. Rikskanslern tillrättavisade ståndets representanter i barska ordalag, men under en högtidlig statsakt på rikssalen där han förestavade eden för en ny riksdrots – Per Brahe – och fyra nya riksråd fick bönderna tillfälle att ta

hämnd. Mitt under ceremonien kastade de nämligen med buller och bång ut en falsk bonde som hade smugit sig in bland riksdagsmännen med uppgift att tala väl om överheten.

Oppositionen mot godsavsöndringarna saknade inte fog. Kronogods hade oavbrutet donerats och bortförlänats till adeln ända sedan Erik XIV:s dagar; det var väl i själva verket nästan enda sättet för staten att betala för gjorda tjänster under naturahushållningens tid. Helt annan fart hade företeelsen emellertid tagit under Gustaf II Adolfs regering, då kronan ständigt behövde pengar och adeln tillväxte i antal och inflytande. Då blev det också allt vanligare med så kallade frälseköp, vilket innebar att adeln fick förvärva skattlagd jord och kronan sålunda avstod all sin framtida skatt mot en köpeskilling en gång för alla. Frälseköpen fortgick under förmyndarstyrelsens tid i ungefär samma takt som under Gustaf Adolfs, och även om donationerna för tillfället hade minskat något var det uppenbart att adelns ekonomiska maktställning ökade oavbrutet på ett sätt som var ägnat att oroa framför allt bönderna.

Vid 1638 års riksdag genomdrevs att man skulle bygga ett nytt riddarhus i Stockholm, och under de närmast följande åren kom man efter mycket käbbel överens om att det skulle ligga på udden mellan Norrström och Riddarholmskanalen på en tomt som erbjudits av Axel Oxenstierna. Det fanns andra tomter att välja på, nämligen en vid nuvarande Gustaf Adolfs torg och en annan vid Tyska kyrkan i vars grannskap adeln hade sammanträtt i eget hus sedan något årtionde. Vid den tiden hade ståndet nämligen fått fast organisation som politisk korporation genom en stadga som utfärdades sommaren 1626 av Gustaf Adolf; den kallades riddarhusordning och handlade om vem som hade säte och stämma i ståndet och hur dess överläggningar om beslut skulle gå till. Alla myndiga män av adeln hade rätt och skyldighet att bevista riksdagarna, men rösträtt hade bara en medlem av varje ätt, huvudmannen, och ståndet var delat i tre klasser. Den första av dessa utgjordes av grevar och friherrar, vilkas värdighet ju ingalunda var någon tom titel eftersom de var ett slags regerande furstar inom sina områden. Andra klassen som benämndes riddarklassen befolkades av ätter som härstammade från riksråd och alltså ävenledes var synnerligen nobla, under det att den tredje som hette svenneklassen omfattade all den övriga adeln. Eftersom man röstade klassvis hade högadeln alltid två tredjedels majoritet, trots att den var jämförelsevis fåtalig.

När riddarhusordningen utfärdades fanns det bara tre grevliga familjer i landet; ätterna Sture och Tre Rosor hade nämligen nyss utslocknat, och deras grevskap hade återgått till kronan. Kvar fanns ätterna Brahe, Leijonhufvud och De la Gardie, vilkas grevskap hette respektive Visingsborg, Raseborg och Läckö. Friherrskapen var något flera: Stenbockarna hade Öresten i Västergötland och Kronobäck i Småland, Carl Carlsson Gyllenhielm satt inne med det småländska Bergkvara, en Gyllenstierna regerade över Lundholmen i samma landskap, Ekholmen i Uppland lydde under familjen De la Gardie. Axel Oxenstiernas friherrskap låg i Finland och hette Kimito, och Johan Skytte hade hugnats med ett ingermanländskt område som hette Duderhoff. Gustaf II Adolf utdelade under återstoden av sin regering ytterligare två sådana domäner, av vilka bara Orreholmen i Västergötland, vars friherre hette Spens, låg i det egentliga Sverige. Förmyndarregeringen skapade däremot inga grevskap eller friherrskap, och de grevar och friherrar som redan fanns betydde därför så mycket mera.

Den besvärliga änkedrottningen

Några dagar efter Axel Oxenstiernas hemkomst till Sverige fattade rådet ett uppseendeväckande beslut. Det gällde den unga drottningen och hennes besynnerliga mamma. Man hade grundad anledning att tro att den sistnämnda inte var någon god uppfostrarinna, ty hennes sällsamma beteende före och efter Gustaf Adolfs begravning väckte farhågor, och man visste också att flickan kläddes i för trånga kläder, hölls inomhus i oeldade rum och fick för litet motion. Änkedrottningen hade vidare för vana att tala nedsättande om Sverige och allt svenskt, vilket antogs kunna inverka fördärvligt på landets blivande regent. Dessa saker hade diskuterats länge i rådet, som samfällt ansåg att den unga drottningen borde tas ifrån modern och uppfostras av någon annan, men helt naturligt drog man sig i det längsta för att allvarligt ta i tu med saken. Nu skred man äntligen till votering, ehuru Axel Oxenstierna fann det obehagligt för sin personliga del och gjorde en anmärkning till protokollet: "Bliffver nu resolverat till separationen, skall jagh fuller få den skulden på migh, att hvar jagh icke hade kommit heem, så hade detta icke så hastigt bliffvit stelt uthi effect. Och fast I gode Herrar ju så hårdt

453

driffva denne sack som jagh, skall lickväll jagh haffva skulden. – Men såsom jagh i mine tjenster aldrig haffver dragit sky för någon offense, när Konungens tjenst och fäderneslandzens välfärdh så fordra, så gjör jagh i detta fallet eij heller." Beslutet blev enhälligt – ett par rådsherrar var visserligen frånvarande – men man var också överens om att det borde verkställas med lämpor och inte med våld. Det bästa vore om man kunde övertala änkedrottningen att flytta till sitt underhållsområde, det så kallade livgedinget, vilket omfattade en betydande del av Mellansverige; dit hörde sålunda städerna Strängnäs, Mariefred, Torshälla och Gävle samt en hel rad slott, däribland Gripsholm, Tynnelsö, Strömsholm, Örbyhus och Eskilstuna hus.

Maria Eleonora blev helt naturligt djupt sårad över rådets beslut, men flyttningen till livgedinget genomfördes verkligen. Hennes dotter togs omhand av sin faster pfalzgrevinnan, och själv bosatte hon sig för framtiden på Gripsholm, där hon emellertid fortfor att vålla de styrande oändliga bekymmer, ty de såg alltid mycket allvarligt på hennes göranden och låtanden. Axel Oxenstierna har sagt, förmodligen med någon överdrift, att regeringen fick sätta till en tredjedel av veckan uteslutande för hennes angelägenheter. Mest gällde det hennes ekonomi, ty fast hon förfogade över alla ordinarie skattemedel från sextiofem socknar gick hennes hushåll aldrig ihop. Hon köpte juveler och delade ut presenter till höger och vänster, och Axel Oxenstierna fick själv resa till Gripsholm ett par gånger för att inspektera och gå igenom räkenskaperna.

Han hade även ett annat ärende, nämligen att såvitt möjligt sätta stopp för änkedrottningens förbindelser med främmande makter. Hon var ju syster till kurfursten av Brandenburg, med vilken Sverige befann sig i krig, och till honom skrev hon flitigt; men dessutom korresponderade hon med Kristian IV i Danmark som alltid misstroddes av svenska regeringen, och det kunde befaras att hon berättade ett och annat som dessa herrar inte borde veta om Sverige. Någon sorts censur av hennes brevskrivning infördes faktiskt, vilket naturligtvis irriterade henne yttermera. Hon började fundera på att lämna detta otrivsamma land och slå sig ner i Preussen där brodern styrde. Regeringen i Stockholm visste detta, och rikskanslern förde ämnet på tal vid ett av sina Gripsholmsbesök, varvid drottningen förklarade att hon helt enkelt måste resa, ty Sverige var mycket kallt och fullt av slemma berg. Axel Oxenstierna replikerade stött att Tyskland var lika kallt och hade ännu slemmare

454

berg, men änkedrottningen slog inte resan ur hågen för det och gav med sig först när det upplystes att hon i motsatt fall skulle bli av med sitt livgeding.

Sedan var det lugnt något år. På sensommaren 1638 fick den lilla drottning Kristina mässlingen, och rådet beslöt då att hennes mamma skulle få komma och hälsa på henne, men till dess förfäran befanns det att hon hade rest till Göteborg, och man trodde att hon var på väg till Danmark. En ämbetsman skickades hals över huvud iväg för att om möjligt föra henne tillbaka, något som lyckades bra; hon var kvar på svensk mark och följde utan svårigheter med honom mot Stockholm via Jönköping, varvid hon åt medhavda göteborgska ostron hela vägen. I Norrköping blev hon illamående vilket kom mycket lägligt, ty under uppehållet där träffade hon en dansk ambassadör som hette Gyldenlöve och sålunda var oäkta son till ingen mindre än kungen. Mötet förskräckte mycket de svenska myndigheterna, men änkedrottningen återkom i alla fall programenligt till sitt livgeding, vars dåliga affärer strax därpå reviderades ännu en gång av regeringen, som hade ideliga påhälsningar av hennes gråtande och klagande kreditorer.

I juli 1640 fick rådet oväntat veta att hon på nytt var försvunnen från Gripsholm, och denna gång hjälpte det inte att man skickade ut fem hovjunkare åt olika håll för att jaga upp henne. Inom kort uppdagades det att hon hade begett sig till Trosatrakten och gått ombord på ett danskt fartyg i Sävsundet. Från Gripsholm hade hon gett sig av genom en täckt gång som hon hade låtit göra från ett av rummen åt trädgårdssidan, och att hennes försvinnande inte hade upptäckts omedelbart berodde på att hon på sista tiden hade infört en tre dagars fasta då hon stängde in sig på sina rum medan hovpredikanten fick hålla bön utanför den låsta dörren. Hon hade rest förklädd till enleverad borgmästardotter, och en karl i hennes tjänst hade fått spela enleverarens roll.

Skeppet i Sävsundet lättade genast ankar och gick till Gotland, där den danske ståthållaren tog emot flyktingen med salut och stora hedersbetygelser, varefter hon fortsatte sin resa med ett danskt örlogsfartyg som gick till Fehmern. Där hämtades hon av ett handelsskepp som hon själv hade hyrt och begav sig till det danska Falster. Kung Kristian blev mycket ond när han fick veta detta, ty han hade bara velat hjälpa henne hem till Tyskland och hade inte alls tänkt reta svenskarna ytterligare genom att hysa henne i sitt rike. Avvisa henne kunde han emellertid knappast, och den danske tronföljaren prins Kristian som residerade i Nykøbing på Falster tog därför emot henne, under det att kurfursten av Brandenburg belåtet gnuggade händerna, ty han ville inte alls ha hem sin syster. I Nyköbing trivdes hon dock inte utan reste till Gottorp, varifrån hon skrev till sin dotter i Sverige och berömde den holsteinske hertigens gästfrihet. När kung Kristian genom diplomatiska kanaler fick veta detta blev han förnärmad över att hon inte hade berömt honom också och beslöt därför att formligen inbjuda henne till sig. Hon kom villigt och låg honom sedan till last i ett par år.

I Stockholm var man naturligtvis mycket förtörnad över änkedrottningens rymning och i all synnerhet över kung Kristians åtgöranden i denna sak. Några månader efter hennes försvinnande beslöt svenska riksdagen att livgedinget skulle dras in till kronan. Inget som helst understöd tänkte man ge henne så länge hon vistades i Danmark; bosatte hon sig däremot i Preussen eller Brandenburg så kunde man resonera om saken, eftersom hon dock var den unga drottningens moder och själv hade varit en krönt drottning av Sverige. Kung Kristian som officiellt underrättades om detta blev mycket förbittrad över svenskarnas misstroendevotum, ty hans land hade dock fred med Sverige i motsats till Preussen eller Brandenburg. Maria Eleonora stod honom emellertid dyrt, så han skrev trots allt till kurfursten av Brandenburg – hennes brorson, ty hennes bror hade nyligen dött – och föreslog att hon skulle flytta dit. Händelsevis undertecknades i samma veva ett fördrag om stillestånd i kriget mellan Sverige och Brandenburg, och därmed blev det möjligt för de båda länderna att förhandla direkt om underhållet, varvid man snart kom överens om en summa. Efter ytterligare en del parlamenterande mellan kurfursten och Maria Eleonora – hon var nämligen inte alls nöjd med hans dispositioner – lämnade hon dansk mark på högsommaren 1643 för att slå sig ned i Insterburg i Preussen.

Vid det laget hade det svenska riksrådet redan beslutat börja krig med Danmark med motivering bland annat att dess konung hade lockat änkedrottningen ur landet.

Kung Kristians delaktighet i Maria Eleonoras rymning var naturligtvis inte någon huvudanledning till detta krig. 1637, när den siste hertigen av Pommern nyss hade dött och det var risk för att Sverige skulle ta hand om landet, skickades ett par danska legater till kejsaren med anbud om allians på vissa villkor, och när detta gick i stöpet tog kung Kristian itu med att försöka medla i det tyska kriget för att i möjligaste mån hejda den svenska expansionen. Att hans politik i allo gick ut på att hålla Sverige stången var uppenbart och förnekades knappast heller. Efter Nördlingenslaget, när svenskarnas bekymmer i Tyskland var som störst, förbjöds alla transporter av krigsmateriel genom Öresund utom efter särskilt tillstånd, och under de följande åren höjdes dessutom öresundstullen våldsamt ett par gånger, vilket närmast drabbade holländarna men indirekt skadade Sverige, som visserligen åtnjöt tullfrihet för sina egna skepp men vars utrikeshandel genom Louis De Geers åtgöranden till mycket stor del var inriktad på Holland. Fartyg från Estland och Livland inbegreps inte heller i den svenska tullfriheten, vilket föranledde ständiga klagomål och protester.

En viktigare krigsorsak än dessa missnöjen utgjorde säkert den politiska konjunkturen i Västeuropa. Svenska regeringen, som hade Kalmar-kriget i gott minne, hade alltid betraktat Danmark som en latent fiende, erövringarna på andra sidan Östersjön hade förändrat maktbalansen i Norden till Sveriges förmån, tanken på landvinster även på närmare håll låg nära tillhands, och Danmark stod för ögonblicket utan bundsförvanter. Landet var visserligen sedan några år allierat med England, men där rasade just nu den cromwellska revolutionen som kostade Karl I livet. Engelsmännens holländska medtävlare försatt inte det tillfället. En holländsk ambassad kom till Stockholm och avslöt i hemlighet ett förbund mot Danmark, och från den stunden var det bara en tidsfråga när kriget skulle komma.

Våren 1643 bevistade den sjuttonåriga drottning Kristina för första gången i sitt liv ett rådssammanträde och fick höra sina förmyndare lägga ut texten. De diskuterade först de eventuella riskerna av kriget, hoppades kunna hindra att polske kungen kom Danmark till hjälp och beslöt skicka en ståtlig ambassad till Ryssland "för att uppvärma vänskapen". De kom vidare överens om att något av Danmarks välbelägna landskap vore ett värdefullare förvärv än någon landvinning i Tyskland, för det fall att man inte skulle orka fullfölja båda krigen. Därefter fattades enhälligt det formella beslutet att angripa Danmark, varvid huvudangreppet skulle komma söderifrån. Oförrätterna i öresundstullen skulle man tåligt lida tills vidare och klaga endast i undfallande ordalag för att invagga danskarna i säkerhet. I största hemlighet skulle man dra ihop trupper och förråd samt låta Torstenson under varjehanda förevändningar maka sig norrut för att oväntat och utan krigsförklaring bryta in i Holstein och Jylland. Skulle detta misslyckas kunde svenska regeringen förneka all kännedom om hans tilltag och bevara freden, men i motsatt fall skulle en svensk armé strax falla in i Skåne.

I överensstämmelse med detta beslut satte rikskanslern upp brevet till Lennart Torstenson, vilket kuriren Törnsköld fick lära sig utantill och överbringa muntligen till adressaten nere i Mähren.

1644 års krig

Under varjehanda förevändningar marscherade Torstenson i sicksack genom östra och norra Tyskland från Donaus stränder till Danmarks gräns. Kung Kristian satt på Frederiksborgs slott och beredde sig att fira jul när han plötsligt fick besked om att svenskarna hade fallit in i Holstein; han var alldeles oförberedd på denna möjlighet, och försvaret var desorganiserat och svagt. Utan svårighet tog Torstenson hela Holstein med undantag av någon fästning, och på nyåret tågade han vidare; något motstånd att tala om förekom inte, och före januari månads utgång var hela Jylland i hans hand. Vintern 1644 var dock en mild vinter, Bälten var praktiskt taget isfria och de danska öarna låg oåtkomliga. Torstenson lät därför armén gå i vinterläger på det ockuperade Jylland i väntan på resultatet av krigsrörelserna på andra håll.

I februari bröt tiotusen man svenska trupper in i Skåne genom bråtarna som spärrade vägen vid Fagerhult och Örkelljunga. Företaget, som brukar kallas Horns krig efter Gustaf Horn, vilken nyss hade kommit hem från den tyska fångenskapen och nu förde befälet på denna front, lyckades mycket bra; Hälsingborg och Lund besattes genast utan motstånd, och inom kort föll även det befästa Landskrona. Laholms slott intogs också, men Malmö och Kristianstad stod sig, och den danske befälhavaren Ebbe Ulfeld organiserade efterhand en del irreguljära förband som förorsakade svenskarna mycket besvär; skärmytslingar med dem förekom till exempel vid Svedala och även i det småländska Markaryd, där en sådan skara en gång plundrade kyrkan och ett förrådshus. De skånska partisanerna kallas som bekant snapphanar, en glosa som torde ha använts för första gången under Horns krig; ordet är egentligen tyskt, schnapphahn, men har förmodligen likafullt att göra med svenska verb som snappa upp och snappa bort.

Med Malmöhus och de fientliga strövkårerna i ryggen vågade Horn inte försöka gå över till Själland, vilket han egentligen hade tänkt. Den svenska armén fick det rätt besvärligt ibland med sin hälsa och försörjning, men de civila skåningarnas lidanden var säkert mycket större. En julidag när malmöborna som vanligt hade drivit sin boskap på bete kom

en svensk trupp och lade sig till med femhundra kreatur, och när borgarna några dagar senare gick ut för att bärga rågen på sina fält kom en ryttarskvadron och tog ifrån dem hela skörden, hundra lass. De beslagtog vidare all säd och allt mjöl i de kringliggande kvarnarna, som därpå stacks i brand. Överhuvudtaget var härjningarna svåra under Horns krig, som efterlämnade bittra minnen i Skåne för århundraden framåt. Nästan alla landskapets slott och herresäten plundrades och brandskattades sålunda.

Även andra landskap som nu är svenska berördes av kriget. Som ståthållare i Norge satt Hannibal Sehested, svärson till kung Kristian och en begåvad och energisk man som har spelat en viktig roll i Norges historia; han ordnade dess förvaltning, införde dess postväsen och verkade överhuvud taget för större självständighet åt det efterblivna landet. Över gränsen mot Sverige organiserade han nu en del militära företag som i sak var av ringa betydelse men kan ha intresse ur hembygdssynpunkt; kriget, som berörde alla gränslandskapen från Jämtland till Västergötland, kallas i hävderna Hannibalsfejden till hans ära. Svenska regeringen hade knappast skickat några trupper alls åt detta väderstreck utan hade tvärtom tänkt sig att söka vinna norrmännens sympatier i kriget mot danskarna. Ett brev utfärdades sålunda genast till jämtarna som uppmanades att förena sig med Sverige i stället för att vara Danmarks trälar, och strax därefter kom en svensk trupp på bara några hundra man marscherande från Medelpad och tog utan hinder hela landskapet i besittning samt lät befolkningen svära trohetsed till drottning Kristina. Det lilla norska försvarsuppbådet och nästan alla landskapets präster drog sig under tiden tillbaka till Tröndelagen, men några månader senare kom de igen och tog med största lätthet tillbaka Jämtland, vars svenske kommendant som hette Johan Strijk slutligen måste kapitulera på Frösön. Bestående resultat gav det svenska propagandafälttåget endast i Dalasocknarna Särna och Idre, som av ålder hade räknats till Norge. Ett litet uppbåd av morakarlar under ledning av prästen Daniel Buschovius drog en vacker dag upp till Särnadalen för att enligt sin fullmakt "erbjuda gudstjänst, lag och rätt lika med Sveriges andra invånare, men om detta ej antoges, att hemsöka dem med eld och svärd". Särnaborna valde utan betänkande det första alternativet, varpå Daniel Buschovius omedelbart utlyste gudstjänst och predikade, vigde, döpte och gav hela menigheten nattvarden, säger Anders Fryxell. "Några bland de till dop framförda barnen voro så gamla, att de under döpelsen fattade handboken och sönderrefvo flera blad."

Verkliga strider under Hannibalfejden förekom egentligen bara i Värmland och Västergötland. I det förstnämnda landskapet drevs den svenska gränsvakten bort vid Eda, varefter flera härader utsattes för plundring och skövling. Själv gick Hannibal Sehested från det norska Bohuslän till Vänersborg som var alldeles nyanlagt; invånarna i den äldre västgötastaden Brätte, som låg vid innersta ändan av den nu uppgrundade Vassbotten, hade nämligen året förut befallts att flytta och byta namn på sin stad, och de fick nu sina nybyggen nedbrända. En svensk trupp som hade tänkt undsätta Vänersborg men kom för sent skyndade i stället in i Bohuslän och tog hämnd genom att bränna ner Uddevalla. Ett ännu svårare öde drabbade det urgamla Lödöse vid Göta älv, dit en skara norska knektar seglade upp de två milen från Bohus med skeppet Kålpottan och anställde sådan ödeläggelse att staden aldrig återuppstod mer; svenska regeringen, som länge hade tittat snett på Lödöse, kunde nämligen nu med gott samvete dra in dess stadsrättigheter och befalla dess borgare att slå sig ner annorstädes, helst i Göteborg.

Det sistnämnda, alltjämt den enda svenska hamnen i väster, berördes naturligtvis också mera direkt av kriget. Våren 1644, när Horn stod vid Öresund och Torstenson behärskade hela Jylland, gick kung Kristian själv till Hisingen med elva skepp samtidigt som Ebbe Ulfeld kom från Halland och Hannibal Sehested från Bohuslän med var sin styrka. Göteborg blockerades och uppfordrades att ge sig, men kommendanten kunde utan risk svara nej i ett hövligt och ståtligt brev, ty han visste att en holländsk eskader snart skulle komma till undsättning.

Holländarna hade inte direkt velat gå med i kriget, men de tillät att Louis De Geer för egna medel och i eget namn hyrde och bemannade en örlogsflotta i Holland. Dess skepp var förstås egentligen avsedda för handel, men skillnaden var i dåtidens sjöfart inte så stor; även handelsfartyg förde ju kanoner. Under befäl av en amiral som hette Thijssen seglade den norrut, och vid underrättelsen om detta såg sig kung Kristian nödsakad att omedelbart lämna det belägrade Göteborg. Han mötte De Geers flotta utanför slesvigska kusten och hade lyckan med sig för en gångs skull; efter ett par drabbningar måste holländarna vända tillbaka hem med de skepp de hade i behåll. Samtidigt hade emellertid den svenska huvudflottan löpt ut från Älvsnabben med fyrtiosex skepp, och medan kung Kristian ännu var kvar i Nordsjön gjorde den ett par försök att erövra något brohuvud på Själland dit Horns trupper kunde sättas över från Skåne. Man kände sig för vid Dragör och Kjöge, men båda hamnarna befanns förberedda och väl försvarade, och Claes Fleming som förde befälet seglade därför i stället ner till Sönderjyllands kust och tog kontakt med Torstenson. Tillsammans planerade de redan en landstigning på Fyn då det meddelades att kung Kristian var i antågande, och en julimorgon fick denne utanför Gjedser känning med svenskarna och gick genast till attack.

Slaget stod mellan ön Fehmern och holsteinska kusten i ett farvatten som heter Kolberger Heide, och det är om denna batalj som första versen av den danska kungssången handlar. Kong Christian stod ved højen Mast ombord på amiralsskeppet Trefoldigheden när en svensk kula splittrades mot en av skeppets kanoner och dödade en hovjunkare som drog med sig kungen i sitt fall, och när denne åter reste sig under hurtiga tillrop höll han näsduken för högra ögat och blödde våldsamt, ty han hade träffats av träsplitter i ansiktet och även på kroppen. Hans genomskjutna mössa och blodiga näsduk finns alltjämt att betrakta på Rosenborgs slott i Köpenhamn för hugade museibesökare, ty hans själsstyrka vid detta tillfälle har alltid varit berömd i Danmark; han lär också efteråt ha burit sina smärtor med stor heroism. Bortsett från episoden med kung Kristian som för alltid miste synen på sitt öga är slaget på Kolberger Heide emellertid inte särskilt minnesvärt; inga skepp tycks ha gått förlorade för någondera parten. "Mörkret skilde de stridande, hvilka båda tillskrefvo sig segern", säger Odhner med en bevingad mening om utgången.

Svenska flottan gick efter drabbningen in i Kielfjorden, där den sedan hölls inspärrad i tre veckor av motvind under det att danskarna vaktade utloppet. En vacker dag stupade Claes Fleming för en kula från ett strandbatteri och efterträddes i befälet av Carl Gustaf Wrangel, som egentligen var infanterigeneral men visade sig kunna föra krig även till sjöss. I början av augusti fick flottan äntligen vinden från rätt väderstreck och tog sig då ut ur fjorden förbi de danska skeppen; den gamle danske amiralen Peder Galt kom sig nämligen inte för med att genast gå till angrepp. Missgreppet kostade honom livet; han ställdes inom kort inför danska rådets domstol som nödgades döma honom till döden, och kung Kristian avvisade bryskt domarnas begäran om nåd och lät strax utföra exekutionen. Den svenska flottan hade under tiden begett sig hem till Stockholms skärgård, ty några möjligheter att föra över Torstenson till de danska öarna förelåg inte längre. Denne hotades av en kejserlig här i sin rygg, och mot slutet av sommaren marscherade han fördenskull plötsligt tillbaka till Tyskland och lämnade Jylland i danskarnas händer för en tid, men han hade lämnat kvar besättningar på alla fasta platser, och svenskarna mötte inga svårigheter när de någon månad senare kom tillbaka till halvön med en annan armé.

Långt dessförinnan hade den blesserade kung Kristian begett sig hem till Köpenhamn. På vägen dit mötte han till sin förvåning en främmande flotta mittför Dragör; den räknade tjugotvå holländska skepp under befäl av samme Thijssen som han i våras hade jagat tillbaka till Holland. Flottan hade oantastad tagit sig förbi Kronborg, som alltså inte behärskade Öresund längre, och kung Kristian lyckades inte heller hejda den, utan Thijssen seglade direkt till Kalmar och reste därifrån vidare till Stockholm, där han mottogs med glädje och stor heder, behängdes med en guldkedja, tillförsäkrades ett årsunderhåll på femhundra riksdaler samt mottog svenskt adelskap under namnet Anckarhielm. Den svenska flottan som skulle ha lagts upp för säsongen utrustades igen och skickades att förena sig med Thijssens förhyrda eskader i Kalmar. Den möjligheten hade danskarna inte tänkt sig, ty det var redan sent på året, och själva hade de nu bara sjutton örlogsfartyg i sjön. Dem mötte den förenade svensk-holländska flottan i sundet mellan Fehmern och Lolland och sänkte, brände eller erövrade alla utom två, som flydde hem till Köpenhamn och bar bud om katastrofen. Kung Kristian själv nåddes av budskapet i Skåne, dit han på sensommaren hade gått över med sex tusen man och skärmytslat en del med Horn utan nämnvärt resultat; han skyndade nu hals över huvud hem till Själland med en fiskebåt från Råå.

Danska flottans undergång ledde till fredsförhandlingar på initiativ av ett par utländska makter, Frankrike och Nederländerna, som naturligtvis inte önskade att Danmark helt skulle krossas. Trevarna om förlikning mottogs mycket väl i både Danmark och Sverige, ty även segraren hade bekymmer och hade svårt för att fullfölja sin seger. Under bemedling av den franske gesanten Cognet de la Thuillerie enades man om ett fredsmöte som kom till stånd i februari 1645 på den gamla svensk-danska mötesplatsen Brömsebro.

De la Thuillerie, som tycks ha varit en vis man, föreslog omedelbart att fredsombuden borde undvika att träffas personligen vid Brömsebro för att inte omedelbart råka i gräl, ett förslag som strax antogs av parterna. Fredsombud från svensk sida var Axel Oxenstierna och tre riksråd till, vilka slog sig ner i Söderåkra prästgård i vars trånga krypin de levde ett liv i prakt och glans; fyrahundra tunnor spannmål, tjugofyra åmar gott rhenvin, tre pipor spanskt vin, åtta oxhuvud blankt franskt vin och en massa konfekt skickades nämligen ner till dem från Stockholm, och de åt på salig kung Karls fyrkantiga servis för att alltid ha i åminnelse den orätt som jutarna hade tillfogat dem i Kalmarkriget. Louis De Geer, som ville bevaka sina handelsintressen, samt en av de holländska medlarna bodde hos dem i Söderåkra, medan de övriga holländarna samt de la Thuillerie tog kvarter hos danskarna i Kristianopel. Huvudförhandlare för Danmark var rikshovmästaren Corfitz Ulfeld och rikskanslern Christen Sehested, av vilka den förstnämnde var svärson till kungen och en egensinnig aristokrat som bar en dryg del av ansvaret för Danmarks politiska kurs i det förgångna men nu hade slagit om och arbetade på att få till stånd ett gott förhållande till Frankrike och Nederländerna. Vid själva Brömsebro vistades ingen, utan de la Thuillerie reste ideligen av och an mellan Kristianopel och Söderåkra med sina budskap och förslag.

Man började med att gräla om dagordningen, ty svenskarna ville först ta itu med frågan om öresundstullen medan de danska förhandlarna hade instruerats att begära krigsskadestånd och utrymning av alla ockuperade danska områden innan man alls ville tala om annat. Att förhandlingarna inte omedelbart sprack berodde på att Danmarks ställning raskt försämrades genom den militära utvecklingen i Tyskland. I slutet av föregående år hade Torstenson slagit en kejserlig armé sönder och samman vid en plats som hette Jüterbock. Han marscherade därpå direkt mot kejsarens arvländer medan en sidohär under Hans Kristoffer von Königsmarck ockuperade ärkebiskopsstiftet Bremen som kung Kristian länge hade varit så intresserad av. I februari 1645 vann Torstenson en ny och avgörande seger vid en böhmisk ort vid namn Jankowitz över kejsarens sista armé; kanondundret därifrån hördes till Prag som nu var hotat, och vägen tycktes ligga öppen också till Wien.

Besked om detta nådde fram till Brömsebro i mars och tvang danskarna att ge med sig. Man började sålunda förhandla om öresundstullen, där svenskarna krävde en frihet så fullständig att de hade svårt att finna ord; de förklarade sig vilja åtnjuta den "oturberad, ocircumscriberad, olimiterad, obesvärad, ohindrad, ouppehållen". Med holländarnas stöd genomdrevs också detta krav, varefter man kunde gå över till än svårare frågor. Gentemot det danska kravet på krigsskadeersättning lät Oxenstierna förstå att det tvärtom var Sverige som borde ha sådan och krävde därför att danskarna skulle avträda Bremen, Pinneberg i Holstein, Vendsyssel på Jylland, Skåne, Halland och Blekinge. Medlarna trodde inte sina öron, och det blev ett långt avbrott i förhandlingarna, men under tiden svängde holländarna över till den svenska ståndpunkten och övergick öppet från medlare till bundsförvanter, varigenom danskarnas ställning blev hopplös. De erbjöd sig att börja med att avstå Jämtland, men Oxenstierna förklarade sig sätta föga värde på detta "med klippor och träsk fyllda landskap" och krävde mer. Danskarna sade sig då kunna avträda Ösel också, och kort därefter ökade de på budet med Halland, varvid Oxenstierna sade att han hellre ville ha Bohuslän. Efter en del parlamenterande om detta föreslog danskarna Gotland i stället för Halland, och slutet på den visan blev att Sverige skulle få båda landskapen men det sistnämnda bara på ungefär tjugofem år. Svenskarna fordrade emellertid Blekinge också men förmåddes omsider att i stället nöja sig med Härjedalen. Om Skåne talade man inte längre, ty den unga drottning Kristina som just hade blivit myndig hade på många herrars inrådan varnat rikskanslern för att spänna bågen för högt. Kriget hade inte gått så bra som man hoppats denna sommar, ty svenska flottan hade kommit sent i sjön och Horn hade inte lyckats ta Malmö.

Kung Kristian, som nyss hade stått på Kronborgs bastioner och med sorg i hjärtat sett hur en holländsk örlogsflotta och trehundra handelsfartyg passerade förbi utan att hälsa eller betala tull, blev inte desto mindre ursinnig när han fick se fredsförslaget från Brömsebro. Han ville hellre fortsätta kriget, och vid en riksdag som sammankallades i Köpenhamn fick han delvis medhåll av präster och borgare, men adeln och riksrådet rådde bestämt till fred på de villkor som kunde fås. Han såg sig därför nödsakad att skriva under fredsvillkoren till slut, varpå han kastade dokumentet över bordet till Corfitz Ulfeld med ett ilsket rop: "Der har du dem, saaledes som du har lavet dem!"

Freden kom alltså till stånd. En augustidag samlades fredsdelegaterna i några tält som hade slagits upp på ömse sidor om bäcken vid Brömsebro, och de la Thuillerie red mellan de båda delegationerna och överlämnade de båda exemplaren av fredstraktaten för undertecknande. Han tog därefter plats på holmen i bäcken, varpå en svensk och en dansk sekreterare i noga avpassad marsch kom från var sitt håll och lämnade över de båda dokumenten till honom. Han tog den svenska traktaten i höger hand och flyttade över den till den vänstra, tog därpå den danska i höger hand, lade händerna i kors och återlämnade på detta invecklade sätt de båda utbytta exemplaren till sekreterarna under trumpetfanfarer. Fredsdelegaterna marscherade därefter högtidligen ut ur sina tält och tågade ut på holmen till ceremoniella tal och handskakningar, varpå de återvände till tälten igen. Bondfolk från Småland och Blekinge sjöng och dansade sedan kvällen lång till ära för freden i Brömsebro, där Sverige hade vunnit Jämtland och Härjedalen, Gotland, Ösel och Halland på trettio år samt fullständig tullfrihet i Öresund. Särnadalen som dalmasarna hade erövrat på eget bevåg glömdes bort i fredsavtalet men behölls i alla fall.

Axel Oxenstierna mottogs furstligt när han kom tillbaka till Stockholm efter att ha vunnit allt detta. Den unga drottningen upphöjde honom i smickrande former till greve och herre över elva socknar i Södermöre. Strax dessförinnan hade han hugnats med trettiosju hemman i Mälardalen, en donation som före årets slut tillökades med ytterligare tjugotvå hemman.

Förmyndarnas förvaltningsberättelse

Den 7 december 1644 fyllde drottning Kristina aderton år och blev därmed myndig. Den hösten samlades en riksdag inför vilken förmyndarregeringen avgav berättelse om sin förvaltning. Förmyndarna sade sig i förtröstan på Gud, ständernas samhällighet, undersåtarnas hörsamhet och drottningens goda natur ha vinnlagt sig om att följa salig konungens consilier och desseiner. De hade måst göra åtskilliga förordningar och stadgar som de nu anhöll att få stadfästa. De hade delat itu några alltför stora landshövdingedömen, inrättat Göta hovrätt, Åbo universitet och flera gymnasier – i Skara, Växjö och Viborg – samt anlagt städerna Falun, Säter, Linde, Nora, Askersund, Kristinehamn, Åmål, Vänersborg och det nya Helsingfors i Finland. Vidare hade de privilegierat några bergsbruk och mässingsbruk. Sorgligt nog hade de emellertid också måst sälja en del kronogods, vilket hade skett av oundvikelig nöd eftersom skattkammaren var tom och detta stora kriget var oproportionerat till fäderneslandets krafter.

Drottningen och ständerna godkände högtidligen allt detta, och fast det tydligen inte saknades ett visst missnöje med den maktställning som den oxenstiernska familjen hade innehaft – i samband med granskningen av 1634 års regeringsform föreslogs bland annat att de fem höga riksämbetena inte borde få besättas med personer som var bröder eller medlemmar av samma släkt – uttalade ständerna officiellt att förmyndarnas förvaltning förtjänade högsta tacksamhet och beröm. Det är ett omdöme som på det hela taget också har varit eftervärldens.

Även inrikes hade nämligen mycket uträttats under de tolv krigiska åren av förmyndarstyre. Landet hade till exempel fått ett postverk, vilket såg dagen genom en förordning av 1636, och sju år senare förständigades postmästaren i Stockholm att varje vecka låta trycka en tidning med nyheter från ett antal fasta utlandskorrespondenter och från poststationerna inom landet. Tidningen kom ut från och med 1645 under namnet *Ordinari Post Tijdender;* som bekant existerar den än och heter numera Post- och Inrikes Tidningar. Man hade också åstadkommit en del förbättringar i fråga om kommunikationerna i landet. 1639 öppnades den första Hjälmare kanal och redan 1634 den första slussen i Stockholm, där sunden mellan holmarna omsider hade förvandlats till strömmar och Mälaren hade upphört att vara en vik av havet. Slussen, ett litet träbygge för båtar på högst en och en halv meters djupgående, var enda passagen för sjöfarten till och från Mälaren; den bekläddes inom kort med tegel och gjorde sedan tjänst i mer än hundra år i hjärtat av Stockholm, som först vid denna tid blev permanent huvudstad i Sverige, ty där residerade de nyinrättade centrala ämbetsverken. Även dess näringsliv hade varit föremål för de styrandes hårdhänta omsorger, ty 1636 infördes en handelsordning som upphävde stapelrätten för Södertälje samt för alla svenska och finska städer norröver med undantag för Gävle. Stadgan om det så kallade bottniska handelstvånget blev länge bestående och gynnade i hög grad Stockholm, vars utrikeshandel utvecklades starkt och vars befolkning växte betydligt, ehuru det förvisso alltjämt var en liten stad; den första officiella befolkningssiffran, från 1663, upptar 14 948 personer, och staden var rimligtvis något mindre tjugo år dessförinnan. Dess förste överståthållare, den tappre och driftige Claes Fleming, skapade emellertid den stadsplan som har präglat Stadsholmen och nedre Norrmalm intill våra dagar.

Claes Fleming hade krafter också till annat; 1635 fick han nämligen privilegium på att inrätta Vira bruk i Roslagen, som sedan smidde värjklingor i ett par hundra år och åtnjöt mycken berömmelse. Bland tidens industrimän är han en ovanlig fågel, ty nästan alla de övriga var av utländsk extraktion, fast de vanligen naturaliserades så småningom. "Invandrarna", skriver Eli Heckscher om dessa herrar, "kommo till ett land med stark statsmakt och förmodligen med den mest effektiva förvaltningsorganisation som något land på den tiden kunde uppvisa. De inordnades därför i ett visserligen ekonomiskt och kulturellt efterblivet men politiskt ovanligt fast upptimrat samhälle, där intet utrymme fanns för partikularism eller utländska intressen som ville göra sig gällande i strid med statsmakten. I detta samhälle stannade de kvar och blevo då nästan med naturnödvändighet lika goda och lika svenska medborgare som någon med ursprunglig svensk härstamning, icke främlingar som togo ett kolonialområde i besittning för att exploatera det och sedan med sina samlade vinster återvända till hemlandet." Språkligt bytte de dock inte alltid nationalitet. Louis De Geer, den ojämförligt främste och mäktigaste av dem alla, kände sig säkerligen alltid som holländare; även sedan han 1641 hade fått svenskt adelskap och hade fått köpa Finspong, Österby, Leufsta och Gimo såsom ärftligt frälse vistades han i

Holland emellanåt, och han är förmodligen den ende person som någonsin har hållit ett svenskt riksdagstal på holländska. Bättre acklimatiserade blev hans landsmän bröderna Momma, som kom hit vid mindre framskriden ålder och bland mycket annat satte i gång gruvdriften i övre Norrland; gruvorna låg i Junosuando och Svappavaara medan ett järnbruk byggdes vid Kengis i Torne älv. Bröderna Mommas intressanta affärer, förträffligt utredda av arkivarien Per Sondén, tillhör i stort sett en något senare tid, men den driftigaste av de tre, Abraham Momma, korresponderade i alla fall med Axel Oxenstierna om det nordliga landets möjligheter. Han ville visa att Torne älv kunde fördjupas och göras segelbar för malmbåtar, och han ville gärna bygga masugnar, stångjärnshammare och järnverkstäder men hade svårt att få villigt folk, "De ligga hela långa vintern i sina pörten och sofva, och de finnas som säga att bruken snarare böra hindras än befordras." Borgarna i Torneå hörde till dem som på allt sätt lade hinder i vägen, ty de var rädda för överbefolkning och proviantbrist och klagade över att Mommorna dels sålde saker och ting till sina anställda i Kengis och Svappavaara, dels köpte upp varor som annars brukade föras till Torneå. Stadsborna gjorde sig också till målsmän för lapparna, men dessa lär då ha protesterat och sagt att de tackade Gud som deras landgränser med bergverk välsignat hade.

Ryktbarare än bröderna Mommas företag är silvergruvan i Nasafjäll. Den ligger på en trädlös vidd i Arjeplogs socken i Pite lappmark intill norska gränsen, och 1637 började kronan bryta silver där i egen regi med hjälp av krigsfångar och annat tvångskommenderat folk. Till en hytta fem mil från gruvan fraktades malmen genom ödemarken av lappar, som inte heller torde ha arbetat frivilligt med detta med sina renekipage. Inte desto mindre gick driften med oerhörd förlust.

Axel Oxenstierna, som knappast ägnade många tankar åt lapparnas fysiska mödor, var däremot orolig för deras andliga välfärd. "Folket

lefver i afguderi, tillbedja satan, bruka trulldom." När man upptäckte silvret i Nasa tog han detta som en försynens fingervisning att sörja för deras själar och umgicks alltifrån den tiden med planer på en ny stifts-indelning i norra Sverige, ty hela Norrland hörde ju då ännu till Upp-sala ärkestift som alltså var ofantligt. Ärkebiskop Laurentius Paulinus gjorde visserligen vad på honom ankom för att övervaka själavården där. År 1642 företog han således en oändlig visitationsresa som började i Torneå och gick söderut; han höll kristendomsförhör med allmogen i bygderna i minst sju timmar om dagen, och efter varje förhör lät han folket avge en samfälld, ljudlig försäkran att stå fasta i tron, varvid han tog himmel och jord och stenarna i kyrkan till vittne på vad de hade lovat. Axel Oxenstierna hade stor aktning för ärkebiskopen och ville inte minska hans stift mot hans vilja, men när Brömsebrofreden tillökade det med landskapen Jämtland och Härjedalen blev frågan brännande. Lyckligtvis dog den gamle ärkebiskopen året därpå, och då gjorde man omedelbart slag i saken. 1647 tillsattes den förste superintendenten i Här-nösand över ett nytt norrländskt stift dit man förde det nyförvärvade Jämtland men däremot inte Härjedalen, som lades till ärkestiftet att börja med. Efter något årtionde, då Sveriges gränser hade hunnit ändras än en gång och Axel Oxenstierna inte var i livet längre, fördes emeller-tid också detta landskap i all stillhet över till Härnösands stift.

Rikskanslerns omtanke om det norrländska silvret och de lapska hed-ningarna uteslöt inte ett intresse för liknande företeelser i än mera exo-tiska nejder. Två svenska kolonisationsföretag i främmande världsdelar kom till stånd i hans tid, och han tog befattning med dem båda. Det ena iscensattes av Louis De Geer, som grundade Svenska afrikanska kom-paniet vilket hade till huvudsakligt ändamål att driva handel med neger-slavar och elfenben. Kompaniet anlade en liten koloni på Guldkusten vid ett ställe som heter Cabo Corso. Dess historia, som huvudsakligen hör 1650-talet till, är naturligtvis rätt pittoresk och handlar mest om krig med danska och holländska konkurrenter, vilka lyckligtvis segrade och tog hand om Cabo Corso till sist. Ryktbarare och långt intressantare är det andra kolonisationsförsöket. Det riktade sig mot Amerika och resulterade i kolonien Nya Sverige, vars öden torde vara allbekanta; de har varit föremål för många tidningsartiklar i vårt århundrade. Den första emigrantexpeditionen kom fram våren 1638 till Delawareflodens strand ombord på skeppen Calmare Nyckel och Fogel Grip. Ett befäst residens som hette Fort Christina växte upp där, och guvernör i kolonien under dess glanstid var en bister och rödmosig överstelöjtnant vid namn Johan Printz. Man hade emellertid svårt att få kolonister, och regeringen i Sverige deporterade därför en del brottslingar och lösdrivare, mest förrymda knektar och så kallade driftefinnar, som levde på svedjebruk i de värmländska obygderna och ansågs göra olidlig skada på skogen. Tyvärr är inte mycket känt om livet i Nya Sverige. En präst som hette Campanius översatte tidigt Luthers katekes till indianernas språk; förhållandet till dessa tycks för övrigt ha varit rätt gott. Kolonisternas förbindelser med hemlandet var emellertid få och glesa, och när Sverige i mitten av 1650-talet kom i konflikt med Nederländerna intogs kolonien utan svårighet och införlivades med de holländska besittningarna i grannskapet. Den hade då trehundrasextioåtta invånare av vilka de flesta stannade kvar i Amerika under sin nya överhet.

Westfaliska freden

När freden slöts i Brömsebro hade förhandlingar om ett slut på det tyska kriget pågått länge. Redan på 1630-talet samlades ett antal befullmäktigade sändebud i Hamburg, där de satt i sju år och grälade om en lämplig plats att underhandla på. Kejsaren och påven föreslog först Rom, sedan Konstanz och Trier. Frankrike yrkade på Hamburg och Köln, Axel Oxenstierna fann Osnabrück och Münster mera lämpliga. Två städer måste det bli därför att Sverige och Frankrike skulle behöva var sin. 1644 enades man äntligen om det svenska förslaget, varefter fransmän och svenskar övergick till att gräla om vem som först skulle besöka den andre. Man kompromissade på så vis att de svenska delegaterna visserligen skulle nedlåta sig till att resa från Osnabrück till fransmännen i Münster, men i denna stad skulle fransmännen göra visit hos de gästande svenskarna och inte tvärtom.

Sveriges delegater vid fredskongressen i de båda westfaliska städerna hette Adler Salvius och Johan Oxenstierna. Den förstnämnde var så att säga självskriven; han hade gjort ett ypperligt arbete som Sveriges diplomatiska ombud i Tyskland under mer än ett årtionde, och han talade och skrev latin med ovanlig elegans. Emellertid var han son till en ofrälse stadsskrivare i Strängnäs, och fast han hade adlats av Gustaf II Adolf ansågs han inte fin nog att ensam representera Sverige i internationella sammanhang, utan Axel Oxenstierna förordnade sin son Johan till hans medlegat. Det finns en anekdot om ett samtal mellan far och son i samband med detta; Johan Oxenstierna sägs ha förklarat att han inte kände sig vuxen den stora uppgiften, varvid rikskanslern gav ett bevingat svar: "An nescis, mi fili, quantilla prudentia mundus regatur – vet du inte, min son, med hur ringa förstånd världen styres." Historien är nog inte sann; visdomsordet ifråga har nämligen tillskrivits många andra, och Johan Oxenstierna var för övrigt inte den som ansåg sig ovärdig till höga poster. Han kom omedelbart i spänt förhållande till Adler Salvius, som inte blott hade sin egen duglighet utan även den unga drottningens stöd att falla tillbaka på, och det förekom att denne reste till Münster och förhandlade ensam utan att bry sig om Johan Oxenstierna, som i prakt och glans satt i Osnabrück och var omedgörlig. I själva verket företrädde han naturligtvis sin fars åsikter, som inte i allo delades av den

472

unga generationen av svenska politici och inte heller av drottningen. Våren 1648 utnämnde hon Salvius till riksråd ehuru Axel Oxenstierna, Per Brahe och andra högadliga herrar ihärdigt stretade emot; i protokollet från det ifrågavarande rådsmötet står bland annat en god replik som hon fällde till den sistnämnde: "När man frågar efter goda råd, då frågar man intet efter sexton anor, utan quid consilii." Salvius blev riksråd, och Axel Oxenstierna gick hem och stängde in sig den dagen.

Fredsförhandlingarna i Osnabrück och Münster ackompanjerades oavlåtligen av nya krigshändelser. Torstensons segrar förbättrade mycket Sveriges position, segerfreden i Brömsebro likaså. Nu hade Torstenson omsider fått lämna armén, hälsad med stora ärebetygelser vid hemkomsten och utnämnd till både friherre och greve över Lyhundra härad i Uppland med tolv socknar och Ortala bruk, och befälet hade övertagits av den föga populäre fältmarskalken Carl Gustaf Wrangel, som i samverkan med fransmännen härjade i Sydtyskland varifrån han skickade hem otaliga dyrgripar som än i dag kan beskådas på Skokloster. Ännu lyckosammare i sådana stycken var hans underfältherre Hans Kristoffer von Königsmarck som i juli 1648 lyckades överrumpla Prag. Han intog bara stadsdelen Malá strana, Lilla Sidan, men det räckte; där låg borgen Hradčany och högadelns bostadspalats, och Königsmarck tog det största byte som bytte ägare under hela trettioåriga kriget. Ett och annat därav finns kvar i Sverige, exempelvis Silverbibeln, Codex argenteus, i Uppsala universitetsbibliotek. Några månader efter denna lyckade affär anlände till Prag pfalzgreven Karl Gustaf, drottning Kristinas kusin, som hade utnämnts till överbefälhavare efter Wrangel. Han hann nätt och jämnt tillträda platsen när det kom besked att förhandlingarna i Osnabrück och Münster äntligen hade lett till ett slut på kriget.

Freden ifråga kallas som bekant den westfaliska freden. Den nyordnade Centraleuropas karta för ett par århundraden framåt och innebar för Sveriges del att landet hade kommit i besittning av diverse nordtyska områden: Vorpommern med öarna Rügen och Usedom och ett stycke av Hinterpommern med ön Wollin och staden Stettin som behärskade Odermynningen, vidare hamnstaden Wismar och dess område samt de båda biskopsstiften Bremen och Verden, alltsammans under kejserlig länshöghet, vilket bland annat innebar att svenska regeringen fick säte och stämma på riksdagarna i Tyska riket. Fem miljoner riksdaler ingick också i fredsförvärven; de var närmast avsedda för krigsfolkets betalning. Slutuppgörelse om detaljerna träffades vid ett nytt möte som hölls i Nürnberg året därpå, där pfalzgreven Karl Gustaf hade nöjet att presidera vid en jättelik fredsbankett som omfattade etthundratjugo rätter förutom frukt och konfekt. Ett förgyllt lejon sprutade vin genom ett fönster till folkmassan utanför, och frampå natten inmarscherade trettio musketörer i bankettsalen och avlossade ett antal salvor i taket på kommando av Carl Gustaf Wrangel.

Jungfrudrottningen

Om drottning Kristina finns en litteratur som är oerhörd. Själv var hon en skrivande dam som har efterlämnat många vittnesbörd om sig själv, sina tankar och känslor. Sedd utifrån figurerar hon inte bara i rådets och ständernas protokoll, svenska politikers och hovmäns brev och omdömen och främmande diplomaters skrivelser, utan även i sin läkares anteckningar, sina litterära bekantskapers skriftliga skvaller och till och med i den samtida internationella skönlitteraturen. Hon var ständigt påpassad av sin tids journalistik och noga granskad och iakttagen inte bara i Stockholm, utan även i Antwerpen, Bryssel, Innsbruck, Rom och Paris. Eftervärlden vet besked om hennes bibliotek och kan begrunda hennes marginalanteckningar i böcker som hon läste. Hon borde, om någon, vara åtkomlig för historiens dom.

Tänkvärda åsikter om drottning Kristinas personlighet har i våra dagar förts till torgs av Sven Stolpe, vilken i en mycket omdebatterad avhandling har sökt klarlägga de psykologiska motiven för hennes egendomliga bana. Han tror att drottningen var pseudohermafrodit men att det inte var något djupare fel på hennes kvinnlighet. Hon hade visserligen många virila drag; hennes röst kunde ibland få en manlig klang och hon var ointresserad av sin toalett, av alla slags handarbete och dylikt, medan hon däremot kunde sitta till häst tio timmar i sträck och kunde fälla en hare i språnget med en enda kula. Dock skulle hon nog ha kunnat leva ett normalt sexualliv och även föda barn, förmodar Stolpe, som för övrigt anlägger idel litterära och lärdomshistoriska synpunkter på sitt föremål; hans bok handlar nämligen blott om hennes andliga och intellektuella utveckling. Hennes motvilja mot äktenskap skulle enligt honom ha att göra med hennes beläsenhet i samtidens medicinska spekulationer och hennes medvetenhet om sin mors tragedi.

Frågan om drottning Kristinas sexuella typ är inget oviktigt kuriosum. Den har betydelse för uppfattningen av ödesdigra händelser i Sveriges politiska historia. Hon var den sista av sin ätt, och tronföljdsfrågan var från början brännande; det förutsattes när hon som barn hyllades som landets drottning att hon en gång skulle ingå ett lämpligt gifte och sätta en tronarvinge till världen. När hon som myndig drottning tillträdde regeringen 1644 var hon hemligt förlovad med sin kusin och fosterbror Karl Gustaf av Pfalz-Zweibrücken; hon var aderton år och han tjugotvå, och det hela var utifrån sett ett utomordentligt passande parti. Kärleken var nog äkta att börja med; hon skrev i varje fall svärmiska brev till honom, betygade honom evig trohet och bad om hans porträtt. När han i början av 1640-talet vistades vid armén i Tyskland hugnades han alltjämt med sådana brev och försäkrades att hon aldrig

skulle svika honom för någon annan friare. Då han kom hem igen något år efter hennes trontillträde fann han emellertid att hon hade ändrat sinne, ehuru framför allt hennes farbror Carl Carlsson Gyllenhielm ständigt förmanade henne att skynda på med det tilltänkta äktenskapet. Han var inte ensam om detta, och vid 1647 års riksdag togs saken upp officiellt; ständerna lät henne veta att nu måste hon snart besluta sig. Hon svarade genom riksdrotsen Per Brahe att hon skulle tänka på saken och därvid ha ett nådigt öga på Karl Gustaf, men sedan blev det inte mer.

Karl Gustaf själv hade vid det laget fått upplysning om att hon inte så gärna ville ha honom till äkta man. Däremot ville hon skänka honom heder och ära på annat sätt, närmast genom att göra honom till överbefälhavare i Tyskland, där trettioåriga kriget då alltjämt rasade. Rådet, som alltid hade betraktat den pfalzgrevliga familjen med misstänksamma blickar, sade emellertid nej; Karl Gustaf kunde inte anses meriterad för en sådan upphöjelse försåvitt han inte vore officiellt utsedd till drottningens gemål, ty då vore det ju en annan sak. Hon lovade då rådet att det skulle bli så, varefter pfalzgreven fick sin utnämning till generalissimus i början av 1648. I närvaro av den unge Magnus Gabriel De la Gardie och sin gamle lärare Johannes Matthiae vidtalade hon honom att spela rollen av hennes trolovade och lovade att i varje fall inte gifta sig med någon annan än honom; kunde hon inte övervinna sin motvilja för det äkta ståndet skulle hon försöka få honom vald till tronföljare, och om ständerna därvidlag satte sig på tvären fick hon väl lov att gå med på ett äktenskap trots allt.

Året därpå återkom ständerna med sin anhållan om giftermål utan dröjsmål. Kristina, som inte på några villkor ville fastställa någon bröllopsdag i en nära framtid, såg sig tvungen att rycka fram med förslaget att Karl Gustaf omedelbart skulle utses till tronföljare för det fall att hon själv plötsligt skulle dö. Ständernas ombud häpnade och rådet vände sig emot denna idé med all kraft, ty man riskerade ju ingenting mindre än att landet kunde få två regerande kungahus, ifall nämligen Kristina och Karl Gustaf sedermera inte gifte sig med varandra utan på var sitt håll och fick var sina barn och arvingar. Motståndet var orubbligt ända tills Kristina er.ligt protokollet förklarade: "Det är migh omöjeliget att giffta migh. Således är migh denne saken beskaffat. Rationes härtill förtijger jagh. Men mitt sinne är dertill inthet. Jagh hafver bedet flitigt Gudh derom, att jagh måtte få det sinnet, men jagh hafver det aldrigh kunnat få."

Svaret var ju sådant att det tog luften ur rådets argumentation, ehuru man alltjämt försökte uppskjuta avgörandet. Drottningen vände sig därefter till ständernas representanter. Förslaget om Karl Gustafs upphöjelse mötte motstånd också hos dem, men genom ivrig bearbetning av lämpliga personer lyckades hon snart vända opinionen bland de ofrälse, som befarade att högadeln kanske hade planer på att i sinom tid förvandla landet till en aristokratisk republik. Pfalzgreven utsågs därför verkligen till svensk arvfurste, men blott för sin egen person; någon arvsrätt för hans efterkommande talades det inte om.

Karl Gustaf avåt sin ryktbara fredsbankett i Nürnberg vid tidpunkten för dessa händelser. Han blev inte glad när han fick besked om sin nya värdighet och ville omedelbart refusera anbudet; hans vänner och anhöriga hade all möda i världen att bringa honom till besinning. I behåll finns det upprörda brev han skrev till sin far om saken; i en fullkomlig kaskad av plumpar och bockar ber han fadern söka utverka att den officiella hänvändelsen från drottningen till honom själv i denna fråga finge anstå till drottningens kröning. Brevet hade effekt; Kristina gick med på hans önskan, och själv slapp han på det sättet att för ögonblicket avge något svar.

Man kan förstå Karl Gustaf. Han hade vid denna tid ännu inte gett upp hoppet om drottningens hand, som skulle ha skänkt honom en helt annan ställning i världen än den som nu erbjöds honom, och han visste ingenting om hennes planer på abdikation. Hans position som tronföljare åt sin fyra år yngre kusin var sålunda mycket egendomlig: en dådlös kunglig efterträdare i disponibilitet, såsom Sven Ingemar Olofsson formulerar saken i en innehållsrik och välskriven skrift om Kristinas avsägelsepolitik. Denne har skrivit en bok också om Karl Gustaf och anställer där en del betraktelser över hans handstil, som nämligen utvecklades från opersonlig prudentlighet i ungdomen till nästan oläslig impulsivitet under tronföljartiden och senare.

Pierre Chanut, sändebud för det allierade Frankrike, vann tidigt drottning Kristinas vänskap och förtroende. Han var en högt bildad man med goda förbindelser i Europas lärda värld. Katolik var han naturligtvis, och ehuru han säkert inte predikade för henne måste han ha påverkat henne till respekt och intresse för sin tro, som dock var kriminaliserad i Sverige. Själv var drottningen aldrig någon ortodox lutheran trots det starka trycket från kyrkans män och den ärvda rollen som protestantismens beskyddare. Hennes barndoms lärare Johannes Matthiae, som hon höll av till den grad att hon kallade honom pappa, var en tolerant evangelisk kristen och sålunda en mycket ovanlig fågel bland den svenska 1600-talskyrkans teologer, vilkas långa och ledsamma svavelpredikningar hon ägnar några bittra ord i sin ålderdoms självbiografi.

Johannes Matthiae hade stor heder av sin elev. Hon var utomordentligt begåvad. Vid tjugo års ålder behärskade hon perfekt latin, franska, tyska och holländska i tal och skrift; på egen hand lärde hon sig vidare grekiska, italienska och spanska. Hennes litterära och filosofiska kunskaper och intressen var icke ytliga, och hon bedrev teologiska studier och forskningar med en energi som skulle ha hedrat mången medlem av prästeståndet. Alltifrån tolv års ålder hade hon fått undervisning av Axel Oxenstierna själv i politiska ämnen och visade sig vara ett underbarn även i dem. I fjortonårsåldern hölls hon noga underrättad om alla viktigare ärenden och beslut, och inom kort blev hon kallad att personligen övervara riksrådets överläggningar, vilket hon gjorde med vaket intresse. Vid sitt trontillträde var den brådmogna unga damen i vissa avseenden redan en skicklig och målmedveten politiker.

Att hon inte ämnade nöja sig med den representativa sidan av sin ställning stod tidigt klart. Rikskanslern behöll visserligen sitt höga ämbete och bemöttes alltjämt med all yttre respekt. Av Chanut hedrades han rentav med en mycket beundrad vits som denne hade spekulerat ut; en dag lade han nämligen sin hand på rikskanslerns axel och deklamerade: Axis hic est circum quem totus volvitur orbis – detta är den Axel kring vilken hela världen vrider sig. I realiteten fann sig den oxenstiernska släkten dock snart skjuten åt sidan, i det att drottningen blev en mer och mer sällsynt gäst vid rådets sammanträden. Hon avhandlade i stället alla viktiga ärenden i sina enskilda rum med de herrar som hon fann lämpligt att inbjuda; till dem hörde Lennart Torstenson, Adler Salvius, Bengt Skytte, Herman Fleming och den unge Magnus Gabriel De la Gardie. Den sistnämnde, årsbarn med pfalzgreven och sålunda någorlunda jämnårig också med henne själv, kom snart att inta främsta platsen i drottning Kristinas vänkrets och privata riksråd.

Magnus Gabriel De la Gardie var en bildad, berest, belevad och begåvad ung man som dessutom såg mycket bra ut; han var son till Ebba Brahe och mycket lik henne. Att drottningen var personligt förtjust i honom finns det inget tvivel om, vilket inte hindrade henne att göra bröllop på Stockholms slott för honom och sin kusin pfalzgrevinnan Maria Eufrosyne, syster till Karl Gustaf. Greve Magnus Gabriel steg sedan i rask takt till rikets högsta värdigheter, blev riksråd, general, fältmarskalk, generalguvernör över Livland, riksskattmästare. Han mottog vidare rika förläningar: öarna Ösel och Wollin, ett par amt i Mecklenburg och en mängd slott, gods, gårdar och stadstomter hemma i Sverige. Han blev också överstemarskalk vid hovet, en syssla som han säkert skötte till stor belåtenhet. Hovjunkaren Johan Ekeblad, vars roliga och intressanta brev till sin far finns bevarade, berättar att "mycket vackrare hafver grefve Magnus låtit laga alla gemakerna" och upplyser även att "drottningen blifver också mycket bättre och nättare tracterad än som förr med alla dagars confect, det intet förr skedde oftare än om söndagarne". Kanske uppskattade hon detta; hon var annars inte intresserad av bordets håvor. Hon var tvärtom likgiltig för mat, drack endast vatten och avskydde livet igenom starka drycker, även vin. Det är tänkbart att hennes ändrade känslor för Karl Gustaf kan ha haft något samband med sådana ting; pfalzgreven tog sig nämligen inte sällan en klunk.

Förhållandena vid drottning Kristinas hov är av betydelse och angår även en sen eftervärld. Dess atmosfär var internationell och framför allt fransk. En hel svärm främmande artister och skribenter kom till Stockholm på hennes inbjudan, till en början genom Chanuts förmedling. Nära vän till denne var den berömdaste av dem alla, filosofen René Descartes alias Cartesius, som efter en flerårig brevväxling med drottningen anlände personligen i september 1649. Den framstående tyske filosofen och historiografen Johann Freinsheimius, professor Skytteanus i Uppsala och bibliotekarie hos drottningen, hade fått befallning att sätta sig in i Cartesius tankegångar och förklara dem för henne, men förmodligen hade det inte blivit tid med detta sistnämnda, ty några filosofiska samtal med Cartesius kom inte till stånd på hela hösten. I stället sysselsatte hon denne allvarsman med att skriva en balett, som faktiskt blev färdig; den hette La Naissance de la Paix, Fredens födelse, och uppfördes i julmånaden under den svenska titeln *Freds-Afl* med svensk text av en medelålders jurist vid namn Georg Stiernhielm. Märkvärdigt nog skrev den franske filosofen också en komedi i Stockholm och gjorde dessutom barometerobservationer för Pascals räkning, förtäljer professor Johan Nordström i en lärdomshistorisk uppsats om Cartesius och drottningen. På nyåret blev det omsider språkat något om livets djupare gåtor i hennes studerkammare på slottet klockan fem på morgonen, men en januaridag blev Cartesius plötsligt sjuk och dog efter någon vecka i lunginflammation. Det var en sträng vinter det året, och den lärde fransmannen hade hela tiden funnit sig illa tillrätta med klimatet. Freinsheimius, som ex officio hade nödgats läsa hans skrifter, trivdes för övrigt inte heller med den svenska vintern utan lämnade landet året därpå.

Baletterna

Baletten som sysselsatte Cartesius var blott en av de rätt många som uppfördes på Stockholms slott i drottning Kristinas tid. I Stockholm fanns sedan något årtionde en fransk dansmästare vid namn Beaulieu som undervisade ridderskapet och adeln i sin konst och gav lektioner även vid hovet; han var ursprungligen inkallad av änkedrottning Maria Eleonora, som för övrigt kom tillbaka till Sverige några år efter sin dotters regeringstillträde och tidvis deltog i hovlivet i Stockholm. Beaulieu var en temperamentsfull herre som naturligt nog snart råkade i gruff med drottningens kassör; baletterna kostade ju inte måttligt med pengar. En morgon klockan fyra, förtäljer kammarkollegiets protokoll för november 1642, kom bemälte dansemästare in i räntekammaren, fordrandes de 1 041 daler han skulle hafva till baletten. "Då hafver Räntemesteren svarat sig hafva vakat hela natten, och efter han hade nu ingen förhanden som Penningerne honom tillräkna kunde, så begärte han att Dansemesteren ville komma i morgon, då skulle han straxt få sine penninger. Därpå hafver Dansemesteren morrat och gått ut genom dören och kallat Räntemesteren en Svensk hund och velat slå honom med en käpp han hade i handen. Då gaf Räntemesteren honom en Öhrfijl och tog eldgaffelen och värgde sig ifrån Dansemesterens käpp." Saken gjordes så småningom upp inför själva Kongl. Regeringen, sedan dansemästaren hade förklarat att han bara hade menat att räntemästaren hade avvisat honom likt en hund och räntemästaren hade bett om ursäkt för det fall att han hade missförstått dansemästaren.

Beaulieu införde ett slags dramatiserade kostymbaler och en sorts mytologiska festspel som har intresse för eftervärlden på grund av Stiernhielms medverkan. Denne, som egentligen var hovrättsassessor i Dorpat efter att tidigare ha varit bland annat sekreterare vid armén i Preussen och lektor vid Johannes Rudbeckius skola i Västerås, vistades några år i Stockholm som medlem av en kommission som skulle revidera allmänna landslagen. Därunder fann han tid att uppvakta drottningen med en Heroisk Fägnesång, vilket ledde till att han installerades som ett slags hovpoet med uppgift att skriva text till baletterna. Han utnämndes vidare till antiquarius regni och custos archivi, riksantikvarie och riksarkivarie, och var överhuvud taget en högt bildad, flitigt mångsysslande man med advokatorisk talang, muntert lynne och dåligt sinne för livets praktiska sidor. "Här af kom", skriver hans vän och lärjunge Samuel Columbus, "att han alt för ett var een torfftig man, och hans skriffter kommo till att liggia otryckte, mädan uthi honom fans så lijten drifft, att det kom intet uhr händren på'n. – Han var een Jurist, een Physicus, een Moralist, een Lingvist eller Etymologus, een Poet, een Antiqvitist. Dess uthen idkade han och Mathesin, ett så heelt afskildt Studium ifrån the andre. Mycket läste han Platonis skriffter och dess Commentarier." Han hade dock, fortsätter Columbus, det felet "att han stundom talte något tvifvelachtigt om den Christne Religion, hälst när han fick något i hufvudet". Stiernhielm var verkligen något så sällsynt som en svensk fritänkare i det ortodoxa 1600-talet, då man fick akta sig för vad han i ett brev kallar Excellentissimorum Theologorum Crabrorum examina, de högt lysande teologiska getingarnas granskningar.

Hans poetiska gärning, som ju alltjämt är levande, tillhör helt drottning Kristinas tid. Han nödgades skriva text till minst fem av hennes hovbaletter, av vilka den ryktbaraste heter Then fångne Cupido och stundom citeras i läseböcker. Stycket utgör ju endast den verbala sidan av ett kungligt sällskapsspektakel vars huvudingrediens måste ha varit

dans och kostymparader, men texten är märklig nog ändå. Den inför i Sveriges litteratur en rad antika metra och strofformer, först och främst hexametern, som ingen svensk poet genom tiderna har behandlat skickligare än Stiernhielm. Hans mästerverk, den underbara dikten Hercules, trycktes samma år som Skåne blev svenskt men lär ha förelegat färdigskriven drygt ett årtionde dessförinnan, alltså redan före baletternas tid.

Drottning Kristina utförde själv en huvudroll i baletten Then fångne Cupido; hon spelade den kyska gudinnan Diana som avväpnar och fängslar den lille kärleksguden till stor bedrövelse för gudinnan Venus vars roll gjordes av drottningens förtrogna vän Ebba Sparre, skönast av alla hovets damer. Vad dess herrar tyckte om drottningens balettomani kan man få en föreställning om ur Johan Ekeblads brev; han kunde finna det hela "tämligen pusserligt" eller rentav "helt vackert" när han fick vara åskådare, men han fnyser av harm när han nödgas fjäska med i detta narri och suckar över "det stora förtret vi med lapriet haft hafva". Mera objektivt berättar Ekeblad om en annan hovets förlustelse. En majdag 1649 anlände till Stockholm ett levande lejon som Königsmarck hade lagt beslag på i Prag, och drottningen lät strax bygga ett särskilt hus i södra slottsgraven åt denna best, som sedan tussades ihop med en björn, en buffeloxe och andra stridbara djur i de båda drottningarnas åsyn. Lejonet befanns vara alltför beskedligt och lät sig jagas tvärs igenom lejonkulan av "en liten brokot ko".

Kröningsriksdagen

Ett skådespel som vida överträffade alla hovets baletter var drottning Kristinas kröning, som ägde rum i oktober 1650. Trettioåriga kriget var då vunnet och westfaliska freden nyss sluten, men stämningen i den nyblivna stormakten var dov och dyster ändå, ty de sociala förhållandena i landet var inte de bästa, och fjolårets missväxt hade till råga på allt varit den värsta i mannaminne.

En kröningsriksdag samlades i Stockholm redan vid midsommar, och vid dess högtidliga öppnande i rikssalen upplästes en proposition där det stod att det måste bli utskrivning av svenska rekryter i stället för det utländska krigsfolket samt att skatterna borde förbli som de varit under krigsåren; de fem miljonerna som Sverige hade fått i freden förslog nämligen inte långt, och Hennes Majestät begärde därför ständernas betänkande och trogna hjälp huru Hennes Majestät skulle bäst blifva gripen under armarna till fäderneslandets gagn och bästa. Adeln tog omedelbart itu med att behandla den första av dessa frågor och fann att utskrivningen var nödvändig och även nyttig, ty den skulle befria landet "från de skalkar och bofvar som ej vilja arbeta hvarken hos bönder eller adel". De övriga stånden tänkte helt andra tankar. Ett utbrett missnöje med adelns krigsvinster och godsförvärv fanns inom dem alla och kom först till uttryck inom borgarståndet, som vid denna riksdag uppträdde med en djärvhet utan tidigare motstycke. Ståndet beslöt nämligen, i stället för att alls inlåta sig på den kungliga propositionen, att yrka på en reduktion av kronogods och skattehemman som tidigare hade gett staten inkomster men på senare år hade förvärvats av adeln och förvandlats till frälse.

Ett livligt tankeutbyte ständerna emellan blev den omedelbara följden av detta krav. Adeln sökte på allt sätt visa sig medgörlig och nedlåtande för att vinna präster och bönder över på sin sida, men i synnerhet de sistnämnda delade naturligtvis borgerskapets mening om adelns privilegier och hade inte minsta förtroende för Axel Oxenstiernas nationalekonomiska system, som ytterst låg till grund för kronans godsförsäljningar till adeln. Böndernas uppfattning om detta formulerades förträffligt i ett uttalande där det frågades om det var meningen att drottningen skulle krönas till land och rike eller bara till tullar och accis. Även bland prästerna dominerade sådana åsikter, och på sensommaren skickade de tre ofrälse stånden en gemensam deputation till drottningen och begärde att kronan i humana och rättvisa former skulle ta tillbaka sina gods. Drottningen tog vänligt emot deputationen och lovade se till att adeln höll sig på mattan; däremot anhöll hon att de tre stånden inte skulle ge offentlighet åt sitt reduktionskrav, detta med tanke på reaktionerna i utlandet. Hon gav också de ofrälse rätt i deras kritik av en passus i de adliga privilegierna där det stod att i statstjänst skulle ingen *wanbyrdig* föredras framför en adelsman. Överhuvud taget uppträdde hon med stor politisk skicklighet och lyckades förmå både präster och bönder att förlita sig på henne i stället för att komma med öppna krav på reduktion. Borgerskapet lät sig däremot inte tystas; när stånden omsider samlades på rikssalen igen för att avge sina svar på den kungliga propositionen yttrade borgarnas talesman några ord om risken för självsvåld, högmod och förtryck och nämnde naturligtvis också kronans gods i sammanhanget. Adeln blev mycket förbittrad och avbröt talaren med höga rop, och rådet fann det upprörande att borgarna vågade föreslå kunglig majestät någonting i stället för att blott och bart svara på dess fråga, ty någon motionsrätt ansågs ständerna inte alls ha.

Drottningen, som saknade allt intresse för de ekonomiska och sociala spörsmålen, utnyttjade mästerligt ståndsmotsättningarna för sina privatpolitiska syften. Tronföljdsfrågan var ju alltjämt svävande, ty någon arvsrätt inom arvfursten Karl Gustafs familj ville rådet fortfarande inte gå med på, och förhållandet mellan den fattige fast högborne pfalzgreven och de högadliga rådskretsarna hade för övrigt aldrig varit vidare hjärtligt, något som var ägnat att vid behov göra honom populär bland de ofrälse. I slutet av september vände sig drottningen nu till de fyra ständerna och begärde att Karl Gustaf skulle förklaras ha arvsrätt till Sveriges tron för sig och sina manliga bröstarvingar – hon ansåg märkligt nog att kvinnor var olämpliga till regenter. Tre dagar senare anlände Karl Gustaf själv till Stockholm från Tyskland och gjorde ett praktfullt intåg i huvudstaden, sedan rådet, ridderskapet och adeln på hennes bud hade varit honom till mötes långt ute på Södertäljevägen; sida vid sida med Axel Oxenstierna åkte han till slottet Tre kronor mellan paraderande borgargardister på gatorna och viftande damer i alla fönster under det att örlogsfartygen saluterade på Strömmen. Vid det laget stod det redan klart att drottningen i tronföljdsfrågan skulle få sin vilja fram, ty reduktionshotet avhöll adeln från att säga emot. I sin försäkran till ständerna slapp Karl Gustaf rentav lova att bibehålla och konservera adelsmännen vid deras beneficier och donationer, som det stod i det föreslagna formuläret; de ofrälse såg energiskt till att denna passus blev struken.

Därmed var tiden slutligen mogen för kröningen. De ofrälse riksdagsmännen hade fått dräkter till den: sexton alnar kamlott var till underklädnad, nio alnar kläde till kappa och sju alnar plysch till uppslag. Hela ridderskapet och adeln red ut och hämtade drottningen vid Jakobsdal alias Ulriksdal där hon hade gästat riksmarsken någon dag; därifrån eskorterades hon högtidligen till Stockholms slott, framför vilket rådet hade låtit bygga en romersk triumfbåge på nuvarande Gustaf Adolfs torg, och ryttarkolonnen lär ha varit så lång att de främsta var framme innan de eftersta hann anträda marschen. Det egentliga kröningståget som bara gick från slottet till Storkyrkan var kortare men ännu magnifikare, ty det var fullt av härolder, pukslagare och trumpetare i gul eller blå sammet och med instrument i silver, adelsätternas huvudmän från alla sidor av Östersjön i kostbara kostymer, riksråd i praktvagnar och riksämbetsmän efter sexspann med rikets regalier i händerna: Per Brahe med kronan, Gustaf Horn med spiran. Jakob De la Gardie med svärdet, Axel Oxenstierna med äpplet och Gabriel Oxenstierna med riksnyckeln. Vid Storkyrkans dörr stod ärkebiskopen med smörjehornet och tog emot drottningen, som åkte efter sex snövita, silverskodda hästar och bar en klänning som var översållad med pärlor och juveler. Efter kröningsceremonierna i kyrkan, där hon satt på en silvertron som var en present av Magnus Gabriel De la Gardie och som alla svenska monarker har suttit på sedan dess, återvände processionen till slottet under det att drottningens räntmästare kastade pengar bland folket. Helstekt kröningsoxe och vin ur en springbrunn tillhandahölls på Stortorget, och folk söp och slogs därefter hela kvällen varvid ett tiotal personer satte livet till. Festligheterna fortsatte sedan i flera veckor med ringränningar, djurhetsningar och väldiga allegoriska friluftsbaletter, däribland den stiernhielmska Lycksaligheetens Ähre-Pracht. Vid en av dessa tillställningar – upptåg kallades de för resten, utan all ironi – sågs sex dromedarer och två äkta morianer i processionen, och för övrigt förekom där varjehanda åkande tablåer som föreställde sådant som Apollo och muserna på berget Parnassus, Venus och Amor på en drakvagn som gick utan häst, Tiden med sin lie framför ett brinnande jordklot och mycket annat invecklat och djupsinnigt. Det hela var gigantiskt och utan mått, och inför skildringarna av drottning Kristinas så kallade upptåg undrar man egentligen inte på att kostnaderna för hovhållningen under hennes senare år uppgick till en femtedel av samtliga statsutgifter.

Kröningsfestligheterna skapade riksdagsfred för ögonblicket, men de ofrälse hade inte glömt reduktionskravet. En utförlig och välskriven inlaga i ämnet överlämnades till drottningen innan ständerna åtskildes; där frågades vad folket hade vunnit utomlands om det förlorade sin frihet hemma, och i tolv punkter begärdes att det skulle bli slut på adelns godsförvärv och ämbetsmonopol. Drottningen tog nådigt emot skrivelsen, som väckte stor oro i rådet och föranledde adeln att ge bönderna en särskild försäkran att de skulle bli väl behandlade. Något annat hände emellertid inte, och ordet reduktion blev aldrig nämnt i det skriftliga beslutet från 1650 års märkliga riksdag.

Oron i landet

Åren efter denna sociala kraftmätning blev nervösa. Vid julen 1652 utbröt sålunda ett regelrätt uppror i Närke, där några hundra bönder grep till vapen och valde sig en anförare som titulerades konung och omgav sig med en drots, en marsk och en kansler. Företaget slutade naturligtvis i katastrof; bönderna blev med lätthet skingrade av krigsvana yrkessoldater, många avrättades på fläcken, och den så kallade konungen och hans närmaste man blev rådbråkade och halshuggna i Stockholm under stor publiktillströmning.

Detta slags oro i landet tog man vid hovet rätt trankilt, vilket kan utläsas exempelvis ur hovjunkaren Johan Ekeblads brev. Andra och enklare konspirationer väckte så mycket större rabalder. I sitt residens på Öland fick tronföljaren Karl Gustaf en vacker dag ett anonymt rimbrev där han till sin förvåning uppmanades att strax göra revolution; högadeln, som avsiktligt hade gett drottningen en förvänd uppfostran och sedermera hindrat hennes giftermål med adressaten, vore nämligen sinnad att tillvälla sig all makt på hans bekostnad. Aristokraterna, stod det vidare, vore redan i färd med att förslava allmogen, och drottningen själv vore en slösaktig, nöjeslysten och oduglig toka som dessutom liknade Måns Smek, varför hela sällskapet lämpligen borde avlivas efter revolutionen, varefter kronogodsen kunde tas tillbaka utan hinder. Karl Gustaf blev förskräckt när han läste allt detta. Lojal och försiktig som han var översände han strax brevet till drottningen, som greps av stor vrede när hon läste omdömena om sig själv. Ett lätt detektivarbete avslöjade brevskrivaren, vars handstil var känd av många; han befanns vara den unge kansliskrivaren Arnold Messenius. Pressad inför rådets undersökningskommission medgav han att hans far, rikshistoriografen Arnold Johan Messenius, hade bibragt honom hans åsikter ehuru han inte hade haft något med själva skriften att göra. De båda Messenierna häktades naturligtvis, men man misstänkte att de bara utgjorde en länk i en vittutgrenad sammansvärjning, och åtskilliga andra personer togs därför i förhör. Dit hörde några av de ledande opponenterna vid 1650 års riksdag: uppsalaprofessorn Joannes Elai Terserus, stadsskrivaren Nils Persson Skunck och stockholmsborgmästaren Nils Nilsson. Misstänkt var också det i onåd fallna riksrådet Bengt Skytte, men han befann sig för ögon-

488

blicket på resa på Balkan och kunde omöjligen nås med stämning. Emellertid begrep myndigheterna snart att skriften bara var en frukt av den stackars ynglingens skrivklåda och påskyndade då rättegången så mycket som möjligt, ty saken hade väckt stor uppmärksamhet både hemma och utomlands och var säkert till skada för regeringen. De båda Messenierna, som hade erkänt majestätsbrott, dömdes raskt till döden och halshöggs på var sin avrättningsplats två dagar före julafton, och släkten Messenius' adelsbrev och sköldemärke på Riddarhuset förstördes på samma gång. Änkan och de två döttrarna i familjen gick fattiga och hårda öden till mötes. Messeniernas stora samling av böcker och manuskript, som den lika olycklige farfadern hade lagt grunden till, hade testamenterats till drottningen av den livdömde ägaren och bars efter hans död ofördröjligen upp till slottet.

Till tronföljaren Karl Gustaf, som hade betett sig så lojalt i denna sak, skänkte drottningen som tack en diamantbesatt dosa som kostade tjugotusen plåtar. I gengåva fick hon av denne ett tyskt medaljkabinett, värderat till halva detta pris.

Tronavsägelsen

Knappt var tronföljdsfrågan löst och kröningen överstånden förrän den nykrönta drottningen – som ansåg kronan missklädsam och alltid lät avbilda sig utan krona – lät förstå att hon ville abdikera. Den välunderrättade Chanut hade haft vetskap om detta i flera månader, men till sina svenska undersåtar nämnde hon ingenting förrän i mars 1651, då hon gav Magnus Gabriel De la Gardie i uppdrag att underrätta sin furstlige svåger om saken. Så skedde, men Karl Gustaf som var en mycket försiktig person intog strax en avvisande hållning för att demonstrera att det inte var han som hade tagit detta initiativ. Drottningens försök att vinna honom och hans far för sin abdikationsplan pågick hela sommaren men misslyckades totalt, och i augusti drog hon i stället saken inför rådet, som lyssnade till hennes plan med bestörtning och häpnad. Under de följande veckorna utsattes hon för enträgna och energiska aktioner från rådets sida, vilket både förundrade och rörde henne. Inför det kompakta motstånd hon mötte från alla håll gav hon till sist vika och tog tillbaka sin tronavsägelse tills vidare.

Emellertid hade hon ingalunda avstått från sin föresats och var i själva verket knappast längre i stånd till detta; hon hade företagit sig ett och annat som inte kunde göras ogjort. En portugisisk ambassad hade kommit till Stockholm under kröningsåret, och i ambassadörens svit befann sig en jesuitpater som var förklädd till sekreterare. Han hette Macedo, och med honom tog drottningen i all hemlighet kontakt, ty genom Chanut och kanske framför allt genom Cartesius hade hon fått allt större intresse för katolicismen. Efter ett antal religionssamtal med Macedo övertalade hon denne att bege sig till Rom för hennes räkning och underrätta jesuitgeneralen om hennes böjelse för den katolska tron. Macedo, som inte fick låta sin portugisiske chef ana någonting, rymde en vacker dag med drottningens hjälp från sin ambassad, som trodde att han var på väg till Portugals fiender med hemliga dokument och därför vände sig till drottningen med begäran att han skulle efterspanas och gripas, något som hon naturligtvis lovade. Macedo kom lyckligt fram till Rom med hennes pass och framförde sitt budskap. Därmed hade drottningen bränt sina skepp, ty konspiration av detta slag var ju normalt belagd med dödsstraff efter svensk lag, och en avslöjad förbindelse med jesuitgeneralen kunde vara en farlig sak även för en regerande drottning i det strängt lutherska Sverige.

Hösten 1651 kom en annan förklädd jesuit till Stockholm. Han hette Godfrid Francken och var flamländare, vilket innebar att han var spansk undersåte, och han bar bud från den spanske kung Filip IV att alla spanska hamnar nu stod öppna för svenska skepp, vilka hade varit portförbjudna där under hela trettioåriga kriget. Drottningen använde honom bland annat som budbärare till spanske kungens ställföreträdare i Bryssel. Budskapet till jesuitgeneralen hade emellertid också gjort verkan, och denne skickade omedelbart två förfarna män till Sverige att inviga och befästa drottningen i den katolska tron, men i djupaste hemlighet; de skulle sålunda aldrig i sin korrespondens nämna henne vid namn utan kalla henne för Signor Theofilo. Framkomna fann de snart att något omvändelsearbete inte var av nöden. Drottningen frågade dem huruvida påven kunde tänkas tillåta henne att någon gång om året ta nattvarden på lutherskt vis, i vilket fall hon kanske inte skulle behöva abdikera. Härpå svarade de nej, men den ene av dem skickades då till Rom för att närmare utfråga jesuitgeneralen i denna fråga, som från drottningens sida väl knappast kan ha varit allvarligt menad. Francken och en annan belgisk jesuit återkom till Stockholm i samma veva med inofficiella budskap från den spanska regeringen. De behövliga underjordiska förbindelserna för omvändelse av protestantismens beskyddarinna till papisternas samfund var därmed etablerade.

1652 i augusti kom en stor spansk ambassad till Stockholm under ledning av don Antonio Pimentel de Prado, framstående militär med någon erfarenhet även av diplomati. Han hade officiellt i uppdrag att gratulera till westfaliska freden och att föra vissa kommersiella förhandlingar. Han blev ytterst väl mottagen och kom att stanna mycket längre än han själv hade tänkt i Stockholm, där han med hustru och barn blev inkvarterad i Norrmalms stadshus vid nuvarande Gustaf Adolfs torg – det behövdes inte för sitt egentliga ändamål längre.[1] Pimentel var en bildad och charmerande man som strax blev en uppmärksammad person vid drottning Kristinas hov, där han från första stund tog för vana att söka upp henne direkt med förbigående av kansliet och alltid befann sig i hennes närhet vid de dagliga mottagningarna i den så kallade Fyrkanten på slottet. Han var vidare med om alla hovets fester och tillställningar, och på trettondagen 1653 hedrade honom drottningen genom att vid en kostymfest uppträda som herdinnan Amaranta, ett namn som hade att göra med hans spanska födelseort Amarante. Hon bildade rentav en Amarant-orden vid tillfället genom att dela sin ädelstensbesydda kostym mellan ett antal damer och herrar som befunnits värdiga att vara med; till råga på detta begåvades de förresten med Amarantas dubbelinitial i diamanter. Sådant väckte naturligtvis uppmärksamhet, och Pimentels succès vid svenska hovet oroade inte minst diplomaterna från andra länder. Danske ministern Peder Juel trodde sålunda att han var sysselsatt med att egga henne till krig mot Danmark, som nyss hade allierat sig med de antispanska holländarna i deras krig mot det cromwellska England; han vore därvid, menade Juel, i maskopi med den förrymde polske kanslern Hieronym Radziejowski och den danske rikshovmästaren Corfitz Ulfeld, vilka hade kommit i konflikt med sina respektive kungar och nu vistades som flyktingar vid hovet i Stockholm.

Även på svenskt håll betraktades Pimentels framgångar med undran och oro. Den konservative Axel Oxenstierna, som efter 1650 års stormiga riksdag hade återvunnit mycket av sitt inflytande och i många avseenden samarbetade bra med drottningen, kunde som god lutheran

[1] Se *Norrmalm* i registret.

Den glade doktor Bourdelot

knappast gilla den spanske kavaljerens långa gästspel, men han deltog numera inte i hovlivet och slapp därför att möta honom så ofta. Annorlunda låg det till för Magnus Gabriel De la Gardie. Han hade varit svårt sjuk hela sommaren och hösten 1652, och när han omsider återkom till statstjänsten och hovlivet fann han sin härskarinna omgiven av en svärm personer som han omöjligen kunde tycka om. Dit hörde utom Pimentel tre vackra unga män som hette Claes Tott, Anton Steinberg och Christopher Delphicus Dohna, om vilkas förhållande till drottningen skvallret hade mycket att berätta; i synnerhet den förstnämnde utpekades tidigt som hennes intime favorit. Till kretsen hörde vidare en glad fransman vid namn Pierre Bourdelot, som ännu mer än spanjoren Pimentel betraktades med misstro och ovilja av drottningens inhemska undersåtar.

Bourdelot var drottningens livläkare, nyligen inkallad på rekommendation av den reformerte Leydenprofessorn Salmasius, vilken såsom berömd filolog hade varit hennes gäst något år. Drottningen hade varit kroniskt sjuk på sistone men Bourdelot botade henne, bland annat genom att föreskriva mera vila och avkoppling i stället för tidiga morgonstudier och fysiska strapatser. Genom hans ordinationer fick hovlivet snabbt en gladare och lättsinnigare karaktär än förut, och själv var han en angenäm sällskapsmänniska som ivrigt bidrog till att roa sin höga patient. Bourdelot var, fastslår Sven Stolpe, den typiske libertinen; han sjöng bra till luta, skrev elegant vers, var specialist på parfymer och kunde iscensätta baletter. Detsamma säger Anders Fryxell, för vilken det står klart att den franske läkaren tycks "hafva varit den, som först på fullt allvar ledde Kristinas blickar ut åt fritänkeriets vidsträckta rymder". Fryxell refererar också ett par anekdoter om arten av Bourdelots espri. "I Stockholm funnos tvänne andra af Kristinas inkallade lärda, fransmannen Naudé och tysken Meibom. Den förre hade skrifvit om de gamla folkslagens danser, den senare om deras musik. Bourdelot uttänkte mot dem följande puts. Han öfvertalade drottningen att till sin och hofvets förlustelse befalla nämnde herrar att genom lefvande exempel gifva fullkomlig åskådlighet åt sine afhandlingar; Meibom skulle nämligen spela och Naudé dansa, båda efter de fordna folkslagens sätt. De godtrogna läskarlarna togo saken för allvar och började verkligen en afton det begärda skådespelet. Men af hofvets illa återhållne löje märkte de snart gäckeriet och drogo sig tillbaka, flata och förargade. Naudé tålde och teg; men den häftige Meibom, då han icke kunde låta sin vrede utbryta mot drottningen sjelf, anföll dagen därpå Bourdelot och tilldelade honom en dugtig örfil. Bourdelot klagade. Kristina blef på Meibom ytterst uppbragt. Bourdelot, sade hon, hade genast bort kasta honom hufvudstupa ut genom fönstret. Meibom måste nu i dess ställe hufvudstupa ut från Sverige, och gjorde det gerna."

Anekdoten är nog inte sann; det är exempelvis föga troligt att man på det viset skulle ha kunnat eller velat driva med det stora lärdomsljuset Gabriel Naudé, som vistades i Sverige bara en kort tid och för övrigt var god vän med Bourdelot. Om arten av den sistnämndes inflytande på drottningen finns det mycket skrivet. Martin Weibull, som för en dryg mansålder sedan plockade sönder den viktigaste av Fryxells källskrifter, tror inte alls att Bourdelot var någon irreligiös spelevink som förledde drottningen till fritänkeri, och Sven Ingemar Olofsson som i våra dagar har forskat djupast i ämnet tycks dela denna mening. Curt Weibull anser detsamma i än högre grad; i sin stora bok om Kristina, ett av de ståtligare konstverken i Sveriges litteratur, ser han i drottningen en djupt allvarlig sanningssökerska för vilken den religiösa upplevelsen betydde allt och de franska libertinerna ingenting. Sven Stolpe däremot menar att hon tog djupa intryck av Bourdelots lättsinne; den katolicism hon övergick till var i själva verket libertinernas uppmjukade katolicism, men någon motsättning mellan de sydländska fritänkare som omgav henne och de jesuiter hon mötte fanns knappast, säger Stolpe, vars tankegång låter trovärdig ehuru den saknar allt stöd i det historiska källmaterialet. Eftervärlden lär aldrig få veta vad som är sanning härvidlag, men en sak är nog säker: det var till Bourdelot som drottningen först anförtrodde sina trosförändringsplaner och sitt riskabla samröre med jesuiterna.

Magnus Gabriel De la Gardie anade naturligtvis ingenting om detta. Politiskt åtnjöt han alltjämt drottningens bevågenhet och utnämndes 1653 till riksskattmästare, ett ämbete i vilket han samarbetade bra med henne, ty ingendera av dem hade något sinne för finanser. Rikets affärer befann sig i det miserablaste läge. Krediten var ytterst ansträngd och räntorna steg oavbrutet. Bristen på likvida medel var ständigt akut, och några kronogods att sälja fanns knappast kvar utöver de så kallade förbudna orterna, det vill säga sådana gods som bestämts till underhåll för krigsmakten och bergsbruket. Kammaren, det ämbetsverk som hade hand om finanserna, sparade av bästa förmåga, såg till att pensionärers

änkor fick nådår endast i undantagsfall och fick rentav indra fattigvårds-
medel till förmån för andra trängande statsutgifter, men hovets kostnader
var större än någonsin, och inflytande likvider för de sålda godsen tog
drottningen direkt hand om. Vidare lyckliggjorde hon frikostigt mer
eller mindre förtjänta män med donationer, i genomsnitt ett par i vec-
kan. Ett grevskap och fyra friherrskap inrättades under år 1653, och i
samband därmed beordrades kammaren att uppleta gods som kunde av-
varas. Under sådana förhållanden såg den nye riksskattmästaren inte
något skäl eller någon möjlighet att längre hålla på kronogodsen i Hal-
land, som ju var svenskt endast på trettio år från Brömsebrofreden räk-
nat, och för säkerhets skull köpte han en del av dem själv.

På våren detta bekymmersamma år kom Bourdelot gång på gång med
klagomål att han inte hade fått ut sin lön som livläkare. Till skillnad från
andra statens tjänstemän i samma situation uppträdde han tydligen med
föga ödmjukhet, vilket föranledde riksskattmästaren att beklaga sig hos
drottningen över hans beteende. Hon tog emellertid doktorns parti och
ordnade omedelbart en försoningsscen mellan de båda herrarna, som
naturligtvis inte blev vänner för det. De la Gardie höll sig borta från
hovet och gjorde vad han kunde för att undergräva Bourdelots ställning;
han tog bland annat kontakt med franske ambassadören och försökte
få sin antagonist hemkallad till Frankrike. Hans ansträngningar lyckades
på sätt och vis; drottningen blev snart nödsakad att låta Bourdelot resa
till sitt land igen, där han nämligen kunde bli henne till större framtida
nytta och där han på hennes önskan försågs med ett abbotstift av kardi-
nal Mazarin. Chanut, som vid denna tid återkom till Sverige efter ett
mellanspel av en annan mindre framstående diplomat, underrättades nu
av drottningen att hon snart ämnade abdikera och slå sig ner utomlands;
hon skulle då ha behov av en fransk livränta, som lämpligen kunde be-
talas dels genom en gammal svensk subsidiefordran från trettioåriga
krigets tid, dels genom försäljning av ett antal svenska örlogsfartyg till
Frankrike. Chanut visade sig inte ointresserad av detta.

Strax efter Bourdelots avfärd var det meningen att även Pimentel
skulle ge sig av hem. I augusti gick han i Göteborg ombord på skeppet
Hercules, men detta råkade ut för oväder, sprang läck och måste åter-
vända, och Pimentel for då och överraskade drottningen och hovet som
för ögonblicket befann sig i Vadstena. Någon ny avresa blev sedan inte
av, utan han blev kvar i drottningens närhet månad efter månad och in-

kvarterades nu vid hovet på Jakobsdal, som familjen De la Gardie sedan någon tid hade fått avstå till drottningen med anledning av vissa ombyggnader av Stockholms slott. Greve Magnus Gabriel såg allt detta med djupaste ovilja och kände sig oförtjänt tillbakasatt. En dag när drottningen yttrade sig berömmande om andra ministrar fann han anledning att beklaga sig över den missaktning han såg sig utsatt för; någon hade till och med påstått att drottningen skulle ha beskyllt honom för förräderi och aldrig tänkte ta honom till nåder igen. Kristina spetsade öronen vid detta tal och frågade skarpt vem som hade haft djärvheten att sprida sådana lögner. Greven, som inte hade väntat sig den reaktionen, blev förvirrad och drog till med ett namn, varvid drottningen omedelbart lät tillfråga vederbörande som naturligtvis stod främmande

för alltsammans. Hon gick då lös på De la Gardie igen, och denne snodde sig då genom att säga att han hade fått uppgiften mellan fyra ögon av en överste Schlippenbach som nu befann sig på annat håll. Kristina, besluten att gå till botten med saken, lät utan vidare kalla översten till hovet. Samtidigt med hennes kallelse mottog denne ett brev från De la Gardie som försökte förmå honom att ta på sig det uppgivna samtalet, men det gjorde inte översten. Konfrontationen inför drottningen mellan översten och greven slutade med att den sistnämnde såsom bakdantare och lögnare förvisades från hovet.

De la Gardie blev alldeles förtvivlad. Han vände sig till Axel Oxenstierna och bad om hjälp, och denne rådde honom att genom sin mor och sin hustru söka blidka drottningen, vilket skedde utan resultat. Hänvändelsen har avkastat ett bevingat ord av den gamle rikskanslern: "Han är incapabel att bära både lycka och olycka." De la Gardie vände sig även till sin svåger Karl Gustaf, som försiktigt gjorde vad han kunde hos drottningen. Inte heller han lyckades ändra domen, och när den fallne hovmannen själv började skriva brev till Kristina och förneka sin skuld resulterade detta endast i att hon en vacker dag också avsatte honom från hans höga ämbete genom att utnämna en ny riksskattmästare, Herman Fleming. Det var en åtgärd som det var högst tvivelaktigt om hon hade befogenhet till, och kollegerna i riksrådet med den gamle kanslern i spetsen kände sig djupt oroade, men drottningens vilja stod inte att rubba.

Pimentel, som sade sig stå utanför hela denna affär och kanske också gjorde det, hade nu mer än någonsin drottningens öra. Mot slutet av 1653 fick han politiskt sällskap av en engelsk ambassadör som hette Bulstrode Whitelocke och företrädde samma intresse som han själv, nämligen att få Sverige ut ur vänskapen med Frankrike. Whitelocke, som eftervärlden har att tacka för en mycket intressant dagbok från vistelsen här, var en allvarlig puritan som betraktade drottning Kristinas hovliv med häpnad och ogillande men inte kunde undgå att imponeras av hennes person; på Valentinsdagen i februari korade han henne förresten på engelskt maner till sin "valentine", vilket hon inte hade någonting emot. Vid den tiden var hennes förestående abdikation ingen hemlighet längre; tre dagar före Valentin hade hon officiellt meddelat rådet detta sitt beslut, och redan dessförinnan hade hon med Pimentels hjälp packat en smula för sin avresa och låtit föra sina värdefullaste ägodelar ombord på skeppet Fortuna.

Axel Oxenstierna stretade inte emot mera utan drog bara en ryktbar suck: "Hon är ändå den store Gustaf Adolfs dotter!" Pliktskyldigast satte han upp en vädjan från rådet till drottningen att stanna kvar, men han trodde inte att den skulle tjäna någonting till, och det gjorde den inte heller. Det enda som återstod var att bestämma hur det skulle bli med drottningens underhåll efter abdikationen, och därom förhandlade man nu några månader i rådet. Hon hade tänkt sig att få disponera över

öarna Öland, Gotland och Ösel, Norrköpings stad. Vadstena och en del vidlyftiga domäner i Pommern, och trots starkt motstånd från framför allt Per Brahe fick hon alltihop utom Vadstena att i sin livstid styra och uppbära skatt av, dock så att hennes undersåtar militärt lydde under svenska kronan. Länderna fick inte säljas eller doneras bort utan skulle återgå ograverade efter drottningens död.

Ur statsfinansiell synpunkt var arrangemanget inte så revolutionerande som det numera kan förefalla, ty det mesta av dessa områden togs inte från kronan utan från andra länstagare; Ösel och de pommerska områdena hade sålunda dittills regerats av Magnus Gabriel De la Gardie, och Öland var arvfurstens Karl Gustafs förläning. Den nye riksskattmästaren Herman Fleming, en butter, nitisk och viljekraftig karl som visste vad han ville, hjälpte drottningen att få det hela igenom därför att det faktiskt innebar en reduktion av gods från högadeln, och han åstadkom också att hon till sin blivande efterträdare överlämnade en hemlig skrivelse där det stod att denne inte behövde känna sig bunden av hennes donationsbrev och köpegodsbrev. Herman Fleming stoppade rentav den flod av donationer som var att befara i samband med abdikationen; han beordrade nämligen sitt ämbetsverk att inte utfärda några handlingar i donationsfrågor förrän efter tronskiftet. Helt lyckades han visserligen inte, ty då drottningen ville ge grevskap åt hovstallmästare Steinberg och överste Schlippenbach lät hon inte hejda sig av kammarens svar att ingenting fanns att tillgå utan såg till att Steinberg fick Enköping och Schlippenbach blev greve av Skövde.

Själva abdikationsakten ägde rum en junidag på rikssalen i Uppsala slott och var en medömklig akt, som Per Brahe i sin tänkebok uttrycker saken. Axel Oxenstierna hade vägrat att tala där, och riksrådet Schering Rosenhane inledde i hans ställe det hela genom att läsa upp ett dokument i vilket drottningen löste sina undersåtar från deras trohetsed och överlät riket åt sin kusin. De fem höga riksämbetsmännen tog därefter högtidligen emot alla rikets regalier ur hennes händer, varpå hon avkläddes hermelinsmanteln och stod där i en enkel vit klänning av taft. Hon steg långsamt ner för tronens trappsteg och stannade på det nedersta, där hon höll ett avskedstal som imponerade på åhörarna och nog var magnifikt. Efter en svarsharang av Schering Rosenhane på ständernas vägnar steg hon ner för det sista trappsteget också och höll tal till den svartklädde Karl Gustaf, ledde honom därpå upp mot tronen och anmodade honom att ta alla kunglighetens sinnebilder i besittning. Efter mycket ceremoniellt krusande tog den nyblivne kungen därpå till orda, tackade sin välgörarinna och lovade hålla svenska folket vid Guds ord och Sveriges lag. Några timmar senare kröntes han med all pompa i domkyrkan, men vid den efterföljande banketten fanns det silverskedar enbart för adeln, ty den abdikerande drottningen hade för längesedan låtit packa ner och skicka bort en stor del av det kungliga husgerådet med sina privata flyttlass.

Själv reste hon sin kos dagen därpå och anlände inom kort till Antwerpen och Bryssel, där hon höll hov något år i prakt och glans och publicitet. Därifrån drog hon i sinom tid vidare till Rom, och i Innsbruck på vägen dit övergick hon högtidligen och offentligen till katolicismen. Den gamle lutheranen Axel Oxenstierna slapp uppleva detta; han gick ur tiden bara ett par månader efter abdikationsakten i Uppsala. På hans begravningsdag något halvår senare dog änkedrottning Maria Eleonora, uppskakad, sorgsen och oförstående inför denna den senaste av sin dotters många bizarra idéer.

Karl X Gustaf

Så snart drottningen hade rest avslutade Karl Gustaf riksdagen hastigt och även lustigt, säger Anders Fryxell: "både han och ständerna togo rundligt till bästa". Det nya majestätet hade onekligen skäl att fira dagen. Hans ställning sedan många år tillbaka hade varit ömtålig och ofta obehaglig, och han hade i möjligaste mån hållit sig på sin öländska förläning, där han ägnade sig åt jakt, dryckenskap, slottsbyggande och andra politiskt ofarliga ting. Litterära och artistiska intressen som Kristina hade han inga, men det var inget fel på hans allmänbildning, hans politiska fantasi, hans viljestyrka och hans arbetsförmåga.

Hans första viktiga åtgärd efter tronbestigningen var att gifta sig. En hel rad barn med olika damer hade han visserligen redan, däribland en sjuårig son som hette Gustaf Carlsson och blev greve och framstående general med tiden, men denne dög naturligtvis inte till tronarvinge; hans mor var dotter till en rådman i Stockholm. Kungens utvalda, den adertonåriga Hedvig Eleonora, var däremot dotter till hertigen av Holstein-Gottorp som var en given bundsförvant mot Danmark om så behövdes; det hela var alltså i hög grad ett politiskt parti, men detta hindrade inte att prinsessan befanns vara *en skön liten dygdig och synnerligt hjärtans behaglig puppa.* Bröllopet firades med en serie fester och tillställningar, varibland ett dramatiskt spektakel vid namn De gamble göters allmännelige utrop, skrivet på götiska, svenska, tyska och franska, men man hade måst lita till högadelns hjälp för att få ihop rekvisita och kostymer och annat, ty det var glest med husgeråd och preciosa på de kungliga slotten och statskassan var som vanligt alldeles tom.

Att frågan om rikets finanser krävde radikala åtgärder var numera uppenbart för nästan alla. Kungen, som i motsats till sin företräderska hade växt upp i relativ fattigdom, saknade icke sinne för ekonomi och tog omedelbart itu med att skära ner en del utgifter; han inskränkte sålunda hovhållningen och lät inställa alla utbetalningar från tullinkomsterna i väntan på översyn av anordningarna på området. Problemets tyngdpunkt låg dock tydligen på annat håll, nämligen i kronogodsens och skattejordens förvandling till frälse, och det dröjde några månader efter tronskiftet innan han vågade sig på att röra vid denna ömma böld. Vid tiden för det kungliga bröllopet mottog Herman Fleming emellertid ett brev som han nog hade inspirerat själv; där stod att monarken fann det högnödigt att snarast bli noga informerad om kronans gods och inkomster och vad som därav hade kommit i andras händer. Fleming beordrades att ordentligt undersöka alla sådana förhållanden och lämna detaljerat besked, och denne energiske, magnatfientlige ämbetsman satte genast i gång. Efter några veckor förelåg en lista och ett förslag om reduktion till kronan av vissa av de gods som under de senaste årtiondena hade kommit i adelns ägo.

För kungen var reduktionsfrågan naturligtvis blott ett ekonomiskt och inte alls något socialt problem. Han var först och främst yrkesmili-

tär, och hans huvudintresse gällde nog utrikespolitiken. Vid hans tron-
bestigning var Sverige redan invecklat i ett litet krig som för övrigt
gick dåligt till en början; det fördes med den fria staden Bremen, som
hade vägrat att erkänna svensk överhöghet och uppträdde som själv-
ständig medlem av tyska riksdagen. Efter diverse strider och månads-
långa underhandlingar måste bremarna emellertid ge med sig till sist,
ty den holländska hjälp de hade räknat på infann sig aldrig.

Utrikes oväder av helt annan räckvidd seglade upp i sydost. Ett våld-
samt kosackuppror i Polen hade lett till ryskt ingripande, och ryssarnas
militära framgångar var stora och oroande för det svenska väldet på
andra sidan Östersjön. I Polen regerade sedan 1648 den siste konungen
av Vasarnas ätt; han hette Johan Casimir, och gentemot den polska
adeln stod han ännu svagare än hans bror Vladislav och hans fader
Sigismund hade gjort före honom. Sina svenska tronanspråk hade han
inte gett upp, och någon riktig fred med Sverige rådde inte, utan bara
ett stillestånd som gällde till 1661. Det hölls obrottsligt, men i Sverige
såg man alltid med misstro på polackerna, framför allt inför tronskiftena
som ju aktualiserade de polska kungarnas dynastiska anspråk. Från året
före drottning Kristinas tronbestigning har bevarats ett yttrande av
Axel Oxenstierna i detta ämne: "Man måste vara som Argus, som hafver
ögonen på alla sidor, eller som en gammal västgötaost." I Kristinas sista
år kom en polsk greve till Sverige i avsikt att föreslå förhandlingar, och
om hans samtal med drottningen finns en historia hos Samuel Pufendorf,
som var kunglig svensk rikshistoriograf i Karl XI:s dagar och såsom
sådan har skrivit en berömd historia om Karl Gustafs bragder. Pufen-
dorf säger att polacken förklarade det vara orätt att Sveriges krona
skulle överflyttas från Vasaätten till den främmande pfalziska familjen,
varvid drottningen lät förstå att hennes kusin kunde komma till War-
szawa och bevisa sin rätt med trettiotusen vittnen.

Karl Gustaf beslöt sig inom kort för att göra ungefär det. Knappt var
freden sluten med Bremen förrän man i svenska riksrådet började reso-
nera om lämpligheten av att anfalla det sönderslitna Polen innan ryssar-
na tog hand om hela bytet. På nyåret 1655 hade kungen bestämt sig för
kriget, och i mars samlades en riksdag vars huvudsakliga uppgift var att
skaffa pengar för ändamålet. Att i princip få stånderna med på saken
gick lätt nog; debatten om krig eller fred överstökades på bara tre dagar
och utföll alldeles efter kungens önskan. Värre var det att komma över-

ens om de nödvändiga ekonomiska uppoffringarna. Man riskerade här att omedelbart stöta på de intressemotsättningar som hade trätt så starkt i dagen under 1650 års riksdag, men denna gång var det inte de ofrälse stånden som i allmänna ordalag yrkade på indragning av adelns jordegendomar, utan man hade att göra med en detaljerad kunglig proposition, och eftersom frågan nästan uteslutande gällde adeln framlades saken till en början blott inför detta stånd. Förslaget gick ut på att kronan skulle få tillbaka sådana gods som enligt lag egentligen inte hade fått säljas eller bortskänkas. Sådana kallades på tidens kameralspråk för omistande orter, varmed menades gods som på ett eller annat sätt var oumbärliga för krigsmaktens behov, för bergsbruket eller för hovstaten.

Efter en del irriterade debatter gick propositionen igenom på Riddarhuset, och det var ju en stor sak. Kronans akuta penningknipa var emellertid inte avhjälpt därmed, och till krigskassa kunde ju inkomsterna av de omistande orterna i alla fall aldrig brukas. Kungen kom därför med ytterligare ett äskande, nämligen att personer som innehade andra donerade kronogods skulle åta sig att betala en årlig skatt på sammanlagt tvåhundratusen daler eller också avstå en fjärdedel av godsen. Om detta förslag blev det stort oväsen både på riddarhuset och i rådet. Det första alternativet förkastades genast allmänt; det sades strida mot naturen av adelns stånd att betala skatt som andra bönder. Beträffande det andra alternativet – som inte utan vidare kunde tillbakavisas, ty pengar måste ju skaffas på något sätt – uppstod strid mellan högaristokratien och lågadeln, som ansåg det skäligt att godsåterlämnandet skedde efter en progressiv skala, så att den som bara hade fått ett litet gods kunde slippa med att ge tillbaka en tjugondel medan de stora jorddrottarna borde lämna ifrån sig två tredjedelar av sitt innehav. Högadeln segrade i den inbördesfejden, och man beslöt alltså att procentsatsen skulle vara lika för alla; de som hugnats med donationer skulle lämna tillbaka en fjärdedel, varefter de skulle sitta säkra på resten av sina besittningar evärdligen. Reduktionsstadgan som fastslog detta skulle, stod det i beslutet, vara en evigvarande förordning.

De ofrälse riksdagsmännen stegrade sig omedelbart inför dessa ord. De ville inte frånsäga sig möjligheten att i framtiden driva reduktionen längre. Det var, framhöll de, fel att skilja på omistande orter och andra; kronans gods var alla lika omistliga, och man kunde inte för all framtid avsäga sig tre fjärdedelar. Den sociala striden hade därmed på nytt trätt i dagen, och det föreföll omöjligt att man skulle kunna enas om något beslut alls. "Fara är", yttrade rikskanslern Erik Oxenstierna i rådet, "att riksdagen går sönder, såsom i Polen". I det läget föreslog kungen att man skulle lösa saken så att adeln tills vidare skulle ge staten räntorna på en fjärdedel av donationsgodsen samtidigt som en utredning tillsattes för att förbereda ett evärdligt beslut i den stora frågan. Rådet hörde inte på det örat utan anhöll att kungen skulle förmå de ofrälse att skriva under adelns beslut, varpå kungen förklarade att i så fall måste han tillhandahållas argument att övertala dem med; "att bruka den konungsliga myndigheten till en befallning, helt enkelt och utan grunder, det anstode honom icke: han kunde icke gynna det ena ståndet mera än det andra". När riksrådet Schering Rosenhane fortfor att förfäkta rådets önskemål ilsknade kungen till och lät förstå att han tänkte iaktta sin och rikets rätt. "Konungen borde väl hafva så stor rättighet i landet som en adelsman." Därpå reste han sig och gick, och följande ~ag drev han igenom sin vilja i rådet och därefter även hos ständerna.

Pengar till krig och annat fanns därmed i sikte. Rustningar på kredit hade varit igång i flera månader och intensifierades nu med all iver. Flera svenska grevar satte upp egna regementen och man skrev ut soldater överallt i bygderna, en knekt för vart tionde skattehemman och en för vart tjugonde frälsehemman. Fältmarskalken Arvid Wittenberg skickades till Pommern för att ta befälet över hundra kompanier nyvärvat tyskt folk. Magnus Gabriel De la Gardie, vilken såsom kungens svåger hade återfått ungefär samma höga ställning som han störtades från i Kristinas sista tid, reste med vidsträckta fullmakter till de baltiska provinserna såsom konungens ställföreträdare och närmaste man.

Polackerna, som naturligtvis insåg vad det var frågan om, gjorde flera försök att få till stånd fredsunderhandlingar och tycks i sitt trångmål ha varit beredda att gå ganska långt i landavträdelser och eftergifter; Johan Casimir hade dessutom alldeles klart erkänt Karl Gustaf som Sveriges konung. Den sista polska fredsambassaden, hundrasextio personer under ledning av en wojwod som hette Leczinski, kom till Stockholm på midsommardagen 1655, då flottan låg segelklar och kungen var färdig att gå ombord. Han kunde för skams skull inte ge sig iväg till kriget mitt för näsan på sändebuden utan gav dem fem dagar att förhandla på. När den tiden var ute fick de besked att nu måste kungen resa; själva borde de följa efter och återuppta förhandlingarna på andra sidan havet.

Det polska kriget

"Låtom oss", säger Anders Fryxell, "rörande angreppet mot Polen erkänna följande sanningar! Förnämsta driffjedern var begäret att få plundra en nödställd grannstat. Förnämsta bundsförvanterna voro en rad fosterlands-förrädare: Radziejowski, Opalinski, Radzivil och Chmielnicki. Förnämsta framgångarne 1655 vunnos mindre genom svenska vapen, än genom polska förräderier. Efter dylikt utsäde skördas ingen välsignelse. En hämnande rättfärdighet bestraffar förr eller senare hvarje förbrytelse; icke blott den enskildes, utan ock staternas."

Det är svårt att tycka annat än att den moraliske 1800-talsprosten och historieberättaren nog i allt väsentligt hade rätt. Några hederliga skäl för kriget fanns knappast, utan det verkliga motivet var Rysslands segrar och Polens politiska upplösning; det gällde helt enkelt att ta för sig medan tid var. Det fanns ett motiv till, medger Nils Edén i en artikel som märkvärdigt nog egentligen polemiserar mot andra historieskrivares mening att den unga svenska stormakten alltid behövde krig för att försörja sina härar. "Ville man ej", skriver Edén, "helt snart upplösa den värfvade truppstyrkan, med risk att stå oberedd vid inträffade farligheter, fanns ingen annan utväg än att skaffa den sysselsättning och underhåll i fiendeland."

Berättelsen om det polska krigets förlopp är ej heller någon uppbygglig historia, trots Fryxells ord om den hämnande rättfärdigheten.

Det började på den livländska sidan, där svenskarna överrumplade staden Dünaburg samma dag som regeringen i Stockholm började sina förhandlingar med Leczinskis ambassad. Nästa man på plats i Polen var Arvid Wittenberg, som med sin pommerska armé mötte den polska adelshären under den ovannämnde Opalinski. Påverkade av den landsflyktige magnaten Radziejowski, som åtföljde svenskarna och nu hade sin stora stund, kapitulerade polackerna strax, hyllade Karl Gustaf och överlät sitt infanteri åt den svenske fältmarskalken, under det att de beridna ädlingarna drog hem till sina gods. Därefter var det kungens tur att själv göra sitt segertåg. Också han kom från Pommern och marscherade över brandenburgskt område till Västpreussen där han tog stad efter stad utan svärdsslag och mottog hyllning av de lamslagna polackerna. Kung Johan Casimir försökte få till stånd ett personligt sammanträffande men blev avvisad och därefter även slagen, varpå han flydde genom Ungern till Schlesien. Karl Gustaf intågade högtidligen i Polens båda huvudstäder Warszawa och Krakow och lät hylla sig som landets konung. Som krigsbyte tog han S:ta Birgittas skrin, som Sigismund hade låtit föra hit, och skickade det hem till Sverige igen.

Därmed var det emellertid slut på framgångarna. Frammarschen på den livländska fronten hade inte gått lika bra, eftersom det här gällde att inte komma i öppet krig med ryssarna, och även i det centrala Polen började läget mulna. Fredrik Wilhelm av Brandenburg, känd i sitt lands historia som den store kurfursten, allierade sig med Johan Casimir och ryckte in i Västpreussen, och en hotfull holländsk flotta visade sig i Östersjön. Med brandenburgarna lyckades Karl Gustaf visserligen få till stånd ett fördrag som gav kurfursten Ostpreussen under svensk överhöghet i stället för under polsk, men denne var en opålitlig allierad som kunde väntas byta sida när som helst igen och för övrigt hela tiden höll nära kontakt med holländarna, vilkas flottdemonstration spred fruktan i Sverige och föranledde vissa beredskapsåtgärder. Två hundra man sattes sålunda i arbete utanför Stockholm med att bygga den skans varav Skanstull har fått sitt namn.

Polackerna, trötta på ockupationen, började hämta mod igen. En folkresning mot de svenska garnisonerna organiserades överallt, en polsk armé kom åter på fötter, och Johan Casimir kunde återvända till sitt land. Vintern och våren 1656 marscherade Karl Gustaf av och an i Polen och vann en drabbning emellanåt, men folkresningen bara växte samtidigt som den svenska hären krympte. En belägring av Danzig misslyckades och påskyndade dessutom en allians mellan holländare och danskar med udd mot Sverige. Kungen, som så frejdigt hade börjat detta krig under allmäneuropeiskt ogillande, såg sig nu om efter bundsförvanter och fann två som visade sig intresserade av att dela Polen med honom – han är såvitt man vet den förste som gjort upp ett förslag till Polens delning. De var furst Rakoczi av Siebenbürgen, som tacksamt gick in på att bemäktiga sig några polska landskap i söder, och den brandenburgske kurfursten, som Karl Gustaf lyckades binda vid sina intressen genom att avstå en del av sina västpreussiska erövringar åt honom. Ett regelrätt förbund kom till stånd, och de förenade styrkorna marscherade nu skyndsamt mot Warszawa där Arvid Wittenberg med möda höll stånd mot Johan Casimirs armé. Undsättningen kom för sent, staden föll, Wittenberg blev fången och dog i fångenskap året därpå. Den svensktyska hären angrep och skingrade utan svårighet den polska och återtog Warszawa men hade ingen som helst praktisk glädje av denna sin stora och ryktbara seger, ty Karl Gustaf måste strax utrymma staden igen sedan han raserat dess fästningsverk och packat ner varjehanda dyrbarheter; sålunda lät han bryta ner en portik vid kungliga slottet för transport till Sverige. Militärt var hans ställning prekär. Han försökte omsider inleda underhandlingar med Johan Casimir, men nu var det dennes tur att anslå en majestätisk ton.

Än sämre gick det i öster. Ryssarna, som nu hade bemäktigat sig det mesta av Litauen och Ukraina, började känna sig nöjda på detta håll och sneglade i stället på de svenska bastionerna vid sina gränser. En svensk ambassad som hade skickats till Moskva för att söka åstadkomma avspänning mottogs mycket strävt och utsattes för varjehanda förolämpningar och prövningar, under det att tsaren i stället inledde vänskapliga förbindelser med polackerna. I juni 1656 gick ryssarna på allvar över gränsen till Ingermanland och härjade även i sydöstra Finland. Fästningen Nyen på platsen för det blivande Leningrad intogs och brändes. En månad senare bröt ryssarna in i Estland och Livland, där Magnus Gabriel De la Gardie förde befälet, och tvingade de svenska trupperna att dra sig in i fästningarna medan landet härjades vitt och brett. Riga och andra städer inneslöts och belägrades, men den konsten kunde inte ryssarna ännu; den enda stad av någon betydelse som de lyckades ta var Dorpat, vilket visserligen var illa nog.

Furst Rakoczy av Siebenbürgen

Med holländarna, vilkas hållning tidigare under året hade gett anledning till mycken oro, lyckades rikskanslern Erik Oxenstierna – som sjuknade och dog några veckor därefter – få till stånd en traktat som slöts i den preussiska staden Elbing i september 1656 och tryggade freden för tillfället. Den innehöll vissa tullbestämmelser samt en klausul beträffande Danzig, vars självständiga ställning därmed hade erkänts av Sverige. Svenskarnas läge var emellertid alltjämt bekymmersamt, och de hade besvär även av sina vänner. Med Fredrik Wilhelm av Brandenburg nödgades Karl Gustaf sålunda sluta ett nytt avtal som innebar att kurfursten fick full suveränitet över Preussen, en överenskommelse av världshistorisk räckvidd, ty därigenom lades första grundstenen till Fredrik den stores, Bismarcks och Hitlers tyska stat.

Den svenske konungens andre bundsförvant, furst Rakoczy av Siebenbürgen, gjorde inga sådana vinster. Hans stora armé gick i sinom tid helt och hållet under och såväl han själv som hans land gick snabbt blodiga olycksöden till mötes. Våren 1657 då han alltjämt var full av hopp mötte honom Karl Gustaf i södra Polen, varpå de förenade härarna marscherade tillsammans ett stycke genom det fientliga landet utan att kunna uträtta någonting särskilt. I maj skildes åter de båda potentaterna för att aldrig mer mötas i jordelivet.

Karl Gustaf begav sig till Västpreussen där en del erövringar från krigets första månader alltjämt var i svensk hand. Hans sinnesstämning var inte den allra bästa. Österrikiska trupper hade nyss ryckt in i Polen till Johan Casimirs hjälp. I Livland härjade pesten och ryssarna. Förhållandet till Holland hade försämrats igen och rentav övergått till krig på andra sidan oceanen, där Nya Sverige angreps och föll. Men det mest allvariga budskapet kom från Danmark, som också var i färd med att bryta freden.

Till Halmstad en vacker sommardag kom en dansk härold och överlämnade för vidare befordran sin konungs fejdebrev till Hallands guvernör. I brevet stod att Sverige hade förfördelat Danmark på åtskilliga sätt; det hade tagit biskopsstiftet Bremen från den nuvarande danske kungen, det hade fräckt behållit dalasocknarna Särna och Idre som aldrig hade avträtts eller ens nämnts i Brömsebrofreden, och det beskyddade vidare Corfitz Ulfeld.

Den sistnämnde, gift med Leonora Christine som var halvsyster till kungen själv, hade ju varit Danmarks högste riksämbetsman i Kristian IV:s sista tid. Han hade spelat en förgrundsroll ännu vid sin svåger Frederik III:s kröning, som ägde rum på hösten 1648 under stora kalas sedan man hade löst ut danska kronan, som varit pantsatt hos en affärsman i Hamburg, och låtit tillverka ny spira och nytt riksäpple. Den nya drottningen, en majestätisk tyska vid namn Sofie Amalie, drog dock inte jämnt med Leonora Christine, som för övrigt såg till att hennes man i sin egenskap av rikshovmästare lät städa bort äreporten under natten mellan kungens kröning och drottningens. Förhållandet mellan familjerna blev snart mycket spänt även av politiska skäl. Det var Ulfeld som fick till stånd den danska alliansen med holländarna, men hans ambassad hade varit dyr, och hemkommen fann han att man hade yppat tvivel på hans ekonomiska hederlighet och börjat undersöka hans räkenskaper. En dag uppträdde vid hovet ett tvivelaktigt fruntimmer som hette Dina och anklagade Ulfelds för planer på att förgifta kungen; hon påstod sig ha stått i intimt förhållande till rikshovmästaren, och gömd i hans säng hade hon bevittnat hurusom han och hans hustru lade råd om sitt påtänkta dåd. Underligt nog trodde kungafamiljen på denna historia, men lika underligt är att Corfitz Ulfeld och Leonora Christine också satte tro till Dina när hon strax därpå kom hem till dem och bad dem ta sig i akt för mördare. Nu gick det en tid av ömsesidig skräck; kungen och drottningen spanade ständigt efter gift i maten, Corfitz Ulfeld och hans tjänare höll vakt med laddade gevär både natt och dag. När ingenting hände tröttnade han till sist, sände bud till kungen, begärde dennes beskydd och anhöll att han ville förbjuda sina tjänare att mörda honom. Frederik III, som var en allvarlig, stillsam, beläst och teologiskt bildad man, blev ursinnig över denna antydan och svarade med att ålägga Ulfeld husarrest i Köpenhamn. I samband därmed arresterades emellertid också Dina och ställdes inför domstol, och ehuru hon hela tiden höll fast vid sina uppgifter blev det snart uppenbart att hon hade diktat ihop alltsammans. Hon dödsdömdes och avrättades, vilket innebar att Ulfeld var frikänd för sina påstådda förgiftningsplaner, men undersökningen av hans räkenskaper intensifierades samtidigt av hans ovänner, och resultatet därav vågade han inte invänta. Som rikshovmästare och ståthållare över Köpenhamn hade han nyckeln till Österport, och en högsommarnatt tog sig han och hans hustru i all hemlighet ut ur staden, gick ombord på ett fartyg och seglade till Holland, varifrån paret inom kort begav sig till Sverige och fann asyl vid drottning Kristinas hov. Där gjorde de bekantskap även med den blivande Karl X Gustaf.

Corfitz Ulfeld var inte den ende som råkade ut för sådan räkenskapsrevision. Ståthållaren i Norge Hannibal Sehested, som var olyckligt gift med en syster till Leonora Christine och således också var svåger med kungen, misstänktes för att ha lagt vantarna på mycket av skatteuppbörden, vilket befanns vara fallet i hög grad. Han avsattes och fråndömdes gods till ett värde av en kvarts miljon riksdaler, en nästan otrolig summa på sin tid.

Bakom dessa ekonomiska räfster stod egentligen icke konungen utan riksrådet. Den danska högadeln, som innehade den verkliga makten i landet alltsedan Kristian IV:s misslyckade krig mot Sverige, hade stärkt sin ställning ytterligare genom en handfästning som avkrävdes Frederik III före hans tronbestigning och stod icke den svenska rådsaristokratien efter i fråga om politisk och ekonomisk myndighet. Även i Danmark klarade staten sina affärer genom att sälja kronojord, visserligen icke blott till adelsmän. Alla riksrådets medlemmar var stora jorddrottar, och många av dem hade huvuddelen av sina domäner öster om Öresund.

Det gällde den gamle oborstade Tage Thott, kallad Kongen af Skaane, som innehade Skabersjö, Eriksholm, Bjärsjöholm, Barsebäck, Herrestad, Flackerup, Ulstrup och många andra domäner; han var dessutom, i tur och ordning, länstagare till Laholm, Landskrona, Sölvesborg och Malmö. Skånsk storgodsägare var också den vältalige och högt bildade Joachim Gersdorff som hade efterträtt Corfitz Ulfeld som dansk rikshovmästare; hans största egendom var Tunbyholm.

Atmosfären i Danmark efter Brömsebrofreden var naturligtvis avgjort svenskfientlig. Man sörjde sina förlorade provinser, mest kanske Halland, som helt och fullt var ett danskt land vars präster alltjämt predikade på danska och vars adel ofta uppehöll sig i Köpenhamn. Kung Frederik, själv mera tysk än dansk eftersom han hade varit designerad till furstbiskop av Bremen, hade inte glömt vem som tvingat honom bort från denna värdighet. Danmarks ställning var inte sådan att det kunde hoppas på att med egna krafter vinna tillbaka det förlorade, men svenskarnas motgångar i Polen, kejsarens inträde i kriget och holländarnas hotfulla hållning var ägnade att väcka optimism, och när en holländsk diplomat kom till Köpenhamn för att söka förmå danskarna att begagna det lägliga tillfället fann han strax villiga åhörare. Alltifrån hösten 1656 var man i Danmark inställd på att kriget skulle komma och rustade sig efter förmåga. På Jylland vid den smalaste delen av Lilla Bält var man sedan flera år tillbaka i färd med att bygga en fästning som också väntades bli en stor handelsstad med tiden; den hette Frederiksodde och var avsedd att hindra en upprepning av Wallensteins och Torstensons invasioner från söder. Vidare värvade man knektar och skrev ut soldater, ehuru med måttlig framgång; man fick ihop något sådant som tjugofem tusen man som delades upp på två ungefär jämnstarka arméer, varav den ena i Skåne.

Förberedelserna hade inte kommit så värst långt när riksrådet våren 1657 fann tiden mogen att slå till. Tage Thott var en av de få som röstade nej till krig. Atskilliga andra skåningar deltog gladeligen i beslutet, främst bland dem Joachim Gersdorff. Kungen skrev med största förtjusning under och avfärdade snarast sitt brev till Halmstad.

Tre veckor senare fick Karl Gustaf besked om danskarnas krigsförklaring nere i Polen. Han blev inte förvånad, och rådet som i hans frånvaro förde regeringen hemma i Sverige togs inte heller på sängen. Misstron mot Danmark var alltid levande, och en serie landskapsmöten hade hållits under det senaste halvåret för att bevilja pengar och knektutskrivningar; någon riktig riksdag vågade man inte sammankalla. I Småland lyckades Per Brahe med någon svårighet övertala bönderna att sätta upp en försvarsstyrka och fick så småningom ihop några tusen man. De var inte samlade än när krigsförklaringen kom, men genom en del rådiga order och åtgärder– han lät bland annat bygga en skans vid Toftaholm – fick han rådrum för mobiliseringen och kunde sedan gå till attack mot en dansk trupp som belägrade Laholm. Det stod ett slag vid Genevads bro en dag i augusti; det slutade med att danskarna måste dra sig tillbaka till Skåne. I oktober vann de i gengäld en batalj vid Kattarp, där de nyutskrivna svenska rekryterna flydde i vild oordning; resultatet blev att danskarna snabbt gjorde sig till herrar över hela Halland utom fästningarna, medan de svenska trupperna stod vid det småländska Traryd och väntade på att fienden skulle komma marscherande på Lagavägen. Därav blev ingenting; danska armén lämnade tvärtom plötsligen Halland och drog hem över skånska gränsen. På denna front hände sedan just ingenting under resten av kriget. Däremot bröt en dansk-norsk armé under höstens lopp in i Jämtland och Härjedalen och tog med lätthet dessa landskap, som ju hade hört till Sverige bara något årtionde. Härjedalen återtogs visserligen snart av några hundra man från Dalarna under landshövdingens eget befäl.

Kriget avgjordes i helt andra nejder. För Karl Gustaf, som fastnat i sitt hopplösa polska äventyr och därigenom kommit i strid även med ryssar och österrikare, var den danska krigsförklaringen inte ovälkommen; den gav honom ett skäl och en möjlighet att dra sig ur det hela. Med några tusen man bröt han upp från sitt preussiska högkvarter och förflyttade sig hastigt västerut; ilmarscher som kostade hundratals hästar livet förde honom på ett par dagar till Stettin i svenska Pommern, där han i samma blixttempo drog samman alla tillgängliga trupper och fortsatte mot Danmarks sydgräns. I Pommern träffade han också Corfitz Ulfeld, som sedan följde honom under hela fälttåget. Utan hinder marscherade han in i Holstein, där han fann danskarna oförberedda; de hade sänt huvuddelen av sin armé till biskopsstiftet Bremen som de hade ockuperat utan svårighet. Kung Frederik själv befann sig däremot ombord på danska flottan som kryssade bortåt Danzig till för att hindra svenskarna att dra sig ur Polen sjövägen. Deras ankomst till Danmarks sydgräns var så oväntad att ockupationstrupperna i stiftet Bremen inte ens hann förena sig på samma sida om Elbe; Carl Gustaf Wrangel som skickades dit återtog hela området på någon vecka. Konungen, som under tiden hade låtit sin huvudstyrka vila i Hamburgtrakten, bröt därefter upp och drog mot norr. Det befästa Itzehoe sköts i brand med glödande kanonkulor och föll efter fyra dagar, varefter vägen låg öppen mot Slesvig och det egentliga Danmark. På Gottorps slott hade Karl Gustaf nöjet att besöka sin svärfar och avsluta ett fördrag som gav honom förstärkning av holsteinska trupper mot löfte om diverse landvinningar och politiska fördelar på Danmarks bekostnad. Danska armén, som var numerärt underlägsen, retirerade nu hals över huvud norrut mot Frederiksodde.

Den svenska underrättelsetjänsten var uppenbarligen inte heller den bästa. Åsynen av Frederiksodde slog Karl Gustaf med häpnad, ty han – som hade varit med om Torstensons fälttåg tretton år tidigare – hade ingen aning om att det låg en stor nybyggd fästning här. Den var visserligen inte färdig till alla delar, men svenskarna vågade dock inte storma utan såg sig tvungna att sätta igång en belägring som kunde bli långvarig och farlig, ty söderifrån närmade sig redan en polsk här, och det opålitliga Brandenburg var ånyo på väg att byta sida och kunde väntas angripa Sveriges tyska positioner när som helst. Emellertid inneslöts fästningen, och samtidigt ockuperades raskt hela det övriga Jylland; enstaka tappra bedrifter av lokala försvarare var därvid till föga hinder. Vid Frederiksodde fann belägrarna snart att fästningen inte var så stark som den såg ut; vallgravarna var alltjämt ofullbordade och låg torra, och besättningen var oövad, modlös och rätt svag. Efter två månaders belägring stormade svenskarna en tidig oktobermorgon och tog fästningen på halvannan timme med förlust av sjuttiofyra stupade under det att försvararna förlorade bortåt tolvhundra man, däribland själve riksmarsken Anders Bille, som dog av sina sår sedan han fått veta att hans hustru hade drunknat under ett försök att fly hem till Fyn.

Några tusen danskar togs till fånga, något tusental lyckades fly över fästningsvallarna.

Verkningarna av Frederiksoddes fall var stora. Den polska hjälphären vände om hem. I Danmark sjönk försvarsmoralen katastrofalt, och man började se sig om efter syndabockar. Det talrika värvade rytteriet, som nu stod på öarna till ingen nytta, var så impopulärt bland bönderna att det kom till skottväxling på sina håll. Regeringen satte i all hast i gång med att skriva ut infanterister i Skåne och annorstädes, men det var för sent; man hade varken tid eller pengar för utbildningen.

Karl Gustaf kom emellertid inte längre. En liten dansk eskader behärskade alltjämt sundet utanför den erövrade fästningen, och den svenska flottan som nyss hade lidit en del förluster i en träffning utanför Falsterbo hölls bunden i fjärran farvatten. Karl Gustaf fantiserade en tid om att Cromwell skulle skicka honom en engelsk flotta och få norra delen av Jylland i belöning när Danmark omsider var krossat och fredsslutet kom, men när det började lida mot jul fick han besked från den engelske protektorn att det inte kunde bli någonting av med detta det året. December var ovanligt kall, vilket man på militärt danskt håll var glad åt; man tänkte sig att isbesvären i och utanför hamnarna skulle bli oöverkomliga för eventuella landstigningsfartyg. En del sådana drogs verkligen samman så småningom av svenskarna utefter den jylländska kusten.

Hur det gick vet varje skolbarn: sunden mellan de danska öarna frös till så eftertryckligt att isen bar hela svenska hären med kanoner och allt. Man var naturligtvis på det klara med att företaget var farligt och att man tog även andra risker än den uppenbara att isen kunde brista under de marscherande trupperna. Huvudstyrkan kunde till exempel bli isolerad på någon av öarna ifall vädret slog om, och man skulle vara utan möjlighet att undsätta de kvarlämnade garnisonerna på Jylland om danskarna lyckades föra över sin underlägsna armé dit genom att helt enkelt i all stillhet gå över isen åt andra hållet. Sådana ting diskuterades generalerna emellan redan före jul, ehuru knappast på fullt allvar; tanken att marschera med en hel armé över de milsvida vattnen föreföll då alltför fantastisk. I mitten av januari frös det emellertid till ordentligt, och den 22 började Carl Gustaf Wrangel, utan att ännu riktigt tro på saken, vidta en del förberedelser för att eventuellt föra trupperna över till Fyn. Det befanns att det rådde stark ström på det smalaste stället av Lilla Bält där övergången normalt skedde och där bron numera går, men en bit längre åt söder där sundet är halvannan mil brett och strömmen var svagare borde isen kunna bli säker om kylan höll i sig. Det gjorde den; efter en enda mellandag av tö och öppna råkar var det bistert kallt i flera veckor. Den 30 januari, som var en klar och vacker vinterdag, tog man risken; tolvtusen man, varav niotusen ryttare, marscherade i spridd ordning över isen, som gick i vågor på sina ställen

under deras tyngd. Kavalleristerna som marscherade främst ledde sina hästar över själva havsströmmen men satt sedan upp igen och gick till anfall mot det danska kustförsvaret på Fyn. I detta skede brast isen under ett par skvadroner som försvann i djupet tillsammans med kungens och franske ministerns tomma slädar, men huvuddelen av styrkan kom lyckligt i land och drev snart undan danskarna som var mycket underlägsna. När slaget var förbi befann sig det svenska infanteriet och artilleriet alltjämt på en halvmils avstånd ute på havets is.

Dagen därpå höll Karl Gustaf sitt intåg i Odense i släde. Överbefälhavaren Ulrik Christian Gyldenløve som låg sjuk där blev fången tillsammans med fyra riksråd, allt motstånd på Fyn var brutet, och de svenska ryttarna spred sig plundrande över ön. Regeringen i Köpenhamn, som dittills hade avvisat alla påtryckningar från de engelska och franska sändebudens sida, såg sig tvungen att begära fredsförhandlingar och vapenvila. Emellertid höll kylan i sig, och Karl Gustaf var inte sinnad att hejda sig tidigare än nödvändigt, ty även Stora Bält låg fruset hela vägen mellan Nyborg och Korsör, och danska flyktingar hade helskinnade tagit sig över till Själland där. Man höll krigsråd om saken, men de flesta av generalerna avrådde; en plötslig tövädersstorm kunde bryta upp hela sundet på någon timme och ömkligen dränka hela hären som då kunde vara långt från land. Det fanns emellertid en annan väg att nå målet, nämligen via Langeland och Lolland, där sunden mellan öarna inte var mycket bredare än Lilla Bält, och kungen lät genast undersöka den möjligheten.

Den traditionella berättelsen om hur detta gick till är spännande men kanske inte alldeles sann; den härrör från den utmärkte ingenjörsofficeren och tecknaren Erik Dahlberghs dagbok, och det kan misstänkas att denne likt de flesta artister hade en benägenhet att något överskatta sin egen insats.[1] Dahlbergh berättar hurusom han gjorde en rekognoscering över sunden till Lolland, undersökte isen noga, fann att den bar och skyndade tillbaka till konungen, som klockan nio på kvällen satt vid sin aftonmåltid i Dalums kloster, ett rov för stridiga tankar. "Och som jag öfwer mitt förrättande giorde en fullkomlig relation och wijste Hans Maij:tt isens tiockleek opå åtskillige stellen, och derhoes försäkrade det jag Hans Maij:tt igenom Gudz hielp medh armeen vthan skada wille öfverbringa paa Laalandh, blef Hans Maij:tt så öfwer måttan gladh, så Hans Maij:tt slog begge händren ihoop och sade, Nu Broor Friedrich skole wij talas medh på godh swänska." Efter ett nytt krigsråd med de motsträviga generalerna blev konungen tvehågsen igen, men sent på natten när han redan gått till sängs lät han ånyo kalla till sig Dahlbergh och frågade om han på heder och samvete kunde svara för att isen skulle bära. Dahlbergh svarade ja, och kungen utfärdade omedelbart en order till alla kavalleriregementen att möta honom följande dag i Svendborg.

Wrangel med infanteriet fick tills vidare stanna på Fyn. På kvällen den 5 februari drog kungen med hela sitt rytteri ut på isen mot Langeland i en kuslig nattmarsch genom snön som förvandlades till issörja under hästarnas hovar, så att marschvägen i nattmörkret såg ut som en svart, öppen ström där vattnet stod fotshögt. I dagningen kom man till Langeland i bister kyla; frukostmaten måste huggas sönder, och vin och öl var förvandlade till isklumpar. Med Dahlbergh som vägvisare marscherade man därpå utan missöden de tre milen över till Lolland, där det

[1] Se *Dahlbergh* i registret.

befästa Nakskov kapitulerade på första uppfordran, och därifrån var vägen kort till Falster, där ryttarna fick vila ut någon dag och invänta Wrangel med fotfolket, som redan från Lolland hade fått kungens order att följa efter. Den 12 februari gick hela armén över det sista smala sundet och stod välbehållen på Själlands jord.

På Själland fanns ungefär åttatusen man väl utbildade danska trupper, vilket var mer än Karl Gustaf hade; större delen av dem hade för övrigt dragits tillbaka dit från Skåne. Några som helst försök att hindra den svenska framryckningen gjordes emellertid inte; danskarna var tydligen psykologiskt lamslagna av fiendens djärvhet och tur. Vid Vordingborg på södra Själland mötte däremot rikshovmästaren Joachim Gersdorff och riksrådet Krister Skeel som kung Frederik hade utnämnt till fredsförhandlare; de hade väntat sig att få träffa Karl Gustaf på Langeland och blev utom sig av häpnad när de oväntat fick se honom på en själländsk landsväg där han kom åkande i släde, omgiven av tvåhundra finska ryttare. Han gav dem en kort audiens mellan snödrivorna kring vägen och hänvisade dem till att förhandla inne i Vordingborg med de två delegater som han själv hade behagat utnämna: riksrådet Sten Bielke och Corfitz Ulfeld. De danska herrarna vägrade naturligt nog att förhandla med den senare, men inför alternativet att inte få förhandla alls nödgades de snabbt ge med sig på denna punkt. Underhandlingarna kom igång i Vordingborg, men något stillestånd ville konungen inte gå med på utan fortsatte oförtövat sin frammarsch över Själland. Han ockuperade en mängd orter och stod den 15 februari bara ett par mil från Köpenhamn.

Vid det laget hade han beslutat sig för att gå med på att sluta fred med danskarna i stället för att dela Danmark med Cromwell. Köpenhamn var jämförelsevis väl befäst och bemannat, en belägring kunde kanske dra ut på tiden, och Sverige hade många andra fiender som i så fall kunde hinna komma danskarna till hjälp. I en själländsk by som heter Taastrup möttes de svenska och danska delegaterna den 16 februari, och under tryck av den svenska armén som hotade att vilket ögonblick som helst gå lös på Köpenhamn kom ett preliminärt fredsavtal till stånd redan den 18. Den definitiva traktaten undertecknades åtta dagar senare i det närbelägna Roskilde och bär namn efter denna stad. Freden är den dyraste i Danmarks historia och den betydelsefullaste i Sveriges, ty den innebar att Skåne, Blekinge, Halland och Bohuslän bytte nationalitet. Till Sverige överlämnades vidare Bornholm och Trondheims län i Norge. Danmark förpliktade sig dessutom att hjälpa till att spärra Östersjön för fientliga främmande flottor. Corfitz Ulfeld skulle insättas i alla sina forna rättigheter, och hertigen av Holstein-Gottorp skulle ha ersättning och säkerheter på sitt håll. Joachim Gersdorff, vilken som dansk delegat hade att underskriva freden i Roskilde, suckade när han fattade pennan och citerade den unge kejsar Neros ord: "Vellem nescire litteras. Jag önskar att jag inte kunde skriva." Honom, som själv hörde hemma i Skåne och var stor godsägare där, var det till ringa tröst att svenskarna från början hade velat ha vida mer än de fick; de begärde nämligen i förstone även Island, Färöarna, Møen, Læsø, Anholt och Saltholm samt Akershus län, det vill säga Osloområdet, och såsom säkerhet ville de dessutom ha hela återstoden av Norge på trettio år.

Tåget över Bälten och freden i Roskilde väckte häpnad och uppseende överallt i Europa. Holländarna och brandenburgarna sörjde, polackerna beredde sig på nya hemsökelser, Cromwell meddelade segraren att han hade handlat mycket ädelt när han lät ärkefienden slippa undan så billigt, och ryske tsaren släppte ut de svenska sändebuden ur deras fängelse i Moskva. Men kung Frederik, tapprast av konungar, gav stor fest för kung Karl Gustaf på Frederiksborg och visade honom all upptänklig gästfrihet och artighet.

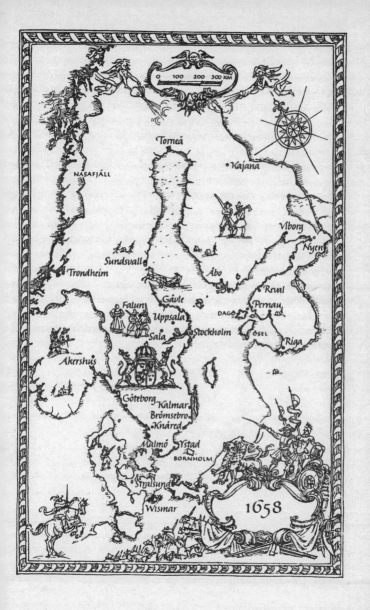

Storsverige

Saluterad av Kronborgs kanoner reste Karl Gustaf på danske kungens jakt i marsblåsten över Sundet till Hälsingborg. Han möttes på stranden av Lundabiskopen Peder Winstrup i spetsen för prästerskapet och en liten del av adeln samt mottog deras undersåtliga hyllning. Han gjorde därpå en rundresa i de nyerövrade landskapen och tittade mest på fästningarna som befanns vara i ett confust skick, som han uttryckte saken; han lät därför göra upp planer till ombyggnad och nybyggnad av diverse fortifikationer, och Erik Dahlbergh var honom behjälplig med det. I Lund fick han den goda idén att låta grunda ett svenskt lärosäte, och Peder Winstrup fick i uppdrag att utreda denna fråga, vilket han omedelbart gjorde. I Bodekull i Blekinge gillades i nåder Erik Dahlberghs förslag att en stad borde anläggas där; den kom till stånd i sinom tid och fick då namnet Karlshamn. Den kungliga rundresan väckte ringa glädje i bygderna, ty befolkningen som var dansk från hedenhös kände sig naturligtvis utlämnad till fienden. Allmogen, som politiskt och socialt visserligen hade allt att vinna på att byta överhet, hade Horns krig i gott minne och tyckte för den skull illa om svenskar. Aristokratien, som hade fått för sig att de erövrade landskapen skulle få bli ett slags självständig stat därför att Roskildefreden lät deras invånare behålla sin gamla lag och garanterade deras privilegier, kände sig sårad i sitt innersta då.den nyinförda svenska tullen befanns gälla även för adelsmän.

Vid vårdagjämningen gjorde konungen högtidligen sitt intåg i Göteborg, som inte var någon utsatt gränsstad längre, och hälsades med en kram av drottningen och en skön oration av Schering Rosenhane på det samlade riksrådets vägnar. Därpå höll man sammanträde om den fortsatta krigföringen, och herrarna ansåg allmänt att det nu var tid att gå lös på Brandenburg och sedan marschera in i Schlesien för att på en gång hota Polen och Österrike. Fred med ryssarna tycktes man snart kunna få; båda parter var trötta på de ömsesidiga härjningarna och hade börjat visa varandra en liten smula hövlighet. Några dagar efter rådsmötet diskuterades saken med ständerna, som för ändamålet hade kallats till Göteborg. De ofrälse var egentligen obenägna för detta krigsföretag och ville att landet skulle söka fred med det snaraste, men efter en del bearbetning beslöt de i alla fall att det skulle bli som kungen ville. Man överlade vidare om hur man bäst skulle förfara med de nyerövrade provinserna, varvid präster och bönder sade sig önska att de milt och försiktigt skulle dras in under svensk lag; till den ändan borde en akademi upprättas inom bekvämt räckhåll någonstans i Götaland, förslagsvis i Göteborg eller kanske i Linköping. Kungen meddelade då att han till att börja med tänkte inrätta ett gymnasium i Lund.

Allting såg sålunda mycket förhoppningsfullt ut denna vår. Emellertid hölls riksmötet samlat i Göteborg tills vidare, ty Karl Gustaf hade börjat tänka en ny tanke. Freden i Roskilde var ett hastverk; många väsentliga frågor hade lämnats öppna för vidare förhandlingar. Viktigast av dem var beskaffenheten av den svensk-danska vänskap som fredstraktaten föreskrev. För den svenske kungen var det viktigt att bryta den danska alliansen med holländarna innan han drog i fält på kontinenten igen; holländska flottan, som hade vållat honom så mycket bekymmer under det alltjämt oavslutade kriget i Preussen, borde bli pålitligt utestängd från Östersjön. Danskarna visade emellertid helt naturligt ingen entusiasm för att kasta sig i sina besegrares armar och drog ut på förhandlingarna om den nära vänskapen, helst som de samtidigt irriterades av krav på krigsersättning också åt den holsteinske hertigen, Karl Gustafs svärfar. Ingen överenskommelse var i sikte när man började närma sig 1 maj, den dag då enligt fredsfördraget alla svenska trupper skulle ha lämnat danskt område.

En vecka före detta datum tappade kungen tålamodet och fattade ett mindre förståndigt beslut. Han gav Carl Gustaf Wrangel order att vänta med utrymningen och instruerade de svenska förhandlarna att inte längre yrka på allians med Danmark men i stället förklara att de svenska trupperna skulle stå kvar på Fyn och i Frederiksodde tills hertigen av Holstein hade fått sin ersättning. Denna fråga ordnades då – på ett ödesdigert vis: den tyske hertigen fick suveränitet över det danska Slesvig – men det fanns mycket annat att tvista om, och trupperna fick stå där de stod. En överenskommelse försvårades nog av att de båda svenska underhandlarna, Sten Bielke och en statssekreterare som hette Peter Julius Coyet, inte var överens inbördes utan sökte desavuera varandra. Ytterst berodde segdragningen naturligtvis på den storpolitiska situationen i Europa. När holländarna en vacker dag lät förstå att de med sin flotta tänkte bistå Danzig och Brandenburg begärde Karl Gustaf klart besked av danskarna hur många skepp de ville bidra med för att uppfylla fredsfördragets klausul om ömsesidigt bistånd för att hindra fientliga flottor att tränga in i Östersjön; han förklarade att han skulle vara nöjd om de bidrog med bara åtta skepp. Danskarna, som inte ville komma i krig med sin förre bundsförvant för sin förre fiendes skull, svarade att det var omöjligt.

En dag i juni steg Karl Gustaf ombord på skeppet Amaranthe och seglade från Göteborg genom Lilla Bält till Flensburg. En dag i juli sammankallade han ett antal riksråd i Gottorp och frågade om det inte var rådligast att försäkra sig om att man hade ryggen fri innan kriget på kontinenten blossade upp igen, och rådet, märkvärdigt nog med undantag av Carl Gustaf Wrangel, tillstyrkte att man skulle gå löst med vapenmakt på Danmark igen i stället för att fullfölja de långdragna förhandlingarna. Ett nytt rådsmöte hölls i Wismar i slutet av månaden, då man diskuterade hur man skulle förfara med skinnet sedan björnen väl var skjuten. Man beslöt att danskarna kunde få behålla sin lag i den mån den inte stred mot det svenska statsskick man tänkte införa. Tre nya hovrätter skulle det bli, nämligen en på Själland, en på Jylland och en i Norge. Universitetet i Köpenhamn borde läggas ner och ersättas med en ny akademi i Göteborg. Karl Gustaf skulle låta hylla sig i Skåne, varvid han skulle ta på sig den svenska kronan och låta den danska stå på ett bord bredvid. Det antogs att han inte skulle möta någon ovilja från de lägre stånden i Danmark, som skulle bli friare under svenskt styre än de varit förut; adeln däremot kunde aldrig väntas bli honom huld och trogen. *Ergo emigrarent*, står det om adelsmännen i protokollet: alltså skulle de utvandra. Man borde tvinga dem till det genom varjehanda trakasserier, först och främst genom att sätta några makthavande grevar och friherrar över dem, ty då skulle de säkert snart föredra att flytta till Ingermanland där de kunde förses med lämpliga gods.

Stormen mot Köpenhamn

En dag i augusti avseglade konungen från Kiel med elva örlogsskepp och sextio trupptransportfartyg och landsteg två dagar senare i Korsör på Själland, vars befolkning greps av stor förskräckelse ehuru den svenska propagandan försäkrade att trupperna kom som vänner; de ville bara hjälpa danske kungen mot upproriska adelsmän. Köpenhamn fylldes av flyktingar, men stor misströstan rådde även där, ty det fanns inte mer än tretusen man reguljära trupper i staden, och befästningarna var alldeles förfallna. Emellertid dröjde det fyra dagar innan de svenska trupperna hann marschera upp mot Köpenhamn, och under den tiden slog stämningen om. Köpenhamnarna beslöt att försvara sig med förtvivlans mod.

Den så kallade svenskekrigen har spelat ungefär samma roll i Danmarks nationella historia som Engelbrektsfejden och Gustaf Vasas befrielsekrig har spelat i Sveriges. Berättelsen börjar med ett bevingat ord som Frederik III lär ha yttrat när han från alla håll uppmanades att fly: "Den ædle Fugl dør i sin Rede." Han sammankallade därpå magistraten, de förnämsta borgarna, universitetsprofessorerna och prästerskapet till ett möte på slottet, där kungen och rikshovmästaren i tur och ordning vädjade till de församlade att visa enighet och beslutsamhet i farans stund. Appellen gjorde intryck, kungajublet var allmänt, borgmästaren Hans Nansen lovade på allas vägnar att offra liv och gods för hans majestät och beklagade dessutom att de styrande inte hade vänt sig till borgarståndet innan de gick in på den hårda freden i Roskilde. Kungen höll i gengäld ett tacktal till borgarna och lovade att Köpenhamn för framtiden skulle vara en stapelstad, fri från soldatinkvartering i fredstid och fri från andra skatter än dem som den själv hade beviljat; borgarna skulle också kunna besitta frälsegods med samma rätt som adeln. "Disse Privilegier", skriver Julius Albert Fridericia, "danner en Epoke i Danmarks Historie. Ved dem anerkendtes for første Gang en ikke-adelig Rigsstand som besluttende og bevilgende Myndighed, og saaledes var den hidtidige Rigsraadsforfatning rokket i sin Grund."

Borgerskapet hade sålunda fått ett intresse att försvara. Alla vapenföra män organiserades, beväpnades och exercerades, kreatur och livsmedel i mängd fördes hastigt till staden, och alla som kunde hålla i en spade skyndade till de förfallna vallarna, som på otroligt kort tid sattes i försvarsdugligt skick. Förstäderna, där ungefär en tredjedel av befolkningen hade bott, brändes ner, och därifrån togs virke till palissader och pålverk. Kungen själv bodde i tält vid en av vallarna och gjorde effektiv försvarspropaganda, och diplomatien arbetade energiskt för att skaffa hjälp utifrån. Holländske ministern, en gammal svenskfiende som hette Beunigen, rodde ut på Öresund och fick tag i ett skepp som förde honom till Amsterdam där han med framgång talade för Danmarks sak. Under tiden skickades ett par danska riksråd till Karl Gustaf för att fråga om skälen till fredsbrottet; de mötte honom i Ringsted kloster och fick då höra ett timslångt tal om danskarnas opålitlighet och lömskhet. Sorgsna och upprörda vädjade de till försynens rättfärdighet och skyndade tillbaka till Köpenhamn, dit den svenske kungen följde efter dagen därpå. Från Valby Bakke inte långt från våra dagars Vesterbrogade stod han och såg hur röken från de brinnande förstäderna virvlade tjock framför vallen och innerstaden, vilket gjorde honom bekymrad eftersom det betydde att staden tänkte göra motstånd till det yttersta. Han övervägde att försöka storma genast men fann detta för riskabelt och skred i stället till regelrätt belägring. Svenska skansar och löpgravar kastades upp bland askan och ruinerna på det brända Vesterbro, ehuru åtskilliga utfall från den inneslutna staden störde och försenade arbetet. En del av armén sändes samtidigt att innesluta Kronborg, och efter tre veckors belägring kapitulerade denna starka fästning, där bland annat en del artilleri föll i svenskarnas händer. Med kanoner från Kronborg utsattes Köpenhamn därefter för ett bombardemang som åstadkom rätt stor förödelse, och staden började också lida svår brist på livsmedel. Likafullt höll den tappert ut, ty hjälp var redan på väg.

I slutet av oktober kom en stor holländsk flotta till Öresund, trettiofem stora örlogsskepp och en mängd transportfartyg med ett par tusen knektar och varjehanda förråd ombord. Vid Hornbæk på Själlands nordkust blev den liggande ty det blåste sunnan dag efter dag, men kung Frederik lyckades etablera förbindelse med den holländske över- amiralen som bara väntade på rätt vind för att söka forcera sundet där riksamiralen Carl Gustaf Wrangel i sin tur låg och väntade med tjugo- fyra skepp utanför Helsingör. En natt kom den efterlängtade nord- västen, och holländarna lättade genast ankar. Den svenske kungen stod på Kronborg och såg dem komma i dagningen. Han lossade själv det första skarpa kanonskottet mot dem och gav därmed signal till ett våld- samt skjutande från både Kronborg och Hälsingborg, men elden mot träfartygen i det trånga sundet hade ingen vidare verkan, vilket säger en del om effektiviteten av 1600-talets kustartilleri. I stället gick Wrangel med sin flotta till angrepp, och slaget i Öresund utvecklade sig till ett

rent sjöslag med bredsidor och äntringar i känd stil, där inte minst ami- ralen Claes Bjelkenstierna höljde sig med ära. Två holländska amiraler stupade, skepp gick förlorade på båda sidor, lik och vrakdelar flöt i land massvis på stränderna av Skåne. Holländarna segrade dock och vann sitt mål. Efter sex timmars strid slog de sig nämligen igenom och seglade vidare till Köpenhamn som hälsade dem med jubel på mycket goda grunder, ty avspärrningen var därmed bruten.

Det gick illa för svenskarna även på annat håll. En förenad här av österrikare, brandenburgare och polacker marscherade under hösten norrut på Jylland och drev ut de svenska garnisonerna från plats efter plats på halvön, så att de vid årsskiftet bara hade kvar Frederiksodde. På Bornholm blev den nyinsatte landshövdingen Johan Printzenskiöld nedskjuten på en gata i Rønne, varefter bornholmarna under ledning av en beslutsam man som hette Jens Kofoed satte sig i besittning av Hammershus fästning och därmed var herrar över ön. Sina krigsfångar – sextio man, vilket var hela besättningen – satte de i arbete hos bönderna, och en trupp som ditsändes senare utan att ana någonting om revolutionen lockades i land med svensk flaggning, överrumplades kvickt och fick vandra samma väg. Det finns en dansk folkvisa som påstår att Kofoed sedan gav order om allmän svinslakt, varvid bönderna tog livet av alla svenskar på Bornholm, men detta är nog ingen sanning, säger allvarliga danska forskare som sysselsatt sig med sagofloran kring Bornholms befrielse från svenskarnas ok.

Samtidigt som Bornholm gick förlorat för Sverige blev den svenske guvernören över Trondheims län – han hette Claes Stiernskiöld – tvungen att ge sig fången åt norrmännen med sina sexhundra man sedan han hade belägrats i sin residensstad länge. Längre mot norr gick en norsk strövkår över gränsen och förstörde i grund silvergruvan vid Nasafjäll, vilket visserligen enligt Eli Heckscher var att göra svenskarna en mycket stor tjänst, eftersom anläggningen hade drivits med våldsam förlust i ett kvartssekel. Samtiden bedömde saken annorlunda och sörjde denna juvel i Sveriges krona. Risk för än större kupper och överrumplingar fanns det emellertid i de nyvunna provinserna i söder, framför allt naturligtvis i Skåne. En samling Malmöborgare under ledning av förpaktaren Bartolomaeus Mikkelsen från Limhamn lyckades sålunda hålla förbindelse med vänner och bekanta i det belägrade Köpenhamn och ämnade med deras hjälp kasta sig över den svenska garnisonen, som inte var stor. Man gjorde ett par försök att sätta över danska trupper till Malmö under mörka nätter men misslyckades båda gångerna, första gången därför att det blåste upp hård motvind och andra gången därför att fartygen i mörkret råkade gå på grund vid Saltholm. Planen måste skjutas på framtiden och kom då så småningom till de svenska myndigheternas kännedom, varpå Bartolomaeus Mikkelsen genast blev arresterad, dödsdömd och avrättad på torget i Malmö tillsammans med ett par olyckskamrater.

En liknande historia hände på andra sidan sundet på det besatta Kronborg, där en dansk ingenjörsofficer som gått i svensk tjänst och ledde befästningsarbeten kring slottet miste livet sedan det kommit fram att han och en del andra personer konspirerade med regeringen i Köpenhamn om att överrumpla besättningen och återta slottet. Det jäste sålunda överallt i det härtagna landet, och fast Karl Gustaf under vintern lyckades ockupera alla de danska småöarna – Langeland, Falster, Lolland, Møen och andra – blev hans situation allt bekymmersammare. Belägringen av Köpenhamn drog ut på tiden, och efter den holländska flottsegern var det att vänta att de brandenburgska och polska hjälptrupperna när som helst sattes över till Själland och Skåne. Karl Gustaf beslöt att våga en storm mot Köpenhamn och söka ta staden medan tid var.

Hans förberedelser var omfattande, men den danska underrättelsetjänsten fungerade bättre än hans egen. När han en februarinatt samlade sina tiotusen man utanför vallen ungefär där Köpenhamns Tivoli ligger nu för tiden, var stadens försvarare beredda på vad som skulle komma och var överallt på sin vakt. Anfallet skedde i snöyra, och svenskarna lyckades på många ställen slå bro över vallgravarna och resa sina stormstegar mot de nedisade vallarna, men elden från försvararnas sida var mördande, och blott några få man kunde ta sig upp på vallen där de strax blev omringade och nedhuggna. En framträdande roll i denna natts händelser lär studenterna från Köpenhamns universitet ha spelat. I daggryningen stod det klart för båda parter att stormningen hade misslyckats, och Karl Gustaf förde resterna av sin armé tillbaka till dess läger. Svenskarna hade förlorat bortåt femtonhundra man i döda och svårt sårade och ett par hundra i fångar, medan de danska förlusterna var obetydliga. I Köpenhamn sjöng man Te Deum och instiftade en årlig tackfest som sedan firades i mer än hundra år på årsdagen av den tillbakaslagna stormningen. Minnet av borgarnas och studenternas bragd har hållit sig levande i Danmark sedan dess, och tackfesten skulle förmodligen ha firats än om den inte hade blivit officiellt avskaffad av artighet och hänsyn till svenskarnas känslor. Det skedde redan före skandinavismens tid, nämligen vid den blivande Gustaf III:s bröllop med den danska prinsessan Sofia Magdalena.

Karl X Gustafs död

En stor engelsk flotta, fyrtiotre skepp med tvåtusen kanoner, kom till Öresund i april 1659 och kastade ankar vid Ven. Amiralen, vars namn var Montague, besökte Karl X Gustaf på Kronborg och lät förstå att England och även Frankrike var angelägna om att det blev fred i Norden igen; det borde ske på grundval av fördraget i Roskilde. Karl Gustaf, full av ogillande inför denna tanke, skrev till rådet att han fann det "prejudicerligt att släppa ur händerna den reale assecuration vi hafve och låta oss nöja med papper och bläck". Han ackorderade emellertid med engelsmännen och erbjöd sig att dela det danska väldet med dem; de kunde då få Jylland och Island, och ville de hjälpa svenskarna att erövra Norge så kunde de också få Bremen. Den engelske underhandlaren antydde att vad England allra mest skulle sätta värde på vore besittningen av Kronborg, men på det örat hörde inte Karl X Gustaf. Till något resultat ledde aldrig dessa angenäma förhandlingar; en vacker dag drabbades nämligen parterna av nyheten att en lyckad revolution hade ägt rum i England, där den Sverige-vänliga Cromwellska diktaturen hade fallit. Amiralen, osäker också för egen del, seglade snarast ut i Nordsjön med sin flotta. Några dagar senare inlöpte i stället en stor holländsk armada i Öresund under befäl av den berömde sjöhjälten de Ruyter, men märkvärdigt nog var denne kommen i alldeles samma ärende som engelsmännen.

De österrikiska truppernas närvaro på Jylland hade väckt oro framför allt i Frankrike och framkallat en livlig diplomatisk aktivitet västmakterna emellan. Medan Karl X Gustaf som bäst språkade med amiral Montague hade engelska, franska och holländska politiker samlats i Haag och slutit en överenskommelse som i historien kallas Första Haag-koncerten. Den gick ut på att svenskar och danskar skulle förmås till fred på Roskildefredens grundval, dock med uteslutande av den klausul som handlade om främmande flottors avstängning från Östersjön. Detta var ju exakt den punkt som Karl X Gustaf hade börjat sitt krig för att få igenom, och han sade utan vidare nej till sjömakternas bud. Resultatet blev att holländska flottan omedelbart tog aktiv del i kriget och satte över en dansk-holländsk armé till Fyn österifrån samtidigt som den blandade polsk-österrikisk-brandenburgska hären gick över dit från Jylland. De svenska ockupationstrupperna på ön var mycket underlägsna och förskansade sig framför Nyborgs fästning, där de allierade strax angrep dem och slog dem sönder och samman; mellan fem och sextusen man svenska trupper, alltsammans utvalt folk, gick här sin undergång till mötes. Överbefälhavaren Gustaf Otto Stenbock, som jämte sin närmaste man räddade sig i en liten båt om natten över till Själland, lär ha hälsats av kungen med ett tillrop som är bevingat i Danmark: "Har fan tagit alla getterna så kunde han ha tagit bocken med!"

Kriget blossade upp även söder om Östersjön, där brandenburgarna erövrade större delen av Pommern och de svenska garnisonerna i de preussiska städerna måste kapitulera en efter en. På den ryska fronten var det lugnt, ty ett stillestånd med ryssarna på tre år hade nyss blivit ingånget, men Sveriges ställning var i alla fall full av faror, och Karl Gustafs diplomati detta blodiga år blev alltmera äventyrlig. Efter revolutionen i England vände han sig till holländarna och gjorde dem ungefär samma förslag som han tidigare hade gjort engelsmännen, nämligen att dela Danmark med honom; de kunde få Fyn och en del av Jylland på villkor att de lät honom vinna Själland och hela Norge. Med detta blev det ju ingenting av. I stället möttes holländska och engelska diplomater – fransmännen var inte med längre – ånyo under sommarens lopp och fick till stånd ytterligare två Haag-koncerter, som var mindre förmånliga för Sverige än den första hade varit. Enligt dem skulle Roskildefreden modifieras till Danmarks förmån.

Mot slutet av 1659 var danskarna på goda grunder fulla av hopp. En landstigning vid Ystad hade visserligen misslyckats, men snapphanebanden i Skåne hade blivit allt talrikare och gav de nya myndigheterna full sysselsättning, och det fanns rentav tecken på att råttorna började lämna det sjunkande skeppet: en vacker dag häktades nämligen i Malmö ingen mindre än Corfitz Ulfeld, anklagad för förräderi mot svenska kronan, och dömdes att förlora liv, ära och gods, låt vara att exekutionen uppsköts tills vidare. Sedan det svenska väldet nu hade krossats på Fyn kunde man vidare vänta att segrarna när som helst skulle gå över till Själland, befria Köpenhamn och kanske inringa Karl X Gustaf själv. Besvikelsen blev därför stor i Danmark när det visade sig att holländska flottan inte alls var villig att medverka till något sådant. Under västmakternas påtryckningar såg sig kung Frederik tvungen att gå in på den tredje Haag-koncertens beslut, enligt vilket hans land skulle få tillbaka

Bornholm och Trondheims län i Norge medan Roskildefredens övriga avträdelser skulle bestå. Karl Gustaf var inte lika medgörlig och sade sig kunna gå med på att lämna tillbaka Bornholm och Trondheims län endast på villkor att han fick Akershus län i stället; i så fall ville han dessutom rasera Kronborg och internationalisera sjöfarten genom sundet. För att ge eftertryck åt kravet på Akershus lät han den gamle fältmarskalken Lars Kagg med niotusen man rycka in i Norge, men frammarschen stoppades vid fästningen Halden, som den tacksamme kung Frederik några år senare hedrade med stadsprivilegier och det kungliga namnet Fredrikshald.

Själv lämnade Karl Gustaf befälet på Själland i andra händer och begav sig dagarna före jul till Göteborg, dit en riksdag hade sammankallats igen för att ta ställning till frågorna om krig eller fred. På nyåret 1660, närmare bestämt den 4 januari, hälsade han ständerna med en oration i det göteborgska Kronhusets bottenvåning, som hade inretts till rikssal och var propert överdragen med svart kläde. Nära tronen satt den fyraårige kronprinsen i en liten stol. Kungen sade sig ha gjort allt för att åstadkomma vänskap och förlikning åt alla håll, men fiendernas ondska och lömska stämplingar vore obeskrivliga; han begärde därför hjälp av ständerna med pengar och soldater för att kunna föra kriget till en säker och reputerlig fred. Riksdagen, som inte fick veta någonting vidare om misslyckandena på Fyn och vid Köpenhamn, beviljade också vad han begärde men yrkade samtidigt på att han verkligen skulle beflita sig om att få fred och därefter allernådigst hålla sig hemma i riket. Något svar på detta kom aldrig, ty några få dagar efter riksdagens öppnande blev kungen sjuk med feber, hosta och andnöd, och tillståndet blev allt sämre. Den 13 februari strax före midnatt undertecknade han sitt testamente och ett antal fullmakter för de höga riksämbetsmännen, och två timmar senare lämnade han det jordiska, bara trettiosju år gammal. Hans efterlämnade rådgivare lät omedelbart stänga Göteborgs stadsportar och höll dem tillbommade i fem dygn för att hindra nyheten att flyga ut.

Mitt i natten skyndade riksrådet Arvid Forbus hem till riksdrotsen Per Brahe, som låg sjuk i sitt hus vid Norra Hamngatan, och berättade att kungen var död och att det fanns ett testamente. Riksdrotsen lät genast kalla rådet till sammanträde klockan sju nästa morgon. Strax därpå anlände riksrådet Claes Rålamb med bud om samma sak från den döde konungens broder Adolf Johan, som beordrade ett rådsmöte klockan åtta. Per Brahe lät svara att rådsmötet redan var sammankallat men att hertigen inte borde komma dit, ty det passade sig inte att han visade sig offentligt så kort tid efter sin broders död; däremot kunde han gärna komma hem till drotsen under nattens mörker då ingen såg honom. Hertig Adolf Johan som hade gått och lagt sig steg strax upp igen, lät köra fram den kungliga karossen, åkte hem till Brahe, som fortfarande låg i sin säng, och redogjorde för innehållet i testamentet som var sensationellt nog. Den döde konungen hade förordnat att riket under hans lille sons minderårighet skulle styras av en förmyndarregering som bestod av änkedrottningen och de fem höga riksämbetsmännen. Den tjugotreåriga Hedvig Eleonora skulle vara ordförande och ha två röster, och hertig Adolf Johan hade utnämnts till riksmarsk med rang framför riksdrotsen och överbefäl över hela krigsmakten till lands. Carl Gustaf Wrangel hade placerats som riksamiral, Magnus Gabriel De la Gardie var rikskansler, och Herman Fleming, de högadliga herrarnas särskilde ovän, var utsedd till riksskattmästare.

Per Brahe lät genast hertigen förstå att han inte kunde få vara med i rådets överläggningar förrän han lagligen hade blivit intagen i rådet. Hertigen hänvisade till sin kunglige broders vilja, men riksdrotsen tyckte inte att detta var nog. Ordväxlingen blev bitter och högljudd och pågick alltjämt när det led mot morgonen och riksråden började samlas för att hålla sitt sammanträde kring sängen. Vredgad gick hertigen ut ur sängkammaren och sade sin mening till herrarna i det yttre rummet, men dessa bara beklagade sorgen och ville inte alls gå in på de politiska frågorna.

Vid riksdagen, som lidelsefullt debatterade testamentet under de följande dagarna, gick meningarna skarpt isär. De ofrälse ansåg enhälligt att testamentet var fullt lagligt och borde följas till punkt och pricka.

En privaträttslig handling

Adeln delade riksrådets åsikt, förträffligt formulerad av Claes Rålamb, att ett testamente blott vore en privaträttslig handling och att kungen inte hade någon rätt att testamentariskt förordna hur Sverige skulle styras. Man grälade bistert om detta utan att komma varandra en hårsmån närmare och enades slutligen om att uppskjuta avgörandet till efter begravningen; till dess skulle testamentet anses oöppnat och änkedrottningen skulle få regera landet tillsammans med rådet, men hertig Adolf Johan skulle få nöja sig med furstligt underhåll. När detta hade beslutats kunde man omsider öppna stadsportarna och låta budskapet om Karl X Gustafs död gå ut ur Göteborg, och några dagar senare samlades de fyra stånden ånyo i Kronhusets bottenvåning och hyllade högtidligen den fyraårige Karl XI, som bars in av ett riksråd.

Frederna

Den krigiske monarkens bortgång avlägsnade alla hinder för fred åt alla sidor. Underhandlingar med polackerna hade redan pågått i några månader; nu, i april 1660, slöts i Oliva kloster ett fördrag mellan Sverige å ena sidan och Polen, Österrike och Brandenburg å den andra. Sverige fick där tillbaka det förlorade Pommern av brandenburgarna medan polackerna avstod från kravet på Livland; dessutom nedlade kung Johan Casimir högtidligen sina arvsanspråk på Sveriges krona och på vasaättens arvegods i Sverige. Fredskongressen i Oliva var den sista europeiska kongress där förhandlingarna fördes uteslutande på latin och i forntida former, och för det lysande polska riket innebar den början till slutet och jämnade vägen för dess delningar i nästa århundrade. Ur svensk synpunkt satte Olivafreden äntligen punkt för ett nästan hundraårigt krig. När den undertecknades höll återstoden av Karl X Gustafs polska armé alltjämt två av hans erövrade orter, Marienburg och Elbing, men de hade nästan ingen proviant kvar, och befälhavaren Lorentz von der Linde som var van vid helt annan kost lär ha levat på idel kålstockar.

En månad senare slöts fred även med Danmark. Danskarna var efter sina senaste framgångar inte alls hågade att gå in på Haag-koncerternas villkor, men då de svenska fredsombuden förklarade sig villiga att avstå

541

från Trondheims län släppte holländarna ut svenska flottan som de hade hållit instängd i Landskrona, och därmed blockerades Köpenhamn på nytt från sjösidan. Den danska diplomatien lyckades dock snart dra över holländarna på sin sida igen, och när dessa en vacker dag plötsligen prejade och kvarhöll nio svenska skepp som var på väg till Köpenhamn såg det ett slag ut som om Sverige icke blott icke skulle få fred med Danmark utan också komma i krig med Holland på allvar. I denna konflikt ingrep England och Frankrike för Sveriges räkning, och det hela verkade ett slag mycket ödesdigert. Att fredskonferensen alls kom igång igen berodde på Hannibal Sehested, vilken i likhet med Corfitz Ulfeld hade spelat en mycket tvetydig roll i Karl X Gustafs tid men inte lika öppet hade tagit dennes parti gentemot sin kunglige svåger. Sehested lyckades få till stånd direkta förhandlingar mellan svenskar och danskar utan någon medlande inblandning av främmande diplomater, och resultatet var förvånande; på några få veckor kom man fram till en uppgörelse, som i slutet av maj undertecknades i Köpenhamn. Den politiska geografi som fastställdes där består än i dag. Sverige lämnade alltså tillbaka Trondheims län till Norge, som därigenom kom att bestå som ett eget land; åtminstone dess norra delar skulle nog annars, på grund av den nära språkgemenskapen, ha sammansmält med Sverige lika lätt som Bohuslän gjorde. De svåraste tvistefrågorna vid fredsmötet i Köpenhamn gällde öarna Ven och Bornholm, i all synnerhet den sistnämnda, som Sverige nödvändigt ville ha tillbaka men vars upproriska invånare hade fått kung Frederiks hedersord på att bli skyddade för svenskarnas hämnd. Problemet löstes så att svenska staten i stället för Bornholm skulle få äganderätten till en mängd danska adelsgods i Skåne och Blekinge. En annan fråga som det tog tid att samsas om gällde den svenska slavhandlarkolonien Cabo Corso på Afrikas västkust, vilken med dansk hjälp hade intagits och plundrats av sin egen före detta guvernör. Danmark slapp att betala ersättning för sitt rov sedan man länge hade käbblat om denna klausul i fredsfördraget. Om Skåne, Halland, Blekinge och Bohuslän resonerade man nästan inte alls.

Drottning Kristinas återkomst

Sverige hade sålunda snabbt och på hedersamma villkor lyckats få fred åt alla håll, och den tillförordnade styrelsens prestige hade utan tvivel vuxit, men den inrikes spänningen fanns ändå kvar. Osämja rådde i själva regeringen, där Herman Fleming vägrade att skriva under de beslut som han inte hade instämt i; det gällde framför allt frågor om reduktionen som hade avstannat och om godsdonationer i de nyförvärvade landskapen. Bekymmersammare var allmogens missnöje, som var mycket högljutt och bedömdes som så farligt att förre bondetalmannen Per Erikson togs i fängsligt förvar på Uppsala slott därför att han hade yttrat att bönderna tänkte offra liv och blod för hertig Adolf Johan som skulle komma dem till hjälp med tretusen man.

Ett annat oroande budskap kom plötsligen från främmande land och upplyste att drottning Kristina var på väg hem. Inför den underrättelsen lät regeringen strax sammankalla ständerna och skickade dessutom riksrådet Lorentz von der Linde att möta den höga resenären i Hamburg för att om möjligt få henne att vända om eller i värsta fall hålla henne stilla på Öland. Han gav sig omedelbart iväg men träffade på Kristina redan i Halmstad. Ett kompani ryttare uppbådades för att begränsa hennes rörelsefrihet, men då började hon gråta och väsnas, och inför det argumentet föll von der Linde till föga och följde drottningen på hennes resa norrut. Från Stockholm utsändes då två nya riksråd för att om möjligt hejda henne i Norrköping som i likhet med Öland hörde till hennes underhållsländer, men när de mötte henne hade hon hunnit ända till Nyköping och befanns inte villig att vika för annat än öppet våld. Hon fick då fortsätta till Stockholm, där riksdagen redan var samlad.

Regeringen såg då plötsligt sin chans att skyndsamt få testamentsfrågan löst efter sitt sinne. Man föreställde ständerna hur viktigt det var att komma överens inför drottningens anmarsch; ingen visste vad hon skulle kunna ställa till om regeringsformen inte var i hamn innan hon hann fram. Prästeståndet, som förut hade hållit benhårt på Karl X Gustafs testamente, gav i denna situation omedelbart med sig; att den avfälliga exdrottningen möttes av en enad luthersk front var för andans män viktigare än allt annat. Även borgare och bönder gick nu för husfridens skull med på att hertig Adolf Johan uteslöts ur regeringen. Den

Den nya regeringsformen

unga änkedrottningens bifall till detta hade redan getts, vilket säkert bidrog till ständernas medgörlighet. Att hon var en politiskt obetydlig person som aldrig skulle komma att spela någon roll i regeringen kunde ju inte alla veta.

Betydligt svårare blev det att komma överens om vem som skulle bli riksmarsk i hertigens ställe. Det var för övrigt osäkert vem det egentligen tillkom att utse riksämbetsmän när ingen myndig kung fanns, men rådet tog sig denna makt och utnämnde den gamle fältmarskalken Lars Kagg. I övrigt lät man den avlidne konungens fullmakter gälla och godkände således också Herman Fleming som riksskattmästare. När ständerna fick del av rådets beslut på denna punkt uppstod strax stort oväsen på riddarhuset, eftersom Flemings namn var nära knutet till reduktionen. Rådet gav då omedelbart vika, och eftersom Fleming själv var sjuk lyckades man märkvärdigt nog förmå även de ofrälse att vara med om att dra in hans fullmakt. Till riksskattmästare valdes i stället riksrådet Gustaf Bonde, hans närmaste man i kammarkollegium.

Den regeringsform som ständerna antog till ett rättesnöre för Karl XI:s förmyndare överensstämde inte i allo med Axel Oxenstiernas stadga av 1634. Det gjordes nämligen ett tillägg som var viktigt och märkligt nog, utarbetat av det förfarna riksrådet Schering Rosenhane. Där stod att arvsrätt till Sveriges tron tillkom allenast Karl X Gustafs efterkommande på manliga linjen, att regeringens medlemmar skulle vara av olika ätter, att riksrådens antal inte fick överstiga fyrtio varav högst två av en och samma släkt, att regeringsledamöterna var ansvariga inför konungen och rikets ständer, att de inte fick utlysa provinsmöten eller utskottsmöten i stället för allmän riksdag, att ämbetsmän inte fick godtyckligt avsättas och att de skulle tillsättas icke efter börd utan efter *capacitet och merita,* duglighet och förtjänst.

Samma dag som regeringsformen undertecknades uttalade sig ständerna om drottning Kristinas affärer. Hon hade tagits emot mycket högtidligt i Stockholm och inkvarterats i sin gamla våning på slottet, där hon omedelbart inrättade ett katolskt kapell och lät hålla mässa för öppna dörrar. Hon tillställde vidare regeringen en inlaga där hon begärde bekräftelse på vad hon fått sig tillerkänt vid sin avsägelse; hon ville dessutom ha en försäkran att hennes övergång till katolicismen inte skulle vara henne till något förfång. Riksdagen svarade mycket ampert på detta. Att börja med uppvaktades exdrottningen av en deputation från

544

prästeståndet under ledning av den åttiosexårige ärkebiskop Lenæus som tilltalade henne så barskt att hon brast i gråt. Han ville att hon skulle överge sin falska villolära och den illfundige påven som sökte fördärva dem alla till kropp och själ, på vilket hon svarade att hon kände påven bättre än de svenska prästerna gjorde; han ville inte ge fyra daler för alla deras själar. Emellertid anslog hon snart en annan ton, inseende att det var hela hennes ekonomiska ställning som stod på spel. På prästerskapets bud nödgades hon stänga sitt kapell och skicka bort sin hovkaplan, och rådet hade ett styvt arbete innan det kunde förmå ständerna att i huvudsak låta henne behålla sin ställning. Från hennes makt över underhållsländerna undantogs emellertid alla kyrkliga ärenden, och det bestämdes också att den generalguvernör hon behagade tillsätta skulle vara någon av rikets råd.

Kristina var oklok nog att skriftligen protestera mot detta beslut. Hon lät förstå att hennes tronavsägelse gällde endast så länge svenska staten höll sin del av avtalet, och för övrigt hade hon avsagt sig kronan endast till förmån för sin kusin och hans bröstarvingar; skulle hans lille son dö ville hon alltså ha tillbaka sin arvsrätt. Det blev ett våldsamt surr i riksdagen när denna skrivelse lästes upp, och man beslöt strax att returnera den till drottningen varefter man till yttermera visso skickade henne vad man kallade en reprotestation, en protest mot protesten. Den innehöll ord och inga visor. Exdrottningen fick veta att hon under inga förhållanden hade någonting med Sveriges krona att göra längre, och nu skulle hon vara så god och avge en kraftig försäkran att hennes avsägelse var ovillkorlig och evig, att hon aldrig skulle bryta mot Sveriges lagar, att hon aldrig skulle stämpla till rikets skada, att hon aldrig skulle förordna någon ämbetsman som icke vore av augsburgska bekännelsen och att hon aldrig i sina underhållsländer skulle släppa in någon som ville utsprida katolska läran. Allt detta skulle hon förklara sig ha lovat otvungen och av egen böjelse, och om hon inte obrottsligen höll det skulle hon bli av med sitt underhåll och alla sina rättigheter. Kristina hade inget val utan nödgades gå med på alltihop. Bedrövad lämnade hon därpå Stockholm inom kort och begav sig till sitt residens i Norrköping, men när hon trots särskild ansökan inte beviljades fri religionsutövning där heller tog hon sitt parti och reste tillbaka till Rom.

Vid den tiden hade Karl X Gustafs begravning ägt rum för flera veckor sedan; hon var själv med och spred glans däröver. Dess prakt och pompa väckte allas häpnad, och nya regalier av purt guld med en vikt av nästan tio marker hade med stor högtidlighet lagts in i kistan till det kungliga liket. Men den unga änkedrottningen, själv bara tjugotre år, vände sitt sinne från dessa makabra tillrustningar och tog i stället hand om den trettonårige styvsonen Gustaf Carlsson till kärlig åtminnelse av sin salige herre.

Karl XI:s förmyndare

Det hände sig medan Karl X Gustaf krigade i Polen att reduktionskollegiet beslöt dra in Lennart Torstensons grevskap Ortala till kronan. Detta låg nämligen i Upplands bergslag, alltså på mark som enligt lag inte fick doneras bort. Torstensons efterlevande – han själv var död – stretade naturligtvis emot och fick bistånd av flera höga herrar som samtidigt talade i egen sak; fältmarskalken Gustaf Horn infann sig således personligen i kollegiet och sade sin hjärtans mening, och riksdrotsen Per Brahe angrep Herman Fleming i sittande råd för hans åtgärder beträffande grevskapet Ortala. Efter mycket buller drogs saken slutligen inför konungen själv, som då gav reduktionskollegiet skriftlig order att gå mildare fram. Han beslöt i nåder att Torstensons förläning icke skulle reduceras, ej heller Königsmarcks grevskap Stegeholm som också var i farozonen. Därmed var reduktionens kraft bruten för några årtionden framåt. Flemings försvinnande från politiken försiggick utan nämnvärt rabalder, och i Karl XI:s förmyndarregering dominerade därefter Sveriges största jordmagnater, av vilka åtminstone några ärligt trodde att den högadliga privatkapitalismen vore till stor nytta för land och folk.

Drottning Hedvig Eleonora, som var regeringens ordförande, vållade dem inga bekymmer. Hon var politiskt ointresserad och tänkte mera på sitt slottsbygge vid Drottningholm; för övrigt, påstår Anders Fryxell och Carl Grimberg enhälligt, tyckte hon mest om femkort och trumf. Hennes hertigliga svåger däremot slog sig inte till ro med sådant. När den gamle Lars Kagg gick ur tiden efter bara något år som riksmarsk gjorde sig hertig Adolf Johan ånyo påmind; kontroverserna började för resten redan vid begravningen, där hans hertiginna som hette Elsa Brahe knuffades med pfalzgrevinnan Maria Eufrosyne alias fru De la Gardie om förnämsta platsen i kyrkan. När ny marsk skulle väljas kom hertigen en dag farande in till staden från sin gård Rörstrand med ett antal brev, steg oanmäld in i rådskammaren och räckte fram ett av dem till drottningen, for vidare till riddarhuset och överlämnade nästa och fortsatte sin färd till de övriga stånderna med sina återstående skrivelser. De var någorlunda likalydande; hertigen krävde att bli riksmarsk med stöd av sin brors testamente. Den politiska stämningen i Stockholm blev genast mycket nervös, och rådet som befarade revolution lät mobilisera flottan och en del annan militär, varefter man skyndsamt enades om att välja Carl Gustaf Wrangel till den lediga sysslan. Samma dag skickade hertigen en trumpetare hem till den nyvalde med en skriftlig tillsägelse att inte ta emot ämbetet. Wrangel gick till rådet med denna skrivelse och erbjöd sig att besvara den med värja i hand, men det fick han inte; i stället satte man i regeringens och stånderna namn upp en amper förkastelsedom över hertigens förgripliga uppförande. Man lockade honom därefter till Stockholms slott och tog honom i rumsarrest där, tvang honom att avsäga sig alla sina anspråk på plats i regeringen och att återkalla alla sina skrivelser i ämnet, tog ifrån honom originalen till riksmarskfullmakten och Karl X Gustafs testamente och släppte honom sedan. Hans anhängare Bengt Skytte blev kort därefter utstött ur rådet och levde sedan ett oroligt liv i utlandet. Hertigen själv drog sig tillbaka till Stegeborg, som i hans dagar knappast var något muntert ställe, ty han hade ett besynnerligt lynne och kom ständigt i strider och gräl med alla människor. Hans politiska roll var utspelad, och hans nära släktingar inom högadeln var allenarådande.

De aristokratiska herrar som utgjorde Karl XI:s förmyndarregering var förenade av många familjeband i en svårutredd härva. Själv var pfalzgreven svåger med rikskanslern och före detta svärson till riksdrotsen, vars enda dotter dock gick ur tiden redan under drottning

Kristinas regering, och pfalzgrevens andra gemål, kusin med den första och änka efter rikskanslern Erik Oxenstierna, var också av Brahesläkt och tycks för övrigt ha varit den enda person som han kunde dra jämnt med i sitt bekymmersamma liv. Vad Per Brahe beträffar var han gift med Beata De la Gardie som var kusin till rikskanslern och änka efter Lennart Torstenson. Hans första hustru, död sedan något årtionde, hade varit syster till Gustaf Otto Stenbock, som nu blev riksamiral, och denne var i sin tur gift med en syster till Magnus Gabriel De la Gardie. Carl Gustaf Wrangel var infångad i denna släktkrets genom sin dotter Margareta Juliana som hade förenat sina öden med Per Brahes brorson och arvtagare Nils Brahe – svåger till pfalzgreven dessutom – och en mycket ansenlig del av Sverige kunde förväntas tillfalla detta par i sinom tid, ty varken riksdrotsen eller riksmarsken hade några närmare arvingar. Den sistnämndes söner, tyngda under de krigiska namnen Herman, Augustus Gideon, Hannibalis Gustaf och Achilles, dog alla i späda år.

En smula utomstående i detta sällskap var riksskattmästaren Gustaf Bonde, ehuru det inte saknades släktskapsband till honom heller; hans mamma hade hetat Oxenstierna och hans svärmor var född Stenbock. Till skillnad från de andra regeringsmedlemmarna var han ingen militär och trodde inte som några av dessa att krig var lönande. Hans grundsats, säger Fryxell, var fred, sparsamhet och indragningar medan De la Gardies var krig, prakt och frikostighet, och rådsprotokollen, denna ovärderliga källa till kunskap om svenskt 1600-tal, refererar många meningsutbyten som talar för riktigheten av detta något onyanserade omdöme. Hösten 1660 när man nyss hade fått fred med Polen diskuterade man sålunda i rådet att ånyo sätta igång kriget med Ryssland, vilket rikskanslern ivrigt tillstyrkte, och riksdrotsen som invände att man saknade pengar för ändamålet fick omedelbart veta att ryska byten säkert skulle betala krigskostnaderna. Gentemot detta förklarade riksskattmästaren stillsamt att ryssarna hade för sed att själva härja sitt land när de blev anfallna, så det skulle nog inte bli något byte, och för övrigt hade det aldrig hänt att något krig betalat sig självt. Riksmarsken brusade då upp och fastslog att hans och Torstensons fälttåg inte hade kostat kronan någonting. Jo, svarade riksskattmästaren, han kunde ur räkenskaperna bevisa att de hade kostat hundratusen daler om året och dessutom lett till försäljning av kronogods för halvannan miljon. Gentemot riksmarskens tal om värdet av nya landvinningar ville han påstå att ju fler främmande landskap som erövrades ju fattigare blev Sverige, eftersom landskapen i fråga inte kunde underhålla sig själva med militär, och när rikskanslern ånyo tog till orda och sade att Sveriges makt måste bibehållas med samma medel varmed den blivit vunnen undrade riksskattmästaren om det således var meningen att hans arma fädernesland evinnerligen skulle förbli ett fattighus med gråtande änkor, jämrande bönder och olönade ämbetsmän, hatat och avskytt i utlandet för sin lystnad efter krig och rov.

Det blev inte något krig den gången; sommaren 1661 slöt man tvärtom fred med ryssarna i en estnisk by som hette Kardis, varvid stolbovafredens gränser återställdes. Meningsskiljaktigheterna inom svenska regeringen bestod naturligtvis ändå, eftersom de inte så mycket gällde utrikespolitiken som det ekonomiska systemet. Ungefär samtidigt grälade man sålunda i rådet om de skånska adelsgods som svenska staten hade fått i Köpenhamnsfreden såsom ersättning för Bornholm, ty dessa förskingrades omedelbart till större delen genom förläningar och försäljningar till svenska magnater. Gustaf Bonde, som visserligen själv hade fått del av det skånska bytet – av Karl X Gustaf benådades han nämligen med vissa inkomster som förut hade varit anslagna till kantorn vid Lunds domkyrka och till läsande av mässor vid några av kyrkans altaren – förde nästan alltid moderationens talan gentemot sina ståndsbröders omättliga anspråk och lyckades till en början också uträtta en del i statens intresse. En ordentlig budget gjordes upp och följdes verkligen också under några år, då staten till allmän häpnad både betalade ut löner och avbetalade något på sin skuld, men någon finansiell stabilitet vann man aldrig, ty reduktionen hade avstannat och donationerna ökade åter. Riksskattmästaren överröstades vanligtvis i sådana frågor, och mot årtiondets mitt var hans inflytande på rikets affärer inte längre särskilt stort, vilket delvis berodde på vacklande hälsa; han dog för övrigt 1667. Något helgon var han inte alls; han tog emot donationer liksom de andra i rådskretsen och blev med tiden en mycket rik man. Men han var en konservativare ekonom än sina kolleger och befarade till skillnad från dem att systemet om det fick fortgå måste ta en ända med förskräckelse.

I själva verket var tanken på reduktion naturligtvis inte glömd av dem heller. Riksdag måste hållas ibland, och ständerna kunde väntas ta upp saken så snart de bara vågade. En misstänkt figur i detta stycke var teologen Joannes Terserus som hade spelat en ledande roll inom den ofrälse oppositionen redan vid 1650 års riksdag; han var numera biskop i Åbo, men lyckligtvis drog han inte jämnt med alla sina ämbetsbröder, ty han ogillade konkordieformeln och hade dessutom gett ut en katekesförklaring som inte ansågs alldeles renlärig. Han tvingades på dessa grunder att begära avsked och var därmed politiskt oskadliggjord för ögonblicket, och på samma gång lyckades man för resten få bort drottning Kristinas gamle lärare Johannes Matthiae från biskopsstolen i Strängnäs; inte heller denne var luthersk nog. Emellertid hjälpte det inte med Terseri försvinnande; det talades en hel del om reduktion vid 1664 års riksdag, där en högadlig ung man som var systerson till Bengt Skytte väckte uppmärksamhet på Riddarhuset med ohyvlade ord om att fjärdepartsräfsten borde fullföljas. Han hette Johan Gyllenstierna och blev med lågadelns hjälp lantmarskalk vid nästa riksdag, som hölls 1668. Regeringens försiktiga skatteäskanden avslogs där utan vidare med hänvisning till att reduktionen kunde ge alla medel som behövdes.

Palmstruchska banken

1660-talets riksdagar är minnesvärda av åtskilliga skäl. 1664 tog skånska, blekingska och bohuslänska representanter för första gången säte bland de svenska stånderna, ehuru deras ställning var en smula utomstående; Skåne hade ju alltjämt kvar sin gamla lag. En del rangstrider i detta sammanhang uppstod omedelbart på Riddarhuset, där huvudmännen för åtta fina skånska ätter fick sin plats nederst i riddarklassen medan resten av Skånes aristokrati hänfördes till lågadeln. Den siste ärkebiskopen i Lund, Peder Winstrup, råkade om möjligt än värre ut och fann sig till sin förtrytelse placerad icke blott efter ärkebiskopen i Uppsala utan även efter alla de andra svenska stiftscheferna.

1668 års riksdag tog hand om Sveriges riksbank som lär vara den äldsta centralbanken i världen. Historien om dess tillkomst är intressant och lärorik. Elva år tidigare hade en livländare som hette Johan Palmstruch med Karl X Gustafs tillstånd öppnat bankrörelse i Stockholm, där han 1661 började ge ut sedelmynt, vilket ingen europé lär ha gjort dessförinnan. Hans förebild sägs ha varit ett slags kvitton som kallades

Falu Kopparsedlar och kunde gå ur hand i hand bland folk som gjorde metallaffärer, men att liknande papper skulle kunna användas som allmänt betalningsmedel var tydligtvis Palmstruchs egen idé. Hans framgång var överväldigande, ty i jämförelse med det ofantliga svenska plåtmyntet var sedlarna ett mycket behändigt betalningsmedel, och allmänheten mottog dem så begärligt att de rentav kunde säljas till en viss överkurs. Mänskligt nog föll banken då för frestelsen att mätta marknaden med sedlar, vilket naturligtvis medförde att värdet sjönk och folk blev oroliga. En vacker dag blev det rusning till banken för att få sedlarna inlösta med metallisk valuta, och banken som inte kunde möta denna efterfrågan måste stänga.

Varken allmänheten eller Palmstruch själv förstod riktigt vad som hade hänt; att penningvärdet kunde ha samband med sedelutgivningens storlek var alltjämt en förborgad gåta, och bankstyrelsen som skulle förklara hur det kom sig att sedlarna sjönk i värde sade sig vara alldeles obekant med orsaken. Saken väckte stor förskräckelse och ledde till att sedelmyntet avskaffades enligt beslut av ständerna vid 1664 års riksdag. Sedlarna indrogs successivt under loppet av några år, och mot slutet av den perioden hade de fått tillbaka sitt värde igen, men de styrande förstod fortfarande inte hur detta hängde ihop, så beslutet om sedelmyntets avlysning fick stå fast. Ständerna tyckte trots allt att banken var en nyttig inrättning som inte borde försvinna och övertog den därför, sedan Palmstruch själv hade dömts att ersätta bristen vid risk av livets förlust. Han satt sedan i fängelse ett par år men blev benådad och utsläppt kort före sin död. Hans skapelse, som nu fick heta Riksens Ständers Bank och framgent styrdes av deputerade från de tre högre stånden – bönderna vågade inte engagera sig i företaget – hade för lång tid framåt spelat ut sin roll som svenska folkets hjälpare i det mödosamma kånkandet på kopparplåtarna men var naturligtvis av betydelse

Riksens ständers pantbank

på annat sätt, ty genom banken gick en stor del av kronans inkomster, såsom stora sjötullen, kopparräntan och myntverkets vinst. Gentemot allmänheten var den en växelkassa och en låneinrättning med mycket osmidiga statuter. Inlåningsräntan var oföränderligen sex procent, och utlåning fick ske endast mot panter av bestämt slag, nämligen guld och silver, pärlor, smycken och klenoder, koppar, tenn, mässing, järn och bly, socker, salt, beck och tjära samt riatorkad råg, som skulle vara upplagd i packhus på Beckholmen dit banken hade nyckel.

Vid förhöret inför hovrätten hade Palmstruch hävdat att hans medintressenter i bankföretaget hade del i ansvaret för dess fallissemang. Att föra någon talan mot dessa var otänkbart och uteslutet. Nederst på förteckningen över dem stod visserligen Palmstruchs svåger Reinhold Rademacher, vilken liksom han själv hade kommit över från Livland till Sverige där han lade grunden till metallindustrien i Eskilstuna. Men överst på listan stod en rad namn av långt stoltare klang: rikskanslern Magnus Gabriel De la Gardie, riksskattmästaren Gustaf Bonde, riksråden Seved Bååt, Schering Rosenhane och Christer Bonde samt ytterligare ett antal höga herrar. Av dem var den förstnämnde också bankens störste låntagare.

Sueciaverket

På rikskanslerns förslag i förmyndarregeringens första år fick överstelöjtnanten Erik Dahlbergh statens uppdrag att rita av Sveriges slott, städer, minnesmärken och märkvärdigheter för ett stort praktverk som skulle heta *Suecia antiqua et moderna*, det forna och det nya Sverige. Dahlbergh, som naturligtvis själv hade kommit med uppslaget, arbetade med stor energi och fick under årens lopp med franska och holländska kopparstickares hjälp fram tryckplåtar med nära femhundra bilder. Samtidigt strävade uppsalaprofessorn och rikshistoriografen Johannes Loccenius på kunglig befallning med texten, som naturligtvis skulle vara på latin, och fick också ihop en del beskrivningar av landskap och orter innan han gick ur tiden 1667. Sedan dröjde det över tjugo år tills en ny textförfattare blev funnen i professorn och bibliotekarien Claudius Arrhenius Örnhielm, vilken ansåg Loccenii notiser *alt för korte och*

ofullkomblige och lade upp en långt vidlyftigare textplan. Han hann med att skriva sju kapitel av de tolv som skulle ingå i första volymen av verkets sju volymer; därpå dog han. Att ta vid där han slutat förordnades så småningom professorn i vältalighet i Uppsala Petrus Lagerlöf, som slet med saken av bästa förmåga så länge han orkade. Sedan även denne hade gått ur tiden anförtroddes uppdraget åt Dorpatprofessorn Olof Hermelin och registratorn Bengt Högvall, som inte uträttade någonting alls. Då hade även Erik Dahlbergh själv lämnat det jordiska, dock först sedan han hade ändrat sista ordet i det stora verkets titel till *hodierna*, Sverige av i dag. I riksarkivet vilade hans tryckplåtar och avdrag, men de var inte glömda, och mot 1720-talets slut kom någon på att här fanns ett kapital som kunde bidra till statsskuldens likvidering. Med en bokbindares hjälp gjorde man i ordning sexhundra exemplar av bilderboken utan text för försäljning, och de gick åt så småningom under 1700-talets lopp. Den svenska stormakten var då ett minne blott och bilderna var inte riktigt aktuella längre, men allteftersom åren har gått har glädjen och nyttan av dem blivit större. För sena tiders svenskar finns oersättlig kunskap att hämta ur Sueciaverket. Dess planscher, ofta ansträngt monumentala, härrör till mycket stor del från Karl XI:s förmyndares tid och representerar deras ideal; somliga var rentav förhandsbilder som visar de svenska adelspalatsen sådana ägarna hade tänkt sig att få dem ombyggda i en snar framtid, ehuru detta sedan aldrig blev av. Trovärdigheten är sålunda begränsad, ytligt sett; för flertalet av sina medborgare har Sverige väl knappast sett ut som det framställs i Sueciaverket. I stället utgör detta ett monument och ett äreminne över den aristokratiska svenska stormakten sådan konstnären och hans uppdragsgivare ville att den skulle uppfattas i utlandet och möjligtvis även hemma.

Slott och palats

Mitten av 1600-talet var palatsbyggandets tid i Sverige. Generalerna som kom hem från Polen, Tyskland och Danmark kom icke tomhänta; de hemförde icke blott byggnadskapital utan även husgeråd till många salar och gemak, och deras första omsorg efter avslutade fälttåg var nästan alltid att resa sig en ståndsmässig boning på de egendomar de fått sig förlänade för sina tjänster av en nådig och tacksam överhet. Livet i Sverige har förmodligen aldrig levts vräkigare än då, ty så stora resurser har aldrig varit samlade på så få händer senare, och kontrasten mellan landets fattigdom och magnaternas glans har aldrig varit större, i varje fall aldrig mera iögonenfallande, än under Karl XI:s förmyndarregering. Illa beryktad i hävderna för sin bristande sparsamhet är framför allt Magnus Gabriel De la Gardie. En känd karaktäristik av honom kan läsas hos den italienske diplomaten Lorenzo Magalotti, som besökte Sverige i början av 1670-talet och vars roliga och välskrivna resebok härifrån finns översatt och utgiven; han berättar om rikskanslerns ståtliga utseende, vältalighet, språkkunskaper, mångsidiga bildning och stora rikedom och kallar honom därefter för världens sämste hushållare och störste slösare, som gav ut ofantliga summor på sin hovhållning och på att bygga på fyrtio eller femtio ställen, samtidigt som han satte sig i skuld till alla människor. Skulderna bekymrade honom inte, säger Magalotti, "därför att man i detta land icke har någon utväg att få betalt av en person i hans samhällsställning".

Att rikskanslerns affärer var mindre sunda är otvivelaktigt. Av hänsyn till sin furstliga gemål och sitt höga ämbete såg han sig nödsakad att leva ett furstligt liv, vilket tydligtvis inte alls bar honom emot och vilket han i själva verket hade råd till. Hans förmögenhet och inkomster var

ofantliga. I Stockholm residerade han i palatset Makalös, som hans far hade låtit bygga vid Norrström mitt emot kungliga slottet och mitt framför Kungsträdgården, ett sällsamt, invecklat och överlastat prakthus som dessvärre redan ansågs omodernt och som ägaren ämnade bygga om vid tillfälle. Han var vidare greve till Läckö, vars grevskap omfattade över trehundra hemman samt staden Lidköping, vars västra halva han själv hade låtit anlägga. I Västergötland ägde han även herresätena Höjentorp, Katrineberg, Mariedal och några till. Kägleholms slott i Närke med dess stora domäner hade han ärvt efter sin mor, och efter sin far var greven också friherre till Ekholmen vid norra Björkfjärden i Mälaren; den possessionen omfattade över hundra mantal. Venngarn i Sigtunatrakten hade han förvärvat genom köp, likaså Karlberg utanför Stockholm, i vars grannskap han vidare var ägare till Ekolsund och framför allt Jakobsdal, det nuvarande Ulriksdal. Drottningholm var också i hans besittning några år. Båda de sistnämnda såldes emellertid tidigt till änkedrottning Hedvig Eleonora, som strax tog itu med att förbättra dem efter sitt sinne; det nuvarande slottet på Drottningholm uppfördes sålunda åt henne av den franskt skolade, praktiskt duglige byggnadskonstnären Nicodemus Tessin, den äldre av de båda stora arkitekterna med detta namn.

Av Magnus Gabriel De la Gardies många boningar står somliga alltjämt upprätt. Det gäller om Karlberg, Venngarn och Mariedal, som alla har kvar något av den prägel han gav dem. Det gäller framför allt om Läckö, det magnifikaste slottet av dem alla, vilket i grevens dagar hade nära tvåhundrafemtio rum som i våra dagar med få undantag står plundrade, nakna och tomma sedan staten på 1830-talet höll auktion på inredningen och traktens bönder kunde ropa in dess gobelänger att ha till segel på sina fiskebåtar.

Om livet på Läckö och de övriga slotten i De la Gardies ägo vet man

Läckö och Makalös

märkvärdigt nog inte så mycket, ehuru många papper finns i behåll beträffande dem alla. Ett egenhändigt latinskt utkast till veckoschema för sig själv har greven visserligen efterlämnat, men det är osäkert om det någonsin har varit i kraft. Där står emellertid att varje dag skulle börja med bön klockan fem på morgonen, och bönestunder hölls också på aftonen varje dag; på söndagarna hölls naturligtvis dessutom högmässa och aftonsång. På onsdagsförmiddagar var det jakt i fyra timmar, och efter middagen var det musik i halvannan timme. Ridning, fäktning, promenader, studier av olika slag och konferenser med olika befattningshavare var inlagda i schemat på bestämda tider.

Sistnämnda sysselsättning var icke den minst maktpåliggande. Utförliga listor över den grevliga hovstaten och de olika befattningshavarnas åligganden finns bevarade; de visar bland annat att antalet anställda var mycket stort. Vid palatset Makalös tjänstgjorde ett par hundra personer; där fanns bland annat två skräddare, en tennknekt, en remsnidare, sex hakeskyttar, en bryggare, två skeppare, en glasmästare och en del skrivare. Slottspersonalen på Läckö omfattade över femtio personer, mest knektar, båtsmän och musikanter, men utanför slottet fanns minst dubbelt så många befattningshavare som hade att göra med rättskipningen, boskapsskötseln, postväsendet och jakten i grevskapet. Sammanlagt måste Magnus Gabriel De la Gardie ha haft tusentals personer i sin tjänst utöver alla dagsverksbönder, och det är förståeligt att hans utgifter nästan alltid översteg inkomsterna.

Mera solid än rikskanslerns ställning föreföll riksdrotsens. Per Brahes grevskap med centrum på Visingsö omfattade så gott som hela landsträckan kring södra delen av Vättern från Ödeshög i Östergötland till trakten av Hjo i Västergötland; utanför grevens domäner låg nästan bara Jönköpings stad. Tak över huvudet ägde han i många slott och säterier: Visingsborg, Brahehus, Västanå, Östanå, Lyckås, Viredaholm, Brahälla, Ettak, Vättak, Dimbo och ytterligare ett halvt dussin. På sina marker hade han redan i drottning Kristinas dagar låtit anlägga Gränna stad. Men han var herre över mycken egendom även annorstädes i riket, framför allt kanske i Finland, där han regerade över exempelvis Brahelinna län i Savolaks och Kajana friherrskap i Österbotten. I det nyvunna Bohuslän hade han vidare hugnats med förläningen av Orust och Tjörn, i Stockholm hade han ett stort hus på Helgeandsholmen, i Uppland hade han låtit bygga slottet Bogesund på bekvämt avstånd från

556

Rydboholm och Lindholmen, där hans brorson och arvtagare Nils Brahe
var slottsherre – själv hade han inga barn i livet längre. Beträffande
Braheslotten är den intresserade eftervärlden hänvisad till deras bilder
i Sueciaverket; de flesta, däribland det stora Visingsborg, ligger sedan
århundraden i ruiner. Om det magnifika liv som levdes där i grevens tid
vet man ett och annat; sålunda har en ung tyskbaltisk baron som hette
Clodt efterlämnat en skildring av hur gäster togs emot på Visingsborg
en jul på 1660-talet. Borgerskapet i Gränna paraderade då i gevär, och
ett stort antal båtar med trumpetare och lakejer kom över för att hämta
de främmande som högtidligen fördes ombord på en slup med röda
dynor och många blå och vita flaggor. Trumpetare och pukslagare spe-
lade välkomstmusik på slottsvallen, och i slottsporten mötte greven själv
med sin grevinna och hela sitt hov och förde sina gäster genom träd-
gården mellan två paraderande hederskompanier som sköt salut med
musköter. Slottsgemaken var skönt utstyrda med gobelänger och annat,

och det gavs konserter och komedier där av gymnasisterna vid den grevliga skolan på ön. En av juldagarna gjorde greven stort bondbröllop för över trettio par från hela grevskapet. Allt detta var storartat men kostade inte så mycket, upplyser Clodt; greven hade nämligen ordnat allting mycket vist i sitt rike. Soldatesken på Visingsborg bestod sålunda helt och hållet av Visingsöbönder som fick hämta ut uniformer på slottet strax innan greven kom dit och som lämnade in dem igen så snart han rest tillbaka till plikterna och det vida enklare livet i Stockholm, där han nästan aldrig visade sig offentligt numera. Per Brahe var en ytterst ståndsmedveten aristokrat men en god husbonde och en man med stil. Hans eftermäle i hävderna är mycket gott.

Detsamma kan inte sägas om riksmarsken. Magalotti, som tydligen har hört sig för om alla svenska förgrundsfigurer, har porträtterat även Carl Gustaf Wrangel på hans gamla dagar, då han var giktbruten och krasslig och ständigt tänkte på religionen och livet efter detta. Han var, försäkrar den välunderrättade italienaren, "belevad, praktlysten, frikostig, ordhållig men lättretlig och mycket svag för kvinnor", och han var vidare rätt obildad och föga bevandrad i politiken. Han förde stort hus, men den prakt han visade var inte förnäm utan bestod i överflöd. Att det sista är sant kan eftervärlden alltjämt övertyga sig om på Skokloster, detta monument över den stora uppkomlingstiden på 1600-talet; det ståtliga slottet, som är byggt av Carl Gustaf Wrangel efter ritningar av Jean de la Vallée och Nicodemus Tessin, hyser alltjämt många sevärda horrörer från byggherrens dagar. De båda stora arkitekterna medverkade också vid tillkomsten av Wrangels palats i Stockholm, som ännu står kvar på Riddarholmen, avskalat det mesta av sin prakt; Svea hovrätt bor numera där.

Stockholm besitter i själva verket rätt många högadliga byggnadsverk från denna tid, mer eller mindre förändrade och förslitna. Ofördärvat i all sin skönhet och glans står väl egentligen bara Riddarhuset, det upphöjda ståndets gemensamma palats, som efter mer än trettio års arbete blev färdigt på 1670-talet då Jean de la Vallée välvde det vackra taket däröver. Vid sidan därom står det Bondeska palatset, som den annars så förståndige rikskattmästaren lät bygga för att därmed förbittra sitt liv; när han gick ur tiden var huset ännu inte färdigt, men inteckningsskulderna som familjen ärvde var enorma. Palatset, som tjänstgjorde som rådhus i ett par hundra år och därefter gruvligen skövlades av

Stockholms gatukontor, har i våra dagar snyggats upp efter förmåga och hyser nu högsta domstolen. På motsatta sidan om Riddarhuset, hinsides det trånga vatten som erinrar om att Riddarholmen en gång var en egen ö, bor Statskontoret i riksrådet Schering Rosenhanes forna palats och Socialstyrelsen på Resare-Bengts lagfarna tomt.

Bröderna Rosenhane

Högadelns ekonomiska maktställning, på goda grunder angripen av modiga präster, borgare och bönder vid många riksdagar, har sålunda blivit till glädje för eftervärlden trots allt. Senfödda svenskar har i själva verket aristokratien att tacka för nästan allt av värde som 1600-talet lämnat oss i arv. Kyrkans kulturinsats var nu bliven ringa; det barska maktspråket om lärans renhet hejdade tidigt all självständig tankeverksamhet på det hållet. Men bland rådets medlemmar fanns flera högt bildade, beresta och begåvade män som intresserade sig även för annat än politik och palatsbygge.

Dit hörde bröderna Schering och Gustaf Rosenhane, som båda var skrivande män. Den sistnämnde har av gammalt ansetts identisk med signaturen Skogekär Bergbo, som har efterlämnat tre små böcker på vers: Thet Swenska Språketz Klagemål, at thet, som sigh borde, icke ährat blifwer, vidare sonettsamlingen Venerid samt en samling av Fyratijo små wijsor. Av dem är åtminstone Venerid en märklig och vacker bok av en gammal svensk poet som var väl förtrogen med renässansens vitterhet i andra länder; hans sonetter tål till någon del att läsas än. Frågan om Skogekär Bergbos identitet är en gammal litteraturhistorisk tvistefråga. Att han var uppsvensk är otvivelaktigt, och landskapet kring de melankoliska poemen är det stockholmska. Skogekär Bergbo, annars så inåtvänd, har rentav vänt sig direkt till den lilla huvudstaden i den krigiska stormakten med en sonett:

Du lilla Hålma min, alle små hålmars ähra,
som drager til tigh alt rät som een stark magneet,
hwadh man på jorden rund berömt och nyttigt weet,
at allehanda folk på digh få bo begära!

Widh allehanda kånst sigh rijkeligh at nära
från städer och från land som til den bästa beet
flys hijt at lefwa wäl och uthan alt förtreet.
Hijt kommer alt, hwadh haf och Mälare kan bära.

Kringwärfd ästu med ström och watn friskt och salt,
med båtar, skutor, skep om lagd på alla sijder.
Hwar fins en sådan hålm, man leeta öfwer alt

i warand' heller och uthi de forna tijder!
Hwar fins en Venerid så dygdigh och så skön
i något annat land på någon hålma grön!

I vårt århundrade har det föreslagits att icke Gustaf Rosenhane, utan
hans tio år äldre bror Schering skulle dölja sig under signaturen Skoge-
kär Bergbo. Tanken är nog övergiven nu. Schering Rosenhane skrev
också vers, men sannolikt inte ofta; han var en älskvärd, talför, klok och
praktisk man som lyckades väl i livet. Av honom finns i behåll en
underbar bok av helt annat slag, hans Oeconomia, som handlar om bästa
sättet att sköta ett gods på 1600-talet. Ingen lektyr kan vara ljuvligare
för en senfödd, rotlös, hårt specialiserad stadsmänniska. Man inhämtar
där huru en hussbonde i Gudz nampn förser sig med en lagom gård
samt skaffar sig en god och dygdesam maka, en försiktig och trogen
fogde, goda drängiar, däija och pigor, hästar och boskap av alla slag och
vad han i övrigt kan behöva. Gårdzfogden ordnar icke blott med plöj-
ning, harvning, sådd, dyngekörtzel efter åhrstiderna och Månans och
Planeternas låpp, utan han för också bok över creatur, höns, duffwor,
stogång, fiskie, tiära, bast, näffwer, bräder, ost, talg, humbla med mera
och lagar att prästen får sitt tionde. Han understår sig inte att uthugga
skogen för mycket men ser till att gärdsgårdar, båtar, vagnar, slädar och
redskap är välhållna och föregår drängarna med gott exempel i slögderij
om qwällarna. Samtidigt ser däijan till att allt folket får mat och öl
ordentligt, hon låter göra kårffwar och pöllsor, håller noga reda på

mjölken, ser till att bihonungen, linet, hampan och ullen tas väl till vara, håller rent och snyggt överallt, ger allmosor åt de fattiga och är snäll mot bandhunden. Hussbonden själv tar lärdom av foglarna som intet byggia för litet eller för stort, och är han en ung pärson eller en mycket gammal, karg och frusin sådan bör han inte bygga alls, ty då blir det just för stort eller för litet.

En swänsk åkerman överträffar i genomsnitt en tysk eller dansk och får tionde kornet där man i utlandet bara får fjärde. Det gäller dock att veta vad jorden duger till och att rädt omgås mäd dyngian. Man kan ju också vara curieux och observera planetstunderna, men att rätta sina actiones efter dem synes föga grund och fundament haffwa mäd sig.

Medan gårdzfogden nu förestår arbetet på åkern förlustar sig hussbonden något med trädgårdzskötzel. Svenska trädgårdsmästare peregrinerar inte ofta och kan därför sällan sin konst, varför hussbonden själv måste bese andra trädgårdar och läsa böcker i ämnet på det att han inte behöffwer låta lära sig utaff någon klåper. Han planterar en hagetornshäck med inblandade vildrosor kring trädgården och ser till att han har alla behövliga redskap: spadar och krattor, krokota knivar, ympvax, lindbast, baljor, äppelplockare, glasklockor för melonerna, halmmattor mot frosten, stampjärn för surkål, syltburkar, senapskvarn, destillationspanna, fotangel för tyffwar. På ett papper ritar hussbonden nu en plan i skala över sin trädgård och ger den åt trädgårdsmästaren till en stadig efterrättelse. Därvid får icke glömmas att regulariteten ähr dätt förnämsta. Trädgården består rätteligen av fyra quarter; twå stora och alldeles nödige och twå mindre och intet alldeles så nödige. De båda första är fruktträdgården och köksträdgården, de bägge sistnämnda är blome-

quarteret och läkedomsquarteret. Lämpligen frösår, ympar, utskolar och beskär han själv sina fruktträd; i synnerhet ympningen är det allralustigaste och behändigaste arbete som en kan förlusta sig mäd. Vill han ha röda äpplen doppar han ympkvisten i gäddblod. Fruktsorterna är många olika slags men bär idel tyska och franska namn av vilka nästan inga är bekanta för en modern läsare. Den företagsamme hussbonden planterar även plommon, krikon och körsbär och till och med så fordrande ting som persikor, pomeranser, mullbär, valnöt och kastanj. I hans köksträdgård växer kål och lök, ärtor och bönor, rättikor och rädisor, rovor, morötter, palsternackor och sockerrötter, rapunkel och haverrot, selleri, lakluk och sparris, jordärtskockor och endivie, mejram, portulaca, körvel och rosmarin. Han känner rent av till en växt som kallas artiskockor aff Virginien; the kallas iordpäron på Tyska och på Italienska Tartufli – detta skrevs i Mellansverige hundra år före Jonas Alströmer.

Men det skönaste kapitlet hos Schering Rosenhane handlar om Blomequarteret. Detta, säger han, kan man "utstäffera och pryda mäd blompåtter som man låter göra hooss krukemakarna mäd hål i båttn hwilka kunna sättias här och där i quarteret äller på en låg mur äller balustrade, uppå hwilke man ock kan sättia om hwarandra några bröstbillder aff gambla käijsare och förnämbda män, äller små pilltar som betekna fäm sinnen äller fyra åhrsens tider, äller kan man ock låta göra sig andra figurer äffter åtskillige andra creatur. Förutan allt thätta ähr största Zieraten som sker utaff leffwandes, sköna, wälluchtande och aff åtskillige höga färior förblandade gräs och blomor". Han räknar därpå upp en mängd sådana och föraktar varken gullviva eller bellis i sin barock-trädgård; men han har också clematis och franska anemoner, stockrosor, digitalis, lejongap, blå och gula riddarsporrar, vita liljor och brandgula, passionsblomma, violer, nejlikor – som han särskilt tycker om – och hundratals andra ting av vilka de flesta är välkända trädgårdsblommor än i dag. Han låter förstå att av tulpaner finns det 144 olika slag; de togs från Holland redan då. Men förgäves söker man i hans Oeconomia efter sådant som syrener och gullregn, flox och löjtnantshjärta, snödroppar och dahlia.

Schering Rosenhanes handledning i jordbruk och trädgårdsskötsel är på sitt sätt ett vackert historiskt dokument. Om jordbrukets metoder och ekonomiska förhållanden vid 1600-talets mitt finns mycket vetande där att hämta, men framför allt är boken läsbar och läsvärd såsom ett sakligt vittnesbörd om atmosfären bland de burgna männen i det alltjämt mycket lantliga Sverige under frälseköpens, storgodsens och adelsväldets bästa tid.

Fäderneslandets antiquiteter

Anno 1666 utfärdade förmyndarregeringen ett plakat om rikets antikviteter. Det fastslog att ingen fick understå sig att förstöra de borgar, skansar, stenkummel, runstenar och forngravar som kunde finnas i bygderna. Alla gamla monument på kronans mark förklarades fridlysta, adeln tillhölls att vårda fornlämningarna på sina domäner, och det påbjöds att kyrkor och kloster skulle åtnjuta vördnad, frid och säkerhet. Landshövdingar, biskopar och präster fick order att uppspåra landets fornminnen och göra upp förteckningar över dem, och de skulle vidare göra sig underrättade om eventuella traditioner och sagor från forna tider. Fornminnesplakatet, som kom till på initiativ av Magnus Gabriel De la Gardie, lär vara det första i sitt slag i Europa och är ur eftervärldens synpunkt en ytterligt betydelsefull ukas. Det är i dess hägn vi har fått behålla vad som nu räknas som historiska sevärdheter i Sverige.

En månad senare genomdrev De la Gardie i rådet tillkomsten av ett ämbetsverk vid namn Collegium Antiquitatum, fornminneskollegiet. Dess uppgift skulle bland annat vara att ge ut skrifter till belysning av Sveriges fornhistoria, att undersöka och vårda fornminnena i landet och

att utarbeta en svensk ordbok. En professor i antikviteterna fanns redan i Upsala tack vare rikskanslerns intresse för sådant; han hette Olof Verelius och var en mycket energisk och flitig person som bland mycket annat har skrivit en svensk-götisk historia på latin med början från Jafets son Magog. I dess begynnelse står en tirad som en gång var berömd och nu är glömd; den riktar sig mot alla som tillåter sig att tvivla på de götiska annalernas vittnesbörd. "Jag ville", utbrister författaren, "att man i deras hårda panna sloge de stenar som hos oss finnas ristade med runor."

Till kolleger i det nya verket fick Verelius sex förträffliga män vilkas namn ävenledes har gått till historien. De hette Johan Axehielm, Magnus Celsius, Johan Hadorph, Johannes Loccenius, Johannes Schefferus och Georg Stiernhielm. Den förstnämnde hade varit lärjunge till Johan Bureus och var nu en gammal man; han åtnjöt stor respekt som fornforskare bland sina samtida, men hans många efterlämnade manuskript har olyckligtvis gått all världens väg. Lyckligare lottad är Magnus Celsius, som egentligen var matematikprofessor; hans antikvariska gärning består i att han var den förste som lyckades dechiffrera och tyda de så kallade hälsingerunorna. Den ojämförligt flitigaste forskaren bland kollegiets ledamöter var dock Johan Hadorph, som eftervärlden har att tacka för ganska mycket, ty från honom härrör grundplåten till samlingarna i vad som nu kallas Statens Historiska Museum, och hans utgåvor av historiska handlingar från Sveriges medeltid är aktuella än, ty originalen är nu förlorade. Hadorph var dessbättre inget geni utan en nykter och samvetsgrann vetenskapsman som hade sinne för dokumentation och fakta, och hans tankar om sina mera fantasibegåvade kolleger framgår av några ord i ett företal beträffande de medeltida breven, om vilka han nämligen skriver att man ibland desse somligom förkastelige slagg- och hövlespånar finner mera guld och kostbara håvor, det är tänkvärdige ting till förfädrens beröm, än i somlige andres förmenta guldskinn. Män av likartad läggning var nog de båda tyskarna Johannes Loccenius och Johannes Schefferus, båda stora latinare; den förre har bland annat skrivit om landskapslagarna och har dessutom stått till tjänst med en patriotisk svensk historia, den sistnämnde vann internationell berömmelse med en bok om Lappland – Lapponia – och har vidare gett ut en del svenska medeltidsskrifter, däribland Konungastyrelsen.[1] Mellan Schefferus och Verelius uppstod en vacker dag en vetenskaplig strid som Henrik Schück har gjort berömd genom att redogöra för den; frågan gällde huruvida avgudatemplet hade varit beläget i Gamla Uppsala eller i det nuvarande. Schefferus som företrädde den senare åsikten stödde sig på skriftliga dokument under det att Verelius gjorde fantasifullt arkeologiska undersökningar, och därvid inträffade det märkliga att, säger Schück, "i sak har Verelius fått rätt, men de skäl, på hvilka han stödde sin åsikt, voro ovetenskapliga och fantastiska, under det Schefferus, som i sak hade orätt, tillämpade sunda filologiska principer".

Preses i Antiquitetskollegiet blev från början Georg Stiernhielm, som nu var en gammal man och hade sin skönlitterära gärning bakom sig, den på sitt sätt antikvariska gärningen att ha förnyat den svenska poesien med hjälp av antika metra. Alltjämt var han emellertid oförtrutet verksam med varjehanda lärda arbeten som mest gällde språket, framför allt etymologien. Stiernhielms språkkunskaper var stora eller i varje fall vidsträckta; han kunde jämföra svenska glosor icke blott med grekiska, latinska och hebreiska, utan även med anglosaxiska, forntyska, gotiska, keltiska, ungerska och finska ord. Han fann därvid förvånansvärda likheter och såg klarligen att svenskarnas gamla tungomål, skytiskan, var alla språks moder. Detta stred visserligen mot första Moseboks elfte kapitel, där det står att Gud förbistrade människornas tungomål för att hindra all global samverkan i stil med Babels tornbygge, men Stiern-

[1] Se såväl *Loccenius* som *Schefferus* i registret.

hielm sökte lösa svårigheten genom att anta att den babyloniska förbistringen bara hade varat någon dag, varefter människorna återtagit sitt gemensamma tungomål som sedan med tiden hade utvecklats åt olika håll och sönderfallit i olika språk och dialekter. Han fick knappast något medhåll härvidlag; Bibelns auktoritet var för stark, och den fritänkande Stiernhielm hade obestridligen tagit mycket lätt på texten, där Guds definitivt destruktiva avsikt med språkförbistringen framhålls mycket starkt. Stiernhielm stod likväl alltid fast i sin tro på alla språks inbördes samband och gemensamma rot, och som den store poet han var saknade han naturligtvis inte sinne för de fonetiska sammanhangen. Därför är hans etymologier riktiga ibland, trots allt; han ser att svenska ord som fisk, fä, å är nära släkt med latinets piscis, pecus, aqua. I flertalet fall lyckades han sämre och ägnade tid åt att spekulera över tillfälliga likheter mellan svenska och exempelvis ungerska eller hebreiska ord, men på det hela taget var Stiernhielms jämförande språkforskning nog mindre stollig än den numera kan förefalla. Han var tidigt ute. Den mest kända historien om hans ordförklaringar är apokryfisk; den förtäljer att Stiernhielm och biskop Terserus disputerade om vilket språk som var mänsklighetens urspråk. Terserus gjorde gällande att det måste ha varit hebreiskan, men Stiernhielm fann det uppenbart att man i paradiset hade talat svenska: namnet Adam kom nämligen av de svenska orden Av damm, ty därav var Adam skapad, och då han efter revbensoperationen vaknade upp och fick se den nyskapade kvinnan framför sig utbrast han i sin häpnad He! Va? vilket blev råmaterialet till namnet Eva. Fryxell som har relaterat detta efter okänd källa frågar sig bekymrad om Stiernhielm kan ha menat allvar, men Olof von Dalin som berättade anekdoten hundra år dessförinnan attribuerar den inte alls till Stiernhielm; den står hos honom inte ens i hans svenska historia, utan bara i ett satiriskt kåseri med titeln Dissertation.

Stiernhielm har varit verksam också som urkundsutgivare, vilket dock icke har lagt en tum till hans berömmelse; hans upplagor av Västgötalagen och Ulfilas, alltså den av Magnus Gabriel De la Gardie återförvärvade Silverbibelns text, är vidunderligt slarviga, säger sakkunskapen. Andra medlemmar av Antiquitetskollegiet var som sagt bättre skickade för detta slags arbete, och även beträffande de äldsta tiderna saknades det nu icke texter att ge ut. Den infångade islänningen Jón Rugman[1]

[1] Se del I, s. 26.

försåg i början av 1660-talet kollegiet med en rätt ansenlig samling handskrifter från sin fjärran hemtrakt och gjorde själv i ordning en utgåva som numera är av intresse för boksamlare därför att den är ett så kallat Visingsötryck, utgånget från Per Brahes grevliga tryckeri på ön i Vättern. Boken som är rätt vacker var viktig även i sak, ty den konfronterade för första gången en svensk publik med Snorre Sturlasons goda historier om Ynglingaätten i Uppsala. Men redan några år dessförinnan hade Verelius hunnit bli först i världen med att ge ut isländska sagor av trycket. Den tredje i ordningen av hans editioner gällde Hervararsagan, och när han förberedde den vände han sig en vacker dag till en teckningskunnig vän och kollega och undrade om han skulle kunna få hjälp med en karta över Sverige med de orter inprickade som stod nämnda i sagan. Vännen, som var professor i medicin och rektor vid Uppsala universitet, åtog sig uppdraget och blev till sin olycka så intresserad av ortnamnen på kartan att han hängav sig åt fornkunskapen för resten av sitt liv. Hans namn var Olaus Rudbeck.

Den franska alliansen

Vid sjutton års ålder blev Karl XI myndig och tillträdde officiellt
sin regering. Det skedde strax före jul 1672, som var ett ödesdigert år i
Sveriges historia. Den europeiska storpolitiken vid den tiden var kom-
plicerad och inflammerad, och den svenska förmyndarregeringens ställ-
ningstagande hade inte varit lätt, ty Sverige hade i Karl X Gustafs da-
gar kommit i motsatsförhållande till västmakterna och åtnjöt inte heller
habsburgarnas, brandenburgarnas, danskarnas, polackernas och ryssar-
nas sympati. Ett förbund med England hade ingåtts 1664 till inbördes
försvar; det var närmast riktat mot holländarna, med vilka engelsmän-
nen kom i krig strax därpå. På sommaren det året började svenskarna
rusta för en expedition mot Bremen som åter gjorde anspråk på obe-
roende, men efter en del halvhjärtat blockerande och skjutande slöt
man hösten 1666 en kompromissfred med den motspänstiga staden, som
då fick behålla sin karaktär av fri riksstad men förband sig att inte göra
sin suveränitet gällande på tyska riksdagen under resten av 1600-talet.
Det bremiska kriget var från svensk sida närmast en militärdemonstra-
tion som gick ut på att ha en armé nära holländska gränsen.

Regeringen i Stockholm, som visste att Danmark hade allierat sig
med holländarna och fått rikliga subsidier av dem för militära ändamål,
hade också bekymmer för ett hotande ryskt anfall mot Livland. Medan
det bremiska kriget pågick hade vidare ännu ett europeiskt storkrig
hunnit bryta ut, nämligen mellan England och Frankrike. År 1667 ut-
bröt slutligen den mångåriga kraftmätning som kallas det spanska tron-
följdskriget mellan Ludvig XIV:s Frankrike och de habsburgska mak-
terna Österrike och Spanien, vilkas seger var ett viktigt holländskt in-
tresse eftersom fransmännen bland annat gjorde anspråk på det spanska
Belgien. Det var inte att vänta att den militaristiska svenska stormakten
skulle kunna hålla sig utanför denna härva av väpnade konflikter, och

frågan var bara på vilken sida landet skulle hamna när frontlinjerna så småningom klarnade och de skilda krigen omsider smälte samman till ett. Anbud om förbund och fördrag inströmmade från alla håll, och rådet konstaterade med bekymmer och tveksamhet att svenskarna vore *mellan två eldar stadde.*

I förmyndarregeringen rådde ständig oenighet om vilken sida man borde välja, och såväl rådsprotokollen som de utländska diplomaternas papper har mycket att berätta om sammanstötningar mellan de makthavande herrarna. För Magnus Gabriel De la Gardie var den traditionella vänskapen med Frankrike en hjärteangelägenhet och en politisk ledstjärna. Hans främste motståndare även i utrikespolitiken var Gustaf Bonde, och sedan denne sjuk och trött hade dragit sig tillbaka från ärendena fördes hans åsikter vidare av riksråden Sten Bielke och Johan Gyllenstierna och framför allt av rikskanslerns egen gamle lärare Mattias Biörnklou. Debatterna i rådet präglades inte sällan av personlig animositet och bitterhet, och man vet exempelvis att De la Gardie kunde uppträda med stor arrogans mot Bielke och stor högdragenhet mot Biörnklou, men i kärnfrågorna måste man väl ändå tro att uppfattningarna präglades av uppriktig övertygelse om vad som var bäst för landet, och valet mellan de möjligheter som erbjöd sig var förvisso inte lätt. Till en början segrade det senare partiet, och under trycket av fransmännens framgångar blev det under svensk bemedling fred mellan engelsmän och holländare, som därpå ingick den så kallade trippelalliansen med Sverige som tredje medlem. Därigenom hejdades Ludvig XIV i sitt segertåg och det blev fred till en tid mellan habsburgarna och Frankrike, som dock fick behålla vad det hunnit erövra. Denna utrikespolitiska orientering blev bestående i fyra år, men i början av 1670-talet lyckades den franska diplomatien spränga trippelalliansen och dra över engelsmännen på sin sida, och i sista året av sin tillvaro slöt den svenska förmyndarregeringen trots opposition från framför allt Sten Bielke och Johan Gyllenstierna ett fördrag med Frankrike efter Magnus Gabriel De la Gardies sinne. Det löpte på tio år och gick ut på att en svensk armé på sextontusen man skulle hållas på krigsfot mot de tyska stater som kunde vilja bispringa holländarna som Ludvig XIV tänkte angripa. Sverige skulle få sexhundratusen riksdaler om året i franska subsidier om det deltog i kriget, annars bara fyrahundratusen riksdaler.

Riksrådets majoritet, dit bland andra den gamle Per Brahe hörde, räknade med goda möjligheter för det sistnämnda alternativet. Det franska angreppet på Holland som omedelbart följde gick emellertid så bra att oron i Europa blev allmän, och under det följande året förändrades de storpolitiska kombinationerna raskt till fransmännens nackdel. England slöt separatfred med holländarna, och Ludvig XIV som nu endast hade Sverige till bundsförvant blev allt angelägnare om dess aktiva understöd. Ständiga diplomatiska påtryckningar och löfte om ökade subsidier ledde till att svenska regeringen slutligen såg sig tvungen att ta steget fullt ut. Hösten 1674 gick den gamle riksmarsken Carl Gustaf Wrangel med den svenska armén från Pommern över gränsen till Brandenburg, vars kurfurste nämligen hade skyndat till Nederländernas hjälp.

Den nittonårige Karl XI var glad åt kriget. Han var en enkel själ vars läsbegåvning inte låg över medelmåttan, och ung, outvecklad och okunnig som han var intresserade han sig mest för ritter och jakter och lät sina rådgivare sköta politiken. Den ojämförligt främste bland dem var naturligtvis rikskanslern, som ju var hans onkel och som han alltid hade haft tillgivenhet för, och i sak bestod alltså alltjämt ett slags förmyndarregering. Men, säger Rudolf Fåhraeus som har skrivit en bra bok om Magnus Gabriel De la Gardie, dennes eventuella planer på att spela en Mazarins roll motverkades av hans maklighet och hans benägenhet att då och då dra sig tillbaka till landet, och Göran Rystad som har skrivit en lika utmärkt bok om rikskanslerns motståndare Johan Gyllenstierna konstaterar att denne och hans meningsfränder fick ökat svängrum i rådet därför att rikskanslern ofta höll sig borta även när viktiga frågor måste avgöras. Hans maktställning undergrävdes därför, och krigshändelserna gav hans svenska fiender deras länge väntade tillfälle.

1675 vid midsommartiden stod slaget vid Fehrbellin. Fredrik Wilhelm av Brandenburg angrep oväntat den invaderande svenska armén vid denna ort och jagade den raskt på flykten, och ehuru den snart kunde återsamlas och förlusterna i manskap inte var stora fick nederlaget förödande verkningar för svenskarna. Wrangel måste utrymma Brandenburg och dra sig tillbaka till Pommern dit kurfursten genast följde efter, och moralen sjönk raskt under återtåget så att armén genom deserteringar krympte ihop till hälften. Respekten för Sveriges militära styrka förbleknade omedelbart, och som ett resultat av slaget vid Fehrbellin inströmmade innan sommaren var förbi tre krigsförklaringar: Hollands, Österrikes och Danmarks.

Ständerna var samlade till kröningsriksdag i Uppsala när den sistnämnda kom. Rikskanslern hade dagen förut hållit *en mäkta sirlig och vidlyftig sermon* och låtit uppläsa en kunglig proposition som skönmålade läget i Tyskland och slutade med en vädjan till ständerna att komma Kungl. Maj:t och riket till hjälp och undsättning utan att fördröja tiden med långt överläggande. Oppositionen hade emellertid nu fått luft under vingarna, och ständerna vägrade att diskutera frågorna om folk och pengar till kriget förrän de fått veta vilka resurser regeringen förlitade sig på när den lät Wrangel rycka in i Brandenburg. Ständerna sade sig inte kunna tro att rådsherrarna kunnat föreslå konungen en sådan sak utan att vara väl försedda med utvägar, medel och förråd, helst som landet haft fred i fjorton långa år, "på hvilken tid tvifvelsutan nog samkat ähr, som till detta vidt utseende verkets utförande betarfvas".

Den gamle riksdrotsen Per Brahe lär ha blivit så upprörd när denna skrivelse lästes upp i rådet att han fällde tårar och sträckte händerna i vädret med utropet att han hade varit med om fyrtio riksdagar men aldrig hört maken. Rikskanslern besvarade den emellertid, fastslog att riksdagen hade hållits underrättad i utrikespolitiken och hänvisade beträffande sin medelsförvaltning till den redovisning som hade lämnats vid kungens regeringstillträde 1672. Ständerna gjorde då ett skickligt schackdrag som blev avgörande. De vände sig direkt till den unge konungen med en skrivelse där de förklarade att de ingalunda hade samtyckt till kriget och begärde att han måtte granska den omtalade redovisningen av år 1672. Kungen, som var ivrig att få slut på riksdagen för att kunna dra ut i kriget, gav genast sitt bifall och lät ständerna själva tillsätta en undersökningskommission. Den började strax sitt arbete, och därmed var grundvalen lagd för en ekonomisk räfst med Karl XI:s förmyndare.

Några dagar senare överlämnade fjorton av rådets medlemmar en skrivelse till ständerna där de förklarade sig ha varit emot den franska alliansen och svor sig fria från ansvar för finanspolitiken. Eftervärlden har kunnat konstatera att bara sju av dem har uttalat sig emot den franska alliansen och att åtminstone någon har förordat den med stor iver vid rådets debatter om saken. När det gällde att störta rikskanslern och kasta skulden på honom ensam skydde man tydligtvis inga medel vid 1675 års riksdag, där det också inträffade en besynnerlig historia som inte gärna kan ha varit annat än en komplott för att bringa honom på fall. Det hände sig nämligen efter ett av adelns förmiddagssammanträden att den bisarre greve Gustaf Adam Banér, gemenligen kallad Dulle-Banér och inblandad i så gott som alla tidevarvets intriger och skandaler, i ett fönster hittade en käpp på vilken det satt en brevlapp, och på brevlappen stod att en högt uppsatt herre skulle ha sagt till två riksråd att ingenting blev gott förrän konungen den bussen kom ur landet. Dulle-Banér visade lappen för flera personer och såg till att den genom lantmarskalken blev högtidligen överlämnad till kungen, som tackade så mycket för adelns omtanke om hans person men också lät förstå att han inte hyste minsta misstroende till någon av sina rådsherrar. I rådet där saken naturligtvis strax togs upp förklarade rikskanslern att författaren till lappen måste vara en skälm, och om innehållet var riktigt var den naturligtvis en skälm som hade fällt det förgripliga yttrandet, men skälmar var i så fall också de båda riksråden som hade lyssnat till det utan att avslöja vederbörande. Dagen därpå uppvaktades kungen av riksråden Claes Rålamb och Knut Kurck, som angav rikskanslern för majestätsbrottet ifråga; han skulle för något år sedan ha tagit dem avsides och sagt: "Vi måste hafva ut den bussen; han gör, Gud straffe mig, intet godt här hemma." De båda förnäma och högt ansedda herrarna förklarade sig villiga att gå ed på saken. Kungen hörde lugnt på och hänvisade dem därpå till rikskanslern själv. Denne blev naturligtvis fruktansvärt upprörd när han fick höra anklagelsen, föll på knä för kungen, bedyrade sin oskuld och begärde att få rättfärdiga sig inför domstol. Kungen godtog hans försäkran, och De la Gardie öppnade en ärekränkningsprocess mot de båda riksråden som i sin tur försökte få till stånd en högmålsprocess mot honom. I det läget ingrep kungen och befallde båda parter att låta saken falla. De förbjöds strängt att uppehålla sig vid den vidare.

Magnus Gabriel De la Gardie var övertygad om att den verklige organisatören bakom denna underliga och futtiga historia var Johan Gyllenstierna, medan Dulle-Banér och de båda riksråden blott var villiga verktyg. Inga bevis finns för att det förhöll sig så, men osannolikt är det väl ändå inte. Gyllenstierna var släkt med Dulle-Banér, som nämligen var gift med en dotter till hans morbror Bengt Skytte, och har veterligen tidigare haft ett finger med i den suspekte grevens intriger. Synbarligen hyste han heller aldrig några betänkligheter ifråga om medlen när det gällde att vinna ett politiskt mål. Magnus Gabriel De la Gardies nederlag vid 1675 års riksdag innebar att Johan Gyllenstiernas tid var nära.

Den enda vackra rollen i detta ömkliga drama spelade den tjugoårige, tystlåtne, oerfarne, nyss så tanklöse och handfallne konungen. Han var också huvudpersonen i det utstyrselstycke som riksdagen egentligen hade samlats för: kröningen. Den ägde högtidligen rum i Uppsala domkyrka, men på vägen dit tappade riksmarskalken Jakob De la Gardie olyckligtvis riksäpplet i gatan så att det fick en bula, och i förskräckelsen tappade han även sin peruk.

Krigskatastroferna

Kriget i Tyskland gick oavbrutet baklänges. Carl Gustaf Wrangel, ur stånd att hejda brandenburgarna i Pommern, drog sig undan till sitt ägande slott på Rügen där han snart dog av ålderdom, sjukdom och grämelse. Wismar belägrades av danskarna och kapitulerade på själva julafton. Bremen och Verden översvämmades av danskar och brandenburgare. Svenska flottan, som numerärt var den danska mycket överlägsen, befanns ligga outrustad vid krigsutbrottet, och det dröjde flera månader innan den kom i sjön. På den vilade inte blott hoppet om de tyska provinsernas undsättning, utan hela försvarsplanen; man hade tänkt sig att den skulle sätta över en kunglig armé till Själland och hindra den holländska sjömakten att tränga in i Östersjön. När flottan äntligen löpte ut från Dalarö råkade den strax ut för kollisioner och andra missöden, ty besättningarna var oövade och små. En storm i Gotlandsfarvattnen gick illa åt tågvirket, som till stor del visade sig vara ruttet. Många fall av matförgiftning inträffade på grund av skämd proviant. Dessutom härjade sjösjukan så att fartygen ett slag drev nästan redlösa, och riksamiralen Gustaf Otto Stenbock såg sig tvungen att åter sätta sig i säkerhet med flottan vid Dalarö. En undersökningskommission tillsattes strax på kunglig befallning för att utröna vem som var ansvarig för eländet, och därpå följde en process mot riksamiralen som dömdes till avsättning och till att ersätta kronan med en oerhörd summa, nästan en kvarts miljon daler silvermynt. I undersökningskommissionen och även i domstolen intog Johan Gyllenstierna ett framstående rum.

I sin egenskap av riksråd arbetade denne under vintern och våren 1676 med outtröttlig energi på den nödvändiga upprustningen. I sina ansträngningar att få till stånd en bottenskrapning av landets resurser krävde han att adeln skulle göra fyrdubbel rusttjänst och att även änkor och omyndiga barn skulle få bära sin del av militärbördorna, och de andra rådsherrarna, som hade en känsla av att mycket som han föreslog närmast var avsett för kungens öron, vågade inte helt sätta sig på tvären. På sommaren 1676 mottog han ett nådigt brev med befallning att infinna sig i högkvarteret hos kungen, som sade sig behöva betjäna sig bättre av hans välbekante trohet, försiktighet, flit och åhuga till kronans och riksens bästa. Hans kolleger i rådet fick ingen sådan kallelse, och från den dagen var regeringsmakten i Sverige helt koncentrerad till den unge kungens vistelseort.

För ögonblicket befann sig denne i Växjö och var på ett fruktansvärt lynne. Hans omgivning fann honom mycket förändrad och besatt av en stumhetens ande, ty han lyssnade till alla framställningar men svarade aldrig ett ord, och hans befallningar var korta och sträva och gick ofta stick i stäv med de framställda förslagen. Han hade förlorat förtroendet för alla sina rådgivare och generaler och var försjunken i ständigt svårmod, ty nya olycksbud hade nått honom i oavbruten ström detta bekymmersamma år. Det svåraste av dem hade gällt flottan, som hade utrustats på nytt under vinterns lopp varefter den gick till sjöss redan i slutet av januari, sedan man med oerhörd möda hade sågat upp isen utanför Dalarö på en sträcka av fyra mil för att nå öppet vatten. Befälhavare ombord var nu Lorentz Creutz som dessförinnan hade varit landshövding i Dalarna och var en stenrik, nitisk och rättskaffens man; någon som helst sjömilitär erfarenhet hade han emellertid inte. En dansk-holländsk flotta som kommenderades av den norske amiralen Niels Juel opererade redan i de isfria farvattnen och lyckades utan svårighet sätta sig i besittning av Gotland, och när det vårades anlände även den ryktbare amiral Tromp med en holländsk eskader till Östersjön och förenade sig med Niels Juel. Creutz som förgäves hade sökt leverera batalj dessförinnan upphanns av de förenade flottorna vid Ölands södra udde, och det slag som följde torde vara det mest katastrofala i svenska ma-

rinens historia. Det började med att amiralsskeppet Stora Kronan under en vändningsmanöver tog in vatten genom de öppna kanonportarna och kantrade; därvid kom elden lös ombord och sprängde fartyget i bitar. Överamiralen och större delen av besättningen försvann i djupet. Under den villervalla som därvid uppstod bräcktes stormasten på den nästkommenderande amiral Claes Ugglas skepp, som blev liggande redlöst och sköts i sank av fiendens bredsidor. Resten av flottan skingrades åt alla håll, men ytterligare ett par större och några mindre fartyg gick under i slaget, och sammanlagt förlorade flottan nära fyrahundra kanoner. Fienden var därmed herre över Östersjön, de tyska och baltiska provinserna var isolerade, och landstigning på svensk mark var när som helst att vänta. Redan ett par dagar efter slaget visade sig en främmande eskader utanför Dalarö vilket spred stor skräck och konsternation i Stockholm, så att sekreteraren Erik Lindschöld kunde rapportera till konungen att hög och låg säkerligen skulle fly hals över huvud från staden om fienden kom på idén att landsätta ett par tusen man.

Lyckligtvis skedde inte detta. De förenade flottorna drog sig söderut igen och gick till Öresund för att överföra danska trupper till Skåne,

och vid midsommartiden verkställdes dessa operationer; den första land-
stigningen ägde rum vid Trelleborg och den andra vid Ystad, varefter
nya styrkor sattes i land vid Råå mellan Hälsingborg och Landskrona.
Inget allvarligt försök gjordes att stoppa danskarna, som under Kristian
V:s eget befäl raskt satte sig i besittning av så gott som hela Skåne utom
de befästa städerna Malmö och Kristianstad. Den svenska hären som var
mycket underlägsen blev stående vid den sistnämnda orten en tid och
visste inte vad den skulle ta sig till, ty kungen verkade alldeles förlamad
av sin olycka, gav inga order och svarade inte på frågor; när det under-
dånigt påpekades för honom att det var nödvändigt att antingen gå emot
fienden eller sätta armén i säkerhet lade han bara handen på värjfästet
och teg. Först när de svenska förposterna framför bron vid Kristianstad
drevs undan gav han order om uppbrott. Provianten hade då börjat try-
ta, soldater deserterade dagligen, sjukdom härjade och kungens bagage
jämte en krigskassa på femtiotusen plåtar i kopparmynt som på två-
hundrafemtio vagnar var på väg till hären omhändertogs till större delen
av ett skånskt partisanuppbåd vid Loshult nära Smålandsgränsen. Kris-
tianstad föll omedelbart efter svenskarnas avmarsch, som gick först till
Karlshamn och därifrån vidare till Växjö.

I denna stad fann Johan Gyllenstierna sålunda konungen i början av
augusti. Med sin väldiga viljekraft bidrog han säkert till att ingjuta nytt
hopp och livsmod i denne, som redan följande dag planenligt marsche-
rade mot Halland, där det kunde befaras att en dansk armé skulle för-
ena sig med en armé från Norge, vars energiske ståthållare Ulrik Frede-
rik Gyldenløve redan hade ockuperat hela Bohuslän och fört in kriget
på gammalt svenskt område. Vänersborg var taget, och fienden härjade
och brände på många håll i det försvarslösa Västergötland, där Skara
och Lidköping hade brandskattats och en norsk piratflotta huserade på
Vänern. Hur det stod till i Halland visste man i det svenska högkvar-
teret inte riktigt, men konungen marscherade i alla fall raskt mot Halm-
stad i hopp om att staden ännu inte hade fallit i de belägrande danskar-
nas händer. Han hade tur; staden höll sig, och den belägrande styrkan
som vid underrättelsen om hans ankomst hade bränt sitt läger och sökt
sätta sig i säkerhet bortom skånska gränsen blev hejdad, besegrad och
tillfångatagen vid en plats som heter Fyllebro. Segern hade stor moralisk
betydelse eftersom den var svenskarnas första framgång efter den långa
serien av nederlag och olyckor, och än mer kJarnade kungens sinne när

hären under höstens lopp fick förstärkning av nya regementen som hade satts upp i olika delar av landet och vilkas samling med nästan enastående snabbhet hade ordnats av Erik Dahlbergh och Johan Gyllenstierna. Karl XI blev så glad att han med frikostig hand utdelade donationer till sina officerare i både pengar och gods. Redan vid de nya truppernas annalkande vek nämligen fienden, och Gyldenløve hävde sin belägring av Göteborg.

Alla de svenska stridskrafterna – tillsammans ungefär femtontusen man, vilket ju inte låter imponerande numera – drogs ihop vid Ljungby och marscherade in i Skåne, brände och plundrade Hälsingborg under dansk kanoneld från Kärnan och manövrerade sedan en tid av och an i den skånska novembervintern under svåra umbäranden. Ett par tusen man dog av svält eller sjukdom under loppet av några veckor, eftersom förbindelserna bakåt över Smålandsgränsen omöjligen kunde hållas öppna. "Snedriverne ved Digerne blev stukken helt fulde af døde, foruden de mangfaldige som blev liggende paa Marken, over hvilke man baade red og kørte", berättar ögonvittnet och sockenprästen Sthen Jacobsen i Kågeröd, författare till en intressant och sansad skrift vid namn Den nordiske Kriigs Kröniche.

Svenskarnas mål var i första hand att nå förbindelse med det belägrade Malmö, men den kungliga danska hären som numerärt var betydligt överlägsen lyckades länge spärra vägen dit. På första adventssöndagen lyckades svenskarna emellertid oupptäckta ta sig över den frusna Kävlingeån varefter det uppstod en kapplöpning om vilken av arméerna som först kunde hinna besätta kullarna vid Lund; båda skyndade dit från var sitt håll med flygande fanor och klingande spel som till en parad. De drabbade ihop med stort raseri och slogs hela dagen med växlande framgång och ohyggligt manfall; slaget vid Lund är ett av de blodigaste i de nordiska ländernas långa historia. Kungen fick strax en häst skjuten under sig och tog en annan, som i verkligheten var en fransk present men hette Briliant men galopperade in i Sveriges romantiska hävder under ett långt mera hemvävt namn, besjungen av Snoilsky i dikten Brandklipparen. Dess ryttare segrade snart på sin flygel och förföljde därpå de tillbakavikande danskarna nära en halvmil, men under tiden kämpade resten av armén i stort betryck, så att franske ministern och Johan Gyllenstierna trodde att nederlaget var ett faktum och skyndade att söka skydd i det befästa Malmö. Sedan Erik Dahlbergh hade lyckats kalla tillbaka kungen och de skvadroner som följde honom lyckades man emellertid rulla upp danskarnas hela slaglinje, och efter en mördande strid flydde deras kavalleri hals över huvud medan allt fotfolket nedhöggs eller togs till fånga. Kungen lär efteråt ha hållit till godo med en liten skrapa av den västgötske kavalleriöversten Pehr Hierta, som upplyste honom om att den illa förstod kronans tjänst som skiljde sig från sin trupp.

Karl XI högtidlighöll genom hela sin regering årsdagen av slaget vid Lund med bön, psalmsång och andakt bakom slutna dörrar i sin kammare. Hans seger är viktig även för eftervärlden. Kriget avgjordes visserligen ingalunda genom denna batalj, ty Kristianstad, Blekinge och hela Bohuslän var alltjämt i danskarnas händer, och svåra militära motgångar inträffade fortfarande emellanåt; sålunda förlorade svenskarna ett sjöslag i Kjøge bugt i juli 1677 med resultat att alla tankar på att undsätta de tyska provinserna måste uppges och att danska flottan kunde härja fritt på svenska ostkusten, där exempelvis Västervik brändes ner. Illa gick det även i västra Sverige, där Magnus Gabriel De la Gardie förde befälet; han hade på egen begäran fått dra sig tillbaka från sitt kanslersämbete tills vidare. Gyldenløve som nyss hade erövrat Marstrand överrumplade en augustidag hans överlägsna armé vid Uddevalla och jagade den på flykten in i Västergötland. Jämtland ockuperades samtidigt av norrmännen utan minsta motstånd. Men i Skåne följdes slaget vid Lund omedelbart av Hälsingborgs återerövring, och under det följande året avslogs en storm mot Malmö med stora förluster för danskarna, som också förlorade ett fältslag framför Landskrona. Några månader senare utrymde de Kristianstad. Blekinge hade återtagits långt dessförinnan av Johan Gyllenstierna, som för all framtid raserade Kristianopels fästning och satte skräck i allmogen så att den aldrig mer vågade visa sitt osvenska sinne.

Befolkningens opålitlighet och fientlighet hade varit ett stort bekymmer för de svenska myndigheterna under det skånska krigets första period. När danske kungen steg i land på skånsk mark utfärdade han genast ett manifest som upplyste att han var kommen för att befria sina undersåtar från det främmande oket, och då svenske kungen samtidigt måste dra sig ur Skåne strömmade befolkningen med entusiasm sina gamla landsmän till mötes, hjälpte dem villigt med alla slags förnödenheter och deltog ivrigt i jakten på de retirerande svenska skarorna. Efter slaget vid Lund, när det stod klart att överhetens nationalitet inte var avgjord än, blev man märkbart försiktigare, och några bondeuppbåd där folk gick man ur huse förekom inte längre. Danskarna organiserade då i stället skånska friskyttekompanier som rekryterades häradsvis, men i skogsbygderna norröver huserade samtidigt små partisanförband som förde sitt eget krig utan förbindelse med vare sig svenska eller danska myndigheter.

Svenskarna gjorde ingen skillnad på de båda sorterna utan kallade allesammans för snapphanar och gjorde processen kort när de fick tag i dem. De ansträngde sig också att isolera dem från den bofasta befolkningen, som med hot om oerhörda straffdomar gjordes ansvarig för att inga snapphanar tåldes i socknarna. Det var en metod som uppfanns och genomfördes av Johan Gyllenstierna redan under belägringen av Kristianopel, då han systematiskt sammankallade alla vuxna män i hela östra Blekinge sockenvis och avkrävde dem en trohetsförsäkran och ett löfte att bryta alla förbindelser med snapphanar såväl som danskar. Sockenmännen fick amnesti för alla svenskfientliga gärningar som ditintills kunde vara begångna, och på de flesta håll fick de till och med behålla sina skjutvapen, men visade det sig att de inte fullgjorde sitt åtagande skulle de obönhörligen böta tusen riksdaler var och var tionde inbyggare skulle hängas. Trohetsförsäkringarna bar kyrkoherdarnas underskrift och alla böndernas bomärken, och sådana högtidliga handlingar införskaffades efterhand från varenda församling i Blekinge och

norra Skåne. De hade tydlig effekt, men naturligtvis fortsatte snapphanarna sitt krig i alla fall och var aktiva framför allt om somrarna, då skogen stod grön i Göinge härader och stod till tjänst med gömställen och skydd. I något fall utkrävde myndigheterna verkligen sin kollektiva hämnd av det bofasta folket; beträffande Örkeneds socken, som ligger i Skånes nordöstligaste hörn mellan Småland och Blekinge, utgick sålunda en kunglig befallning att alla gårdar skulle brännas och allt mankön mellan femton och sextio år slås ihjäl. Befolkningen lär ha klarat sig genom att hålla sig undan i skogen till lugnare tider.

Snapphanekriget i Skåne har alltid fängslat efterverldens fantasi, och det finns otaliga enkla historier om mer eller mindre historiska figurer som Uggle-Per, Hare-Åke och framför allt den så kallade Göingehövdingen Svend Poulsen, som rentav har vunnit den högsta ära som kan komma någon pojkbokshjälte till del, äran att årtionde efter årtionde få spela en huvudroll på danskarnas älskvärda dockteater. Det finns uppsvenska snapphanehistorier också, men de är naturligtvis av annat slag och tycks undantagslöst handla om misslyckade försåt mot Karl XI, som exempelvis en gång sägs ha undgått en säker död genom att ett löv i rätta ögonblicket föll ner på siktet av den bössa som en skjutberedd krypskytt riktade mot honom. Utförligare och mera känd är en historia som är lokaliserad till Åhus och säger att vid något tillfälle under det skånska kriget kom kungen från sitt högkvarter ensam till Åhus prästgård, vilket snapphanarna fick reda på. De omringade och genomsökte huset, men kyrkoherde Casten Rönnow som var en trogen och rådig svensk hann stuva undan sin gäst i rökfånget till sin spis och sköt sedan spjället, så att kungen hade något att stå på uppe i skorstenspipan. Snapphanarna letade förgäves och undfägnades samtidigt med öl av prästen, som krönte sin bragd med att styra ut den sotige kungen till kolardräng så att han med en korg träkol på ryggen kunde ta sig hem till högkvarteret igen. Under 1800-talet, då denna novellett togs på allvar av en och annan, frågade man sig vad kungen egentligen hade haft i Ahus prästgård att göra, och någon lättfärdig person tycks ha föreslagit att han kanske hade något förhållande till frun i huset, en misstanke som med indignation tillbakavisas av Arvid Afzelius i hans Sago-Häfder. Denne slår för övrigt vakt om sin hjältes dygd i alla sammanhang och försäkrar att hans intresse för en viss liten Öllegård nära högkvarteret i Ljungby var av allra skiraste slag.

I själva verket var snapphanekriget naturligtvis minst av allt någon glamourös äventyrshistoria. Vid tiden för slaget vid Lund när det började gå baklänges för danskarna utfärdade kung Kristian ett plakat som gav de skånska bönderna rätt att arrestera alla svensksinnade präster och få del av deras egendom, vilket ledde till att inte så få prästgårdar plundrades av lystna personer som hade överväldigats av dansk patriotism. Också en del herrgårdar stormades, plundrades och antändes; på det sättet uppstod diverse ruiner som kan beskådas i Skåne än, till exempel Månstorps gavlar. Deltagarna i sådana dåd behandlades naturligtvis av svenskarna med obönhörlig stränghet, vilket i sin tur gjorde snapphaneskarorna grymmare och mera desperata, och kampen fördes till sist med hårresande barbari på ömse sidor. Snapphanarnas plundringar och excesser gjorde emellertid att de med tiden kom i motsatsförhållande till bönderna på många håll, helst sedan danske kungen i krigets sista år hade gett order om Skånes totala ödeläggelse, vilket ledde till att städerna Lund och Laholm och en mängd byar och gårdar brändes ner och all åtkomlig boskap drevs till de fästningar som alltjämt var i danskarnas händer, främst Landskrona. Befolkningen befalldes att med alla sina ägodelar bege sig över till Själland, en order som knappast hade någon verkan alls. Vid den tiden var snapphanarnas antal redan starkt reducerat. Många hade ansett det säkrast att lystra till något av de pardonsbrev som svenska kronan utfärdade, andra hade blivit fasttagna och avrättade på mer eller mindre ohyggligt sätt; det sägs att ibland stack man glödande spjut igenom dem nedifrån och upp och ställde dem utefter vägarna till skräck och varnagel. En och annan höll sig dock kvar i Göingeskogarna långt efter det att kriget var förbi.

Kampen om Skåne gick sålunda i längden inte bra för danskarna, men i själva verket avgjordes den inte alls på ort och ställe utan på slätterna i Flandern, där fransmännen omsider vann seger över holländarna och deras allierade och därmed avgjorde det europeiska storkriget till sin och Sveriges förmån. Fred mellan Frankrike och Holland slöts redan sommaren 1678, och därmed var det en tidsfråga när striderna skulle upphöra också på andra fronter. Sverige krävde emellertid att få tillbaka alla områden som hade gått förlorade i kriget, det vill säga alla de tyska provinserna, Gotland, Jämtland, Bohuslän och annat, och det är förståeligt att Danmark och Brandenburg inte var villiga att utan vidare lämna ifrån sig stora landområden som de betraktade som återerövrade från de svenska inkräktarna. Saken avgjordes i alla fall till Sveriges favör av Ludvig XIV, som helt enkelt ställde ultimatum till de båda segrarmakterna och slöt fred med dem på Sveriges vägnar utan att ens hålla svenskarna underrättade. Frederna, som är daterade Fontainebleau och S:t Germain 1679, innebar att Sverige i allt väsentligt fick tillbaka sitt område; endast en pommersk strandremsa på östra sidan av Oder avträddes till Brandenburg.

Karl XI:s bröllop

När freden frambesvors i Fontainebleau hade svenskar och danskar redan tagit förhandlingskontakt med varandra och var i färd med att utbyta tankar i Lund, som för ändamålet hade delats i två zoner. Johan Gyllenstierna gjorde som Sveriges delegat ett magnifikt intåg där, åkande i en förgylld kaross som omgavs av hovkavaljerer på sju led och föregicks av två trumpetare samt av sex handhästar i praktfull utstyrsel. Förhandlingarna pågick sedan någon månad utan att komma ur fläcken, men när budet om Ludvig XIV:s diktat nådde parterna upprördes icke endast danskarna, som såg hoppet gäckat om någon som helst vinst av sina segrar, utan även svenskarna, som kände sig djupt förolämpade av Ludvig XIV:s högdragna sätt att ordna deras affärer. Den gemensamma förödmjukelsen drev dem genast närmare varandra, och för att upprätthålla ett sken av självbestämmanderätt fortsatte de därför förhandlingarna i Lund, vilka nu gick lätt och snabbt. De slöt icke blott en fred utan även ett förbund, som var Johan Gyllenstiernas verk och länge kom honom att framstå som en framsynt skandinavist med drömmar om ett enat Norden, en gloria som han visserligen inte har fått behålla i moderna historikers ögon. Göran Rystad säger att han blott var en dynamisk politiker som utnyttjade en gynnsam konjunktur; vad han ville var framför allt att genom samgående med Danmark få resurser till en självständigare handelspolitisk kurs gentemot holländarna, och det danska intresset att beröva den holsteinske hertigen hans svenska stöd motarbetade han energiskt i all tysthet. Förbundstraktaten kom emellertid till stånd och är vittgående nog. Den fastslog att de båda rikena skulle bistå varandra mot fientliga anfall och i alla avseenden befordra varandras intressen, och i bifogade hemliga artiklar bestämdes att inga underhandlingar med främmande makt fick föras utom av de båda rikena gemensamt. Till avtalet fogades en särskild recess om giftermål mellan Karl XI och danske kungens syster Ulrika Eleonora före utgången av februari månad året därpå, det vill säga om några månader. Ett märkligt faktum är att den blivande brudgummen hölls i okunnighet om hela förbundsprojektet ända tills saken de facto var i hamn. Han tycks emellertid inte ha haft någonting att invända.

Karl XI:s äktenskapliga utsikter hade i själva verket dittills tett sig rätt melankoliska. Ursprungligen var det meningen att han i sinom tid skulle gifta sig med sin kusin Juliana av Hessen-Eschwege, som till den ändan kom till svenska hovet vid mycket unga år för att uppfostras av drottning Hedvig Eleonora. En vacker dag i den unge konungens myndighetsår då den vackra prinsessan var ute och åkte i vagn med drottningen hände det sig att hon till allmän häpnad fick en son, vilket till råga på allt lär ha hänt mitt framför palatset Makalös där hennes moster Maria Eufrosyne residerade. Skandalen var naturligtvis oerhörd och omöjlig att tysta ner. Prinsessan förvisades ut på landet, närmare bestämt till Rävsnäs gård, och barnafadern som befanns vara livgardesöversten Gustaf Lillie landsförvisades utan förbarmande trots sin olyckliga hustrus förböner. Kanske var han jämförelsevis oskyldig; i sin förvisning fick Juliana nämligen efter några år ännu ett barn, denna gång med en son till sin hushållerska. Hon hade nog aldrig kunnat bli någon bra drottning åt Karl XI.

Senare, när spänningarna i Europa började bli starka och krigsfaran växte, fick denne ett giftermålsförslag från Danmark, vars dåvarande regering tänkte sig en nordisk allians inför det hotande ovädret. Det underhandlades en del om saken, men någon politisk enighet nåddes ju inte; däremot ledde trevarna till att svenske ambassadören på Karl XI:s vägnar högtidligen anhöll hos danske kungen om hans syster Ulrika Eleonoras hand. På detta svarade Kristian V ja i juni 1675, alltså bara ett par månader innan han förklarade krig mot friaren, och prinsessan som naturligtvis var närvarande när svaret lämnades lär ha försökt hovniga för dennes sändebud men misslyckades med detta, ty hennes kjol visade sig vara för styv. När kriget väl kommit i gång ångrade sig danske kungen och tog tillbaka sitt ord, men prinsessan själv ansåg sig nu trolovad och stod inte att rubba; hon vägrade att inlåta sig på några som helst andra giftermålsplaner och visade ostentativ välvilja mot svenska krigsfångar i Köpenhamn under de långa åren av väntan.

Sina drömmars mål nådde hon till sist våren 1680, sedan Karl XI hade undertecknat äktenskapskontraktet inom föreskriven tid och Johan Gyllenstierna hade farit till Köpenhamn för att slutföra förbundsförhandlingarna och hämta bruden. Han kom i glans och prakt med en svit av hundratretio personer och sextiosju hästar och hade på denna ambassad satsat inte bara alla sina egna medel utan också allt vad han kunnat låna upp av sina syskon och släktingar, ty de statsmedel som stod till hans förfogande för ändamålet förslog inte långt. Fester och kalas avlöste varandra i den danska huvudstaden, och om ett av dessa finns en berättelse som historieskrivande svenska kyrkoherdar på 1800-talet fann mycket klämmig men som vapenkunniga militärer icke torde finna efterföljansvärd. Den säger att vid en bankett som svenskarna gav för danska hovet bestod musiken av idel trummor och trumpeter, och kring bordet stod det drabanter som var beväpnade med karbin. Någon av gästerna frågade om vapnen var laddade, och till svar tog Johan Gyllenstierna karbinen från en av drabanterna, spände hanen, fyllde pipan med vin, utbringade en skål för de båda ländernas konungar, drack upp vinet ur karbinpipan, vände mynningen mot taket och lät skottet gå. Ulrik Frederik Gyldenløve som tydligtvis var den förnämste bland gästerna såg sig nödsakad att göra på samma sätt men lär ha sett blek ut när han besvarade skålen.

Karl XI, säger Fredrik Ferdinand Carlson som bäst av alla historiker har lärt känna denne monark, var icke någon otålig fästman. Han befallde upprepade gånger sin ambassadör att utverka uppskov med prinsessans avresa till Sverige, en order som naturligtvis kändes mycket genant att verkställa och som Johan Gyllenstierna vägrade att åtlyda när den kom för tredje gången. Han lät också sin uppdragsgivare förstå att han borde ge sin trolovade några presenter; hon hade dittills inte fått mera än en ring, under det att hon själv hade skickat dyrbara gåvor till honom. Kungen gav honom då i uppdrag att köpa ett vackert pärlhalsband på kredit i Köpenhamn, vilket dock befanns omöjligt; svenska staten åtnjöt ingen kredit i Danmark. Ambassadören fick nöja sig med att till prinsessan överlämna konungens porträtt, vilket hon visserligen blev mycket glad åt, men några dagar före avresan kunde han lyckligtvis ge henne ett par presenter till, ty då anlände ett ilbud från Stockholm med ett pärlhalsband och ett par örhängen som Karl XI hade köpt av sin mor.

Något ordinärt furstebröllop ville han inte ha; rådet, som kom med ett utförligt förslag beträffande det kungliga bilägrets firande i Stockholm, fick ett onådigt svar där det stod att han inte kunde påminna sig att han hade tillfrågat herrarna i detta privata ärende. I stället bestämde han att det skulle bli bröllop i första bästa stad av någon betydenhet som prinsessan kom till på svensk mark, vilket märkvärdigt nog blev Halmstad; bästa vägen till Uppsverige och framför allt till Kungsör började tydligen där. Änkedrottningen skulle möta prinsessan i det nedbrända Hälsingborg och följa henne på resan. Ingen av hennes höga fränder behövde vara med vid den enkla ceremonien, där danske kungen dock skulle representeras av grevarna Anton Gyldenløve och Jens Juel. Några främmande diplomater skulle inte inbjudas och inte heller medlemmarna av det svenska rådet sånär som på tjänstgörande riksmarskalken Bengt Oxenstierna och fältmarskalken Rutger Ascheberg, som kungen hade stor respekt för och personligen skrev till.

I dessa arrangemang fann sig alla utom franske ambassadören Feuquières, som hade uttrycklig befallning av Ludvig XIV att representera denne vid den svenske monarkens bröllop. Han begav sig utan vidare iväg till Halmstad. Kungen som naturligtvis strax fick reda på hans avresa beslöt då att vigseln i stället skulle äga rum på den närbelägna herrgården Skottorp, som ligger på nordsidan av Hallandsåsen och tillhörde hans hovkansler Frans Joël Örnstedt; men till yttermera visso gav han order till landshövdingen i Halland att inte ge kvarter åt främmande sändebud under förevändning att det inte fanns plats. Den franske diplomaten vände sig emellertid aldrig till landshövdingen utan skaffade sig privatlogi i Halmstad, och när kungen kom dit möttes han alltså av denne objudne gäst, som inte gärna kunde avvisas rent ut. Han var emellertid fast besluten att inte låta ambassadören vara med på bröllopet, bland annat därför att denne säkert skulle göra anspråk på högre placering än de båda danska grevarna, och han hittade också på en utväg. Dagen före den utsatta bröllopsdagen anlände brudföljet söderifrån till Skottorp, och tidigt på morgonen red kungen dit för att möta sin tillkommande för första gången; officiellt skulle han komma tillbaka till Halmstad samma kväll. Det gjorde han inte; klockan elva på kvällen förrättades i stället vigseln på Skottorp av kungens forne fältpräst

Haquin Spegel. Efteråt bjöds det på konfekt och därefter på en bröllopssupé i besynnerliga former; kungen åt nämligen på sin kammare med två av sina officerare, änkedrottningen och bruden fick sig en matbit i den förstnämndas rum, och resten av sällskapet bespisades i stora salen. Klockan ett gick brudparet till sängs, och klockan fyra på morgonen var kungen klädd och ute i majvädret. Inne i Halmstad fick Feuquières under dagens lopp klarhet om att han blivit lurad, och dagen därpå åkte han ut till Skottorp och gratulerade.

Äktenskapet blev nog mest olyckligt, i varje fall för drottningen. Med sin plikttrogne gemål fick hon i alla fall med tiden sju barn, av vilka fyra pojkar dog vid späda år. En av dem hette Ulrik och har fått ge namn åt Ulriksdal, det forna Jakobsdal, som han fick i faddergåva av sin farmor och som efter några månader gick i bakarv till givarinnan.

Statsvälvningen

Från bröllopet på Skottorp återvände Johan Gyllenstierna till Skåne, där han nyligen utnämnts till generalguvernör. I Landskrona som han hade utsett till provinsens huvudstad insjuknade han häftigt och dog. Karl XI blev sannolikt bedrövad; ett kondoleansbrev som han skrev tyder på ett visst personligt engagemang. Andra blev så mycket gladare. Knappast någon svensk politiker har varit mera hatad än Johan Gyllenstierna, vilket det finns många vältaliga vittnesbörd om. Ett av dem är en anonym skrift som heter Les Anecdotes de Suède och kom ut i många 1700-talsupplagor ute i Europa både på franska och i tysk översättning; dessvärre är den inte så rolig som titeln låter ana, trots den fränt satiriska ton i vilken den är skriven. Den handlar huvudsakligen om Sveriges inre historia under Karl XI, och dess centralfigur är Johan Gyllenstierna som icke blott skildras som en brutal knöl – vilket han nog var – utan också beskylls för de otroligaste anslag; han skulle ha arbetat på att avsöndra de tyska provinserna från Sverige, och i slaget vid Lund påstås han ha velat låta lönnmörda kungen för att därpå införa republik med sig själv som ledare. Han sägs också ha varit den avgrundsande som uppfann reduktionen.

Nu var ju reduktionen en verksamhet som hade bedrivits länge av ett statens ämbetsverk, men onekligen gjorde Johan Gyllenstierna en insats därutöver. Under sin korta tid som generalguvernör över de sydsvenska landskapen satte han igång med de mest vittomfattande godsindragningar, stödjande sig på en passus i ett riksdagsbeslut i vilket Skåne och Blekinge uttryckligen betecknades som förbudna orter, där några avsöndringar således inte hade bort ske. Han gick mycket långt och tog hand icke blott om donationsgods utan även om sådana gårdar som hade bortpantats för obetalda fordringar på kronan. Förhållandena var speciella i dessa nyvunna, krigshärjade provinser, men inget tvivel kan råda om att Johan Gyllenstierna hade tänkt en del tankar om verkets fortsättning också på andra håll, och blott ett par månader efter hans död genomfördes det program som nog var hans. Det innebar en omvälvning av hela samhällsskicket i det vidsträckta svenska riket.

I oktober 1680 samlades en riksdag i Stockholm, där adeln för första gången kunde sammanträda i Riddarhuset, som nu stod färdigt till sist. Kungen, som lagenligt ägde att utnämna lantmarskalk, placerade på denna talmanspost Claes Fleming, som var son till den gamle reduktionsmannen Herman Fleming och delade dennes åsikter. Även de övriga ståndens talmän var ivriga reduktionsanhängare: ärkebiskopen Johan Baazius, stockholmsborgmästaren Olof Thegner och den skäggige dalabonden Nils Larsson. Den kungliga proposition som förelades ständerna var mycket oskyldig; den innehöll en hemställan att överlägga om medlen till fäderneslandets återuppbyggnad efter kriget och till dess förkovran i allmänhet. Det var sörjt för att de brännande ämnena skulle tas upp av riksdagen själv, ty i ett hemligt utskott genom vilket regeringen styrde riksdagen satt några av kungens närmaste medarbetare, framför allt bröderna Hans och Axel Wachtmeister, under det att högadelns vanliga ledare inte var tillstädes alls. Per Brahe hade dött någon vecka tidigare, och Magnus Gabriel De la Gardie, som strax hade utnämnts till riksdrots i hans ställe och därmed på ett artigt sätt hade avsatts från sitt kanslersämbete, höll sig hemma på sina gods. Det påstås i *Anecdotes de Suède* att han uttryckligen blivit förbjuden att komma till Stockholm.

Redan i början av riksdagen kom förmyndarräfsten på tal. Det skedde liksom i förbigående i samband med en adelns debatt om pengar till flottan; Hans Wachtmeister yttrade nämligen att när man fick fram räkenskaperna för förvaltningen under kungens minderårighetstid så

Den dömande kommissionen

skulle man nog finna ekonomiska utvägar, och 1675 års undersökningskommission borde därför avge sitt betänkande nu. Det blev stort sorl på Riddarhuset, som slutligen beslöt rådföra sig med prästerna och borgarståndet i denna fråga. De ofrälse instämde strax med Hans Wachtmeister, och efter mycket oväsen genomdrevs att man skulle uppvakta konungen med en gemensam anhållan att förmyndarregeringens medlemmar måtte beredas tillfälle att förklara sig beträffande vad som lades dem till last. Konungen lät sig detta förslag väl behaga och sade sig vilja visa riksens ständer förtroendet att själva utse domstolen. Det blev alldeles tyst på Riddarhuset när detta tillkännagavs, och när man omsider åter fick mål i mun gjorde rikstygmästaren Per Sparre ett försök att få ståndet med på att fråga konungen om han inte möjligen hade missuppfattat ständernas anhållan, men Hans Wachtmeister förklarade att det inte passade sig för ständerna att säga emot majestätets klart uttalade vilja, och slutet blev att även adeln valde ett antal ledamöter av den anbefallda, dömande kommissionen.

Kort därefter kom den andra stora frågan upp, den om en ny och mera omfattande reduktion. Det skedde genom en skrivelse från bondeståndet till de övriga ofrälse stånden, vilken säkert var inspirerad av någon politiker i kungens omgivning, kanske Erik Lindschöld. Resultatet av dessa kontakter blev en ny ständernas skrivelse till konungen, där det stod att rikets förfall inte kunde botas med skatter, ty allmogen förmådde inte bära större bördor; i stället borde kronans bortförlänta gods dras in till statskassan igen. Skrivelsen väckte stor oro på Riddarhuset, framför allt naturligtvis bland högadeln, som satte igång med att få till stånd en vederläggningsskrift. Innan den hann bli färdig uppträdde emellertid Hans Wachtmeister och frågade vad den skulle tjäna till; den skulle inte avhjälpa rikets nöd, men däremot skulle den leda till tvist med de ofrälse, som i alla fall säkert skulle tvinga adeln till eftergifter till sist. En reduktion vore nödvändig; de stora förläningarna, grevskapen och friherrskapen måste återlämnas till kronan. Däremot kunde man vänta att de smärre donationerna skulle få behållas.

Yttrandet var avsett att splittra adeln och hade önskad effekt; lågadeln i Riddarhusets tredje klass som alltid hade sett grevarnas och friherrarnas rikedomar och företrädesrättigheter med ovilja skilde strax sin sak från deras. I andra klassen var meningarna delade, men efter ett häftigt uppträde genomdrevs Hans Wachtmeisters förslag även där.

Grevarna och friherrarna däremot sade naturligtvis nej, och några av dem lämnade Riddarhuset och gick att uppvakta kungen, som dock inte tog emot. I deras frånvaro förklarade lantmarskalken att frågan var avgjord, sedan två klasser av adeln hade enats om reduktion medan första klassen hade nedlagt sin röst och hänskjutit saken till konungen. Därmed var högadelns välde fallet; dess försök att riva upp det olagliga beslutet hade ingen framgång. Adeln antog en reduktionsplan som ett för ändamålet tillsatt utskott formulerade och som innebar att alla förläningar som gav mer än sexhundra dalers ränta skulle dras in till kronan. En ny reduktionskommitté tillsattes inom kort för att genomföra detta; ordförande i den blev Claes Fleming, och bland ledamöterna märktes Erik Lindschöld, Olof Thegner och dennes svärson, den alldeles ny-adlade assessorn Jakob Gyllenborg som nyss hade hetat Wolimhaus, ty han var son till den domedagsprofeterande apotekaren i Uppsala.[1]

Jakob Gyllenborg tjänstgjorde också som åklagare då räfsten med förmyndarna sattes i gång inför den nytillsatta så kallade Stora Kommissionen innan riksdagen skildes åt. Rådet försökte då hävda sin ställning genom att förklara att det som korporation betraktat inte kunde ställas inför domstol; ansvaret för felgrepp som förekommit under förmyndaretiden kunde utkrävas av enskilda rådsherrar från fall till fall, men själva rådet var enligt regeringsformen ett särskilt stånd som stod emellan konung och ständer. Kungen – eller hans rådgivare – såg genast sin chans och begagnade den. Han lät fråga riksdagen om 1634 års regeringsform fortfarande var i kraft sedan han nu blivit myndig, och ständerna med prästeståndet i spetsen svarade i undersåtliga ordalag samfällt att konungen ej vore bunden av någon regeringsform utan endast av Sveriges lag. Stadgandet att han skulle styra riket med råds råde innebar endast att han kunde inhämta rådets mening om han så önskade; avgörandet måste vara beroende av hans eget goda och rättvisa beslut och högförnuftiga förordnande. Han styrde såsom en myndig konung sitt eget av Gud förlänta arvrike och vore allenast inför Gud responsabel för sina aktioner.

Därmed var revolutionen fullt genomförd och enväldet infört i Sverige. Det befästes ytterligare efter något år, då konungen lät meddela rådet att dess medlemmar hädanefter skulle kallas kungliga råd i stället för riksråd och dessutom formulerade deras avskedsansökningar. Detta

[1] Se *Bureus* i registret.

hände på nyåret 1682, och vid riksdagen det året gjorde han sig oberoende även av ständerna, vilket gick märkvärdigt lätt. Utgångspunkten var ett yttrande på Riddarhuset av landshövding Anders Lilliehöök, som undrade om reduktionskommissionens regler verkligen vore att anse som lag när de inte hade utformats med ständernas samtycke. Kungen lät omedelbart meddela att han hade förmärkt landshövdingens tal med stort misshag och ansåg det som en stor förmätenhet och en kränkning av sitt majestät; han ville därför veta om adeln menade att det anstod en undersåte att lägga sin överhets makt och myndighet liksom på en viktskål, och han frågade vidare om det fanns någon som ville binda hans kungliga händer så att han inte ensam skulle få göra lagar och förordningar i sitt rike. På detta svarade ridderskapet och adeln att de var hjärteliga bedrövade över att ha en person ibland sig som hade förorsakat hans kungliga majestät detta missnöje. De ansåg självfallet att högstdetsamma kunde skriva de lagar det behagade, men de hoppades att ståndet ibland nådeligen skulle få del av vad som stadgades, på det att de, om majestätet så nådigt behagade, i underdånighet såsom trogne undersåtar kunde få komma med sina oförgripelige tankar utan någon förmätenhet och utan det ringaste förfång för det kungliga majestätets rätt och höghet.

Reduktionen och förmyndarräfsten

Karl XI:s historia efter 1680 är i första rummet en förvaltningens historia, säger Fredrik Ferdinand Carlson och utvecklar ämnet i en ståtlig tirad: "Under det att allt gick upp i förvaltning steg enväldets gestalt städse renare, kolossalare, ensligare fram, med en för ögonblicket oemotståndlig styrka men i sitt inre redan angripet af förgängelsens förebud, af skador som i sin utveckling skulle förtära icke blott det nya statsskicket utan äfven Sveriges hastigt vunna maktställning i Norden." F. F. Carlson var en man av liberala åsikter; han ansåg följaktligen att reduktionen av privategendom till staten knappast var någon god sak. "Huru strängt man än må bedöma slappheten och slösaktigheten hos den styrelse, som föregått Carl XI:s egen, kan man icke utan en djup känsla af medlidande nalkas taflan af den förstörelse, som öfvergick de förut magtegandes välstånd och många andras med dem. Orubblig, obeveklig, outtröttlig, fortgick reduktionen på sin bana och spridde i allt vidare kretsar förödelse, bitterhet och förtviflan. Hvar månad bragte under-rättelser om nya offer."

Allvarligt motstånd mötte reduktionen endast i Livland, som bara i ett femtiotal år hade hört till Sverige och hade fått behålla sina gamla lagar. Dess tyska adel skickade kungen en indignerad och trotsig skrivelse som var författad av en begåvad officer vid namn Johan Reinhold Patkul, vilken strax kommenderades till Stockholm tillsammans med några meningsfränder för att ställas inför rätta. Han dömdes till döden för majestätsbrott men flydde innan domen föll till utlandet, där han sedan verkade med mycken iver för Livlands frigörelse från Sverige. Reduktionen där borta hann heller aldrig gå helt i fullbordan.

I det egentliga Sverige verkställdes den så mycket grundligare. Den kungliga kommission som hade tillsatts för ändamålet arbetade rastlöst och genomförde på fyra eller fem år allt vad riksdagarna hade beslutat i ämnet, men kungen var inte nöjd med detta utan sökte få igen alla gods som någon gång kunde ha varit i kronans ägo. Fornforskarna fick befallning att biträda reduktionskommissionen; kansliarkivets föreståndare och sekreterare – de hette respektive Erik Palmskiöld och Johan Hadorph – uppkallades och förhördes om gamla kungsgårdar. Den aktionen ledde till ingenting, ty antingen kunde de historiska gårdarna inte återfinnas i sinnevärlden mer, eller också befanns de redan vara reducerade eller sålda till bondgårdar. Beträffande en annan grupp av gods, nämligen sådana som hade lämnats i pant för lån till kronan, var reduktionskommissionen lyckosammare och förfor därvidlag både påhittigt och ogenerat. Låneräntan som hade varit åtta procent nedsattes nämligen på kunglig befallning retroaktivt till sex, varefter meddelades att skillnaden mellan de båda räntesatserna skulle betraktas som amortering på kronans skulder. Dessa befanns på det viset ofta vara nästan slutbetalda, och pantegodsen kunde tas tillbaka utan vidare. Reduktionen höll sig således inte mer inom rättssäkerhetens gränser.

Hårdast drabbades naturligtvis högadeln som samtidigt råkade ut för förmyndarräfsten. Av de femtionio rådsherrar som fick sina handlingar granskade befanns åtskilliga ha använt kronans material och manskap för egen räkning; det gällde till exempel riksamiralen Gustaf Otto Stenbock, som hade kommenderat flottister att göra dagsverken åt sig och dessutom hade tagit ut en massa krut i avräkning på sin lön. Han fick betala alltsammans med tolv procents ränta och blev fullständigt ruinerad, vilket ju inte var mer än rätt. "Huru mycket mer wördnadswärd synes oss icke Grefwe Stenbock, när han, fattig worden, satt och sprättade gullknapparne ur sin rock, än då han lät sätta i dem på besegrade fienders eller fattiga underhafwandes bekostnad", skriver Arvid August Afzelius om detta fall. Rådsherrarna fick emellertid betala inte blott vad de själva åtnjutit utan också vad de varit med om att utdela till andra, och de krävdes också på ersättning för statsutgifter som berodde på nya tjänster och höjda löner. Ersättningen utdömdes från fall till fall med lika lott av dem som deltagit i besluten; om änkedrottningen hade varit med avdrogs emellertid två lotter för hennes båda röster, ty hon hade högtidligen tillställts ett kungligt brev som befriade henne från alla efterräkningar. Lika nådig var kungen ingalunda mot sin farbror, hertig Adolf Johan, som drabbades av reduktionen med full kraft och råkade i sådan misär att hans barn gjorde sig urarva. Den som fick avstå mest var dock Nils Brahe, som nämligen hade ärvt såväl sin farbror Per som sin svärfar Carl Gustaf Wrangel; han blev därigenom ansvarsskyldig för två av de fem herrarna i förmyndarstyrelsen och hade dessutom suttit i rådet själv. Han miste grevskapet Visingsborg och otaliga gods och gårdar men blev tydligen inte helt barskrapad, ty för aderton tusen riksdaler återköpte han inom kort det reducerade Skokloster. Alldeles på bar backe kom inte heller Magnus Gabriel De la Gardie, ehuru han klagade i himlens sky då han fick gå ifrån Läckö grevskap och sitt uppländska friherrskap och mycket annat; han fick emellertid Höjentorps kungsgård upplåten på livstid åt sig och sin furstliga gemål och fick även behålla Venngarn, där han tillbragte sin ålderdom med att skriva psalmer och söka religionens tröst i den sevärda slottskyrka som alltjämt finns kvar från hans tid. Om Otto Wilhelm Königsmarck som också drabbades hårt av reduktionen erinrar däremot ett illa medfaret tempel

Könignmarck och Parthenon

på främmande ort; förbittrad lämnade han nämligen landet, gick i venetiansk krigstjänst och vann herostratisk ryktbarhet genom att skjuta prick på Parthenon i Athen, som turkarna hade inrättat till krutmagasin.

Indelningsverket

I intimaste samband med den oavlåtligt fortgående reduktionen stod utbyggnaden av det berömda förvaltningssystem som kallas indelningsverket. Det är ingalunda uppfunnet av Karl XI, men det organiserades i hans tid med häpnadsväckande energi och konsekvens. Systemet innebar helt enkelt att bestämda inkomster förbehölls bestämda utgifter. Detta, säger Heckscher, är karakteristiskt för naturahushållningen, eftersom varor i motsats till pengar är individuellt bestämda och inte kan användas för vilka utgifter som helst. Kronans naturainkomster från en viss gård anslogs alltså till lön åt en statstjänsteman i viss befattning, och på det viset fastlåstes alla kreditposter vid motsvarande debetposter i statens budget. Indelningen innebar bland annat att kronan slapp alla direkta omsorger med avlöning åt sina anställda, som själva fick ombesörja uppbörden av de räntor och tionden de fått sig anvisade. Dessa var naturligtvis inte oföränderliga utan fluktuerade med väderleken och konjunkturerna.

Indelning förekom inom alla grenar av statens verksamhet, men bäst utvecklat och mest långlivat blev systemet inom krigsmakten, vars försörjning låg Karl XI särskilt om hjärtat. Kronans förtjänst av reduktionen räknade han i ryttare och knektar, säger Jerker Rosén. Ett indelt knektehåll upprättades alltså i hans tid, i det att två skattehemman eller fyra frälsehemman slogs ihop till en rote som hade att uppsätta en soldat och underhålla honom i fredstid på ett torp som jordägarna ställde till förfogande. På vissa håll bildades i stället rusthåll som satte upp kavallerister med häst och allt, och officerarna försågs med boställen som vanligtvis avsöndrades från reducerade gods. Trupperna kläddes för första gången i enhetlig uniform – blå med gula bälten – och beväpnades med långa värjor och flintlåsgevär som på 1690-talet försågs med bajonett. Huvudvapnet var värjan, och anfall var den enda godtagbara

594

stridsformen, säger krigshistorikern Alf Åberg som har skrivit en bok om Karl XI. "Begreppet försvarsstrid förekom över huvud taget inte i de karolinska soldatinstruktionerna. Aldrig förr eller senare i krigshistorien har de blanka vapnen spelat en mera avgörande roll än i den karolinska militärmonarkien."

Indelningsverket tillämpades naturligtvis också vid flottan, i det att man inrättade båtsmanshåll i vissa landskap i stället för knektehåll. Flottan nydanades helt efter katastroferna på 1670-talet och ställdes under ledning av Hans Wachtmeister, som utnämndes till något så märkvärdigt som amiralgeneral och i den egenskapen anlade Karlskrona till en centralt belägen örlogshamn i det svenska Östersjöväldet.

Ett omfattande nydaningsarbete utfördes även på det civila fältet, där den ena kungliga kommissionen efter den andra tillsattes för att utreda och handlägga olika frågor. En lagkommission på tolv personer såg dagen 1686; den arbetade sedan med växlande sammansättning i nära hundra år, och resultatet av dess mödor blev framför allt den Sveriges rikes lag som år 1734 ersatte den medeltida landslagen. Mindre långlivad blev den kommission till näringslivets befrämjande som också tillsattes 1686; dess arbete resulterade i införselförbud och höjda importtullar på diverse utländska varor, alltsammans i avsikt att bringa de inhemska näringarna att florera. De goda verkningarna av detta system blev magra, och de svenska manufakturerna förde ett tynande liv även i protektionismens drivhusluft. Myndigheternas optimism på denna punkt var likväl stor och deras vyer vida. Sommaren 1687 kom några armeniska köpmän till Stockholm österifrån med ett parti persiskt silke, ditlockade av en äventyrlig internationell figur vid namn Ludvig Fabricius, som hade lyckats intala Karl XI att den persiska silkeshandeln borde kunna ledas över Narva och Östersjön i stället för att gå till Västeuropa över Medelhavet som dittills. Enskilda köpmän i Sverige befanns emellertid vara ointresserade av silket, och Stockholms stad tvangs då att köpa partiet för fyrtiotusen daler silvermynt, som upplånades för ändamålet. Kommunalmännen gjorde sedan åtskilliga försök att bli av med varan, men då detta visade sig omöjligt nödgades staden starta sidenmanufaktur i egen regi. Där tillverkades under några år ett dåligt siden som var fullkomligt osäljbart ehuru hovet föregick med gott exempel och importrestriktionerna var bistra. Med drastiska handelsvillkor tvingade man då de svenska sidenkrämarna att överta anläggningen, som under ständigt nya kapitalinsatser från deras sida förbrukade silkeslagret efterhand, varefter man med gott samvete kunde låta rörelsen avsomna.

Den svenska stormaktens styrka även i den ekonomiske Karl XI:s dagar låg i själva verket helt på det administrativa, aldrig på det merkantila området. Dess byråkratiska apparat som fulländades då var sällsynt effektiv för sin tid och överlevde det karolinska enväldet, så att den till någon del består än. I Karl XI:s tid tillkom den första medicinalstyrelsen som tillika var ett slags läkarsällskap; 1680 omedelbart före reduktionsriksdagen utfärdades nämligen privilegium för Collegium Medicum i Stockholm att genom en syndicus öva tillsyn över empiricos, agyrtas, circumferaneos, ariolatores, apothecare och deras officinam, bårdskärare, chemister, oculister, bruch- och stensnidare, badare, kryddkrämare och materialister. Lantmäterikontoret utbröts ur kammarkollegium och blev ett särskilt verk med maktpåliggande uppgifter i samband med jordreduktionen; det flyttade förresten nästan omedelbart in i det vackra hus invid Kungsträdgården där lantmäteristyrelsen ännu bor. Än mera i Karl XI:s anda är det centrala ämbetsverk som heter Statskontoret, inrättat av honom till att ha hand om statens inkomster och utgifter sedan han själv under någon tid hade försökt leda kammarkollegiets arbete med dessa viktiga ting. Hans arbetsförmåga hade således sina gränser, men den var oerhörd ändå och skydde inte detaljer och småsaker. Han undersökte, säger Fryxell klandrande, ofta själv varje soldatrock och höll ofta personligen husesyn på obetydliga officersboställen, ty han hade "ett sinnelag som bäst förstod och därför helst sysselsatte sig med dylika enskilda föremål, hafvande företrädesvis i dem sitt lif och sin varelse". Fryxell förebrår honom också att han aldrig besökte Bremen, Pommern, Livland, Estland eller ens Finland: "Man tycker dock, att några granskande besök i dessa vigtiga länder skulle för det allmänna varit långt nyttigare än ritterna utefter den nästan öde riksgränsen." Att de enkla soldatmönstringarna och de raska resorna i ödemarken säkert var den blyge Karl XI:s sätt att rekreera sig och försöka vara sig själv har undgått den förståndige prosten.

Statskyrkan

1686 meddelades prästeståndet vid riksdagen i nåder att en ny kyrkolag hade blivit gillad och stadfäst av konungen. Den var utarbetad av en kunglig kommission av profana jurister med Erik Lindschöld i spetsen men har likafullt varit normgivande för den svenska statskyrkans organisation och myndighet intill våra dagar. Karl XI var personligen en mycket gudfruktig man och hans drottning ännu frommare; hon tillsåg rentav att bönen för överheten fick en ödmjukare formulering i kyrkohandboken än vad som eljest skulle ha varit fallet. I handbokstexten som skulle ges ut till hundraårsminnet av Uppsala möte stod nämligen: *bevara och välsigna vår älskeliga öfverhet Hans Konglig Majestät vår allernådigste konung.* Det slog henne att man nog inte borde kalla sig majestät inför Gud, och hon talade om saken med sin gemål som gav henne rätt och lät kalla till sig biskop Jesper Svedberg som var ansvarig för arbetet. Denne meddelade att boken tyvärr redan var tryckt, men kungen befallde då att det ifrågavarande arket skulle tas ut och tryckas om med bönen lydande: *bevara och välsigna vår älskelige konung och herre, den Du till ett hufvud och försvar oss nådeligen förordnat hafver.* Man vågar kanske tro att det inte enbart var hänsyn till Gud som förestavade denna ändring.

Att Karl XI och hans medarbetare hade sinne för kyrkans politiska nytta är nämligen otvivelaktigt. Prästerskapet organiserades i hans tid till en statlig tjänstemannakår som villigt gick den allsmäktiga maktens ärenden, och en imponerande samling rojalistiska biskopar stod konungen bi med råd och dåd och manifesterade sin totalitära och ortodoxa tro i ett antal kyrkliga skrifter som har haft inflytande på tänkesätten i Sverige genom århundraden. En ny bibelöversättning igångsattes och resulterade så småningom i den seglivade text som brukar kallas Karl XII:s bibel, ty den kom ut först år 1703; någon riktig nyöversättning var den visserligen inte, och skiljaktigheterna från den äldre svenska bibeltexten är mest en fråga om stavning och böjningsformer. Nästan lika länge stod sig den lutherska katekes som ärkebiskop Svebilius gav ut år 1689; den påbjöds samma år till allmänt bruk och bibehölls sedan oförändrad inom svenska kyrkan genom hela 1700-talet. En berömd psalmbok utgavs 1693 av Jesper Swedberg, som vid det årets riksdag fick den godkänd och befordrad till trycket, varpå stort oväsen genast utbröt, ty somliga psalmer ansågs inte renläriga nog och måste gallras bort innan psalmboken två år senare blev stadfäst och påbjuden av konungen. Detta är den så kallade Gamla psalmboken, som i det egentliga Sverige ersattes av Wallins psalmbok 1819 men som i svenskbygderna på andra sidan Östersjön har varit i bruk intill våra dagar. Den är i sin art ett storartat verk av vars fyrahundranitton psalmer några stycken är välbekanta än: "Jag lyfter mina händer" och "Jesus är min vän den bäste" av akademiräntmästaren och historieprofessorn Jakob Arrhenius, "Nu vilar hela jorden" och "Oss kristna bör tro och besinna" av Haquin Spegel, "Jag kommer av ett brusand hav" av Magnus Gabriel De la Gardie, den gotländske superintendenten Israel Kolmodins underbara "Den blomstertid nu kommer", Jesper Swedbergs egna "Nu tacker Gud, allt folk" och "Herre, signe du och råde". Tiden, annars så olitterär, led ingen brist på psalmdiktare.

Försvenskningen i söder

Den kyrkliga likriktningen bedrevs med iver också i de erövrade provinserna. 1686 års kyrkolag genomfördes sålunda också i Estland och Livland, och såväl bibeln som den svenska psalmboken översattes till lettiska. Ojämförligt viktigare verkningar fick de svenska statskyrkoskrifterna i de nyvunna landskapen på skandinavisk botten, där nästan allting hade förblivit sig likt under förmyndarregeringens tid. 1662 hade riksråden Schering Rosenhane och Gustaf Bonde sammanträffat med ett antal prominenta skåningar, hallänningar och blekingar och undertecknat ett dokument vid namn Malmö recess, där de tre landskapen lovade trohet mot Sveriges krona och i gengäld fick behålla sina ärvda lagar och förhållanden; det noterades särskilt att prästerskapet skulle få förbli vid sina gamla rättigheter och kyrkoväsendet vara som det hade varit, vilket bland annat betydde att det alltjämt talades danska från predikstolarna därnere. 1666 utfärdades stiftelseurkunden för universitetet i Lund som började sin verksamhet två år senare, men på det hela taget hade aristokraterna i Karl XI:s förmyndarregering inte alls varit intresserade av att få till stånd någon uniformitet med det gamla svenska området, vilket berodde på att den svenska högadeln besatt väldiga godskomplex i de nya provinserna och ingalunda ville stärka kronans inflytande över sina possessioner. Sedan enväldet segrat blev det annorlunda, och försvenskningen genomfördes med mycken energi och fullständig framgång.

Lättast gick det i Bohuslän, vars norska dialekt skilde sig mycket obetydligt från språket i de angränsande svenska landskapen och vars befolkning hade allt att vinna på nationalitetsbytet. Där bodde vid tiden för Roskildefreden en stenrik dam som hette Margareta Dyre, född Huitfeldt, och till minne av sin ende son som dog nittonårig under en utlandsresa testamenterade hon redan år 1664 hela sin förmögenhet till gymnasium i Göteborg och den studerande ungdomen i sin hemprovins. Huitfeldtska läroverket bär med skäl alltjämt namn efter henne, ty donationen var ofantlig och bestod av en mängd hemman, trankokerier, salterier och hela fiskelägen i Bohuslän; dit hörde sådana samhällen som Fiskebäckskil, Grundsund, Gravarne och Smögen, vilka alltså direkt ställdes till försvenskningsarbetets tjänst.

Även det folkrika Skåne, nyss en av det danska rikets kärnprovinser vars tungomål snarast får sägas vara dansk dialekt än i dag, bytte sitt skriftspråk och sin lag anmärkningsvärt lätt. Hur detta gick till har utförligast skildrats av en dansk, den allvarsamme historikern Knud Fabricius, vars stora verk om Skaanes Overgang fra Danmark til Sverige också innehåller en del om landskapets öden under svenskt styre. De som styrde var sällsynt kloka män; det gäller först och främst om fältmarskalken Rutger von Ascheberg, som efterträdde Johan Gyllenstierna som generalguvernör över sydliga och västliga Sverige, och om biskopen Canutus Hahn, en plikttrogen smålänning som fick överta Lunds stift när dansken Winstrup år 1680 gick ur tiden. Han lirkade skickligt med de skånska prästerna, som förmåddes att själva anhålla om införandet av svensk lag, kyrkoordning och undervisning i Skåne, och en liknande begäran frampressades samtidigt av provinsens borgerskap varefter adeln utsattes för ekonomiska påtryckningar som tvang även detta stånd att följa exemplet.

I själva verket var det rätt bistra påbud som utgick från den kungliga diktaturen uppe i Stockholm. I försvenskningens intresse utfärdades exempelvis förbud mot införsel av alla slags danska böcker, och 1683 anbefalldes att barnen skulle kunna svenska katekesen innan de fick gå till nattvard, vilket väckte ovilja och motstånd i Skåne, ty någon katekesläsning hade inte förekommit där under den danska tiden. I synnerhet beskärmade sig bondhustrurna över att deras barn nödgades stå i koret *till ett vidunder* för menigheten och undergå förhör. Folk som vägrade skicka sina barn dit fick emellertid böta; det kostade sex öre silvermynt första resan och därefter dubbelt upp för varje gång. Vitet hade effekt; många bötade en gång och några få två gånger, men tredje gången tycks ingen skåning ha riskerat böter.

Under 1680-talet förekom en rätt stark invandring norr ifrån till prästgäll och klockarbefattningar i Skåne, men flertalet andans män var förstås ändå kvar från den danska tiden, och dessa fick vänja sig vid varjehanda nymodigheter. De måste till exempel lägga av den danska prästdräkten med pipkrage, vilket de gjorde ytterst ogärna. Svårare var det väl ändå för dem att byta språk, ty principiellt krävde överheten att de skulle liturgera och predika på svenska. Att läsa upp de liturgiska styckena ur svenska kyrkohandboken föll sig väl inte så svårt; man kunde alltid läsa innantill och härma det svenska uttalet någorlunda.

Språkbytet i Skåne

Men att själv författa och hålla en predikan på svenska var ju något helt annat för personer med danska till modersmål, i all synnerhet om de var födda väster om Öresund. Det fanns de som försökte göra svenska av danskan genom att ändra alla e-n till a-n i ordsluten, men flertalet predikade säkert på danska som de var vana, och på denna punkt tycks myndigheterna ha varit tämligen toleranta. Däremot tilläts inga avsteg från den påbjudna liturgien, helst som det var ganska stor skillnad på svensk och dansk ritual. Åtskilliga präster och klockare suspenderades för tredska på denna punkt, och gamle prosten Arreskov i Simrishamn, som kunde den danska handboken utantill och sade sig vara ur stånd att läsa innantill i den svenska för sina dåliga ögons skull, fick befallning att hålla kaplan.

I stort sett måste man säga att försvenskningen av Skåne gick häpnadsväckande snabbt och smärtfritt; det hela var överstökat inom loppet av någon generation. En starkt bidragande orsak till att det gick så bra var den ständigt fortgående reduktionen, som knäckte adeln och tilltalade bönderna; den medförde också indragning av ett antal patronatsrätter och gav kronan tillfälle att tillsätta en del svensksinnade kyrkoherdar. Att det nyinrättade universitetet i Lund också fick stor betydelse ligger i öppen dag; det gynnades och omhuldades för övrigt på alla sätt av Canutus Hahn och även av Ascheberg, som tryggade dess ekonomi genom donation av en del gods. Men förmodligen var det ändå utanläxorna i doktor Mårten Luthers lilla katekes som bidrog mest till att göra svenskar av skåningarna.

Häxprocesserna

Det året då Lunds universitet började sin sydsvenska verksamhet utbröt trolldomsväsendet i Dalarna. Själva företeelsen var inte ny i Sverige, där folk hade blivit dömda för häxeri exempelvis under Abraham Angermannus' räfst, men det hade då gällt personer som verkligen hade utövat något slags svartkonst i ett eller annat jordiskt syfte, vanligen för att skada andra. Trolldomsprocesserna i Karl XI:s tid rörde sig däremot i en atmosfär av grov sexualitet och officiell vidskepelse och gällde oftast Blåkullaresor och andra övernaturliga beteenden varom ingenting stod i lagen. Det var fråga om en psykisk epidemi som drabbade även statens myndigheter och fick styrka och näring av deras åtgärder. Aldrig förr eller senare i vår långa historia har processer förts och domstolar arbetat i så flagrant strid mot svensk lag och rättstradition.

Djävulens, demonernas och häxeriets realitet var en dogm i alla kristna länder alltsedan slutet av medeltiden, då en rad påvliga bullor gav sanktion åt inkvisitionens häxprocesser, vilka blott var specialfall av kyrkans åtgärder mot kätteri och avguderi. I slutet av 1500-talet fastslog inkvisitorn Ludvig av Paramo att minst trettiotusen häxor hade blivit brända i den katolska världen under de närmast föregående hundrafemtio åren, en siffra som kanhända är överdriven men i alla fall ger en föreställning om aktionernas omfång. Till Norden kom häxpsykosen och djävulstron på allvar först efter reformationen, som alltså ingalunda gjorde människorna mindre vidskepliga; Luthers åsikter i ämnet är tvärtom mycket mörka, och den kyrkliga ortodoxien i Sverige under 1600-talet såg fullt ut lika allvarligt på saken som han. Med kyrkans officiella lära om djävulens framfart förband sig på det naturligaste sätt varjehanda svensk folktro som dröjt sig kvar sedan förkristen tid, och mot den bakgrunden är det egentligen inte förvånande att trolldomsprocesserna blev många. Teologiprofessorn Emanuel Linderholm som har forskat i ämnet säger att åren 1666–1676 avrättades i Sverige inemot trehundra personer för trolldomssynd; nästan allesammans var kvinnor. "Ett ännu större antal hade i underrätterna dömts till döden. De anklagade och misstänkta torde böra räknas i tusental. De bortförda voro än flera. Det gafs i Norrland församlingar, där snart sagt intet hus förskonats. Till de dödsdömda och afrättade kommo ett betydligt antal, som belades med lägre straff eller kyrkoplikt."

Trolldomsepidemien började i Dalarna och Härjedalen och spred sig efter några år både norrut och söderut. Allra värst härjade den nog i Ångermanland, där sjuttioen häxor avrättades enbart inom Torsåkers pastorat. Ett nedsmittat område var också Bohuslän, där den dansk-norska lagen ännu gällde, vilket gjorde att tortyr och gudsdomar i form av vattenprov kom till riklig användning gentemot de anklagade kvinnorna där. Inom det gamla svenska området fick sådana medel inte tillgripas, men detta betydde inte att processerna höll sig inom lagens råmärken. För det första handlades många mål inte av de ordinarie domstolarna utan av särskilt tillsatta kommissioner av präster och jurister, vilka hade speciella instruktioner och för övrigt kunde utdöma och exekvera livsstraff utan möjlighet för de dömda att vädja till högre instans. Än betänkligare var att domarna ofta grundades på vittnesmål av barn och andra föga trovärdiga vittnen som visste berätta i detalj om Blåkullafärderna och de demoniska sexualorgierna där. Mången hysterika bekände sig naturligtvis frivilligt skyldig till sådant.

Några få jurister i de dömande kommissionerna underkastade faktiskt häxprocessernas former en nedgörande kritik, ehuru de naturligtvis ingalunda tvivlade på djävulens existens och Blåkullafärdernas fysiska möjlighet. En sådan kritiker var Gustaf Rosenhane, som i ett votum fastslog att man inte borde straffa personer som mot sin vilja bortförts och illa hanterats av satan, och för övrigt vore det omöjligt för människor att sätta stopp för djävulens frestelse, eftersom den tydligen var tillstadd av Gud. Den onde potentaten vinner insteg i sinnen där längtan, sorg eller fruktan är förhanden, men hos den som kan slå bort sitt svårmod och vara glad vid sitt arbete förmår han ingenting. Kättja, lättja, isolering, fattigdom, brist på läsning och på näring för fantasien var vad som verkligen borde bekämpas, om man ville ha slut på häxeriet.

Gävlepojken i Katarina

Rosenhane talade för döva öron, men han var inte den ende ämbetsman som bevarade huvudet kallt. Kloka tankar i ämnet tänkte landshövding Duvall i Falun och landshövding Graan i Umeå, och även en och annan teolog lyckades höja sig över sin tids vidskepelse. När Uppsala domkapitel efter samråd med några norrländska kyrkoherdar förklarade att häxritterna utan tvivel hade kroppslig verklighet och att flera Blåkullaförda barns samstämmiga bekännelser eller utlärda barns och medbrottslingars vittnesmål mot sina läromästarinnor borde vara tillräcklig orsak till process, reserverade sig sålunda professor Martin Brunnerus och avgav ett eget betänkande av innehåll att visserligen söker djävulen säkert dra människor i sin direkta tjänst, men där man inte klart kan bevisa att så skett är det bättre att trollpackorna får gå fria, ty djävulens illfundighet kan också ta sig uttryck i att han förvillar synen på vittnen och domare, och inte ens den egna fria bekännelsen är alltid att lita på. Något liknande sade ett år senare storkyrkokomministern Erik Noræus i Stockholm när häxpsykosen sent omsider nådde dit. Då var slutet på hemsökelsen emellertid nära och sådana upplysningar på väg att de världsliga och andliga myndigheterna i landet nyktrade till snabbt såsom genom ett trollslag.

I Stockholm blossade Blåkullaväsendet först upp bland de små söderkåkarna vid Katarina kyrka i en bördig jordmån av skvaller och käringträtor. Roten och upphovet till det hela tycks ha varit en tolvårig Gävlepojke som hette Johan Johansson Grijs. Han hade skickats till släktingar i Stockholm sedan hans mor hade blivit avrättad för trolldom, hor och blodskam uppe i Gävle, där häxeriet för övrigt florerade livligare än på andra håll och den vidsksplige borgmästaren rentav hade lyckats få den frisinnade kyrkoherdens hustru dömd som häxa. Det är inte oförståeligt att Gävlepojkens fantasiliv var nedsmutsat och nedsmittat av tidens farsot, och barn och pigor på Söder i Stockholm började snart peka ut trollpackor efter hans anvisning. Förtvivlade föräldrar i Katarina församling vilkas barn sade sig ha blivit förda till Blåkulla om nätterna skrev till myndigheterna och anhöll om hjälp mot satans raseri, och kyrkoherde Magnus Pontinus i Jakob, hovpredikant och blivande biskop i Linköping, anklagade i egen person en namngiven tyskfödd trollpacka för att ha fört hans egna barn till Blåkulla. En del rannsakningar kom till stånd inför Svea hovrätt och medförde sex dödsdomar och avrättningar; de båda hovrätterna utmärkte sig för övrigt under hela trolldomsepidemien för ett resolut uppträdande gentemot djävulens jordiska anhang. När trolldomsmålen trots detta blev flera och flera tillsattes emellertid på kunglig befallning en särskild Stockholmskommission på fem präster, fem jurister och två läkare, av vilka en hette Urban Hiärne.

Stockholmskommissionen började sin bana med att dödsdöma och avrätta två häxor, av vilka den ena var en gammal finska som kallades Rumpare-Malin och hade angetts av sin egen dotter. Hon var såvitt man vet den enda av alla häxorna i landet som blev levande bränd; processernas offer brukade annars alltid halshuggas först, men kyrkoherden i Maria som satt med i kommissionen ansåg att man i Rumpare-Malins fall borde se mera till Guds namns ära än till hennes olidliga pina, ty hon hade förfört många själar till helvetis pino och borde därför få känna en försmak av denna. Dottern stod nedanför bålet och uppmanade henne enträget att bekänna för sin själs salighets skull, men Rumpare-Malin föredrog att förbanna sin dotter och ge henne i den ondes våld till evig tid, vilket alltså var hennes sista ord. Ett par veckor senare dödsdömde Stockholmskommissionen ytterligare två trollkvinnor och dessutom Gävlepojken Johan Johansson Grijs som hade befunnits alltför hemmastadd på Blåkulla och i trolldomen; han hade nu hunnit bli femton år gammal.

I sista stund innan dessa domar hann exekveras ingick till kommissionen en sensationell rapport från fängelset, där Gävlepojken nämligen hade tagit tillbaka allt vad han tidigare sagt om Blåkullafärderna. Han sade sig ha ljugit dels av oförstånd, dels efter påtryckningar från olika håll. Bekännelsen väckte stor uppståndelse i kommissionen som omedelbart uppsköt avrättningen av de livdömda. Den hade också den omedelbara effekten att kommissionen mer eller mindre omedvetet ändrade taktik i andra häxerimål, så att förhören därefter verkligen gick ut på att få fram sanningen, inte blott på att skaffa bevis för Blåkullaresorna och djävulens framfart. Under det skärpta vittnesförhöret beträffande stadskaptenen Remmers hustru som stod anklagad för häxeri bröt en femtonårig flicka samman och snyftade fram att hon skulle bli förföljd om hon sade som det var. Rätten lovade henne skydd och straffrihet för vad hon tidigare sagt om hon nu sade sanningen, och hon bekände då att det var några pigor som hade intalat henne att hon hade blivit förd till Blåkulla av kaptenskan, och sedan hade hon hotats av både barn

och vuxna och tvingats säga att det var så. Efter detta vittnesmål upp-
rullades raskt en härva av lögn och elakhet utöver all vidskepelsen, och
när kommissionen slutade sitt arbete klockan nio på kvällen efter att ha
hållit på från tidigt på morgonen denna septemberdag hade en hel skock
vittnen och anklagare fallit till föga och efter löfte om straffbefrielse
återkallat alla sina tidigare beskyllningar. Kommissionen arbetade vidare
i samma anda i några veckor, och i början av oktober kunde dess med-
lem Urban Hiärne framlägga ett kort betänkande som blev epokgöran-
de och hastigt gjorde slut på rättegångarna om häxfärder till Blåkulla.

Någon skeptiker i religiösa ting var Hiärne inte alls, och på djävulens
existens och energiska verksamhet tvivlade han ingalunda. Han börjar
sin skrivelse med att säga att sedan Gud nu har gett ljus i saken söker
den lede få kommissionen att tro att barnens senaste bekännelser är ett
satans spel vilket går ut på att förmå kommissionen att lämna häxeriets
gnistor i fred så att de i sinom tid kan slå ut i en stor vådeld. Hiärne
tror inte att kommissionen skall låta lura sig av denna djävulens illfun-
dighet, men för säkerhets skull vill han lägga fram tio punkter till ytter-
mera sanningens styrko. Att bekännelserna kommit beror, säger han,
på den förändrade förhörsmetoden; inför nya och oväntade frågor har
barnen inte förmått hålla ihop sitt inlärda system av osanningar. Sam-
stämmigheten brast därmed men efterträddes omedelbart av en ny sam-
stämmighet, som visade att Gävlepojken och ytterligare några få perso-
ner var upphovet till alltsammans. Besvärligast hade kommissionen haft
det med kvinnorna, såsom arglistigare och mera inklinerade till skvaller,
vidskepelse och envishet än pojkarna, vilka hade varit villigare till be-
kännelse. Kvinnornas olika lynnen och temperament speglades klart i
deras anklagelser mot häxorna. Särskilt de äldre drog sig hårdnackat för
att ta tillbaka sina lögnaktiga utsagor av fruktan för straff och vanära.
Det hade visat sig att man vid de så kallade vakstugorna, där man hade
samlat barnen om nätterna för att skydda dem mot häxornas hämtningar,
hade brukat komma överens om vad som undan för undan borde sägas
inför rätta, och föräldrar och barn hade pressats att säga efter. De kvin-
nor som hade tagit ledningen visste sin makt; det fanns de som hade
skrutit med att de var betrodda i rätten och att de kunde ta livet av den
förnämsta frun i staden om de bara ville. Många barn hade skrämts av
de vuxna pigorna till att ljuga Blåkullaresor på sig själva, och de bigotta
hade tvingat de förståndiga till tystnad. Sedan klarhet i saken nu var

vunnen hade hela oväsendet tystats ner på Södermalm. "De, som intet annat gjorde än rände därmed och klagade sig, huru de föras, piskas och anfäktas etc., de tiga vackert stilla, gå lömske och fälla modet. Inga nya trollkäringar gifvas mera an; de som nyligen angåfvos och intet i underrätten äro förhörda, dem talar ingen mera om."

Hiärne övergår sedan till att smula sönder tänkbara invändningar. Han påvisar först hur naivt stereotypa barnens Blåkullaskildringar är; att åberopa vittnesmålens samstämmighet såsom ett sanningskriterium därvidlag måste framstå som absurt. Han yttrar sig vidare om de egendomliga tillstånd som åtskilliga av de inblandade hade drabbats av eller simulerat; de hade nämligen fallit i en sömn så djup att det verkade omöjligt att skaka, nypa eller bulta liv i dem. Hiärne medger att detta är märkvärdigt, men "vi behöfva intet göra som lata physici eller philosophastri, hvilka, när de intet kunna reda sig ut i en eller annor naturlig operation, som deras förstånd öfvergår, då fly de genast till occultas qualitates eller ock måtte det vara en fanens konst och trolldom". Själv har han tillsammans med en apotekare väckt upp de så kallade bortförda barnen med ammoniak, hjorthornssalt och annat. Till sist berör han problemet med de häxor som angett sig själva och villigt gått i döden och antar att de varit betjuste och betagne af sällsamma inbillningar.

Hiärnes betänkande gjorde omedelbart avsedd verkan i Stockholmskommissionen, vars arbete därefter inriktades på att reda ut vilka som ytterst bar ansvaret för all bedrövligheten. Gävlepojkens dödsdom stadfästes naturligtvis. Dessutom dömdes tre kvinnor från livet och avrättades, och ytterligare två slet ris så hårt att de snart avled. Andra som risades hamnade på tukthus med livet i behåll, men beträffande flertalet av de inblandade höll myndigheterna sitt löfte och utkrävde inga straff. Man kan vara viss om att de led ändå, och detsamma gäller om många av dem som hade suttit i domstolarna och medverkat vid exekutionerna.

"Man förstår", skriver Emanuel Linderholm, "att det under de närmaste åren blef föga tal om dessa ting, som till sist lämnade en stark känsla av skam efter sig."

Enstaka trolldomsprocesser har förekommit på sina håll i Sverige även senare än 1670-talets stora epidemi, men det rörde sig då aldrig om Blåkullafärder mer utan gällde vad lagen kallade maleficia, alltså aktivt trolleri till skada för andra. Den sista dödsdomen i en svensk häxprocess avkunnades av Svea hovrätt år 1704 över en gammal kvinna i Eskilstuna. Sjuttiofem år senare var dödsstraffet för trolldom även formellt borttaget ur lagen.

Enväldskonungen

Den italienske greve Magalotti som reste i Sverige på 1670-talet och även blev mottagen vid hovet i Stockholm har ägnat Karl XI ett utvärtes porträtt som åtminstone delvis verkar övertygande. Han säger att denne ser ut som en människa som befinner sig i förlägenhet och är rädd för allting. "Det förefaller som om han icke vågade se någon i ansiktet, och han rör sig alldeles som om han ginge på glas. När han sitter till häst synes han vara en helt annan människa, och då ser han verkligen ut som en konung. – Han kan icke latin, ej heller något annat språk; endast tyska talar han bra och förstår något litet franska. – Han finner nöje i att man skämtar med honom. Hans eget skämt består av knuffar och grovt hån, och för hans uppfattning synas ord som såra vara artigheter. – Han äter mycket men är icke glupsk. – Han har inga simpla böjelser. – Han berusar sig någon gång, och endast sällan råkar han i vredesmod. Vanligen brukar han vara vid gott lynne, skratta och knuffas."

Att Karl XI:s förlustelser inte precis var av den eleganta sorten finns det många vittnesbörd om. Vid jubelfesten i Uppsala 1693 efter promotionen av teologie doktorer gav han sålunda ett gästabud som tycks ha varit i hårdhäntaste laget. Han ställde nämligen ut vakter vid dörrarna så att ingen slapp ut och placerade andra vakter inne i salen med uppgift att se till att alla tömde sina glas ordentligt, varefter han satte i gång med att utbringa skål på skål med resultat att han inom kort började ta biskoparna i famn. Sällskapet blev gladare och gladare och dansade så att prästkapporna fladdrade vilt kring kungen som hissades upp på bordet, och man stojade och väsnades hela natten vid ljudet av pukor och trumpeter. Han lär sedan ha sagt till biskop Spegel att han aldrig hade känt sig så glad, men den fromma drottningen fann det sorgligt och ovärdigt att kungen och prästerskapet rumlade om så på sin krist na fest.

Hon bör ha kunnat trösta sig med att sådana kalas inte förekom ofta. Däremot inträffade det ibland att kungen fick våldsamma vredesutbrott på nykter kaluv, och detta blev snarast värre med åren. Det hände vid mönstringarna att han med flata värjan slog kaptenerna kring öronen när sinnet rann på, och det finns berättelser om våldsamma uppträden också i slottsgemaken och i rådskammaren. En vacker historia handlar om hans mellanhavande med överstelöjtnant Liewen, som han av någon anledning blev ursinnig på; han slog då upp dubbeldörrarna och ropade på drabanterna: "Skjut ned den hunden!" Liewen stod orörlig, men drabanterna föll på knä för konungen som häftigt gick fram och till baka över golvet, varefter han plötsligt stannade, räckte överstelöjtnan ten handen och utbrast: "Förlåt mig, Liewen!"

Så ofta han kom åt drog sig Karl XI tillbaka till sina rödmålade trä hus på Kungsör, där han var relativt förskonad från hovmän, diplomater och supplikanter; med avsikt hade anläggningen gjorts liten och trång, så att där inte i onödan skulle finnas plats för några gäster. Från Stock holm tog han sig dit på ungefär tio timmar, vilket inte är dåligt för sin tid; sträckan är tretton mil. En gång kunde han rentav göra resan på bara sex timmar, nämligen med släde över Mälarens is, men i allmänhet red han naturligtvis. Karl XI älskade snabba ritter, och hans almanackor som finns i behåll för vissa år är fulla av anteckningar om ständigt nya rekord på denna och andra sträckor. Någon pennans man var han för visso inte, han stavar jämmerligt och var säkerligen ordblind, men hans notiser är mycket mänskliga och ofta rörande i sin flärdlösa saklighet och lämnar gott besked om hans leverne, tankegångar och intressen. Där står mycket om jakt, eldsvådor, dödsfall, väderlek och resor. Han har också tecknat sig till minnes ett och annat från de långa färder som Fryxell fann så onödiga, nämligen en ritt längs västgränsen genom Jämt land, Härjedalen, Dalarna och Värmland sommaren 1686 och en annan genom de norrländska kustlandskapen upp till Torneå sommaren 1694. Hans reseanteckningar är korta och torra och innehåller ingenting sen sationellt.

Inte desto mindre existerar det en flora av anekdoter om Karl XI:s ritter i svenska bygder. De härrör företrädesvis från Enköpingsprosten Arvid August Afzelius, som vid mitten av 1800-talet gav ut ett kuriöst verk som heter Swenska Folkets Sago-Häfder. Karl XI framstår där som ett slags bondsk Harun al Raschid som förklädd färdades genom sitt land och "under samspråk, än med en bonde, än med en liten qwick och munvig skjutsgosse, utforskade sina ämbetsmäns och särdeles fogdarnas förhållande samt noga gjorde sig underkunnig om folkets tillstånd. Så ståtlig som han var, när han i ridderlig härbonad satt på sin stoltserande häst, så oansenlig tycktes han vara, när han på sina spejareresor, klädd i en grå vallmarskappa med liten rundskuren krage kom ridande på en bondhäst". Afzelius historier om Gråkappan är korta, folkliga och enkla. Han berättar till exempel att när en bonde i Kungs-Barkarö socken processade med kronan om en äng steg kungen själv in inför häradsrätten såsom svarande, och när han förlorade målet genom bondens rättframma argumentering som kontrasterade så starkt mot slugheten och vältaligheten hos kronans advokat utnämnde han genast den rättvise domaren till lagman och gav advokaten en livränta så att han skulle slippa försörja sig på sin fiffighet vidare. Värre gick det för fogden Brynte Ramm som hade oturen att möta Gråkappan när han var ute och åkte i kaross med galonerad kusk i Vartofta härad i Västergötland; till råga på allt ropade han: Ur vägen, bonde! Kungen lydde och gav sig inte tillkänna, men mötet gav honom anledning att undersöka fogdens fögderi med resultat att denne med tiden blev hängd för sitt övermod och sina övergrepp. En annan historia handlar om en korpral som kom i vägen för kungen då denne en gång sökte härbärge i ett ryttartorp på vägen till Läckö. Ryttaren var inte hemma, och hans hustru meddelade att framkammaren i torpet tyvärr var upptagen av nådig kvartermästaren som inte ville dela rum med främlingen. Kungen lät sig nöja med detta och lade sig på en halmkärve utanför dörren, och när korpralen om morgonen trädde ut och röt åt honom att dra in benen var han fortfarande lika foglig. Innan han reste gav han emellertid elva gulddukater åt hustrun till tack för härbärget, och när korpralen fick se dem insåg han omedelbart att han hade haft att göra med Gråkappan och blev så rädd att han dog av slag. Temat varieras i berättelsen om en fet och snorkig kronofogde som Gråkappan träffade på en gästgivaregård i Närke. Kronofogden var på väg till Porla brunn för att spinna fläsket av sig, som Afzelius uttrycker saken. Han bemötte den förklädde kungen mycket snäsigt och högdraget men lät sig dock förmås att ta med ett förseglat brev till slottskommendanten i Örebro, eftersom han ändå hade vägen där förbi. Kommendanten fick alltså brevet, som visade sig innehålla en kunglig befallning att kronofogden skulle sättas i tornet på fjorton dagars vatten och bröd på det att han måtte slippa resa till Porla och spinna fläsket av sig.

I Filipstad fann Gråkappan att stadens köpmän sålde fläsk och annat för oskäliga priser till de fattiga jössehäradsborna, vilket föranledde honom att degradera staden till simpel bondby. I Småland kom han en gång till en fattig prästgård där det regnade in därför att kyrkoherden hade lagt ner alla sina pengar på att reparera kyrkan, och samma dag gästade han i grannsocknen en välmående kyrkoherde som bodde ståtligt medan hans kyrka var ett förfallet ruckel; han skipade då rättvisa genom att låta de båda prästerna byta plats. Kyrkoherde Rudberus i Lidköping fick besök av kungen då han satt arbetsklädd och snickrade med någonting som befanns vara en orgel till kyrkan; han hade gjort orgelpipor av sin tennservis och nöjde sig nu med att äta på trätallrik, vilket kungen naturligtvis fann förebildligt och omedelbart belönade med en dusör till orgelns fullbordan. Liknande historier om Gråkappans prästgårdsvisiter berättar Afzelius många; han antyder förresten att kungen måste ha hälsat på Moraprosten Anders Wallenius, författare till den underbara vistexten Om sommaren sköna när marken hon gläds. Afzelius historier om kungens umgänge med präster är emellertid oftast nästan genant dumma. Han förtäljer exempelvis om ett par rim som kungen skall ha gjort sig skyldig till, nämligen "Herr Arvid i Larv är en slarv" och "Herr Peder Kling blev Pastor i Wing för ingenting"; det förra yttrandet skulle ha fällts när kungen oanmäld bevistade gudstjänsten i Larvs kyrka där prästen Arvid Runius lät vänta på sig, det andra sägs vara en kunglig anteckning på en ansökan om pastorat. Det finns vidare några enkla berättelser om det nöje han lät sig beredas av lustigkurren Nils Rabenius, mera ryktbar i våra dagar som förfalskare av historiska dokument. Rent grotesk är historien om kyrkoherde Nils Prytz i Västerfärnebo, som anmäldes till kungen av sina församlingsbor som klagade att han prygtade dem; de anhöll därför om en annan präst. Kungen lät strax skicka efter vederbörande, och en dag när han satt vid sitt middagsbord inträdde en väldig, skäggig kämpagestalt och presenterade sig som Nils Prytz. Han upplyste att folket i Västerfärnebo levde ett okristligt liv, slogs, rökte tobak, hade mössan på sig i kyrkan och bjöd varandra på snus under predikan, och han ansåg det vara sin plikt att handgripligen hålla ordning och tukt i församlingen såsom han hade lärt sig i kriget när han tjänade högtsalig konung Gustaf II Adolf. Detta fann kungen vara alldeles rätt, drack en bägare med Prytz för Tillys besegrare och skrev därefter på församlingsbornas klagoskrift: "Nils Prytz är Gud allena räkenskap skyldig för sina gerningar. Carolus."

En särskild liten grupp av anekdoter handlar om själva resorna. En natt sägs Gråkappan ha kommit ridande genom Enköping, men hästen var trött och behövde vila. På stadens torg fanns en upphöjd stenhäll där kungen satt av, band hästen, lade sig ner och somnade, men inom kort kom en nattvakt förbi, lyste honom i ansiktet och kände igen honom, varpå han skyndade att väcka upp hela magistraten som därför stod högtidligt uppställd kring stenen på torget när kungen vaknade. Från resan längs västgränsen finns ett par goda repliker bevarade åt minnet; en av dem är kanske autentisk, ty den står inte bara hos Afzelius, som förresten refererar den tokigt. Det var hästombyte i Evertsbergs by, och medan man stod där anmärkte någon att vägen var besvärlig. Kungen yttrade då: "Vägen är god nog; Wi vilja intet bättre hafva honom i denna orten. Wi slippa här så väl fram som Kung Gösta före oss." Den andra repliken är säkert gjord, ty den är mycket bättre. Kungen åkte hästskjuts uppför en halvmilalång uppförsbacke och utbrast: "Hur länge skall denna fördömda backen räcka." Skjutsbonden vände sig då om och svarade: "Nog räcker han i din tid."

Drottningens död

Karl XI:s almanacksanteckningar förblev sig lika genom åren; korta, andefattiga och illa stavade handlar de mest om truppmönstringar, resor, skjutna rävar och harar, eldsvådor, dödsfall. Klockslag och andra siffer-uppgifter överflödar, omdömen och adjektiv är sällsynta. En sommar-kväll 1693 kostade han dock på sig några sådana:

"Den 26 Julii om onsdagen afton klåkan emellan 7 och 8 behagadhe den aldhra Högsta Gudhen hädankalla ifrån dhennan usla wärdhen til sigh uthi dhet ewiga lifwet min elskeliga, kära Gemållen Stormechtige Dråtning, Dråtning Ullerik Elionora, nu mera Sali hos Gudh. Jagh hafwer mist en gudfrugtig, dydhesam och kär Dråtning och maka, migh til stor olyka och sorg. Gudh tröste migh och beware Hennes Majeste Enke-Drånninge och mina tre barere, i sorg äftherlemnadhe. Anno 1656 den 11 Sptemb är HKM födh i Kiöpenham, döö anno 1693 den 26 Julli: war altså 36 åår, 10 månadh och 15 dagar gammal. Wij hafwe aflat tilsamman igenom Gudz nåd 7 barn, 5 söner och 2 döttra, war-uthaf Gudh hafwer til sigh kallat uthi dhet ewiga 4 dhe yngsta sönnerna uthi sin speda undom och lemnat äfthe sigh i sorge 1 son och 2 döttrar."

Förgäves söker man i konungens anteckningar för de följande dagarna någon hänsyftning på en ryktbar spökhistoria som omedelbart lär ha inrapporterats till honom. Drottningen dog på Karlbergs slott medan hennes hovmästarinna och förtrogna väninna Maria Elisabeth Stenbock låg sjuk inne i Stockholm. En natt när kapten Stormcrantz vid kungliga gardet hade vakten i likrummet på Karlberg stannade en sorgvagn från hovet utanför. Den var förspänd med två hästar och omgiven av fack-lor, och ut steg hovmästarinnan Stenbock med sin lilla hund Camillo på armen. Kaptenen tog emot henne i slottsporten och eskorterade henne till likrummet, varpå han drog sig tillbaka till förstugan och lämnade henne ensam med den döda. Hon dröjde länge därinne, och kaptenen kikade slutligen in genom nyckelhålet, varvid han till sin häpnad fick se hovmästarinnan och den döda drottningen stå och samtala vid ett fönster. Han blev så förskräckt att han började spotta blod och dog efter två dagar. Hovmästarinnan syntes aldrig komma ut ur likrummet och låg för övrigt kvar på sitt sjukläger i staden, där hon gick ur tiden några veckor senare. Hela vakten på Karlberg hade emellertid sett både henne och sorgvagnen, som ävenledes befanns försvunnen utan att någon hade hört den rulla bort.

Man kan vara viss om att för den sortens vidskepelse hade Karl XI föga sinne. Hans skildring av drottningens begravning som ägde rum i slutet av november säger mycket om beskaffenheten av hans tankevärld. Han noterar utförligt vilka som bar kistan, vilka som höll tronhimlen, hur många drabanter och härolder som stod på vardera sidan och vilka grevar, rådsherrar och prelater som officierade på olika poster i övrigt. Det hela är torrt och exakt som en militär dagorder. Han gör upp en noggrann tabell över antalet och placeringen av de tvåhundra kanonerna som sköt sorgesaluten, och han tecknar sig i detalj till minnes vilka skvadroner och bataljoner som paraderade och på vilka torg och gator de stod. Allt är uppräkning, namnlistor, styrkebesked beträffande denna sorgeceremoni, som dock angick honom själv så nära.

Hans egen kroppsliga hälsa var inte längre den bästa. Året efter drottningens död började han känna en smärtsam hårdnad i ena sidan, och med korta mellanperioder av lindring blev denna plåga ständigt värre och värre. Sjukdomen var naturligtvis cancer. Urban Hiärne som var hans livläkare kunde ingenting göra, och annandag påsk 1697 gick Karl XI ur tiden efter svåra lidanden och samvetsgrann dödsberedelse, där Davids botpsalmer intog ett framstående rum. Han var fyrtioett år gammal.

Slottsbranden

Den sjunde maj 1697 brann Stockholms slott. Elden bröt ut mitt på dagen på vinden ovanför rikssalen, som låg i den medeltida delen av det stora komplexet; det gamla slottet var ju inte som det nuvarande en enhetlig byggnad utan ett konglomerat av sammanbyggda hus från olika epoker. När elden upptäcktes hade den redan tagit sådan fart att det slog ut lågor både genom yttertaket och genom rikssalens innertak, och branden spred sig med förfärande hastighet under koppartaken på huslängorna både öster och väster om stora borggården och trängde genom trossbottnarna neråt våning för våning. Det gamla kärntornet Tre kronor som låg alldeles intill rikssalsbyggnaden antändes också, och åtta kanoner och en kyrkklocka som fanns i dess översta våning ramlade

med fruktansvärt brak ner genom trossbottnarna och hamnade i drottningens vinkällare, varefter hela tornet störtade in. Elden rasade hela dagen och hela natten och ödelade hela slottet utom en del av längan i norr som var alldeles nybyggd av slottsarkitekten Nicodemus Tessin den yngre.

De vildaste rykten om orsaken till denna katastrof kom omedelbart i svang. Danske ministern och ett par andra främmande sändebud misstänktes sålunda för att ha anlagt branden, och åtminstone den förstnämnde ansåg sig inte säker för överfall; han berättar för övrigt att åtskilliga oskyldiga personer antastades på gatorna av stockholmska käringar som kallade dem mordbrännare och förmådde polisen att ta dem i arrest. De ansvariga myndigheternas misstankar koncentrerades dock åt helt annat håll, nämligen mot en avskedad marinlöjtnant vid namn Ekeroth som hade bombarderat överhovpredikanten Wallin och andra dignitärer med apokalyptiska klagoskrifter och hot om Guds syndastraff som skulle ta formen av väldiga eldsvådor och andra olyckor. Han befanns vara sinnesrubbad och togs i fängsligt förvar, helst som hans skrifter ansågs högeligen förgripliga, men det blev strax tydligt att han var oskyldig till slottsbranden. Fortsatta undersökningar gav vid handen att orsaken till denna sannolikt var att söka där den minst hade varit att vänta. Det befanns nämligen att ingen av de båda knektar som hade brandvakt på vinden hade funnits på sin post när elden bröt ut, ty brandmästaren hade skickat bort den ene i ett ärende för sin hustrus räkning, och den andre hade gått ner i hovfruntimrets rum i hopp om att kunna snugga till sig en bit mat. Brandmästaren själv hade kanhända tänt på; han bodde nämligen i ett rum på vinden där han hade haft eld i spisen för matlagning den ifrågavarande dagen, och hans skorstenspipa hade varit mycket dålig så att det brukade tränga ut rök genom dess mur. Han dömdes nu till döden, och samma dom fick vaktknekten som hade övergett sin post, medan den andre vaktknekten som hade gått brandmästarens privatärende slapp billigare undan. De båda domarna mildrades av kunglig majestät till sju gatlopp och sex års straffarbete i halsjärn på Marstrands fästning, men brandmästaren som var gammal och klen dog i alla fall av gatloppens obarmhärtiga prygel.

Slottsbranden utbröt som sagt mitt på dagen, vilket var en lycka i olyckan; ingen människa brändes inne. Änkedrottning Hedvig Eleonora fick visserligen en chock och måste så gott som bäras ned för trapporna, följd av den unge kungen och hans systrar. Under tiden bar några officerare ut Karl XI:s lik, som stod obegravt på slottet i ett av de få rum dit elden märkligt nog inte nådde förrän någon vecka senare, då den kom lös igen i ruinerna. Den kungliga familjen fick tak över huvudet i Per Brahes reducerade hus på Helgeandsholmen och flyttade sedan till Wrangelska palatset på Riddarholmen, där den kom att residera i ett drygt halvsekel. Återuppbyggnadsfrågan diskuterades dock redan dagen efter branden, då Nicodemus Tessin fick demonstrera sina ritningar till ombyggnad av slottet och fick veta att han nu kunde få större frihet. Efter bara någon månad var han klar med ritningarna till det nya slottet, vilka omedelbart godkändes och underskrevs av rådet som också förlänade honom titeln överintendent med rang av överste. Han tänkte sig att det hela skulle kunna byggas färdigt på sex år. Röjningsarbeten på brandplatsen sattes naturligtvis igång genast och var inte ofarliga; en junidag rasade sålunda en mur och krossade i sitt fall tjugonio soldater.

Slottsbranden i Stockholm är en ytterligt viktig händelse i Sveriges historia och långt mera ödesdiger än något fältslag. Vad som gick förlorat var nämligen icke blott det pittoreska slottet Tre kronor med sina vinklar och prång och minnesrika gemak, konstverk och kostbarheter; av kungafamiljens dyrgripar räddades för övrigt åtskilligt. Men i detta nedbrunna komplex av sammanbyggda hus hade nästan alla rikets ämbetsverk och institutioner haft sina lokaler. Där bodde exempelvis Svea hovrätt, kammarkollegium, statskontoret och reduktionsmyndigheterna, som i rök och damm nödgades bära alla sina papper till den närbelägna Storkyrkan, där de lades upp i väldiga högar som sedan låg i vägen för präster och församling. Åtminstone hovrätten måste lämna kvar en del arkivalier i det brinnande slottet. Kungliga biblioteket som var inrymt i dettas nordöstra hörn rätt långt från den plats där elden började satte strax igång räddningsarbetet och lyckades klara vad som i hast ansågs mest omistligt, men av dess böcker och manuskript gick i alla fall över två tredjedelar förlorade, och de volymer som inte brann upp hade till stor del måst kastas ut genom fönstren från tre våningars höjd och bar naturligtvis spår av detta. I slottet härbärgerades vidare riksarkivet i en lång byggnad åt Skeppsbrosidan, där handlingarna från tiden till och med drottning Kristinas regering var placerade i en övre våning medan det mera aktuella materialet från Karl X Gustafs och Karl XI:s tid fanns i våningen under. Från denna lyckades man få ut det mesta, men i övervåningen som nåddes först av elden var det snarast en slump vad man hann sätta i säkerhet. Riksregistraturet och rådsprotokollen räddades åt eftervärlden, likaså Axel Oxenstiernas brev och åtskilligt annat, men riksarkivets förluster i slottsbranden var i alla fall oerhörda; de omfattade ungefär en tredjedel av hela arkivets bestånd och drabbade framför allt det äldsta materialet. Mängder av medeltidsbrev, traktater, kungliga koncept och dylikt brann upp och har efterlämnat stora och obotliga luckor i allas vårt historiska vetande.

Atland eller Manhem

En annan, nästan lika ryktbar eldsvåda härjade fem år senare hela Upp-
sala, där domkyrkan, slottet och en mängd andra byggnader lades i rui-
ner. "Vid eldsvådan", skriver den flitige bokförläggaren, nyromantikern
och Uppsalaprofessorn Vilhelm Fredrik Palmblad i en uppsats som
ligger till grund för bland annat en välkänd dikt av Snoilsky, "stod den
gamle Rudbeck i dômen öfver Gustavianum, och kommenderade spru-
torna med denna djupa basröst, som fordom med beundran hördes i
Hollands kyrkor, och som nu, enligt sägen, förnamms ända ned i Svart-
bäcken. Ja, han var sjelf slangförare och räddade derigenom Akademien,
och det deri förvarade Bibliotheket. Han öfvergaf icke denna post vid
underrättelsen att elden fattat hans eget hus. Vid 72 års ålder var han
alltså husvill; ett nytt tak kunde han dock skaffa sig; men oersättlig var
förlusten af Atlanticans sista del, af Campi Elysei, frukten af öfver
trettio års mödor, af åtskilliga andra otryckta verk, af hans många och
stora samlingar utaf modeller, ritningar, ålderdomslemningar och så
mycket annat, som nu låg förvandladt till aska."

Olaus Rudbeck, vars rykte för mångsidig lärdom och kunskap har
trotsat tidens tand, hade själv byggt Gustavianum, låtit stenlägga gator-
na och uträttat mycket annat sådant i Uppsala, där han var rektor och
styresman för akademien i många år av oavbruten fejd och fiendskap
med professorliga kolleger. Han hade börjat sin bana som medicinare
och gjort upptäckter beträffande lymfkärlens byggnad och betydelse,
och han lär dessutom ha varit en duktig tekniker som konstruerade
kvarnar, vattenverk och varjehanda maskinerier samt på regeringens
uppdrag prickade ut farlederna i Mälaren. Han var vidare en flitig teck-
nare och satte i den egenskapen igång med att skapa fram ett botaniskt
jätteverk med titeln Campi Elysei eller Glysivall; det skulle innehålla
bilder och beskrivningar av alla kända växter. Elvatusen färdiga stockar
med träsnitt brann upp i den stora eldsvådan, och bara en volym av det
stora arbetet hann komma ut. Till stor skada för författarens eftermäle
förintades däremot inte alla exemplaren av det ryktbara verk som
brukar kallas Rudbecks Atlantica och på svenska bär den långa titeln
"Atland Eller Manheim Dedan Japhetz afkomne, de förnämste Keyser-
lige och Kungelige Slechter ut till hela werlden, henne att styra, ut-

gångne äro, så och desse efterföliande Folck utogade, nembligen Skyttar, Borbarn, Asar, Jetter, Giotar, Phryger, Trojaner, Amaizor, Traser, Lyber, Maurer, Tussar, Kaller, Kiempar, Kimrar, Saxer, Germen, Swear, Longobarder, Wandaler, Heruler, Gepar, Tydskar, Anglar, Paiktar, Danar, Siökampar, och flera de som i werket wisas skola".

Det märkvärdigaste med Atlantican är nog att den kom till så sent. När Rudbeck i dess fjärde del lade ner sin penna var 1700-talet redan inne och tidsandan inte så mottaglig för detta slags historieskrivning mer. I och för sig är verket inte enastående i europeisk litteratur; på svensk botten fanns ju redan Johannes Magnus' och Olaus Magnus' skrifter, och samtida motsvarigheter till den förstnämndes kungakrönika såg dagen i diverse länder där det gällde att göra det egna folkets förgångna så storslaget som möjligt. Men Olaus Rudbeck var ingen 1500-talskrönikör utan en framstående naturvetenskapsman vars förmåga av observation var ovanlig. Hans verk vimlar av klarögda och korrekta iakttagelser, som hade varit värda ett bättre öde än att hamna i en härva av våghalsiga kombinationer och monumentalpatriotisk galenskap. Till skillnad från Stiernhielm, vars etymologiska tokerier han har fullföljt och utvecklat, hade Rudbeck föga sinne för språk, vilket inte hindrade honom att ivrigt uttala sig även i sådana ämnen. Faktiskt är verket rätt illa skrivet i en överlägsen, grötmyndig ton som nog måste ha känts påfrestande för författarens samtida, vilka förväntades ta innehållet på allvar och verkligen också gjorde det. Sentida läsare för vilka Atlantican blott är ett idéhistoriskt dokument undgår däremot knappast att finna nöje i lektyren. Det har rentav funnits omdömesgilla personer som menat att författaren bara skojade och endast hade velat skriva en rolig bok; det trodde sålunda Friedrich Rühs, som i sin svenska historia talar om den phantasierike Rudbecks verk såsom fullt av snille, skarpsinnighet och en omätlig lärdom, "men hvilken han, efter egen bekännelse, endast författat i afsigt att roa läsaren". Rühs stöder sig på en tysk tidskriftsuppgift där det tycks ha stått att Rudbeck i något sällskap hade erkänt detta.

I själva verket framlades Atlantican för den karolinska tidens svenskar som ett slags patriotiskt evangelium som icke fick betvivlas eller bekämpas. Dess första del, som ger besked om alla dess huvudtankar, kom ut redan 1675 då Antiquitetskollegium alltjämt stod i sitt flor, och Rudbeck framställer sig där som en enkel amatör vilken i kraft av sitt oförvillade sinne ser sanningen klarare än de facklärde; han avslutar rentav volymen med ett tänkespråk till dem: Et vos homines, också ni är bara människor. Han fick inte uteslutande applåder från det hållet, men på kunglig befallning tystnade strax den kritik som avhördes från Hadorph och andra, och sedan rådde vördnadsfull respekt kring Atlantican i Sverige i mer än ett halvsekel.

Rudbeck börjar sitt verk med en del spekulationer om fornhistoriens källor. Folksägner, säger han, har bibehållit sig mera oförvanskade i det aldrig invaderade Sverige än i andra länder. Greker, romare, egypter och kaldéer, vilka icke kan misstänkas för att ha velat lovprisa oss, har skrivit en del som stämmer bra ihop med dessa sägner. De har också beskrivit våra orter och stammar, ehuru de har begått en del misstag som lätt låter sig rättas. Andra vittnesbörd om vårt stora förgångna är de gamla förfallna borgar och märkta stenar som förekommer talrikare i Sverige än på andra håll. Han övergår sedan till en språklig undersökning i Stiernhielms anda och finner att svenska språket måste vara det äldsta bland annat av det skälet att det bara är svenskar som kan uttala alla bokstäverna i ord som spjut, bjuda och andra; tyskar och latinare kastar bort bokstäver och säger respektive speer, spiculum, bitten, petere. I nästa kapitel får man veta att efter syndafloden när det alltjämt var ont om villebråd i de unga skogarna måste Noaks efterkommande ha levat mest på fisk, och det finns ingen trakt på jorden där det är så gott om fisk som i Norden, där också de flesta ätbara fåglarna häckar. I Norden är det för övrigt på alla sätt rejält med maten, medan man i södern mest nödgas leva på frukt. Dessutom förökar sig folket snabbast här uppe: "här är gement att afla 5, 6, 8, 10, 12, 14 Barn, och åter många som bekomma till 18, 20, 24, 28, ja 30". Här kan alltså mänskligheten raskt ha förkovrat sig. Det finns för övrigt ett ovedersägligt bevis för att

Sverige var bebyggt bara något århundrade efter syndafloden, ty lagret av svartmylla växer med ungefär ett femtedels finger på hundra år, och man kan då räkna ut att de äldsta ättehögarna kom till kort efter floden, som enligt Bibeln måste ha inträffat för vid pass fyratusen år sedan.

Rudbeck kommer därefter fram till sitt egentliga ärende genom att referera Platons berättelse om den sjunkna ön Atlantis och konstatera att beskrivningen på dess huvudstad exakt passar in på Uppsala. Visserligen visar Platon ibland klarliga "sin Skaldiske art att skrifwa". Hav, sjöar och åar kallar han för gravar och diken, och han talar om vin och elefanter när han i själva verket menar mjöd och ulvar. När Platon vidare säger att Atlantis blev dränkt av havet så är det ingen översvämning han talar om utan det hela är "en artig Gåta som beskrifwer Sveriges första och största uttåg".

Kungarna och hövdingarna i Atlantis var enligt Platon klädda i blå mantlar, vilket ju är en svensk färg som ingår både i flaggan och i flottisternas och livregementets uniformer. Allting stämmer alltså förunderligt väl, och i de följande kapitlen får man veta mer om vårt lands stora förflutna. Kungen där kallades Atle, vilket var en ähre-tyttel från Noaks tid. Hyperboréerna som Herodotos talar om är identiska med uppsvearna, de yfwerborne. Rhadamantys, en av domarna i underjorden enligt Platon, var en svensk rådman, vilket ju hörs på namnet. Longobarderna var ett slags svenskar som bar långa hillebarder, väringarna kom uppenbarligen från Värend och även från Värnamo, argonauternas resa gick genom Sverige och Finland via Lule och Ule, Assur är lika med Asator, Mercurius betyder märkesman, det vill säga en skrivkunnig man som kunde sätta ut stjärnors och dagars märken, Baal är en förvrängning av Balder, Hercules kommer av Här-kulle, vilket betyder den högste i hären. Både Baal och Hercules var sålunda svenskar som tidigt drog ut härifrån för att erövra sydligare regioner. Trojaner och fryger härstammar också från Sverige, och berget Ida alias Idreberget ligger i Dalarna 9 135 alnar över havet och är ett av de högsta i världen, under det att bergen i Mindre Asien inte alls är höga. Berget Ida, varmed Rudbeck tycks mena hela den skandinaviska fjällryggen, är också fullt av järnmalm, och därifrån drog våra fäder ut och byggde staden Troja. Det frygiska språk som talades där är i själva verket svenska. Troja betyder tröja i betydelsen pansartröja, omgjordat fäste, och det närbelägna Pergamon eller Bergamum är en förvanskning av det svenska

Berg. Någon tid efter frygernas uttåg från Sverige var det de yfwerborna skyternas tur att uttåga, vilket de gjorde under namnet galler, det vill säga kallar eller kämpar, ty Kalle är på svenska en manhaftig man. Galilea är kallarnas eja, männens land.

Rudbeck avslutar denna första volym av sin Atlantica med ett par kapitel om runor och dynastier. Att feniciernas och grekernas alfabet grundar sig på de nordiska runorna bevisas naturligtvis lätt, och en genealogisk sammanställning ger vid handen att "af det Atlantiske slägtet räkna icke allenast de grekiske Konungar och Hieltar, utan ock många andra Folcks Konungar, sin härkomst". Dessa och andra teser utvecklas vidlyftigare och än mera häpnadsväckande i de tre återstående delarna av det stora verket. På Magnus Gabriel De la Gardies förslag har författaren visserligen ändrat mening beträffande elefanterna i Atlantis; han säger sig nu tro att Platon nog menade älgar och inte ulvar när han talade efter skaldeart om djuren ifråga. Därefter går han dock oförskräckt på i de etymologiska ullstrumporna och finner att basileus som är det grekiska ordet för konung kommer av det svenska basse, Pandora betyder Fan-Thora, Donau är Dån-å och Don ungefär detsamma, alltså ljudligt brusande å. Rhodanus alias Rhône är ån som man ror på, Hesperien kommer av Jesper eller Hjäss-Per, en jätte som med skäl kallades så eftersom han bar så mycket på hjässan, ty hans rätta namn var Atlas. Parnassen kommer av Bærg-assum, asarnas berg, och det forngrekiska folknamnet pelasger har att göra med det svenska verbet fälas, resa av och an. Bacchus kommer av bagge – jämför norrbagge, uppmanar författaren och upplyser att göterna tydligen slog sig på fylleri borta i Orienten. Det kartagiska namnet Maherbal är lika med märrbaal, det vill säga en herre till häst. Den egyptiska Isis är identisk med den uppsaliensiska Disa och Osiris är samma namn som Sigge vilket förresten ingår i det bibliska Sichem eller Sigghem. Det forntidsfolk som kallades karer var helt enkelt götiska karlar, vilket framgår av att de enligt Herodotos högg varandra i skallen med värjor vid Isisfesten; de hade manhaftiga karelekar till skillnad från de klemaktiga egypterna. Styx betyder Stygg-å, Trosa har att göra med Troja och de throer som bodde där, Caucasus är lika med Gråkasen, vilket är skytiska och rätt och slätt betyder gråberget. Gudinnan Persefone alias Proserpina hette egentligen Frosse-Pijna. Cilicien kommer av kille, Dodona är en förvrängning av Tortuna, en brahman är egentligen en Brage-man, det vill säga en person som förstår sig på vishet och skaldekonst, och Bramma som är en ort i Indien har uppkallats efter Bromma. Erythra, som är det grekiska namnet på Röda havet, är missförstådd svenska; saken är den att det Är ytra havet, jämför Ytterbyn. Deucalion som är den grekiske Noak hette egentligen Dy-Kalle, vilket betyder den våte mannen, och berget Ararat där arken landade kan vara identiskt med Areskutan. Det bibliska träslaget gopher varav arken var byggd var hederlig svensk go-furu. Att Gog kom till Sverige visas av ortnamnen som Gogenäs och Koggeträsk, och Magogs namn finns bevarat i den norska Magerö vid nordens yttersta ända. Tartarus är detsamma som Darra-fors, det vill säga malströmmen vid Lofoten. Augeas' stall måste ha varit beläget i Hälsingland, ty där ligger Augeö alias Agö, och Catalonien bär namn efter götarna plus ålänningarna. Kung Tyndarus och hans dotter Leda – hon som lade ägg sedan hon uppvaktats av den gudomliga svanen – bodde vid Tyndarö i Hälsingland, och detta landskap är överhuvud taget mycket minnesrikt. Hellevi är sålunda helvetet, Gastholmen har fått namn av Castor och Bollnäs av Pollux, och vid den sistnämnda platsen stod det slag som Jofur eller Thor utkämpade med hamaizorna och jättarna, som gav namn åt Jättendal. Thor drog sedan ut och erövrade hela världen och delade upp den mellan sina svenska vänner och fränder innan han dog i Knösöö på Kreta. Hans bockar var för resten två belägringsmaskiner; den ena var en murbräcka som bestod av en stock under en träbock, den andra bocken var av ihålig koppar och användes till att slå in eld i fientliga palissader. Han hade också en skinnmärr, vilket på grekiska blev chimaera. Thor kallades på gamla dagar Giubbe-Thor vilket romarna förvrängde till Jupiter, och perserna kallade honom för Zoroaster eller egentligen Tsor As-thor vilket betyder duktige asator. Det var han som var överkonung vid bygget av Babels torn. Ljusnan är Glysisfloden uti Hell, och landskapet däromkring hedrades av de antika författarna med namnet Glysisvall eller de lycksaligas öar därför att människorna hade så många dygder där.

Orfeus gick omkring i Norrland och slog på lapptrumma när han ville uppväcka sin Eurydice, ty "de gamla Gräkers och Latiners Kungar och stora Herrar som hafva hafft sitt ursprung utaf wåra Fäder hafwa stundom hafft lust att resa hijt Norr, och genom Lapparnas Trollkonst och Laptrumma se sina Förfäders Skepelser och Våldnader". På en lapptrumma satt förmodligen också det gyllene skinnet, vilket kan ha varit ett med albark färgat kalvskinn. "Det dogde intet till att sambla Gull eller lära Wärdzlig wijsheet, uthan dreflig nyttigt för sådana Krigzbussar att mächta lätteligen komma öfver Siöö och Land att röfwa Silfwer och Gull, och icke uthtrötta sina fötter med långt Marscherande och få stora blåsèr under hälarne, eller rida elacka skinckmärar och få blemmer i rumpan." Det gyllene skinnet var sålunda någonting i stil med skeppet Skidbladner, och för det fall att någon vill påstå att det skulle vara omöjligt att bli förd genom luften på det sättet hänvisar Rudbeck till vad Bibeln berättar om Elias, Habakuk och andra. Han finner det sannolikt att Mercurius alias Merkes-man som ägde skinnet behärskade lapska trollkonster i den stilen.

Upptäckten att Rudbeck delade sin tids trolldomstro känns på något sätt befriande. Den gör honom så att säga mera mänsklig. I stor dos kan Atlantican nämligen bli en smula kuslig lektyr genom den rationalism och handfasta saklighet varmed författaren framlägger sitt luftiga vanvett. Hans naturvetenskapliga skarpsinne minskar inte utan förökar tvärtom hans tokenskap, ty det låter honom finna ständigt nya skäl för sin förutfattade övertygelse. Hans forskningar och mödor måste dock ha varit oerhörda, helst som hans språkkunskaper var rätt måttliga, något som för övrigt hjälpte honom till oväntade bevis för svenska språkets stora vikt i världen. Han bläddrade en gång i ett grekiskt lexikon och fick syn på ordet oxytona, som är en accentbeteckning i pluralis; den betecknar ord med hög tonvikt på sista stavelsen. Däri igenkände han omedelbart det svenska ortsnamnet Oxetuna.

Den unge Karl XII

På sin dödsbädd hade Karl XI förordnat om en förmyndarregering för sin femtonårige son. I den satt den gamla drottning Hedvig Eleonora, utrikesministern Bengt Oxenstierna och ytterligare fyra herrar av vilka tre hade med reduktionen att göra. Populär bland de besuttna var alltså inte denna regering, och när riksdagen samlades i november 1697 för att bevista den kungliga begravningen behövdes bara en enda dag till att störta den. Under en paus i förhandlingarna på Riddarhuset började lantmarskalken i samtal med några grevar och baroner prisa den unge konungen och tala om hur begåvad och tidigt utvecklad han var. Han sade att det skulle vara en hugnad i den stora sorgen om man kunde få se honom på tronen genast, vilket kanske inte skulle vara omöjligt att ordna eftersom ingen bestämd myndighetsålder var föreskriven i Karl XI:s testamente. Marken var tydligen förberedd, ty glädjesorl och bifallsrop hördes omedelbart i salen, och ett försök till motsägelse tystades genast med hotelser. Ridderskapet och adeln beslöt därpå med acklamation att hemställa till konungen att utan dröjsmål själv överta regeringen, och i detta beslut instämde samma dag de tre ofrälse stånden och även rådet. En representativ deputation uppvaktade strax den unge monarken och fick ett nådigt svar. Han sade sig inte vilja avslå ständernas trägna anhållan utan fick väl i Guds namn tillträda sitt rike.

Förmyndarstyrelsen upplöstes alltså efter ett halvårs tillvaro, och Karl XII började vid femton års ålder sin regering såsom fullmyndig och enväldig konung. Han utfärdade redan första dagen en del viktiga befallningar och beslut. Alla främmande regeringar underrättades om att han tillträtt sin tron, stora lagkommissionen tillställdes en skrivelse med uppmaning att öka takten, alla biskopar fick en liknande admonition beträffande den nya bibelöversättning som var under arbete, och kammarkollegium förständigades att skynda på med fullbordandet av indelningsverket, framför allt ifråga om Skåne. Samma verk beordrades att kvickt lägga fram en ny tulltaxa och att överlägga med landshövdingarna om hur vissa norrländska och finska landskap bäst borde räddas från avfolkning efter den svåra missväxt som hade drabbat landet i Karl XI:s sista år.

Femtonåringen arbetade duktigt och flitigt även i fortsättningen, och utan ledning var han naturligtvis inte. Hans far hade med sin vanliga omtanke lämnat efter sig en förseglad skrivelse att öppnas på myndighetsdagen, ett politiskt testamente som han svårligen kunde ignorera. Man vet inte riktigt vad det innehöll, men säkert förmanades ynglingen att frukta Gud, akta sig för Frankrike och ha förtroende för statssekreteraren Carl Piper, som hade varit Karl XI:s mest anlitade medhjälpare under senare år. Piper inkallades strax i rådet, och då han behöll sin ställning som chef för kansliet var han i själva verket ett slags premiärminister. Inom kort upphöjdes han också till greve, men någon solidaritet eller medkänsla med den gamla adeln kände han tydligtvis inte, ty reduktionen fortgick ungefär lika strängt som förut.

Ett minnesvärt spektakel var Karl XII:s kröning som nämligen inte var någon kröning; den kallades officiellt för salvelseakt och ägde rum i Stockholms Storkyrka ett par veckor efter Karl XI:s begravning. Kungen kom ridande till kyrkan med kronan på och tog den av sig medan ärkebiskop Spegel smorde hans änne; därpå satte han egenhändigt på sig klenoden igen. Han tappade den olyckligtvis i backen när han skulle stiga till häst, men missödet rättades förstås till, och kröningståget kunde skrida tillbaka till den kungliga boningen. Rådsherrarna fick gå till fots i processionen; några av dem bar tronhimlen, andra passade upp vid taffeln efteråt, och det markerades på alla sätt att kungen var enväldig. Någon konungaförsäkran behövde han sålunda inte avlägga, fast detta var påbjudet i landslagen.

Vintern då allt detta skedde var ovanligt sträng, men det ena främmande ressällskapet efter det andra var likväl ute och åkte släde på de svenska vägarna och arbetade sig med möda fram genom snödrivorna till Sveriges huvudstad. Redan före salvelseakten kom hertiginnan av Holstein med sin unga dotter; hon hade haft sexton hästar för sin vagn men hade måst lämna den i yrvädret och resa vidare med bondsläde. Någon vecka senare kom den danske ambassadören Jens Juel; han hade vält i snön många gånger och fått svåra anfall av gikt, så att han måste inta sängen när han kom till Stockholm och inte så lätt kunde bedriva de kungliga giftermålsförhandlingar som var hans egentliga ärende. I februari kom vidare en prinsessa av Braunschweig personligen med sin dotter, medan ett sändebud från Würtemberg och en brandenburgsk minister företrädde var sin tysk prinsessa. Vintern gick, men Karl XII lät inte förspörja minsta intresse för någon av flickorna. Baron

Juel som tillfrisknade så småningom var en utmärkt diplomat; han gjorde vad han kunde för sin danska prinsessa men insåg snart att saken var hopplös, och då inriktade han sig i stället på att söka få till stånd ett framtida giftermål mellan den lilla svenska prinsessan Ulrika Eleonora och en dansk prins. Tanken på en politisk allians låg naturligtvis innesluten i dessa frierier, men svenska regeringens svar till Danmark var kyligt och avvisande. Dess politik gick som vanligt ut på allians med hertigdömet Holstein i danskarnas rygg.

I juni 1698 höll man bröllop i Stockholm för hertig Fredrik av Holstein-Gottorp och Karl XII:s äldsta syster, som hette Hedvig Sophia. Ceremonien firades med sällsynt prakt, och brudgummen fick hundratusen riksdaler i present medan bruden för all framtid fick behålla sitt årliga apanage som svensk prinsessa. Allt detta var inte så bra, ty det blev omedelbart ebb i statskassan, och man måste pantsätta en del av det bremiska landet för att kunna betala ut hennes brudskatt. I gengäld fick Karl XII i sin holsteinske svåger en utomordentlig lekkamrat, som hjälpte honom att spränga körsbärskärnor på folk, slå i kras alla glasen på middagsbordet, kasta ut stolar genom slottsfönstren, riva sönder kläderna på varandra, slå in fönster, rycka peruken av den gamle riksmarskalken och rida i nattskjorta genom Stockholm på en och samma häst. Naturligtvis roade de sig också med jakt, inte minst björnjakt enligt den ryktbara metod som Karl XII uppfunnit på Kungsör. Den skedde som bekant med träpåkar och hötjuga men var inte fullt så livsfarlig som den låter, ty jägarna höll sig alltid bakom ett jaktnät.

Under sådana förlustelser förvärvade sig den holsteinske hertigen kungens varma tillgivenhet, "en tillgivenhet som å Carl XII:s sida, en gång fattad, var orubblig; och likasom i allmänhet så mycket hos honom var personligt, så blef detta förhållande hädanefter en ledtråd för hans politik", säger F. F. Carlson, som inte tyckte vidare bra om den siste av sina konungar av det pfalziska huset.

Det stora nordiska kriget

Året 1698, då hovkonterfejaren Ehrenstrahl gick ur tiden och trädgårdsintendenten Johan Hårleman upphöjdes i adligt stånd för sitt samarbete med Nicodemus Tessin i den franska barockens välklippta smak, var utrikespolitiskt ett märkligt år. Medan de danska giftermålstrevarna pågick inlöpte även ett alliansanbud från den sachsiske kurfursten August den starke som nyss hade lyckats bli vald till kung av Polen. Det ledde till ingenting, och påverkad av den landsflyktige Patkul tog kung August i stället kontakt med danskarna. På sensommaren fick han besök i sitt land av den unge ryske tsaren Peter I som hade vistats i Västeuropa ett par år och var full av planer och idéer. Det hela ledde i sinom tid till ett hemligt danskpolskryskt anfallsförbund mot Sverige.

Den svenska diplomatiens insatser medan allt detta pågick var icke imponerande. Karl XI hade varit ointresserad av utrikespolitik och kände själv sin begränsning; ett intimt brev till Nils Bielke om sådana ting kunde han avrunda med några ord som nog inte bara var skämtsam jargong: "Dhetta är så i kårthet min tokåtta mening." De utrikes ärendena sköttes i hans tid av Bengt Oxenstierna, en liten fin, saktmodig och prudentlig man med stor erfarenhet, ty han hade varit med om att göra både westfaliska freden och freden i Oliva, och han sörjde med stor skicklighet för att freden uppehölls. När Karl XII plötsligt blev myndig trädde han villigt tillbaka från sitt förmyndareuppdrag. Sitt ämbete som utrikesminister fick han behålla men saknade allt inflytande över Karl XII:s politik, som han såg med oro och djupt bekymmer. Åtminstone gentemot Danmark uppträdde denne utmanande genom sin nära förbindelse med hertig Fredrik, vilken då han i september reste hem åtföljdes av den svenske generalstabschefen Magnus Stuart, som skulle inspektera och förstärka de holsteinska fästningarna.

Konflikten blev akut i oktober 1699. Hertig Fredrik befann sig då återigen i Stockholm, där glädjen stod högt i tak och hans kunglige svåger villigt ställde en del regementen från Sveriges tyska provinser till hans förfogande. Frederik IV, som för ett par månader sedan hade efterträtt den gamle Kristian V såsom enväldig kung av Danmark, avlät då en skrivelse av innehåll att eftersom Sverige hade sänt trupper in i Holstein såg han sig nödsakad att sätta sin egen krigsmakt i rörelse. En dansk armé samlades därefter i den kungliga delen av Holstein, och det var bara en tidsfråga när kriget skulle bryta ut.

Emellertid var det inte på denna front som det slutligen började. I februari år 1700 gjorde kung August ett alldeles oväntat försök att med sachsiska trupper överrumpla Riga. Den gamle Erik Dahlbergh som då var generalguvernör i Livland var emellertid på sin vakt, och det hela misslyckades i det väsentliga; sachsarna bemäktigade sig visserligen en skans på Dünas motsatta strand och tog efter några veckor även fästningen Dünamünde, men den livländska huvudstaden sattes skyndsamt i försvarsskick, och en kurir med budskap om fredsbrottet avsändes till Sverige. Eftersom det var vinter måste han rida den långa vägen runt Bottniska viken och kom inte förrän i mitten av mars fram till Kungsör, där kung Karl sin vana trogen jagade björn. Han hade, säger Grimberg som beundrar honom, just slagit en stor best till marken med sin knölpåk då kuriren kom framskyndande till honom i skogen och framförde sitt budskap, vilket han åhörde med största lugn varpå han slog omkull ytterligare en väldig björn. Först när jaktprogrammet med dess festligheter var slut återvände han till Stockholm, där han inom kort fick rapport om ännu ett fredsbrott. Den kungliga danska armén hade marscherat in i hertigdömet Holstein.

Karl XII handlade raskt och resolut. Medan de finska regementena förflyttades söderut genom Ingermanland och Estland till Rigas undsättning begav han sig själv till Malmö, där han med egna ögon nödgades se danska flottan löpa ut från Köpenhamn och spärra segelleden i Sundet. Svenska flottan kom inte i sjön förrän i juni och var för övrigt underlägsen, men de militärpolitiska konjunkturerna var dock mycket gynnsamma, ty som resultat av Bengt Oxenstiernas statskonst hade Sverige sedan 1680-talet en försvarstraktat med Holland och England. En ansenlig engelsk-holländsk flotta kom därför seglande till Öresund och förenade sig med den svenska, som på kunglig befallning tog sig fram genom den trånga och grunda Flintrännan. Inför denna övermakt drog sig danska flottan tillbaka till Köpenhamn igen, och en regnig och blåsig julinatt kunde Karl XII med femtusen man ta sig över från Landskrona via Ven till Humlebæk. Danskarna hann inte dra ihop mer än åttahundra man att möta de invaderande, som visserligen led en del förluster; en kanonkula sårade sålunda Magnus Stuart, som ledde hela företaget. Inte desto mindre lyckades landstigningen fullständigt, och den psykologiska effekten var överväldigande. Karl XII fick ostörd dra till sig förstärkningar, och innan han ännu hade hunnit få över något artilleri tog kung Frederik kontakt med sin hertiglige holsteinske namne och gjorde upp i godo. Karl XII var egentligen inte glad åt detta och gav order om fortsatt framryckning mot Köpenhamn, en utveckling som emellertid stoppades av sjömakternas amiraler, som lät förstå att de nu tänkte återvända hem men att de först ville hjälpa svenskarna tillbaka till Skåne. Detta var en order som måste åtlydas, ty övergiven av sjömakterna skulle den landsatta svenska armén vara instängd på Själland och avskuren från sina förbindelser med hemlandet av danskarnas överlägsna flotta. I slutet av augusti bröt Karl XII alltså upp med sina trupper och drog hem till Sverige. Han kunde vara jämförelsevis nöjd, ty i freden som hade slutits i en holsteinsk håla vid namn Traventhal förband sig Danmark att hädanefter lämna såväl Holstein som Sverige i fred och att frångå sitt förbund med August den starke.

På denne verkade nyheterna från Danmark deprimerande och avkylande. Rigas belägring upphävdes helt och hållet. I stället tog de sachsiska trupperna ett par andra livländska orter, men fredstrevare kom samtidigt i gång genom varjehanda diplomatiska kanaler. Europa stod vid denna tid på randen av det spanska tronföljdskriget mellan Ludvig XIV:s Frankrike å ena sidan och England, Holland och kejsaren å den andra, och båda parter ansträngde sig ivrigt att få slut på den östeuropeiska konflikten för att i stället dra in såväl svenskar som sachsare på sin sida i den väntade kraftmätningen i väster. I det svenska rådet var sympatierna delade mellan Frankrike och de allierade, men man tillrådde i alla fall fred med kung August för att ha händerna fria. Karl XII hörde inte på det örat och lät förstå att han inte ville veta av någon fredsmedling "såsom Wi nu äro sinnade mot en så orättfärdig och trolös invasion skaffa Oss rätt och satisfaktion medelst Wåra rättmätiga vapen".

Medan han nu var sysselsatt med att utrusta och inskeppa sin straffexpedition i det lilla Karlshamn ingick oväntat en krigsförklaring från tsar Peter i Ryssland, som samtidigt hade låtit sin armé gå över ingermanländska gränsen. När han gick ombord visste den svenske kungen således inte vilkendera fienden han först skulle möta, och för övrigt hade han även andra bekymmer; överresan var nämligen stormig, och han led svårt av sjösjuka. När han välbehållen landade i Pernau visade det sig att den sachsiska faran inte var överhängande mer; kung Augusts

trupper hade dragits tillbaka till Kurland och gått i vinterkvarter. Allvarligare var tillståndet norröver, där tsaren själv i spetsen för en ofantlig armé var i färd med att belägra Narva. Han visste ingenting om freden med Danmark och lär ha blivit mycket bestört när han fick veta att svenske kungen var i antågande. Under ihållande novemberregn på bottenlösa vägar marscherade nämligen denne genom det förödda Estland till den inneslutna stadens undsättning, och på någon mils avstånd därifrån lät han i kvällningen skjuta dubbel svensk lösen, som till hans glädje besvarades av kanonerna i Narva som således alltjämt höll stånd. Nästa dag gick han i full snöstorm till attack mot de ryska förskansningarna och vann som bekant en härlig victoria.

Hur stora styrkor som deltog i slaget vid Narva är mycket osäkert. Beträffande den svenska armén föreligger en exakt siffra: 8 430 man. Ryssarna skall enligt gamla svenska uppgifter ha varit ungefär 80 000, alltså tio mot en. Enligt ryska åsikter var de på sin höjd 40 000, men det är ju vackert så, och ingen har någonsin bestritt att Karl XII:s seger var överväldigande. Tsaren själv hade dragit sig undan före slaget, men hertigen av Croy som förde befälet i hans ställe gav sig fången tillsammans med en del andra officerare. Ryssarna kapitulerade därefter massvis, och fångarna var så många att segrarna saknade folk till att bevaka dem; manskapet fick därför avtåga efter att ha lagt ner sina vapen. Hundrafyrtiofem kanoner och tjugofyratusen gevär ingick i bytet. Det ryska lägret föll dessutom i svenskarnas händer, och där fanns bland annat vodka – stora orgier rapporterades efter plundringen. Svenskarnas egna förluster var trots allt kännbara, ty slaget hade kostat dem tvåtusen man.

Segern vid Narva firades i Sverige med allmän tacksägelse och stor illumination i Stockholm, där staden hade låtit uppföra en stor pyramid på Brunkebergstorg med alnshöga texter i transparang av oljat papper, genom vilket över tvåtusen tranlampor spred sitt skimmer. Tessin hade ritat det hela. Många byggnader i staden var för övrigt illuminerade, och praktfullast av dem tycks den nuvarande Socialstyrelsen ha varit; huset som ligger på Riddarholmen var den gången Bengt Oxenstiernas privatpalats. Denne, som dock var en ekonomiskt betryckt man med aderton barn att försörja, hade framför sin fasad låtit ställa upp en transparent kuliss där en bild av kungen i en triumfators skepelse omgavs av tolv andra gestalter som föreställde Hjältemodet i två uppenbarelseformer, Tapperheten, Hämnden, Rättvisan, Guds försyn, Historien, Storsinnet, Kriget, Religionen och Omtanken. Tusen osynliga lampor sken däruppå, och över figurerna stod på latin vad de var för ena: Virtus heroica, Fortitudo, Nemesis, Astraea, Providentia divina, Historia, Magnanimitas, Bellona, Religio, Prudentia. Förgäves frågar man sig hur mycket stockholmarna i det begynnande 1700-talet egentligen begrep av allt detta.

Själv gick Karl XII i vinterläger vid ett estländskt slott som heter Lais. Vintern var mycket kall och hären led brist på det mesta, men det var en glad tid ändå, och kungen som ju alltjämt bara var aderton år roade sig tappert på sitt speciella sätt. "Här går allt lustigt te", skriver han till sin tolvåriga syster Ulrika Eleonora och berättar hur Magnus Stenbock, han själv och hovpredikanten Nils Rabenius kom sent hem en kväll efter en älgjakt och förde sådant väsen att soldaterna trodde att ryssen var över dem. Friska trupper från Sverige skeppades över när våren kom, och i slutet av maj kunde han bryta upp och gå mot kung August. Vid Dünamünde tog han de fyra mörsarna som nu står uppställda i Stockholm kring hans staty. Vid Würgen nära Libau uppvaktades han av den sköna Aurora Königsmarck som kom för att söka beveka honom till fred med sin kunglige älskare men inte blev mottagen. Vid Kliszów vann han seger över åttatusen polacker och sextontusen sachsare. I det starkt befästa Thorn krossade han sachsarnas huvudstyrka och skickade därifrån femtusen fångar till Sverige, dit de olyckligtvis förde med sig en epidemi som kallades saxesjukan; år 1704 dog folk som flugor i Kalmar av den farsoten, som anses ha varit scharlakansfeberns första uppträdande hos oss. Men i Warszawa lyckades konungen samtidigt få en polsk adelsförsamling att avsätta kung August och välja den unge Stanislaw Leczinsky till konung i hans ställe, och för dennes kröning och hovhållning lät han bottenskrapa svenska riksbankens resurser. Han ryckte därefter in i sin fiendes sachsiska arvland, och i byn Altranstädt alldeles intill det historiska Lützen uppvaktades han av höga ambassadörer för stormakterna i det krigande Västeuropa och slöt år 1706 slutligen fred med kung August, som tvangs att avsäga sig den polska kronan och att utlämna Patkul, vilken inom kort avrättades med barbarisk grymhet.

Under tiden hämtade sig ryssarna helt från nederlaget vid Narva.

Det ryska fälttåget

I maj 1703 intog en rysk armé den svenska fästningen Nyen vid Neva, och första veckan i juni lade tsar Peter grunden till S:t Petersburg nedanför denna plats. Han hade ännu inte fått idén att göra orten till Rysslands huvudstad, fastslår Harald Hjärne, men uppenbarligen var det ingen vanlig liten gränsfästning han tänkte bygga, ty tiotusentals människor sattes genast i arbete med att påla och kanalisera på de sumpiga öarna i flodens delta. Sommaren därpå intogs Narva och Dorpat av ryssarna, som därpå besatte större delen av Estland och Livland och målmedvetet byggde ut sina positioner på det erövrade ingermanländska området. De svenska militärbefälhavarna, som opererade var för sig och saknade alla resurser att hålla stånd mot tsarens ofantligt överlägsna styrkor, sände många nödrop hem till Stockholm, men rådsregeringen som styrde där i kungens frånvaro hade ytterst vaga befogenheter och kunde ingenting göra åt saken.

Det finns många teorier om orsaken till att Karl XII stannade så länge i Polen i stället för att skydda sitt eget lands gränser. Vanligen har man sagt att hans seger vid Narva ingav honom en ödesdiger ringaktning för den ryska faran, och säkert är att han med förakt avvisade den ena ryska fredstrevaren efter den andra, vilket visserligen är begripligt nog, ty tsaren begärde i bästa fall att mot ersättning få behålla den mark där han byggt sin nya stad jämte en smal landremsa på vardera sidan av

Neva. Fryxell, som gärna betonar det monomana draget hos den svenske krigarkungen, tror att denne inte alls var sinnad att nöja sig med vanlig fred ens om den innebar landvinning på denna front; hans mål skulle ha varit att i sinom tid avsätta tsar Peter personligen liksom han var i färd med att avsätta kung August. Andra historieskrivare har föreslagit att dröjsmålet i Polen kan ha berott på att han hoppades få till stånd en allians med Preussen innan han gick mot Ryssland, eller att han helt enkelt ville locka in tsarens huvudarmé på polsk mark och tillkämpa sig segern där. Fältet ligger öppet för gissningar, ty Karl XII själv har inget besked efterlämnat; han var en fåordig man som inte var skyldig att meddela sig med sina ministrar eller fråga sina generaler till råds.

De månader han tillbragte i det sachsiska Altranstädt användes framför allt till reorganisation av hären. På eftersommaren 1707 drog han därifrån österut med fyrtio tusen man som lär ha utgjort den mest imponerande och bäst exercerade armé Sverige någonsin har ägt. Den var kvar i Polen till nyåret då den marscherade vidare genom de litauiska skogarna, erövrade det befästa Grodno som tsaren själv hade lämnat samma dag och stannade några veckor i Smorgonie, ryktbart, säger Fryxell, "för de många björndansare som därifrån utgingo". Ännu visste ingen vilka mål marschen egentligen gällde, och vid de krigsråd som hölls emellanåt gjordes en del försök att förmå konungen att slå in på vägarna mot Livland. Han hade emellertid större planer och var besluten att få till stånd ett avgörande med en enda stor aktion mot hjärtat av tsarens välde. Adam Ludvig Lewenhaupt som förde befälet i Livland tillkallades och fick order att föra sina trupper med stor tross åt sydost för att sluta sig till huvudhären på dess marsch mot Moskva.

Den första större sammanstötningen med ryssarna under detta fälttåg ägde rum vid en plats vid namn Holofzin där Karl XII vann en seger som han lär ha ansett som den ärorikaste i sin historia. Den utkämpades vid ett träsk kring en liten å i Dnjeprs flodområde, där kungen i nattmörkret vadade över i spetsen för sitt garde fast vätan på sina ställen steg soldaterna ända till axlarna. Detta var så mycket modigare som varken han eller hans män kunde simma; den konsten var ytterligt sällsynt bland de karolinska bussarna, som för övrigt vid risk av spöstraff var förbjudna att friluftsbada. Striden vid Holofzin var ytterligt förbittrad, och parterna beskyllde varandra efteråt för att ha använt förgiftade kulor. Från svensk sida lär skjutandet emellertid inte ha varit alltför livligt eftersom vätan gjorde skjutvapnen obrukbara till stor del, och segern vanns företrädesvis med värjan liksom åtskilliga andra av Karl XII:s bataljer. Han var bevisligen en tapper kavalleriofficer som med förkärlek slogs med blanka vapen och inte var rädd för att se blod, ty redan i fredstid hade han som pojke stålsatt sitt sinne och övat sin arm genom att hugga huvudet av kalvar.

Segern öppnade dock icke vägen till Moskva. Ryssarna hade använt sin vanliga försvarsmetod att härja och ödelägga landet, och det blev snart tydligt att det skulle bli svårt att underhålla hären i marschriktningen mot den ryska huvudstaden. I trakten av Smolensk, närmare bestämt i en håla som hette Mstitslavl, beslöt man att vika av mot söder och gå mot Ukraina, där självständighetsviljan mot Moskva som vanligt var levande och kosackhetmanen Mazepa hade låtit förmå sig till allians. Ett bekymmer var att Lewenhaupt med sin livländska armé och sina förråd inte hade hörts av än, men konungen trodde att han inte kunde vara långt borta och vidtog en del mått och steg för att hålla vägen öppen för honom till huvudhären även på dess sydligare kurs.

Mazepa, en högt bildad, västerländskt skolad aristokrat som talade ypperligt latin, hade dock överskattat styrkan av sin popularitet och sina landsmäns separatistiska känslor. I sitt uppror mot tsaren följdes han blott av en obetydlig styrka, och tsarens arméer slog honom med lätthet på flykten och stormade hans huvudstad Baturin, som brändes ner och förvandlades till en grushög. Själv följde Mazepa och hans lilla skara den svenska hären, som kom fram till hans land i november, bara några dagar efter Baturins fall.

En knappast mindre katastrof hade några veckor tidigare drabbat Lewenhaupts expedition, som omfattade elvatusen man, sexton kanoner, en stor kolonn nötkreatur och flera tusen transportvagnar. Eftersommaren 1708 var mycket regnig och kall, och vägarna i västra Ryssland var på sina håll bottenlösa. Marschen gick sålunda inte fort, och avståndet till huvudhären var alltjämt stort när Lewenhaupt i hällande regn blev angripen av ryska trupper vid en by vid namn Ljesna i en terräng av skog och kärr. Trossen och artilleriet som man med oändlig möda hade släpat på i tre månader måste nu överges, och när den ordern gavs lossnade all disciplin; soldaterna kastade sig över brännvinskaggarna i trossen och drack sig fulla. Tusen man fick redlösa lämnas kvar i skogen och ännu flera hade stupat, men med ungefär sextusen man utan bagage

lyckades Lewenhaupt i alla fall slutligen slå sig fram till den svältande huvudarmén, som han därefter följde till Ukraina.

Någon månad efter ankomsten dit var det full vinter, som blev mycket kall även i Sverige det året; Östersjön, Öresund och Kattegatt lär ha varit helt isbelagda. I Ryssland var kölden sådan att folk frös ihjäl massvis, och de karolinska krigarnas dagböcker som har befordrats till trycket i våra dagar är fulla av ohyggliga och drastiska historier om detta. Där berättas om ryttare som satt stendöda på sina hästar, om ryggbast som brast med en smäll, om begravningar i källarhål, om fältskärernas dagliga arbete med att amputera förfrusna näsor och lemmar. Våren kom i alla fall till sist, den vår då Karl XII började belägra fästningen Poltava.

Slaget vid Poltava stod strax efter midsommar 1709, då tsar Peter själv var kommen till fästningens undsättning med en här som naturligtvis var överlägsen den svenska. Värre var att kung Karl hade fått en kula i foten och hade stark feber; han kunde endast förflyttas på bår och var alldeles oförmögen att själv föra befälet som därför överlämnades åt fältmarskalk Rehnsköld. Denne hade svårt att dra jämnt med Lewenhaupt och andra högre officerare, och oklar ordergivning ledde till ödesdigra misstag redan under uppmarschen före slaget vid Poltava, det ojämförligt ryktbaraste nederlaget i Sveriges långa historia. Svenskarna hade ont om krut och kunde inte använda sitt artilleri, och det svenska infanteriet som från början omfattade bara fyratusen man blev nära nog utplånat. Kavalleriet däremot som var det viktigaste vapenslaget i tidens krigföring led inga katastrofala förluster och återsamlades så småningom under kungens personliga ledning, varefter resterna av den slagna hären i god ordning drog sig tillbaka söderut mot den breda Dnjepr.

Vid en plats som heter Perevolotjna tog sig kungen och hans närmaste omgivning över floden och fortsatte skyndsamt till turkiskt område. Han följdes av Mazepa, som i sorg och förkrosselse gick ur tiden inom kort i sitt turkiska kvarter medan hans anhängare som under slaget fallit i ryssarnas händer avrättades med mycken grymhet som banditer och majestätsförbrytare. Den svenska armén som hade lämnats kvar stod modfälld och villrådig i vinkeln mellan Dnjepr och dess biflod Vorskla, och Lewenhaupt som nu var högst i befälet såg sig ingen annan utväg än att ordna omröstning bland trupperna om vilketdera de föredrog: att stupa eller att ge sig fången. Det finns en historia om det svar han fick från ett regemente vid namn d'Albedyhls dragoner: "Hvarför frågar man oss? Tillförene har man aldrig frågat, utan det har hetat: Gå på! Vi kunna ej säga att vi skola slå dem, men vi vilja göra allt vad mänskligt och möjeligt är." Flertalet valde dock det senare alternativet, och hela den karolinska hären kapitulerade alltså någon dag senare, då ryska trupper med artilleri började visa sig på höjderna vid floden. "Hade jag, till att vinna namn af fåfäng bravur, kunnat bringa öfver mitt samvete att anställa ett sådant blodbad af allt vårt folk, så hade jag nog funnit lägenhet att föra det fattiga folket på slaktebänken", skriver Lewenhaupt, som alltsedan den dagen har haft att försvara sig mot mycken manhaftig kritik för kapitulationen vid Perevolotjna, där femtontusen svenskar, varav en tredjedel sjuka och sårade, gav sig fången åt en rysk förtrupp på bara niotusen.

Om deras öden i fångenskapen är mycket känt genom bevarade brev och dagböcker. Efter att ha nödgats delta i tsarens förödmjukande triumftåg genom Moskva skingrades svenskarna åt olika håll i hans väldiga rike. En del sysselsattes med byggnadsarbete i S:t Petersburg, andra skickades till gruvorna i Ural, och åtskilliga tusen släpade hårt i Donkosackernas land med att anlägga en ny stad som hette Seroda. Officerarna slapp slavarbete men förflyttades mestadels till Sibirien, där något tusental av dem hamnade i Tobolsk. Deras vantrivsel var oändlig och deras umbäranden stora, men man kan inte säga att de behandlades hårdare än de ryska krigsfångarna i Sverige, av vilka åtskilliga svalt ihjäl och andra pryglades obarmhärtigt efter misslyckade flyktförsök från det omilda fånglägret på Visingsö. Ömsesidiga repressalier för att framtvinga en bättre behandling av fångna landsmän förfelade helt sitt ändamål och ledde bara till att fångarna på båda sidor fick det allt sämre. Den långt övervägande delen återsåg aldrig sina hemländer.

Karl XII i Turkiet

Karl XII själv togs mycket högaktningsfullt emot av turkarna och inkvarterades nära gränsfästningen Bender vid Dnjestr, där han kom att stanna i fyra år som sultanens gäst. För sin hovhållning åtnjöt han ett dagligt underhåll på femhundra riksdaler, men detta räckte inte långt för ett leverne med kungliga later och nådevedermälen, och med drabantlöjtnanten Grotthus' hjälp tog han därför itu med att vigga ihop pengar från höger och vänster till hur höga räntor som helst. Han hoppades kunna förmå sultanen att bryta sin fred med ryssarna och ställa en turkisk armé till hans förfogande, samtidigt som en armé från Sverige borde bekriga tsaren från sitt håll och ta kontakt med den turkiska i Polen, dit August den starke nu hade återvänt.

Den karolinska härens undergång fick nämligen den omedelbara effekten att den svenskfientliga koalitionen från 1699 levde upp igen. Stanislaw Leczinsky och de styrkor som företrädde hans sak måste dra sig tillbaka till svenska Pommern, och redan på hösten 1709 var också danskarna redo att börja krig igen och gå till anfall mot Skåne. De steg utan svårighet i land vid Råå och intog Hälsingborg, medan den svenske generalguvernören Magnus Stenbock drog sig tillbaka till Blekinge. Hans försök att få till stånd ett folkuppbåd i angränsande landskap blev klart fiasko; de hoptrummade bönderna i Jönköpings län sköt av sina bössor inför landshövdingen och gick sedan hem, och i Västergötland mördade folkuppbådet en kronofogde och skingrades sedan. Under vinterns lopp fick regeringen i Stockholm emellertid ihop en reguljär armé att sända till Skåne; den var delvis otillräckligt övad, men den bestod ingalunda av några getapojkar. Med dess hjälp lyckades Stenbock snabbt manövrera ut danskarna och slog dem slutligen i grund utanför Hälsingborg en dimmig februaridag, sedan var man hade fått för tre styver brännvin till frukost. Slaget var mycket blodigt, och åtskilliga tusen man stannade på valplatsen. De överlevande danskarna flydde i panik in i Hälsingborg, sköt ner sina hästar på stadens gator och räddade sig själva över till Helsingör.

Mindre framgång hade försvaret i öster. I början av 1710 gick ryssarna till storms mot Viborg som måste kapitulera för första gången i sin historia, och senare på året tog de också Reval, Pernau och Riga. Vid det laget residerade tsaren sedan länge vid Neva i sin nya stad, som även officiellt var hovets och ämbetsverkens säte. 1713 och 1714 ockuperade hans stridskrafter hela Finland och Åland, och under de följande åren härjade ryska flottstyrkor tämligen obehindrat på Sveriges Östersjökust och förstörde nästan alla dess städer utom Stockholm. Något liknande hade icke hänt i Sverige sedan esterna kom över på 1100-talet och brände ner Sigtuna.

Indirekt medförde kriget även andra fasor. En pestepidemi bröt ut i Riga och Reval strax innan dessa städer kapitulerade för ryssarna, och med krigsfolket som evakuerades därifrån kom smittan till Finland. Vid ungefär samma tid kom den till Stockholm direkt från Livland med en skuta som hade några sjuka ombord, och frampå eftersommaren körde två fyrspända pestvagnar som rymde femton lik oavbrutet omkring i staden och hämtade de döda, under det att hovet och ämbetsverken lämnade den pestsmittade staden och sökte skydd i svavelröken i Falun och Sala. Man har beräknat att någon tredjedel av Stockholms befolkning dog av farsoten, och ungefär i den proportionen härjades många av rikets städer. Västkusten och Värmland tycks ha sluppit undan helt och hållet, men i Malmö dog halva folkmängden, i Karlskrona reducerades flottans personal med flera tusen man och i det lilla Skänninge dog femhundra personer av en befolkning på sjuhundra.

Karl XII:s orientaliska diplomati tycktes emellertid ge resultat. Mot slutet av detta bedrövelsens år lät sultanen faktiskt förmå sig till att förklara tsaren krig, och vid Prut, som är en biflod till Donau i det nuvarande Rumänien, inneslöts den sistnämnde och hela hans här av en vida överlägsen turkisk armé som mycket väl kunde ha tagit honom till fånga men föredrog att sluta fred på fördelaktiga villkor. Ryssarna släppte sålunda ifrån sig en del omtvistade orter vid Svarta havet och lovade avhålla sig från all vidare inblandning i Polens angelägenheter på villkor att turkarna gjorde detsamma. I Prutfreden nämndes även den svenske kungen, som förgäves hade ansträngt sig att hindra den; han tillförsäkrades nämligen fri hemresa genom ryskt och polskt område.

Prutfreden slöts sommaren 1711, men redan samma år lyckades den svenske kungen driva fram en ny turkisk krigsförklaring mot Ryssland. Han skrev samtidigt gång på gång till rådet i Stockholm och befallde att en svensk armé skulle skickas över till kontinenten för att samverka med en turkisk här i Polen, och rådet som tyckte sig behöva alla försvarskrafter på närmare håll såg sig nödsakat att lyda. Just som man beredde sig att skeppa över Magnus Stenbocks armé till Pommern slöt turkarna emellertid fred igen. Inte desto mindre fullföljde Stenbock med stor energi kungens plan, och på hösten 1712 steg han i land med sina trupper i Pommern för att fortsätta mot Polen därifrån. Transportfartygen som fraktade över härens förråd råkade emellertid ut för danska flottan vid Rügen, där amiralen Ulrik Christian Gyldenløve lyckades förinta alltsammans, och därmed var det tilltänkta fälttåget omöjliggjort för Stenbock som fick försöka försvara Pommern i stället. Vid en plats som heter Gadebusch vann han vid jultiden seger över en dansk armé men måste sedan dra sig västerut där han slöt in sig i den holsteinska fästningen Tönningen. Under tiden hade Karl XII lyckats förmå sultanen att förklara ryssarna krig för tredje gången, men någon svensk armé som skulle kunna samverka med turkarna fanns nu inte mer. När de på nytt slöt fred med Ryssland var de inte okunniga om detta och var fast beslutna att sluta ge asyl åt sin provokatoriske gäst och inte låta sig lockas i krig av honom vidare.

Karl XII gjorde i denna situation ingen min av att ge sig av, och sultanen blev begripligt nog allt otåligare, ty kungens kvardröjande på turkisk mark var ägnad att oroa ryssarna och störa den förlikning man eftersträvade. När inga påstötningar hjälpte beslöt sultanen till sist att bruka våld, och en februarisöndag 1713 inträffade därför den sällsamma

tilldragelse som kallas kalabaliken i Bender. Karl XII hade låtit förskansa sitt läger med gamla vagnar och plank, slagit upp en palissad kring sitt residens och bommat till dess dörrar och fönster med bräder och sand, men den turkiska här som omringade lägret tog sig utan svårighet över de yttre vallarna och tillfångatog omedelbart flertalet av de femhundra svenskarna, som fann striden meningslös och dum. Med omkring femtio man försökte kungen likafullt försvara sitt befästa hus, vilket kostade åtskilliga människor livet innan turkarna slutligen satte eld på byggnaden och övermannade kungen. Han fördes fången till en våning där en supé dukades fram och en säng stod bäddad, men han föredrog att somna på en soffa med stövlarna och sporrarna på. Han verkade glad och mycket nöjd med sin dag, berättar den holsteinske diplomaten Fabrice som besökte honom nästa morgon och vars depescher är den viktigaste och roligaste källan till kunskap om kalabaliken i Bender.

Politiskt hade kalabaliken den effekten att tsar Peter blev definitivt övertygad om att någon svensk-turkisk samverkan inte var att befara; han kunde därför ställa hela sin krigsmakt till sina danska och polska bundsförvanters förfogande mot Stenbocks armé i Tönningen, där den måste kapitulera i maj. Karl XII å sin sida internerades av turkarna i Demotika, som är en liten stad i det nuvarande Grekland, och därifrån flyttades han över sommaren till det turkiska lustslottet Timurtasch några mil norrut. Han låg till sängs mest hela tiden; i några veckor var han verkligen sjuk, men även därefter förblev han liggande ovanpå sin säng dag och natt, oföränderligen klädd i sin vanliga kostym ehuru utan stövlar.

De hemmavarande

Hösten 1714 var Karl XII omsider mogen att ge sig hem, sedan han fått klart för sig att hans enväldsmakt i Sverige kanhända stod på spel. Hans långa frånvaro hade naturligtvis tvingat de hemmavarande att träffa vissa mått och steg. Av de kungliga råden var bara halva antalet kvar i Sverige, men ett par av dem, Fabian Wrede och Arvid Horn, var kloka och självständiga män, och våren 1710 när riket var hotat till hela sin existens tog de sig för att sammankalla ett utskottsmöte i Stockholm, vilket var mycket djärvare än det låter; ständerna hade nämligen inte varit samlade en enda gång under Karl XII:s tid bortsett från kröningsriksdagen 1697.

Utskottsmötet, som bestod av trehundra valda medlemmar av alla stånd, ombads att söka skaffa medel till de mest överhängande behoven men hade föga att föreslå; man hittade endast på att det borde läggas skatt på peruker, täckvagnar och karrioler, att kronans juveler borde säljas och att man borde försöka realisera de troféer som kungen hade skickat hem. Då det var uppenbart att detta inte skulle förslå någon vart upplöstes ständermötet snart, helst som dess medlemmar visade en för rådet riskabel benägenhet att klaga på överheten. Kort därpå kom det brev från kungen med befallning att Stenbocks här skulle utrustas för att skickas till Polen, vilket gjorde det ekonomiska problemet alldeles olösligt. Den åldrige Fabian Wrede yttrade i rådet att när man såg att den begärda truppsändningen skulle bli till olycka för fäderneslandet var det ens plikt att inte lyda, men i längden kunde han inte hindra att kungen fick sin vilja fram, och han slapp för övrigt uppleva den katastrof han förutsåg, ty han gick ur tiden år 1712.

Vid den tiden hade konungen utfärdat ett kategoriskt förbud för rådet att hädanefter sammankalla någon riksdag, men 1713 utlystes en sådan inte desto mindre, och samtidigt beslöt rådet att prinsessan Ulrika Eleonora i sin kunglige broders frånvaro skulle inträda i styrelsen; hon skulle ha två röster i rådet och underteckna dess beslut. Prinsessan gick med på detta och tog högtidligen sitt inträde i rådet, och strax därpå sammanträdde riksdagen som omedelbart beslöt skicka bud till kungen och be honom komma hem och sluta fred. Som sändebud avfärdades generalmajoren Hans Henrik von Liewen. Konungen som hade fått rapport om riksdagsinkallelsen hade emellertid redan skrivit hem och förbjudit riksdagen; för den händelse ständerna hade hunnit samlas när brevet kom fram skulle de genast åtskiljas. Rådet vågade inte åsidosätta denna order men dröjde något med att låta riksdagen få del av den, och under tiden radikaliserades riksdagen, där det tycktes finnas majoritet för ett förslag av Jesper Swedberg och andra att Ulrika Eleonora i konungens frånvaro skulle förklaras för regent med ensam beslutanderätt, så att man fick ett erkänt statsöverhuvud med vilket rikets fiender kunde föra en fredsförhandling.

När detta revolutionära förslag hade gått igenom i två stånd såg sig rådet tvunget att rycka fram med konungens brev med riksdagsförbudet. Det lästes alltså upp och hade en förvånande effekt. Ständerna skingrades nästan ögonblickligen utan att ha fattat något beslut. Någon formell riksdagsupplösning förekom däremot inte.

Liewen var vid det laget redan på väg till Turkiet med riksdagens underdåniga budskap, vilket trots allt tydligtvis gjorde intryck på kungen. Han beslöt att resa hem. Dessförinnan hann han brevledes utfärda förbud mot Ulrika Eleonoras inträde i rådet, och prinsessan nödgades alltså träda ut igen. I september 1714 bröt han äntligen upp från Demotika, ivrigt hjälpt på väg av sina värdar. Sultanen försåg honom med en ståtlig eskort och lånade honom också pengar till en kunglig beskickning vilken med stor pompa framförde hans officiella tack för visad gästfrihet. I den turkiska gränsstaden Pitesci inväntade han de svenskar som hade tillbragt ett år av nöd och umbäranden i Bender efter kalabaliken; de åtföljdes av fem dussin orientaliska fordringsägare, som på kunglig befallning försågs med häst och reskassa för att följa med till Sverige och hämta full betalning för sina lån. Kungen, som inte gärna kunde färdas genom Europa i detta sällskap, red därpå inkognito genom Ungern, Österrike och Tyskland till Stralsund, en sträcka på inemot trehundra mil som tillryggalades på femton dagar. Stralsund som jämte Wismar var Sveriges sista återstående bastion på andra sidan Östersjön föll i slutet av 1715, sedan kungen och hans följe inklusive de orientaliska fordringsägarna lyckligen hade överskeppats till Skåne, varifrån de sistnämnda under gäll klagan fraktades vidare med sina reverser för att i väntan på pengar inkvarteras och underhållas på kronans bekostnad i det lilla Karlshamn.

Görtz

I Stralsund gjorde Karl XII bekantskap med den holsteinske diplomaten Georg Heinrich von Görtz, som vann hans fulla förtroende och blev hans betrodde rådgivare. Görtz var en fintlig och uppslagsrik man, vilket kunde behövas, ty Sverige hade just kommit i krig även med Preussen och Hannover, vilka nämligen ville ta respektive Stettin och Bremen-Verden i förvar innan någon annan kom och tog dessa försvarslösa svenska besittningar. De nya fienderna var båda fruktansvärda, i all synnerhet Hannover, vars kurfurste nämligen också nyss hade blivit konung av England, som därigenom indirekt inordnades i raden av Karl XII:s motståndare. Till skillnad från konungen, som inte ville höra talas om att avstå någonting av Sveriges område, insåg Görtz att fred inte kunde vinnas utan offer på ena eller andra hållet. Sveriges möjligheter till räddning bestod i att dess fiender inte var eniga, och denna spänning utnyttjades av Görtz med överlägsen skicklighet.

Han utförde också vad ingen annan förmått då han lade fram en finansplan som skulle göra det möjligt för Karl XII att fortsätta kriget på endera fronten. Den var drastisk, hänsynslös och mycket konsekvent. På inkomstsidan av hans budget stod höjda och utvidgade skatter men framför allt lån mot säkerhet i statsobligationer och inteckning i svenska undersåtars fasta egendom; upplåningen sköttes av ett nytt ämbetsverk som kallades Upphandlingsdeputationen. Obligationerna visade sig föga begärliga och användes då som tvångslikvid för leveranser till kronan. Emellertid var behovet stort av betalningsmedel i mindre valörer därjämte, och till den ändan skapades de ryktbara så kallade nödmynten eller mynttecknen av koppar. Ett parti sådana till ett nominellt värde av en miljon riksdaler silvermynt släpptes ut i rörelsen våren 1716, och nya miljoner följde inom kort, ackompanjerade av kungliga ukaser som förständigade folk att växla sina ordinarie kontanter mot obligationer och mynttecken. Maktspråk och straffhot hjälpte inte mot den nödmyntsinflation som uppstod inom kort, men det bör sägas att för de generationer som har upplevt 1900-talets valutakriser är Karl XII:s nödmynt ingenting att förfasa sig över. Det nominella värdet av alla mynttecken som präglades var inte högre än cirka fyrtio miljoner riksdaler, varav femton miljoner för övrigt inlöstes till fulla värdet med tiden medan återstoden under invecklade former växlades in till halva värdet.

Karl XII:s död

Karl XII:s krigiska verksamhet efter återkomsten till hemlandet riktades nästan uteslutande mot Danmark. Vintern 1716 var så kall att isen bar över Öresund, och under årets första dagar gjordes en del förberedelser för en marsch mot Köpenhamn, men redan i mitten av januari bröt isen upp igen. Kungen marscherade då i stället via Västergötland och Värmland mot Norge där han intog Kristiania i mars, men fördelen med detta var inte stor så länge han inte förmådde ta det fasta Akershus. Elden därifrån och norska småförbands verksamhet vållade armén rätt ansenliga förluster, och i april när det hade kommit en dansk eskader till Norge såg sig kungen nödsakad att dra sig tillbaka. Under många faror och besvärligheter tog han sig ner till Svinesund, där armén sedan tillbragte ett par månader av svält och umbäranden. Vid midsommartiden gjorde han en mulen natt ett försök att överrumpla Fredrikstens fästning vilket misslyckades; han tog bara staden Fredrikshald. Några dagar senare erfor han att den norske sjöofficeren Peder Wessel Tordenskiold hade trängt in i Dynekilen norr om Strömstad med sju danska skepp och förstört en svensk flottilj på över tjugo fartyg, varav han släpade iväg med fjorton som var lastade med ammunition, belägringsmateriel och andra förnödenheter. Misslyckandet i Norge var därmed definitivt, och Karl XII utrymde omedelbart landet medan Fredrikstens fästning sköt glädjesalut. Själv red han till Hjo och for därifrån med en öppen roddbåt i hårt väder tvärsöver Vättern till Hästholmen, onekligen en stor bravad av en person som inte kunde simma. Hans ärende var att träffa sin syster Ulrika Eleonora som han inte hade sett på sjutton år; de tillbragte nu en dag tillsammans på Vadstena slott. Klockan tio på kvällen steg han till häst och red raka vägen till Lund, där han tog sitt högkvarter för ett par år framåt.

På eftersommaren 1716 kom tsar Peter till Köpenhamn med sextusen man ombord på en rysk flotta, ytterligare aderton tusen man ryska trupper transporterades från Mecklenburg till Själland på danska skepp, och till Öresund kom också en engelsk eskader. Meningen var utan tvivel att en allierad ockupationsarmé skulle landsättas i Skåne, men därav blev ingenting, ty de allierade var oense om det mesta. Mellan tsar Peter och den hannoveranske Georg I av England fanns ett personligt hat som följde dem livet ut, och den danske Frederik IV betraktade med ängslan den ryske självhärskaren som kom med så stort följe till hans huvudstad. Olusten i umgänget mellan potentaterna blev allt kompaktare, och när den septemberdag kom då den stora landsättningen skulle äga rum förklarade tsaren oväntat att det nu vore för sent på året, varefter han drog hem med alla de sina. Misstämningen höll sedan i sig, och hela det följande året blev därför ett lugnt år i det av fiender omringade Sverige.

Den politiska aktiviteten i det fördolda var så mycket större. Den hannoveranske kurfursten satt inte säker på sin engelska tron; en prins av huset Stuart pretenderade därpå och hade många anhängare i England, och genom Karl Gyllenborg som var svensk minister i London lät man dessa förstå att Sveriges väpnade hjälp till en stuartsk restauration kunde påräknas mot lämpligt vederlag. Ett par hundratusen riksdaler utbetalades då, och i Göteborg utrustades en expedition för landstigning i England, men olyckligtvis fick engelska regeringen i förtid nys om allt detta och lät arrestera Gyllenborg, varefter holländska regeringen på kung Georgs begäran tog sig för att arrestera själve Görtz, som för ögonblicket befann sig i Holland i finansiella ärenden. De båda diplomaterna hölls insparrade något halvår, och när de frigavs genom fransk mellankomst var det redan sent på sommaren 1717.

Även tsar Peter var då i Holland, och en natt träffades han och Görtz och kom överens om separata fredsförhandlingar. Sådana kom i gång på Åland våren 1718 och var inte okända för västmakterna, vilket gjorde att engelska regeringen lät förmå sig att även skicka en fredsunderhandlare till Karl XII. Av allt att döma skötte Görtz med stor skicklighet detta djärva spel, och förhandlingarna med ryssarna kom i själva verket mycket långt. Tsaren lät meddela att han under inga förhållanden var villig att avstå från sina erövringar söder om Finska viken, men Sverige kunde räkna på ersättning för de baltiska provinserna på annat håll, dels genom en förskjutning av den finsk-ryska gränsen österut, dels och framför allt genom att erövra Norge från danskarna, vartill tsaren var beredd att lämna hjälp. Han var också redo att upplösa sitt förbund med August den starke och erkänna Stanislaw Leczinsky som kung av Polen. I en skrivelse till Görtz under sommaren förkastade Karl XII det där och vägrade att ens tillfälligt avstå från de förlorade baltiska provinserna, men förhandlingarna fortsatte i alla fall månad efter månad.

I november 1718 lämnade Görtz Åland och begav sig till konungens högkvarter för att lämna rapport. Högkvarteret låg då i Tistedalen i Norge, och han hade hunnit till Tanums prästgård i norra Bohuslän när han blev arresterad av två officerare som i konungens namn hade utskickats av prins Fredrik av Hessen, prinsessan Ulrika Eleonoras man. "Nu är konung Karl död!" utbrast då Görtz på tyska enligt Fryxell, vilken som alltid har berättat mycket spännande om uppträdet; och Heidenstam som har broderat vidare på berättelsen i en novell i Karolinerna har gett eftertryck åt den apokryfiska repliken genom att dessutom låta Görtz aningsfullt utropa: "Död är de svenskes konung!"

Karl XII:s sista fälttåg riktades alltså mot väster. Med femtontusen man hade han gått över Svinesund samtidigt som sextusen man under den finländske general Carl Gustaf Armfelt gick över den jämtländska fjällryggen ner mot Trondheim. Konungen satte strax igång med att belägra gränsfästningen vid Fredrikshald. Söndagen den 30 november efter aftongudstjänsten begav han sig ut för att inspektera arbetet på en ny löpgrav, och medan han låg på kanten av den gamla löpgraven och tittade på soldaterna som grävde i kulregnet träffades han av en projektil i tinningen och dog ögonblickligen. Avståndet från honom till den norska fästningen var, säger Grimberg påhittigt, ungefär som mellan Karl XII:s och Karl XIII:s statyer i Kungsträdgården; han var alltså utan tvekan inom skotthåll för fienden.

Inte desto mindre gissades det genast att det kunde vara fråga om lönnmord från de egna linjerna. Frågan har debatterats med mycken iver och lidelse i snart ett kvarts årtusende utan att någon klarhet vunnits, detta trots att konungens genomskjutna huvud har besiktigats åtskilliga gånger. I och för sig ligger misstankarna om mord nära tillhands, och bl.a. Lauritz Weibull har gjort gällande att skottet var det hessiska partiets svar på Görtz' och kungens planer på fred och förbund med tsaren. Intendenten Albert Sandklev har rentav sagt sig kunna visa upp lönnmördarens kula på sitt museum i Varberg; den utgjordes av en av kungens egna mässingsknappar, vilken med folktraditionens hjälp kunnat identifieras och tas till vara ur ett halländskt lass grus. Andra forskare har emellertid avvisat inte blott kulknappen utan hela mordteorien, och gåtan kring Karl XII:s död får väl alltså sägas vara olöst.

Den stora skuggan

Litteraturen om Karl XII och hans medhjälpare är utan gräns. En rad karolinska krigares dagböcker finns tryckta i tolv volymer, brevväxlingen mellan kungen och rådet fyller femton, Svenska generalstaben har gett ut ett massivt verk om hans bragder på slagfältet, utländska samlingar av akter och ministerrapporter lär innehålla mycket om hans krig och politik, och den mer än halvsekellånga serien av Karolinska förbundets årsböcker handlar nästan uteslutande om hans dagar. Specialarbetena på området är dessutom otaliga, och även i skönlitteraturen var Karl XII länge en flitigt anlitad figur; det finns tyska, franska, engelska, polska och förmodligen ryska romaner och dramer om honom förutom alla de svenska berättelser och dikter där han är hjälten. Icke ens forskarna av facket kan gärna vara helt hemmastadda i allt detta; men de stora dragen i Karl XII-uppfattningens historia har några gånger kartlagts, först av Fryxell i några polemiska kapitel, senast av Karl-Gustaf Hildebrand i ett par lidelsefria artiklar. Ämnet är lärorikt och fascinerande, ty Karl XII har väckt eftervärldens beundran eller avsky på ett mycket allvarsammare sätt än andra hänsovna konungar av Sverige. Han har spelat en viktig politisk roll ännu i vårt århundrade, hans namn var en appell för de konservativa kretsarna kring det kungliga borggårdstalet år 1914, i Lund firade nationalistiska studenter i det längsta hans minne med fackeltåg och krigiska ord, och mellan de båda världskrigen gick hela svenska armén alltjämt klädd i trekantig hatt till hans bussars åminnelse. Karl XII och karolinerna har varit för senare generationer vad kung Berik och de yverborne göter var för hans egen tid.

Den förste författare som på allvar intresserade sig för Karl XII var ingen mindre än Voltaire, vars fransyska bok om den svenske krigarkungen är medryckande lektyr än i dag. Den börjar med ett litet sammandrag av Sveriges historia från äldsta tider, och Voltaire nämner utan invändning att goterna sägs ha kommit härifrån och omtalar både Gustaf Vasas äventyr i Dalarna och Gustaf Adolfs lutherska trosnit med all respekt. Karl XII, säger han, förenade i sin person alla sina förfäders stora egenskaper. Han övergår därefter till att berätta om tsar Peter av Ryssland, hans brutalitet, hans genialitet och hans oerhörda målmedvetenhet, som fick honom att ta semester från sin höga ställning för att ta tjänst som timmerman i Amsterdam och lära sig skeppsbyggnad. Den skildring av Karl XII:s liv och gärningar som sedan följer fyller trehundra normala boksidor och verkar förvånande initierad, vilket kan bero på att svenska historieskrivare en gång i tiden har följt Voltaire i spåren och inte tvärtom. Från Voltaire kommer uppslaget till Tegnérs *en mot tio ställdes;* "tvivlar ni på", låter Voltaire sin hjälte säga före slaget vid Narva, "att jag med mina åtta tusen tappra svenskar kan få övertaget över åttiotusen ryssar!" Voltaire är den förste som har sagt att främsta orsaken till nederlaget vid Poltava var segern vid Narva; kungen hade lärt sig ringakta ryssarna där. Från honom härrör anekdoten om bomben i Stralsund; en dag när kungen dikterade ett brev för en sekreterare fick huset en fullträff så att en av väggarna i rummet försvann. Sekreteraren tappade pennan i förskräckelsen, varvid kungen utbrast: "Vad nu, varför skriver ni inte?" – "Sire – bomben", stammade sekreteraren men tillrättavisades barskt: "Vad har bomben med brevet att göra? Fortsätt!" Det är vidare Voltaire som först av alla har låtit tsar Peter utbringa en skål för sina svenska lärare i krigets konst vid sin segerbankett i Moskva, och från honom härrör också det enda yttrande av Karl XII som verkligen har blivit bevingat: ce sera la dorénavant ma musique – detta skall hädanefter vara min musik. Repliken gällde som bekant visslet av de kulor som susade kring kungens öron vid landstigningen på Själland, där en generalmajor på hans ena sida fick en av dem i axeln och en löjtnant på hans andra sida föll död ned.

Ett nyktrare utländskt porträtt av Karl XII tecknades någon mansålder senare av en tysk, som knappast har hedrats hos oss så som han förtjänar. Han hette Friedrich Rühs och slutade sina dagar som historieprofessor i Berlin i början av 1820-talet, men han var född i svenska Pommern och behärskade tydligen svenska nästan som sitt modersmål, och medan Napoleonskrigen rasade som värst skrev han Sveriges historia i fem delar från äldsta tider till Karl XII:s död; ingen före honom hade fört en sammanhängande svensk rikshistoria så långt framåt i tiden. Den kom tidigt ut på svenska i Strinnholms översättning och har säkert haft stor betydelse för svensk historieskrivning under 1800-talet. Rühs tyckte inte om Karl XII och är säker på att han nog blev mördad vid Fredrikshald av sina egna, men hans bild av den krigiske monarken är på sitt sätt ståtlig ändå. "Högst enkel var hans drägt: en öfverrock af blott kläde med små uppslag och förgyllda knappar af messing; kyllerfärgade underkläder med samma slags knappar; en svart halsduk; mycket stora handskar af hjortskinn med uppslag af elgshud; vid en enkel gördel af hjortläder hängde ett väldigt svärd, och stora jernsporrar slamrade på de ofantliga stöflorna. Alla små prydnader och alla lifvets beqvämligheter voro för honom likgiltiga; blev skjortan ändtligen för svart, så måste en af hans officerare gifva honom en ny, och han kastade den gamla på elden; då han på sitt sista fälttåg reste genom Carlstad, förskräcktes fru Superintendentskan öfver det svarta linnet; i största skyndsamhet gjorde hon anstalt att få sydda ett doussin skjortor af det aldra finaste lärft och lade dem snyggt inpackade i släden; då Konungen skulle stiga i, blef han knappt varse packen förrän han kastade den ut med orden: jag tål icke något bagage! Han trotsade alla väderlekens obehagligheter: mitt i vintern sof han i ett tält, som uppvärmdes med glödande kulor; och då på samma resa gästgifverskan, som kände igen honom, lade en kudde i släden, kastade han den bort och lät i stället ditlägga halm. Han åt hvad som fanns; feta och starka rätter, också grönsaker och frugt, utgjorde hans hufvudspis; han tyckte äfven om syltsaker, t.ex. pomeransskal; imellertid berömde han aldrig kockens konst, och när intet annat fanns höll han till godo korn- och hafrebröd; han åt mycket fort, stundom öfver måttan mycket. Vin drack han aldrig i kraft af ett löfte som han gjort: han hade i de första åren af sin regering öfverlastat sig i sällskap med Hertigen af Holstein och blifvit af denne öfvertalad att rida ut naken midt på ljusa dagen. Dricka eller vatten, hvilket sistnämnda han drack ur jernbägare, utgjorde hans dryck. Klockan 9 på aftonen gick han till sängs, klockan 2 på morgonen steg han åter munter upp. Genom sitt exempel ville han uppmuntra sina soldater att fördraga mödor och strapatser. Hans efviga fälttåg hindrade honom från allt umgänge med fruntimmer. Af naturen var han långsam; han skulle hafva kunnat uträtta långt mer, om han icke ofta uppehållit sig på de erbarmligaste orter. Den egensinnighet man så ofta förebrår honom var egentligen blott ett ståndaktigt framhärdande vid den enkla sanningen: gör rätt och sky ingen. Det felades honom icke skarpsinnighet; under sitt vistande i Lund deltog han ofta i de lärda sysselsättningarna och förrådde icke ringa insikter i många saker. Att läsa och skrifva var honom obehagligt; dock undertecknade han ingenting som han icke förut hade genomläst. Hans bref äro korta, bestämda, men till formen högst vårdslösade. Det hände honom äfven att han slog ut bläckhornet öfver dem. När han hade penningar, gaf han ut dem med fulla händer, och ingenting var lättare än att uppgöra en räkning med honom. Dagligen läste han i bibeln, afhörde flitigt predikan, på böndagar åt han icke en enda matbit före kl. 6 på aftonen. Han tålde icke att några säkerhetsmått togos för hans enskilda räkning; skansar ansåg han för ett bevis på fruktan; alldeles med afsigt utsatte han sig ofta för den häftigaste elden. Sår, skador som satte hans följeslagare i förskräckelse, förringade han på allt sätt. Till en viss grad var han äfven en god fältherre; att kriga är en lätt konst, det visa alla tider, ty när har man saknat stora härförare? – Däremot fattade honom all gåfva för omfattande beräkningar. I hans natur ligger någonting högt, som anslår menniskans hjerta. Det tragiska i hans öde, emedan hela hans lefnad blott är ett försvar mot våldet som han rastlöst bjuder pannan utan att vackla och utan att digna, försonar med honom äfven dem som ogilla det felaktiga i hans mått och steg. Han var ingen Konung för sin tid, som redan fordrade list och smidighet; men han var en man, en hjelte."

För Rühs likaväl som för Voltaire var Karl XII sålunda en heroisk figur som slogs för rätten och äran allena; någon slug beräkning, några vettiga politiska syften fanns inte bakom hans krigande, som förde hans land till förintelsens gräns. Den synen på konungen har satt djupa litterära spår i Sverige. Rühs sista ord härovan ekar i Geijers minnessång om Karl XII, dikten som börjar med den vackra raden Viken, tidens flyktiga minnen; hjälten karakteriseras där såsom alltför stor för den nykloka tiden. Voltaires pojkboksgestalt å andra sidan finns tämligen oförändrad att bese i Tegnérs dikt om Kung Karl, den unge hjälte. Än viktigare torde dock vara att ett någorlunda likartat porträtt på prosa mötte några generationer av svensk läroverksungdom i Odhners historia, där Karl XII likaledes framstår såsom den rättskaffens idealisten utan vilja eller förmåga att befatta sig med politikens rävspel. Odhner talar om konungens hjältemod och nordiska kämpakraft, ståndaktighet in i döden, sanningskärlek, sedliga renhet och oskrymtade gudsfruktan, ehuru visserligen också om hans halsstarrighet som sägs vara en följd av hans envåldsmakt, hans vana vid sagolika framgångar och hans rättskänsla som ej skydde några offer.

Intressant nog bibragtes folkskolebarnen samtidigt helt andra tankar om Karl XII. I första upplagan av Folkskolans läsebok representeras denne visserligen blott av Tegnérs dikt och av en bataljmålning från slaget vid Narva, men i upplagorna från 1800-talets sista decennier skildras han uttryckligen som ett varnande exempel på en enväldig konung som envist och övermodigt missbrukade sin makt. Det porträttet var tecknat av Ernst Carlson, som var son till Fredrik Ferdinand och fullföljare av dennes stora verk om konungarna av det pfalziska huset. De båda Carlsönerna hade sålunda inga höga tankar om Karl XII och stod i sak inte så fjärran från den uppfattning som vid samma tid framfördes med långt större buller och bång av Anders Fryxell, den djupt moraliske själasörjaren och historieberättaren, vars tankar i ämnet övertogs helt och hållet av August Strindberg och ligger till grund också för Heidenstams noveller i Karolinerna. Fryxells uppfattning av Karl XII är rätt komplicerad, som Karl-Gustaf Hildebrand har visat. Han beundrade många av kungens egenskaper: hans mod, hans asketism, hans gudsfruktan, hans nykterhet. Han polemiserar också mot den store Montesquieu som tydligen i likhet med Voltaire har skrivit något om Karl XII: "Han var ingen Alexander, men han skulle ha varit Alexanders bäste soldat." Detta är inte rättvist, säger Fryxell; Karl XII vann dock stora segrar och var alltså knappast någon dålig general. Hans största fel var tvärtom hans lystnad efter krigisk ära, som vållade hans folk outsägligt lidande och samtidigt var meningslös, ty det svenska stormaktsväldet var i alla fall dömt att falla sönder med tiden. Vad som upprörde Fryxell var i själva verket mindre den historiske Karl XII än tyngden av hans minne, och han är framför allt mycket förbittrad på Voltaires skildring och på vad han kallar krigareafguderiet. "Icke blott i svenska folkets öden, utan ock i dess lynne har den jättehöga minnesgestalten efterlemnat djupa spår", utbrister han och förklarar sig strax närmare: beundran för Karl XII har lärt folk att värdera fredens arbete mindre än krigets glans, sparsamheten mindre än slöseriet och den kloke företagaren mindre än den misslyckade jägaren.

I all sin naivitet var Fryxell mycket klarsynt: i hans dagar och även senare spelade Karl XII otvivelaktigt en roll för opinionsbildningen i Sverige, om inte för livsföringen så åtminstone för de politiska tänkesätten. Trollkraften av hans namn torde nu vara mindre, och år 1963 vid Karolinska förbundets årsmöte kunde ordföranden professor Sven Grauers meddela att hovstatsräkenskaperna från första krigsåret ger anledning till viss omvärdering av konungens liv och leverne. Hans dagliga frukost brukade bestå av får- eller lammstek, kyckling samt vinsoppa med vispade äggulor, vartill dracks en halv kanna vin jämte en kanna öl. Vid sin kungliga taffel serverades han såväl middag som kväll sju kraftiga rätter förutom ett antal assietter med ostron, nejonögon, ål, rökt lax, kräftor, hummer, oliver, holländsk ost, citroner, valnötter, konfekt och bakverk. Därefter drack han till natten en kvarts kanna rhenvin och en kanna öl.

Det skulle Fryxell ha vetat.

Drottning Ulrika Eleonora

Karl XII:s död följdes omedelbart av statsvälvning i Sverige. Tronföljdsfrågan var oklar, och man hade två högheter att välja på: å ena sidan den döde konungens syster Ulrika Eleonora, sedan ett par år gift med arvprinsen Fredrik av Hessen, å andra sidan hennes adertonårige systerson Karl Fredrik av Holstein, som i karolinsk uniform hade följt sin beundrade morbror i det norska kriget och som naturligtvis hade varit Görtz' kandidat.

Fredrik av Hessen som också befann sig vid armén när Karl XII stupade handlade raskast. Samtidigt som han lät arrestera Görtz skickade han generaladjutanten Sicre – misstänkt av eftervärlden såsom kungens mördare – i sporrsträck till Stockholm med bud till sin gemål och till överståthållare Gustaf Adam Taube som militärt behärskade huvudstaden. Ulrika Eleonora lät omedelbart tillkalla de få rådsherrar som fanns till hands och drev igenom att dessa redan nästa dag motvilligt hyllade henne som drottning och tillerkände hennes gemål titeln Kunglig Höghet. De beslöt också enhälligt att låta häkta alla Görtz' holsteinska medhjälpare, vilket ofördröjligen verkställdes av den energiske överståthållaren.

Den nyvordne Hans Kunglig Höghet var under tiden oförtrutet verksam på sitt håll. Såsom generalissimus lät han omedelbart avbryta det norska fälttåget, och medan hären i halvt upplösningstillstånd marscherade tillbaka över riksgränsen i vintervädret och lämnade sina sjuka och sina döda kvar efter vägen, sökte han ivrigt få armébefälet att erkänna hans gemål som drottning av Sverige. Det gick inte så lätt, ty den holsteinske hertigen hade många anhängare, och framför allt var officerarna inställda på att få slut på enväldet, säger Walfrid Holst, som har skrivit ett par eleganta biografier över Ulrika Eleonora och hennes man. Först framemot jul, då en general kom till Uddevalla med Ulrika Eleonoras försäkran att hon aldrig ville tänka på någon annan suveränitet än den som bestode i att råda över undersåtarnas hjärtan, bekvämade sig officerskårens majoritet till att erkänna henne som drottning, men någon trohetsed undvek man tills vidare att avlägga.

Definitivt avgjordes regeringsfrågan först ett stycke in på det nya året och då inte alls så som Ulrika Eleonora hade tänkt sig. Ständerna samlades i Stockholm i januari, men riksdagen utblåstes inte på sedvanligt sätt omedelbart, utan riksdagsmännen sysselsattes bara med att låta anteckna sina namn och annat sådant under det att de på olika sätt bearbetades att underkänna Ulrika Eleonoras arvsrätt. Häpen och förfärad skyndade drottningen att sammankalla rådet, som under mellantiden hade hunnit kompletteras med en rad nya ledamöter, och anhöll att herrarna ville säga rent ut vad det var frågan om. Kanslipresidenten Arvid Horn tog då till orda och sade att ingen redelig svensk torde finnas och ingen så vanartig att vederbörande ville ha någon annan än Ulrika Eleonora till sin överhet. Sverige måste förbli en monarki och ett arvrike. Emellertid kunde man fråga sig på vilket sätt det för Ulrika Eleonora personligen vore bäst att bestiga dess tron. Tre vägar funnes att nå kronan, nämligen genom vapenmakt, genom arv eller genom val. Det första sättet torde med Guds hjälp vara uteslutet. Vad det andra beträffar hade drottningen genom sitt giftermål lagligen förlorat sin arvsrätt, helst som hennes gemål bekände sig till den reformerta läran. Den tredje möjligheten däremot fanns kvar, "nämbl. att genom ständernas val gå till tronen, och är den vägen så mycket glorieusare för Eders Maj:t själv, som man då begynner att räkna med epoque ifrån den tiden, att Eders Maj:t för sin höga Person, Kongl. dygder och gåvor samt Ers Maj:ts betygade omsorg för fäderneslandets bästa och jämväl i anseende till sina förfäders stora förtjänster är valder till drottning, och så begynner arvsrätten ifrån Eders Maj:t och går på Eders Maj:ts bröstarvingar".

Ulrika Eleonora, för vilken hennes av Gud och naturen givna arvsrätt hade varit den stora tillgången i livet, stod rätt handfallen inför detta tal. Rådet stod praktiskt taget enhälligt bakom Horn och hade i sin tur ständerna bakom sig, och hon såg sig snart nödsakad att ge vika, ty i denna sak hade hon inte ens i sin gemål något egentligt stöd, säger Walfrid Holst: "För hans innersta önskan, att vid lämpligt tillfälle själv få komma på den svenska tronen, var onekligen alltför starkt uttalade arvsanspråk ett ömtåligt kapitel." Ulrika Eleonoras officiella upphöjelse försiggick alltså i enlighet med rådets vilja. Först fastslogs att den nu sammankallade riksdagen borde anses som en fortsättning på den oavslutade riksdagen 1713: på det viset slapp man låta drottningen hålla trontal innan riksdagen hade erbjudit henne kronan på lämpliga villkor. Hon fick underteckna ett brev till Samtelige Sveriges Rikes Ständer där hon förklarade att det tillkom dessa att förordna om Kongel. Tronens besättjande eftersom det inte fanns någon arvsrätt vare sig för henne eller för någon annan, och i brevet stod också att hon hade en osmak för den så kallade Souverainiteten eller det oinskränkta Konungslige enväldet och hoppades att det aldrig i evighet skulle införas i Sverige igen. Därpå utkorades hon högtidligen till drottning av ständerna, och någon månad senare satte hon sitt namn under den nya regeringsform som rådet och riksdagen nu hade hunnit få färdig. Först därefter ägde det formella öppnandet rum av 1719 års riksdag.

Några veckor senare kröntes drottningen med all pompa i Uppsala domkyrka, vilket hon obönhörligt hade insisterat på; ceremonien hade tydligen en djup, allvarlig innebörd för hennes religiösa sinne. Det var sista gången Uppsala fick äran att vara skådeplats för en dylik kunglig tilldragelse, och staden var i själva verket sämre rustad för sådant än någonsin förr eller senare, ty slottet låg i ruiner och domkyrkan var endast nödtorftigt reparerad efter branden som hade lagt nästan hela staden i aska i Olaus Rudbecks sista levnadsår. Helstekt kröningsoxe med förgyllda horn och klövar serverades dock folket i det fria; den var späckad med rapphöns, harar och andra goda djur och sköljdes ner med sex fat vin. I domkyrkan utfördes musik med hundra violiner och tjugo valthorn som delade på två körer dirigerades av kammarherre Anders von Düben, och när drottningen blivit smord av ärkebiskopen med den invigda oljan och fått alla regalierna högtidligen överlämnade framträdde en härold och utropade: "Nu är Drottning Ulrica Eleonora krönter Konung över Svea och Göta landom och dess underliggande provincier, och ingen annan."

Denna formulering, som för moderna öron kan låta som en lapsus, var efter moget övervägande fastställd av rådet, som nyss tillbakavisat ett första försök av drottningen att göra sin högt älskade gemål till sin medregent.

Det nya statsskicket

Samma dag som drottningen undertecknade den nya regeringsformen avrättades i Stockholm baron Görtz, och hans kropp begrovs skymfligen av bödeln på galgbacken. Rättegången hade varit jäktande och långt ifrån korrekt; han tilläts inte att anlita advokat eller att avge svaromål skriftligen, och den tid han fick på sig för sitt försvar var otillständigt kort. Dödsdomen över Görtz, som sades på ett vederstyggligt sätt ha sökt misskreditera Sveriges invånare hos deras överhet samt ha bragt fördärvliga förslag å bane, var ett uppenbart justitiemord som väckte stort uppseende utomlands, där bland andra Robinson Crusoes författare, den flitige engelske journalisten Daniel Defoe, skrev en broschyr om den dömde. Däremot väckte domen ingen som helst opposition i Sverige, där drottningen, rådet och ständerna stod alldeles eniga i sitt hat till den nyss så mäktige holsteinaren.

De var mindre överens beträffande andra ting. Upphandlingsdeputationen avskaffades naturligtvis enhälligt, men frågan om nödmyntet väckte genast split, då de tre högre stånden mot böndernas vilja beslöt devalvera mynttecknen med halva värdet. Bönderna som inte fick vara med i utskotten saknade i själva verket nästan allt inflytande vid denna riksdag. De lade öppet sitt missnöje i dagen, och detsamma gjorde präster och borgare när drottningen vid samma tid lät förmå sig att utfärda nya privilegier för ridderskapet och adeln. Men inte heller på Riddarhuset rådde sämja, ty innan man började arbetet där på den nya regeringsformen utbröt ett stort larm angående klassindelningen, som majoriteten ville avskaffa sedan reduktionen numera hade utjämnat skillnaderna i makt och glans mellan högadelns tvåhundra ätter och tredje klassens femtonhundra. De sistnämnda drev också sin vilja igenom och klassindelningen blev upphävd, vilket gav det nya statsskicket en mindre aristokratisk prägel än dess upphovsmän egentligen hade tänkt sig. Man fick, säger den konungslige Geijer med grov överdrift, "den sämsta af alla demokratier, som med det forna fåväldets anspråk förenade mångväldets oro, ostadighet och afund".

1719 års regeringsform fastslår i kruserliga ordalag att makten skall vara delad mellan konungen, riksrådet och riksdagen. Om den förstnämnde sägs att han inte får vistas utrikes och inte börja anfallskrig utan ständernas samtycke. Beträffande försvarskrig skall han överlägga med rådet, och de kungliga barnens uppfostran skall ledas av personer som tillsätts av ständerna och är ansvariga inför dem. Rådet består av tjugofyra personer och utnämns av konungen på förslag av ständerna, och konungen kan inte regera mot råds råde, ty i själva verket är han blott ordförande i rådet med två röster och utslagsröst. Rådet är emellertid i sin tur beroende av ständerna, vilka sammanträder minst vart tredje år och ensamma äger rätt att stifta lag och pålägga skatter.

Ulrika Eleonora, uppvuxen under det absoluta konungadömet av Guds nåde, stod alltid främmande för andan i detta nya statsskick vars urkunder hon nödtvungen hade undertecknat. Slitningar uppstod därför nästan genast, och en vacker dag avskedade hon plötsligt Arvid Horn, som efter en konflikt i en obetydlig fråga var oförsiktig nog att begära avsked som kanslipresident och därvid blev avlägsnad även som rådsherre. Ett försök från ständernas och hans egen sida att förmå henne att ändra sitt beslut avslog hon utan vidare, och under större delen av år 1719 fick rådet klara sig utan denna erfarna kraft. På nyåret valdes han då i stället till lantmarskalk av ridderskapet och adeln, vilket misshagade drottningen till den grad att hon lade sig till sängs och vägrade släppa in den deputation som kom för att officiellt underrätta henne om saken. Hennes gemål var emellertid klokare och åvägabragte en försoning med Horn, som därvid uppgav sitt motstånd mot hans upphöjelse på tronen och tvärtom av all sin förmåga främjade denna sak, dock inte så som drottningen hade önskat. Hon hade nämligen tänkt sig att få samregera med sin man, men det gick inte alls, utan drottningen såg sig nödsakad att abdikera för att det önskade tronskiftet skulle komma till stånd. Det var ett stort offer, men hon gjorde det för sin kärleks skull, varefter kung Fredrik högtidligen kröntes i Stockholms storkyrka i maj 1720. Han avgav därvid en kungaförsäkran som ytterligare inskränkte kungamakten, ty i en av dess paragrafer förklarar han sig städse benägen att alltid instämma med riksens maktägande ständer. Kort därefter återinträdde Arvid Horn i rådet och blev ånyo kanslipresident.

Östersjöväldets upplösning

En efter en slöts frederna i de militära nederlagens tecken. Bremen och Verden gick till Hannover mot ett vederlag av en miljon riksdaler; en engelsk ambassad kom till Stockholm redan vid midsommar 1719 och avslutade detta. En dryg bit av Pommern inklusive Stettin och öarna Usedom och Wollin togs av Preussen i utbyte mot två miljoner riksdaler, och samma januaridag som detta fredsavtal undertecknades i den svenska huvudstaden tillkom också ett dokument om allians med England, som lovade att stå det slagna Sverige bi med pengar och sjöstridskrafter. Ett halvår senare blev det fred även med Danmark, varvid den svenska tullfriheten i Öresund och en kontant summa på sexhundratusen riksdaler gick till spillo; danskarnas största vinst bestod dock i att den svenska alliansen med hertigdömet Holstein upplöstes för alltid.

Uppgörelsen med engelsmännen innebar slut på lugnet i öster. Fredsförhandlingarna på Åland avbröts ingalunda med Görtz' fall men avsåg nu bara att vinna tid och fördes för övrigt rätt oskickligt. Tsaren kom tidigt underfund med vad som förehades och skickade då hela ryska flottan med landstigningstrupper ombord mot Sveriges kuster, som var i det närmaste försvarslösa. Den första landstigningen ägde rum i mitten av juli 1719 och drabbade Rådmansö i Stockholms skärgård, och därefter härjades nästan hela kusten från Gävlebukten till Slätbaken. Öregrund, Östhammar, Norrtälje, Södertälje, Trosa, Nyköping och Norrköping lades i aska, en mängd slott och gårdar brändes ner och ett tiotal järnbruk förstördes, däribland Forsmark och Leufsta. Stockholm skonades däremot, ty en svensk eskader spärrade stora segelleden dit genom att hela sommaren ligga stilla vid Vaxholm, och en attack av ryska galärer mot Baggenstäket avslogs av svenskt infanteri. Härjningarna fortsatte de båda följande somrarna; 1720 brändes sålunda Umeå och andra orter i Västerbotten, och 1721 härjades hela Norrlandskusten, där Söderhamn, Hudiksvall, Sundsvall, Härnösand, Piteå och det lilla som kunde återstå av Umeå förstördes. En engelsk eskader skyddade under dessa somrar Stockholm genom sin blotta närvaro, men någon aktiv hjälp mot de ryska raiderna lämnade inte engelsmännen.

Freden måste sålunda slutas på tsarens villkor, och dessa var hårda. I augusti 1721 då den undertecknades i det finländska Nystad upphörde det svenska östersjöväldet även formellt att existera. Borta var de baltiska provinserna med öarna Dagö och Ösel och det mesta av finska Karelen med staden Viborg i utbyte mot två miljoner riksdaler. Frågan om tronföljden i Sverige hade gjort freden dyrare än den annars hade behövt bli, ty tsaren hade helst velat se den holsteinske hertigen på kung Fredriks tron. Emellertid garanterade han nu inte blott landets dynasti utan även dess nya statsskick.

Freden i Nystad innehöll vidare en bestämmelse om rätt för Sverige att tullfritt importera spannmål för femtiotusen rubel om året från den forna kornboden Livland. Klausulen lär ha varit viktigare än den kan låta, ty den innebar att landets handelsförbindelser med östersjöprovinserna förblev ungefär oförändrade. Någon nämnvärd inverkan på Sveriges ekonomi fick därför inte Nystadsfreden, försäkrar Eli Heckscher. De inrikes förändringar som de väldiga landförlusterna åstadkom låg mest på det psykologiska planet.

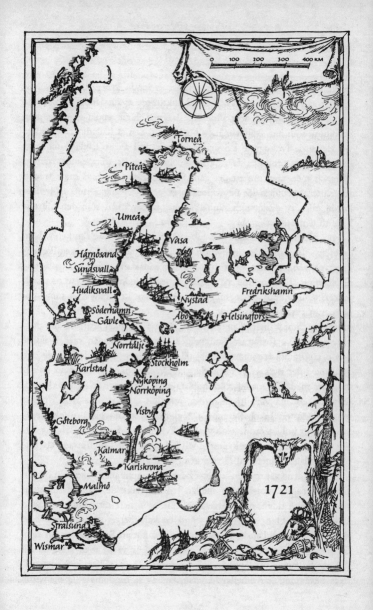

0 100 200 300 400 KM

Torneå

Piteå

Umeå

Vasa

Härnösand
Sundsvall

Hudiksvall   Fredrikshamn

Söderhamn
Gävle   Nystad
                Åbo   Helsingfors

Norrtälje

Karlstad   Stockholm

            Nyköping
            Norrköping

            Visby

Göteborg

    Kalmar

    Karlskrona

Malmö

                        1721

Stralsund
Wismar

Frihetstiden

Inrikespolitiskt lugn rådde i halvtannat årtionde kring kanslipresidenten Arvid Horn, som med obestridd auktoritet styrde landet och ställde det obetydliga kungaparet alldeles i skuggan. Hans epok, säger Ludvig Stavenow som har skrivit många böcker om den så kallade frihetstiden, var en av de lyckligaste i Sveriges historia, full av ny livslust och nytt hopp. Återhämtningen från krigets olyckor gick förvånande snabbt. Man var medveten om att det gamla var förgånget, och så snart freden var sluten orerades det på Riddarhuset om att framstående affärsmän borde adlas, ty därigenom skulle ährones wäg wändas från den Martialiske til den borgerlige håg.

I prästeståndet var man mera rädd för förändringar och nyheter. Fem år efter Nystadsfreden genomdrevs där det ryktbara konventikelplakatet, som vid strängt straff förbjöd alla andaktsövningar utan prästerlig ledning. Det skedde på förekommen anledning, ty en pietistisk rörelse hade vunnit utbredning i landet genom krigsfångarna som kom hem från ryska Sibirien, och den kyrkliga ortodoxiens välde var alltså inte grundmurat mer. Det anfrättes med åren även utifrån, då tidevarvets franska författare fann vägen till en och annan svensk läsare och det religiösa fritänkeriet började vinna insteg bland de bildade och besuttna i det nyss så genomlutherska Sverige, där kyrkan fann anledning att med alla medel söka befästa sina positioner. Konfirmationen, dittills okänd på våra breddgrader, infördes sålunda mot århundradets mitt av prosten Jakob Serenius i Nyköping, en energisk, mycket renlärig, ivrigt politiserande teolog som likväl hade tid att intressera sig livligt även för naturvetenskaperna och för egna medel upprättade ett lektorat i sådana ämnen vid läroverket i Strängnäs.

Frihetstidens naturvetenskapliga hänförelse, som alltså icke från början visste av någon motsättning mellan tro och vetande, hade naturligtvis rötter bakåt i tiden, och själve Karl XII hade haft rätt djupa intressen åt det hållet. Han ville ha till stånd en kalenderreform och tog bort skottdagen i det julianska året 1700 med resultat att Sverige fick sin egen tideräkning, vilket landet stod ut med i tolv år varpå man återgick till det gamla genom att lägga in två skottdagar år 1712. Kungens matematiska begåvning har emellertid vitsordats av så omdömesgilla män som

Kristofer Polhem och Emanuel Swedenborg, som uppvaktade honom i Lund; för dem lade han fram en talteoretisk reformplan som gick ut på att man skulle göra talet 8 eller någon högre potens av talet 2 till bas för siffersystemet i stället för det relativt svårdelbara talet 10. Han hade således, säger Swedenborg, "större förstånd än han lät utvärtes förspörja"; och Polhem har vittnat om hans ogemena gåva att multiplicera i huvudet, vilket visserligen inte nödvändigtvis är något tecken på geni.

Polhem och Swedenborg sändes av konungen att bygga kanal förbi de översta fallen i Göta älv, och resultatet blev den så kallade Karls grav nära Vänersborg. Båda var mogna män redan då; Olaus Rudbecks elev Polhem, som länge hade varit bergsmekaniker och konstmästare vid Falu gruva, var redan betydligt över de femtio, och Swedenborg som förordnats till hans assistent var blott några få år yngre än kungen. Deras samarbete blev inte långvarigt, ehuru förhållandet en tid var mycket personligt; Swedenborg var rentav förlovad med Polhems dotter. Skottet vid Fredrikshald satte punkt för kanalbygget, och någon djupare inre gemenskap fanns väl knappast mellan den begåvade ingenjören som gjorde sinnrika mekaniska uppfinningar och den vetenskapligt skolade tänkaren som slutade som religionsstiftare.

Av och om Swedenborg finns en litteratur som i omfång torde överträffa den om Karl XII. Själv skrev han alltid på latin, men hans inflytande har varit störst i de engelskspråkiga länderna, där det alltjämt finns många församlingar av den apokalyptiska bekännelse han grundade. Hans teologi är säregen och full av biblisk allegori; dess centrala tanke tycks vara att alla människor utan att veta det står i ständig förbindelse med andar i vilkas värld envar har sin plats redan i jordelivet, som nämligen blott är ett slags spegelbild av den sanna verkligheten. Det manliga och det kvinnliga är avbilder av den gudomliga visheten och den gudomliga godheten som ständigt strävar att förenas; kärleken och äktenskapet är därför av evighet. Himlen är fylld av arbetets glädje, i helvetet fortsätter de onda sitt syndande utan fröjd, någon arvsynd existerar inte, någon återlösning i vedertagen mening har därför aldrig behövt äga rum. Det svenska prästerskapet upprördes mycket över sådana villoläror, och spridningen av Swedenborgs skrifter förbjöds naturligtvis. De var mestadels tryckta utomlands, där författaren själv vistades i nära ett kvartssekel; han dog i London i Gustaf III:s första regeringsår några månader innan denne gjorde slut på frihetstiden.

Märkvärdigt nog lär Swedenborg ha tagit djupa intryck av Rudbecks Atlantica; lärda män som studerat saken säger att dess inflytande är märkbart också i de religiösa skrifterna från hans ålderdom. Swedenborg hade dock börjat sin bana med forskningar och spekulationer i ett ämne vars blotta existens ryckte undan grunden för Rudbecks tankegångar när dessa ännu var vetenskapens sista ord i Sverige. Det gällde frågan om vattenminskningen, ett problem som åstadkom mycken oro bland tänkande människor genom hela 1700-talet och måhända inte är slutgiltigt avfört från den vetenskapliga dagordningen än, ehuru numera utan allt samband med Sveriges politiska fornhistoria.

Utgångspunkten var observationer som även Rudbeck hade gjort, nämligen det förhållandet att märken efter ett forntida högre vattenstånd kan påvisas överallt utefter Sveriges och Finlands kuster och även långt inne i landet. Rudbeck tog för givet att de härrörde från den bibliska syndafloden eller möjligen från skapelsen då Gud skilde på vattnet över och under fästet, men 1700-talet visade att vattenlinjen vid kusterna fortfarande sjönk märkbart och räknade så småningom ut att den relativt nyligen måste ha stått så högt att större delen av Sverige legat under vatten i historisk tid. Teorier om vattenminskningens orsak framlades redan i Karl XII:s dagar av Urban Hiärne, som menade att det fanns något hål i havets botten, och av Swedenborg, som ansåg att fenomenet hade att göra med förändringar i jordens rotationshastighet som drev vattnet mot ekvatorn. Verkligt brännande blev frågan emellertid först genom den unge astronomiprofessorn Anders Celsius, som tog upp den på 1740-talet i den nyinrättade Vetenskapsakademien och lade fram en tabell som visade vattenminskningen under tiotusen år; havsytan sjönk enligt honom ungefär en halv tum om året. Celsius fick genast medhåll av den ungefär jämnårige medicinprofessorn Carl Linnæus, mera känd av eftervärlden under namnet Carl von Linné, som visste att kalkbergen är uppbyggda av havets levande organismer och inte hyste någon tvekan om fossilens rätta natur. De båda naturvetenskapsmännens tankar upptogs inom kort av vitterlekaren Olof von Dalin, som 1747 gav ut första delen av sin Svea Rikes Historia, tillkommen på uppdrag av ständerna och sålunda ett officiellt verk på sätt och vis. Han lade vattenminskningsteorien till grund för sin tideräkning och fann då att Gog och Magog med flera måste utmönstras ur svenska kungalängden av brist på plats bakåt i tiden. Sveriges äldsta historia, skriver han inledningsvis, är så överhöljd av mörker att det är *omöjeligt att deruti wägleda sig utan hiälp af Naturkunnigheten.* Denna upplyser dock att hela landet var en skärgård när det fick sin första befolkning, vilket inte var så längesedan – *wid Christi födelses tid stod det wid pass 13 famnar under watn.*

Stort oväsen utbröt i prästeståndet när detta kom på pränt. Vattenminskningsläran, förklarade ståndet, stämde varken *med wårt kiära Fäderneslands ofgamla historia eller med den Gudomliga, som finnes i Den Heliga Skrift.* Försöken att få boken stoppad misslyckades likväl, och Dalins historia blev omedelbart en stor litterär succès som fann vägen till alla herrgårdsbibliotek med tiden. Den har nog verkligen spelat en viss roll för uppluckringen av den bibliska bokstavstron i Sverige, ty den geologiska tidsskalan i dess inledning gick faktiskt inte ihop med den gammaltestamentliga kronologien och skapelseberättelsen i Första Mosebok. I andra avseenden var Dalins historiesyn dock inte alls radikal, och för en sen eftervärld verkar den på det hela taget inte stort klokare än rudbeckianernas, som han förlöjligade i andra sammanhang; bekanta är ju hans rätt roliga kåserier om runstenen på Drottningholm och om Arngrim Bersärks förträffeliga tankar om ett fynd i jorden, båda riktade mot den flitige och säkert mycket allvarlige antikvarien Erik Julius Björner.

Dalins svenska historia berättar till en början om skyter och geter som krigade med den persiske Cyrus och med Alexander den store innan de i sinom tid fann för gott att dra sig norrut under intrycket av romarnas segrar över Mithridates och andra deras bundsförvanter. Små skytiska skaror kom så småningom sjövägen till de svenska öarna och befolkade dessa allteftersom de steg upp ur havet. En vacker dag skickade Thor, en gammal Husfader, sina söner Goder och Nore att dela Skandinavien sinsemellan, vilket skedde. Vid en tidpunkt när den förres ättling Gylfe regerade i Sverige kom det vidare en slug skytisk hövding vid namn Sigge Fridulfsson hit undan de påträngande romarna. Han var en illistig person som med varjehanda konster lyckades skaffa sig gudomligt anseende under det falska namnet Oden, varpå han utträngde Gylfes ätt till förmån för sin son Yngve. Han införde vidare Bränne-Aldren – epoken dessförinnan hade hetat Kummel-Aldren – stiftade lagar efter sitt behag och pålade skatt. Han uppagiterade vidare hela Norden mot romarna och stod i begrepp att dra ut och krossa deras rike när han drabbades av döden. En del av hans götiska undersåtar drog emellertid med tiden ut på en sådan expedition under befäl av en viss By-Erik vars namn har förvanskats till Berik, och senare uttågade även longobarderna från Sverige. Skyter, svear och göter utgjorde tillsammans *ett gammalt Sinrikt Folk* som förstod sig på varjehanda konster och vetenskaper, men deras religion var inget vidare, ty deras första menlösa kunskap hade blivit fördunklad av Sigge Fridulfssons dikter. Beträffande deras liv och leverne får man vidare veta att de hade stora skägg, ringa ståt, förakt för gycklerier, kärlek till könet och stor svaghet för främmande.

Vad den fornnordiska kungalängden anbelangar följer Dalin i stort sett Snorre, men han berättar en del även ur andra källor, exempelvis historien om västgötakonungen Rolf Göthrikson och om Habor och Signill. Ansgarius kom enligt Dalin till Sverige första gången i Ragnar Lodbroks tid; vid hans andra besök satt Björn Järnsida på tronen. För den nya tro vars missionär han var har Dalin ingen sympati; dennes medeltidsskildring är starkt antipapistisk. Han är vidare – fast hallänning – mycket danskfientlig, tycker inte om Kalmarunionen och uppstämmer lovsånger över Gustaf Vasa, vars äventyr i Dalarna han berättar elegant och medryckande för första gången.

Dalin dog ifrån sitt verk när han skulle ta itu med Gustaf II Adolf; han hann sålunda inte heller på långt när fram till Karl XII, än mindre till sin egen föga heroiska tid. Hans åsikter om sistnämnde potentat är

kända ändå och var väl ungefär identiska med Voltaires, i vars litterära
fotspår Dalin även i övrigt trampade. Han har besjungit den krigiske
monarken i annat sammanhang med patetisk appell till nationen: Du
Folk, som liknat Gudar, Du gamla Hjelte-Slägt... Detta – som kanske
bara var en stilövning – skrevs anno 1735 av en ung man som var född
året före slaget vid Poltava och rimligen hade barndomsminnen från
ofärdsåren.

Hattar och mössor

På 1730-talet, säger Stavenow, uppkom den första stora partibildningen
i Sverige. Arvid Horn hade inget organiserat parti att stödja sig på; han
hade från fall till fall samlat majoritet i riksdagen kring sin politik.
Oppositionen växte dock efterhand, och kring några av Horns person-
liga ovänner med riksrådet Karl Gyllenborg i spetsen samlades den
yngre adeln och en del borgerliga element med avancerade idéer om in-
dustrialisering och snabbt ekonomiskt framåtskridande. Den samman-
hållande faktorn var nog revanschkänslan och minnet av stormaktstidens
bedrifter, som nu låg på betryggande avstånd och framstod i romantiskt
skimmer för dem som sluppit uppleva dem. En roll vid det nya partiets
tillkomst spelade franske ministern, en hetlevrad gascognare som hette
Casteja, vilken på sitt lands vägnar var intresserad av en ändring i Horns
försiktiga politik och inte skydde några medel på vägen mot det målet.
Vid 1738 års riksdag kröntes ansträngningarna med framgång; Horn
måste avgå, visserligen under hedersbetygelser, och hans anhängare i
riksrådet dömdes formligen av riksdagens sekreta utskott förlustiga sina
ämbeten. Det finns en minnesramsa som talar om vad de hette, ifall det
kan intressera någon: *Kors så Hårdt Barken sitter på Bielken, sade Bon-*

den till Dufvan. Bonden ifråga var den trofaste rudbeckianen Gustaf Bonde, vars avsättning såtillvida blev till gagn för eftervärlden att han fick tid och anledning att skriva en del läsvärt om samtida ekonomi och politik.

Omvälvningen ledde naturligtvis till att den nya politikens motståndare ävenledes organiserade sig till ett parti, och därmed var de grupperingar tillfinnandes som kännetecknar svensk politik under frihetstiden. Partierna kallas som bekant hattar och mössor av någon anledning; saken brukar förklaras så att oppositionen mot Horn skällde honom och hans försiktiga anhängare för nattmössor som inte såg sin och fäderneslandets chans, men sig själva betecknade de som hattar eftersom hatten vore en vakenhetens och manlighetens symbol. Mössorna, som ville bevara freden och därför redan från början stod i gott förhållande till ryske ministern, företrädde otvivelaktigt åsikterna hos folkets stora, rösträttslösa flertal.

De berövades raskt alla maktpositioner. Till kanslipresident efter Horn utsågs Karl Gyllenborg, och i sekreta utskottet angav de segrande hattarna riktlinjerna för den politik som nu borde föras. Den gick ut på subsidieförbund med Frankrike och krig med Ryssland i allians med Turkiet, och målet var naturligtvis att ta tillbaka de förlorade Östersjöprovinserna. En av utskottets ledamöter vid namn Malcolm Sinclair skickades till Konstantinopel för att förhandla med turkarna, och när han på hemvägen blev överfallen och mördad fick krigspropagandan hemma i Sverige ett oöverträffligt material, ehuru ryska regeringen förnekade all delaktighet i dådet. En ung student som hette Anders Odel gjorde entré i svensk litteraturhistoria med en ryktbar visa om Sinclairs möte med Karl XII i den andra världen, och den spreds förvisso över landet med regeringens goda minne, ty någon tryckfrihet existerade ju inte än.

Hattarnas krig

De utrikespolitiska konjunkturerna för hattarnas krigsföretag var egentligen inte ogynnsamma. Europa befann sig på tröskeln till det österrikiska tronföljdskriget som Ryssland skulle bli inblandat i, och även i Ryssland fanns det en olöst tronföljdsfråga som blev akut inom kort. På hösten 1740 dog kejsarinnan Anna, och svenske ministern i S:t Petersburg tog kontakt med Peter den stores dotter Elisabeth, som var en av pretendenterna på den lediga tronen och antogs villig att betala med lämpliga landavträdelser för eventuell svensk hjälp. Detta kort ansågs mycket starkt. Ehuru det inte blev någonting av med det turkiska förbundet – ryssarna hade skyndat sig att få fred på den fronten under vapenskramlet i Sverige – var man fast besluten att inte försitta sin chans, och i slutet av sommaren 1741 begav sig lantmarskalken och överbefälhavaren Charles Emil Lewenhaupt över till Finland, där den i Livland födde generalmajoren Henrik Magnus von Buddenbrock på sekreta utskottets befallning hade dragit ihop en armé vid gränsen.

Kriget blev som bekant en katastrof. Det började med att en rysk styrka tog fästningen Villmanstrand och besegrade de svenska regementen som skickades till undsättning. I S:t Petersburg lyckades prinsessan Elisabeth göra sig till kejsarinna utan svenskarnas hjälp, vilket ledde till en vapenvila som hon bröt efter några månader när hon kände sig säker i sadeln. Den svenska huvudarmén hade under tiden försvagats betydligt av sjukdom i de usla vinterkvarteren, och den psykiska styrkan var inte heller den bästa. Under loppet av 1742 tog ryssarna utan minsta svårighet hand om hela Finland, där svenskarna uppgav sina sista positioner mot fritt avtåg genom den förnedrande kapitulationen i Helsingfors. Flottan, som ingenting hade uträttat under kriget ehuru den numerärt var betydligt överlägsen den ryska, fraktade hem sex eller sju tusen man till Stockholm, vilket tog nära fyra veckor, men de finska regementena föredrog att avlämna sina fanor och vapen och återvända till sina rotar och boställen i sin ockuperade hembygd, där ryssarna uppträdde mycket milt och generöst mot befolkningen som fick svära trohetsed till kejsarinnan. Även Åland gick snart förlorat, och på svenska sidan beredde man sig i all hast att möta väntade landstigningsförsök och härjningståg.

Regeringen i Stockholm som kände marken vackla under sina fötter kastade omedelbart skulden på generalerna. Ett par dagar före kapitulationen i Helsingfors hemkallades Lewenhaupt och Buddenbrock, arresterades på Roslagsvägen när de mitt i natten anlände till Stocksunds färja och ställdes inför krigsrätt, där rättegången mot dem pågick under hela hösten 1742. Regeringen själv försvarade sig under tiden inför riksdagen genom att tala om annat. Gyllenborg hälsade sålunda ständerna med ett tal som till ansenlig del var en parentation över drottning Ulrika Eleonora som hade dött året förut, barnlös och utan arvingar.

Sverige hade alltså en olöst tronföljdsfråga till råga på allt. Den hade varit på tal någon tid, och den kandidat som hade de största utsikterna tycktes vara den holsteinske hertigen Karl Peter Ulrik, som var sonson till Karl XII:s äldsta syster och alltså av kungliga svenska blodet, som man uttryckte saken i bondeståndet. Han var emellertid också dotterson till Peter den store, och när hans moster Elisabeth blivit kejsarinna av Ryssland kallades han genast dit, vilket snart blev känt i Sverige och framkallade sorg och bestörtning på många håll. I det längsta försökte man dock tro att det bara var fråga om ett tillfälligt besök, och i slutet av 1742 kom de svenska ständerna ö/erens om att välja honom till svensk tronföljare, varpå en son till holsteinske ministern, en tjugotvåårig fänrik som hette Carl Fredrik Pechlin och skulle låta tala om sig med åren, avreste till S:t Petersburg för att underrätta hertigen om detta. Vid det laget hade denne emellertid antagit grekiskkatolska läran och utropats till rysk tronföljare, och därmed var den svenska planen snöpligen ur världen. Man fick se sig om efter en annan kandidat.

Sådana fanns det åtskilliga. En av dem var kronprins Frederik av Danmark, den blivande Frederik V, vars val skulle innebära en personalunion mellan de nordiska rikena. En annan var furstbiskopen av Lübeck, som hette Adolf Fredrik av Holstein-Gottorp och hade varit förmyndare åt Karl Peter Ulrik, vars pappas kusin han var. Han stod väl till boks hos den släktkära kejsarinnan Elisabeth i likhet med sin myndling, och genom lämpliga kanaler lät hon svenskarna förstå att de kunde påräkna fördelaktigare fredsvillkor än annars för det fall att han blev vald. Förslaget väckte till en början allmän förtrytelse i Sverige, men när flottan tvangs till reträtt efter en rysk sjöseger i finska skärgården uppstod något som liknade panik i riksdagskretsarna i Stockholm, och man blev alltmera benägen att göra kejsarinnan till viljes.

Endast bondeståndet var alltjämt helt emot saken och fattade ett formligt beslut att den danske kronprinsen borde väljas. Speciellt i de västra landskapen, där man var missnöjd med de inskränkningar i den norska handeln som var en följd av hattarnas skyddstullar och importförbud, fanns det stora sympatier för en nordisk union även till priset av Finlands förlust. En energisk propaganda för den danske kandidaten bedrevs också i Stockholm, där en fabrikör som hette Hedman höll öppen taffel på källaren Stora Kristoffer vid Järntorget för hugade riksdagsmän och andra inflytelserika personer, och kung Kristian VI lät själv förstå att om ytterligare ett stånd i Sverige anslöt sig till böndernas val och dessa två stånd begärde dansk hjälp, så skulle sådan lämnas med vapenmakt. Även motpartiet stod dock till tjänst med trakteringar och mutor, och det blev snart tydligt att bönderna stod ensamma i sitt beslut.

Ute i landet var oviljan naturligtvis stor mot de män som hade kastat landet ut i kriget. Missnöjet med hattarnas politik gällde för övrigt inte bara detta, ty dyrtiden och importsvårigheterna upprörde också sinnena, och detsamma gällde i hög grad den nyinförda accisen på brännvin, tillkommen för att söka pressa ner spannmålsimporten och ingalunda för nykterhetens skull. Att regeringen kunde hålla sig kvar förklaras enbart av att oppositionen saknade egentlig partiorganisation och var splittrad. Endast på ett håll kom känslorna till allvarligt utbrott, nämligen i Dalarna, där den urgamla landskapsorganisationen alltjämt stod orubbad och där befolkningen var lösare bunden vid jordbruket än allmogen på andra håll. Minnet av fädernas lyckade frihetskrig mot en ond överhet stod också levande där – just vid denna tid färdigställdes sagocykeln om Gustaf Vasas äventyr – och man hade vidare haft missväxt i Dalarna flera år i följd, varför nöden var skriande i landskapet redan i fredstid. Till detta kom nu olyckorna i Finland, där Dalregementet led svåra förluster i slaget vid Villmanstrand och förlorade ännu mera folk genom epidemierna, varpå det blev hembygdens sak att fylla luckorna med nya rekryter.

Oron började redan på våren 1741, då en nyuppsatt kontingent dalkarlar gjorde myteri i Stockholm och vägrade att låta sig överskeppas till Finland såframt inte konungen med kronan och spiran följde med och anförde dem; de tänkte inte slåss för adelsherrarna och hade fått för sig att dessa hade sålt dem åt fransosen. Myteriet kvävdes mycket lätt och bestraffades jämförelsevis milt, men saken glömdes naturligtvis inte i Dalarna. Efter den militära katastrofen steg överallt ett blodtörstigt krav på generalernas bestraffning, och striden i tronföljdsfrågan kom revolutionsstämningen att slå ut i full låga. Dalregementet som var utkommenderat till Västerbottens försvar blev kvarhållet hemma, och i maj 1743 gick budkavle över Dalarna med maning att gå man ur huse och tåga till Stockholm för att hindra herrarna att på rysk befallning göra en tysk biskop till kung av Sverige.

Bondeuppbådet samlades i Falun i början av juni med spikklubbor, spjut, påkar, värjor, bössor och muskedunder; den brokiga beväpningen lär ha gjort ett fantastiskt intryck vid intåget i staden, som skedde med fanor och musik. En viss exercis hade man emellertid hunnit med under ledning av bruksbokhållaren Gustaf Schedin som hade varit furir och nu var överbefälhavare, och ordningen i upprorshären var mönstergill. Leksandsprosten höll fältgudstjänst på torget, och major Wrangel som var chef för Dalregementet och hade tagit böndernas parti höll tal från hästryggen och manade dem att uppföra sig väl. Det gjorde de i stort sett, ehuru det skränades en del av vissa radikala element under uppgörelserna med länsstyrelsen, borgerskapet och Bergslaget.

När man marscherade ut ur staden några dagar senare hade man med sig landshövdingen och en del andra myndighetspersoner. På vägen genom Säter, Hedemora och Sala fick tåget ytterligare förstärkning och försåg sig med vapen och annat ur kronans förråd, och någon dag omedelbart före midsommar anlände dalkarlarna till Stockholms utkanter. Utanför Norrtull dit de kommit via Stäket och Järvaområdet hejdades de av militär. En artilleriavdelning hade gått i ställning på en höjd vid Linvävartorpet, och flera infanteriregementen vaktade Norrtull och Karlbergsgrinden, de enda infarterna till Stockholm från detta håll.

Just den dagen kom det en kurir till Stockholm från Finland med besked om fredspreliminärerna i Åbo, där ryska kejsarinnans ombud hade lovat att större delen av Finland skulle lämnas tillbaka, naturligtvis på villkor att det svenska tronföljarvalet gick efter hennes önskan. Underrättelsen stärkte regeringens ställning och förmådde kung Fredrik att personligen söka förmå upprorshären att vända om hem. Med stor svit red han emot dalkarlarna, som hade stannat vid åsynen av kanonerna vid Linvävartorpet, och begärde att få tala med Schedin, som strax hoppade av hästen och ledsagade konungen utefter hela linjen av skyldrande upprorsmän ända bort till Järva. Konungen höll ett rätt kärvt tal och sade det vara sin nådiga vilja att bönderna stannade där de stod; en liten deputation borde dock skickas till honom på slottet följande dag. Efter något knorr lydde allmogen och slog läger i skogen, och vid utsatt tid anmälde sig elva fullmäktige på slottet där de i rådets närvaro fick besked om fredsöverenskommelsen i Åbo. De tillsades att inte äventyra freden, och deras begäran att få komma in i staden avslogs, men däremot fick de en dukat var samt löfte om att proviant skulle skickas ut till Huvudsta.

Bondehären blev mycket förbittrad när deputationen kom tillbaka med sin rapport, och det dröjde inte länge förrän skarorna vid Linvävartorpet började röra på sig. De avancerade i halvcirkel mot batteriet på höjden och erövrade kanonerna utan att infanteristerna i grannskapet ingrep. Kort därefter trängde sig bönderna igenom militärspärren vid Norrtull, vecklade ut sina fanor och marscherade med klingande spel nedför Drottninggatan till Gustaf Adolfs torg, som då hette Norrmalmstorg. De inkvarterade sig sedan i grannskapet och tycks ha tagits emot utan ovilja av stockholmarna.

Emellertid var det ovisst vad man vidare skulle ta sig till. Att godkänna den tyske biskopen som svensk tronföljare var allmogen inte hågad för, men å andra sidan ville man ju gärna ha fred, och det rådde oenighet bland bönderna inbördes om vad som borde göras. Schedin som hörde till de moderata elementen kunde inte göra sig åtlydd längre, men de förhandlingar som lantmarskalken och andra prominenta personer försökte inleda ledde i alla fall till att bönderna fann sig i freden, dock under mycket ropande på att man strax skulle avrätta riksens förrädare, varmed menades de fångna generalerna Lewenhaupt och Buddenbrock.

Medan detta formlösa parlamenterande pågick anlände till Stockholm tolv krigsfartyg med regeringstrogna trupper ombord, och därmed var böndernas förhandlingsläge inte så gynnsamt längre. De fick befallning att återlämna sina kanoner, gatorna kring Gustaf Adolfs torg spärrades av militär, och trupperna började avväpna de intet ont anande dalkarlarna. Huvudstyrkan hann emellertid sätta sig i försvarsställning på torget och ställde upp sina kanoner så att ett par var riktade nedåt Fredsgatan och ett annat par åt Jakobs kyrka till. När Västgöta kavalleri närmade sig från det sistnämnda hållet sköt en bonde av den ena kanonen mot ryttarna, som dock inte träffades; skottet gick för högt. Skytten blev strax nedskjuten av en officer, bönderna svarade med en gevärssalva, och därmed var striden igång. Upplands regemente och Västmanlands regemente satte gevär för fot och vägrade att ge eld, och det beridna Livregementet kastade om sina hästar och gav sig iväg över Norrbro, men de andra trupperna visade inga betänkligheter, och slaget var snart avgjort. Enligt officiella uppgifter stupade ett femtiotal bönder och ungefär dubbelt så många blev sårade, medan resten flydde i vild panik med kavalleriet hack i häl. En del klarade sig trots allt och tog sig med möda hem till Dalarna, men flertalet togs till fånga och föstes ihop i ett slags koncentrationsläger, av vilka ett utgjordes av Riddarholmens kyrkogård, som nämligen var omgiven med höga murar.

En mängd straffdomar följde över deltagare i den så kallade Stora Daldansen och deras sympatisörer i olika landsorter. I Stockholm halshöggs sex av ledarna, bland dem Schedin, och en lång rad andra fick slita spö och kastades i fängelse. Vid samma tid avrättades generalerna Lewenhaupt och Buddenbrock som syndabockar för de maktägande hattarnas krigsäventyr, och partiet kunde fortsätta att regera. Därpå kunde furstbiskopen Adolf Fredrik av Holstein-Gottorp göra sin entré i landet som svensk tronföljare. I Nyköping och Norrköping låg då ryska trupper koncentrerade för att skydda Sverige mot eventuella anfall av den besvikne danske konungen, men det kriget blev aldrig av.

Adolf Fredrik och Lovisa Ulrika

Adolf Fredrik visade sig vara en hygglig och medgörlig karl som tyckte om konst och god mat och var road av att måla och svarva, men även av att exercera soldater. Genom ombud lät han sig villigt förmälas med en spirituell och vacker flicka som var dotter till kungen av Preussen. Hon hette Lovisa Ulrika och var knappast någon snäll människa, men äktenskapet blev mycket lyckligt ändå, ty Adolf Fredrik beundrade och lydde sin gemål som var starkare i viljan och mycket mera läsbegåvad än han. Deras hov i Stockholm har haft betydelse för kulturen i Sverige, vilket är mer än man kan säga om de flesta andra potentaters och i all synnerhet om den gamle kung Fredriks, vilken, säger den kategoriske Fryxell, var en bestämd fiende till all tankeansträngning och uteslutande intresserade sig för jakt och lösaktighet. Hans barnlösa drottning hade som sagt gått ur tiden i slutet av 1741; hon slapp alltså uppleva den finska krigskatastrofen men var hårt prövad av livet på annat sätt, ty hennes älskade gemål var ingen trofast natur. Hans små kärlekshistorier var otaliga.

I början av 1730-talet då han själv var femtiofyra år hade kung Fredrik fått ögonen på en vacker sextonårig hovfröken vid namn Hedvig Taube, som snart upphöjdes till öppet erkänd kunglig mätress. Sådant var vanligt på sina håll i utlandet men inte i Sverige, och saken togs snart upp i prästeståndet sedan Ulrika Eleonora diskret hade gett uttryck åt sin svartsjuka och grämelse. Ärkebiskop Benzelius och några andra prelater uppvaktade därpå i tur och ordning konungen och fröken Taube med lämpliga förmaningar om äktenskapets helgd och äventyret av salighetens förlust, men detta hade ingen annan effekt än att göra parterna bedrövade. Efter drottningens död fick förhållandet karaktär av ett slags morganatiskt äktenskap, och fröken Taube som sägs ha varit icke blott skön utan även klok, god och angenäm upphöjdes av tyske kejsaren till romersk riksgrevinna von Hessenstein. Hon dog i barnsäng, knappast trettioårig, efter sitt fjärde barn med kungen.

Denne som då hade fyllt sextioåtta sörjde henne mycket men tröstade sig dock snart med en hel rad andra unga damer som hans gunstling och hjälpreda Erland Broman benäget skaffade fram i tur och ordning. Han blev naturligt nog allt slöare och hade svårt att få tiden att gå. Statens angelägenheter som han författningsenligt hade föga inflytande på gitte han inte längre sätta sig in i. Det finns en välkänd anekdot om ett av hans sällsynta besök i rådet, där han med stigande förundran åhörde utkastet till berättelsen om vad sig i riket tilldragit och slutligen utbrast på sitt tyska språk, ty svenska lärde han sig naturligtvis aldrig: "Potz Tausend, haben wir das alles getan?"

Till detta slappa och stillösa leverne stod det nya tronföljarparets hovliv i den skarpaste kontrast. I deras salonger rådde en förenad air av respektabilitet och rococo. Deras kulturintressen var stora, och det saknas inte bestående vittnesbörd om deras utomordentligt goda smak; det roligaste är väl Kina slott vid Drottningholm. Även i det politiska umgänget kom det i deras unga dagar in ett drag av elegans som inte hade funnits i Sverige på länge.

Gyllenborg, alltför komprometterad genom kriget, hade nu trätt i bakgrunden, och hattarnas nye ledare med vilken tronföljarparet trädde i nära förbindelse hette Carl Gustaf Tessin. Han var en intelligent, fulländat polerad världsman med fransk bildning och förfinad smak; och han var bland mycket annat sin fars efterträdare som överintendent vid slottsbygget, som med en del avbrott pågick större delen av 1700-talet och vars betydelse för den svenska konsten svårligen kan överskattas. För dess behov grundade Tessin på 1720-talet Ritarakademien, senare omdöpt till Akademien för de fria konsterna, och den unge arkitekten Karl Hårleman som var hans medarbetare och närmaste efterträdare skickades till Paris att engagera artister för den konstnärliga utsmyckningen av slottet, vilket ledde till att bland andra målaren Taraval och skulptören Bouchardon var verksamma i Sverige livet ut och satte många spår här. Tessin själv var svensk ambassadör i Paris några år och var genom sina optimistiska rapporter inte utan skuld till krigsförklaringen mot ryssarna; men viktigare för eftervärlden är att han även samlade konst och skaffade hem en mycket stor del av vad som nu är sevärt på Nationalmuseum. Till hela sitt skaplynne påminner Carl Gustaf Tessin starkt om Magnus Gabriel De la Gardie och hade ungefär lika vingliga affärer. Liksom denne har han också lämnat efter sig skatter och inflytanden som icke rost och mal förtära.

Tessin och hans fru utnämndes strax till överstemarskalk och överhovmästarinna vid tronföljarparets hov, och förtroligheten mellan de båda familjerna var stor. Detta fick inom kort storpolitiska följder. En vacker dag skrev kejsarinnan Elisabeth ett brev till Adolf Fredrik där hon varnade honom för att låta sig ledas av personer vilkas avsikt vore att undergräva hans ställning och störa det goda förhållandet till Ryssland. Adolf Fredrik visade brevet för Tessin som satte upp ett svar där Adolf Fredrik å sin sida beklagade sig över de örontisslare som tydligtvis sökte skapa ovänskap mellan honom och kejsarinnan. Denna som hade räknat på sin skyddslings tacksamhet och följsamhet blev naturligtvis stucken, och vänskapen dem emellan var därmed bruten för alltid. Den ryska diplomatien måste nu söka sig andra kanaler för att behålla sitt grepp om Sverige, och i den svenska riksdagspolitiken ingrep ryske ministern von Korff energiskt på mössornas sida under de följande åren och uppträdde rentav som partiets verklige chef. Detta var högst oförnuftigt handlat, ty därigenom skrämdes dess anhängare bort till större delen, och vid 1744 års riksdag upplöstes partiet totalt efter våldsamma uppträden i alla stånd.

Kejsarinnan lär med skäl ha varit mycket missnöjd med von Korff, som med så dåligt resultat hade gett ut bortåt en halv miljon daler kopparmynt i mutor vid denna riksdag. Franske ministerns utgifter hade dock uppgått till minst det dubbla. De utländska pengarna spelade genom hela frihetstiden en roll som kan förefalla otrolig i våra dagar men inte upprörde samtiden något vidare, ty begreppen om politisk moral var andra än nutidens och företeelsen hade motstycken i nästan alla länder, ehuru den trädde ovanligt tydligt i dagen i Sverige med dess säregna statsskick. De svenska riksdagsmännen var varken folkvalda eller statsavlönade, och partiagitationen bestod bland annat i att ge reskassa och underhåll åt fattiga adelsmän som inte ville eller kunde komma till Stockholm på egen bekostnad. Från detta var steget till rena röstköp inte långt, och det togs också oavlåtligen.

Från 1740-talets slut var hattpartiet emellertid utan medtävlare och således allenarådande. Det goda förhållandet till det unga hovet bestod fortfarande när kung Fredrik gick ur tiden 1751, men i samband med tronskiftet då Adolf Fredrik fick avge en konungaförsäkran och lova att alltid instämma med samtelige riksens ständer började vänskapen knaka i fogarna. Tessin, som året förut hade utsetts av ständerna till guvernör för den lille kronprins Gustaf, råkade i djup onåd och frånträdde under kröningsriksdagen sin post som kanslipresident i hopp om att detta skulle kunna leda till personlig försoning, men de kungliga var oförsonliga, och efter ett häftigt uppträde lämnade Tessin 1744 också hovmarskalksämbetet och guvernörskapet och drog sig sorgsen och desillusionerad tillbaka till privatlivet på sitt sörmländska Åkerö. Som partichef efterträddes han i tur och ordning av Anders Johan von Höpken och Axel von Fersen, som båda var mycket märkliga män, och till guvernör för kronprinsen utsåg de maktägande ständerna Carl Fredrik Scheffer ehuru föräldrarna uttryckligen protesterade. Yttersta orsaken till deras brytning med Tessin hade varit dennes åtgärder för att få till stånd en slutgiltig uppgörelse med danska kungahuset, Adolf Fredriks utslagne medtävlare i 1743 års tronföljarval; han nödgades nämligen i det sammanhanget påtruga dem ett arrangemang som innebar förlovning mellan deras förstfödde och den danska prinsessan Sofia Magdalena. Henne ville de inte alls ha till svärdotter.

Det är icke oförståeligt att kungaparet under sådana förhållanden umgicks med revolutionära tankar, och i deras närmaste omgivning utbildades så småningom en politisk grupp med en enda punkt på sitt program, nämligen att få slut på det parlamentariska system som rådde. Det var inte något stort parti; det bestod av några höga aristokrater, en del medlemmar av den litterära och konstnärliga kretsen i drottningens sa-

Drottningens bröllopsjuveler

longer och ett antal unga militärer och ämbetsmän som av någon anledning stod hovet nära. Själen i det hela var drottningen, som inte gjorde minsta försök att dölja sitt hat mot de makthavande utan tvärtom gjorde vad hon kunde för att såra dem med de medel som stod henne till buds; hon brukade sålunda roa sig med att vända ryggen åt lantmarskalken för att visa sig älskvärd mot obetydliga hovmän, sätta fram kullerstolar i stället för länstolar åt riksråden, hindra deras vagnar från att köra in på borggården och andra barnsligheter i den stilen.

I början av 1756 fann hon omsider tiden mogen att slå ett större slag, och för att skaffa pengar till omstörtningen lät hon pantsätta en del av sina dyrbarheter i Tyskland, däribland en del juveler som hade överlämnats till henne vid hennes förmälning men som enligt de styrandes mening alltjämt var rikets och inte hennes privata egendom. Saken kom till sekreta utskottets öron, och en vacker aprildag uppvaktades konungen av några herrar som begärde att få veta när det kunde falla sig lägligt för Hennes Majestät att för inventering låta uppvisa riksjuvelerna. Drottningen blev naturligtvis utom sig av harm och lät förstå att bröllopsjuvelerna var hennes, och ifråga om dem tänkte hon inte tillåta någon inventering: riksjuvelerna däremot ville hon lämna tillbaka, ty hädanefter höll hon sig för god att bära dem. Efter en del amper skriftväxling kom inventeringen till stånd, och då framlämnades mycket riktigt riksjuvelerna utbrutna ur sina infattningar. De omstridda bröllopsjuvelerna var inte med, men några veckor senare hade drottningen i all tysthet lyckats få hem även dem, och alla dyrgriparna togs därpå om hand av Statskontoret.

Detta skedde någon dag omedelbart före midsommar, och kungafamiljen hade gett sig ut till Ulriksdal för att slippa vara med om om inventeringen. När de kom tillbaka till Stockholm stod det laddade kanoner med brinnande luntor på nuvarande Gustaf Adolfs torg och beväpnade adelsmän patrullerade på gatorna. Man hade kommit på en sammansvärjning, sedan en akoholiserad hovlöpare som hette Angel hade tisslat med några underofficerare om att de borde hålla sig redo och vara sin konung trogna när det strax skulle smälla. Den lösmynte hovlöparen hade omedelbart häktats och tvingats till fullständig bekännelse, och därefter nystades härvan upp utan svårighet av myndigheterna, som inom loppet av några dagar kunde arrestera nästan alla de inblandade. Främst bland dessa stod grevarna Erik Brahe och Gustaf Jakob Horn, som båda var höga hovdignitärer. Det kom fram att den förre tillsammans med en artilleriunderofficer som hette Puke hade låtit stöpa kulor på sin gård Rydboholm och låtit frakta dem med en vedskuta till Stockholm för den planerade revolutionen, som gick ut på att en del vidtalade soldater och sjömän skulle bemäktiga sig alla viktigare byggnader och ta rådet och riksdagsmännen till fånga, varpå konungen skulle sammankalla en ny riksdag och införa en ny konstitution. Man hade vidare gjort i ordning proklamationer till folket ute i bygderna, som manades att tåga till Stockholm för att som maktägande ständer försvara konungen mot hans och sina förtryckare. Det hela var en amatörmässig plan av en mycket liten kamarilla, men de styrande försummade inte att göra det mesta möjliga av saken och dödsdömde utan betänkande de båda grevarna och sex andra personer, som alla avrättades på den öppna platsen framför Riddarholmskyrkan under stort militäruppbåd och väldig publiktillströmning.

Emellertid var saken naturligtvis inte ur världen med detta. Riksdagen visste alltför väl vilken roll drottningen hade spelat och uppdrog åt prästeståndet att i egenskap av själasörjare förmana henne, varpå ärkebiskop Benzelius och biskop Troilius tilltvingade sig audiens och läste upp en skrift som var undertecknad av ståndets alla ledamöter. Den fastslog att de avlivades blod ropade över dem som hade varit orsak till brottet. Där stod också att Herrens fruktan var den enda sanna visheten, vilket upplystes på förekommen anledning, ty prästerna hade klart för sig att drottningen var starkt besmittad av det franska fritänkeriet och att hon var mycket road av de så kallade kalottpredikningar som brukade hållas i hovkretsen av Olof von Dalin, vilken nu blev lagförd och bötfälld i förbifarten; han förbjöds också att vidare visa sig vid hovet.

Inte heller konungen undgick efterräkningar. Han uppvaktades i rådets närvaro av ständernas fyra talmän med en förödmjukande skrivelse som kallas riksakten och i sak säger att han genom sitt tysta bifall till drottningens komplott hade brutit sin konungaed och följaktligen borde avsättas, men att ständerna av underdånig tillgivenhet ville låta honom sitta kvar ifall han lovade att inte göra om försöket. Hans auktoritet som förut hade varit ringa var nu helt försvunnen, och de triumferande hattarna kunde fira sin seger med att dela ut partibelöningar till alla som på ett eller annat sätt hade visat nit och omsorg om friheten och konstitutionen.

Pommerska kriget · Affärskrisen

Vid tiden för det kungliga revolutionsförsöket i Stockholm utbröt i Tyskland det stormaktskrig som berörde den siste mohikanen, ty dess viktigaste resultat var rimligen att de franska kolonierna Canada och Louisiana erövrades av engelsmännen. I Europa var kriget en kraftmätning mellan Preussen och England å ena sidan och Österrike, Ryssland, Frankrike och en rad tyska småstater å den andra, och Sverige som alltjämt var allierat med fransmännen drogs in i virveln i slutet av 1757. Preussen var illa ansatt, och svenskarna hade tänkt sig en militärpromenad i Pommern för att ta i besittning vad som hade gått förlorat 1720. Det blev inte så; fem sommarfälttåg och ett vinterfälttåg av och an över svenskpreussiska gränsen ledde till ingenting utom förstörelse, krigskostnader och stora manskapsförluster, mest genom sjukdom. Kriget slutade för Sveriges del med en separatfred som Lovisa Ulrika bidrog till genom att skriva till sin kunglige preussiske bror. Den innebar att var och en fick behålla sitt, och Sverige hade alltså kvar sin pommerska besittning och hade dessutom fått lära sig äta potatis; intresset för denna närande rotfrukt lär nämligen ha vunnit spridning bland menige man genom de hemvändande soldaterna från Pommern. Men de ekonomiska efterverkningarna av kriget var i övrigt inte behagliga. En handelskris i krigets spår skakade hela Europa i början av 1760-talet och fick särskilt svåra verkningar i Sverige, vars näringsliv redan förut var i olag.

Det hade varit en trosartikel för hattarna – och för tidens ekonomiska tänkande överhuvud – att ingenting borde importeras som möjligen skulle kunna framställas inom landet, en doktrin som har tagit sig många vackra uttryck i tidens litteratur och inte minst i Linnés resor, dessa underbara dagböcker som egentligen inte avsåg att vara annat än inventeringsjournaler över de outnyttjade naturtillgångarna i Sverige.

Vetenskapernas blomstring

Sådana praktiska syften hade också de resor som ett antal av Linnés lärjungar fick företa till främmande världsdelar, ibland som skeppspräster eller skeppsläkare på det nybildade Ostindiska kompaniets fartyg. En dylik lyckans ost var Anders Sparrman som vid sjutton års ålder fick fara till Indien; senare drog han till Kaplandet och följde i sinom tid den store Cook på upptäcktsresa i det okända Söderhavet. Sparrman, som förresten har skrivit ett par ytterst läsvärda volymer om sina färder, bragte ihop stora samlingar och uppfann i förbifarten sockerdricka. En något äldre och mera tidstypisk resenär var finländaren Pehr Kalm, som hämtade hem en mängd frön och sticklingar från Nordamerika och dessförinnan även från Ryssland, dit han reste i sällskap med den uppländske godsägaren Sten Bielke; ett bestående resultat av sistnämnda expedition är att det i Sverige finns många häckar av Caragana arborescens, den sibiriska ärtbusken. Kalm och Bielke hade nära förbindelser med mönsterjordbrukaren Johan Brauner på Ultuna, vilken icke blott prövade nya växter och växtföljder utan även uppfann nya sorters plogar, harvar, tröskverk och andra utensilier som väckte stor uppmärksamhet på herrgårdarna landet runt och även hos de makthavande. Men ständernas entusiasm för nya nyttigheter – och aldrig har Sveriges riksdag varit så intresserad av forskning som under frihetstiden – gjorde inte halt vid växtkulturer och tröskverk och bidrog till att det fattiga, avsides belägna landet upplevde några decennier av exempellös vetenskaplig blomstring med namn som Linné, Celsius, Klingenstierna, Torbern Bergman, Schéele och Pehr Wilhelm Wargentin, befolkningsstatistikens grundläggare och den drivande kraften i världens första statistiska ämbetsverk. En framstående politiker, den blivande hattchefen Anders Johan von Höpken, drog upp riktlinjerna för Vetenskapsakademien och blev dess förste sekreterare; första sammanträdet hölls på Riddarhuset en junidag 1739, och till stiftarna hörde inte blott dåvarande amiralitetsmedicus Carl Linnæus och hans grundforskande gelikar, utan även ett antal adliga lanthushållare och inte minst en man som kapten-mekanikus Mårten Triewald, som redan i Karl XII:s tid hade praktiserat vid gruvor i England och sysslat med något som på tidens språk kallades *eld- och luftmaskiner*. När han år 1726 kom hem till Sverige tog han omedelbart itu med att bygga ett sådant vidunder till att pumpa vatten ur Dannemora gruva, där den första svenska ångmaskinen sålunda sattes i gång redan detta år. Man vet rätt bra hur den var konstruerad; den hade en vertikal cylinder vars kolv pressades uppåt av ångtrycket och sedan trycktes tillbaka genom att ångan med hjälp av kallt vatten bragtes att kondensera och efterlämna vacuum. Triewald hemförde vidare från England en vacker samling maskinmodeller och fysikaliska apparater som han med iver och entusiasm demonstrerade för studenter, borgare och adelsmän utan åtskillnad; grejorna finns i behåll på Tekniska museet i Stockholm och är både roliga och intressanta att se. Naturvetenskapliga impulser från England vällde för övrigt in också

på andra vägar och inte minst till Vetenskapsakademien, i all synnerhet sedan Wargentin i sinom tid blivit sekreterare där, ty han sörjde med otrolig flit för att de lärda förbindelserna med utlandet hölls i gång. Sålunda gjorde avancerade andar nu bekantskap med Isaac Newtons verk, vilket var en av förutsättningarna för den vetenskapliga blomstringen i Sverige under frihetstiden.

Också för sina mest lysande utövare stod 1700-talets vetenskap faktiskt i den praktiska nyttans tjänst, även om dess resultat mest blev till glädje för sin egen skull. En man som Linné såg tydligtvis ofta på den levande naturen med en jordbrukskonsulents eller industriell rådgivares ögon. Ständerna uppmuntrade påhittiga, välsinnade lanthushållare på diverse sätt, sällsamt nog även genom militär befordran, och man hade blicken öppen också för behovet av långt mera omfattande åtgärder; 1757 utfärdades sålunda den första förordningen om storskifte, utarbetad av den energiske lantmäteridirektören Jakob Faggot. Emellertid är det inget tvivel om att det var industrien som intresserade de styrande mest, och under hela den tid hattpartiet hade makten arbetades det med mycken fosterländsk hänförelse på att få till stånd så många fabriker som möjligt i Sverige. Till den ändan inrättades ett ämbetsverk som hette manufakturkontoret med rika möjligheter att ge lån, understöd, tillverkningspremier, exportpremier och förskott åt hugade fabrikörer, och resultatet blev naturligtvis att det växte upp fabriker som svampar ur jorden; störst av dem var Jonas Alströmers ryktbara anläggning i Alingsås. Industrien omhägnades med en rik flora av tullar, överflödsförordningar, arbetsålägganden, köptvång och importförbud. Subventionspolitiken var naturligtvis dyrbar och ledde raskt till inflation, och redan på 1740-talet såg sig regeringen tvungen att tills vidare befria riksbanken från skyldigheten att lösa in sina sedlar med klingande mynt.

När nu den allmänna europeiska krisen bröt ut på allvar år 1763 rasade den bräckliga byggnaden hastigt samman. Svenska fabriker och affärsföretag i mängd gjorde konkurs detta år, penningvärdet sjönk i allt snabbare takt, och statsskulden uppgick till 561 tunnor guld och var därmed siffermässigt lika stor som vid Karl XII:s död. Oppositionen mot hattarnas regemente hade hunnit samla krafter igen och växt sig stark under det pommerska krigets tid, och redan vid 1760 års riksdag hade regeringen haft det svårt; att den då kunde hålla sig kvar berodde på en kohandel mellan Axel von Fersen och den fronderande riksdagsmilitären Carl Fredrik Pechlin, beryktad i Sveriges historia såsom dess ränksmidare nummer ett. Men fem år senare gick det inte längre. Det föryngrade mössparti som då mötte upp i riksdagen hade majoritet i alla stånd och satte omedelbart i gång en räfst som började med att sex riksråd dömdes förlustiga ständernas förtroende emedan de hade röstat för alliansen med Frankrike, varefter man hårdhänt tog itu med att röja upp i det ekonomiska systemet. Bankofullmäktige, som befanns ha delat ut mycket pengar till sina närstående och även gynnat sig själva med belöningar och festmåltider, avskedades in corpore. Stockholmsgrosshandlaren Kierman som hade tjänat sig rik på utländska valutaaffärer för statens räkning dömdes till fängelse på vatten och bröd och livstidsförvaring på Marstrands fästning. Manufakturkontoret avskaffades, lån och förskott till fabrikerna drogs in, försvarsanslagen skars ner drastiskt, och man lade lyxskatt på tobak, styvkjortlar, silkesspetsar, likkistor av ek, ostindiskt porslin, lakejer och franska guvernanter varjämte man införde importförbud för kaffe, viner och punsch.

Åtgärderna hade naturligtvis effekt; budgetbristen minskade omedelbart och avsevärt. I gengäld fick man industridöd, arbetslöshet och deflation. Men en god affär trots importförbudet förblev Ostindiska kompaniet, som sedan några årtionden tillbaka hämtade te, porslin och kryddor från Indien och Kina och på livligt besökta auktioner spred dessa sina varor över nästan hela Europa. Kompaniet delade vid denna tid ut nära fyrtio procent till aktieägarna.

Ståndsstriden · Kungastrejken

De yngre mössornas parti bars upp av ofrälse. Radikalt eller ens demokratiskt i modern mening var det ingalunda, ty dess ledande män var idel prostar, borgmästare och förmögna hemmansägare, men det stod i opposition mot byråkratien och sekreta utskottets myndighet och hade börjat sina bana med att högljutt yrka på offentlighet i det politiska livet. En av dess åtgärder sedan det kommit till makten var därför att införa en tryckfrihetsförordning som var Sveriges första; äran därav tillkommer i främsta rummet den finländske prosten och nationalekonomen Anders Chydenius, som i ett vältaligt anförande vädjade till den skånske geometriprofessorn Niklas von Oelreich att frivilligt nedlägga sitt ämbete som censor. Betänkligheterna mot tryckfriheten var annars störst inom prästeståndet, som drev igenom den inskränkningen att det skulle vara förbjudet att bestrida den rena evangeliska läran samt att skrifter som rörde den kristna tron först skulle censureras av närmaste konsistorium innan de fick tryckas. I övrigt var det en mycket liberal tryckfrihetsförordning, och för att vara skyddad mot framtida kullstörtningsförsök gjordes den rentav till grundlag, men mösspartiets regering torde nästan omedelbart ha ångrat och beklagat denna sin gärning, ty den intog inom kort en mycket besvärad och bekymrad hållning till allt som skrevs och trycktes av de slagna hattarna.

Dessas parti, som raskt repade sig under den bistra lågkonjunkturen, hade alltjämt sin tyngdpunkt på Riddarhuset, där adeln nyligen hade begått en dumhet som är minnesvärd. Ståndet omfattade vid denna tid nära tvåtusen ätter vilket ansågs vara för mycket, och 1762 beslöt man därför att vägra introduktion på Riddarhuset för nyadlade till dess ätternas antal hade sjunkit till åttahundra. Detta var, säger Stavenow, ett djärvt och utmanande steg som förvandlade den svenska adeln till en sluten klan vilket den aldrig förut hade varit, och beslutet väckte stor förbittring och gav signalen till en ståndsstrid som fortgick länge. Prästeståndet antog vid 1766 års riksdag en ordningsstadga som gick ut på att ingen som själv var adelsman eller hade barn som fått adelskap kunde äga säte och stämma i prästeståndet, en bestämmelse som utestängde ärkebiskopen och sju andra biskopar ur ståndet. Detta togs illa upp på Riddarhuset, och en vacker dag uppvaktades de ofrälse av ingen mindre än lantmarskalken, som i spetsen för en talrik deputation tillkännagav att därest riksdagen godkände prästeståndets nya stadga nödgades ridderskapet och adeln vända sig till kunglig majestät och begära skydd för sina privilegier. Så hade man då, skriver Carl Gustaf Malmström i sitt banbrytande verk om frihetstiden, kommit därhän att ett stånd sökte skydd mot de andra genom att vädja till den kungliga myndigheten.

Den kungliga myndigheten var visserligen icke stor, men den var i stigande. Under hattarnas kamp mot mössorna hade ett pånyttfött hovparti lyckats resa sitt huvud, och dess ledande själ var den unge kronprinsen. Han var tidigt sysselsatt med revolutionsplaner som tog konkret form i slutet av 1768, då hans forne lärare Carl Fredrik Scheffer i djupaste hemlighet tog kontakt dels med franska utrikesdepartementet, dels med de ledande hattarna. Dessa var uppskrämda för tillfället, ty mössregeringen hade tagit sig för att ställa hela det motspänstiga kammarkollegium inför domstol vilket befarades vara inledningen till allmän förföljelse av oppositionen, och när deras yrkande på en urtima riksdag naturligtvis inte vann gehör såg de sin enda räddning i att försöka störta mössorna i samverkan med hovpartiet, även om detta skulle innebära att de fick gå med på en ökning av kungamakten. Kungen fick alltså skriftligt löfte om detta mot att han hjälpte till att framtvinga en riksdag, vilket han gjorde i dramatiska former.

En dag strax före jul trädde konungen och kronprinsen in i rådskammaren varpå den sistnämnde läste upp en skrivelse där han hänvisade till kammarkollegiets skildring av nöden i landet och krävde att ständerna skulle sammankallas för att råda bot; beviljades inte detta såg sig konungen tvungen att abdikera. När riksrådet försökte slå bort saken satte han omedelbart sin hotelse i verket och förklarade att han nedlade regeringen. Rådsherrarna vägrade att godkänna avsägelsen och beslöt efter någon tvekan att tills vidare regera landet med hjälp av den kungliga namnstämpel som sedan kung Fredriks tid hade brukat begagnas för att bespara monarken en del rutinarbete. Kronprinsen var beredd på detta och gjorde ett försök att få tag i namnstämpeln; då detta inte lyckades såg han i stället till att nyheten om abdikationen fick största möjliga offentlighet och åkte personligen runt till ämbetsverken med besked om saken. Verkan blev den avsedda; byråkraterna i ämbetsverken och överstarna vid Stockholmsregementena förklarade nästan samfällt att de inte kunde åtlyda namnstämpeln. Under sådana förhållanden hade riksrådet inget val. Riksdagskallelsen blev utfärdad, och konung Adolf Fredrik återupptog regeringen. Han hade då strejkat i sex dagar.

Några månader senare hölls riksdagen i Norrköping; mössorna i riksrådet hade förlagt den dit i hopp om att huvudstadens adliga ämbetsmän och officerare skulle vara förhindrade att resa så långt. Detta var fåfängt hopp. Tillströmningen var tvärtom så stor att Norrköping blev överfullt av människor, och rumspriserna steg häpnadsväckande. De utländska ministrarna hade mangrant mött upp och medförde mycket pengar; korruptionen vid denna riksdag lär ha slagit alla rekord, och Carl Gustaf Malmström citerar ett brev från engelska sändebudet som upplyser att ryske och danske ministern hade gett ut tiotusen pund sterling på röstköp enbart inför lantmarskalksvalet medan han själv hade betalat femtusen. Detta räckte dock inte; hattarna och franske ministern vann. Ständerna avsatte med acklamation rådets medlemmar från deras ämbeten som raskt besattes med hattar, och dessas ställning var nu sådan att de såg sig i stånd att skjuta löftena till hovpartiet åt sidan tills vidare.

Deras nya maktperiod varade i tre år och blev icke lycklig. De ekonomiska frågorna fortfor att vara bekymmersamma, och partiet sprack inom kort på tal om en sak som ofta har vållat splittring i svensk politik, nämligen brännvin. En framgångsrik och lönande roll i denna och andra frågor spelade Carl Fredrik Pechlin som plötsligt lierade sig med mössorna och fick sjuttiotusen pund sterling för besväret, enligt vad utländska ministerrapporter vet berätta. Han har fått göra skäl för pengarna med det mindre goda rykte han åtnjuter i svensk historieskrivning. "Vill man se rötan inom tidens politiska liv personifierad", utbrister Carl Grimberg, "så är det i överste Carl Fredrik Pechlin, människovännen och bondeplågaren, frihetskämpen och mutkolven, den ädle hjälten och den gamle inpiskade räven."

Han var i ivrig verksamhet och smed sina ränker även våren 1772, då hattarna krossades i grund sedan franske ministern hade dragit in allt underhåll till dem därför att de inte höll ihop med hovet mer. En ny mössregering med goda ryska förbindelser kom då till makten och fick behålla den i tre månader.

Gustaf III

En tisdagskväll i fastlagen gick kung Adolf Fredrik plötsligt och oväntat ur tiden när han hade slagit sig ner vid spelbordet i kretsen av sitt hov efter en god middag med semlor. "Hans Maj:ts dödsfall har skett av indigestion af hetvägg, surkål, kött med rofvor, hummer, kaviar, böckling och champanjevin", upplyser skalden Johan Gabriel Oxenstierna i sin dagbok för år 1771. Kronprins Gustaf befann sig sedan något halvår i Paris, där Oxenstiernas poetiske vän Gustaf Philip Creutz var svensk minister och hade nöjet att introducera honom i högadliga damers litterära salonger, och budet om faderns död nådde honom i den själiska grevinnan d'Egmonts loge på operan. Han reste omedelbart hem, och en av hans första regeringsåtgärder var att söka åstadkomma vad som på tidens språk kallades en komposition, det vill säga en överenskommelse mellan partierna om en viss proportionalitet i utskotten under den kommande riksdagen.

Försöket hade ringa framgång. På Riddarhuset där hattarna hade majoritet lät man visserligen fyra mössor komma med bland de femtio adliga ledamöterna av sekreta utskottet, och prästeståndet där mössorna härskade skickade dit fyra hattar av sina tjugofem representanter, men borgarna och bönderna låtsades inte alls om kompositionen – kungen hade för övrigt glömt att tala med dem – utan valde idel mössor. I själva verket gick partilinjerna alltså inte som tidigare genom alla de fyra stånden. Partinamnen hattar och mössor var på väg att bli liktydiga med frälse och ofrälse, och det är mot den bakgrunden man bör se den revolution som utgjorde frihetstidens ändalykt. Dess förutsättning var att huvudmassan av de adliga officerarna och ämbetsmännen kände sig hotade i sin privilegierade ställning och därför inte kände sig solidariska med riksdagsväldet mer.

Två sådana män, den finländske översten Jacob Magnus Sprengtporten och den skånske jägmästaren Johan Christopher Toll, förelade Gustaf III en plan på en militärkupp som skulle sättas igång samtidigt inom garnisonen i Kristianstad och bland trupperna på det nybyggda Sveaborg. Det var våren 1772. Planen gillades av konungen, som invigde franske ministern, sin bror Karl och en del andra personer i saken, under det att Sprengtporten gjorde upp ett detaljerat system av personlistor och instruktioner för den resning som borde bryta ut i Stockholm när signalen gavs. Han begav sig sedan till Finland medan Toll reste till Skåne, och uppror iscensattes programenligt på båda ställena, men med fyra dagars tidskillnad. Den 17 augusti fick sekreta utskottet rapport om den skånska militärrevolten och satte strax i gång med motåtgärder. Den 18 fick kungen besked om att Sprengtporten hade satt sig i besittning av Sveaborg men att det måste dröja ytterligare några dagar innan hans trupper kunde överskeppas till Sverige. Den 19 ingrep konungen personligen i händelsernas gång och genomförde själv statsvälvningen i Stockholm.

Ur storpolitisk synpunkt, säger Bernt von Schinkel i sina Minnen ur Sveriges Nyare Historia, hade Gustaf III valt sitt ögonblick rätt. I augusti 1772 ägde Polens första delning rum; Österrike, Preussen och Ryssland – som dessutom hade krig med turkarna – var fullt sysselsatta och hade inte tid med Sveriges affärer just då. Schinkel liksom de flesta äldre historieskrivare är övertygad om att Gustaf III:s statsvälvning räddade Sveriges existens eftersom den gjorde slut på mössornas förbindelser med en av de utländska makter som snart tänkte dela Sverige liksom Polen blev delat. Faktiskt förelåg också en rysk-dansk-preussisk överenskommelse om väpnad intervention i Sverige för det fall att dess regeringsform ändrades till kungamaktens fördel. Forskare av senare årgång, framför allt Fredrik Lagerroth, tror dock inte på parallellen med Polen och påpekar att revolutionen för övrigt inte avvärjde den ryska faran. "Det är *möjligt*", skriver Hugo Valentin, "att Ryssland lyckats slita Finland från Sverige om frihetstidens författning ägt bestånd, men det är *ett faktum* att så skedde under det gustavianska statsskickets tid." Frågan har i våra dagar intresserat många forskare, ty frihetstidens svenska statsskick var trots alla olikheter en föregångare till det parlamentariska system som kännetecknar 1900-talets Sverige. En pionjär för detta sätt att se var för övrigt Fryxell, som hade starka sympatier för de yngre mössorna och ansåg att frihetstidens statsskick var på väg att utvecklas till en verklig demokrati när Gustaf III kom och förstörde alltsammans.

Historien om själva revolutionsdagen är dock en solskensberättelse till och med hos Fryxell; den är det än mer hos hans antagonister. Själve Carl Gustaf Malmström, frihetstidens sobre och flärdlöse utforskare, blir nästan lyrisk i sitt slutkapitel, och Claes Teodor Odhner, författare till den första ordentliga sammanfattningen av Gustaf III:s historia, har ägnat revolutionen ett stycke prosa som verkligen är lysande litteratur. Eftervärlden är ytterligt väl underrättad om den 19 augusti 1772, som var en vacker dag i Stockholm och otvivelaktigt en mycket festlig dag för de flesta stockholmare.

Skådespelet började vid tiotiden på morgonen med att kungen red ut till Ladugårdsgärde och inspekterade vaktparaden på Artillerigården, där Armémuseum i våra dagar har sin varelse i det innersta Östermalm. Han talade med var man särskilt och framför allt med underofficerarna, som tillfrågades om hur länge de varit i tjänst och hugnades med en antydan att det kunde komma tider då de skulle kunna stiga ända till kaptens grad. Till fots följde han sedan vaktparaden till slottet, och när truppen gjort halt på borggården kallade han in befälet i rapportsalen och höll ett tal av innehåll att den fara som hotade honom och riket nödgade honom att med sitt trogna livgardes hjälp upphäva det aristokratiska mångväldet och återställa Sveriges urgamla frihet. Han frammanade också Gustaf Vasa och Gustaf Adolf och överlämnade därpå till officerarna en egenhändigt skriven försäkran att han inte tänkte göra sig enväldig utan ville vara den förste medborgaren bland ett rättskaffens folk. Han frågade dem vidare om de ville följa honom och gå den ed han ville förestava, och svaret blev ja, men inte alldeles enhälligt; en kapten vägrade bestämt och togs då i arrest, och en ung löjtnant svimmade. De andra svor den önskade eden, som gick ut på att de med liv och blod skulle försvara kungen och den regeringsform han skulle ge dem för att befästa medborgarnas frihet och rikets självständighet.

Kungen gick sedan ut på borggården och talade till soldaterna som samfällt ropade Leve konungen, laddade sina vapen på hans befallning och fick var sin dukat, medan varje underofficer fick tre dukater. En pluton skickades omedelbart iväg att arrestera rådet, som var samlat på slottet och väntade på konungen; herrarna stängdes utan svårighet inne där de satt. Konungen red därpå i spetsen för sin vakt ut till Artillerigården igen där han möttes av borgerskapets kavalleri som tillsammans med alla artilleristerna slöt sig till honom. Vid flottan, där mössornas positioner ansågs solida, lät konteramiralen Carl Tersmeden veva upp vindbryggan till Skeppsholmen medan hans överordnade som var riksråd befann sig på slottet, och när hurraropen från Norrmalm omsider blev starka nog förklarade sig även sjöofficerarna för konungen. Hurraropen växte nämligen, ty härolder som eskorterades av borgerskapets kavalleri läste upp en proklamation som talade om nödvändigheten av att befria sig från aristokratväldet. Kungen hade knutit en vit näsduk kring vänstra armen och låtit sina följeslagare göra detsamma; snart var hela staden full av sådana bindlar, och i ett verkligt triumftåg begav sig kungen till rådhuset där han tog emot magistratens trohetsed varpå han red en runda på Söder och lät sig bejublas.

Sekreta utskottet som hade suttit samlat på Riddarhuset på förmiddagen fick strax rapport om händelserna på borggården och åtskildes då; sammanträdesprotokollet som blott meddelar detta hör till sevärdheterna i Riksarkivet, ty sekreta utskottet sammanträdde aldrig mer. Revolutionen mötte således inget motstånd alls, ehuru den hederlige överståthållaren Rudbeck åkte omkring på gatorna och manade folk till frihetens försvar. Han arresterades snart av en militärpatrull och fördes till slottet. En del andra personer togs också i förvar, men inga slagsmål och ingen brutalitet tycks ha förekommit. Det var en skottfri, opassionerad, hygglig svensk sommarrevolution, och ingen sentida iakttagare, inte ens Fryxell, har kunnat undgå att känna beundran för den kunglige samhällsomstörtarens uppträdande denna dag. Han höll sina nerver i styr, begick inga missgrepp, använde inte större våld än nöden krävde och glömde ingenting. Brev och skrivelser avfärdades till landshövdingar, regementschefer och andra ämbetsmän i landsorterna, och kungen skrev personligen till den gamle partihövdingen Axel von Fersen, lovade att inte göra sig enväldig och sökte vinna honom för sin sak. Han gav sig också tid att egenhändigt skriva några lugnande rader till de arresterades hustrur och barn. Redan tidigt på dagen skickade han en kammarherre till de främmande sändebuden och bjöd dem på middag; när de kom höll han tal om fred och endräkt och erbjöd dem att stanna på slottet som hans gäster om de ville, för det fall att det skulle bli oroligt i staden till natten. Ryssen, preussaren och engelsmannen hörde buttert på, men franske ambassadören – som hade finansierat revolutionen – gav luft åt sin glädje och lyckönskade konungen. Ingen av ministrarna ville stanna över natten.

Dagen efter revolutionen använde konungen till att ta trohetsed av alla möjliga ämbetsverk och korporationer samt av Stockholms borgerskap, som ställdes upp på två led på Stortorget och fick höra att konungen velat återställa friheten och avskaffa aristokratien och att han satte en ära i att vara den förste medborgaren bland ett rättskaffens fritt folk. Borgerskapet ropade bravo och rördes även till tårar, så att de oförhappandes åtog sig att i fyra dagar underhålla och förpläga alla militärer som hade deltagit i revolutionen. Stockholmarna festade och söp sedan tapprare än någonsin, vilket inte vill säga litet, och den talföre Tersmeden berättar i sina roliga memoarer hur Bellman vid en stor bål *pounche* lärde militären på Skeppsholmen sin nykomponerade sång "Gustafs skål, den bäste kung som jorden eger"; den spelades sedan av gardesmusiken på slottet, och alla hovmännen tog upp sina plånböcker och skrev upp texten efter Tersmedens diktamen.

Följande dag samlades stånderna på kunglig kallelse till plenum plenorum på rikssalen, varvid det stod gardister och grenadjärer överallt i grannskapet och riksdagsmännen hela tiden vädrade röken av de brinnande luntorna vid borggårdens kanoner, som var skarpladdade och riktade mot rikssalens öppna fönster. Konungen höll ett rätt bistert tal till stånderna och sade att de båda partierna hade varit eniga endast om att sönderslita fäderneslandet, att friheten hade förvandlats till olidlig aristokratisk despotism i deras händer, att rikets utvärtes ställning var förfärlig för deras skull och att han själv likt Gustaf Vasa fordom hade behjärtat fäderneslandets nöd. Han lät därpå läsa upp ett förslag till ny regeringsform och frågade stånderna om de liksom han själv vore beredda att underkasta sig denna i alla dess delar. Stånderna svarade enhälligt ja utan att ha sett texten i skrift. Därpå avlade riksdagsmännen trohetsed och fick slutligen i tur och ordning kyssa konungens hand, och på kvällen samma dag blev de flesta arrestanterna utsläppta. Statsvälvningen var fullbordad.

Teatermannen

Om liv och leverne vid Gustaf III:s hov finns en hel litteratur av memoarer, dagböcker, anteckningar och brev. Det mesta är säkert skvaller, men detta är egentligen inte att undra på. Troligen har det aldrig i Sveriges historia existerat en bördigare drivhusmiljö för tissel och tassel, intriger och smicker, lovsång och bakdanteri.

Gustaf III var som bekant rikt estetiskt begåvad och har personligen betytt en del för vitterheten och konsterna i Sverige. Den allvarlige Bernhard Elis Malmström, som inte hade mycket till övers för hans människosort, säger visserligen att den gustavianska tiden har usurperat mycket av den kulturhistoriska glans som rätteligen tillhör frihetstiden. En poet som Bellman, ständigt hopkopplad med Gustaf III i eftervärldens föreställningar, hade gjort undan största delen av sitt verk redan i Adolf Fredriks dagar. Tjusarkonungen vårdslösade dessutom det vetenskapliga arvet från frihetstiden, säger Malmström vidare: "Sjelf utrustad med den ytligaste bildning – en bildning som till och med försmådde rättstafningen af modersmålet, hvars högste och mest nitiske vårdare han dock ville anses vara – hyste han intet intresse för det strängare vetandet; sjelf en skådespelare i lifvet liksom på scenen, kände han ingen rätt aktning för sanningen." Den gamle litteraturprofessorn hade väl rätt; men den som till skillnad från honom tycker att skådespelare också kan ha ett slags sanning att komma med fäster sig kanske inte så mycket vid det där med rättstavningen. Gustaf III:s teatermani har avsatt spår; det är dock han som har grundat Stockholmsoperan och även lämnat oss i arv de underbara slottsteatrarna på Drottningholm och Gripsholm. Till sina handsekreterare engagerade han poeter som Johan Henrik Kellgren och Carl Gustaf af Leopold för att utforma hans egna dramatiska uppslag, och resultaten av deras bemödanden finns också i behåll, till det värde de nu kan ha.

Gustaf III var utan tvivel en framstående regissör och en hängiven skådespelare. Tidvis befann han sig på teatern nästan oavbrutet. "Han är beständigt hos teaterskräddarne, hvilka hafva ständigt tillträde till hans person", skriver skalden och kanslipresidenten Johan Gabriel Oxenstierna från Gripsholm, och Axel von Fersen berättar från samma slott att kungen ofta åt middag på teatern och fortfarande brukade vara i kostym när han på kvällen kom att supera med hela hovet. "Vi hafva sålunda sett honom utklädd såsom Rhadamiste, Cinna och som öfversteprest i Jerusalems tempel, presenterande sig såsom ett åtlöje vid sitt eget bord." I mitten av 1770-talet nödgades han dock avstå från att skådespela själv av hänsyn till den folkliga reaktionen i landet; det inrapporterades på tal om den jerusalemitiske översteprästen rentav rykten som gick ut på att kungen hade bytt religion. Från den tiden fick han nöja sig med att göra regi i olika former. Inte minst anordnade han väldiga riddarspel, karuseller och sådant, och en gång när hans yngste bror kom hem till Gripsholm från en resa möttes denne på långt håll av furier och spöken i tjänst hos den store trollkarlen Merlin som sades hålla en prinsessa fången i slottet. En god fé kom därefter prinsen till hjälp och förde honom efter svåra drabbningar in i slottet där han sedan befriade en mängd fångna riddare i olika rum, stötte på Gustaf II Adolfs avsomnade generaler och en massa andra historiska och mytologiska figurer i andra salar och uppväckte alla dessa förhäxade personer ur deras dvala med hjälp av ett trollspö. Det hela avrundades med varjehanda deklamationer till prinsens ära, varefter hela sällskapet gick direkt till slottsteatern och såg en komedi. Det saknades tydligen varken ork eller naivitet bland dessa fullvuxna människor.

Gustaf III:s teatermani sträckte sig i själva verket mycket längre än så. Hovceremonielet som var märkvärdigt nog förut gjordes än märkvärdigare med varjehanda scenanvisningar kring den kungliga roll han spelade. Någon enstaka gång kunde han visserligen lätta på ritualen; när Johan Tobias Sergel bestämt förklarade att han inte ville modellera kungens byst i paraderande närvaro av damerna och hela societeten i salongen på Kina slott gav han motvilligt efter och fann sig i att sitta för konstnären i hans ateljé i stället. Men detta var ett undantag, och vanligen försummade konungen inga tillfällen att spela sin roll inför publik. Sålunda införde han morgonuppvaktning efter franskt mönster, så kallad lever. Hovmän, ämbetsmän och militärer ställde upp sig i en halvkrets i hans sängkammare medan han nådeligen lät klä på sig, och när toaletten var avslutad och alla ordnar ordentligt påsatta vände han sig till de församlade och lät presentera alla som han inte kände förut. "De som tillhörde hofvet eller rangregementen eller de kongl. prinsarnas regementen eller sjelfva hade en viss rang, fingo den icke för alla behageliga nåden att kyssa en karls hand", skriver Anders Fredrik Skjöldebrand i sina memoarer. Handkyssandet var en sak som togs på stort allvar, och österrikiske ambassadörens fru som hade vägrat nedlåta sig till att kyssa drottningens hand blev såsom icke presenterad avvisad av ceremonimästaren från en tillställning på Börshuset där de kungliga var med. Saken ledde till att de diplomatiska förbindelserna avbröts mellan de båda länderna, ett tillstånd som varade i åratal.

Väl så minnesvärda uttryck tog sig teaterlynnet i kungens intresse för kläder. För krigsmaktens uniformering hade han alltid intresserat sig på det varmaste, och i slutet av 1770-talet tog han sig för att uniformera hela nationen utom allmogen, ehuru han i denna sak mötte motstånd till och med bland sina närmaste. Resultatet var den berömda Svenska dräkten, en kostym som återgick på 1600-talets kläder och officiellt avsåg att föra folket tillbaka till fädernas allvar. För eftervärlden som kan beskåda den på många porträtt förefaller den rätt prydlig, och den kom faktiskt till användning i ganska vida kretsar, men många av dem som till kungens behag nödgades gå klädda i den fann den komisk och kände sig som på maskerad. Det gjorde tydligen hans svägerska Hedvig Elisabeth Charlotta, som ägnar några sidor av sin underbara dagbok åt svenska dräkten; hon säger att svenskarna får lov att gå klädda som vildar och väcka uppseende och prat i hela Europa. Hans drottning tyckte tydligen detsamma; Tersmeden berättar i sina memoarer att hon viskande frågade honom vad han tyckte om denna dårskapen. I ett annat roligt memoarverk, stadssekreteraren Rutger Fredrik Hochschilds, får man veta att borgerskapet också klagade, samtidigt som armén knotade över sina uniformer. "Minsta regn visade att klädningen var gjord för åkande och ej för gående." Vidare ekonomisk var alltså inte svenska dräkten, trots att kungen hade uppmärksammat den sidan av saken genom att ge order om upprättande av en särskild skräddartaxa. Överståthållaren Fredrik Sparre sattes till ordförande i en skrädderikommission som räknade ut vad persedlarna kunde kosta i tillverkning och utfärdade en taxa på grundval av dessa forskningar, men när kungen fick se de höga priserna blev han mycket förtörnad och lät omedelbart utfärda en kungörelse som upphävde överståthållarens. Däremot gjorde han inte upp någon ny prislista.

Kungliga familjen

Drottningen som tillviskade Tersmeden sin tanke om svenska dräkten delade inte sin gemåls intressen i andra avseenden heller. Sofia Magdalena kom till Sverige redan 1766, sedan den tjugoårige kronprins Gustaf hade gjort slag i saken och meddelat sin motvilliga mor att han nu ville gifta sig med den danska prinsessan. Lovisa Ulrika måste ge med sig men gjorde inga försök att övervinna sin motvilja mot den sonhustru som Tessin och stånderna en gång påtvingat henne, och det personliga mötet gjorde inte saken bättre; de båda damerna hade verkligen ingenting gemensamt. Hedvig Elisabeth Charlotta skriver om sin svägerska att hon var inbunden och full av förställning samtidigt som hon var blyg och rädd, i synnerhet i sin gemåls närvaro. "När hon talar viskar hon fram orden och krånglar till meningen så mycket som möjligt. Hon intresserar sig ej för litteratur och konst och läser ej annat än gazetter. Vad som sysselsätter henne mest är att klä sig och spegla sig i sin garderob. Till det yttre iakttar hon en värdig och majestätisk hållning men har alltid samma automatiska ansiktsuttryck." Ungefär detsamma säger Skjöldebrand, som liknar den unga drottningen vid "en väl prydd, vit paradhäst med hög encolure, men matt i sina rörelser". Kungen vid hennes sida fann han däremot "visserligen något affecterad men – det kan ej nekas – med mycken aisance och något kungligt, ehuru icke krigiskt, i sitt väsende".

Att äktenskapet var en stor tragedi kan icke betvivlas. Lyckligt familjeliv var visserligen, om man får tro det rikt flödande memoarskvallret, en sällsynt företeelse vid de höga makarnas hov, där den erotiska lättfärdigheten säkerligen var mycket stor och kungens båda bröder gjorde sina erövringar nästan öppet. Hedvig Elisabeth Charlotta, som hade oturen att vid femton års ålder bli gift med en av dem, är fullt på det klara med sina rivalers identitet och tycks ta saken med all resignation; hon noterar rentav att hennes hertig Karl brukade vara vänligare mot henne när han hade dåligt samvete. Kungaparets situation var emellertid en annan. Gustaf III var ingen erotisk natur och företedde dessutom någon liten fysisk egendomlighet. Hans mor och familjens livmedikus räknade med att han knappast skulle kunna få några barn, och familjens hopp beträffande tronföljden stod därför närmast till hertig Karl och Hedvig Elisabeth Charlotta.

Kungen och hans gemål kom från början på kant med varandra och levde skilda i åtskilliga år; de bemötte varandra mycket kyligt inför hovet och hälsade nätt och jämnt på varandra. I mitten på 1770-talet arrangerade kungen emellertid en försoning och anlitade för ändamålet sin förtrogne hovstallmästare Adolf Fredrik Munck. Historien är minst sagt underlig; man vet emellertid att efter en del förhandlingar begav sig kungen i nattdräkt till drottningens sängkammare, och Munck följde honom dit. Skvallret kom omedelbart i gång, helst som Munck inom kort fick en magnifik present av drottningen i gestalt av ett briljanterat ur med hennes porträtt, varjämte han med exempellös snabbhet steg i graderna och blev friherre, greve, landshövding, ståthållare och serafimerriddare efter vartannat.

Kungens mor och bröder som snart fick höra talas om saken blev övertygade om att det aldrig kunde stå rätt till i sängkammaren, och när det några månader senare tillkännagavs att drottningen väntade barn blev uppståndelsen stor i familjen. Änkedrottningen lät sina söner och sin unga sonhustru förstå att de borde vara på sin vakt, så att inte deras arvsrätt till Sveriges tron usurperades av en simpel adelsmans oäkta avföda. Detta kom snart till kungens öron, och gnistrande av vrede for han ut till sin mor på Fredrikshovs slott – hon hade nyss måst lämna Drottningholm – och sade henne att hans gemål aldrig ville se henne mer och att hon gjorde bäst i att genast flytta till Stralsund. Hans syskon skyndade att lägga sig emellan, och efter ett nytt möte återkallades denna förvisningsorder mot att änkedrottningen utfärdade en skriftlig förklaring där det stod att det utspridda ryktet var osannfärdigt, alldeles ogrundat och uppdiktat. Ett sådant dokument uppsattes också, undertecknades högtidligen och bevittnades av kungens syskon och sju riksråd, men kort därpå inkom änkedrottningen med en begäran att hennes handlingssätt skulle undersökas av en särskild domstol, och då blev kungen utom sig igen.

När barnet omsider föddes skrev han i alla fall ett formellt brev till sin mor och bjöd henne till slottet, och det kom genast ett svar där det stod att hon tog uppriktig del i hans lycka; hon sade sig också hoppas att det täckelse som skymde hans ögon en dag skulle sönderslitas så att han skulle göra henne rättvisa och ångra sin hårdhet. Med detta brev i handen kom kungen uppskakad utrusande ur sitt gemak och räckte det till sina bröder med orden: Här ser ni vem det är som ni har lagt er ut för! Hertig Karl läste de få raderna och höll på att dåna, varpå prins Fredrik Adolf ögnade igenom brevet med resultat att han fick konvulsioner, förlorade medvetandet, föll i kungens armar och drog honom med sig i fallet. Hovet rusade till och hjälpte upp dem, men brytningen med modern var därmed definitiv och uppenbar för alla. Först när hon låg på sin dödsbädd på Svartsjö slott ägde en formell försoning rum; Sofia Magdalena vägrade visserligen att ta del i den scenen, men kungen tog däremot med sig sin arvinge, som då var hela sju år.

Den stora familjekonflikten var inte den enda olyckan i samband med dennes ankomst till världen. Vid drottningens kyrktagning några veckor senare, en ceremoni som upprepades i tre dagar och ackompanjerades även av världsliga tillställningar, däribland svensk urpremiär på Glucks Ifigenia i Aulis med en särskild kyrktagningsprolog av Kellgren, hade borgerskapet i samförstånd med kungen låtit bygga en provisorisk festsal på nuvarande Gustaf Adolfs torg, utvärtes illuminerad och prydd med varjehanda deviser. Inuti serverades vin, öl och brännvin, och det var meningen att stockholmarna skulle få dansa där till militärmusik och ge luft åt sin glädje över den nyfödde, beskådade från särskilt uppbyggda tribuner av hovet och andra förnämiteter. När dörrarna öppnades strömmade folket in i massor, och sextiofyra människor blev omedelbart ihjältrampade under det att andra söp och dansade av alla krafter. Många av tidens memoarförfattare uppehåller sig utförligt vid den ohyggliga synen av de uppradade, massakrerade liken bland vilka förtvivlade människor sökte sina anhöriga, men den förgrämde kungafienden Axel von Fersen påstår att Gustaf III tog ganska lätt på saken. "Öfverståthållaren hemställde till Konungen, om icke bäst vore att med den andra dagen tillämnade pöbelfägnaden innehålla, såsom mindre lämplig då en stor del af borgerskapet med gråtande tårar voro sysselsatta att begrafva sina hustrur, männer och barn; men Konungens passion för festiviteter kunde ej förmås till denna återhållsamhet." Dagen därpå, som var nyårsafton, körde därför tre karnevalsekipage med åtta hästar vartdera runt i stan; på det första satt en Bacchus som kastade ut halmomlindade vinbuteljer, på det andra tronade en Ceres som strödde ut kött och bröd, och på det tredje åkte Abondancen, Överflödet, som delade ut silvermedaljer till kronprinsens ära med en vasakärve och devisen "Fortplantad 1778". Tåget omgavs av varjehanda teatergudomligheter, och de taftklädda operaflickorna som åkte på vagnarna frös så de skakade. Kungen, säger den obeveklige Fersen, red själv med och hade ett obegripligt nöje av att se hur pöbeln slets och revs om kött, bröd och vin.

Inrikespolitiken

En av Gustaf III:s första åtgärder efter revolutionen var att låta förstöra den så kallade Rosenkammaren och andra pinofängelser, och därmed var tortyr officiellt avskaffad i svenskt rättsväsen. Strafflagen mildrades också betydligt på kungens bedrivande; sålunda upphävdes 1779 dödsstraffet för trolldom, ehuru de prästerliga medlemmarna av lagutskottet energiskt stretade emot under hänvisning till Mose lag. Än starkare motstånd från det hållet mötte den stadga om religionsfrihet för utlänningar vilken såg dagen två år senare; i dess hägn kunde en del judar flytta in i landet. Tryckfriheten, upphävd vid revolutionen i likhet med frihetstidens övriga grundlagar, återställdes i viss mån redan 1774 genom en kunglig förordning, där det dock stod att ingen fick angripa regeringsformen eller kränka konungens majestät vid äventyr att bli straffad såsom för högmålsbrott.

Den ekonomiska politiken, som Gustaf III med visshet inte förstod mycket av, sköttes i hans tid länge av statssekreteraren Johan Liljencrantz, en klok och erfaren ämbetsman som hade stått väl hos de styrande också under frihetstiden. Hans första stora insats var att bringa reda i penningväsendet, vilket efter en del förarbete skedde genom 1776 års myntrealisation. Kopparmyntfoten avskaffades då och ersattes med silvermyntfot, och myntenheten i det nya systemet hette riksdaler, delad i fyrtioåtta skilling om vardera tolv runstycken. Det hela lyckades över förväntan bra, vilket, säger Heckscher, till stor del berodde på det just då utbrutna amerikanska frihetskriget, som det neutrala Sverige drog stor fördel av. Bland annat blev det därigenom möjligt att raskt bli av med den avskaffade kopparvalutan. De gamla sedlarna löstes in till halva värdet, men på grund av de utländska transaktionerna växte i alla fall bankens silver- och guldinnehav. Kronan befriades från en stor del av sina skulder, statsinkomsterna ökade och man kunde genomföra en löne-reglering som bland annat hade den förträffliga följden att statens äm-betsmän inte längre blev beroende av korruption för sin försörjning.

Under Liljencrantz' tid som finansminister frigavs spannmålshandeln som dittills åtminstone på papperet hade legat i händerna på städernas affärsmän; det var första steget till näringsfrihet i Sverige. I gengäld kom Liljencrantz också med en mindre god idé om statsmonopol på brännvin. Själv tänkte han sig att allmogen mot en viss avgift skulle få sin spannmål förvandlad till flytande vara vid små sockenbrännerier som sköttes av sakkunniga arrendatorer, men en äventyrlig officer som hette Georg Gustaf Wrangel lyckades förmå kungen att ändra planen därhän att staten själv skulle inrätta en stor brännvinsindustri. Krono-brännerier inreddes därför bland annat på en del historiska slott, däribland de i Vadstena och Kalmar, och alltifrån våren 1776 strömmade deras produkt i en mäktig flod ut över landet samtidigt som hembrän-ning och spritimport förbjöds strängeligen. Utminuteringsrätten vidga-des på samma gång, och nya krogar växte upp i stort antal, men det hela blev märkvärdigt nog ingen god affär ändå, ty allmogen föredrog att bränna hemma trots förbudet, och smugglingen till städerna antog väl-diga proportioner. Det hjälpte inte att prästerna på överhetens befall-ning uppmanade menigheten att efterspana lönnbrännare samt dricka kronans dryck, och när kungen dessutom förordnade om täta polis-visitationer och befallde att allmogens omhändertagna bränneriappa-rater skulle slås sönder höll det på att bli uppror på sina håll. I Kalmar län stämde bönderna en brutal länsman som hade bötfällt många av dem, och som deras sakförare uppträdde i full generalsuniform ingen mindre än Carl Fredrik Pechlin, vilket kungen fann så oroande att han själv for ner till Småland och talade till allmogen, utlovande att böterna skulle få fördelas på sex år.

Hans popularitet hade i alla fall fått en allvarlig knäck. Det förblev icke obekant att han för egen vinning drev ett bränneri på Gripsholm, och det hjälpte under sådana förhållanden inte mycket att han gjorde vad han kunde för att hålla riksdagsbönderna i Stockholm på humör. "Sekreteraren Schröderheim, listig och egennyttig, och Bellman, poet och gycklmakare bland det lägsta folket, drinkare och allmänt miss-aktad, fingo Konungens förtroende att styra bondeståndet", skriver den högdragne Axel von Fersen om 1778 års riksdag. Bellman tjänstgjorde där såsom notarie med uppgift att även vara med på Schröderheims många kalas för bönderna, där denne joviliske statssekreterare till och med nedlät sig till att lägga bort titlarna med mera inflytelserika gäster, en oerhörd ära i denna ståndskillnadens tid. Därom finns en bevingad replik, riktad till en troskyldig lantman som duade honom någon tid efter en sådan samvaro: "Hut, bonde – riksdan är slut!"

Elis Schröderheim var Gustaf III:s närmaste politiske medhjälpare i drygt ett årtionde. Hans och kungens egenskaper var liksom danade för varandra, säger den gamle historieprofessorn E. M. Fant och förklarar sig strax närmare på sitt livianska språk: "den ene outtröttlig uti ämnens uppfinnande, den andre i deras utförande, den ene ständigt i behof af omvexling, den andre lika fruktbar på utvägar därtill". Fast han utan tvivel var en föga redbar person är det omöjligt att tycka illa om Schröderheim; hans charm är förnimbar ännu i hans efterlämnade skrifter, som tillhör det klyftigaste man kan läsa. Inte desto mindre är hans namn intimt förknippat med en av de mest osympatiska företeelserna i tidens politiska liv, nämligen handeln med statens ämbeten. Den florerade våldsamt, framför allt kanske vid armén, och Hedvig Elisabeth Charlotta målar upp situationen på en bekymrad sida i sin dagbok: "Det händer ej sällan att helt unga människor, som haft råd att betala de dryga ackordssummorna, blir befordrade till överstelöjtnanter och överstar, under det att gamla militärer som varit med i krig blir förbigångna. Alla som kan göra detta drar sig därför tillbaka. Följden torde bli att det snart endast kommer att finnas helt unga oerfarna officerare, ty för närvarande är nästan alla löjtnanter, fänrikar och kornetter barn på åtta, tio och tolv år, och de allra äldsta är femton år." Även om detta torde vara överdrift rymmer det i alla fall en kärna av sanning, och missnöjet inom officerskåren med den kommersialiserade befordringsgången var mycket stort.

Ej mindre upprörda var prästerna, vilkas befattningar också såldes till högstbjudande av personer i kungens omgivning. Inblandad i detta var nästan alltid Schröderheim, som nämligen var föredragande i detta slags utnämningsärenden, men även andra uppsatta personer lät sig betalas av fattiga komministrar för att fälla ett gott ord om en kyrkoherdetjänst, och kungen själv kunde ibland hugna någon behövande hovman med rätten att tillsätta kyrkoherde i något ledigt pastorat, vilket nästan alltid innebar att tjänsten såldes till någon som kunde betala. Den så kallade pastoratshandeln hade betydande omfattning och hölls tydligen inte så värst hemlig; det finns rentav kvar en del anteckningar och affärsbrev i ämnet.

Schröderheim förlorade aldrig Gustaf III:s vänskap och förtroende, men han trängdes så småningom bort från sin inflytelserika ställning i kungens omedelbara närhet, där hans plats intogs av den unge gardesofficeren Gustaf Mauritz Armfelt, som i början av 1780-talet förordnades till kavaljer hos den tvåårige kronprinsen och sedan i rask takt blev överstekammarjunkare, generalmajor och medlem av den nyinrättade Svenska akademien. Liljencrantz avgick vid den tiden från sitt ämbete efter diverse sammanstötningar med konungen som inte ville finna sig i hans sparsamhetsparoller. Den försiktige Ulrik Scheffer vilken som kanslipresident hade handlagt utrikesärendena alltsedan revolutionen lämnade också sin befattning, och till hans efterträdare kallades den tankspridde poeten och Parisambassadören Gustaf Philip Creutz, vilken politiskt var en nolla och dessutom var insnärjd i oerhörda skulder som kungen betalade. Denne var därför de facto sin egen utrikesminister hädanefter, ivrigt biträdd i det fördolda av sin gamle revolutionsmedhjälpare Johan Christopher Toll som inte var rädd av sig.

Creutz dog inom kort, och utrikesministerposten dekorerades då med en annan blid poet med dåliga affärer: Johan Gabriel Oxenstierna. Denne som kände sin oförmåga som statsman försökte förgäves få slippa upphöjelsen, till vilken han sägs ha blivit kallad enbart på grund av sitt namn; kungen kände sig behöva en Oxenstierna till kansler för att själv kunna spela Gustaf II Adolfs roll, fastslår Axel von Fersen och andra. Hans håg hade nämligen vänt sig från sällskapsspektakel och brännvinspolitik till martialiska bragder och krigisk ära.

Utrikespolitiken

1783 möttes Gustaf III och kejsarinnan Katarina av Ryssland på ryskt område i det finländska Fredrikshamn. Förhållandet mellan de båda potentaterna och deras regeringar var för ögonblicket gott. De hade nyligen slutit ett väpnat neutralitetsförbund för att skydda sin handel mot engelska kapare under nordamerikanska frihetskriget, och den enda nageln i den svenske monarkens öga var att ryssarna hade ett sådant fördrag också med Danmark. Han hade kastat sina blickar på detta land och sagt sig att det nu var tid att erövra dess lydland Norge, och till den ändan lovade han nu kejsarinnan att ge upp svenskarnas gamla allians med Turkiet på villkor att hon ville ge honom fria händer mot danskarna. Kejsarinnan lät inte locka sig av detta förslag. För övrigt hade hon tråkigt i Fredrikshamn och klagade efteråt över sina trista och fadda tête-à-têter med sin kunglige kusin; hon yttrade i sammanhanget också att ville man ha honom på gott lynne behövde man bara placera honom så att han kunde se sig själv i en spegel.

Gustaf III gav emellertid inte upp sin stora idé och sökte efter andra vägar att genomföra den. Spänning rådde mellan Ryssland och Turkiet, och den svenska beskickningen i Konstantinopel fick order att göra allt för att om möjligt egga turkarna till krig under det att Sverige i all hemlighet rustade mot Danmark. För att bättre maskera vad som förehades beslöt han att själv företa en italiensk resa vilket också skedde, tyvärr i en olycklig stund, ty det rådde missväxt och nöd i Sverige. Han tycks också ha haft dåligt samvete, ty han gav sig av i all tysthet sent en kväll efter en teaterföreställning på Drottningholm, for med en slup över Mälarfjärdarna till Fittja och fortsatte därifrån sin resa i vagn klockan två på natten. I Italien där han uppträdde som Greven av Haga togs han emot av påven och träffade kejsar Josef II som händelsevis också befann sig där; han besteg vidare Vesuvius, fick se några krukor grävas upp i Pompeji och köpte en del antik konst som svenskarna kan ha glädje av än. Han åtföljdes på resan av bland andra Sergel som hade

varit i Italien förut på ett stipendium av frihetstidens ständer; denne demonstrerade många sköna ting för kungen men fick såsom ofrälse inte sitta med vid det övriga sällskapets taffel utan placerades vid ett litet bord för sig själv, där dock den litteräre diplomaten Nils von Rosenstein och den poetiske handsekreteraren Gudmund Jöran Adlerbeth demonstrativt satte sig och höll honom sällskap. Från Italien reste kungen vidare till Paris, där han träffade Ludvig XVI och Marie Antoinette och slöt ett handelsfördrag vari fransmännen avstod den lilla västindiska ön S:t Barthélemy till Sverige; det var ett gammalt löfte som därmed blev infriat. Däremot fann kungen inget stöd i Frankrike för sina danska krigsplaner, och något militärförbund lyckades han inte få till stånd.

I själva verket ägde han inte makt att bestämma över krig och fred ens för Sveriges egen del. När han kom hem sammankallades därför riksdagen, som inte hade varit samlad på länge. "Rikssalen, som länge varit inredd till operamagasin, måste nu rengöras, och lofvade konungen, att detta rum hädanefter skulle lämnas orördt", meddelar stadssekreteraren Hochschild och berättar också att riksdagskallelsen hade skickats ut i all tysthet av konungen med förbigående av rådet och de vanliga expeditionsvägarna; vid den splitternya Svenska Akademiens andra sammanträde hade därför Elis Schröderheim kunnat ge Axel von Fersen sitt hedersord på att ryktet om riksdag var alldeles ogrundat.

Hemlighetsmakeriets syfte var naturligtvis att oppositionen inte skulle få tid att samla sig, ty riksdagen hade utlysts icke blott för att dryfta inrättandet av spannmålsmagasin i bygderna med anledning av den genomgångna missväxten – vilket var den officiella huvudfrågan – utan framför allt för att genomföra något som kallades passevolansen. Därmed menades att man ville förmå rusthållare och rotar att betala en kontant avgift till kronan i stället för att själva bekosta soldaternas och hästarnas utrustning och förplägning vid marscher och möten, och avsikten var att vinna likformighet i utrustningen och möjlighet till snabbare mobilisering. Riksdagen förstod emellertid vad frågan ytterst gällde, nämligen att göra det möjligt för kungen att bruka armén efter behag. Efter mycken bearbetning lyckades han förmå präster och borgare att gå med på saken, men adeln och bondeståndet som var djupare engagerade i det militära röstade bestämt nej, och därmed hade frågan fallit.

Förslaget om spannmålsmagasinen var för övrigt den enda kungliga proposition som antogs av 1786 års riksdag, där alla utskottsval gick kungen emot och oppositionen hade majoritet i alla stånd. Riksdagen sänkte rentav bevillningen med en procent och beslöt att den skulle utgå endast för en tid av fyra år, varefter kungen alltså skulle bli tvungen att sammankalla ständerna igen. Mycken klagan framfördes också över hemlighetsmakeriet med finanserna och över den statsskuld som åsamkats landet, men framför allt kritiserade man den kungliga brännvinspolitiken som sades vara olaglig. Kungen erbjöd sig att lägga ner kronobrännerierna om ständerna i stället ville bevilja en ständig skatt på trehundratusen riksdaler om året, men det förslaget avvisades i nästan hånfull ton. Klander riktades också mot inskränkningarna i tryckfriheten, ty kungen hade under de senaste åren utfärdat ett par tillägg till 1774 års tryckfrihetsförordning vilka i praktiken upphävde denna. Tilläggen gick ut på att det hädanefter var boktryckaren, icke nödvändigtvis författaren, som gjordes ansvarig för vad som trycktes, och för att ge ut tidningar måste boktryckaren ha särskilt privilegium som kunde dras in av de styrande om det ansågs missbrukat. En något svulstig skrift som pläderade för oinskränkt tryckfrihet kom inte desto mindre ut till denna riksdag; den hette Memorial om allmänna förståndets frihet, var adresserad till konungen och folket och var undertecknad: Thomas Thorild, ung lärd och medborgare.

1786 års riksdag blottade obarmhärtigt hur kompakt oppositionen mot Gustaf III i själva verket hade hunnit bli. Själv blev han häpen och ond, klagade för Oxenstierna att folkets kärlek var för evigt förlorad och förbannade Toll som hade rått honom att sammankalla ständerna. Hans avskedstal till dessa var närmast ett strafftal; han erinrade dem om Gustaf Vasas besvärligheter med motsträviga undersåtar och vädjade till historiens dom. Emellertid gav han ingalunda spelet förlorat utan grep sig omedelbart an med att söka söndra ständerna inbördes, vilket inte var så svårt. Han började med att söka vinna prästerna genom att göra slut på pastoratshandeln; Schröderheim sköts alltså åt sidan, och kungens medhjälpare i kyrkliga angelägenheter blev i stället historieskrivaren Carl Gustaf Nordin, riksprosten kallad, en charmlös men viljekraftig och någorlunda hederlig man med stort inflytande i ståndet. Därpå kom turen till bönderna, som fick sin vilja fram beträffande brännvinet; sommaren 1787 utfärdades en kunglig kungörelse som tillstadde husbehovsbränning mot en viss avgift till kronan. Nästan överallt i landet gick sockenstämmorna med glädje med på att betala denna slant, dock inte i Bohuslän, ty där föredrog man att smuggla hem skattefritt brännvin från Norge. Deputationer av allmogemän från alla väderstreck kom därefter till Stockholm för att uppvakta konungen med tacksamhetsadresser som Kunglig Befallningshavande i de olika länen hade stuckit i deras händer tillika med nödiga respengar.

Vid den tiden hade de storpolitiska förhållandena i Europa ändrat sig en del. Ryssarna hade fått sitt krig med Turkiet till sist, men kejsarinnan Katarina som inte var okunnig om den svenska diplomatiens underblåsande verksamhet i Konstantinopel hade alltjämt ingen tanke på att prisge Danmark åt Gustaf III, och dennes krigiska aspirationer vände sig under sådana förhållanden raskt från väster till öster. En oktoberdag 1787 när danska kungafamiljen satt och åt middag i Köpenhamn anmäldes oväntat att svenske kungen var kommen på besök. Man blev synnerligen förvånad, men han togs i alla fall artigt emot, och under de följande dagarna förhandlade han ivrigt med sina värdar om en dansk-svensk allians i stället för deras dansk-ryska. Ryske ministern som fick nys om saken skyndade emellertid att underrätta danskarna om det svenska förslag som kejsarinnan hade sagt nej till i Fredrikshamn, och hela resultatet av Gustaf III:s köpenhamnsbesök blev att han lyckades utverka elefantorden åt Armfelt.

Den diplomatiska motgången avskräckte honom dock inte från att fullfölja sina planer. På nyåret 1788 hölls en krigskonselj i kungens anspråkslösa trähus på det nyinköpta Haga, där Toll och Armfelt stod honom bi med råd och dåd men utrikesminister Oxenstierna inte fick vara med. En depesch från ambassaden i S:t Petersburg redigerades om så att den lät som om ett ryskt överfall stod för dörren. Denna föredrogs sedan i rådet, som då uttalade sig för skyndsamma rustningar men också tog fasta på kungens försäkran att det blott gällde att värna rikets säkerhet; herrarna sade sig till och med förtrösta på att han skulle undvika alla utmanande åtgärder.

Atminstone till sjöss förefäll Sverige vid denna tid inte så illa rustat, ehuru det inte hade saknats betänksamma röster beträffande rustningarna. Ulrik Scheffer på sin tid brukade alltid motarbeta krigsministern Carl Sparre i konseljerna på denna punkt, säger Gudmund Jöran Adlerbeth i sina anteckningar, och när Sparre i förtroende frågade efter hans motiv svarade Scheffer: "Märker ni då inte att ni sätter en rakkniv i händerna på ett barn!" Sådana tankegångar var främmande för de män som mot slutet av 1780-talet stod konungen nära. Hans närmaste rådgivare och medhjälpare i militära frågor var nu Toll, som gjorde upp hans krigsplaner med sin vanliga äventyrslystna energi, under det att den store skeppsbyggmästaren af Chapman var i färd att skapa en respektingivande och särdeles vacker örlogsflotta på varvet i Karlskrona.

1788 på midsommarafton, det datum då Gustaf Vasa hade intågat i staden och Gustaf II Adolf hade avseglat till Tyskland, gick Gustaf III i Stockholm ombord på det kungliga skeppet Amphion för att bege sig till Finland. Han avmarscherade från slottet med stor pompa och tog ett teatraliskt avsked av drottningen och alla damerna inför det hurrande folket, som tidigare på dagen hade fått skåda embarkeringen av alla regementena under ett åskväder med hagel så stora att de slog sönder fönsterrutor. "Soldaterna voro till större delen druckna och släpades ombord", berättar ögonvittnet Hochschild. Någon vecka dessförinnan hade stora örlogsflottan löpt ut från Karlskrona under befäl av hertig Karl, som hade utnämnts till storamiral redan i vaggan men inte visste mycket om sjökrig. Han avgick till mynningen av Finska viken med order att kräva hälsning av alla ryska fartyg i sin väg, och inom kort mötte han mycket riktigt en liten eskader som intet ont anande var på väg till Medelhavet för att slåss mot turkarna. Befälhavaren för den var emellertid en klok karl som med några lösa skott gav den önskade saluten, och då blev det inte något krig den dagen.

I själva verket saknades helt varje krigsanledning; kejsarinnan Katarina hade fullt upp att göra med turkarna och var hövligare mot Sverige än någonsin, eftersom hon var angelägen om att bevara freden i Östersjön. För Gustaf III var detta ett besvärligt förhållande, eftersom han nödvändigtvis måste få sitt anfall att se ut som försvar; grundlagen fastslog uttryckligen att kungen inte hade rätt att börja krig på egen hand. Emellertid avsände han ett hiskligt ultimatum till ryska kejsarinnan och krävde att hon skulle återlämna alla Sveriges förlorade provinser inklusive sin huvudstad samt ge Krim åt turkarna; kanslipresidenten Johan Gabriel Oxenstierna och andra herrar arbetade i tre dagar på att få honom att dämpa tonen något, men han vägrade att inse att det var något löjligt i dessa hans rättvisa krav. En akut krigsanledning för hemmabruk ordnades naturligtvis också utan svårighet, såsom alltid när vilja till krig föreligger. I läglig tid inträffade en incident vid ett ställe som heter Pumala, där en svensk gränspostering blev beskjuten i en timmes tid och själv svarade med två skott, och det får anses bevisat att det hela var arrangerat på kunglig befallning; man hade klätt ut en trupp i ryska uniformer – sydda av operaskräddaren i Stockholm, påstår Fersen – och skickat den över gränsen att utföra eldöverfallet. Samtidigt rapporterades att ryska trupper hade hanterat folk omänskligt borta i Karelen, en uppgift som var minst sagt obekräftad.

Kriget hade sålunda kommit i gång i alla fall, och krigsplanen som Toll hade gjort upp gick ut på landsättning av svenska trupper alldeles intill S:t Petersburg. Stor oro uppstod omedelbart i denna stad, där man var alldeles oförberedd på krigsutbrottet och för ögonblicket ansågs underlägsen både till lands och sjöss. Ryska flottan löpte i alla fall ut genast och mötte den svenska vid ön Hogland, där det en vacker julidag

stod ett slag som kostade vardera sidan ett linjeskepp varefter flottorna skildes åt igen och firade var sin seger. Till sina verkningar var slaget närmast ett nederlag för svenskarna, som inte hade kunnat öppna väg till den ryska huvudstaden men däremot hade skjutit bort all sin tunga ammunition och måste skicka efter nya kulor ända från Karlskrona. Ryssarna kunde snabbt nyutrusta sin flotta i det närbelägna Kronstadt och blockerade sedan den svenska, som overksam låg kvar vid Sveaborg resten av sommaren.

Hoppet stod under sådana förhållanden till armén, och kungen gav alltså order om framryckning över gränsen. Då hände emellertid någonting oerhört: en mängd officerare, däribland två regementschefer, begärde omedelbart avsked eller permission. Hären led brist på det nödvändigaste och saknade till och med proviant, ty kungen och hans medhjälpare hade inte tänkt så mycket på den sidan av krigsplanen. Den armékår där han själv befann sig satte sig visserligen på marsch över gränsen i riktning mot fästningen Fredrikshamn, men missnöjet jäste, och efter en kort framryckning måste kungen ge efter för befälets påtryckningar och slå till reträtt igen. Därmed var Petersburg räddat och segern definitivt utom räckhåll. Till råga på allt ingick snart underrättelse att den ryska eskader som så lydigt hade saluterat hertig Karl nu befann sig i Öresund på sin danske bundsförvants vatten och hade bränt upp fiskeläget Råå med resultat att det rådde panik i hela Skåne.

Motsträvigheten inom armén i Finland berodde i första hand på det uppenbart amatörmässiga i hela krigsorganisationen, som gjorde att ett förband kunde få svälta i flera dagar och ett annat kunde få dra sina kanoner självt i brist på hästar, detta innan någon strid ännu hade börjat. Det är inte ofattbart att förtroendet till överste krigsherren under sådana förhållanden var mycket måttligt bland militärerna, som rentav brukade kalla honom för galningen, påstår Adlerbeth: "han var löjligt klädd, satt till häst med siden-pantalonger, kyller och en ofantligt stor värja à la Charles XII". Någonting liknande säger kungens svägerska, som anförtror sin dagbok att han behandlar truppavdelningar som andra teaterdekorationer. Men ovilligheten att lyda hade andra och djupare bevekelsegrunder också. Den psykologiska atmosfären i landet var inte mogen för krig; ingen människa trodde därför på historien om det ryska överfallet i Pumala.

För ett litet antal finska officerares del tillkom en gryende känsla av att svenske kungens sak inte nödvändigtvis var Finlands sak. Man hade inte glömt de genomlidna krigen, ockupationerna och amputationerna, och man hade en mer eller mindre oklar dröm om alla de finska provinsernas återförening och Finlands uppståndelse som en fri nation utanför både Ryssland och Sverige. Den förste som öppet agiterade för ett sådant mål var överste Göran Sprengtporten, halvbror till Jakob Magnus som hade hjälpt Gustaf III vid hans revolution; båda bröderna kom inom kort att tillhöra den bittraste oppositionen mot kungen. Göran Sprengtporten deltog i 1786 års riksdag i Stockholm och reste samma höst till S:t Petersburg där han framlade sin politiska plan för kejsarinnan Katarina som naturligtvis inte var ointresserad; hon tog honom strax i sin tjänst och gjorde honom till generalmajor. Ur svensk synpunkt var han således landsförrädare, men inflytandet av hans tankar hade inte förbleknat i Finland i de officerskretsar han hade tillhört. Ett par av hans vänner och anhängare, majorerna Jägerhorn och Klick, lyckades under det melankoliska återtåget från Fredrikshamn övertyga sina närmaste överordnade om att kriget var förlorat och att det klokaste man kunde göra var att själv ta kontakt med ryska kejsarinnan och söka få till stånd en hedersam fred innan det blev för sent.

En augustinatt samlades sju officerare, bland dem den gamle generalen Carl Gustaf Armfelt och överstarna Hästesko och von Otter, i en by som hette Liikala och avfattade i hela nationens namn ett brev till kejsarinnan vari de förklarade att detta krig var olagligt; de ogillade det och ville inte slåss utom till fäderneslandets försvar. De föreslog därför kejsarinnan att inleda fredsförhandlingar med nationens representanter och bad henne överväga om det inte ur fredssynpunkt kunde vara klokt att återge landet de gränser det hade haft före hattarnas krig. Med denna naiva skrivelse reste Jägerhorn därpå till Ryssland, under det att armékåren i övrigt fortsatte sin marsch västerut över gränsen och några dagar senare befann sig vid Anjala gård, vars namn därmed vann historisk ryktbarhet. Hundratretton officerare undertecknade där en deklaration där det stod att kriget var ett anfallskrig och att arméns tillstånd var miserabelt. De förklarade sig solidariska med dem som hade vänt sig till kejsarinnan och försäkrat henne om nationens tänkesätt, därtill bevekta icke blott av kärleken till fosterlandet utan även av troheten mot sin konung. Gemensamt lovade de ta ansvaret för detta nödvändiga steg, men för det fall att kejsarinnan inte ville gå med på en hederlig fred förpliktade de sig att kämpa intill döden. Ett exemplar av detta dokument skickades strax till konungen, och undertecknarna sade sig hoppas att han ville underhandla med kejsarinnan om hon lät höra av sig med ett anbud om hederlig fred.

Gustaf III var naturligt nog alldeles förtvivlad och fruktade rentav för sitt liv; han tillbragte nätterna ombord på Amphion varvid land-

gången drogs in. Han fantiserade om att abdikera och leva ett lysande liv som privatman fjärran från sitt otacksamma folk, som han hade sökt skänka vitterhet och smak och på sistone även hölja med ära; dock kunde han inte slå sig ner i Rom, ty där levde alltjämt minnet av drottning Kristina, och han kunde som sakerna nu stod inte komma dit med samma berömmelse som hon. Johan Gabriel Oxenstierna, som i ett brev på franska har refererat dessa kungens tirader och utgjutelser beträffande en effektfull sorti, blev övertygad om att han för ögonblicket var ur stånd att klara landets politik och tog sig för att bakom hans rygg söka rädda vad som räddas kunde, ty han var ju dock utrikesminister. I samförstånd med ett par av kungens närmaste vänner, däribland Gustaf Mauritz Armfelt, började han sondera möjligheten att få till stånd ett familjefördrag inom det holsteinska furstehuset, dit både ryska, danska och svenska kungligheterna hörde.

Emellertid ryckte kungen raskt upp sig; han hade upptäckt en ny sannolik möjlighet att dra sig ur spelet med gloire. Armfelt har refererat ett hans uttalande någon dag senare; han försäkrade då att han aldrig skulle vanära sig genom att rymma undan förrädarna. Han gick nämligen och hoppades på att Danmark måtte förklara krig så att han skulle kunna återvända till Sverige med ära och vädja till nationen att försvara både fäderneslandet och honom själv.

Gustaf III räknade ju rätt. Sex dagar efter Anjalamännens skrivelse fick han en depesch från Sverige med sådana underrättelser att danska kriget kunde anses säkert. Han yttrade då de bevingade orden *Je suis sauvé*, jag är räddad. Han överlämnade vidare befälet i Finland åt sin bror Karl, for skyndsamt tillbaka till Sverige och kom en tidig septembermorgon hem till Haga, dit det också anlände en trupp ryska krigsfångar inom kort, begapade av mycket folk på sin marsch från Skeppsholmen till sitt tvångsarbete vid det blivande Haga slott.

Folkuppbådet i Dalarna

I Finland kom major Jägerhorn så småningom tillbaka med ryska kejsarinnans svar. Där stod i sak att Finlands folk borde utse delegater att underhandla med den ryske överbefälhavaren, som skulle göra allt för att hjälpa detta folk i dess strävan efter självständighet. Anjalamännen stod häpna och handfallna, ty i hela sällskapet var det egentligen bara Jägerhorn och Klick som hade tänkt sig någon skilsmässa från Sverige, och till Göran Sprengtporten som hade följt med Jägerhorn yttrade överste Hästesko och den gamle general Armfelt att varje steg i den riktningen skulle bekämpas till det yttersta av de finska trupperna. I stället lyckades Anjalamännen förmå hertig Karl att ta kontakt med den ryske storfurst Paul och att dra alla trupper tillbaka till gränsen för att möjliggöra svensk-ryska förhandlingar om stillestånd, och de vann också anslutning av nästan hela officerskåren för sitt krav att kungen borde sammankalla ständerna och i samråd med dem återställa freden.

Den danska krigsförklaringen var föga allvarligt menad; den hade utfärdats efter mycken påtryckning i kraft av den ryska alliansen och följdes i förstone inte av några militära åtgärder alls. Det var ett sannskyldigt önskekrig för Gustaf III, som fick både rådrum och tacksam publikstämning för en roll som han verkligen kunde. Att vända folkopinionen i Sverige mot de uppstudsiga adliga officerarna var lätt; de hade obestridligen svikit sin lydnadsplikt, och folk såg sig naturligtvis om efter syndabockar för att kriget inte gick bra.

Själv begav sig konungen ofördröjligen ut på en agitationsresa i bygderna. Han började i Mora och talade efter berömt mönster till dalamännen på kyrkovallen, vädjade till deras lokalpatriotism och fick dem att sätta upp en väpnad skara till den urgamla frihetens värn mot förrädare och tyranner. Otvivelaktigt trodde han själv på vad han predikade; sagorna om Gustaf Vasas äventyr var för honom en levande verklighet som han brukade referera till även i vardagslag. Från Mora drog han vidare till Leksand, Stora Tuna och Falun och skördade ny framgång överallt, så att han utan svårighet fick ihop det manskap han begärde. Han uppträdde i daladräkt – "det tar hjärtat ur dem", skriver han själv i ett brev till drottningen – men med serafimerstjärna på rocken.

Folkuppbådet blev en framgång inte bara i Dalarna, i varje fall numerärt. Vad denna helt oövade landstormsarmé kan ha varit värd på slagfältet hör till det som nationen sluppit veta. Innan något skott hade hunnit lossas kom engelske ministern i Köpenhamn hals över huvud resande till Sverige och träffade Gustaf III i Karlstad. Han erbjöd Englands och Preussens medling mellan Sverige och Danmark, samtidigt som preussiska sändebudet mycket bestämt tillställde danska regeringen ett liknande anbud i Köpenhamn. De båda stormakternas inskridande, som berodde på att de stod i spänt förhållande till Ryssland, var naturligtvis en befallning, men den åtlyddes likafullt med tacksamhet i både Sverige och Danmark, och den dansknorska här som i all vänlighet hade tågat in i Bohuslän i oktober återvände i november snällt till sitt land igen.

Gustaf III:s ställning var nu så säker att han kunde ta itu med Anjalamännen. Jägerhorn och Klick satte sig i säkerhet på ryskt område, men de övriga ledarna arresterades utan svårighet och fördes till Stockholm, där de efter vanligheten i sådana fall möttes av en uppbådad folkmassa som följde dem till fängelset under blodtörstiga skrän. Ständerna, som de hade krävt att få sammankallade, var samlade vid det laget, men det var konungen som ställde det första ståndet till svars och inte tvärtom, och någon öppen opposition mot hans befallningar förmärktes inte mer.

Förenings- och säkerhetsakten

1789 års riksdag, som var nödvändig för att reda upp de otroligt förstörda finanserna, utlystes verkligen i det psykologiska ögonblicket, då den danska faran alldeles nyss var avvärjd och större delen av nationen föreställde sig att detta var folkuppbådets och konungens förtjänst. Dennes första omsorg när riksdagen öppnades blev nu att se till att ingen tog upp frågan om det finska krigets laglighet genom att påstå att det var ett anfallskrig. Hans anhängare i de lägre stånden sattes i rörelse och lyckades raskt få sina riksdagsbröder med på en tacksägelseadress till konungen för hans insatser till rikets försvar, och adeln som riskerade att bli beskylld för att vara solidarisk med Anjalamännen ifall den satte sig på tvären i en sådan fråga fann det klokast att instämma i tacksägelseadressen utan reservationer. Därigenom hade ständerna emellertid godkänt kriget såsom lagligt, och så var denna farliga fråga behändigt bragt ur världen.

De egentliga riksdagsförhandlingarna började med behandlingen av en proposition som gick ut på att det skulle tillsättas ett hemligt utskott från alla fyra stånden för att gemensamt med konungen finna utvägar till rikets säkerhet. Adeln, som insåg att det var frågan om att ta makten ifrån ståndet och lägga den i händerna på en liten grupp riksdagsmän där de ofrälse dominerade, stretade naturligtvis emot och lyssnade villigt till den värmländske brukspatronen Frietzky som föreslog att utskottets befogenheter borde begränsas genom en instruktion så att det inte kunde sätta riksdagen ur spel. När ståndet skulle rösta om detta förslag ingrep emellertid konungen med ett egenhändigt brev som han lät den gamle snälle och mycket obegåvade lantmarskalken Charles Emil Lewenhaupt läsa upp; i brevet stod att den föreslagna instruktionen var oförenlig med grundlagen och att kungen förbjöd all överläggning om den. Adeln antog Frietzkys förslag i alla fall, praktiskt taget enhälligt. Vid nästa plenum uppträdde emellertid lantmarskalken som om inget riktigt beslut hade fattats; han sade sig inte ha ställt proposition på saken utan hade bara upplysningsvis velat inhämta adelns mening i ärendet.

Det blev ett våldsamt uppträde på Riddarhuset när detta var sagt; själve den gamle Axel von Fersen, berömd för sin behärskning, påstås ha darrat som ett asplöv och knutit näven åt lantmarskalken. En deputation med besked om adelns beslut skickades till de övriga stånden, men detta tjänade till ingenting; de ofrälse beslöt uttryckligen att ingen särskild instruktion för utskottet var nödvändig. För adeln som därmed var överröstad återstod bara att utse sina stridbaraste män till utskottsledamöter och ålägga dem att bevaka att grundlagens bestämmelser om ständernas befogenheter inte träddes för när.

Kungen åtnöjdes emellertid inte med detta. Den dag då hemliga utskottet skulle sammanträda för första gången kallades ständerna till plenum plenorum på rikssalen, och i full kunglig ornat höll han där ett ytterst onådigt tal till adeln, som han beskyllde för att försena riksdagsarbetet så att riket råkade i fara. Han ärnade inte tåla att de som hade burit hand på hans faders krona skulle rycka i hans egen spira, och han tänkte inte av dem låta sig tvingas till en vanhedrande fred med ryssen. Därpå lät han läsa upp en klagoskrift från lantmarskalken Lewenhaupt om det faseliga skick och den oanständiga häftighet varmed denne ansåg sig ha blivit bemött, och när uppläsningen var slut befallde han adeln att be lantmarskalken om ursäkt; det borde ske genom att adeln strax förfogade sig till riddarhuset och utsåg en representativ deputation för ändamålet. Axel von Fersen som var särskilt nämnd i lantmarskalkens aktstycke reste sig omedelbart och begärde ordet, men kungen slog sin silverklubba i bordet och förklarade att han hade kallat ständerna till rikssalen för att lyssna och icke för att överlägga.

Ett par andra adelsmän som försökte sig på en protest blev också nedklubbade, varpå kungen befallde adeln att lämna rikssalen. Det gick någon minut av oerhörd spänning utan att någon gjorde min av att lyda, men därpå reste sig Fersen lugnt och värdigt, sade "Låt oss gå!" och gick mot utgången. Hela adeln följde tveksamt efter och vandrade i förbittrad stämning till Riddarhuset, där Fersen strax slog fast att han inte tänkte be lantmarskalken om ursäkt; hellre skulle han lägga sitt huvud på våldets stupstock. Andra talare sade ungefär detsamma.

Under tiden riktade konungen ett nådigt tal till de ofrälse som satt kvar på rikssalen, mer eller mindre skadeglada. Han föreslog dem att utse två medlemmar av varje stånd att jämte talmännen överlägga med honom om rikets gemensamma väl, och därtill valdes ofördröjligen sex mycket rojalistiska personer, bland dem den tystlåtne prosten Nordin och den talföre Växjöbiskopen Olof Wallquist, vilka visserligen var dödsfiender inbördes. Delegationen sammanträdde redan samma kväll under ordförandeskap av konungen som då läste upp ett egenhändigt förslag till något som han kallade förenings- och säkerhetsakten. Förslaget gjorde ingen succès, ehuru ingen utom konungen yttrade sig vid detta första sammanträde. Dagen därpå möttes delegationen igen, och denna gång var också hertig Karl med, ty kungen fann det nödvändigt att försäkra sig om att han inte frestades att gå sina egna vägar. Det kungliga dokumentet upplästes nu punkt för punkt, och alla delegaterna kom med olika anmärkningar och ändringsförslag utom prosten Nordin, som iakttog orubblig tystnad. Ärkebiskop Troil som var prästeståndets talman protesterade i ett privatsamtal med konungen uttryckligen mot hela akten; han gick därefter hem och drog en socka på ena foten till bevis att han hade svår podager, varefter den unge och smidige Linköpingsbiskopen Jakob Lindblom i sin egenskap av vice talman intog hans plats som delegat hos kungen. Denne fick finna sig i att det gjordes en del ändringar i hans manuskript, så att förenings- och säkerhetsakten trots allt inte gav honom fullständigt envälde.

Dock vågade han inte lägga fram sitt förslag för ståndens plena utan vidare. "Om morgonen bittida", skriver polismästaren Nils Henrik Liljensparre, "kallades jag till konungen, emottog hans ordres och gjorde i hans egen höga närvaro nödiga anstalter för verkställigheten och tillika för lugnet och säkerheten, och innan middagen voro hans ordres till pricka uppfyllda." Konungen lät med andra ord häkta ett tjog personer som han bedömde som oppositionens ledare; de flesta av dem spärrades in på Fredrikshov, som hade stått tomt sedan Lovisa Ulrikas död. Nästa dag hölls plenum plenorum i rikssalen, varvid kungen lät läsa upp sitt författningsförslag och omedelbart ställde proposition: "Antagen I så, gode herrar och svenske män, den nu således uppläste förenings- och säkerhetsakt?" Svaret blev en rungande blandning av ja och nej. Efter att ha upprepat frågan ett par gånger med samma resultat förklarade konungen att de ofrälse stånden hade antagit propositionen och uppmanade adeln att instämma. Emellertid hade han misstagit sig på effekten av sina arresteringar; flera talare steg upp och begärde att ståndet i laga ordning skulle få sätta sig in i saken, och poeten och kanslirådet Gudmund Jöran Adlerbeth som aldrig förr hade yttrat sig offentligt vädjade till konungens rättskänsla och ädelmod, under många tacksägelser för visade välgärningar för sin personliga del. Adlerbeths vädjan gjorde intryck, vilket hedrar den kunglige revolutionären; han gick strax med på att adeln skulle få debattera förenings- och säkerhetsakten på Riddarhuset och vänta till dess med sitt svar.

I själva verket var entusiasmen för den nya författningen måttlig även bland de ofrälse. Endast i bondeståndet var ja-majoriteten överväldigande, ty förenings- och säkerhetsakten stadgade att alla medborgare skulle ha rätt att förvärva frälsejord, och skjutsningsbesväret som förut hade åvilat allmogen allena fördelades nu lika på alla jordägare. Socialt och ekonomiskt innebar den ett stort framsteg även för borgare och präster; ofrälse män fick tillträde till alla rikets ämbeten utom hovtjänsterna och de allra mest lysande positionerna i samhällets topp. Men det fanns annat som var ägnat att inge betänkligheter. Kungen skulle styra riket med enväldsmakt, riksrådens antal skulle bero av hans gottfinnande, han ägde rätt att börja krig utan att fråga ständerna, och ingenting annat än konungens propositioner skulle få behandlas vid riksdagarna. I fråga om beskattningen stadgades att svenska folket, alltså inte ständerna, ägde rätt att sig självt beskatta, vilket kunde innebära att kungen om han fann för gott kunde vända sig till sockenstämmorna i stället för till riksdagen. På ett viktigt område var hans godtycke dock begränsat; medborgarnas säkerhet till person och egendom fick han icke antasta, nya lagar utan riksdagens samtycke kunde han icke stifta, och vissa ämbetsmän, framför allt inom rättskipningen, kunde han icke avsätta utan laga dom.

Lantmarskalken Lewenhaupt, ledsen och olycklig, dröjde länge med att ta upp frågan på Riddarhuset i hopp om att känslorna skulle svalna och oppositionsmännen resignera. Det var fåfängt hopp. När lagförslaget efter flera veckor plötsligen lades fram var adeln på sin vakt och förkastade förenings- och säkerhetsakten praktiskt taget enhälligt. Kungen förklarade att den hade vunnit laga kraft ändå, eftersom den var antagen av tre stånd, och han lyckades också förmå den gamle Lewenhaupt att sätta sitt namn under akten; kungen lär ha förlett honom till det genom att smickrande säga att han vore icke blott adelns, utan samtliga riksens ständers lantmarskalk. Inom adeln blev man naturligtvis ursinnig när detta blev känt och tog strax en liten hämnd som kanske var kännbar; man beslöt nämligen att bilden av Charles Lewenhaupt den yngre skulle utelämnas i raden av lantmarskalksporträtt på Riddarhuset.

Dock var det ännu inte slut på ståndets prövningar, ty den fråga för vilken riksdagen egentligen hade sammankallats var alltjämt oavgjord. Pengar måste ju skaffas fram, och en bister finansplan som hemliga utskottet hade gjort upp drevs med möda igenom i alla fyra stånden. Den innebar att man vid sidan av den motsträviga Riksbanken skulle inrätta ett ämbetsverk vid namn Riksgäldskontoret som skulle ta upp lån och utfärda obligationer för att skaffa medel till kriget och vars permanenta uppgift skulle vara att sköta avbetalningarna på statsskulden med hjälp av en särskild årlig bevillning, som ständerna åtog sig att betala. Kungen ville att denna skatt skulle utgå på obestämd tid och fick de ofrälse med på att den skulle utgå till nästa riksdag, vilket kunde vara alldeles samma sak eftersom kungen ensam bestämde när det skulle bli riksdag. Adeln var mindre medgörlig och beslöt att bevillningen skulle gälla för två år. Den aprildag då detta beslut skulle justeras på Riddarhuset samlades en massa folk på torget utanför, ditföst med lämpliga medel av polismästare Liljensparre; två skilling om dagen åt varje hurrande respektive skränande hjon lär ha varit hans taxa. Denna gång gällde det att hurra för konungen, som oväntat kom åkande till Riddarhuset och trädde in bland den församlade adeln. Han meddelade att han kommit i egenskap av ättling till Gustaf Eriksson Vasa[1], tog hand om lant-

---

[1] Sondotterdottersondottersonson. Pfalzgrevinnan Katarina som ju var dotter till Gustaf Vasas yngste son blev mamma icke blott till Karl X Gustaf utan även till en flicka som hette Christina Magdalena. Denna giftes bort med en

marskalksklubban samt höll tal om nödvändigheten av obegränsad tid för bevillningen. Samtidigt sorlade folket av alla krafter så att det hördes ända in, och det finns en historia som säger att en ädling därvid stack ut huvudet genom ett fönster och skrek: "Tig, pöbel – han talar själv!" Med lantmarskalksklubban i hand drev kungen raskt igenom sin vilja; han klubbade helt enkelt ner misshagliga talare men lät de välsinnade hålla på, och när han omsider ställde proposition på frågan om bevillningstiden och fick övervägande nej men också några ja till svar slog han klubban i bordet och tackade adeln för dess samtycke.

Därmed var riksdagen slut, stånderna skildes åt, och de fängslade aristokraterna kunde släppas fria. De kom ut lagom till den sommaren då Bastiljen stormades i Paris och budskapen från den franska revolutionen genljöd även i det avlägsna Sverige, där adelsväldet nu var brutet för alltid. Riksrådet var också avskaffat, i det att konungen hade behagat fastställa riksrådens antal till noll, och i dess ställe hade man inrättat Högsta domstolen, av vars tolv medlemmar hälften skulle vara ofrälse. En generalkrigsrätt satt dessutom samlad i Stockholm med uppgift att rannsaka och döma Anjalamännen. Rättegången mot dem drog ut över ett helt år och slutade med sjuttiosju dödsdomar, varefter överste Hästesko, den ende som inte fick nåd, blev halshuggen på Ladugårdslandet. De många dödsdömda kompaniofficerarna i Finland släpptes i allmänhet utan vidare och återgick till tjänsten. General Armfelt sattes i behagligt fängelse i Kristianstad, ett par av de övriga toppfigurerna drevs i landsflykt, men två stycken deporterades till att såsom svenska kolonister hållas i lindrigt häkte på den nyförvärvade S:t Barthélemy.

Skärgårdskriget i Finland

Kriget i Finland stod nästan stilla. Kungen som hade rest dit igen omedelbart efter revolutionsriksdagen var med om att jaga bort en liten fientlig styrka vid en plats som heter Uttismalm, vilket naturligtvis firades som en stor seger, men i gengäld hade ryssarna liknande små

markgreve av Baden-Durlach och fick med honom sonen Fredrik Magnus, vars dotter Albertina Fredrika i sinom tid förmäldes med en hertig av Holstein-Gottorp. Hon var mor till kung Adolf Fredrik av Sverige.

framgångar på andra ställen vid gränsen, och händelserna till lands i detta krig är föga minnesvärda. Märkligare är bataljerna till sjöss, ehuru inte heller de ledde till någonting annat än manfall, skeppsbrott och äreminnen. 1789 kom stora flottan sent i sjön därför att tyfus härjade i Karlskrona och folk dog som flugor, och den sommarens största sjömilitära händelse var att halva finska skärgårdsflottan gick förlorad vid Svensksund invid den dåvarande landgränsen. Befälhavare vid tillfället var generalamiralen och tecknaren Carl August Ehrensvärd, som lär ha kommit landvägen till kungens högkvarter, svart av krutrök i ansiktet,

och rapporterat: "Ers Majestät har icke mera någon skärgårdsflotta." Han överdrev dessbättre; ett trettiotal fartyg återsamlades dagen därpå en bit västerut i skärgården.

Namnet Svensksund är ryktbart genom en svensk seger också, den största sjösegern i Norden, säger Nordisk Familjebok. Den vanns året därpå, närmare bestämt den 9 juli 1790, och flottan kommenderades då av kung Gustaf III själv, fast med biträde av flaggkaptenen Carl Olof Cronstedt som var en erfaren sjöofficer. Jämnt en vecka dessförinnan hade flottan utfört den ärorika men dyrbara bragd som kallas för Viborgska gatloppet. Kungen hade lyckats slå en rysk skärgårdseskader och begick därpå dumdristigheten att gå in i Viborgska viken med hela Sveriges samlade sjömakt, varvid vikens mynning omedelbart korkades till av ryska flottan. Viken omslöts på alla sidor av ryskt territorium, och inte ens kungen själv hade således någon möjlighet att rädda sig landvägen; den ryske överamiralen sägs också ha låtit göra i ordning en hytt på sitt flaggskepp för hans värdiga mottagande och kungliga fångtransport till S:t Petersburg. Flottan låg nu inspärrad i Viborgska viken genom hela juni, men vid månadsskiftet fick man äntligen östanvind och länsade ut förbi de ryska fartygen och strandbatterierna som raskt sköt i sank sex linjeskepp och tre fregatter med fyratusen man ombord, vilket var ungefär tredjedelen av hela den svenska högsjöflottan. De övriga skeppen klarade sig någorlunda och räddade sig till Sveaborg. Skärgårdsflottan som inte hade lidit så stora förluster stannade emellertid vid Svensksund i kontakt med lantarméns högra flank, och här angreps den inom kort av en ungefär jämnstark rysk flotta som gick till anfall i god vind och togs emot med en mördande kanonad utan möjlighet att retirera. Ryssarna lär vid Svensksund ha förlorat inemot tredjedelen av sin sjömakt och mer än hälften av dess besättning, och Gustaf III som nu hade vunnit den krigiska ära han eftersträvade kunde skicka en av de ryska fångarna, f.d. attaché vid beskickningen i Stockholm, till S:t Petersburg för att låta kejsarinnan förstå att han vore benägen för fred.

Vissa kontakter i det ärendet hade pågått hela året, ehuru ivrigt motarbetade av preussare och turkar som var Sveriges allierade; nu ledde de raskt till resultat. Gustaf Mauritz Armfelt och den ryske överbefälhavaren Osip Igelström möttes med ömsesidig förbindlighet i en gränsort som hette Värälä; den sistnämnde som var från Livland föreslog artigt att förhandlingarna skulle föras på svenska, och redan i mitten av augusti undertecknades freden, som innebar att allt förblev som det varit. Svenskarna, som hade förlorat femtiotusen man och fått sina finanser helt förstörda under krigsåren, kunde dock gona sig åt att Väräläfreden inte upprepade Nystadsfredens och Åbofredens ryska garanti för det fria statsskicket i Sverige.

Franska revolutionen

Knappt var Gustaf III tillbaka i sin huvudstad från krigets åskor, så kom franske ministern och begärde att den nya trefärgade nationalflaggan måtte bli mottagen och erkänd i Sveriges hamnar. Denna åstundan var konungen ytterligt motbjudande, och som han genom fredsslutet ånyo var försonad med sin kejserliga kusin i S:t Petersburg gav han henne del av sina tankar i ämnet. "Att emottaga den franska nationalflaggan i våra hamnar skulle vara att för våra folk visa ett tecken på upprors och demagogers framgång. – Man känner till entusiasmens kraft, exemplets fara och folkrörelsernas smitta, en smitta som har brett ut sig från Amerikas urskogar ända till Frankrike och som är ägnad att förleda det lägre folket, som alltid förväxlar självsvåldet med friheten." Han tyckte därför att Ryssland och Sverige borde portförbjuda trikoloren och endast erkänna liljebaneret som Frankrikes symbol. Katarina II förklarade till svar att detta var sant och ädelt talat; dock var det ju så att Ludvig XVI själv hade varit nog svag att godkänna trikoloren, och utlandet kunde under sådana förhållanden knappast göra honom någon tjänst med att vägra.

Intensivare än Gustaf III levde nog ingen av Europas monarker med i den stora revolutionen, som obönhörligt rullade vidare i Frankrike under hans sista år. Själv hade han nyss gjort revolution och medverkat till att adelsprivilegierna i allt väsentligt togs bort i Sverige flera månader innan de avskaffades i Frankrike, men frihet, jämlikhet och broderskap var förvisso inte hans paroller, och bättre än de flesta insåg han att revolutionens idéer var farliga för kungamakten långt utanför Frankrikes gränser. Medan det ryska kriget ännu pågick lekte han med planer på en gemensam militär aktion av alla Europas furstar och drömde om att en vacker dag få göra ett bejublat intåg i Paris och återinsätta det franska kungaparet i dess maktställning, därmed förvärvande sig dess eviga tacksamhet.

I Paris befann sig sedan ett par år greve Axel Fersen den yngre, son till den gamle Riddarhuspolitikern; han var en verserad aristokrat och en stor fruntimmerskarl som hade ett förhållande med drottning Marie Antoinette, och han var även en modig och ridderlig man som ville hjälpa den franska kungafamiljen att komma utom räckhåll för dess revolutionära undersåtar. Gustaf III som var invigd i dessa planer reste våren 1791 till Aachen nära franska gränsen, där han omgavs av en mängd landsflyktiga ädlingar som hyllade honom som sin hjälpare i nöden. Med klockan i hand väntade han där på det franska kungaparets ankomst sedan ett ilbud hade underrättat honom om att de lyckligen hade lämnat Paris med Fersen som kusk. Ingenting hände emellertid, men natten därpå blev han väckt av budskapet att de flyende hade hejdats i Varennes ett stycke från gränsen och förts fångna tillbaka till Paris. Fersen som planenligt hade lämnat dem efter första skjutshållet hade däremot tagit sig ut ur Frankrike och kom inom kort till Aachen. Den stora planen var alltså omintetgjord. Fersen som reste tillbaka till Paris fick visserligen med sig ett brev där det stod att Europas furstar stod redo att komma Ludvig XVI till hjälp, men denne lät svara att han inte ville ha något krig; däremot vore han tacksam om hans vänner kunde hjälpa honom på diplomatisk väg.

Gustaf III gjorde verkligen sitt bästa att få till stånd ett fursteförbund mot de franska revolutionärerna men togs tydligen inte på allvar någonstans; motsättningarna mellan hoven i Europa var mycket för stora. Han fick till stånd en allians för ändamålet med kejsarinnan Katarina, men därigenom kom han i viss motsättning till potentaterna i Preussen och Österrike, ty detta var året före Polens andra delning, och makterna hade ännu inte hunnit komma överens. Själv hade Gustaf III till råga på allt en dröm om att bli kung av Polen och hoppades få stöd av ryssarna också i denna strävan; i det sammanhanget provade han också polska kostymer, ty polackerna hade sitt eget nationella mode, och han trivdes i synnerhet bra i en galonerad morgonrock som hette taratalka. Dock hade han inte heller glömt sina gamla planer på Norge och förde vissa förhandlingar med ryska kejsarinnan om den saken jämsides med överläggningarna om korståg mot revolutionen i Frankrike.

Dennas idéer och stämningar hade emellertid redan funnit vägen till hans egen huvudstad. Redan den amerikanska oavhängighetsförklaringen med dess tal om de mänskliga rättigheterna och alla människors medfödda jämlikhet hade vunnit stark anklang i upplysta kretsar, och Benjamin Franklin som företrädde sitt revolutionära unga land i Europa var en avgudad person i den gustavianska diktaturens tid på svenska herrgårdar, där man nu satte upp hans nyuppfunna åskledare och upphörde att böja sig i skräck och vördnad inför mullret från ovan. Om människans naturliga rättigheter handlade också den franska konstitutionen av 1791, som högtidligen fastslog att dessa vore frihet, personlig säkerhet, äganderätt och rätt till motvärn mot förtryck, alltsammans saker som kunde sägas vara kränkta i Sverige.

En kunglig förordning förbjöd inom kort alla svenska tidningar och tidskrifter att meddela några som helst nyheter om den franska revolutionen. De publikationer som klarade sig från indragning blev därefter helt och hållet litterära; framför allt gäller detta om Stockholms-Posten, som dittills med stor förtjusning hade följt händelsernas gång i Paris men nu nödgades fylla sina spalter med en sedermera så berömd polemik om poesi mellan Kellgren, Leopold och Thorild. Vissa skriverier om de mänskliga rättigheterna hade i alla fall hunnit spridas före förbudet, och en och annan utländsk tidning letade sig också in i landet till intresserade adliga kretsar där frihetssvärmeriet och jämlikhetsivern florerade innan skräckväldet mot aristokratien hade börjat än i revolutionens Frankrike. Det hördes säkert mycken retorik i de kretsarna om den mänskliga rättigheten till motstånd mot förtryck, vilket kan förklara att rykten om stämplingar mot Gustaf III:s liv tycks ha surrat i Stockholm nästan oavbrutet under dessa år.

Dennes tillvaro var inte så munter numera. Adeln vars bitterhet var utan gräns hämnades för 1789 års händelser med att hålla sig borta från hovet som därigenom miste det mesta av sin glans. Vid Gävle riksdag, som hölls på nyåret 1792 för att om möjligt reda upp finanserna – man hade inflation, ty Riksgäldskontoret hade tryckt för mycket sedlar – bjöd konungen ständerna att bevista kronprinsens examen, och adeln kom pliktskyldigast dit med lantmarskalken i spetsen men traskade efter förhöret omedelbart ut igen i samlad trupp; inte en enda medlem av ståndet deltog i kungens middag efteråt, och denne kunde inte hålla tillbaka ett vredesutbrott, vilket noterades med stor skadeglädje. Inför det samlade sekreta utskottet försökte han vid riksdagens slut dubba Frietzsky till kommendör av Vasaorden, men denne skicklige politiker tackade hövligt och underdånigt nej, vilket var en oerhörd händelse på den tiden. Sådana kyliga demonstrationer sårade naturligtvis djupt Gustaf III med hans stora behov av ära och applåder, men framför allt plågade det honom att många som han hade betraktat som sina personliga vänner aldrig visade sig i hans närhet mer. Han hade också tröttnat på sin ungdoms nöjen, naturligt nog. Armfeldt, som stod honom närmast av alla vid denna tid, säger sig inte kunna minnas att han efter kriget hade något samtal med konungen om annat än allvarliga ting, och de skämt och infall som möjligen blandades in liknade snarast citat och hade ingenting att göra med gott lynne. Han arbetade också rastlöst och tillbragte numera halva veckorna på Haga med sina närmaste medarbetare, ostörd av hovliv, representation och spektakel.

Ensam i sitt sovrum i paviljongen på Haga betraktades han en januarikväll 1792 av två fönstertittare som tänkte ta honom till fånga men inte vågade. De hette Claes Horn och Jakob Anckarström, och några dagar senare kom de i kontakt med en annan ung aristokrat som delade deras åsikter; hans namn var Adolf Ribbing. Dessa tre träffades ett par gånger hos Horn på Huvudsta gård och planerade ett tyrannmord, som saken på tidens revolutionära jargong alltid kallades; de ämnade således skjuta konungen, avskaffa enväldet och införa en ny författning. Detta kunde tre personer naturligtvis inte utföra ensamma, och ett stort antal officerare och andra fick därför en vink om vad som förehades. Polismästare Liljensparre lär många år efteråt ha berättat för kung Gustaf IV Adolf att tretusen adelsmän var invigda i mordplanerna mot hans far, och sekreteraren Johan Albert Ehrenström som var Gustaf III:s trogne tjänare och därför stod mitt i händelsernas virvel säger i sina memoarer att sammansvärjningen var känd av många personer både i landsorten och utomlands: "Aldrig har någon conspiration haft ett större antal medvetande, men aldrig har hemligheten varit bättre bevarad." Allt detta är förmodligen överdrivet, men att sammansvärjningen hade mycket större omfattning än vad myndigheterna på 1790-talet ville låtsas om är fullkomligt säkert.

Maskeradmordet

Den 16 mars 1792 som var en fredag var det stort slädparti på Brunnsviken nedanför Haga, och kungen var ute och tittade på kortegen där nästan hela den politiska oppositionen åkte, påstår Armfelt. På morgonen samma dag hade han nödgats sätta sig in i en trist angelägenhet, i det att hovstallmästaren Munck, hans gamle förtrogne som han överhopat med höga ämbeten och gjort till både greve och serafimerriddare, hade befunnits skyldig till falskmynteri; han hade för egen räkning men i kungens namn förmått några personer som under kriget hade tillverkat falska ryska sedlar åt kungen att även förfalska ett slags militära penninganvisningar som kallades fahnehjelmare. På eftermiddagen for konungen på dystert lynne in till Stockholm och begav sig till Operan, där det skulle bli maskerad på kvällen. Han superade i operahuset med några herrar av sin uppvaktning och mottog vid bordet ett anonymt brev som varnade honom för att besöka maskeraden, men han var van vid den sortens brev och fäste inget större avseende vid detta. Efter supén gick han in i sin loge vid avantscenen, tittade ner i salen och lät sig betraktas av de maskerade figurerna därnere. Han gick därefter tillbaka till sina rum, tog på sig sin mask och sin domino och begav sig ner i salen. En maskerad skara omringade honom där, och någon i skaran hälsade honom med orden "Bonjour, beau masque – god dag, vackra mask!" I nästa ögonblick avlossades från mycket nära håll ett pistolskott som träffade honom bakifrån ovanför vänstra höften. Han föll dock icke, skrek inte ens, utan yttrade bara till baron von Essen som följde honom: "Je suis blessé – jag är sårad." Baronen hjälpte honom tillbaka till hans rum men hade sinnesnärvaro nog att också ge order om att dörrarna skulle stängas och ingen tillåtas att lämna huset. De sammansvurna ropade "Elden är lös!" och rusade mot dörrarna, men någon panik uppstod inte. En trupp soldater från högvakten anlände snabbt och slog ring kring publiken i salen med blanka bajonetter, och än snabbare anlände polismästare Liljensparre som slog sig ner vid ett bord mitt i salen. Det gavs order om allmän demaskering varefter alla de närvarande fick defilera förbi Liljensparre och ge upp sina namn. Två pistoler och en skarpslipad kniv hittades genast på golvet och lades på polismästarens bord. De sammansvurna, som hade räknat med att envåldskonungen skulle

falla död ner och hans anhängare fly i panik, stod handfallna inför denna serie av lugna, resoluta åtgärder. Att utropa revolutionen var inte att tänka på, ty innan maskeradsalens dörrar åter öppnades hade myndigheterna hunnit skicka ut pålitliga militärpatruller på gatorna. För de inblandade återstod bara att försöka dölja sin skuld. Maskeradpubliken, som huvudsakligen visade sig bestå av enkelt folk – "bodbetjänter, drängar, sjöfolk med mera dylikt", skriver Hochschild – trodde att attentatsmannen måste ha varit någon av franska nationalförsamlingens utskickade, och kungen själv var av liknande åsikt och skickade Armfelt att undersöka om inte en viss fransk skådespelare hade varit med på maskeraden, men Liljensparre som var en skicklig och energisk polisman gick mera metodiskt fram. Han kallade nästa morgon till sig alla Stockholms pistolsmeder, av vilka en omedelbart kände igen de båda upphittade pistolerna; han hade nyligen lagat dem åt kapten Anckarström. Denne som naturligtvis befann sig på polismästarens lista över maskeradgäster arresterades omedelbart och erkände genast; han sade sig ha varit alldeles ensam om attentatet, men greve Horns överrock hittades i hans rum, och därmed var också denne misstänkt. Liljensparre hade emellertid ännu ett spår att följa, nämligen det anonyma varningsbrev som kungen hade fått. Sedan han fått tag i den person som hade lämnat in det på Operan kunde han snart arrestera en överstelöjtnant Lilliehorn såsom brevskrivaren, och denne var mindre heroisk än Anckarström och skyllde ifrån sig på andra; han sade sig ha lockats in i sammansvärjningen av Adolf Ribbing och general Pechlin. Det ena namnet gav sedan det andra, så att polisen under de följande dagarna kunde arrestera ett trettiotal personer, idel välfrejdade ämbetsmän och officerare. En av de få som omedelbart bekände utan att försöka svänga

Läkarhjälpen

sig var den unge artillerilöjtnanten och poeten Carl Fredrik Ehrensvärd. En baron Bielke tog gift när han kallades till förhör och skickade sedan efter hovpredikanten Lehnberg med begäran om sakramentet, men eftersom han i sin bikt inte ville röja sina medkonspiratörer ansåg sig hovpredikanten inte kunna villfara hans önskan. Såsom brottsling och självspilling blev han i sinom tid begravd på galgbacken vid Skanstull. En auditör Örn som hängde sig i arresten rönte samma öde.

Den sårade konungen hade under tiden tagits om hand av sina trogna och kommit i åtnjutande av den läkarhjälp som tiden kunde bjuda. Den var inte stor. Anckarströms pistol hade varit laddad med två kulor, några hagel och några spiknubbar, men läkarna fick ut endast ett par av de sistnämnda, och kungen dog efter ett par veckor av sina sår. Om hans heroism under denna lidandets tid finns många vittnesbörd, också av personer som annars inte talar väl om honom; det finns inget tvivel om att han spelade sin roll sublimt. Egentligen var han ingen modig man, säger Armfelt, som kände honom så väl: "En medfödd rädsla hade han kvar genom hela sitt liv – i småsaker; men detta hindrade icke att han i alla viktiga ögonblick, då det behövdes att visa mod och bestämdhet, var en överlägsen man, och detta med en oändlig ledighet och behag." Efter skottet på Operan omgavs han omedelbart av en mängd dignitärer inklusive hela diplomatiska kåren; han förde en förbindlig konversation med dessa personer under det att blodfläcken växte på hans grå mantel och på överdraget på soffan där han låg. Sedan läkarna hade kommit och lagt ett första förband bars han ner till sin vagn i en stol, vilket gav honom anledning att fälla en munter replik till diplomaterna: "Här bärs jag som påven!" Under färden till slottet plågades han mycket av vagnens skakningar, men när man kom fram till slottstrappan skyndade han sig att anlägga en lugn och glad uppsyn, vinkade åt folkmassan som stod packad kring ekipaget och talade nådigt till envar som kom i hans närhet. Alla som hade omgett honom på Operan följde med upp till hans sängkammare, och detsamma gjorde en hel del folk från gatan, så att kungen kläddes av och lades nästan offentligen, säger Armfelt. Det var så mycket folk i rummet att hettan hann bli olidlig och luften dålig innan läkarna ingrep, och då avskedade patienten själv med mycken artighet denna skock. Under de följande dagarna tog han emot folk ideligen, däribland en del aristokrater som hållit sig borta från hans hov de senaste åren, och det utspelades en del tårefyllda försoningscener med ståtliga repliker som kanske var uppriktiga ibland; parterna brukade åtskiljas under mycken rörelse. Nästan alltid befann sig Schröderheim, Armfelt och Oxenstierna i den iskalla paradsängkammaren hos den sjuke, och åtminstone den förstnämnde har skildrat atmosfären med beundrandsvärd konst. Kungen begärde av de tre herrarna att de skulle tala oavbrutet, men det var ont om ämnen; om attentatet fick man nämligen inte tala, ej heller om franska revolutionen, teatern eller regeringsärendena, vilka hertig Karl hade förordnats att sköta tills vidare. Framför allt ville kungen inte veta något närmare om sammansvärjningen emot honom själv. Han kände dock till att man hade arresterat Horn, Ribbing, Lilliehorn, Pechlin och framför allt Anckarström, som var den som hade lossat skottet.

Gustaf III var fyrtiosex år då han gick ur tiden, och med hans bortgång förändrades plötsligen mycket i Sverige. Redan hans egen bisättning fick umbära den välrepeterade, osvikligt majestätiska stil som hade kännetecknat alla hans livstids ceremonier: locket till hans kista visade sig vara för litet och gick inte att skruva fast, på vägen utför slottstrapporna var det nära att man hade tappat både locket och liket, och hela högtidligheten stördes av oavsedda pauser, buller och oreda. Den opraktiske poeten Johan Gabriel Oxenstierna, som nyss hade utnämnts till riksmarskalk och alltså bar ansvaret för arrangemangen, försökte reparera skadan genom att göra själva begravningen desto stämningsfullare. "Riddarholmskyrkan", berättar Gudmund Jöran Adlerbeth utan ironi, "föreställde en mörk lund af cypresser, hvarest grafvårdar voro uppreste öfver en del av Sveriges störste konungar. Längst fram i koret visade sig en ättehög, på hvars spets syntes konung Gustaf III:s byst och Sverige såsom en qvinna vid densamma gråtande. På fyra runstenar däromkring voro konungens förnämsta händelser och gärningar upptecknade och rostrala kolonner tjente att uppehålla lamporna till ekläreringen." Dessa teatraliska anordningar, så helt i Gustaf III:s anda, slog dock icke an på den som kände honom bäst och sörjde honom mest, Armfelt.

Kort dessförinnan hade stockholmarna fått gapa på ett annat makabert skådespel som inte var den döde konungen värdigt, nämligen hans mördares bestraffning och död. Anckarström, som var en fanatiker av hårt och enkelt virke, har efterlämnat en bekännelseskrift som inte är ointressant för eftervärlden; han framlägger där sina tankar om den enskilde medborgarens rätt att undanröja en konung som själv ställt sig utanför lagen genom att bryta sin ed till folket och sätta sig över konstitutionen. Han tog också villigt på sig hela ansvaret för sitt dåd och försökte inte dela med sig av skulden åt sina medsammansvurna, fast dessa gjorde allt för att ta avstånd från honom och ständigt talade om hans hårdhet, hatfullhet och girighet. De lyckades också i sitt uppsåt; Anckarström ensam fick dö för dem alla. Tre aprildagar i följd schavotterade han i halsjärn och slet spö på Riddarhustorget, Hötorget och Nytorget ovanför ett hav av folk som hurrade när han skrek under slagen, och veckan därpå halshöggs han utanför Skanstull inför en ännu väldigare publik, som nu stod andlöst tyst och bara glodde.

Förföljelsen av gustavianerna

Den kungliga familjen väntade i förrummen till den kungliga sängkammaren den förmiddag då Gustaf III dog. När dörrarna slogs upp för deras entré grät hertig Karl och skrek överljutt, tog droppar och omfamnade med ömmaste deltagande den dödes vänner, under det att drottningen stod tyst och tårlös. Båda delarna väckte uppmärksamhet, i synnerhet hertigens utbrott av sorg, vars äkthet mången betvivlade; memoarlitteraturen saknar inte ens skumma antydningar om att han skulle ha känt till sammansvärjningen och gillat mordplanen.

Att något sådant kunde bli sagt och trott berodde på att rättegången mot de inblandade avvecklades utan ytterligare blodsutgjutelse, därför att de flesta av dem hade inflytelserika företalare inom hertigens närmaste umgängeskrets. Horn, Ribbing, Lilliehorn och Ehrensvärd som dömdes till halshuggning av hovrätten benådades av hertigen, som förvandlade straffet till evig landsförvisning. General Pechlin, som inte kunde överbevisas om någonting men nästan säkert hade spelat en central roll i sammansvärjningen, sattes visserligen i fängelse på Varbergs fästning och slapp aldrig ut mer, men de övriga inblandade kom mycket billigt undan, och polismästare Liljensparre vilken med sitt fina väderkorn tidigt hade upptäckt varifrån vinden blåste inställde mycket snart alla ytterligare spaningar och förhör.

Armfelt, vilken såsom överståthållare i Stockholm hade med dessa ting att göra, kom omedelbart i konflikt med polismästaren och därigenom ytterst med hertigen om denna sak. För honom framstod mildheten mot de sammansvurna som en skymf mot den mördade konungens minne, och han ansåg dessutom att den allmänna indignationen över mordgärningen borde utnyttjas till att slå ner adelsoppositionen i grund, så att den unge konungen slapp ha den att brottas med när han blev myndig om fyra år. Ledsen och förbittrad över sin vanmakt i dessa ting reste Armfelt i början av sommaren till Aachen för att sköta sin hälsa. Han hade tänkt komma tillbaka med stärkta krafter efter några månader och hade ingen aning om att han skuggades under sin avfärd av en adertonårig regeringsspion som hette Hans Hierta, ett namn som skulle vinna stor berömmelse med tiden, fast med annan stavning.

Ungefär samtidigt som Armfelt lämnade landet återkom dit en hans släkting vid namn Gustaf Adolf Reuterholm, allvarlig frimurare och hög broder i frimureriet med hertig Karl, vilken kände sig behöva stödet av hans hemliga visdom och även fick det. Reuterholm tog omedelbart itu med att avlägsna alla Gustaf III:s vänner och medhjälpare från deras poster och positioner i den unge konungens närhet. Schröderheim skickades som landshövding till Uppsala, biskop Wallquist kördes hem till Växjö, riksprosten Nordin fick order att lämna sin historieforskning och bege sig till sitt lektorat uppe i Härnösand, Toll sändes som svensk resident till det dödsdömda Polen, och Armfelt själv mottog en vacker dag nere i Aachen ett brev som innehöll en utnämning till svensk minister vid småstatshoven i Italien och en befallning att ofördröjligen bege sig raka vägen dit.

Armfelt reste lydigt till Neapel, men det är förståeligt att han var missnöjd och drömde om bättre tider. Med sina politiska meningsfränder höll han igång en vidlyftig korrespondens och formade ut en lös plan på revolution varigenom hertigen och Reuterholm skulle avlägsnas från förmyndarregeringen. Hans hängivnaste medhjälpare och anhängare i Sverige var en hovfröken som hade barn med honom och älskade honom över allt förstånd; hennes namn var Magdalena Rudenschöld, och hertigen var också förtjust i henne och hade utan framgång gjort henne sin kur. Därom stod många spydigheter i hennes brev till Armfelt, och till hennes olycka föll dessa i regeringens händer tillsammans med många andra komprometterande papper som en politisk agent en dag lyckades stjäla från Armfelt i Rom. Det visade sig också att hon hade hållit ryske stockholmsministern underrättad om revolutionsplanen samtidigt som Armfelt själv hade haft liknande kontakter med ryska diplomater i Italien. Den stulna korrespondensen komprometterade också några andra personer, framför allt sekreteraren Johan Albert Ehrenström, finländare liksom Armfelt och Reuterholm och minnesvärd därför att hans efterlämnade memoarer är läsvärda.

En stor förräderiprocess iscensattes nu med buller och bång av regeringen, som lät häkta fröken Rudenschöld, Ehrenström och några till, medan dess försök att få tag i Armfelt däremot misslyckades; varnad i tid flydde denne från Italien till Ryssland, där han fick bo i det provinsiella Kaluga i några års tid. I Sverige dödsdömdes han naturligtvis i likhet med Ehrenström och fröken Rudenschöld, vilka var för sig fick schavottera på Packartorget och Riddarholmstorget; den sistnämnda svimmade där, och folkskocken som begapade skådespelet tycks för en gångs skull ha visat humana känslor när hon lyftes upp och fördes till Spinnhuset där hon sedan fick stanna. Ehrenström benådades på avrättningsplatsen till livstids fängelse på Marstrands fästning. Även de övriga gustavianerna drabbades av förföljelser; Toll hemkallades, hotades med döden och hölls sedan i förvar i Wismar, och Schröderheim som inte alls var inblandad avsattes från sin landshövdingesyssla. Han dog i armod 1795, samma år som hans litterära vänner Bellman och Kellgren gick ur tiden.

Det året suspenderades också Svenska Akademien.

Gustaf Adolf Reuterholm började sin bana som regentens rådgivare med att i dennes namn utfärda en förordning om *en allmän Skrif- och Tryckfrihet i Sverige.* Förordningen var svulstig och högtravande i stilen som allt vad Reuterholm skrev, men den var mycket liberal i sak och hälsades med stor glädje av skrivande människor, till exempel av poeten Bengt Lidner som adresserade sig till hertigen med en ohämmad tirad:

> Hvad skådar jag? Ett altare!
> Odödligheten det betäcker,
> och friheten åt snillet räcker
> sin hand – och båda Carl tillbe.
> Prins! skall då aldrig snillet hinna
> jemt upp med dina hjeltespår?
> Du hastar nya segrar vinna
> förr'n jag den första sjunga får –

Lidner menade lyckligtvis inte vad han rimmade, ty i ett brev till sin skaldebroder Thorild upplyser han att han fann förordningen högst dumt skriven, men dikten inbragte honom i alla fall en utnämning till kunglig sekreterare och löfte om pension när det blev någon ledig.

Också Thorild ägnade ett kväde åt den nya tryckfriheten, som han därpå använde till att ge ut högfärdiga men välmenta förmaningar till de styrande. Han hade mycket gemensamt med Reuterholm och gjorde denne en tjänst med den första av dessa skrifter, vilken hette Mildheten och indirekt prisade hertigens handlingssätt mot Gustaf III:s mördare. Kort därefter uppvaktade han hertigen med en annan välment skrift som bar rubriken Ärligheten; den var dock inte lika opportun, ty den kunde läsas som en patetisk maning till revolution. "Gif oss då *det allmänna förståndets frihet,* ärligen och rent: innan den med blod och våld tages. Se icke på former, akter och statuter. Ty i själens grund erkänner ingen klok och ärlig man någon annan grundlag än *det mest rätta* enligt det mest fria och uppenbara *bevis.* Men, i stället, tänk på Sveriges ädla *allmoge,* så vårdslösad af den galna politiken, att den än i dag är i förståndet hedningar, i hjertat slafvar, i det borgerliga vildar, som lika lätt kunna hetsas *mot* som *med* en regering."

Polismästare Liljensparre som läste det där ark för ark hos boktryckaren blev alldeles förfärad, ty han visste att Thorild stod i förbindelse med Reuterholm och trodde att denne kanske hade planer på att omstörta samhället. Han gick upp till hertigen samma dag som skriften kom ut och yrkade på att denne skulle låta utfärda en förklaring över tryckfrihetsförordningen, vilken nämligen, sade han, "hade mera anseende af ett loftal, tjenligt att hållas från en catheder, än af en Kongl. stadga och påbud, då derutinnan alla straff för kitsliga författare och boktryckare blifvit upphäfna och domaren i brist af lag urståndsatt att dömma öfverträdaren." Liljensparre, som själv har berättat detta och annat, ville också att Thorild skulle arresteras och åtalas. Hertigen gick med på alla dessa förslag ehuru Reuterholm ivrigt stretade emot; Thorild arresterades alltså, och samtidigt utfärdades den önskade lagförklaringen där det upplystes att straffbestämmelserna från 1774 års tryckfrihetsförordning alltjämt var i kraft och där boktryckaren dessutom gjordes ansvarig för vad som tycktes i politiska frågor.

Thorild dömdes till landsflykt i fyra år, vilket han inte tycks ha haft någonting emot; han fick respengar och årligt underhåll av regeringen och blev samtidigt hyllad såsom frihetskämpe och martyr av exempelvis studenterna i Uppsala. Inom kort utnämndes han också till universitetsbibliotekarie i det pommerska Greifswald. Där ändrade han snart åsikt om franska revolutionen och skickade hem manuskriptet till en antirepublikansk bok som heter "Rätt eller alla samhällens eviga lag", i vilken det står att lycksaligheten kan icke nås genom negativa revolutionsprinciper såsom frihet och jämlikhet, ty ingen bör göra mer än han duger till, och "i samma mån som pluraliteten, hvilken så lätt kan utgöras af en rasande eller såld hop, synes fri, i samma mån är minoriteten, hvilken så lätt kan bestå af de visaste och bäste, icke fri". Den som regerar ett land bör därför själv placera rätt man på rätt plats, men detta bör inte ske på måfå utan med ledning av någonting som heter aretometri, dygdemätning. Thorild, som verkligen ingen humor hade, vet precis hur sådan lämpligen går till. Inom varje samhällskrets skall finnas en präktig tolvmannanämnd som förnyas varje månad och har till uppgift att föra dygdebok över medborgarna; envars dygder för det allmänna bästa värderas där efter en tiogradig betygsskala, och i denna dygdebok kan man sedan genom enkel addition av betygspoäng utläsa vem som bör bli riksdagsman, borgmästare och annat..

Reuterholm, den självmedvetne skaldens lika självmedvetne gynnare, glömde också mycket snart sitt svärmeri för de liberala idéerna. I samband med den Armfeltska konspirationen inskränktes tryckfriheten ytterligare, och denna gång var det Reuterholm som var den drivande kraften; det var också mot honom som det allmänna missnöjet riktade sig. Än mera impopulär gjorde han sig genom ett par välmenta förordningar mot lyx och överflöd, av vilka en trädde i kraft 1794 och förbjöd all förtäring av kaffe, fina viner och likör; den stadgade också att herrar inte fick klä sig i siden och damer endast fick ha svart, vitt, grått eller randigt sådant. I synnerhet kaffeförbudet väckte naturligtvis våldsam ovilja, men effekten blev bara att priset steg till det dubbla och att kaffet "blef en dubbelt kär förfriskning under den äkta vänskapens förtroliga umgänge; och för att icke blifva yppad, när kokerskan nästa flyttningstid ömsade tjenst, måste man efter förbudet alltid koka så mycket, att hon kunde få en kopp *godt*, och icke som i den fria tiden, nöjas med att koka på sumpen", skriver en aristokratisk minnestecknare i C. F. Ridderstads intressanta dokumentsamling Gömdt är icke glömdt. Förbudet överträddes allmänt även på högsta ort; både änkedrottningen och hertigens gemål tog sig sålunda en tår emellanåt, och poeten Leopold som adresserade en underdånig dikt till regenten i anledning av yppighetsförordningen hade nöjet att i gengäld få brev från själve Reuterholm som skrev att Leopold i sin kammare gott kunde fortsätta att dricka kaffe som medicin. "Jag är nog vän af skaldekonsten, att sjelf åtaga mig här låta besörja en tillräcklig provision kaffebönors uppköpande åt eder, i händelse uppå den ort, min kgl. sekreterare nu vistas, deraf skulle vara mindre förråd. Låt mig endast i det fallet veta den qvantitet, som åstundas." Leopold bodde vid denna tid i Linköping.

Reuterholm var sålunda svag för litteraturen, men litteraturen var inte svag för Reuterholm. Svenska Akademien vars medlemmar var goda gustavianer hade ett par vakanta stolar i början av 1794, ty historikern Olof Celsius och den gamle Axel von Fersen hade nyss dött. Man visste att Reuterholm gärna ville bli invald, men i stället tog man in en orientalist som hette Tingstadius och en äreminnesförfattare vid namn Axel Gabriel Silfverstolpe. Det var den sistnämnde som efterträdde hattarnas forne partichef, och i sitt minnestal över honom sade han många vackra ord om frihetstidens statsskick och yttrade också om Fersen att han fördes med heder i fängelse när Gustaf III gjorde sig enväldig 1789. Reuterholm och även hertigen vredgades över detta indirekta angrepp på deras maktposition, och några dagar senare utfärdades ett kungligt brev vari akademien förklarades suspenderad och dess handlingar togs i beslag. Åtgärden var i främsta rummet riktad mot akademiens sekreterare Nils von Rosenstein, en nobel och osentimental upplysningsfilosof som var den unge kungens lärare och inte hade låtit sig avlägsnas från den befattningen ehuru både Reuterholm och hertig Karl ansträngde sig att få bort honom.

Hertigen var för sin del föga litterärt intresserad, men det akademiska upplysningsfilosoferandet hade han anledning att inte gilla, ty vad han värderade högst på jorden förhånades och bekämpades där. Hertigen hängav sig nämligen åt det ockulta med liv och själ; han var även hög frimurare och Salomos vikarie i denna nordliga del av världen. Gustaf III hade också ägnat sig åt sådant; det var för honom, säger Schröderheim som har skrivit ett roligt kapitel om saken, ett bland de nöjen som omväxlade med alla andra, under det att hertigen med outtröttlig arbetsamhet omfamnade detta ämnet. Hem från en italiensk resa kom i slutet på 1770-talet en ung mystifax som hette Plommonfelt; han var icke blott insatt i frimureriets högsta och djupaste hemligheter utan hade även uppenbarelser, läste tankar och framkallade andar. Kungen, hans bröder och några till kom hem till honom en natt, då han ställde sig med ett krucifix i en cirkel på sitt golv och företog varjehanda hokuspokus som resulterade i att andar började knacka i väggarna; de kungliga bröderna föll därvid i varandras famn och försäkrade varandra gråtande om evig vänskap. Något år senare gjorde de bekantskap med en andeframkallare som hette Björnram; han väckte upp spöken på Johannes kyrkogård och även i Lovö kyrka. Nära Johannes kyrka bodde sibyllan mamsell Arfvidsson som spådde i kort och i kaffesump, och även till henne sökte sig kung Gustaf och hans bröder. En väl så märklig toker var en småländsk marinlöjtnant vid namn Ulfvenklou som bombarderade hertig Karl med profetior om kommande storhet och rentav smorde honom till konung i god tid, varpå han överlämnade sin profetia skriftligen att under dyra eder stoppas i en liten blylåda och begravas under två korslagda knivar vid Fituna i Uppland, där den borde grävas upp igen när dess budskap besannats. Reuterholm, som själv har berättat det här i en minnesanteckning, insåg till sist att Ulfvenklou nog var sinnessjuk och höll en dag ett strafftal till denne för att han missbrukade Guds namn, varpå profeten dröp av till Finland.

Reuterholm var annars inte den som brukade tvivla på övernaturliga budskap. Han har efterlämnat brev och uppsatser som är lindrigast sagt underliga, och han har också fört protokoll då hans vän hertigen blev magnetiserad, som tiden kallade företeelsen; det var naturligtvis fråga om hypnos. Hertigen lät magnetisera sig rätt ofta – hypnotisör var en överste som hette Silfverhjelm – och gjorde då långa mystiska uttalanden. Han var förvisso ett utmärkt medium, som även i trance talade ett mysteriöst frimurarspråk och gjorde stora tempeltecknet med armarna i kors.

De utrikes ärendena

Gustaf IV Adolfs förmyndarregering, som med skäl har gått till historien som ett obskurantismens välde, saknade inte goda sidor. Den var sparsam och gjorde vad den kunde för näringslivet. Statsfinanserna, som vid Gustaf III:s död hade befunnit sig i ett hopplöst tillstånd, förbättrades avsevärt under några år av goda skördar och lönande utrikeshandel i skuggan av sjökriget mellan England och det revolutionära Frankrike. Det stora slottsbygget på Haga lades ned; byggnadsmaterialet användes i stället för den nyinrättade krigsskolan på Karlberg. Man vidtog åtgärder för att få slut på det riskabla systemet med tjänsteköp inom officerskåren, vilket visserligen inte lyckades så bra.

Så mycket framgångsrikare var regeringen i fråga om arméns uniformer, som hertigen lidelsefullt intresserade sig för. Han avskaffade svenska dräkten och införde i stället en krigarkostym med stångpiska och flätade lockar. At vilket väderstreck denna armé skulle stå vänd var svårare att bestämma, och säkert var egentligen bara att det behövdes subsidier för att hålla den vid makt. Ryska subsidier var en förutsättning för den politik som Gustaf III förde under sina sista år, då han i nära allians med Katarina II hoppades kunna slå ner den franska revolutionen. Reuterholm som beundrade Rousseau hyste emellertid från början stor sympati för revolutionen, och detta gjorde i än högre grad den svenske Parisambassadören Erik Magnus Staël von Holstein, vars fransyska fru nämligen hyste liberala åsikter; hon var en av sin tids mest uppburna författarinnor. Genom Staël von Holsteins bedrivande slöts oväntat någonting som kallades en defensiv- och subsidieallians med fransmännen. De hade strax dessförinnan avrättat Ludvig XVI, och avtalet väckte därför indignation vid många utländska hov och i all synnerhet vid det ryska, där kejsarinnan Katarina både moraliskt och realpolitiskt fann skäl att känna sig förtörnad över svenska regeringens helomvändning.

Den gamla damens älsklingsplan gentemot Sverige var sedan någon tid att få sin sondotter Alexandra placerad som drottning där. Förhandlingar om saken togs upp då och då, och den svenska förmyndarregeringen försökte på allt sätt tillmötesgå kejsarinnans önskningar i denna sak i hopp om att i gengäld få Armfelt utlämnad. Emellertid blev det snart klart för hertig Karl och Reuterholm att detta skulle inte gå, och de tog sig då för att näpsa kejsarinnan genom att vända sin dynastiska diplomati åt annat håll. Detta lyckades alldeles för bra; en novemberdag 1795 eklaterades förlovning mellan den sjuttonårige svenske konungen och en femtonårig prinsessa av Mecklenburg-Schwerin. Kejsarinnan Katarina blev ursinnig och satte omedelbart igång ett stort vapenskrammel vid finska gränsen, varvid svenska regeringen skyndade sig att söka hjälp av Frankrike. Fransmännen var emellertid inte nöjda med sin nordiska bundsförvant som de fann opålitlig, och långt ifrån att skynda till bistånd drog de tvärtom in sina utlovade subsidier.

Reuterholm och hertigen blev förfärade och grep sig nervöst an med att söka blidka kejsarinnan, som fick veta att den mecklenburgska förlovningen inte var så allvarligt menad utan kunde slås upp när som helst. Kejsarinnan svarade med att officiellt bjuda konungen och hans förmyndare till S:t Petersburg för att göra bekantskap med prinsessan Alexandra, och fast de plågades mycket vågade de inte låta bli att hörsamma kallelsen. De kom till den ryska huvudstaden på sensommaren 1796 och mottogs mycket magnifikt, varpå man strax satte i gång med att underhandla om förbund och även om giftermål. Kejsarinnan utfäste sig att betala ut en tredjedels miljon rubel om året i subsidier till sin fattiga granne, och även giftermålsförhandlingarna gjorde framsteg, helst som de unga tu tyckte bra om varann. Det enda som vållade bekymmer var religionsfrågan, ty prinsessan som naturligtvis var grekisk katolik fick inte för sin farmor gå över till den lutherska lära till vilken en drottning av Sverige lagenligt borde bekänna sig. Emellertid avtalades att hon alltid kunde få hålla grekiskkatolsk gudstjänst på sina privata rum; en högtidlig skriftlig förbindelse om den saken skulle hon få på förhand.

Därmed hade man bara att bestämma datum för förlovningen, vilket skedde, och på utsatt dag skulle det bli stor bal i Tauriska palatset där prinsessan och hennes föräldrar residerade. Minuterna innan gästerna skulle bege sig dit kom ett ryskt sändebud till svenska ambassaden med förbindelsen angående prinsessans religionsfrihet och anhöll att konungen ville underteckna denna, men konungen blev sårad över att man på detta sätt kom stickande med dokumentet och blev mycket uppbragt när han läste igenom texten, ty där stod att han förband sig att aldrig besvära sin blivande gemål vid hennes religionsutövning och att han aldrig skulle försöka förmå henne att byta religion. Hans omgivning bad och besvor honom att skriva under i stället för att ställa till skandal och kasta landet i krig, men han svarade att han omöjligen kunde handla mot sitt samvete. Under tiden stod hela det kejserliga huset samlat och väntade i full gala timme efter timme, tills kejsarinnan slutligen drog sig tillbaka och balen avlystes. Några dagar senare reste de svenska gästerna hem. Kejsarinnan Katarina blev samtidigt sjuk och lämnade inom kort det jordiska, vilket kanske var tur för Sverige.

Den mecklenburgska prinsessan hade dessförinnan fått officiellt besked om att hon var förskjuten. Det uppfattades vid hovet i Schwerin som en svår skymf som man ville ha upprättelse för. Gustaf IV Adolf som blev myndig i slutet av 1796 fann detta rimligt, och prinsessan erbjöds sextusen riksdaler om året av svenska regeringen såsom ett slags skadestånd. Hennes storhertiglige fader ville emellertid i stället ha ett kapital som gav denna summa i årlig ränta, och saken ordnades med tiden så att han fick överta staden Wismar på hundra år för en billig summa, varom mera i ett följande kapitel.

Gustaf IV Adolf

En av Gustaf IV Adolfs första regeringsåtgärder var att avskeda Reuterholm, som förbittrad lämnade landet för att aldrig mer återkomma. I hans ställe återvände efter hand Gustaf III:s vänner och medarbetare till inflytelserika poster. Cronstedt som hade största förtjänsten av segern vid Svensksund blev marinminister, Toll blev också medlem av konseljen och Armfelt fick återvända till Sverige, återinvaldes i Svenska Akademien och placerades omsider som svensk minister i Wien. Också fröken Rudenschöld rehabiliterades fullständigt, men Armfelt och hon träffades aldrig mera.

Hertig Karl, som hade anledning att känna sig illa till mods, drog sig tillbaka till privatlivet och bodde mest på sitt ägandes Rosersberg vid Mälaren, åtföljd av den flitigt dagboksskrivande Hedvig Elisabeth Charlotta. Hans intresse för det ockulta minskades dock ingalunda. En vacker dag fick kungen ett brev från Armfelt som kunde meddela att på Stockholms slott i ett rum som hertigen hade låtit inreda till ett slags tempel hölls mystiska sammankomster under ledning av en figur som hette Boheman och var hög dignitär i något som hette Illuminaterorden. I templet stod ett altare där Boheman brukade dela ut sakramenten, och på golvet fanns en bild av en naken kvinna på vilken de som intogs i orden fick knäböja till en sinnebild av sin nya födelse; därvid fick de avlägga ed om blind lydnad för den okända ordensstyrelsen, vars namn var Synedrion. Det hela var alltså inte så oskyldigt, och Boheman togs i allvarligt förhör, varvid han bekände varjehanda hyss som han hade lurat den lättrogne hertigen med. Denne blev därvid allt snopnare och allt sorgsnare. Boheman skickades därpå under bevakning till Danmark där han var bosatt, under det att hertigen i sin egenskap av den visaste Salomos vicarius och i kretsen av sitt stora råd högtidligen uttalade att bedragarens namn skulle utplånas och han själv uteslutas ur alla på jordens yta kringspridda rättskaffens murareriddarebröders samfund. Förhållandet mellan hertigen och hans kunglige brorson var från den tiden föga hjärtligt.

Den sistnämnde har gått till historien som en inskränkt, halsstarrig, högfärdig och något rubbad person med fixa idéer och intresse för ett ämne vid namn Uniformaliken. Så porträtteras han exempelvis av Runeberg i Fänrik Ståls sägner, en bok som ju har haft ett omätligt inflytande på två eller tre svenska generationers syn på ett viktigt stycke historia, och samma åsikter kommer till tals i memoarer och andra skrifter av folk som kände kungen, framför allt i Adlerbeths anteckningar, Arndts svenska historia, Wingårds minnen och Trolle-Wachtmeisters dagböcker. Eftersom han var praktiskt taget enväldig är frågan om hans sinnesbeskaffenhet ingen oviktig fråga. I vårt århundrade har en del forskare, först och främst Sam Clason, naturligtvis sökt omvärdera honom, men man kan väl knappast säga att detta har lyckats. Det är alldeles klart att urkunderna till hans historia till stor del härrör från de män som i sinom tid avsatte honom, men att han skulle ha varit en klok och begåvad politiker har i alla fall ingen förmått göra troligt, och på det hela taget förefaller den gamla uppfattningen om Gustaf IV Adolf inte alltför orättvis, ehuru den kanske lämpligen bör uttryckas med vackrare ord än de ovanstående. Man kunde säga att kungen var en idealist som följde sin övertygelse hur illa grundad den än var, en pedantiskt plikttrogen man med höga tankar om sitt kall, en starkt religiös natur som hatade tidens upplysningsfilosofi av hela sitt väsen.

Året efter den misslyckade ryska resan gifte han sig på annat håll, nämligen med en tyska som hette Fredrika av Baden och var syster till den ryske tronföljarens gemål. Hon var vacker som en dag och mycket ung och glad, och i brist på bättre nöjen kunde hon roa sig med att ideligen hoppa ner från ett bord tillsammans med jämnåriga hovdamer, alltid beredd att ta på sig en allvarlig och värdig min när kungen hördes komma. Denne hade naturligtvis ingen humor och tilltalade henne till på köpet alltid med det ovänliga hon, påstår Trolle-Wachtmeister: "Tag hon sin psalmbok och sätt sig och läs!" Förhållandet mellan de unga makarna blev i alla fall så småningom ganska gott, och båda två var mycket populära i Sverige, där deras sparsamma och glanslösa hovliv stod i klädsam kontrast till den förre monarkens slösande lustbarheter.

Gustaf IV Adolf ansträngde sig verkligen att råda bot på den finansiella nöden genom återhållsamhet och varjehanda indragningar. En del pensioner avskaffades, och statstjänstemännen fick sina löner sänkta och maximerade; mer än fem tusen riksdaler om året skulle ingen ämbetsman få ha. En viss effekt på statens affärer fick naturligtvis detta; man kunde minska statsskulden med ungefär tre kvarts miljon under loppet av några år. Landets ekonomi i stort försämrades inte desto mindre med stora steg. Den svenska järnexporten, som under 1700-talets senare del hade fått konkurrens från ryskt håll, drabbades av ett förödande slag när puddelprocessen med stenkol blev uppfunnen i England på 1780-talet; krisen började märkas på allvar strax före sekelskiftet och kulminerade 1808, då hela exporten inskränkte sig till tjugosextusen ton. 1700-talets tre sista år var dessutom nödår i stora delar av Sverige. Det bohuslänska sillfisket som hade gett väldiga fångster under ett par årtionden blev mindre lönande 1797 och avtog sedan år från år för att upphöra helt och hållet i början av 1800-talet. Sommaren 1798 var torr och vin-

tern 1799 var mycket kall, så att man hade körväg tvärs över Ålands hav ännu i slutet av april; resultatet av den väderleken blev spannmålsbrist och katastrofal foderbrist, som i sin tur ledde till dyrtid och kravaller i vissa städer, där folk plundrade ett par brännvinsbrännare som misstänktes ha slagit under sig en massa spannmål i spekulationssyfte. Samtidigt var det krig ute i världen, och den svenska sjöfarten led svårt av engelsmännens och även fransmännens kaperier; sommaren 1798 gick sålunda två konvojer på sammanlagt fyrtio skepp förlorade i engelska kanalen. Till detta kom att det svenska penningväsendet befann sig i ett egendomligt tillstånd alltsedan 1789, då Gustaf III hade inrättat Riksgäldskontoret för att finansiera sitt ryska krig.

Riksgäldskontorets obligationer löpte egentligen med ränta och skulle inlösas efter något år, men detta hindrade inte att de kom att cirkulera som sedelmynt. Denna valuta kallades riksdaler riksgälds. Samtidigt tryckte också riksbanken sedlar, vilka var inlösliga i silver på anfordran. De båda penningutgivande institutionerna hade ingen förbindelse med varandra, och landet hade alltså fått vad man kallar parallellmyntfot, ehuru myntslaget kallades riksdaler på båda hållen. Mellan riksgäldskontorets sedlar och riksbankens uppstod från första stund ett agio, och värdet av en riksdaler riksgälds sjönk så småningom till att motsvara två tredjedels riksdaler banko. Följden var att bankosedlarna försvann ur cirkulationen, ty folk sparade naturligtvis på det bättre myntet när de kunde betala med det sämre, och detta medförde stora olägenheter eftersom många viktiga affärer hade gjorts upp i riksdaler banko. Själva Riksgäldskontoret med sina sedelpressar led svårt av penningbristen, ty det hade många betalningar i bankomynt att fullgöra. Av sina egna sedlar tryckte Riksgäldskontoret emellertid ideligen nya och betraktade dessa inte som pengar utan som skuldförbindelser på inhemska lån att betala de utländska med. Resultatet blev naturligtvis i alla fall inflation i riksdaler riksgälds. Riksgäldskontoret kunde trots alla ansträngningar inte klara avbetalningarna till utlandet, och vid sekelskiftet var situationen sådan att det blev nödvändigt att sammankalla en riksdag, något som kungen i det längsta hade velat undvika.

Riksdagen förlades av diverse taktiska skäl till Norrköping, där den öppnades i mars år 1800. För kungen gällde det att driva igenom en extraskatt som täckte bristen i Riksgäldskontoret; han begärde därför att det skulle tillsättas ett hemligt utskott med vilket han kunde överlägga om rikets finansiella läge. Detta väckte opposition inom adeln, där Hans Hierta tvärtom krävde full offentlighet beträffande riksbankens och Riksgäldskontorets förvaltning. Det hemliga utskottet kom emellertid till och antog en finansplan som gick ut på myntrealisation; Riksgäldskontorets sedlar skulle lösas in med riksdaler banko till två tredjedelar, och den återstående tredjedelen av riksgäldssedlarna skulle ersättas med ett nytt slags papper som kallades kurantsedlar. Man införde också lyxskatt och licensavgifter på allt möjligt som ansågs umbärligt: socker, puder, öppna och täckta vagnar, kortspel, fickur, sällskapshundar – Norrköpings riksdag introducerade faktiskt hundskatten i Sverige.

Finansplanen, som visserligen aldrig kunde genomföras i sin helhet, gick igenom i alla fyra stånden, men när den behandlades av adeln yttrade några talare att beträffande skatteperiodens längd borde man fatta särskilt beslut, varvid lantmarskalken Magnus Fredrik Brahe lät undfalla sig: "Det förstås av sig själv!" I själva verket var detta en mycket viktig fråga, ty förbehållet innebar ju att kungen skulle bli tvungen att sammankalla riksdagen med jämna mellanrum, vilket denne minst av allt ville. Den förslagne och energiske Toll som gick kungens ärenden tog därför omedelbart lantmarskalken under behandling och lyckades få denne att vid protokolljusteringen ta tillbaka sina ord. Resultatet blev ett stormigt uppträde där ett antal unga män demonstrerade mot lantmarskalkens beteende genom att avsäga sig adelskapet. De hette Hierta, Schultzenheim, Cederström, Adelheim och Tham och kallade sig därefter respektive Järta, Schultz, Claësson, Borgström och Tamm. Några andra, främst Georg Adlersparre och Anders Fredrik Skjöldebrand, nöjde sig med att avsäga sig sin riksdagsmannarätt så länge greve Brahe var lantmarskalk. En ung man som hette Jan Carl Adelswärd skrek att han avsade sig adelskapet men hejdades av sin far, som drog ner honom med orden: "Jan Carl, du avsäger dig då Adelsnäs!"

Han skyndade därefter till konungen och anhöll att sonens avsägelse måtte få anses ogjord, vilket beviljades till all lycka för den blivande fideikommissarien.

Det hände ännu en minnesvärd sak under Norrköpings riksdag år 1800: Gustaf IV Adolfs kröning. Den hade politisk betydelse därför att adelsoppositionen aldrig hade erkänt förenings- och säkerhetsakten som bildade grundvalen för kungens nästan enväldiga ställning, och inför kröningen föreslog någon att ständerna borde begära att på förhand få granska hyllningseden som det var meningen att de skulle svära. Toll var emellertid situationen vuxen. Han höll ett ampert tal till adelsoppositionen, och då detta inte tycktes göra något intryck drog han ur fickan upp en lista på alla dem som hade varit misstänkta för delaktighet i mordet på Gustaf III men undgått åtal. Med denna lista i handen lät han förstå att om minsta försök gjordes från adelns sida att angripa tronens rättigheter skulle han låta offentliggöra namnen och blottställa en mängd familjer för allmänna opinionens avsky. Det blev alldeles tyst bland de förvånade ädlingarna inför detta hot, och ståndet svor i sinom tid den begärda hyllningseden i enlighet med regeringens formulär, varmed det ansågs ha godkänt förenings- och säkerhetsakten till sist.

Själva kröningen var då redan förbi, och den hade inte varit lyckad, ty det hällregnade hela dagen i Norrköping och det hela blev så glanslöst som gärna kan tänkas, berättar greve Magnus Björnstjerna i sina anteckningar. Kungen bodde i ett trähus och kyrkan var liten och oansenlig, men detta var inte det värsta. "Konungen, klädd i hela sin skrud, med mantel och prinslig krona osv., kom trappan utföre på husets bakgård och steg till häst. Manteln uppbars af tvenne öfverste kammarjunkare, grefve Fabian Fersen och grefve Wachtmeister. Hästen var

något yr, så att Hans Majestät ville volta honom; men hade icke den nog vanliga artigheten att bedja öfverste kammarjunkarne att släppa manteln. Desse granna herrar måste således, allt som volten fortsattes, i stor stat springa rundtomkring den högst smutsiga gården, nedstänkta öfver hufvudet. Men ännu värre gjorde samma häst, då processionen kom framför ett hus där en vacker fru bodde och hvarest stallmästaren som inridit hästen ofta stadnat. Hästen ville nu göra så med, och som konungen var en dålig ryttare tog han den försigtiga utvägen att stiga utaf, samt att låna en icke beprydd häst för att fortsätta tåget."

Det hände även andra bedrövligheter i Norrköping denna regniga dag. Stången på riksbaneret gick sålunda sönder när det var som högtidligast, och till råga på allt skavde kronan hål i pannan på den arme konungen.

Ångans århundrade

Inte långt efter sin regniga kröning hade Gustaf IV Adolf nöjet att skåda Trollhätte kanal, som äntligen hade bragts till fullbordan av några energiska göteborgare. Den var inte stor och hade bara två meters djup på slusströsklarna, men den var betydelsefull ändå och imponerade med skäl på alla människor, exempelvis på den unge Esaias Tegnér som passerade platsen ett år senare på sin färd mellan Lund och sin värmländska hembygd och då skrev ett par rim i Trollhättevärdshusets gästbok:

> Vildt Göta störtade från fjällen.
> Hemskt Trollet från sitt Toppfall röt!
> Men snillet kom, och sprängd stod hällen
> med skeppen i sitt sköt!

Skeppen ifråga var tills vidare mest dragpråmar, men ångans tid var nära. 1804 anlände till Stockholm en engelsk tekniker som hette Samuel Owen; han kom egentligen som montör för att sätta upp fyra ångmaskiner som det mångfrestande kanslirådet Abraham Niklas Edelcrantz hade köpt från James Watts verkstäder. De kom till användning vid Dannemora gruva, vid kronans brännerier i Stockholm och vid den så kallade Eldkvarn, som Edelcrantz byggde 1807 där Stadshuset nu står och för-

747

såg med en ångmaskin på tjugo hästkrafter, vilket räckte till att mala åt hela Stockholm när väderkvarnarna saknade vind. En ångmaskin hamnade också hos Södertälje Kanal- och Slussverksbolag, som fick kungligt privilegium 1806 och sedan hade att göra i halvtannat årtionde innan färdleden stod klar; den hade då kostat något över åttahundratusen riksdaler, vilket kan ge ett begrepp om tidens penningvärde.

Tre år efter den stormiga Norrköpings riksdag genomförde regeringen nämligen sin myntrealisation efter en ny plan utan att fråga ständerna till råds. Riksgäldssedlarna ersattes då med bankosedlar till en kurs av tre riksdaler riksgälds för två riksdaler banko, och friska pengar till att genomföra denna transaktion skaffade man genom att sälja Wismar till den förfördelade hertigen av Mecklenburg. Formellt var transaktionen en förpantning på hundra år för ett lån på en och en kvarts miljon riksdaler, vilket inte låter mycket men i alla fall var tillräckligt för att lösa valutakrisen i Sverige, göra slut på parallellmyntfoten och sätta Riksgäldskontoret på fötter för några år framåt.

Varaktigare än så blev verkningarna av en annan reform från samma år. 1803 utfärdades en förordning om enskifte i Skåne, året därpå kom en liknande förordning beträffande Skaraborgs län, och 1807 utgavs slutligen den allmänna förordningen om enskifte i hela södra och mellersta Sverige. Dessa ukaser från en enväldig konungamakt, tillkomna utan att berörda myndigheter och människor tillfrågades om sin åsikt i den outredda frågan, har varit av genomgripande betydelse för livet i Sverige och förändrade i grund hela landet med tiden.

Äran av initiativet tillkommer en enskild man, bohuslänningen Rutger Maclean, som i Gustaf III:s dagar övertog det stora godset Svaneholm i södra Skåne. Det omfattade hela Skurup socken med över femtio hemman och fyra byar, men jorden var splittrad i en mängd smala remsor och låg till stor del i vanhävd när Maclean kom, och han insåg strax att en radikal förändring var av nöden. Hans maktställning var sådan att han kunde reformera socknen efter sitt eget huvud och utan hjälp utifrån, och han lät omedelbart dela upp byarnas jord i halva hemman, alla med ett sammanhängande jordområde som såvitt möjligt borde vara fyrkantigt. Hoverisystemet avskaffades, och bönderna som flyttade ut till de nya gårdarna fick i stället betala ett litet arrende i pengar. Trots befrielsen från dagsverken och körslor åt herrgården var de till en början mycket ovilliga, och invånarantalet på Svaneholms domäner sjönk under det första året från sjuhundra till sexhundra, varför **en del** av de nya gårdarna blev utan arrendatorer. Med stora uppoffringar och oförtruten energi fullföljde Maclean emellertid sin plan, och fyra år senare hade han på sina ägor över åttahundra invånare och ett dittills osett välstånd.

Den iögonfallande framgången av Macleans reformer ledde snart till efterföljd bland de skånska storgodsägarna, men bara ifråga om enskiftet; att avskaffa hoveriet var man sällan villig till. I rena bondebygder var opinionen inte alls förberedd när de kungliga enskiftesförordningarna kom, och bönderna visade stor obenägenhet att tillämpa dem. Bestämmelserna reviderades därför ganska grundligt efter ett par årtionden, och resultatet blev 1827 års stadga om laga skifte, vilken gav större smidighet åt enskiftets regler och efterhand genomfördes i nästan hela landet. Till priset av sprängda byar, bortjagade backstusittare, obotlig hemlängtan och mycken livslång grämelse skapade den förutsättningarna för tillräcklig livsmedelsförsörjning åt senare generationer i ett nästan oigenkännligt Sverige.

Napoleons dagar

Dagen innan riksdagen upplöstes i Norrköping vann Napoleon Bonaparte sin stora seger vid Marengo. Han var bara förste konsul då och väckte ännu ingen fasa bland Nordeuropas krönta potentater, bland vilka den ryske kejsar Paul firade hans födelsedag med att sätta igång en politisk aktion som var riktad mot hans huvudfiende. Tsaren fick nämligen till stånd ett neutralitetsförbund mellan Ryssland, Sverige, Danmark och Preussen för att med vapenmakt stävja de engelska övergreppen mot sjöfarten på de många kontinentala hamnar som kontrollerades av fransmännen, och Sverige åtog sig att tillsammans med Danmark spärra Östersjöns inlopp för engelska flottan.

Engelsmännen gick snabbt och resolut till motattack. De ockuperade S:t Barthélemy och Danmarks västindiska öar, lade beslag på alla ryska, danska och svenska fartyg som de hade inom räckhåll och skickade ofördröjligen en stor eskader under amiralerna Parker och Nelson till Öresund, där svenskarna inte hade hunnit träffa några försvarsanstalter än. Tätt utefter skånska kusten, där kung Gustaf Adolf i vanmäktig vrede stod och tittade på, seglade den engelska flottan förbi Hälsingborg utan att lida minsta men av elden från Kronborgs kanoner. Svenska flottan hade löpt ut från Karlskrona men var för svag att sätta sig till motvärn, och danska flottan låg inne i Köpenhamn bakom en försvarslinje av vad man kallade blockskepp, det vill säga förankrade, avmastade gamla fartyg med mycket artilleri ombord.

Engelsmännen krävde att danskarna skulle utträda ur neutralitetsförbundet och gick till anfall mot blockskeppslinjen under våldsam kanonad som kom husen att skaka inte blott i Köpenhamn utan även i Malmö.

Kung Gustaf Adolf satt i ett torn i Landskrona och beskådade striden som blev mycket blodig med ett par tusen döda och svårt sårade. Atskilliga av blockfartygen sänktes eller blev tagna, och fastän också engelsmännen led förluster var det tydligt att Danmark inte kunde hålla stånd. Förbittringen där var stor gentemot Sverige som hade svikit i farans stund, och innan bombardemanget riktades mot själva Köpenhamn tog den danske regenten emot amiral Nelson och gick in på det engelska kravet. Danmark lämnade alltså neutralitetsförbundet.

Engelska flottan gick nu in i Östersjön och visade sig inom kort utanför Karlskrona där Cronstedt förde befälet. Amiral Parker skickade honom ett ultimatum och begärde att Sverige omedelbart skulle följa det danska exemplet. Ungefär samtidigt kom det underrättelse från S:t Petersburg att kejsar Paul hade blivit mördad, kanhända på tillskyndan av engelsmännen, och att hans son och efterträdare Alexander hade förklarat sig villig till förlikning. Neutralitetsförbundet hade därmed upphört att finnas till, och Sverige hade inte längre något val. En fredsuppgörelse kom till stånd där Sverige fick tillbaka S:t Barthélemy och en del beslagtagna fartyg, men någon ärofull roll hade landet ju inte spelat, och svenska regeringen gjorde också vad den kunde för att hålla folket i okunnighet om vad som egentligen hade hänt. Engelska örlogsfartyg fortfor att visitera svenska handelsskepp efter behag.

Tronskiftet i Ryssland medförde en snabb förändring av fronterna i den europeiska storpolitiken, och det dröjde inte länge förrän Sverige bytte sida. Åren 1803 och 1804 vistades kung Gustaf Adolf hos drottningens släktingar i Baden och Bayern där han mötte en mängd franska emigranter och på rätt nära håll kunde följa utvecklingen av revolutionsrörelsen i Frankrike. Medan han vistades i Baden lät Napoleon på denna makts område häkta en fransk prins av blodet, hertig Louis av Enghien, och föra honom till Frankrike där han arkebuserades som landsförrädare. Detta politiska illdåd – "värre än ett brott, ty det var en dumhet", lär den franske polisministern Fouché ha sagt – väckte oerhörd förbittring i alla Europas furstehus och påskyndade i hög grad utbrottet av ett nytt koalitionskrig mot Frankrike där Sveriges deltagande var givet, ty ingen blev mera upprörd än den svenske härskaren. "Från denna stund", skriver Odhner, "svor han Bonaparte ett oförsonligt hat, han ansåg honom för mänsklighetens avskum, ja för själfve antikrist, och trodde sig i honom igenkänna det vilddjur, som omtalas i Uppenbarelseboken." Ett par månader efter mordet på hertigen av Enghien lät förste konsuln utropa sig till Napoleon I, fransmännens kejsare, vilket inte gjorde honom mindre avskydd. Alla diplomatiska förbindelser med honom avbröts, och i början av år 1805 när kung Gustaf Adolf hade kommit hem till sitt land igen anslöt sig Sverige till Ryssland, England och Österrike och gick tillsammans med dem i krig mot Napoleon.

Kriget blev ingen succès. Slaget vid Austerlitz drev Österrike ut ur koalitionen, och Preussen som året därpå förklarade krig i dess ställe besegrades i grund vid Jena och blev av med mer än halva sitt område. Svenskarna som mest hade hållit sig i Pommern fann sin situation bekymmersam. En avdelning som stod vid Lübeck tillfångatogs av den franske marskalken Jean Baptiste Bernadotte, som var mycket artig och förekommande mot sina fångar, något som gav stort utbyte med tiden. Resten av svenska hären såg sig snart tvungen att utrymma det pommerska fastlandet och gå över till Rügen, där dess belägenhet var förtvivlad. Den räddades av Toll, som lyckades lista sig till ett fördrag med fransmännen enligt vilket hären med sina vapen och hela sin tross fick fritt avtåg till Sverige. Detta hände 1807 i den händelserika septembervecka då en väldig engelsk eskader bombarderade Köpenhamn flera dygn i följd och tvingade det neutrala Danmark att utlämna hela sin flotta, som det befarades att fransmännen annars skulle ta.

Ett par månader tidigare hade Ryssland bytt sida igen. Det stod en ryskfransk drabbning i juni vid en plats som heter Friedland; där segrade Napoleon avgörande över kejsar Alexander, och resultatet blev icke blott fred utan även förbund. I juli möttes de båda potentaterna i det ostpreussiska Tilsit och slöt ett hemligt fördrag av ödesdigert innehåll inte minst för Sverige. Där stadgades att om England inte inom viss tid gick med på ett fredsförslag som tsaren skulle framställa skulle Frankrike och Ryssland såsom allierade makter uppmana regeringarna i Stockholm, Köpenhamn och Lissabon att omedelbart stänga sina hamnar för engelsmännen och förklara dem krig. För den händelse Sverige vägrade skulle de förbundna uppträda som dess fiende och förmå Danmark att göra detsamma.

Danmark, förbittrat över det engelska överfallet, var inte svårt att övertala utan anslöt sig omedelbart till det franskryska förbundet. För den svenske kungen var något sådant otänkbart; han slöt tvärtom förbund med engelsmännen som lovade marint bistånd och subsidier.

Bron vid Abborfors

I februari 1808 överskred ryska trupper den finska gränsen på bron vid Abborfors över Kymmene älv, en bro som för inte länge sedan hade varit föremål för ett hetsigt diplomatiskt tankeutbyte, ty Gustaf IV Adolf ville nödvändigt ha hela bron målad i de blågula svenska färgerna medan ryssarna målade den rysk till halva dess längd. Samtidigt som trupperna marscherade där överlämnades den ryska regeringens ultimatum till svenske ministern i S:t Petersburg, som icke blev överraskad. Han hette Curt von Stedingk och var en utmärkt diplomat, som under det sista halvåret hade skickat hem åtskilliga varnande depescher till Sverige, samtidigt som den ryske stockholmsambassadören David Alopaeus konsekvent förnekade att ryssarna hade några angreppsplaner. Både Stedingks och Alopaeus' rapporter har studerats med stor iver av sentida historieskrivare med olika åsikter om Gustaf IV Adolf.

Med eller utan skäl var denne nämligen i det längsta övertygad om att tsaren inte ville ha krig med Sverige. Några försvarsanstalter kom därför inte till stånd förrän i sista stund och gällde då framför allt gränserna åt väster, ty en dansk krigsförklaring inlöpte naturligtvis omedelbart efter den ryska. Tre svenska armékårer ställdes upp i respektive Skåne, Värmland och Jämtland, och det var meningen att de med engelsk hjälp skulle erövra och ockupera antingen Norge eller Själland. Krafterna räckte dock inte alls till för något sådant. Den danska krigsförklaringen följdes för övrigt inte av några krigshandlingar, och stort lugn rådde på det hela taget vid denna front.

Så mycket mera dramatiskt utvecklade sig händelserna i öster.

Finska kriget

Kriget i Finland år 1808 är besjunget av Runeberg i Fänrik Ståls Sägner och några andra dikter som tillhör den svenska litteraturens yppersta. Dess förlopp är alltså allom bekant. Den finska armén drog sig under vintern planenligt tillbaka till Österbotten undan den inte alltför överlägsna ryska, som till en början omfattade blott tjugotusen man. Ryssarna utbredde sig därför utan hinder över hela södra Finland, besatte Åbo, ockuperade Åland och överskeppade en styrka även till Gotland, som besattes utan svårighet. De började vidare belägra Sveaborg, stödjepunkten for sommarens planerade svenska motoffensiv. Kommendant där var Carl Olof Cronstedt, som hade fallit i kungens onåd och avlägsnats till detta befäl från sin höga post som sjöminister, och bland hans närmaste män fanns flera som var smittade av Göran Sprengtportens tankar och inte alls kände sig som svenskar, främst bland dem Fredrik Anders Jägerhorn, bror till Anjalamannen som flydde till ryssarna i Gustaf III:s tid. Den ryske stabschefen Peter von Suchtelen fann vägar att träda i förbindelse med Jägerhorn och genom denne med Cronstedt själv, som lät förmå sig att gå in på ett stilleståndsavtal enligt vilket fästningen skulle kapitulera ifall den inte fick undsättning från Sverige med minst fem linjeskepp inom fyra veckor. I Stockholm visste man ingenting om allt detta förrän på stilleståndets sista dag, ty ryssarna gjorde naturligtvis allt för att hindra all kommunikation med Sverige. Kapitulationen kom alltså till stånd och innebar att inte blott själva fästningen, utan också sjutusen man svenska trupper, tvåtusen kanoner och en flotteskader på hundratio fartyg utan svärdslag överlämnades till den underlägsna ryska belägringsarmén. Cronstedt, Jägerhorn och en del andra officerare övergick omedelbart i rysk tjänst.

Storfurstendömet Finland

Med Sveaborgs fall var Finlands öde avgjort, och sommarens svenska offensiv i Österbotten och gerillakriget i Savolaks, Karelen och Tavastland kunde därvidlag ingenting ändra. Namnen på en rad strider och träffningar har emellertid gått till litteraturhistorien; Lappo och Alavo, Virta bro, Siikajoki, Revolaks, Jutas, Oravais. Gotland och Åland återtogs redan i maj av svenskarna, men de försök till trupplandsättningar i Finland som gjordes under sommaren misslyckades fullständigt. Det viktigaste av dem utgick från Åland under överinseende av konungen själv, som blev mycket förbittrad då trupperna måste inskeppa sig igen, slet svärdsordens stora kors från den befälhavande överstens bröst och degraderade tre gardesregementen till regementen utan rang. Under tiden ockuperades hela Finland obevekligt av ryska trupper, och mot slutet av året utnämndes Göran Sprengtporten till rysk generalguvernör i storfurstendömet Finland. Ett par månader senare samlades Finlands ständer i Borgå och avlade trohetsed till kejsar Alexander, vilken såsom storfurste av Finland bekräftade och stadfäste landets religion och grundlagar samt alla bestående privilegier och rättigheter från den svenska tiden. Med grundlagarna menades 1772 års regeringsform och Gustaf III:s förenings- och säkerhetsakt, som på det viset kom att förbli gällande i Finland ett helt århundrade längre än i Sverige, där det gustavianska enväldets tid redan var förbi när kejsar Alexander lät hylla sig i Borgå.

Revolutionen

Vintern 1809 var en gruvlig vinter i Sverige. En finanskommitté som tillsattes under hösten hade räknat ut att det skulle behövas tjugosex miljoner riksdaler för att underhålla krigsmakten detta år, och så mycket pengar kunde inte fås fram tillnärmelsevis; ett försök att få en del i form av ökade subsidier från England avslogs blankt och ledde till djupa misshälligheter mellan Sverige och dess ende bundsförvant. Kungen bestämde sig då för att ta upp en ny stor krigsgärd vars blotta namn väckte förskräckelse och ovilja i bygderna. En impopulär värnpliktslag hade sett dagen året förut; den drabbade alla ogifta män mellan nitton och tjugofem år, då de togs ut till lantvärnsbataljoner. Kronan hade

755

emellertid inga medel att utrusta och underhålla dessa, och följden blev att många av pojkarna dukade under av sjukdom, svält och köld samtidigt som en invasion av danska trupper från Själland och av ryska från Finland när som helst var att vänta, ty såväl Ålands hav som Öresund var belagda med is som bar. Sverige syntes gå sin undergång till mötes, skriver Odhner och fortsätter med en berömd tirad: "Men ännu var ej sista timmen slagen för gamla Sverige, ännu höll försynen sin skyddande hand däröfver."

Med detta menar han att i mars avsattes Gustaf IV Adolf.

Planer och konspirationer med detta mål tycks ha varit å bane ganska länge. En hel rad anekdoter i ämnet kan läsas hos Schinkel-Bergman, där det står att redan under det misslyckade pommerska kriget funderade Armfelt och andra bekymrade officerare på att oskadliggöra konungen för att rädda landet, eventuellt genom att borra hans båt i sank på Östersjön, och hösten 1808 när konungen hade sitt högkvarter på Åland lär en finsk soldat som hette Blå ha smugit omkring i mörkret utanför Lemlands prästgård med uppdrag att skjuta honom, men han lyckades aldrig bestämma sig för vilken av skuggorna på rullgardinerna som var den rätta. Några veckor senare kom det med jämna mellanrum sju luftballonger seglande över Öresund och släppte ner en mängd proklamationer i Skåne i vilka svenskarna uppmanades att avsätta Gustaf IV Adolf och välja den danske kung Frederik VI till hans efterträdare, varigenom de tre nordiska länderna skulle förenas under en spira. Mannen

bakom den propagandan var den landsförvisade Carl Fredrik Ehrensvärd, som efter sitt deltagande i mordet på Gustaf III hade gått märkliga öden till mötes och nu levde i Danmark under namnet Gyllembourg.

Tanken att Gustaf IV Adolf borde avlägsnas fanns sålunda i de vidaste kretsar och vann insteg även i hans närmaste omgivning efter kungens dumhet att degradera gardesregementena, en åtgärd som naturligtvis hade väckt stor förbittring bland alla berörda officerare. Majoren Carl Henrik Anckarsvärd var en av dem och reste vintern 1809 som budbärare och agitator mellan västra armén i Värmland och de revolutionssinnade militärerna i Stockholm, vilkas främste man var generalen Carl Johan Adlercreutz. Till sällskapet hörde också överste Anders Fredrik Skjöldebrand som kommenderade i Gävle samt sekreteraren Hans Järta som hade kontakt med många stockholmska ämbetsmän på den civila sidan. Anckarsvärds uppdragsgivare och meningsfrände var hans förman Georg Adlersparre, som var överstelöjtnant och befälhavare över den värmländska fördelningen av västra armén; han var också en känd skriftställare och hade under några år omkring sekelskiftet gett ut den uppmärksammade tidskriften Läsning i blandade ämnen, till dess han på hög befallning nödgades lägga ner den.

I mars 1809 var tiden mogen. Med Anckarsvärd som mellanhand trädde Adlersparre då i privatunderhandlingar med den fientlige överbefälhavaren på andra sidan norska gränsen, prins Kristian August av Augustenburg, och gav honom en vink om vad som förehades. Denne lovade då att under viss tid inte oroa gränsen, varpå Adlersparre med sextusen man bröt upp från Karlstad och marscherade mot Stockholm, föregången av en proklamation där det hette att död och fördärv skulle drabba envar som ville förlänga Sveriges lidande. Detta var den sjunde mars, och först den tolfte då Adlersparre redan hade passerat Örebro och bara hade femton mil kvar till Stockholm fick kungen underrättelse om saken ute på Haga, där han bodde med sin familj. Han skyndade naturligtvis in till huvudstaden för att träffa sina mått och steg, skickade genast en del trupper nedåt Sörmland för att möta de upproriska, gav order åt en del höga ämbetsmän att följa honom bort från Stockholm och befallde bankofullmäktige att ta med sig statskassan och göra sammalunda, varjämte de borde ge honom ett förskott på två miljoner riksdaler. Bankofullmäktige vägrade, men tidigt nästa morgon lät kungen dem förstå att Stockholms borgargarde hade order att tvinga dem.

Kungens avsikt var att bege sig till Skåne, där Toll förde befälet; på denne trodde han sig kunna lita. Revolutionärerna insåg att de måste hindra hans avresa om ett inbördeskrig skulle kunna undvikas, och vid åttatiden på morgonen samlade Adlercreutz en del officerare som placerades ut i olika lokaliteter på slottet. Man skickade först fram fältmarskalken Klingspor, han som är illa utmålad av Runeberg för sina reträtter i Finland. Han fick audiens hos konungen i dennes sängkammare och anhöll att han måtte låta bli att resa och i stället sammankalla rikets ständer, varvid konungen omedelbart fick ett raseriutbrott. Adlercreutz som tillsammans med hovmarskalken Silfversparre och fem officerare befann sig i ett angränsande rum öppnade då dörren till sängkammaren och steg oanmäld in med sina följeslagare, varvid konungen blev stum av häpnad. Adlercreutz meddelade utan omsvep att han på nationens vägnar tänkte hindra kungen att resa sin väg, varvid denne naturligtvis började ropa förräderi och drog sin värja. Adlercreutz grep honom då om livet medan Silfversparre och en major Ulfsparre tog värjan ifrån honom. Konungen skrek hela tiden på hjälp: "Förräderi! De vill mörda mig! Hjälp mig från mördarna! Hjälp!" Några vakthavande officerare och en del livdrabanter hörde ropen, skyndade till och försökte förgäves spränga sängkammardörren som någon hade låst, men slutligen lät Adlercreutz öppna dörren, talade till drabanterna och lyckades lugna dem, varefter han beslutsamt lät arrestera några personer som var kungen tillgivna och ville skynda till hans försvar.

Medan detta pågick hade kungen lämnats ensam i sin sängkammare med ett par höga dignitärer och hade lyckats lura till sig den enes värja, varpå han rusade iväg ut genom en annan dörr som han hann låsa bakom sig innan Adlercreutz och hans följeslagare vände tillbaka. De lyckades spränga dörren och rusa efter, men kungen hade fått ett gott försprång och hastade iväg utför trappor och genom korridorer på väg till högvakten. En hovjägmästare som hette Greiff skyndade emellertid ner en annan väg och gensköt konungen på borggården, parerade hans dragna värja med armen, grep honom om livet och släpade honom med sig tillbaka till Adlercreutz och de andra förföljarna. På vägen skrek kungen till vaktposterna att skjuta, men då Greiff ropade åt dem att kungen var sjuk öppnade de skyndsamt och tjänstvilligt alla dörrar i stället.

Den höge fången fördes till ett lämpligt gemak där han sattes under sträng bevakning, varefter Adlercreutz, Klingspor och Silfversparre gick raka vägen till hertig Karls våning. Utan alltför stor möda övertalade de denne att såsom riksföreståndare överta regeringen. På kvällen när mörkret fallit förpassades Gustaf IV Adolf diskret från Stockholms slott till Drottningholm.

Det nya statsskicket

Adlersparre befann sig alltjämt i Närke när han fick bud om att revolutionen i Stockholm redan var genomförd. Han blev icke odelat glad, ty Adlercreutz och han hade inte samma politiska åsikter, och hans egen insats kunde nu framstå som obehövlig, vilket var farligt; han hade dock under brinnande krig lämnat den gräns han var satt att försvara. Han hade därför inget annat val än att marschera på med hela sin armé, ehuru både Adlercreutz och hertig Karl skrev till honom och uppmanade honom att komma till Stockholm med ringa följe. Någon vecka efter revolutionen kom han intågande i Stockholm och slog upp sitt högkvarter i ett hus vid Drottninggatan med laddade kanoner framför porten och särskild lösen som han personligen tillviskade vaktposterna.

I den provisoriska regering där han naturligtvis genast kom in uppstod genast meningsskiljaktigheter om hur man egentligen borde ordna landets styrelse för framtiden. Brännande var ju framför allt tronföljdsfrågan. Adlercreutz och hans meningsfränder hade inte haft någon tanke på att utesluta den nioårige kronprinsen från hans arvsrätt, men Adlersparre ville ha bort hela dynastien. Efter en lång dragkamp, varunder Adlersparres motståndare lyckades förmå den avsatte konungen att underteckna ett abdikationsbrev till förmån för sin son, beslöt man till sist att frågan skulle hänskjutas till ständerna.

Riksdagen öppnades i Stockholm på första maj 1809. Ett av dess första ärenden var naturligtvis att uppsäga Gustaf IV Adolf tro och lydnad, och uppsägelsen utvidgades till att gälla hela hans ätt. För att utarbeta en ny regeringsform tillsatte man därefter ett särskilt konstitutionsutskott av tre bönder, tre borgare, tre präster och sex adelsmän; sekreterare i detta blev Hans Järta, som alltså kom att uträtta det mesta arbetet. Utskottet blev färdigt med sitt viktiga förslag redan i slutet av maj, och den 5 juni antogs den nya regeringsformen oförändrad av adeln, prästerna och borgarna; bondeståndet däremot krävde att ståndsprivilegierna skulle avskaffas och ville ha texten ändrad i överensstämmelse därmed. Först i slutet på månaden undertecknade dess talman regeringsformen efter många löften och mycket lirkande, varvid man lagfäste en del eftergifter som de högre stånden hade förmåtts till; adeln avstod sålunda från sitt monopol på att äga säterier, och präster och borgare gjorde liknande medgivanden. Emellertid var bönderna ändå med på kvällen den 5 juni när alla fyra stånden marscherade upp till slottet och överlämnade regeringsformen till riksföreståndaren. Han dagtecknade den dagen därpå och hyllades därpå högtidligen som Sveriges konung Karl XIII. Dagen firas ju som nationaldag än tack vare ivriga bemödanden i välsinnade kretsar; det är dock förståeligt att nationen i stort har haft svårt att känna någon djupare entusiasm inför detta historiska minne.

1809 års regeringsform gäller ju formellt än i dag, ehuru de reella överensstämmelserna inte är stora mellan nu och då. I själva verket var den en reviderad och utbyggd upplaga av 1772 års regeringsform. Konungen tillerkändes makt att allena styra riket men fick vid sin sida ett inför riksdagen ansvarigt statsråd till vars tankar han måste lyssna. Dit hörde hovkanslern, riksdrotsen och kanslipresidenten, vilka sistnämnda nu döptes om till justitiestatsminister och utrikesstatsminister; de övriga sex statsråden var alla vad som numera kallas konsultativa, ty några departement existerade ju inte än. I vissa avseenden gjordes märkligt nog kungens befogenheter större än de varit 1772; han fick sålunda rätt att börja krig utan ständernas samtycke. Däremot fick han inte befatta sig med regeringen när han själv var utomlands, och några lån fick han inte ta upp utan att fråga ständerna, som nämligen ensamma företrädde svenska folkets urgamla rätt att sig själv beskatta. De grundläggande principerna bakom 1809 års regeringsform finns för övrigt redovisade i ett berömt memorial som åtföljde lagförslaget och där det heter: "Utskottet har sökt bilda en *styrande* makt, med enhet i beslutet och full kraft att dem utföra; en *lagstiftande* makt, visligt trög till verkning men fast och stark till motstånd; en *domaremakt*, sjelfständig under lagarne men ej sjelfhärskande öfver dem."

1809 års riksdag, som för resten hölls samlad ett helt år och alltså pågick ända till maj 1810, fattade många andra beslut än det om regeringsformen. Man antog sålunda ytterligare några grundlagar; en tryckfrihetsförordning, som visserligen inte var vidare välskriven, en riksdagsordning som konserverade ståndsriksdagen men införde en del nyheter, bland annat statsrevisorerna, och en successionsordning varom mera i annat sammanhang. Vidare avskaffade man den så kallade landtullen eller lilla tullen på varor som infördes från landet till städerna, och med mycket entusiasm fattade man beslut om ett annat viktigt steg in i den nya tiden och anslog över en miljon riksdaler till ett bolag som bildats för att bygga Göta kanal på initiativ av statsrådet Baltzar Bogislaus von Platen. På dennes förslag infördes också ett embryo till allmän värnplikt i Sverige. Lagen, som gick ut på att förstärkningsmanskap skulle kunna tas ut bland vapenföra män mellan tjugo och fyrtiofem år, antogs av de tre högre stånden men inte av bönderna, fast regeringen försökte muta en del av dem, berättade Hans Järta på gamla dagar för historikern och urkundsutgivaren Carl Gustaf Styffe.

Värnplikten, som med tvivelaktig laglighet förklarades ha gått igenom i riksdagen trots böndernas motstånd, kallades nationalbeväring och genomfördes först på Gotland, där de första svenska beväringarna ryckte in redan nästa sommar till en övningstid på sex dagar.

Ryssarna i Västerbotten

Medan 1809 års riksdag förberedde framtiden rasade kriget med ryssarna alltjämt. De män som hade genomfört revolutionen räknade alla med att Napoleon skulle vara nöjd och tacksam; de tilltrodde honom också förmågan att nu hjälpa Sverige ut ur dess betryck, och den omedelbara följden av deras gärning blev därför att det militära försvaret bröt samman alldeles. När statskuppen ägde rum hade en stor rysk armé tagit sig över till Åland, beredd att gå över det islagda havet till svenska sidan. General Georg Carl von Döbeln, som med några tusen man stod kvar på Åland, fick nu befallning att dra sig tillbaka. Något stillestånd med ryssarna lyckades han inte få till stånd, och armén led svåra förluster innan den efter en dygnslång ismarsch kom i land i Grisslehamn. En rysk förtrupp under den av Runeberg besjungne Kulneff följde efter och besatte utan svårighet Grisslehamn med sina kosacker, varvid förskräckelsen blev stor i Stockholm och hela Roslagen; men lyckligtvis återvände ryssarna till Åland redan nästa dag. Samtidigt gick emellertid en rysk armékår över Kvarken, vilket var en bragd; ryssarna hade att göra i tre dagar med att klättra över de upptornade blocken av packis, men därför kom de också alldeles oväntat och tog Umeå. I stället för att anfalla dem gav sig de häpna svenskarna in på underhandlingar om fritt avtåg och förband sig att retirera ända till Härnösand. Uppe i nordligaste Västerbotten kapitulerade vid samma tid den sista svenskfinska hären vid en plats som heter Seivis, och därmed låg nästan hela Norrland öppet för fienden. När det vårades bröt åttatusen man ryska trupper upp från Torneå och marscherade långsamt söderut längs kusten, där de intog Piteå och alla andra bebyggda orter i Västerbotten. De stannade emellertid i trakten av Umeå, ty fredsunderhandlingar hade öppnats i det finländska Fredrikshamn, och ryssarna hade redan alla fördelarna på sin sida.

Deras krav var också mycket stora, större än man hade tänkt sig på svenskt håll. Man var beredd att avträda Finland inom dess historiska gränser, men dit hörde varken Åland eller landet väster om Kemi älv, vilken nämligen bildade gräns mellan Österbotten och Västerbotten. Ryssarna krävde emellertid nu såväl Åland som hela den finskspråkiga delen av Västerbotten, vilket innebar att de ville att den nya riksgränsen skulle följa Kalix älv. När de visade sig omedgörliga beslöt svenska regeringen att försöka vinna någon fördel genom ett landsättningsföretag i ryggen på den ryska armé som stod vid Umeå, och i augusti landsatte man en överlägsen styrka vid Ratans hamnplats. Manövern misslyckades dock fullständigt; i en drabbning vid Sävar slog sig ryssarna igenom, varpå den svenska expeditionskåren drog sig tillbaka till Ratan och inskeppade sig igen. Ryssarna hade emellertid förlorat en del folk, ungefär tvåtusen man mot ett tusen på svensk sida, och retirerade därför norrut till Piteå, varefter man kom överens om stillestånd.

Alldeles utan verkan på fredsförhandlingarna lär det misslyckade svenska fälttåget inte ha varit. I fråga om Åland var ryssarna visserligen obevekliga, men vad de norrländska områdena beträffar gick de efter segt förhandlande med på att Torne och Muonio älvar skulle utgöra gräns mellan rikena, vilket räddade bland annat Kiruna åt Sverige. Freden i Fredrikshamn undertecknades i september 1809. Dess kartbild har blivit bestående.

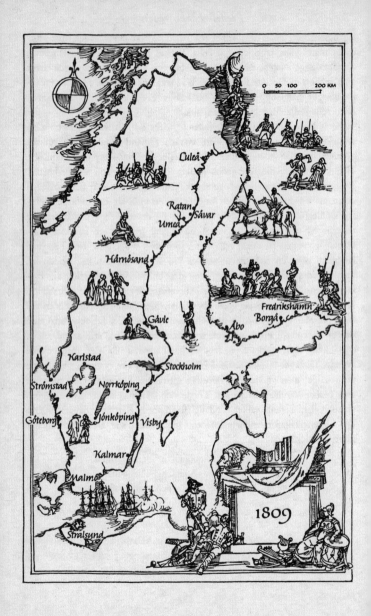

O   50   100   200 KM

Luleå

Ratan
Umeå   Sávar

Härnösand

Gävle

Karlstad

Strömstad   Norrköping   Stockholm

Göteborg   Jönköping   Visby

Kalmar

Malmö

Stralsund

Fredrikshamn
Borgå

Åbo

1809

De båda kronprinsarna

För Finland var Fredrikshamnsfreden knappast någon olycka. De evinnerliga krigens tid var förbi, landet fick behålla sina lagar och institutioner, och friheten för det svenska folkelementet var icke ringa; både Fänrik Ståls Sägner och Fältskärns Berättelser skrevs och trycktes ju i Finland under dess ryska tid. Det är ett paradoxalt faktum att dessa fosterländska skrifter på svenska har bidragit till att väcka den finska självständighetskänslan till liv vid en tidpunkt då den lyckligtvis inte behövde vända sig mot regeringen i Stockholm. "Skilsmässan, ett naturligt utvecklingssteg i det finska folkets historia, skedde ej genom ömsesidig oenighet, och det gamla brödrabandet har kvarlämnat ett minne som alltid skall förblifva dyrbart och heligt", skriver den finskspråkige Helsingforsprofessorn Yrjö Koskinen som i mitten på 1800-talet gav ut en nationalistisk Finlands historia.

Det dröjde ett par mansåldrar innan man väster om Östersjön började kunna se saken så. 1800-talets högröstade studentpolitiker föreställde sig alltid att Finland försmäktade under det ryska oket och ständigt trängtade efter återförening med Sverige, och den generation som själv upplevde året 1809 var naturligt nog djupt skakad och fylld av saknad och sorg. Den var också plågad i sitt innersta av fäderneslandets krigiska vanära och vanmakt, vilket hade den märkliga effekten att minnena från dess stora förgångna blev intensivt aktuella och antog poetisk gestalt. Ingen av tidevarvets författare stod helt oberörd av denna patriotiska flykt till historien, inte ens den hyperestetiske romantikern Atterbom, som inför Fredrikshamnsfreden lovade att ge hela fäderneslandet på båten:

> Det gamla Sveriges sol är nedergången.
> En annan hembygd jag mig söka vill!
> Gömd inom vetenskapen, konsten, sången,
> jag glömma skall hvad utom dem är till.

Atterbom, politiskt ultrakonservativ likt hela sin litterära skola, ogillade djupt 1809 års revolution. Dess pris sjöngs i stället av den akademiske, alltid tjänstvillige Johan Olof Wallin:

Freden i Jönköping

Du broder, tag ditt glas i hand
och klinga med din broder
en skål för Göters fosterland,
de fria Göters moder ...

Wallins samlade dikter tillhandahåller en någorlunda fullständig rad
av kväden över de politiska händelserna i Sverige under den dramatiska
tid som närmast följde. Allesammans framstår de för senfödda läsare
som ansenliga pekoral, men samtiden dömde på det hela taget annor-
lunda och fann behag i exempelvis:

Ädle främling! Ur en jord, som famnar
hvilande Svioners kämpastam,
hvilka ljusa, vördnadsvärda hamnar
träda för din lugna åsyn fram!
Hvilka drottar, höfvitsmän och jarlar,
gamla dars Gustafver, Sturar, Carlar
ropa: "Blidka våra skuggor, gif
än åt Svithiod frihet, lugn och lif!"

Orden skrevs i januari 1810 såsom en av många strofer under rubri-
ken "Vid Kronprinsen Carl Augusts intåg i hufvudstaden". Vid den ti-
den hade man alltså hunnit ordna frågan om tronföljden, som ju var
mycket brännande eftersom Karl XIII var gammal och barnlös. Som
hans efterträdare hade man allmänt tänkt sig den avsatte konungens
äldste son, som sålunda skulle upphöjas till kronprins än en gång, men
Adlersparre hade andra tankar och drev med de ofrälse ständernas
hjälp igenom att till tronföljare valdes den danske ståthållaren i Norge
prins Kristian August av Augustenburg, vilken så välvilligt hade av-
hållit sig från att rycka fram när västra armén övergav riksgränsen. Ge-
nom honom, tänkte man sig, skulle den länge drömda föreningen med
Norge kanske kunna komma till stånd. Efter åtskilliga om och men, ty
hans ställning gentemot kungen av Danmark var naturligtvis ömtålig och
bekymmersam, förklarade sig prinsen villig att ta emot svenskarnas val,
och så snart man även formellt hade fått slut på det dansksvenska kri-
get – fred slöts i Jönköping i julmånaden 1809 utan vare sig vinst eller
förlust – begav han sig strax till sitt nya land där han antog namnet

Karl August, eftersom förnamnet Kristian ansågs vara svenskarna förhatligt. Han var en folklig och oceremoniös man som drack tappert och rökte ivrigt, och i Sverige blev han genast mycket populär i de breda lagren men naturligtvis inte i de aristokratiska kretsar där den förre kronprinsen hade haft sina ivrigaste anhängare. En majdag vid en trupprevy på Kvidinge hed i Skåne störtade han emellertid plötsligen baklänges av hästen och dog. Dödsfallet som kom fullständigt oväntat utlöste en våg av mer eller mindre uppriktig sorg över hela landet, och Wallin strängade ånyo sin lyra:

> O jemmer, o betryck! O klagen, barn och fäder!
> O sörjen, kämpafält och borgerliga städer!
> Din bölja, Mälare, sig släpe, hemsk och trög,
> med evigt suckande, förbi hans ättehög! ...

Ämnet föranledde även en störtflod av mindre poetiska skriverier. Den döde kronprinsens livläkare och några lundaprofessorer hade fastslagit att han drabbats av slaganfall, men några stockholmsläkare anmärkte på deras sätt att sköta obduktionen, och landet genljöd inom kort av lömska rykten som gick ut på att han skulle ha blivit förgiftad av de högadliga gustavianerna, som på detta sätt skulle ha sökt bereda väg till tronen för den avsatte kungens son trots allt. Den nyförvärvade tryckfriheten togs i anspråk för en aristokratfientlig murveljournalistik som särskilt utpekade familjen Fersen och snabbt ledde till ett ohyggligt uppträde som dessbättre är enastående i Stockholms annaler. Axel von Fersen som var riksmarskalk åkte sin plikt likmätigt närmast före den döde kronprinsens kista när det furstliga liktåget drog in i Stockholm en dag vid midsommartiden. Folket på gatorna som naturligtvis stod packat utefter kortegens väg började sorla och skräna, och på Stora Nygatan satte man igång med att kasta sten och hejdade vagnen. Riksmarskalken steg ur och sökte rädda sig in i ett hus nära Riddarhustorget, men en skock folk rusade efter, misshandlade honom och slet av honom ordnar och klädesplagg som kastades ut genom fönstret till den hurrande pöbeln på gatan. Ett par högre officerare gick tappert emellan och försökte sätta den olycklige i säkerhet; de lovade därför folket att föra honom i häkte på rådhuset. När han tillsammans med dem kom ut på gatan igen började folk emellertid slå honom med paraplyer och käppar, och när han omsider kom fram till rådhuset – det forna Bondeska palatset där Högsta domstolen residerar i våra dagar – blev han nedknuffad från dess trappa, kullslagen, sparkad och ihjältrampad. Ordningsmakten ingrep inte, och trupperna på Riddarhustorget förhöll sig alldeles passiva; först frampå kvällen, då mordet för längesedan var fullbordat och pöbeln bland annat ägnade sig åt att slå in fönsterrutor hos den gustavianske greve af Ugglas, fick militären order att återställa ordningen och skingrade snabbt folkmassan. Den rättegång som naturligtvis följde drevs mycket lamt; en grosshandlare, en guldsmed, en kommissionär och ytterligare någon stockholmsborgare befanns emellertid ha deltagit i dådet och burades in på några år. Pöbeln som mördade Fersen tillhörde alltså ingalunda samhällets lägsta skikt.

"Man kan säga, att Fersen, som i alla tider varit en monarkiens chevalier, har i evigheten den tillfredsställelsen att veta sig hafva med sitt blod sammanbundit konungamakten i sitt fädernesland", skriver Hans Gabriel Trolle-Wachtmeister i sina anteckningar. "Uppträdet flyttade riksdagen från Stockholm till en liten stilla stad, der ingen rörelse kunde ske, och dit alla oliktänkande kommo med föresats att förena sig om en person som kunde skydda dem för en pöbelrevolution och som hade starka armar nog för att afhålla anarkien. Alla partiintressen veko för det enskilda, att ej blifva ihjälslagna på öppen gata."

Den lilla stilla staden var Örebro, där riksdagen samlades mitt i sommaren för att bestämma vad man nu skulle ta sig till i tronföljdsfrågan. Det fanns flera kandidater att välja på. Drottning Hedvig Elisabeth Charlotta ville absolut ha tillbaka kronprins Gustaf, som hon betraktade nästan som sin egen sonson; hennes åsikter i politiska ting frågade dock ingen efter. Adlersparre bestämde sig genast för den döde prinsens äldre bror, som hette Kristian Fredrik av Augustenburg och ansågs vara en lärd och beskedlig man. Adlercreutz å sin sida menade att man borde välja en prins av Oldenburg som var släkt med ryska kungahuset; på så vis kunde man kanske hoppas få igen någon del av Finland. En annan kandidat var kung Frederik VI av Danmark, Nordens Frederik som han kallade sig i ballongproklamationerna till skåningarna under fjolårets krig. Han hade formligen sökt platsen som svensk tronföljare, men på denna lösning reflekterade synbarligen nästan ingen i Sverige, i all synnerhet som den kunde tänkas medföra konstitutionella bekymmer, ty i Danmark rådde alltjämt envälde. Karl XIII lutade för sin del mest åt augustenburgaren och skickade med sedvanlig undergivenhet ett par kurirer till Paris för att inhämta Napoleons samtycke till dennes eventuella upphöjelse.

Den ene av dessa budbärare var den trettioårige löjtnanten Carl Otto Mörner, som knappast var något ljushuvud om man får döma av de anteckningar han själv har låtit trycka. Han hade, säger han, sedan sin tidiga ungdom inte tänkt på annat än "att söka åstadkomma Ryska maktens störtande och undergång, huru otroligt detta än kan synas för dem, hvilka icke, liksom jag, varit uppeldade af en sann och glödande fosterlandskänsla", och han åberopar en fältprost som vittne till att han redan i början av år 1808 hade funnit det nödvändigt att göra en fransk marskalk till kung av Sverige för att kunna nå sitt höga krigarmål. Kommen till Paris överlämnade han nu ordentligt Karl XIII:s brev till Napoleon men tog därpå genast itu med att privat bedriva storpolitik i svenska nationens namn, vilket han ännu på äldre dagar fann alldeles i sin ordning; ingen kan förneka, skriver han, "att en Riksdagsman egde rätt att utkora hvem han fann tjenligast och mest värd att blifva Thronföljare". Att börja med hörde han sig för genom ombud hos marskalkarna Masséna och Eugène de Beauharnais om någon av dem skulle ha lust att bli kung av Sverige med tiden. Båda tackade nej, och han lät då frågan gå vidare till marskalk Bernadotte, som visade stor förtjusning inför anbudet. Han tog emot Mörner några dagar senare och utlät sig oförbehållsamt: "Ni kan hälsa er konung att kejsaren inte har någonting emot att jag väljs till svensk kronprins."

Det blev naturligtvis stor bestörtning i Sverige när man fick besked om löjtnant Mörners tilltag, och mycket uppbragt blev framför allt kung Karl XIII. Mörner skickades i husarrest på sitt boställe, men inflytelserika vänner utverkade snart att han fritt fick vistas i Uppsala i stället; däremot fick han inte komma till Örebro där valriksdagen pågick. Tronföljdsfrågan behandlades där i ett hemligt utskott som nästan enhälligt samlade sig kring det kungliga förslaget om augustenburgaren. Den 11 augusti överlämnades detta utskottets yttrande till regeringen, men samma dag anlände till Örebro en fransk vicekonsul som hette Fournier, försedd med sådana papper att han omedelbart fick audiens hos utrikesstatsministern Lars von Engeström, vilken till sin förvåning fick mottaga ett tandpetaretui av elfenben med miniatyrporträtt av marskalk Bernadottes fru Desirée och hans son Oscar. Han lovade att visa dessa konterfej för konungen. Fournier träffade även andra inflytelserika män denna dag, och under den följande natten togs hundratals avskrifter av ett papper som han hade medfört beträffande den franske marskalkens stora rikedom – han var fyrdubbel miljonär nämligen – och alla de materiella fördelar som det utblottade Sverige skulle kunna ha av den. Dessa avskrifter spreds dagen därpå bland riksdagsledamöter av alla stånd. Annat propagandamaterial följde slag i slag och hade en häpnadsväckande effekt, ty till och med hemliga utskottet började genast vackla. Den 16 augusti överlämnade det till konungen ett nytt betänkande och föreslog till svensk tronföljare hans höghet Johan Baptist Julius Bernadotte, furste av Ponte Corvo. Samma dag anslöt sig statsrådet enhälligt till utskottets förslag, och den 18 augusti överlämnades den kungliga propositionen till ständerna, som den 21 var mogna att enhälligt utkora hans furstliga höghet Bernadotte av Ponte Corvo till Sveriges kronprins på villkor att han antog rena evangeliska läran.

Den plötsliga och fullständiga strömkantringen vid valriksdagen i Örebro är en i svensk politik alldeles enastående händelse, och även samtiden tyckte att det hela var i obetänksammaste laget. ”Man bör dock”, fastslår Schinkel-Bergman, ”förstå denna hänryckning, hvilken så häftigt, liksom en elektrisk stöt, meddelade sig ett helt folk. Svenska krigaren och adeln betraktade den franska marskalken såsom ett af försynen utsedt redskap, att återställa Sveriges förlorade ära och sjunkna makt. De klenmodige och bäfvande Gustavianerna hänfördes af allmänna meningen och skräckbilderna från den 20 juni, öfvertygade att i detta uti slagtningar härdade svärd förvärfva ett stöd mot packets anspråk och demagogiens öfversvämningar.”

Valutgången firades med väldigt kalas och stort fylleri i alla stånd, och i prästeståndet utbringades en berömd skål av den fryntlige ärkebiskop Lindblom, som högtidligen höjde sitt glas och utbrast: ”För den nye frälsaren – den gamle icke till förgätande!”

Karl Johans ankomst

Två svenska grevar reste genom dag och natt till Paris för att lämna besked till den valde och avhämta hans svar. Efter exakt en månad, vilket ansågs vara rekordartat snabbt, kom brev till Örebro från såväl marskalk Bernadotte som kejsar Napoleon; de upplyste att saken var klar. Efter precis ytterligare en månad steg den nye kronprinsen i land i Hälsingborg, åtföljd av ärkebiskop Lindblom, som dagen förut hade kommit honom till mötes i Helsingör för att sätta honom in i den rena evangeliska läran vilket dock icke visade sig nödvändigt; med stor vältalighet tog kronprinsen tvärtom ledningen av samtalet, utbredde sig över den lutherska lärans sanning och sade sig länge ha omfattat den augsburgska bekännelsen i sitt hjärta. Han undertecknade därpå högtidligen den skriftliga förklaring i ämnet vilken ärkebiskopen hade med sig. På kajen i Hälsingborg hälsades han med jubel av sitt trogna folk, men när han satte foten på svensk mark höll han på att trilla i sjön, ty slupen som fört honom över studsade tillbaka från bryggan. Fältmarskalken von Essen som stod främst i mottagningskommittén slog dock armarna om honom i tid, varvid herrarnas ordnar trasslade in sig i varandra, och medan han gjorde sig lös yttrade kronprinsen: "Se där ett lyckligt förebud af den tillgifvenhet, hvilken städse skall förena oss." Han inspekterade därpå de föga martialiska trupper som paraderade på torget, och fältmarskalk Toll som förde befälet upplyste honom därvid: "I det skick, Eders Kunglig Höghet nu ser dessa trupper, äro de, sin arfliga hållning oaktadt, dock i stånd att återupplifva Carl XII:s tider." På detta svarade kronprinsen: "Javäl, herr fältmarskalk; men om vi unne oss i ett dylikt läge hoppas jag att resultaterna skulle blifva mera yckliga för Sverige. Det har dignat under Carl XII:s ära." Under andra ika spirituella och klyftiga uttalanden, allesammans naturligtvis på ranska språket som i hans dagar dominerade inte blott det högre sällkapslivet utan även stora delar av statsförvaltningen i Sverige, reste an vidare norrut genom landet och gjorde intryck på alla människor, nte minst på kung Karl XIII och drottning Hedvig Elisabeth Charlotta, ina blivande adoptivföräldrar. Han mötte dem incognito på Stockholms lott och tog dem båda med storm, vilket kan utläsas bland annat ur rottningens dagbok, och general Gustaf Löwenhielm som vid denna tid alltid befann sig i hans närhet säger i sina memoarer att han rentav lyckades vinna änkedrottning Sofia Magdalena, den avsatte konungens mor, som nu bodde på Haga.

Det officiella intåget i Stockholm ägde rum en novemberdag som var så kall att den lysande sviten huttrade i sjuglasvagnarna, men entusiasmen var sådan att inte en enda människa drog på mun under kronprinsens tal till överståthållare Skjöldebrand, magistraten och borgerskapets femtio äldste som mötte honom vid tullen: "På Skandinaviens jord, omgifven af svenskarne, kan jag ingenting sakna. Jag skulle ej vilja utbyta deras kärlek emot den första tron i verlden." Framkommen till slottet genomlevde han på det magnifikaste sätt mångahanda ceremonier varpå han fördes till sin privata våning för att pusta ut en stund. Hans första begäran när han kom dit gällde ett bad, och lyckligtvis hade hans undersåtar på förhand hört talas om hans excentricitet på denna punkt; Napoleon var likadan och hade lärt ut badandets nymodiga behag till de flesta av sina generaler. Svenskarna som själva aktade sig noga för sådana excesser hade alltså träffat sina mått och steg och installerat bad i kronprinsens våning. Själve överdirektören för Teknologiska institutet hade konstruerat apparaten för uppvärmningen som skedde med ånga, men dessvärre kunde det inte undvikas att det bullrade en del i rören. Kronprinsen, som lät pröva apparaten innan han vågade sig i badet, blev så förskräckt av bullret att han avstod från alltihop, anande illdåd och attentat. Han misstänkte att hela anläggningen var ingenting mindre än en *machine infernale.*

De följande dagarna var fyllda av presentationer, korteger, illuminationer och andra festligheter som kringvärvde den stora ceremoni där Karl XIII högtidligen adopterade generalen Jean Baptiste Bernadotte, som i detta sammanhang bytte förnamn och kallade sig Charles Jean alias Karl Johan. Entusiasmen var stor och allmän, och samtidens brev och dagböcker innehåller många hänförda utrop som föregriper Odhners berömda tirad: "Visserligen var det en underbar försynens skickelse, som kallade honom, en hyddans son, en främling från Pyrenéernas fot, att intaga Sveriges tron."

Den götiska verklighetsflykten

1800-talets första år, när engelska flottan bombarderade Köpenhamn och det stod klart att också Danmark blott var en liten bricka i stormakternas spel, hade den unge poeten Adam Oehlenschläger skrivit en prisuppsats om den nordiska mytologien. Han ansåg att den danska litteraturen kunde hämta sina ämnen där, och under de följande åren föregick han själv med gott exempel. Vid denna tid vistades den tjugoemårige smålänningen Per Henrik Ling i Köpenhamn och gjorde bekantskap med Oehlenschläger och andra likasinnade, under det att han sysslade med fäktning och diktning och drömde stort och fosterländskt beträffande bådadera. Tre år senare flyttade han över till Lund och blev fäktmästare vid universitetet, där han träffade den mycket unge estetikdocenten Esaias Tegnér och talade ivrigt med denne om det fornnordiska.

Inte många månader efter Karl Johans ankomst till Sverige vann sistämnde docent Svenska Akademiens stora pris med en stor, argt reaktionär dikt som heter Svea:

> En annan verld står opp. Välan, välan, I fäder!
> Hvem är den menskoätt, som på er aska träder?
> O blygd! Är detta er, är detta Göters stam,
> fåfänglig, glitterströdd, småsinnad, afundsam,
> med sina små begär, med sina halfva dygder,
> och Söderns yppighet i fattigdomens bygder?
> Hvar är din forna kraft, ditt forna allvar? Hvar
> det hjeltenamn, o folk, som trötta ryktet bar?

Det står mycket annat i Tegnérs Svea, vars förkunnelse inte är alldeles onsekvent; på det hela taget är dikten emellertid en appell till kamp

773

mot ryssarna, ett klämmigt deklamationsnummer som mången yngling kunde läsa upp utantill ännu sent på 1800-talet och tidigt på 1900-talet. Dikten kom ut år 1811, som är den patriotiska svenska historieromantikens största år. Förlusten av Finland och det ärelösa kriget var då i svidande friskt minne, förvärvet av en berömd härförare till blivande kung av Sverige ingav nytt hopp, och de litterära exemplen från Danmark och även från Tyskland där man också hade börjat intressera sig för den heroiska germanska forntiden verkade med makten av en uppenbarelse. Det är ingen slump att år 1811 stiftades i Stockholm det Götiska Förbundet.

Det fann marken väl beredd. Det patriotiska intresset för göternas bedrifter hade nämligen aldrig varit helt utslocknat i Sverige. Själve Dalin berättade ju utan hämningar om Gylfe, Berik och Rolf Göthriksson i sin historia, och rudbeckianismen som han drev med gycklade han aldrig ihjäl. Ödet har velat att en av dem som förmedlade det antikvariska arvet från stormaktstiden till sena tiders göter var den gamle Erik Julius Björner, ryktbar som måltavla för Dalins skämt om fynd i jorden men minnesvärd framför allt som upphovsman till en stor folio som heter Nordiske Kämpa-Dater, i en Sago-flock samlade, om forna Kongar och Hjältar. Den kom ut 1737 och innehåller bland annat femton fornnordiska sagor på svenska och latin, och det är omvittnat att den har haft betydelse för åtskilliga av 1800-talets författare. Årsbarn med Björners Kämpa-Dater var en rudbeckiansk figur som uppträdde livs levande i Götiska förbundet, nämligen jorddrotten och fornforskaren Per Tham, utgivare av det stora arbetet Göthiske monumenter och hopsläpare av en hel runstensallé på sitt Dagsnäs i Västergötland. Den hyperboreiska traditionen var sålunda i själva verket alldeles obruten.

På avstånd betraktat är Götiska Förbundet naturligtvis en komisk företeelse. Dess ändamål var, upplyser stadgarna, att upplifva minnet af Göternas bedrifter och återvinna den kraftfulla redlighet som var förfädren egen. Medlemmarnas sinne borde vara enkelt och oförställt och deras kärlek till fäderneslandet oskrymtad så att de villigt kunde offra liv och blod. Dessutom förpliktade de sig ovillkorligen att forska i de gamle göters hävder och att göra propaganda för sina åsikter. Sammanträdena kallades stämmor och följde en stollig ritual som tycks ha tagits på allvar av somliga; man antog forntida hjältars namn, hälsade med hej och handslag och drack ur horn, förmodligen ganska djupt emellanåt. Likväl visste man i sak ganska väl vad man ville, och bevarade brev i götiska angelägenheter mellan några av förbundsbröderna är inte alls floskulösa; i varje fall gäller detta om korrespondensen mellan Erik Gustaf Geijer och Jakob Adlerbeth som var förbundets egentlige stiftare. Att det hela blev något mer än en sällskapsorden utan intresse för eftervärlden var naturligtvis Geijers förtjänst. Första häftet av förbundets publikation Iduna skrev han ensam, och aldrig har något tidningsnummer i Sveriges långa historia haft ett mera varaktigt inflytande. Där avlossades nämligen i en enda laddning alla Geijers götiska dikter: Vikingen, Odalbonden, Den siste kämpen, Den siste skalden och ytterligare några. Åtminstone ett par av dessa mästerverk har ständigt tryckts om sedan dess i alla skolors läseböcker, och en icke föraktlig del av nationen har kunnat dem någorlunda utantill ännu i den generation som nu närmar sig ålderdomen.

Medlemmar av Götiska förbundet blev efterhand en lång rad av tidens tongivande andar: Tegnér som skrev Frithiofs Saga, Afzelius med sina folkvisor och sina Sago-häfder, Ling med sina rimmade rytanden och sin gymnastik, Bernhard von Beskow med sina panegyriska äreminnen, Karl August Nicander med sina skillingtryckspoem, Wadman med sina supvisor. Dit hörde historieskrivarna Nils Henrik Sjöborg och Magnus Bruzelius som skrev den mest använda läroboken i ämnet före Odhner, Ydredrotten Leonhard Fredrik Rääf som i hela sitt liv bekämpade folkundervisning, tändstickor, järnvägar och ångbåtar, vidare den runkunnige riksantikvarien Liljegren, den mångsidige botanisten Agardh som blev morfar till Gustaf Fröding, Härnösandsbiskopen Almqvist som var farbror till Carl Jonas Love, den röstbegåvade kyrkoherde Dillner som uppfann psalmodikon, tonsättaren och klarinettisten Bernhard Crusell med sina fosterländska manskvartetter, juristen August von Hartmansdorff som snart blev statssekreterare, hovkansler och konservativ partichef på Riddarhuset. En del målande och skulpterande artister hörde också dit: Olof Södermark som målade porträtt och planerade Karlsborgs fästning, Ulrik Thersner som tecknade ett planschverk om Sverige, Carl Johan Fahlcrantz som målade poetiska landskap, Gustaf Hasselgren som porträtterade Ragnar Lodbrok i ormgropen med en härskara av asagudar svävande däröver, Hjalmar Mörner som totade till tavlor om Odens ankomst och Kalabaliken i Bender, Johan Gustaf Sandberg som fröjdar en otacksam eftervärld med oljefärgsbilder av

De långlivade drakslingorna

Gustaf II Adolfs frieri, Katarina Jagellonica visande sin vigselring för
Göran Persson och Gustaf Vasa i Sven Elfssons stuga. Vid sidan av
dessa berömdheter hade förbundet många andra medlemmar; de var
sammanlagt nära hundra. Alla dessa var väl inte så aktiva i det götiska
men det är klart att denna inflytelserika samling patriotiska personer i
alla fall spred det fornnordiska och historieromantiska intresset i mycket
vidare kretsar än vad som hade kommit storhetstidens antikvariska lär-
dom till del. En härva av vänskapsband och familjeband förenade dem
mer eller mindre intimt med nästan hela det tunna folkskikt som bar upp
1800-talets kulturliv bland de tre miljonerna i det fattiga och isolerade
Sverige.

Den götiska verklighetsflykten överlevde alltså länge domedagsstäm-
ningarna från 1809 och förflyktigades väl på allvar först i den generation
som upplevde de båda världskrigen. 1914 års politiska bondetåg traskade
fram ur Geijers dikt, drakslingorna på lövsågningsarbetena i Allers
Familj-Journal var en sen skörd av Oehlenschlägers tankar efter amiral
Nelsons kanonad. Nationalromantikens styrka och bredd i de år-
gångar som matades med götisk historia i den nyinrättade folkskolan
bör sålunda icke underskattas, ehuru utvecklingen efter hand ställde
andra ting i förgrunden och förde de djupa leden till väckelsemötena
Amerikabåtarna, nykterhetslogerna, fackföreningarna och konsumbu-
tikerna.

Kriget mot Napoleon

Det litterära året 1811 följdes av det storpolitiska 1812. Den nye tronföljaren, säger professor Sten Carlsson, "hade klart för sig att hans vanskliga ställning i det nya hemlandet kunde tryggas blott genom en påtaglig utrikespolitisk framgång. Med sin försiktiga läggning spanade han därför nervöst efter de möjligheter, som kunde erbjuda sig i olika väderstreck". Den ryskfranska vänskapen var nu på upphällningen, man kunde förutse en väpnad uppgörelse inom kort, och för Sverige gällde det att välja sida. Karl Johan, som ofördröjligen hade tagit hand om regeringen och styrde landet personligen utan att nämnvärt hämmas av 1809 års regeringsform, förhandlade ett slag med Napoleon om en militär allians på villkor att denne gick med på förvärvet av Norge från danskarna; eftersom det tilltänkta förbundet riktade sig mot Ryssland tänkte han sig väl att också kunna ta tillbaka Finland på samma gång. Dessa förhandlingar strandade strax, ty Napoleon var mycket missnöjd med svenskarnas sätt att sköta det krig mot England som han nyligen hade tvingat dem att förklara; några stridshandlingar förekom inte, handeln fortsatte ungefär som vanligt, och Göteborg var en viktig transitohamn för engelska varor som fraktades vidare såsom svenska till kontinentens hamnar. Napoleon var inte okunnig om detta, och i början av 1812 ilsknade han till på allvar och lät sina trupper rycka in i Pommern för att täppa till den lucka i kontinentblockaden som denna svenska besittning utgjorde. Resultatet blev att Karl Johan trädde i förbindelse med England och Ryssland, hela tiden med territoriella landvinningar i sikte. Av britterna begärde han tillåtelse och hjälp att ta Norge och Själland, vilket dock avslogs. Ryssarna var mera medgörliga; de hade ingenting emot en svensk expansion åt väster. En rysk-svensk allianstraktat undertecknades i april 1812; där stod att Sverige skulle få hjälp att erövra Norge varefter en rysksvensk här under Karl Johans befäl skulle gå mot Napoleon i Tyskland. De båda länderna garanterade varandras besittningar, vilket innebar att Sverige gav upp alla aspirationer ifråga om Finland.

På försommaren 1812 hölls urtima riksdag i Örebro, där överraskningen blev allmän när ständerna begrep att Sverige skulle ta parti för Ryssland mot Napoleon. Kronprinsens auktoritet var emellertid sådan att han fick igenom en hel rad obekväma beslut utan alltför mycken opposition. Ständerna sade sålunda ja till en ny och vidlyftigare proposition om allmän värnplikt eller nationalbeväring, som det alltjämt hette på tidens språk; den gällde i princip alla svenska män mellan tjugo och tjugofem år, men frikallade var vissa ämbetsmän, och dessutom drev bondeståndet igenom att det skulle stå envar värnpliktig fritt att leja annan karl i sitt ställe. Om övningstidens längd stadgades ingenting. Ett annat ej mindre uppseendeväckande riksdagsbeslut gällde Sveriges skulder till Frankrike eller av Frankrike behärskade länder, varmed framför allt menades det franskockuperade Holland vars finansiärer hade varit oförsiktiga nog att bevilja svenska staten stora lån. Ehuru borgerskapet röstade nej genomdrev Karl Johan att alla statens skulder till dem förklarades avskrivna, varigenom den svenska statsskulden bekvämt och behändigt minskades med ungefär hälften. Än märkligare är väl att han utan särskilt stort rabalder lyckades få till stånd en inskränkning i tryckfrihetslagen genom införandet av den så kallade indragningsmakten, vilken gav hovkanslern rättighet att utan vidare stoppa utgivningen av misshagliga tidningar. Institutionen skulle med åren få förödande verkningar för Karl Johans popularitet i Sverige.

I själva verket hade denna redan börjat förflyktigas, vilket han själv märkte med förskräckelse och nervositet. Det föranledde honom bland annat att utfärda ett drastiskt förbud för svenska medborgare att stå i någon som helst förbindelse med den avsatte Gustaf IV Adolf och hans familj. Gustaf Mauritz Armfelt vars gustavianska sympatier var uppenbara hade landsförvisats redan året förut; ingen kan förtänka honom att han före sin avresa från Stockholm gick upp till ryske ministern von Suchtelen och såsom finsk undersåte svor trohetsed till kejsar Alexander, vars rådgivare och nära vän han snart blev och till vars tjänst han inom kort lockade över sin gamle medarbetare Johan Albert Ehrenström, vilken slutade sina dagar som ryskt statsråd och hade glädjen att bygga upp sin födelseort Helsingfors till en värdig huvudstad i storfurstendömet. Armfelt återsåg sin fördrivare redan i augusti 1812, då den svenske kronprinsen mötte den ryske tsaren i Åbo. Kronprinsen hade då hunnit ångra sin överilning och bemötte Armfelt på ett sätt som innebar en ursäkt och en upprättelse.

Vid den tiden hade det ryskfranska kriget kommit till utbrott omsider, och Napoleon var redan på marsch mot Moskva som föll och gick upp i lågor någon månad senare. Han måste snart anträda återtåget genom den ryska vintern där hans stora armé gick under till större delen, och när våren kom befann han sig åter i Västeuropa där en rysk-svensk-engelsk-preussisk militärkoalition hade sett dagen; den utvidgades inom kort med Österrike. Det år som följde tillbragte Karl Johan huvudsakligen i Tyskland i spetsen för en armé som endast till ringa del var svensk. Han segrade vid Gross-Beeren, där en svensk artilleri-avdelning under en tyskfödd överste var med på ett hörn, och vid Dennewitz, där tolv svenskar blev sårade medan tiotusen preussare stupade. Han deltog också i det stora slaget vid Leipzig, där hundraåttio

svenskar fick bita i gräset medan deras allierade miste femtiofyratusen man. Den svenska insatsen i kriget mot Napoleon var alltså blygsam, och Karl Johan förde i själva verket sin privata politik; man vet att han aspirerade på att möjligen bli Napoleons efterträdare på Frankrikes tron och därför var angelägen om att gå försiktigt fram. Efter segern vid Leipzig när de övriga allierade marscherade mot Paris förde han i stället sina trupper via Lübeck mot Danmark, som i januari 1814 måste gå in på freden i Kiel, där Frederik VI avträdde Norge till kungen av Sverige under full äganderätt och suveränitet, medan Danmark i stället fick svenska Pommern och en miljon riksdaler banko. Island, Grönland och Färöarna som egentligen var norska besittningar fick danskarna behålla.

Några veckor senare intogs Paris av de allierade och Napoleon avsattes som fransmännens kejsare, men till Karl Johans ledsnad utropades Ludvig XVIII strax till konung av Frankrike, och hans egen vackra dröm var tillintetgjord. Emellertid begav han sig i alla fall inom kort till Paris och gjorde där en mycket god affär. Engelsmännen hade året förut till svenske konungen överlämnat ön Guadeloupe som de hade

Guadeloupe-affären

erövrat från Frankrike. Den återlämnades nu till rätt ägare, men för att hålla svenskarna skadeslösa betalade England i stället tjugofyra miljoner francs till Karl Johan, som betraktade dessa pengar som sin privategendom. Han använde dem till att likvidera Sveriges statsskuld mot att svenska staten åtog sig att för all framtid betala ett årligt anslag på tvåhundratusen riksdaler banko till honom och hans efterkommande på Sveriges tron. Oscar Alin och andra historieforskare har gjort gällande att transaktionen var mycket betänklig eftersom Guadeloupepengarna inte alls tillhörde kungahuset, men anslaget utgår i alla fall än i dag.

Unionen med Norge

Stort gny uppstod i Norge vid underrättelsen om bestämmelserna i Kielfreden. Ståthållaren prins Kristian Fredrik som fick befallning av danske kungen att överlämna Norge till kungen av Sverige beslöt att inte lyda; han proklamerade i stället sig själv som Norges regent och sammankallade en norsk riksförsamling på bruksgården Eidsvold norr om Oslo, som ju hette Kristiania i hans dagar. Riksförsamlingen antog en radikal norsk konstitution och valde Kristian Fredrik till kung med relativt begränsade befogenheter, vilket allt skedde den 17 maj 1814. "Reist er Norges gamle kongestol", utropade mötets ordförande efter valet, och det hela avslutades med en patetisk scen där mötesdeltagarna tog varandra i hand i en lång kedja och deklamerade: "Enige og tro, til Dovre falder!"

I denna situation visste Karl Johan till en början inte riktigt vad han borde ta sig till. Ett beslut om militära åtgärder mot norrmännen fattades frampå sommaren, men han funderade också på att gå löst på Danmark igen och sökte förgäves stöd hos stormakterna för den politiken, och löftet att som vederlag för Norge överlåta svenska Pommern till Danmark ansågs naturligtvis inte giltigt mer. Stormakterna försökte medla mellan Karl Johan och Kristian Fredrik, men det lyckades inte alls, och i slutet av juli utbröt kriget dem emellan. Det varade blott ett par veckor, ty Norges ställning var hopplös, och något stöd utifrån var inte att påräkna eftersom alla stormakterna hade godkänt freden i Kiel. Efter en del trupprörelser och marina aktioner slöts i augusti stilleståndsfördraget i Moss, där Kristian Fredrik förklarade sig villig att nedlägga sin krona medan Karl Johan däremot erkände den nya norska författning som hade sett dagen i Eidsvold.

Senare på hösten valdes Karl XIII högtidligen till Norges konung, och därmed var personalunionen mellan Sverige och Norge ett faktum. Den varade i nittio år och blev till ringa glädje för parterna. Vid tiden för dess tillkomst löstes även den pommerska frågan, vilket skedde på den stora fredskongressen i Wien. Sverige vägrade fortfarande att lämna ifrån sig Pommern till Danmark, ehuru flera stormakter med England och Österrike i spetsen stödde danskarnas krav. Med sitt utpräglade sinne för affärer kom Karl Johan slutligen på en lukrativ kompromiss. I stället för att gratis ge Pommern till danskarna sålde man landet till Preussen för närmare fem miljoner riksdaler åt svenska staten och något över en miljon åt Karl Johan personligen, varemot Preussen förband sig att betala några hundratusen också till Danmark samt att låta danskarna köpa Lauenburg.

Detta ordnades i juni 1815, då Sverige således blev av med sin sista besittning hinsides Östersjön – utom det fjärran S:t Barthélemy – och reducerades till den exklusivt skandinaviska stat som har bestått oförändrad sedan dess, tronande på sina minnen.

Sängkammarregementet

Karl Johan var fyrtiosju år när han blev kronprins och femtiotre år när han blev kung av Sverige, och några djupare insikter i sina nordiska undersåtars tänkesätt och förhållanden förvärvade han begripligt nog aldrig, helst som han aldrig lärde sig deras språk. I behåll finns ett egenhändigt vittnesbörd om hans försök att säga några tirader på franskstavad svenska i ett riksdagstal till bondeståndet: "Med reurelsé sér Jag eider, four andra Gongen, samlade omkring er konungs throun. Han har med tillfeursigt kallat eider, att rodslo euver statens behouf och nudvendigheten att feursvara ot den scandinaviska half-un den frihet den aiger sedan so monga sékler. Detta riké, dêt ailsta i Europa, befriadés fron hvarjé outlenst oûk af éra fairfaiders moud. Vendom ey méra vor tanka po den tid, som varit naira att feursteura Sverige. Nioutom det nairvarande lougnet och bedjom goud att feurlena hvar och en noug dugd och moud att vail tchena sin konung och sitt faidernesland." Allmogen lär med förvåning och förtjusning ha åhört detta, men han gjorde aldrig om försöket och måtte alltså ha bedömt det som misslyckat. Sin vältalighet, som lika mycket som hans militära duglighet hade skapat hans framgång i livet, fick han offentligen föga användning för i Sverige.

Det finns många anekdoter om Karl Johans anpassningssvårigheter i detta kalla land, där allting måste översättas för honom och han förståeligt nog inte alltid kunde bedöma vikten och värdet av händelser och uttalanden som inrapporterades till honom. Säkert är att han alltid överskattade de faror som kunde hota honom och hans dynasti. Han var alltid på sin vakt mot tänkbara revolutioner och mordförsök, vilket ju inte är märkvärdigt; han hade upplevat den franska revolutionen och alla de europeiska omvälvningarna i dess spår, och minnena av mordet på Gustaf III och på Axel von Fersen var dessutom alltjämt alldeles färska i hans huvudstad. Lyckligtvis omgavs han oftast av personer som var mindre nervösa än han. En historia säger att han en gång frågade spanske ministern Moreno, som var en erfaren man och hade varit i Sverige länge, hur man bäst skulle skydda sitt liv här, varpå Moreno svarade: "Begagna galoscher, Sire. Det är säkraste sättet att bevara livet i Sverige."

Ojämförligt mycket mera missanpassad i sitt nya land var dock drottningen. Désirée Clary som i Sverige kallades Desideria tillhörde, säger Alma Söderhjelm, det "slag av kvinnor som hålla händerna för öronen när det talas om olyckor, som mitt under händelsernas mest dramatiska skeden gå på teatern för att gråta, och vilka, just genom att ingenting ha sett, genom sin konsekvens att hålla allting ifrån livet på sig och göra sig oberoende av allt vad som rör sig omkring dem, kunna förbli sig lika genom tider och skeden". Hon tyckte inte om att flytta och hade inte det ringaste intresse för världen utanför Frankrike, allra helst inte för de kalla tundrorna i norr. I november 1810 reste hon emellertid omsider från Paris med sin son och en ansenlig svit för att ta sitt rike i besittning. Hon kom till Sverige mitt i vintern och fann det avskyvärt. Efter många tråkiga banketter och mycket grälande reste hon på försommaren tillbaka till Paris igen, men sin son Oscar fick hon lämna kvar. Tolv år senare hade denne hunnit bli giftasvuxen, och sommaren 1823 kom drottning Desideria till allmän häpnad till Sverige i sällskap med hans brud, den sextonåriga prinsessan Josephine. Hennes liv i Paris var väl inte mer vad det varit: Napoleon som alltid hade visat henne vänskap var för längesedan borta, hennes syster som var gift med hans bror Joseph och alltså hade varit drottning av Spanien fick lov att utvandra till Amerika med sin man, och den noble hertig de Richelieu som hon själv på gamla dagar förälskade sig vanvettigt i hade nyligen lämnat det jordiska. Hon slog sig alltså ner i Sverige till sist, blev högtidligen krönt till drottning och levde sedan i sina starkt uppvärmda rum på Stockholms slott, sovande om dagarna och vakande om nätterna alldeles som sin man, som vanligen inte kom ur sängen förrän klockan två eller tre på eftermiddagen försåvitt det inte var konselj. I så fall,

upplyser hovmarskalken J. O. Nauckhoff i sina roliga memoarer, på-
drog han redan klockan halv ett sina pantalonger, sina stövlar och sin
vadderade syrtut och slog sig därefter ner vid toalettbordet där han
åhörde en statssekreterares föredragning medan hans hår blev papiljot-
terat, bränt och koafferat. Han fick vidare buljong och bordeaux innan
han vid halvtretiden gick till konseljen, och varhelst han sedan befann
sig under dagens lopp följdes han av en kammarherre som bar en flaska
eau de Cologne och ett halvt dussin vita muslinsnäsdukar varav kungen
vid behov omsorgsfullt utvalde en. Baron Otto Mörner som på sin tid
hade erbjudit honom Sveriges krona vann ny ryktbarhet såsom den
outtröttligaste av hans näsduksadjutanter.

Karl Johans personliga egenheter och oförmåga att tala sina under-
såtars språk ledde till vad den växande oppositionen med tiden hittade
på att kalla sängkammarregementet, vilket är mycket träffande. Vid sin
tronbestigning mottog han ett lyckönskningsbrev från den avsatte
Gustav IV Adolf, vilket gladde och lugnade honom och gjorde honom
mindre skygg mot den svenska högadeln, som hade ansetts hysa gusta-
vianska sympatier. Till sin intimaste vän och medarbetare lyckades han
vinna dess främste man, greve Magnus Brahe, som osjälviskt och upp-
offrande slet ut sig som mellanhand mellan sin fransyske monark och
svenskarna. Någon regering i modern mening fanns ju inte än, ty 1809
års nyordning av statsskicket hade varit mycket moderat, och Karl XIV
Johan som höll på sin lagfästa rätt att allena styra riket kunde välja sina
ministrar och medhjälpare efter eget skön genom nästan hela sin långa
regering. Han kunde meddela sig med dem när han fann för gott och
kommendera dem ungefär som han tyckte. Han regerade faktiskt landet
från sin sängkammare.

Det dröjde halvtannat årtionde innan Karl Johan mötte någon opposition att tala om, ty intrycket av nationell återupprättelse efter den föregående tidens olyckor höll sig länge levande, och även ekonomiskt hade landet hämtat sig efter hans ankomst. Det hade till och med övervunnit den katastrof som den engelska uppfinningen av puddelprocessen såg ut att innebära för Sveriges järnhantering. Man hade börjat exportera järn till Amerika i stället för England, och redan på 1820-talet var man uppe i de forna exportsiffrorna igen. Omkring 1830 introducerades dessutom lancashireprocessen som lämpade sig förträffligt för att göra smidbart järn av det svenska träkolstackjärnet, och tio år senare var situationen för Sveriges enda viktiga industri ljusare än någonsin.

Det fanns även andra materiella glädjeämnen. Jöns Jacob Berzelius som var sin tids främste kemist levde och verkade i Stockholm, där han visserligen fick utföra allt sitt väldiga arbete och publicera dess resultat på egen bekostnad; omsider vann han dock trygghet och berömmelse såsom sekreterare i Vetenskapsakademien. I Stockholm verkade också Samuel Owen alltjämt; han satte ångmaskin och träpropeller i en Roslagsskuta och gjorde provturer med den på Mälaren redan anno 1816, bara nio år efter Fultons ångbåtskonstruktion och två år efter det att George Stephenson hade byggt sitt första lokomotiv. En teknisk bedrift av större format var fullbordandet av Göta kanal, som ansågs som ett nationellt storverk och väl även var det, ehuru Baltzar von Platen verkligen inte var någon stor ingenjör; hans kostnadskalkyl hade slutat på femtedelen av vad arbetet i verkligheten gick på. 1822, det året då fransmannen Champollion tydde hieroglyferna och tysken Buschmann uppfann dragspelet, invigdes kanalens västgötalinje, och jämnt tio år senare hade konungen nöjet att genomfara även östgötadelen med kungajakten Esplendian, begapad av ett hurrande folk.

Vid den tiden var hans popularitet likväl inte tillnärmelsevis enhällig mer, och en utrikespolitisk skandal i mitten av 1820-talet hade rentav berövat honom en del av ärans skimmer. Det var så att svenska regeringen var i färd med att sälja en del örlogsfartyg till de spanska kolonierna Mexico och Colombia som nu utkämpade sitt befrielsekrig, och trots varjehanda skumraskmanövrer blev affären känd för det spanska kungadömets vänner och allierade i Europa, till vilka ryske tsaren hörde. Han krävde genom sin stockholmsminister att fartygsköpet skulle återgå, och svenskarna nödgades lyda, vilket icke blott innebar en politisk förödmjukelse utan också en betydande ekonomisk förlust. Från den tiden började en mycket besvärlig opposition mot Karl XIV Johan växa fram i Sverige, och verklig fart fick den efter den franska julirevolutionen, vars liberala frihetsidéer påverkade opinionen på många håll i Europa.

Oppositionen gjorde sig hörd icke blott i riksdagen utan framför allt i den tidningspress som hade uppstått i hägnet av det nya statsskickets tryckfrihetsförordning. Tilläggsbestämmelsen från 1812, vilken gav regeringen makt att dra in tidningar som ansågs missbruka det fria ordet, lärde sig tidningarna snart att parera genom att omedelbart efter en indragning komma ut under lätt förändrat namn, en kurragömmalek som naturligtvis gjorde polemiken roligare och oppositionen ivrigare än någonsin. Ett par oförnuftiga åtal för majestätsförbrytelse i publicistiska sammanhang gav dessutom regeringens motståndare ett storartat propagandamaterial som naturligtvis utnyttjades till det yttersta.

Det första av dessa gällde en politisk och dramatisk skriftställare vid namn Anders Lindeberg, vilken hade begärt att få upprätta en enskild teater i Stockholm men hade fått avslag, varvid han skrev en vredgad inlaga till justitieombudsmannen och påstod att konungen *sig till vinning* uppehöll ett olagligt teatermonopol, vilket innebure en brottslig beskattning av undersåtarna. Lindeberg befanns skyldig till lasteligt tal emot konungen, ett brott för vilket lagen alltjämt stadgade dödsstraff, och såväl Svea hovrätt som Högsta domstolen nödgades sålunda döma honom till döden. Det var inte meningen att denna dom skulle gå i verkställighet, och konungen gav omedelbart nåd och förvandlade straffet till tre års fästning, men Lindeberg som var en modig man vägrade bestämt att ta emot nåden och krävde att i laga ordning bli halshuggen. Regeringen kom oväntat i en löjlig och bekymmersam situation som den med ansträngning drog sig ur genom att ge amnesti åt alla politiska fångar med krystad motivering, nämligen med anledning av tjugofyraårsdagen av Karl Johans landstigning på den svenska jorden. Lindeberg motades ut ur fängelset genom att man helt enkelt stängde dess dörrar för honom när han var ute på gården. Han byggde därefter ostraffat sin teater utan tillstånd men klarade inte ut dess ekonomi; den övergick snart i andra händer och blev med tiden Kungliga Dramatiska teatern.

Det andra majestätsbrottet fick mindre älskliga följder. Magnus Jacob Crusenstolpe var en förslagen ämbetsman och politiker som en tid gick regeringens ärenden som tidningsutgivare, men då tidningen gick överstyr och han själv blev häktad för gäld greps han av förbittring och blev en av regeringens farligaste vedersakare, vars skrifter förresten tål att läsas än. Han kritiserade en gång en militär utnämning som kommit en hovman till del och betecknade den som olaglig; för övrigt vore den daterad på en söndag vilket vittnade om sabbatsbrott till på köpet, och konseljen hade alltså brutit mot både gudomlig och världslig lag. Crusenstolpe blev omedelbart åtalad för detta och dömdes av Svea hovrätt till tre års fängelse på Vaxholms fästning; lagen om dödsstraff för lasteligt tal mot konungen hade man nu hunnit ändra. Domstolsutslaget föranledde omedelbart kravaller i Stockholm, där folk slog in fönster hos polismästaren, och någon månad senare inträffade nya uppträden, varvid militären gav eld och dödade ett par personer, vilket naturligtvis gjorde stämningen ännu mera uppjagad.

Crusenstolpe själv fortfor att ge ut skrifter från sitt rätt angenäma fängelse i Vaxholm, men de stockholmska oroligheterna i hans namn präglades inte bara av liberal frihetslidelse. Med fönsterinslagningar och polisbråk protesterade massan nämligen även mot en judeförordning som utfärdades i samma veva; den gav vidgade medborgerliga rättigheter åt mosaiska trosbekännare, men oron på gatorna skrämde regeringen till rätt avsevärda inskränkningar i förordningen.

Det liberala genombrottet

Bekymmersammare för regeringen än tidningsskriverierna och gatukravallerna var i längden riksdagsoppositionens obevekliga tillväxt. Borgarståndet där ett antal nyinvalda brukspatroner spelade en stor roll fick tidigt en liberal anstrykning, och även i bondeståndet var den oppositionella falangen stark. Prästeståndet var övervägande konservativt, men på Riddarhuset där man hade mest att frukta av samhällsförändringar i liberal riktning höjdes trots allt många ivriga röster mot indragningsmakten och sängkammarregementet, och målet för många var utan tvivel att Karl Johan skulle tvingas abdikera.

Det verkliga genombrottet för de liberala kom vid 1840–1841 års riksdag, som var en av århundradets viktigaste och även längsta. Där avslogs eller nedprutades en hel rad av regeringens anslagsäskanden och hela statsrådet begärde sitt avsked, vilket var en enastående händelse för sin tid. Den ledde till att man nästan utan motstånd genomförde den departementalstyrelse som i det stora hela alltjämt består i Sverige. Departementen under ledning av var sitt statsråd var från början sju, nämligen justitie-, utrikes-, lantförsvars-, sjöförsvars-, civil-, ecklesiastik- och finansdepartementen; i gengäld avskaffades de höga regeringsämbetena såsom hovkansler, generaladjutant och statssekreterare, justitiestatsministern fick lämna ledningen av Högsta domstolen, och statsråden utan portfölj inskränktes från sex till tre. Posterna besattes visserligen inte med liberaler, ty det skulle dröja ytterligare sjuttio år innan parlamentarismen bröt igenom i Sverige, men den personliga kungamaktens tid var i alla fall förbi i stort sett. Karl XIV Johan var då nära åttio år gammal och hade varit kung av Sverige i något kvartssekel. Han hade nått den ålder och det politiska tillstånd där folkets kärlek står alla monarker till buds, och i sina återstående år blev han föremål för mycket hjärtliga hyllningar vari även den forna oppositionen tog livlig del.

1840–41 års riksdag genomförde också ett par andra reformer av genomgripande betydelse för framväxten av det nutida Sverige. Den ena gällde den kommunala självstyrelsen och tog gestalt i 1843 års kommunalförordningar, som naturligtvis inte införde någon demokrati i modern mening men i alla fall gav även andra än kyrkoherdarna och de besuttna jordägarna inflytande på kommunernas angelägenheter. Den andra reformen var viktigare och resulterade i 1842 års folkskolestadga.

Folkbildningen

En tidvis mycket våldsam principdebatt om skolfrågor hade pågått i Sverige alltsedan 1809, då ordet blev fritt i detta och andra ämnen. I den deltog eliten av landets författare och vetenskapsmän, och inläggen hör till de mest tankeväckande dokument en sentida läsare kan begrunda. Saken drogs upp av en frisinnad skolrektor från Norrköping vid namn Gustaf Abraham Silfverstolpe, som var bror till akademiledamoten vilken i sin tur blev kammarherre hos kronprins Karl Johan när denne anlände, och det var således sörjt för att ämnet blev ventilerat även på högsta ort. Frågan gällde först och främst de högre skolorna, idel prästutbildningsanstalter med klassiska språk och teologi som nästan enda ämnen, men 1815 motionerade Silfverstolpe också om allmänna folkskolor. Förslaget föll och hade hela den bildade opinionen emot sig; nyromantikern Lorenzo Hammarskiöld bekämpade det för resten genom att tala om farlig halvbildning, ett högfärdigt argument som sedan kom till användning många gånger och har hållit sig levande intill vår tid.

Originellare är Geijers negativa tankar i ämnet. Nationen utgörs för honom av två evigt bestående klasser, näringsklassen och den offentliga klassen, av vilka den förra tjänar samhället genom att finna sin bärgning medan den senare finner sin bärgning genom att tjäna samhället. Endast den sistnämnda klassen är alltså direkt inställd på att befordra det allmännas fördel, som är något helt annat än blott och bart de ekonomiska intressena. Till religion och patriotism måste folket uppfostras, annars är undervisningen till skada. "Säg bonden, att han skall lära sig läsa och skaffa sig kunskaper af andra skäl än för sin religions skull; upphöj för honom så mycket ni vill den egna fördelen af undervisningen: han skall säkert finna det i detta afseende beqvämare att lära ingenting, eller om han lär, så sker det af vinningslystnad, och han lär med detsamma på att bli skälm." Skolkunskapen, menar Geijer, bör aldrig få tjäna egennyttan; sanningen har ett egenvärde, studier är sitt eget ändamål och skall inte i första hand tillgodose praktiska syften, ty då blir de bara brödstudier och föraktas med rätta av det närande ståndet, som nämligen vet att det praktiska lär man bäst genom praktik och inte genom att sitta på skolbänken.

Intressant är att se att på motståndarsidan gjorde man inte narr av denna högspända, för oss så suspekta idealism. Tvärtom rör man sig i det folkskolevänliga lägret med resonemang och argument i ungefär samma tonart. Det är inga krassa nyttosynpunkter som dominerar den liberala agitationen för pedagogiska reformer i läroverken och folkskolekunskap åt småfolket; i stället framhåller man ständigt att det är frågan om att ingjuta patriotism och samhörighetskänsla i nationen, ett argument som alldeles uppenbart är ärligt menat. På botten av kravet på undervisning åt alla låg naturligtvis ändå liberalismens jämlikhetstro, och det var för den som författaren till Odalbonden – och även författaren till Svea – länge stod alldeles främmande.

Geijer var aktiv politiker emellanåt och deltog som ledamot av prästeståndet i 1828–1830 års riksdag, där han opponerade sig mot alla sorters reformer inklusive storskiftet och kvinnans lika arvsrätt. Vid samma tid satt han emellertid också med i en kunglig undervisningskommitté vars arbete resulterade i att en reallinje infördes vid läroverken i sinom tid. Kommittéledamöter som Berzelius, Tegnér och Agardh stod bakom dess betänkande, som fick den omedelbara följden att Nya Elementarskolan inrättades i Stockholm på prov med Carl Jonas Love Almquist som rektor och även som flitig författare av läroböcker. Påverkad av sådana män och konfronterad med livets verkligheter inom skolväsendet gled Geijer så småningom bort från sin filosofiska ultrakonservatism och blev liberal, vilket skedde med stort oväsen år 1838 och vållade mycken uppståndelse i landet. Själv har han förklarat att det så kallade avfallet berodde på att han ville inverka modererande på oppositionen mot konungen för att om möjligt bespara landet en revolution. Geijer stod Karl XIV Johan nära och förblev alltid ytterst konungsk, men rätt att rösta på riksdagsman i den nya folkrepresentation som måste komma ville han nu tillerkänna envar som hade gått igenom folkskolan, vars införande han inte bekämpade mer. "Intet medborgarskap är för högt för den, som är kallad att vara medborgare i Guds rike."

Helt andra åsikter om rösträtt företrädde en annan berömd historie-skrivare med intresse för skolfrågor, den konservative men inte alls rojalistiske Fryxell. "Det är en påtaglig orättvisa, om proletärer, daga-karlar, småbrukare, hvilka angående statens förhållanden icke hafva de oumbärligaste kunskaperna, och hvilka till statens underhåll skatta blott en ringa penning, skola ifråga om statens styrelse hafva lika mycket att säga som vetenskapsmannen, ämbetsmannen, industriidkaren, godsägaren, som till samma stats underhåll skatta tusentals riksdaler." Men ifråga om folkundervisning var denne gamle lärare mycket mer entusiastisk än Geijer. "Tänk dig nu, min läsare! Hvarje svensk borde förvärfva i folk-skolan färdighet att läsa populära skrifter på svenska språket – och så-dana skrifter, i tydliga drag framställande vetenskapernas resultater, finnas i hans sockenbibliotek, några kanske i hans egen hylla!" Han tänkte sig att medborgaren i fråga också borde läsa Bibeln ivrigt och fann det tänkbart att han därvid skulle kunna komma till en annan me-ning än sin själasörjare, men den risken fick man ta. "Det är omöjligt att hindra uppkomsten af dissenterförsamlingar, okristligt att med våld göra det." Fryxell, prost i Sunne, ansåg med andra ord att konventikel-plakatet borde upphävas.

Han fick till skillnad från Geijer uppleva uppfyllelsen av sina åsik-ter. Statskyrkan, som genom hela 1830-talet behöll sitt allsmäktiga grepp om själarna, hade redan då nödgats tåla att det kom en främmande mis-sionär till det underutvecklade Sverige, hitkallad av Samuel Owen och andra skötsamma, nyktra, väletablerade engelska metodister. Han hette George Scott och satte tidigt igång med att predika på svenska i Stock-holm, vilket ledde till att en skara pöbel i lutherskt trosnit stormade hans kapell och försökte slå ihjäl honom. Det var palmsöndagen 1842, och uppträdet gav honom en sådan chock att han måste lämna sin gärning och resa hem, men han lämnade efter sig en infödd proselyt som kunde ta upp den fallna manteln. Västerbottningen Carl Olof Rosenius är san-nolikt den inflytelserikaste lekmannapredikant Sverige någonsin har haft; han satte nämligen icke blott igång den första folkliga väckelserörelsen av någon omfattning, utan han grundade även Evangeliska Fosterlands-stiftelsen, vars förlagsverksamhet länge var den ojämförligt största i landet. Därifrån spreds fromma skrifter i betydliga mängder genom energiska kolportörer till ett läskunnigt, läshungrigt och lektyrlöst folk.

Oscar I:s dagar

Konventikelplakatet upphävdes till någon del anno 1858, som även på annat sätt var ett märkligt år då Statistiska Centralbyrån såg dagen, byråkratien fick sig en lönereglering som avskaffade sportlerna och staten beslöt att bygga ett järnvägsnät i egen regi. En junikväll det året kallades den nyutnämnde justitiestatsministern Louis De Geer hals över huvud till Drottningholm för att vara vittne vid hertiginnans av Östergötland första förlossning. "Jag kom i god tid", berättar denne i sina välskrivna minnen, "och fick nu för första gången fullgöra det pinsamma åliggandet att deltaga i ett stort galaklädt sällskap, under det man från rummet bredvid genom den öppna dörren hörde en moders jämmerrop. Allt gick dock lyckligt, och den blifvande konungen inbars och visades för sällskapet. Omedelbart därefter visade mig änkedrottning Désirée en utmärkelse, i det hon gick till mig tvärs öfver golfvet och sade: 'Vous êtes le premier, qui me félicite.' Efter en liten stund inbars också konung Oscar i rummet på en bår. Han sades icke på ett par veckor hafva talat ett ord, men nu sade han: 'Det är ju roligt, att det är öfver.' Detta bevisade, att han ägde mera medvetande än man trott."

Huvudpersonerna i denna kungliga familjescen överskuggar tillsammans halvtannat århundrade av Sveriges historia. Drottning Desideria, nu över åttio, var änka sedan fjorton år tillbaka, ty Karl XIV Johan hade gått ur tiden 1844, djupt sörjd av sin hängivne vän Magnus Brahe och även av stugornas troskyldiga folk men knappast av ämbetsmännen i statsförvaltningen. Långsamt hade det gått under hans sista år att få konseljernas handlingar underskrivna, berättar De Geer. "Karl Johans namnteckning, som var lång i sig själf, tog mycken tid i anseende till hans tunga hand och åtskilliga slängar och punkter, som alltid med precision åbragtes. Till kammartjänaren Dottas förtviflan tryckte han ock vanligen sönder uddarna på ett par tre gåspennor, innan han fick någon, hvars gång han gillade. De ofantliga uppstaplade högarna af franska föredragningslistor intygade emellertid ojäfaktigt, att Sverige många år verkligen styrdes på franska." Den gamle gascognarens kista stod nu inställd i Riddarholmskyrkans gustavianska gravkor i väntan på att det Bernadotteska skulle bli färdigbyggt till att hysa hans väldiga sarkofag, som var en trogen kopia av romaren Agrippas och hade gett arbete åt Älvdalens porfyrverk i åtta år innan den släpades till Gävle med oändlig möda av många uppbådade masar och fraktades vidare till Stockholm på kronoångskonerten Amiral von Sydow för att lossas av femtio starka båtsmän vid mynningen av Gymnasiegränd. Hans son och efterträdare Oscar, som hade beställt och mottagit sarkofagen, var själv döende nu, och den enkla repliken efter hertiginnans av Östergötland förlossning var kanhända hans sista ord. Hertiginnan ifråga hette Sofia, och hennes nyfödde som förevisades för det festklädda sällskapet på Drottningholm var den blivande Gustaf V. Barnafadern som bar namnet Oscar efter sin far var den tredje i ordningen av den döende kungens söner men var dock designerad till tronföljare i sinom tid, ty hans bror Karl hade inga legitima småprinsar och hans musikaliske bror Gustaf hade gått bort i förtid vid tjugufem års ålder, endast efterlämnande ett antal slitstarka manskvartetter. Det späda barnets födelse i juni 1858 var alltså en dynastisk händelse av icke ringa vikt.

Oscar I, vilken såsom kronprins hade ansetts rätt radikal och hade vunnit personlig ära med en människovänlig skrift om straff och straffanstalter, förlorade under loppet av sin korta regering det mesta av sin popularitet både till höger och till vänster, men han inledde den med en gest som var magnifik. Nyheten om hans tronbestigning gav anledning till en protest från den redbare och hygglige prins Gustaf av Vasa, Gustaf IV Adolfs landsflyktige son, som bodde i Österrike och nu stillsamt lät meddela att han för sig och sin familj ingalunda hade avstått från sina rättigheter till svenska kronan. Oscar I svarade med att omedelbart upphäva 1812 års förbud för svenska medborgare att ha kontakt med den avsatta kungafamiljen, vilket renderade honom stort bifall både ute och hemma. Hans politiska gärningar i det följande gällde långt besvärligare frågor och framstod alltså aldrig som lika nobla, men stora ting med eller mot hans vilja uträttades dock verkligen i hans dagar. Vid hans första riksdag år 1845 genomfördes sålunda den lika arvsrätten för man och kvinna, vilket i viss mån var hans personliga förtjänst, och i detta hans yttersta år 1858 fann ständerna omsider tiden mogen att besluta att ogift kvinna om hon så önskade kunde bli förklarad myndig efter fyllda tjugofem år.

Den fäderneärvda lagen från Birger jarls avlägsna dagar hade dittills placerat inte bara hustrurna, utan även "mö af hvad ålder hon vara må" under förmyndare, vilket innebar att alla kvinnor utom änkorna saknade rätt både att disponera över sina ägodelar och att ingå äktenskap efter fritt val. Något uttalat missnöje med denna tingens ordning hade knappast blivit försport förrän vid slutet av 1830-talet, då befolkningsutvecklingen i landet hade skapat nästan olidliga förhållanden både ekonomiskt och socialt. De ogifta kvinnornas antal ökade nämligen vid den tiden med nära hälften under loppet av något årtionde, och i Stockholm där förändringen gick snabbast befanns det år 1845 att endast en fjärdedel av alla stadens kvinnor över femton år var gifta och att nära hälften av dess nyfödda barn var oäkta. "Allt detta", säger Gunnar Quist som har skrivit en grundläggande avhandling i ämnet, "ledde till att försörjningsfrågan blev den stora kvinnofrågan, uppmärksammad i alla läger." Skråtvånget gällde då ännu, på arbetsmarknaden rådde naturligtvis fullständig kvinnodiskriminering, och det manliga monopolet gällde inte bara offentlig tjänst utan nära nog alla yrken; kvinnor som ville driva handel med kläder som de sytt eller bröd som de bakat nödgades gå till kungs för att få tillstånd, vilket beviljades endast om de kunde styrka att de saknade andra utvägar till sin försörjning. Krav på näringsfrihet framfördes ideligen vid riksdagarna och stötte på patrull framför allt i borgarståndet, vars liberalism i detta slags frågor hade sina gränser, men 1846 antog ständerna i alla fall en kunglig proposition om en fabriks- och hantverksordning som gav den biprodukten att det blev lagligen möjligt för kvinnorna att försörja sig på anständigt sätt.

En fattigvårdsförordning som var Sveriges första utfärdades året därpå, och 1847 års höstriksdag möttes av kungen och regeringen med en hel rad propositioner och förslag: ny strafflag, längre övningstid för beväringen, höjd brännvinsbeskattning, avveckling av tullar, läroverksreform, betydligt ökad statsbudget. Ständerna förbluffade konungen med att säga nej till nästan alltihop. Han fann att han inte hade mycken glädje av sitt reformintresse: de konservativa var missnöjda med näringsfriheten och fattigvården, bönderna ville bränna brännvin skattefritt och slippa exercera beväring, prästerna ville inte veta av någon ny sorts skola, de liberala gnällde och skällde både i riksdagen och i sina tidningar över att ingen representationsreform syntes vara påtänkt, ty regeringen hade vid riksdagens början liknöjt överlämnat ett kommittébetänkande i denna viktiga fråga för kännedom i stället för att lägga fram det såsom proposition för ständerna. Kungen, föga viljekraftig av naturen och alltid känslig för opinioner, visste inte riktigt på vilket ben han skulle stå, men den liberala pressens oklóka oväsen bidrog säkert till att skrämma honom åt höger, och bakom sina ministrars rygg prutade han skyndsamt ner sina propositioner, släppte både brännvinsskatten och beväringsexercisen och skar ner sina anslagsäskanden betydligt. Sådant kunde ännu gå för sig, ty någon enhetlig ministär existerade inte i Oscar I:s dagar; det hände ofta att han i viktiga frågor rådgjorde med personer utanför statsrådet eller tog direkt kontakt med riksdagsutskottens ledamöter.

1847 års riksdag hölls samlad ännu under 1848, och i partiernas strider segrade mestadels de konservativa, men en av de första dagarna i mars kom det underrättelse om den franska februarirevolutionen, en händelse som gav våldsamt eko lite varstans i Europa och fick vissa verkningar även i Sverige. Kung Oscar blev tydligen skrämd, ty han kallade strax till sig hela konstitutionsutskottet och manade det att ofördröjligen utarbeta förslag till en tidsenlig folkrepresentation i stället för ståndsriksdagen. Utskottet lydde och satte igång, men arbetet avbröts inom kort av ett uppträde som har gått till historien under namnet marsoroligheterna. En lördagskväll samlades en folkskock på Brunkebergstorg, marscherade till Storkyrkobrinken och kastade sten mot den konservative och föga populäre riddarhuspolitikern August von Hartmansdorffs fönsterrutor, men innan man också lyckades spränga hans port kom en trupp militär och räddade denne redbare mans liv. Kungen själv steg till häst och talade på yttre borggården till massan som lovade att snällt gå hem på villkor att militären drogs tillbaka och att några häktade stenkastare frigavs, vilket då skedde, men i stället för att skingra sig begav sig skaran till Gustaf Adolfs torg och slog in fönstren hos handlanden Leja som nämligen var jude, och därefter gick man och kastade sten genom rutorna hos bland andra utrikesminister Ihre, ärkebiskop Wingård, den judiske konditor Davidson som hade öppnat schweitzeri på Hasselbacken samt den store liberalen Lars Johan Hierta som gav ut Aftonbladet. Dagen därpå församlade sig en söndagsledig skock ånyo i Storkyrkobrinken, men nu hade myndigheterna karskat upp sig och skickade fram en trupp kavalleri att skingra folket. Kavalleristerna togs emellertid emot med ett stenregn som kom hästarna att stegra sig och stoppade chocken. Då framkommenderades i stället Göta livgarde att skjuta skarpt, varvid ett trettiotal människor dödades eller sårades svårt, däribland en del nyfikna åskådare. Storkyrkobrinken och det närbelägna Riddarhustorget avfolkades då i panik, men nya sammanstötningar inträffade på Norrmalm, och på Norra Smedjegatan började folk dra ihop en barrikad som emellertid stormades av en gardespluton med blanka bajonetter.

Marsoroligheterna i Stockholm sattes nog i gång av radikala politiska element som krävde liberala reformer och rentav ville införa republik, men många av stenkastarna var gesäller och arbetare som tvärtom demonstrerade mot konkurrens, näringsfrihet och frihandel, och naturligtvis deltog också en del ligister som gärna slog in fönster utan att fråga varför eller hos vem. Uppträdena fick betydelse i alla fall, ty kungen tog intryck av det frihandelsfientliga inslaget och slog omedelbart till reträtt i tullfrågan, och i nästa månad bytte han ut praktiskt taget alla sina statsråd mot nya män av vilka ett par tre ansågs luta åt den liberala sidan. Den första uppgiften för dessa herrar blev att lägga fram ett kungligt representationsförslag som var jämförelsevis radikalt eftersom det var tillkommet i skuggan av februarirevolutionen. Det antogs verkligen av ständerna såsom vilande till nästa riksdag som ägde rum två år senare, men där underkändes det av både höger och vänster med väldiga majoriteter i tre stånd; endast borgarna fann det gott. Revolutionsstämningen var nu borta och utgången bestämdes av rena klassintressen, inte minst i bondeståndet där man tyckte att förslaget otillbörligt gynnade både ämbetsmän och backstugusittare. Kungen själv lär ha varit glad åt utgången; dock finns det en anekdot enligt vilken han bittert skall ha sagt att nu kunde ingen mänsklig makt förmå honom att komma med något nytt förslag i denna fråga om han så levde i hundra år. Han höll ord; men lyckligtvis levde han inte så länge.

Redan i början av Oscar I:s regering hände det ibland att han kunde tvärtystna mitt i ett samtal och frånvarande stirra i väggen en stund, varefter han tog upp tråden som om ingenting hade hänt. Under 1850-talet framträdde sådana sjukdomssymptom allt oftare och en gång måste han ta ledigt under något halvår, men i stort sett skötte han sin regering med full kunglig myndighet ända till 1857 då kronprins Karl fick bli regent i hans ställe. Det var frågan om hjärntumör, och fallet var naturligtvis hopplöst. Alla memoarförfattare som berört ämnet är fulla av medkänsla med drottning Josephine som ständigt stod eländet nära och tydligen inte alltid orkade bemantla sin plåga och förtvivlan under det långa år med vilket konungen överlevde sin sonsons solenna entré i livet inför det festklädda sällskapet på Drottningholm.

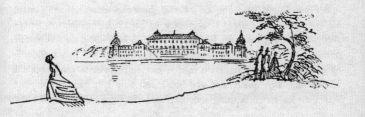

Representationsreformen

Den första följden av den så kallade Kron-Kalles regeringstillträde var fjorton avrättningar under år 1858. Oscar I hade principiellt varit motståndare till dödsstraffet och underskrev aldrig frivilligt någon dödsdom, och det hade alltså hopats en del oavgjorda livssaker i högsta instans. Den trettioårige regenten hade inga hämningar i det stycket utan expedierade raskt allihop, ty han hade en enkel och oreflekterad tro på nyttan av halshuggning och prygel. Samtidigt var han emellertid en artistisk natur och en glad dilettant som målade tavlor, sjöng manskvartetter och skrev romantiska poem med mycken iver, och den representativa sidan av sitt höga yrke skötte han med mycken glans, vilket förskaffade honom en bred popularitet som ingalunda grumlades av hans otaliga fruntimmershistorier. Politiskt var han klart konservativ, men hans intresse för sådana ämnen var ringa; "allt som skedde under hans regering af någon betydenhet skedde mot hans vilja", skriver Louis De Geer som var regeringschef under större delen av denne konungs epok och alltså bör vara vittnesgill. Hans regeringstillträde markerar därför slutpunkten för den personliga kungamaktens tid i Sverige. I själva verket skulle väl även under andra förhållanden dess dagar ha varit räknade; statsärendena var numera många och alldeles omöjliga att bemästra för en enda man, och statsrådet som med förenade krafter kunde överblicka och förbereda dem bättre trädde med nödvändighet i förgrunden i Sverige liksom i varje annan konstitutionell monarki.

Processen påskyndades av att ministärerna i Karl XV:s dagar rymde åtskilliga betydande män: den vältalige och erfarne utrikesstatsministern Ludvig Manderström, den frihandelsvänlige finansministern Johan August Gripenstedt, de båda historikerna Fredrik Ferdinand Carlson och Hans Forssell – ännu en ryktbar historieprofessor, Carl Gustaf Malmström, satt förresten i regeringen en liten tid. Justitiestatsminister alltifrån 1858 var som sagt Louis De Geer, en konciliant men viljestark politiker som hade föga gemensamt med kungen. Den första förordning han fick kontrasignera var den om ogift kvinnas möjlighet att bli myndig, och innan året var förgånget hade han vidare nöjet att skriva under en författning som upphävde husagan, alltså husbönders rätt att kroppsligen tukta vuxna underlydande, nu avskaffad av riksdagen med tre stånds jaröster mot adelns nej. Den mest bullersamma frågan vid denna riksdag gällde emellertid en beslutad grundlagsändring som gav representationsrätt i borgarståndet åt alla näringsidkare och fastighetsägare i städerna oavsett om de hade burskap som borgare, och frågan var nu hur dessas rösträtt skulle se ut. Resultatet blev omsider en tregradig förmögenhetsskala som var grundad på skatterna, men det hela var onekligen en reform ändå i det att inte bara affärsmän och hantverkare, utan även välbeställda intellektuella som August Blanche och Lars Johan Hierta nu kunde bli riksdagsmän i borgarståndet.

Folkrepresentationens modernisering var naturligtvis den allt dominerande frågan i svensk inrikespolitik vid 1800-talets mitt. Ståndssamhället var på väg att förvandlas till ett klassamhälle med stora skillnader mellan besuttna och obesuttna men inte mellan frälse och ofrälse, och de fyra stånderna motsvarade på intet sätt någon social och ekonomisk verklighet mer. Detta var uppenbart för nästan alla, men det bekymmersamma i saken var att med fredliga medel kunde en ny tingens ordning åstadkommas endast om stånderna var villiga att avskaffa sig själva, vilket för adelns och prästeståndets del onekligen var mycket begärt. Den energiska liberala tidningsagitationen för en reform var därvidlag snarast till skada, eftersom den var ägnad att göra de högre ständen allt konservativare av ren självbevarelsedrift, och det är begripligt att frågan under Oscar I:s tid inte hade kommit ur fläcken. 1858, detta märkliga år, lyckades man emellertid bli ense om en grundlagsändring som gick ut på att gemensamma överläggningar med alla fyra stånden skulle kunna hållas om två av dem begärde detta, och året därpå beslöt man att statsråden kunde få vara med vid dessa överläggningar oavsett om de tillhörde något stånd eller inte. En förändring var alltså på marsch.

I agitationen för en representationsreform spelade skarpskytterörelsen en icke oviktig roll, säger professor Sten Carlsson och citerar i sammanhanget en tirad av August Blanche, som lär ha sagt att meningen med den nybildade organisationen var att bilda ett försvar mot både det yttre och det inre Ryssland. Louis De Geer, som också drar upp Blanches ord, har berättat hur skarpskyttarna gjordes tama – regeringen kunde naturligtvis inte tolerera att det växte upp fria beväpnade kårer i landet. En kunglig kungörelse utfärdades alltså där det stod att Hans Majestät med välbehag betraktade skarpskyttarnas fosterländska verksamhet och i egenskap av högste befälhavare för rikets krigsmakt nådeligen ville ta befälet även över dem samt tillse i vad mån de kunde beredas understöd; skarpskytteföreningar som eventuellt inte ville ha det så skulle däremot betraktas som privata sällskap utan samband med nationalförsvaret. Schackdraget lyckades fullständigt, säger De Geer: "Skarpskytteföreningarna hafva sedan aldrig gifvit anledning till politiska farhågor." Möjligt är väl att åsynen av detta liberalt organiserade, ivrigt paraderande medborgargarde kan ha stimulerat även honom till tankar på en ny sorts riksdag likafullt. En julidag 1861 skrev i varje fall denne justitiestatsminister till kungen och slog fast att ståndsrepresentationen vore en föråldrad institution vars upphävande bara vore en tidsfråga; regeringen kunde inte undandra sig att ha en mening i denna landets viktigaste angelägenhet, och själv måste han lämna sitt ämbete om han inte snarast kunde få lägga fram förslag om ett tvåkammarsystem på grundval av allmänna val. Kungen funderade på saken något halvår, rådgjorde med kejsar Napoleon III och andra och blev efterhand övertygad om att en representationsreform kunde vara gagnelig av skandinavistiska skäl, vilket var vad som mest intresserade honom.

Året därpå utfärdades 1862 års kommunallagar, som formellt inte hade det ringaste med den politiska representationsreformen att göra. Ämnet ansågs tillhöra konungens ekonomiska lagstiftning, och lagarna hade utarbetats av en kommitté och endast underställts riksdagen för yttrande – som i huvudsak blev gillande – varpå det hela hade gjorts färdigt inom civildepartementet under ledning av den energiske blekingen Henrik Gerhard Lagerstråle som var statsråd där; förresten var han justitiestatsministerns morbror. Kommunallagstiftningen var ett märkligt arbete framför allt därför att man inte ansåg sig ha någon ärvd grund att bygga på och inte heller några användbara utländska mönster att kopiera, utan alltihop måste nyskapas alltigenom. Författningarna som utfärdades i mars 1862 gäller likväl i stort sett än; de handlar om kommunalskatt och kommunalstämma med vald ordförande i stället för den gamla sockenstämman med självskriven kyrkoherde, om stadsfullmäktige och drätselkammare i städerna, om kyrkostämma, kyrkoråd och skolråd, om landsting i varje län. Rösträtten i det kommunala var allmän i den meningen att den ingenting hade med stånd att göra, men en ekonomisk gradering genomfördes naturligtvis; den var baserad på en enhet som kallades fyrk och hängde samman med den lilla skatt som hette bevillning, vilken i sin tur på ett invecklat sätt svarade mot egendom och inkomst. Ehuru föga demokratisk i vår tids mening har den kungliga stadgan om kommunal självstyrelse haft en betydelse som svårligen kan överskattas för demokratins genombrott i Sverige och för utvecklingen i landet överhuvud taget. Genom att införa ett valsystem utan ståndsskrankor på det kommunala planet jämnade den också omedelbart vägen för ståndsriksdagens förvandling till en folkrepresentation av mindre urmodigt snitt.

Sommaren 1862 bodde justitiestatsministern på Djurgården i något som hette villa Skansen; det var årtionden innan Artur Hazelius förvandlade tomten till friluftsmuseum och gjorde dess namn berömt. Däruppe på berget, berättar De Geer själv, ljöd kraftig musik alla eftermiddagar från Hasselbacken och gamla Blå Porten som låg nedanför, och tonerna från de bägge näringsställena flöt på Skansen ihop till skärande dissonanser. Till detta missljud och med skön utsikt över Stockholm skrev han ihop förslaget till en ny riksdagsordning, som framlades för ständerna på hösten samma år. Ständerna godkände förslaget som därmed enligt grundlagens bud hade förklarats vilande till nästa riksdag, då det slutliga avgörandet skulle falla.

Efter ett år av våldsam agitation med namninsamlingar, petitioner och hejdlöst tidningsskrivande kom den stora frågan definitivt upp i ständerna i julmånaden 1865. Bönderna sade tveklöst och enhälligt ja och var till och med högtidsklädda dagen till ära, och även borgarståndet antog förslaget med överväldigande majoritet ehuru några hantverkare på begripliga grunder talade emot. I prästeståndet, upplyser den flitige riksdagsreferenten W. F. Dalman som har gett ut ett par stadiga volymer om de sista ståndsriksdagarna, talade en mängd ledamöter över förslaget "med tröttande vidlyftighet, utan att man egentligen fått veta om de voro för eller emot detsamma", och ståndet uppsköt sitt beslut tills man fick se hur adeln skulle ställa sig.

På Riddarhuset debatterades denna dess livsfråga i fyra dagar med en vältalighet som samtiden fann bländande och som även den referatläsande eftervärlden kan bli imponerad av på sina ställen, ehuru somligt naturligtvis gör ett helt annat intryck nu. Det gäller i synnerhet om ett av de mest uppmärksammade inläggen, den passionerade, svartlockige landssekreteraren Curry Treffenbergs. "Det har funnits ögonblick", utropade denne teatraliske man och skakade en lyktstolpe i salen så att den skallrade, "då äfven jag varit på väg att lämna bakom mig alla traditionella föreställningar, inplantade i min barndom, alla reminiscenser ur den boströmska samhällsläran från min akademitid och alla varnande vittnesbörd ur vår egen och andra länders historia, för att med vännerna af representationsförslaget stiga ombord på denna glada speljakt, som, sirad med rosor och vimplar, med musik i fören och smekt af förliga vindar, skulle genast föra nationen till lycksalighetens ö. Men dessa känslans ögonblick hafva snart varit förbi. Vid förståndets prövande ljus har denna lätta farkost blifvit förbytt till ett drakskepp, som från fiendeland nalkas våra förut så fridsälla kuster, för att där sprida ödeläggelse och död; och jag har därför tackat Gud, att detta monster af den enda monitor, som i dessa tider duger att lita på, den ädlare konservatismens monitor, erhållit trenne sådana grundskott, att man snart skall se detsamma hissa nödflagg och afstå från försöket att, buret på agitationens svallvågor, lotsa sig fram emellan de klippor och skär, som en fast, modig och beslutsam hållning hos ridderskapet och adeln skall utbreda till skydd för det hotade fäderneslandet." På detta svarade Gripenstedt icke utan skäl att grundskotten ifråga torde bestå av idel krutrök; det fanns ingen kula i kanonen. Andra talare höll sig bättre till sak utan att därför avstå från vältaliga bilder och liknelser; sålunda berättade greve Henning Hamilton en fyndig parabel om fyra familjer som bodde i ett hus och nog skulle ha kunnat komma överens i sina inbördes utrymmesförhandlingar om inte vicevärden hade satt eld på huset, och De Geer och Manderström svarade med att skildra husets eldfarlighet och förfall i samma eleganta ton. Friherre Erik Leijonhufvud var mindre litterär och såg i gengäld mycket klart på representationsförslaget: "Syftningen är tydligen att lägga väldet i medelklassens händer; och detta syftemål skall ock ernås förmedelst de radikala medel, förslaget tillgripit, nämligen konungamaktens försvagande, kyrkans utvisande, adelns degradering och den egentliga arbetarklassens uteslutande." För övrigt deklamerade naturligtvis åtskilliga talare om adelns förtjänster om fäderneslandet och dess historia, stundom riktigt ståtligt förresten, men på detta svarade någon att det hade funnits Sturar, Vasar och andra ädla släkter i landet innan ännu en sten var framförd till Riddarhusets murar, och att dessa höga familjer hade förstått att inverka på landets öden likafullt. Slutet på det hela blev att förslaget gick igenom hos adeln med sextiosju rösters övervikt, vilket berodde på att Karl XV nu var helt vunnen för saken och diskret påverkade en och annan. Därpå antogs förslaget även av prästerna, vilket skedde utan votering, men halva ståndet reserverade sig omedelbart.

Sommaren därpå, närmare bestämt i juni 1866, skingrades den svenska ståndsriksdagen för alltid. Ärkebiskop Reuterdahl sade i sitt avskedstal till prästerna att de borde vara undergivne och tacksamme inför Guds dom: "Tuktan och straff komma icke oförtjänte." Men den siste lantmarskalken greve Gustaf Lagerbjelke tog avsked av ridderskapet och adeln med en mening som klingar stort och nobelt än, fast formad efter en gången tids retoriska mönster:

"Lagar kunna förändras, rättigheter kunna upphöra, men kvar stå plikterna mot fäderneslandet; och blifva dessa plikter väl uppfyllda, föga bekymrar det den sanna adeln, hvar uti samhället dess plats ställes."

De sista ståndsriksdagarna

Stort jubel i landet hälsade ståndsprincipens fall och 1866 års riksdagsordning. Det tystnade omedelbart vid åsynen av den tvåkammarriksdag som samlades på nyåret 1867. Första kammaren var en ytterligt aristokratisk och plutokratisk församling, vida konservativare än vad Riddarhuset hade varit, ty där hade även knapadeln haft säte och stämma; nu däremot hade man fått ett homogent överhus av idel höga ämbetsmän och mäktiga kapitalister som förresten till större delen bar adliga namn. I andra kammaren, där grevarna var glesare, dominerade i stället välbeställda hemmansägare och borgmästare. Rösträtt till denna splitter nya folkrepresentation saknade icke blott alla kvinnor, utan även fyra femtedelar av de vuxna männen i Sverige, ty förmögenhetskraven var höga och valbarhetskraven ännu högre. Några djupare sociala motsättningar företrädde riksdagsmännen sålunda knappast; men en viss animositet mellan herrar och bönder, det vill säga mellan de nobla ämbetsmännen och de ofrälse jordägarna, gjorde sig snart märkbar ändå och ledde så småningom till att de båda kamrarna fick svårt att dra jämnt. Ett mot regeringen oppositionellt, antibyråkratiskt och antimilitaristiskt parti såg omedelbart dagen och tog ledningen i andra kammaren; det fick namnet Lantmannapartiet och ivrade för sparsamhet och skatteavskrivning, under det att första kammarens högborna majoritet krävde upprustning och starkare försvar. Där stod man alltså och stampade, och Louis De Geer som alltjämt var regeringschef hade föga skäl att vara belåten med den folkrepresentation han hade skapat. De fyra stånderna som den avlöste hade faktiskt varit vidsyntare och mera effektiva.

De sista ståndsriksdagarna uträttade i själva verket ett imponerande arbete. 1860 upphävdes landsförvisningsstraffet för avfall från lutherska läran, judar fick rätt att bosätta sig och inneha fast egendom var som helst i riket, och kristna sekterister tilläts lagligen att gå ur statskyrkan och övergå till annat, av staten erkänt samfund, låt vara att något sådant inte fanns förrän på 1870-talet, då metodistkyrkan officiellt vann erkännande. Kyrkplikten hade avskaffats 1855 samtidigt med spöstraffet, och 1864 antogs omsider den nya strafflag som stadfäste dessa och andra juridiska reformer. 1850-talets riksdagar sysslade vidare mycket med tullfrågor, tog bort diverse import- och exportförbud beträffande järn och annat och avskaffade även livsmedelstullarna, ehuru bondeståndet stretade emot. Fullständig näringsfrihet infördes 1863, vilket visserligen var regeringens och icke riksdagens förtjänst eftersom detta viktiga ämne hörde hemma under konungens ekonomiska lagstiftning; därmed upphävdes definitivt skråtvånget och legaliserades lanthandeln.

Mycket minnesvärd är den riksdag som samlades 1853, ty den hade att ta ställning till två propositioner av revolutionerande betydelse för livet och samhällsutvecklingen i 1800-talets Sverige. Den ena gällde brännvinet. Superiet i landet hade ökat oroväckande sedan 1809, då rätten att bränna hade släppts praktiskt taget fri för jordägarnas del, och i alla samhällslager började folk inse att någonting måste göras för att dämma upp brännvinsfloden. Den småländske prästen och skriftställaren Peter Wieselgren var själen i den framväxande nykterhetsrörelsen, som hade framgång inom överklassen och inte minst bland kungligheten, medan bönderna energiskt slog vakt om sina brännvinsrättigheter. Efter många resultatlösa framstötar vid alla 1840-talets riksdagar lyckades man 1854 få igenom ett förslag som inskränkte brännerifriheten avsevärt; bönderna satte sig alltjämt på tvären men överröstades av de tre övriga stånden. På grundval av det beslutet utfärdades året därpå en förordning som tillät husbehovsbränning under bara två månader av årets tolv samt reglerade försäljningen och höjde beskattningen. Statsmakterna, som från den tiden kom att engagera sig allt djupare i alkoholfrågan, var från början medvetna icke blott om dess sociala, utan även om dess statsfinansiella betydelse, och redan efter fem år fann man tiden mogen att förbjuda husbehovsbränningen helt och hållet. Stort buller utbröt naturligtvis på sina håll i landet, och i Blekinge måste man kommendera ut militär mot de många som brände i lönn, men på det hela taget avlöpte lagstiftarnas ingrepp mot odalmännens urgamla frihet lugnare än man hade väntat och befarat.

Den andra stora frågan vid 1853–1854 års riksdag handlade om kommunikationer. En stor nyhet på området hade alldeles nyss sett dagen och tagits i bruk, nämligen telegraflinjen mellan Stockholm och Uppsala som öppnades i september 1853; ett riksomfattande telegrafnät byggdes sedan ut i rask takt under ledning av den energiske generalmajoren, kartritaren och akvatintagravören Karl Fredrik Akrell, som redan 1855 kunde etablera förbindelse med både Danmark och Norge, nådde Haparanda 1857 och lade ut kabel till Gotland 1859. I fråga om andra kommunikationstekniska framsteg var Sverige däremot sent ute. En kunglig proposition om frimärken förelades riksdagen på våren 1854, då inte blott pionjärlandet England, utan också stater som Finland och Ryssland hade haft frimärken i åtskilliga år; propositionen gick ofördröjligen igenom, och i maj året därpå kunde regeringen utfärda föreskrifter om brevlådor samt om de fem svenska frimärksvalörerna på 4, 8, 24, 3 och 6 skilling banco. En riksdagsfråga av helt annan räckvidd var dock den om järnvägarna, som också var mogen nu efter att ha upprört sinnena i decennier. På det området var riket nästan uppseendeväckande efterblivet.

I både Frankrike och Tyskland hade man byggt järnvägar alltsedan 1830-talet, och i England som hade ytterligare tio års försprång hade den svenske greve Adolf von Rosen, major vid flottans mekaniska kår, tagit detta nya kommunikationsmedel i intresserat skärskådande under åtskilliga år medan han tillsammans med sin landsman John Ericsson arbetade på att fullkomna dennes nyuppfunna propeller. 1845 kom han hem till Sverige och tog genast itu med att söka få till stånd järnväg mellan Örebro vid Hjälmaren och en Vänerhamn vid namn Hult, ty därigenom, tänkte han sig, skulle en kombinerad ångbåts- och ånghästväg skapas mellan bland annat Stockholm och Göteborg. Koncession på bygget fick han utan svårighet, men ekonomien lyckades han inte klara ut utan såg sig tvungen att begära statsunderstöd. Saken var uppe vid 1848 års riksdag som med tre stånds röster mot bondeståndets beviljade greven en statlig garanti för hans järnväg efter kuriösa debatter, där framför allt ett riddarhustal av Leonard Fredrik Rääf väckte förundran och häpnad. "Jernvägar", yttrade denne romantiker från Småland, "verka, liksom alla maskinerier, motsatsen till samhällets lycka. De uppdrifva handeln, handtverkerierna, produktionen vid sina ändesammanträffnings- och hvilopunkter, men de utrota, enligt alla länders erfarenhet, näringsmedlen på frånliggande orter. Jag har nämnt maskinerierna, dessa missbörder af enskilt snille, framfödde att döda allmänhetens omdömesförmåga, kraft och välstånd. Upplysare, gäckare och tviflare hafva lyckats att utestänga en stor del af folkens massa, särdeles städernas arbetare, från hoppet om tillflygt och sällhet i ett kommande lif. Maskinerna utestänga dem från möjligheten att med trefnad lefva i det närvarande. De taga förstörelens hämnd på dessa sina fiender och tyranner, vid hvilkas kringdrifvande de blifvit slafbundna; de taga samma hämnd mot alla samhällen, som varit nog oförnuftiga att uppställa maskinismen såsom sitt och lifvets högsta mål. Vittnesgilla äro de industriela städernas gator. Måtte vårt Sverige så sent som möjligt blifva delaktigt af ett sådant framåtskridande."

Järnvägspionjären Adolf von Rosen var icke lyckosam; hans bana från Hjälmaren till Vänern blev aldrig byggd. 1857 kunde hans bolag i stället inviga en järnvägsstump mellan Örebro och Arboga, men då hade ett annat bolag redan hunnit före med banan Ervalla–Örebro, som nämligen öppnades för trafik i mars 1856. Vid det laget hade statsmakternas intresse för järnvägar blivit mera aktivt, i det att den viljestarke finansministern Gripenstedt, annars så liberal i sina åsikter om tullar och andra samhälleliga regleringsåtgärder gentemot näringslivet, märkligt nog hade kommit till den bestämda meningen att staten själv borde ta hand om järnvägsbyggandet och skapa ett nät av stambanor. Proposition i ämnet lades fram för 1854 års riksdag som godtog förslaget i princip, ehuru gamla fiender som Hartmansdorff och Lars Johan Hierta enades i sitt motstånd och Adolf von Rosen stred för det privata initiativet av all sin kraft.

Till chef för järnvägsbyggena utsågs överste Nils Ericsson som var ingenjörsofficer och tidigare hade byggt kanaler – vid Trollhättan, vid Säffle, vid Slussen i Stockholm, vid Saima – med sådan framgång att han detta samma år blev adlad och ändrade stavning till Ericson. Linjen Stockholm–Göteborg skulle påbörjas omedelbart, och pengar skulle anskaffas genom ett inhemskt obligationslån, vilket dock misslyckades fullständigt; man fick inte in mer än en kvarts miljon riksdaler eller ungefär sjättedelen av vad Gripenstedt hade tänkt sig. Lyckligtvis överträffade de följande årens statsinkomster i stället förväntningarna, och den riksdag som samlades 1857 fick nöjet att lyssna till finansministern i tre timslånga, ytterst ståtliga anföranden som vann ryktbarhet under namnet blomstermålningarna, ty de skildrade landets ekonomiska läge i de ljusaste färger och slog fast att Sverige kunde utvecklas lika raskt och storartat som Amerika om resurserna utnyttjades och järnvägarna kom i gång.

Vid den tiden hade man efter mycket käbbel mellan olika lokalintressen kommit fram till att stambanan Stockholm–Göteborg skulle gå söder om Mälaren och inte norr därom som man först hade tänkt sig. Beträffande sträckningen av södra och östra stambanorna behövdes det ytterligare ett par års debatt innan man beslöt sig för att låta dem mötas i Nässjö och inte strax söder om Jönköping som Nils Ericson ursprungligen hade planerat; södra stambanan skulle enligt det första förslaget – som han själv ändrade på – ha gått norrut från Skåne längs Lagan mot Vättern och Falköping. Om orsaken till att den drogs östligare finns en bekant anekdot som inte är sann; den påstår att den småländske bonderiksdagsmannen Petter Jönsson i Träslända avgjorde saken genom att dekretera: "Järnvägen skall gå till Träslända, för där bor jag." I själva verket var ständernas debatter i denna fråga mycket mångordiga, men av W. F. Dalmans referat framgår inte att Petter Jönsson i Träslända yttrade sig alls – han står inte ens nämnd. Nässjölinjen segrade med stor majoritet i tre stånd vid 1860 års riksdag, där endast bönderna höll på Lagadalen. Under tiden fortskred järnvägsbyggandet med all kraft, och stambanelinjerna Stockholm–Göteborg, Falköping–Nässjö–Malmö och Stockholm–Uppsala hann bli helt färdiga och öppnades för trafik innan de fyra ständerna skildes för sista gången.

De båda kamrarna

Resten av Sveriges järnvägsnät tillhör tvåkammarriksdagens tid. 1871 blev man klar med sträckan Laxå–norska gränsen samt med den så kallade sammanbindningsbanan, som var den ohjälpliga begynnelsen till den obevekligt fortskridande förfulningen av Stockholms känsligaste, mest centrala parti. Karl XV var då sjuk och redan dödsmärkt av tarmtuberkulos som han förgäves sökte bot för i Aachen. På hemväg därifrån dog han i Malmö i september 1872. Hans drottning hade gått ur tiden året innan, deras ende son hade dött i sitt första år, och närmast tronen stod hans bror Oscar som alltså blev kung med numret II. Han var musikalisk och litterärt begåvad liksom Karl XV och hade till skillnad från denne ett väl utvecklat sinne för decorum, kunglig pompa och landsfaderligt leverne. Eftervärlden som läser hans memoarer kan förundra sig över hur främmande han stod för allt som har visat sig äga livskraft av hans tids tankeströmningar och opinioner, men han företrädde onekligen på ett magnifikt sätt den konservativa och officiellt religiösa anda som präglade generaler och brukspatroner, grosshandlare, samhällsbevarande högre ämbetsmän och andra till riksdagens första kammare valbara personer i hans dagar. Hans diktsamling "Ur svenska flottans minnen" prisbelöntes av Svenska akademien med skäl, ty den är inte dummare än andra patriotiska historiemålerier som 1800-talet kunde beundra, och hans vältalighet som synes eftervärlden något svulstig väckte samtidens ärliga applåder. "Hvem är talaren", utbrast Louis De Geer i en oration i akademien år 1873, "med de höga tankarna och de ädla orden, som eldar fosterlandskänslan i alla bröst och binder nya kransar af minnet och hoppets ljufvaste blommor i hvarje bygd? På hans skuldra hänger purpurmanteln; det är Konungen själf."

De Geer som hade avgått från regeringen 1870 återkom sex år senare, varvid riksdagen antog ett förslag om grundlagsändring av innehåll att justitiestatsministern hädanefter skulle kallas statsminister och vara vad man utomlands kallade konseljpresident, alltså chef för statsrådet. Motstånd restes av bland andra poeten Gunnar Wennerberg som sade sig tro att det nya statsskicket kunde få för stort huvud alias engelska sjukan, men det hjälpte inte; De Geer – som Wennerberg avskydde – blev den förste statsministern i Sverige. Som sådan stod han ut till

Försvaret och grundskatterna

1880 utan att kunna uträtta så mycket, eftersom kamrarna i riksdagen nästan aldrig tycktes kunna bli eniga. Två viktiga ting hände visserligen 1878, då man dels avskaffade tvånget för jordägarna att hålla skjuts när gästgivarna inte kunde, en skyldighet som länge hade känts förödmjukande för bönderna, dels införde metersystemet, som efter en övergångstid på tio år skulle vara allenarådande i landet från nyåret 1889. Men i de stora politiska frågorna var ställningen låst; herrarna ville inte avskaffa grundskatterna på bondejorden, bönderna ville inte veta av några försvarsbördor. Vid Oscar II:s första riksdag lyckades kungen och en del av hans handgångne män visserligen förmå kamrarna att enas om ett principuttalande som kopplade ihop de båda frågorna och gick ut på att man borde ha en värnpliktsarmé och att grundskatterna borde avskrivas med tre procent om året. Dokumentet som kallades kompromissen och närmaste härrörde från F. F. Carlson spökade sedan i svensk politik under mer än ett årtionde, och i dess tecken kom man omsider till en mager uppgörelse vid 1885 års riksdag, som nämligen beslöt att grundskatterna skulle avskrivas med trettio procent och att man skulle införa fyrtiotvå dagars övningstid för beväringen som skulle vara värnpliktig i tolv års tid. Steget togs fullt ut 1892, då den skicklige och praktiske statsministern Erik Gustaf Boström lyckades få igenom en fullständig grundskatteavskrivning och en ny härordning, som utsträckte övningstiden till nittio dagar och värnpliktstiden till tjugo årsklasser. Kostnaderna för indelningsverket överfördes från rotebönderna till staten, och pengar till det hela skaffade man genom att införa allmän inkomst- och förmögenhetsskatt.

1885 års överenskommelse i försvars- och grundskattefrågorna kom i grevens tid. Vid det laget hade nämligen en annan stor principfråga börjat uppröra sinnena och dra upp nya partifronter i svensk inrikespolitik, och under det följande årtiondet överskuggades alla angelägenheter i landet av en ursinnig strid om något som eftervärlden har svårt att finna särskilt upphetsande, nämligen spannmålstullar. I och för sig var det hela enkelt nog; ångbåtarna förde in rysk och amerikansk brödsäd i landet, rågpriset sjönk under loppet av några år med nära hälften, och de svenska odlarna blev förtvivlade och krävde skyddstullar. De svenska konsumenterna inklusive många norrländska och värmländska småbrukare som själva inte hade någon råg var däremot mycket belåtna och ville inga tullar ha. Speciella grupper hade särskilda önskningar; de så kallade kronobergsprotektionisterna var frihandlare ifråga om rågen men ville ha tull på fläsk för att kunna konkurrera med det salta amerikanska, och en grupp skånska storbönder som hade övergått till att producera kött hade liknande åsikter. Att dessa praktiska intressefrågor kunde uppväcka väldiga lidelser berodde på att inför dem blev det klart för de breda lagren av rösträttslösa konsumenter hur mycket det betydde att de var utestängda från allt politiskt inflytande. Lantmannapartiet sprack, och den gamla motsättningen i riksdagen mellan herrar och bönder efterträddes av skiljelinjen mellan protektionister och frihandlare, vilket inom kort blev detsamma som höger och vänster. Agitationen var naturligtvis våldsam å ömse sidor, och de båda gruppernas slagord har en klang som redan smakar 1900-tal; de gick nämligen fram under parollerna "Sverige åt svenskarna" och "Bort med svälttullarna". Den sistnämnda, skriver Edvard Thermænius som skickligt har redogjort för allt det här, "var avsedd att väcka och fånga arbetarklassen och gjorde det också".

Striden om tullarna avgjordes på ett sätt som var ytterst dramatiskt efter svenska förhållanden. 1885 avslogs kravet på spannmålstullar av båda kamrarna, men året därpå röstade andra kammaren för tullarna som däremot föll i första kammaren och även i den gemensamma voteringen. Vid 1887 års riksdag stannade kamrarna likaledes vid olika beslut, men innan de hann gå till gemensam votering vidtog kung Oscar, som själv var moderat frihandlare, en märklig och ovanlig åtgärd som grundlagen gav honom rätt till: han upplöste andra kammaren och utlyste nyval men lät första kammaren sitta kvar. Valen – i vilka hälften av de röstberättigade medborgarna deltog mot bara någon fjärdedel i vanliga fall – gav till resultat att frihandlarna fick majoritet, men på hösten samma år var det tid för ordinarie val, och då inträffade att tullvännerna tog makten i första kammaren och på ett märkvärdigt sätt blev herrar även över den andra. Själva andrakammarvalet resulterade i en seger för frihandlarna med 125 mandat mot 97. Efteråt uppdagades emellertid att en av de valda, en stockholmare som kallades Ångköks-Olle, inte hade varit valbar, ty han resterade för obetalda kommunalutskylder med 11 kronor och 58 öre, och detta förhållande diskvalificerade inte bara honom utan också tjugoen andra frihandlare som blivit valda till riksdagsmän på samma listor som han. Tjugotvå stockholmska protektionister vilkas namn icke var besmittade av att ha stått på samma papper som Angköks-Olle kom lagligen in i riksdagen i stället, och därmed var det klart att jordbruket skulle få tullskydd och maten skulle bli dyrare, vilket ofördröjligen blev bestämt och beslutat vid 1888 års riksdag.

Vägen till demokrati

Ehuru tullstriden alltså avgjordes till högerelementens favör kan man nog säga att med den började utvecklingen mot det demokratiska genombrottet i Sverige, ty den gav direkt upphov till rösträttsrörelsen som var vad man kallar en folkrörelse, nu glömd sedan dess enda motiv och mål har förverkligats sedan länge. Den växte under 1890-talet hastigt ut till en stor riksorganisation som kom stort buller åstad men gjorde föga intryck på statsmakterna, ty, skriver Edvard Thermænius, "folkets representanter i riksdagen, även de mera demokratiska, voro ännu föga lyhörda för folkets röst". Mot sekelskiftet började dock även konservativa politici inse att en rösträttsreform var oundviklig och träffade klokt sina mått och steg för att icke själva bli bortsopade av småfolkets anstorm när den dagen kom. Lösningen bestod i proportionella val, och förslag till ett sådant system lades fram av Erik Gustaf Boströms regering vid flera av det begynnande 1900-talets riksdagar, som dock sade nej.

1905 när unionskrisen pågick som värst[1] vann vänstern ett andrakammarval som resulterade i att den liberale partiledaren Karl Staaff måste tillkallas som statsminister, ehuru kung Oscar och även kronprins Gustaf avskydde både honom själv och den parlamentariska demokrati han representerade. Staaffs regering stod sig bara något halvår men uträttade dock en del minnesvärt, ty den ordnade med villkorlig frigivning och villkorlig dom i mindre brottmål, och ecklesiastikministern Fridtjuv Berg – som själv var folkskollärare till yrket och visste hur svårt det var att lära barnen skilja på stafvadt och stafvat alias perfektum particip och supinum – rörde upp himmel och jord genom att införa nystavning av svenska språket, där det besvärliga dt således försvann och v-ljudet dädanefter skrevs med enbart v i stället för med hv, fv och f. I politiska stycken klarade sig regeringen Staaff sämre, ty den kunde inte lösa rösträttsfrågan; dess förslag om allmän rösträtt

[1] Se s. 833.

och slopande av penningstrecken fälldes av första kammaren, varefter en högerministär trädde till med den energiske sjöofficeren, industrimannen och telegrafigeneraldirektören Arvid Lindman som statsminister. Han hade tidigare varit verkställande direktör en tid i något som hette Luossavaara–Kirunavaara Aktiebolag, och den förmodligen viktigaste händelsen under hans regering var att svenska staten år 1907 blev ägare till de norrländska malmfälten – utan den uppgörelsen skulle mycket i det moderna Sverige ha varit annorlunda.

Samma år bragtes faktiskt också rösträttsfrågan till en lösning, vilket främst var ett verk av den förste bonden vid konungens rådsbord, som denne jordbruksminister med en tidstypisk tirad kallades; på prosa hette han Alfred Petersson i Påboda. Medan Staaff ville demokratisera riksdagen genom att införa majoritetsval i enmanskretsar till andra kammaren men lämna första kammaren oreformerad på det att den snart måtte bli komplett betydelselös, innebar Påbodas förslag att det skulle bli proportionella val till båda kamrarna, varjämte fyrksystemet i de kommunala valen – som ju låg till grund för första kammarens sammansättning – skulle skäras ner så att ingen kunde ha flera än fyrtio röster. Hård och oavgjord stod striden vid 1907 års riksdag mellan Staaffs linje och Påbodas till dess att sistnämnde skicklige politiker hemligen gjorde ett schackdrag som avgjorde saken. Han medverkade nämligen vid tillkomsten av en riksdagsmotion – motionären hette Daniel Persson i Tällberg – enligt vilket första kammaren skulle demokratiseras ytterligare genom att de ekonomiska valbarhetsvillkoren dit skulle halveras och riksdagsmännen skulle få arvoden även i denna kammare. Motionen sprängde sammanhållningen i Staaffs parti; ett tjugotal av hans liberaler beslöt att ta vad som bjöds och gick över till den regeringsinspirerade motionärens linje, och samtidigt tog statsministern själv sina konservativa partivänner under behandling och tvang första kammaren att demokratisera sig själv.

Definitivt antogs det nya valsättet vid 1909 års riksdag, och vid 1911 års andrakammarval debuterade den allmänna rösträtten för män. Valet ledde till att det socialdemokratiska partiet som förut bara hade haft enstaka representanter i riksdagen – ledaren Hjalmar Branting hade dock suttit där sedan 1896 – plötsligt blev jämnstarkt med högern medan liberalerna var det ojämförligt största partiet med över hundra platser i kammaren. Högerregeringen avgick då och den liberale ledaren kallades att bilda regering, vilket var bekräftelsen på att den demokratiska parlamentarismen sent omsider hade brutit igenom i Sverige. Staaff ställde som villkor för sitt regeringsbildande att kungen skulle låta upplösa och nyvälja första kammaren, vilket denne motvilligt såg sig nödsakad att gå med på, varefter de nydemokratiserade landstingen som förrättade valet såg till att högermajoriteten i kammaren inte blev kompaktare än att de båda vänsterpartierna närhelst det blev gemensam votering alltid fick sin vilja fram.

Staaffs andra ministär drev 1913 igenom vår första lag om folkpension, vilket var grundplåten till senare tiders vidlyftiga sociallagstiftning i Sverige, men de stora och uppmärksammade frågorna i denna regerings dagar var av mera martialisk art. För första gången i sin historia hade riket en civil krigsminister och även en civil sjöförsvarsminister – de hette respektive David Bergström och Jacob Larsson – och redan i sitt första år beslöt regeringen att uppskjuta bygget av någonting som kallades F-båten, det vill säga en pansarbåt som alla högersinnade medborgare inklusive den militära sakkunskapen ansåg nödvändig för Sveriges ära och säkerhet. Ur vänsterns synpunkt framstod den som militaristiskt vanvett, och stora folkgrupper var förresten ifråga om sådant mycket radikalare än Staaff, för vilken försvarsfrågan närmast var en fråga om kostnader, ty det behövdes pengar även till den sociala upprustningen. Uppskovet med F-båten utlöste omedelbart ett politiskt oväsen som har få motstycken i hävderna. Gustaf V, kung i landet sedan 1907 då Oscar II hade gått ur tiden, gjorde veterligt att han var missnöjd med konseljbeslutet, och upptäcktsresanden Sven Hedin utfärdade inom kort en broschyr som hette Ett varningsord och gick ut i en miljon exemplar; där stod att Ryssland ämnade angripa oss och att vi hurtigt borde ansluta oss till det wilhelminska Tyskland. Ett par riksomfattande pansarbåtsinsamlingar sattes igång och gav raskt sjutton miljoner kronor, vilket gott och väl räckte till F-båten, som alltså blev byggd i alla fall; den fick heta pansarbåten Sverige. Militärpropagandan framkallade en del motagitation från yttersta vänstern, röster höjdes i riksdagen för införandet av republik, och socialdemokraterna Zeth Höglund och Fredrik Ström gav ut en liten skrift med den underbara titeln Det befästa fattighuset.

All denna inre spänning kulminerade i februari 1914, då en väldig högerdemonstration som kallades bondetåget ägde rum i Stockholm och marscherade upp på slottets borggård under ett banér med den nationalromantiska texten "Med Gud och Sveriges allmoge för konung och fosterland". Kung Gustaf V tog emot bondetåget med ett manhaftigt tal som var skrivet av Sven Hedin och en löjtnant vid namn Carl Bennedich som bedrev forskningar om Karl XII. I talet sades i sak att konungen delade de fosterländska böndernas tanke att hans armé och hans flotta måste rustas upp ofördröjligen och i ett sammanhang och få så lång övningstid som militärerna krävde. Avsikten med det hela var först och främst att få bort Staaff, som konungen och drottningen avskydde både som statsman och människa, och uppsåtet lyckades; statsministern uppvaktades visserligen av Hjalmar Branting i spetsen för ett socialdemokratiskt arbetartåg som var större än bondetåget och var en direkt protest mot detta, men monarkens hållning framtvang efter ett par dagar den liberala regeringens avgång, och en konservativ ministär under den virile landshövding Hjalmar Hammarskjöld trädde i stället. Därpå blev det andrakammarupplösning och nyval som visade att det blåste högervind i landet. Den nya riksdagen fick inom kort ta ställning till en proposition om ungefär ett års övningstid för flertalet värnpliktiga och för studenter och likställda mycket mer än så, och medan denna fråga kalfatrades som bäst utbröt det första världskriget, vilket både liberaler och socialdemokrater hade ansett otänkbart. I utrikeshändelsernas slagskugga nådde riksdagen snabbt inrikes enighet, klyftan mellan partierna kändes för tillfället mindre djup än motsättningen mellan tyskvänner och ententeanhängare, och inför de skafferibekymmer som så småningom infann sig förflyktigades snart bondetågestidens brusande stämningar och gav plats för en mera försörjningspolitisk atmosfär.

Borggårdstalet och den kungliga självrådigheten i samband därmed blev endast en episod; krigets förlopp och det fjärran bullret av revolutionerna i dess spår satte ny fart på demokratiseringsprocessen i Sverige, vilken därefter har fortgått utan konvulsioner intill denna dag. Ännu 1916 var de militanta stämningarna starka, och sinnena skakades av en förräderiprocess mot Zeth Höglund och några andra, vilka hade talat vid en socialdemokratisk ungdomskongress om möjligheten att genom generalstrejk omöjliggöra eventuella försök att dra in Sverige i kriget på tysk sida. Ehuru mildrad av högsta domstolen blev domen hård; Höglund fick ett års fängelse, vilket icke var till gagn för regeringen Hammarskjöld. Hösten 1917 fick landet vänsterregering igen; Staaff var då död, och statsminister blev i stället den liberale historieprofessorn Nils Edén medan socialdemokraten Hjalmar Branting satt som finansminister en tid. Denne blev snart – 1920 – chef för en rent socialdemokratisk regering sedan samarbetet med liberalerna hade spruckit på ett skatteprogram. Under dessa regeringars tid ordnades en sak som har gått till historien under rubriken Författningsrevisionen 1918–1921; den innebar politisk rösträtt även för kvinnor samt allmän och lika rösträtt utan penningstreck i kommunalvalen, vilket i sin tur betydde att första kammaren miste sin karaktär av överhus och blev lika demokratisk som den andra. Det hela kom till stånd genom en riksdagskompromiss där högern som vid det laget var rädd för revolution fick ge efter mest. Den Edénska regeringen förverkligade även socialdemokraternas gamla krav på åtta timmars arbetsdag, en sak som hade förts fram vid varenda förstamajdemonstration i trettio års tid; den genomfördes dock icke utan vånda, ty arbetsmarknadens parter blev inte alls överens om vem som skulle betala de indragna arbetstimmarna utan det blev strejk och lockout på sina håll.

Tjugotalets första år var överhuvud taget bekymmersamma; produktionen sjönk, exporten gick dåligt, försöken att återställa förkrigstidens penningvärde skärpte krisen, och arbetslösheten var mycket svår. 1923 ljusnade det lite, men arbetslösheten förblev ett stort problem genom hela årtiondet och ända till mitten på 1930-talet, då rustningarna inför det förestående andra världskriget började ge industrien i alla länder bråda dagar igen.

Brantings första regering varade blott några månader, hans andra som tillträdde hösten 1921 stod sig halvtannat år, och när han hösten 1924 bildade sin tredje ministär var det slut på hans krafter; i februari 1925 gick han ur tiden. På 1920-talet blev ingen regering långlivad. Högermannen Arvid Lindman, den frisinnade nykterhetsmannen Carl Gustaf Ekman och ett par andra politici av olika partifärg avlöste varandra på taburetterna i rask följd, men i 1932 års andrakammarval segrade socialdemokraterna övertygande. Per Albin Hansson blev statsminister det året, och bortsett från ett litet mellanspel under tre sommarmånader av en bondeförbundare har socialdemokrater styrt landet sedan dess. De facto är det numera ringa skillnad på deras tankar och den borgerliga oppositionens.

Brödrafolken

Medan Oscar I låg och dog ansatte den norske statsministern Sibbern sin svenska kollega Louis De Geer med en anhållan att denne ville medverka till att kronprins Karl vid sin tronbestigning inte skulle kalla sig den femtonde, ty det numret passade inte i Norges kungalängd där potentaten i stället borde heta Karl IV. De Geer svarade att siffran femton inte var riktig i Sverige heller eftersom vi ingalunda hade haft fjorton Karlar före denne, och detta bekymrade numera ingen människa. Sibbern sade då att i Norge hade Karl XIV kallats Karl Johan rätt och slätt, och med Karl XIII hade man inte räknat så noga. Samtalet ledde till ingenting; den nye konungen kom officiellt att heta Karl XV i båda rikena, men norrmännen kallade honom ofta Karl IV sinsemellan.

Problem och konflikter av det slaget kännetecknade den svensknorska unionen under större delen av dess nittioåriga levnad. Fram till 1830-talet hade det funnits en svensk ståthållare i Norge; han var ett slags ambassadör hos sig själv, ty han representerade inte blott konungen utan även unionsbrodern, och arrangemanget var givetvis en nagel i ögat på norrmännen. 1836 utsågs till ståthållare en norsk man, vilket ju var naturligt och rätt men fick den oberäknade följden att Sverige blev sämre representerat i det allierade Norge än i något annat land, under det att den norska statsrådsgruppen i Stockholm företrädde Norge mycket magnifikt. Andra prestigefrågor under Karl XIV Johans sista tid gällde riksvapen och flagga, och dessa saker ordnades någorlunda efter norrmännens önskan av Oscar I omedelbart efter hans tronbestigning. Det spräckliga unionsmärket kom till vid det laget; det var rättvisligen lika missprydande på ömse sidor om Kölen och bidrog säkert till den olust som efterhand tätnade kring unionen. Än så länge var det dock inte så farligt med detta; på det hela taget var sämjan rätt god, och i Oscar I:s tid kunde man rentav hoppas att den skandinaviska dubbelmonarkien inom kort skulle utvidgas och förvandlas till en nordisk stat som skulle omfatta även Danmark.

Den rörelse som såg fram mot detta höga mål kallas som bekant skandinavismen och var en angelägenhet framför allt för studenterna i Köpenhamn, Lund och Uppsala, men i Sverige sammanflöt den också med de liberala strömningar som vände sig mot Karl XIV Johans allenastyrande och hans goda förhållande till det ryska självhärskardömet. Skandinavismens födelse brukar dateras till den junidag 1829 då den poetiske Växjöbiskopen Esaias Tegnér uppträdde vid magisterpromotionen i Lund och med en nyskriven dikt utanför programmet hyllade den danske skalden Adam Oehlenschläger, som hade kommit över till Sverige med den alldeles nyinrättade ångbåtslinjen från Köpenhamn:

> Skaldernas Adam är här, den nordiske sångarekungen,
> thronarfvingen i diktningens verld, ty thronen är Göthes.
> Visste blott Oscar derom, han gåfve sitt namn åt min handling;
> nu är det icke i hans, än mindre i mitt, men i sångens,
> i den evärdliges namn, förnummen i Hakon och Helge,
> som jag dig bjuder en krans, han är vuxen der Saxo har lefvat.
> Söndringens tid är förbi (och hon borde ej funnits i andens
> fria, oändliga verld), och beslägtade toner, som klinga
> Sundet utöfver, förtjusa oss nu, och synnerligt dina.
> Derföre Svea dig bjuder en krans, här för jag dess talan:
> tag den af broderlig hand och bär den till minne af dagen!

Gesten och den praktfulla retoriken grep studenterna djupt och varaktigt. Universitetskanslern, kronprins Oscar, hade ingenting att invända när han i sinom tid fick höra talas om saken, men hans kunglige fader var säkert föga förtjust, ty möten och uttalanden av skandinavistiska akademiker vållade honom stora politiska bekymmer under den tid som närmast följde. Tio år efteråt hölls det första svensk-danska studentmötet i Köpenhamn, där hundrafemtio Lundastudenter skålade för

Nordens enhet och hyllade Oehlenschläger än en gång, och fram på 1840-talet hölls sedan en hel rad allnordiska studentmöten med storpolitiskt syfte. 1843 möttes man sålunda till ryssfientligt tal i Uppsala där några finländska studenter också var med – de blev relegerade när de kom hem till Helsingfors igen – och i Lund två år senare deklamerade signaturen Talis Qualis alias Carl Vilhelm August Strandberg en dikt som handlade om Finland och hette Vaticinium, vilket betyder spådom:

> O! en afton kanske stiga
> vi ombord och dristeliga
> draga öfver saltan haf!
> Solen sjelf vi ta på sängen,
> tegen sucka skall, och ängen
> bågna under hofvars traf.
> Blott ett handslag vi begära –
> och från bröderna, de kära,
> med ett dråpligt hugg vi skära
> alla deras remmar af.
>
> Förr än sol går ned, kossacken
> tumlar blödande i backen,
> O, den dagens namn skall då
> blifva oss en hederstitel!
> Och kung Carl har sjelf kapitel
> i sin kungssal i det blå.
> Man för man han vill oss kalla,
> och i stjernor, hvilka falla
> ur hans öppna hand, vi alla
> tapperhetsmedaljer få.

Åhörarna, aldrig riktigt nyktra under sina möten, fann detta vara mycket klämmigt sagt och applåderade med hänförelse. I Stockholm satt emellertid kung Oscar och fann saken bekymmersam, ty detta slags appeller för nordisk samverkan föranledde officiella ryska protester som det inte var så lätt att avvisa. Lyckligtvis blev det för framtiden inte så mycket tal om Finland vid skandinavisternas fester, ehuru Talis Qualis kvad åtskilliga andra lika manhaftiga dikter i ämnet vid samma tid – han hade förresten alldeles nyligen diktat den kungliga hymnen Ur svenska hjärtans djup, vars första och sista vers kan sjungas än i dag med måttlig självövervinnelse medan dess glömda mellanstrofer badar i blod och bardalarm.

Tidshändelserna gjorde att det var Danmarks förhållanden som inom kort kom i förgrunden för skandinavisternas intresse. Till Danmark hörde alltjämt det heltyska Holstein och det halvförtyskade Slesvig, vilkas befolkning i tätnande skaror strävade att förena sig med de preussiska stamfränderna söder om gränsen. Allteftersom nationalmedvetandet vaknade hos tyskarna väcktes det även hos danskarna, och ett nybildat danskt parti som kallade sig nationalliberaler hävdade ivrigt att det vore ett gemensamt nordiskt intresse att försvara det danska Slesvig, varmed man menade hela hertigdömet intill dess historiska gräns vid floden Ejder utan hänsyn till att språkgränsen mellan danskt och tyskt gick betydligt nordligare. Statsrättsligt var de båda hertigdömenas ställning någonting ytterst inkrånglat och besynnerligt, och danske kungen som ännu på 1830-talet var helt enväldig hade en annan sorts arvsrätt till det egentliga Danmark än han hade till Holstein och kanhända även till Slesvig, ehuru denna fråga var så invecklad att man aldrig lyckades komma överens om hur det egentligen förhöll sig. Kung i Danmark intill jultiden 1839 var den gamle Frederik VI, Nordens Frederik som hade varit Napoleons ende slutlige bundsförvant, vilket icke blott kostade honom Norge utan även retade hans tyska undersåtar. Kristian VIII som efterträdde honom var identisk med der Kristian Fredrik som hade varit kung i Norge några sommarmånader 1814 innan han blev bortmotad av svenskarna. Ingendera av dessa potentater gillade skandinavismen, ty de var båda konservativa män som dessutom hade anledning att vara gramse på svenska konungahuset, men i det oroliga året 1848 gick den sistnämnde ur tiden, och därmed förändrades läget betydligt. Under intryck av revolutionsstämningen i Europa som ledde till demonstrationer även i Köpenhamn tillsatte kung Frederik VII några veckor efter sin tronbestigning en nationalliberal ministär som i sin tur tog itu med att utarbeta en fri författning. Den skulle gälla även för Slesvig, under det att Holstein skulle ställas utanför och förbli ett tyskt hertigdöme under dansk överhöghet.

Tyskarna i hertigdömena reagerade våldsamt mot delningsplanen, och uppror mot det danska väldet utbröt omedelbart. De fick hjälp från

Preussen, vars trupper marscherade norrut på Jylland där den underlägsna danska armén drevs obönhörligt tillbaka, men under tiden var diplomatien ivrigt verksam. En vädjan från kung Frederik till Oscar I ledde till att fyratusen man svenska trupper fördes över till Fyn under det att ytterligare elva tusen hölls i beredskap i Skåne, men viktigare var säkert att ryske tsaren protesterade hos kungen av Preussen mot att denne hjälpte de slesvig-holsteinska upprorsmännen mot deras lagliga överhet. Följden blev en vapenvila som slöts i Malmö under kung Oscars personliga bemedling. Kriget blossade upp igen året därpå, men Preussen deltog inte på allvar längre och slöt snart fred även formellt, varefter upprorets kuvande bara var en tidsfråga. Ett mycket blodigt slag – det største som Danskerne har udkæmpet siden vor Histories Begyndelse, skrev hävdatecknaren Adam Fabricius på 1850-talet – stod i alla fall vid byn Isted som har fått ge namn åt en gata i Köpenhamn till evärdligt minne av segern.

Ett par tre svenska och norska frivilliga stupade i kampen mot holsteinarna, och den skandinavistiska rörelsen som inte hade utsatts för några vidlyftigare prov utgick med betydligt stärkta krafter ur detta danskarnas krig. I början av 1850-talet öppnade sig så ett stort och skönt perspektiv. Det drog ihop sig till krig mellan England och Frankrike å ena sidan och Ryssland å den andra, och Sverige som inte stod på vidare god fot med ryssarna mer kunde tänkas komma med så småningom på västmakternas sida. I det läget kändes det behagligt att orda om vapenbrödraskapet med Danmark och Norge, och nu var det inte längre bara studenterna som möttes och talade; även kungarna, statsråden och yrkesdiplomaterna dryftade det stora ämnet. Man tänkte sig nu en verklig union mellan de tre länderna, som då skulle komma att utgöra en betydande maktfaktor i den europeiska politiken, och detta föreföll möjligt att ordna på ett mycket behändigt sätt, ty den danske Frederik VII var barnlös och det svensk-norska huset Bernadotte borde i sinom tid kunna få överta även hans krona.

Emellertid var även utomstående makter intresserade av saken. Sommaren 1850 var det ryskfranskbrittiska förhandlingar i London där även de nordiska staterna fick vara med, och resultatet blev ett uttalande där det stod att den danska monarkiens integritet borde bevaras. Sommaren därpå biträdde även Preussen en traktat mellan stormakterna angående den danska tronföljdsfrågan. I samråd med tsar Nikolai I av Ryssland i hans egenskap av chef för den äldre grenen av huset Holstein–Gottorp överflyttades då tronföljden i Danmark på prins Kristian av Slesvig-Holstein-Sonderburg-Glücksburg och hans efterkommande, och därmed var skandinavisternas allra vackraste dröm ur världen.

I vad mån kung Oscar och hans familj blev gramse på chefen för den äldre grenen av huset Holstein-Gottorp vet man väl inte riktigt, men den svensknorska dubbelmonarkiens förhållande till det ryska tsardömet blev just vid denna tid alltmera spänt. Sedan ett par år pågick en allt skarpare notväxling i en angelägenhet som närmast var norskfinsk, nämligen lapparnas rätt till renbeten och fiske på ömse sidor om riksgränserna på nordkalotten. Från rysk sida begärdes att invånarna i tre nordfinska socknar skulle få uppföra egna hus och fiskebodar på en bit

strand vid Varangerfjord, ett förslag som omedelbart underkändes av den norsksvenska utrikesledningen som nämligen misstänkte att det var meningen att anlägga en rysk flottstation i dessa isfria vatten. Förhandlingarna om renbetet sprack då omedelbart varpå Finlands nordgräns spärrades för de norska lapparna. Det var hösten 1852, och vid den tiden stod Europa redan på randen av den stormakternas sammandrabbning som kallas Krimkriget.

Det hela började på allvar i juli 1853 då ryska trupper gick över gränsen till svaga Turkiet. Det kunde förutses att England och Frankrike inte stillatigande skulle låta ryssarna ta för sig och att det snart skulle vara slut med freden även i Östersjön. I det läget enades regeringarna i Stockholm och Köpenhamn om att utfärda likalydande neutralitetsdeklarationer där det stod att de skulle avhålla sig från varje ingripande i konflikten och tillåta de krigförandes fartyg att löpa in i alla civila nordiska hamnar. Deklarationen godkändes av båda sidor sedan ryssarna förgäves hade försökt få den modifierad därhän att hamnarna i stället skulle hållas stängda för alla ifrågavarande fartyg, alltså även ryssarnas. Våren 1854 kom en engelskfransk flotta till Östersjön under en berömd amiral vid namn Napier; han disponerade tjugoåtta linjeskepp och ett femtiotal mindre fartyg. Denna eskader brände ner hus i Uleåborg och Brahestad samt diverse skeppsvarv, brädupplag och annat på kusterna av Finland, vars befolkning då blev lojalare mot ryssarna än någonsin; den bombarderade även Sveaborg samt med bättre resultat det åländska Bomarsund, en nyuppförd rysk marinbas som intogs och sprängdes i luften. Under tiden var diplomatien naturligtvis ivrigt verksam och ansatte de skandinaviska länderna med lockelser, där tanken på Finlands återförening med Sverige var en viktig ingrediens. Kung Oscar var inte ohågad för att lämna neutraliteten men uppställde en del besvärliga villkor: Österrike skulle gå med i förbundet, subsidier skulle betalas, krigets ändamål skulle formligen förklaras vara att Ryssland reducerades till en mindre enorm och farlig stat, och Finlands lösgörande och återförening med Sverige skulle betraktas som en garanterat viktig del av detta stora mål. Under 1855, då kriget under ohygglig blodsutgjutelse rasade som värst kring fästningen Sevastopol nere på Krim, sköts den officiella svenska diplomatien ett slag åt sidan av konungen, som i stället använde sig av operachefen Knut Bonde till att föra hemliga underhandlingar med Napoleon III om ett gemensamt anfall på S:t Petersburg, men därav blev ju ingenting. I stället ingick från engelskt håll ett förslag som handlade om den befarade ryska planen på en örlogshamn vid Varangerfjord; västmakterna föreslog en ryssfientlig traktat som också kom till stånd. Den kallas i historien för novembertraktaten och utsäger att kungen av Sverige och Norge aldrig skulle avstå något område i sina länder åt ryssarna, ej heller medge dem någon betesrätt, fiskerätt eller liknande på sitt territorium; om något sådant begärdes från rysk sida skulle engelska och franska regeringarna omedelbart underrättas och skulle då genast skynda till hjälp.

Novembertraktaten tycks ha kommit som en överraskning för ryska regeringen, som inte dolde sitt missnöje; tsaren själv betecknade den som en oförtjänt förolämpning, och ingen tvekan kunde ju råda om att Sverige därmed hade lämnat sin neutralitet och kunde väntas gå med i kriget inom kort. Att så inte skedde berodde uteslutande på att fredspreliminärer kom till stånd bara någon vecka efteråt. På nyåret 1856 vände sig kung Oscar personligen till Napoleon III med tre önskemål som han ansåg böra tillgodoses i freden: begränsning av den ryska sjömakten i nordiska farvatten, Ålands återgång till Sverige, förbud för ryssarna att uppföra befästningar väster och norr om Sveaborg. Ludvig Manderström skickades omedelbart till Paris där fredsunderhandlingarna pågick för att såvitt möjligt genomdriva det där, vilket naturligtvis dock var en omöjlig uppgift även för denne skicklige diplomat, ty hans land hade ju inte varit med i kriget och hade således ingen rätt att ställa några villkor för freden. Kravet på förbud mot att befästa Åland togs emellertid upp av västmakterna, och i en tilläggsartikel till det egentliga fredsfördraget förklarade sig tsaren vilja tillmötesgå de franska och engelska monarkernas önskan att öarna för framtiden inte skulle befästas. Det var ju ett magert resultat av kung Oscars vittutseende storpolitik, men det var i alla fall något.

Freden efter Krimkriget slöts i mars 1856, och i juni det året hölls ett nordiskt studentmöte med eldande tal av prominenta personer och ynglingating vid Uppsala högar och diverse annan hänförelse. Detta möte har alltid brukat betecknas som den skandinavistiska rörelsens höjdpunkt, ty på återresan gav kung Oscar stor fest för deltagarna på Drottningholm och höll ett berömt skåltal där han fastslog att krig mellan skandinaviska bröder vore hädanefter omöjligt: "detta oryggliga beslut står med outplånliga drag inristadt i de tvenne nordiska konungarnas hjärtan, i de trenne skandinaviska folkens bröst." Han meddelade också att "våra svärd stå redo till gemensamt försvar". När studentmötet var slut och deltagarna hemma igen vidtog högtidlig eftersläckning i både Kristiania och Köpenhamn, och inte långt efteråt kom den svenske kronprins Karl och hälsade på den danske kung Frederik, vilket i sin tur ledde till en invecklad serie delikata, mycket hemliga förhandlingar om nordiskt försvarsförbund till skydd för gränsen vid Ejder samt om danskt inträde i sinom tid i den svensknorska unionen. Till dem som såg fram emot detta hörde olyckligtvis inte den danske utrikesministern, som var holsteinare och hette von Scheele. Efter åtskilliga månaders muntlig bearbetning mottog Frederik VII en marsdag 1857 ett handbrev från Oscar I med ett konkret förslag till defensivallians; han erbjöds reell garanti för Slesvig och sextontusen man svenska trupper vid behov. Frederik VII skickade ett vänligt telegram till tack men rådgjorde därefter med von Scheele, och några veckor senare skrev han till Oscar I och avböjde alliansförslaget med motivering att Holstein inte var inbegripet. Den svenske kungen blev djupt sårad, och det kan hända att grämelsen bidrog till att hans sjukdom bröt ut på allvar; han måste inom kort dra sig tillbaka från regeringen för alltid. Ministären von Scheele i Danmark föll inom kort och efterträddes av nya män med andra åsikter om den erbjudna alliansen, och förslaget om försvarsförbund togs därför upp från danskt håll innan året var till ända, men denna gång var det svenska regeringen som svarade nej.

Emellertid var skandinavismen naturligtvis inte död, och för dess svenska skaror erbjöd tiden även andra saker än Danmarks sak att entusiasmeras av och sympatisera med. Kampen för ett enat Italien pågick som bäst och kunde betraktas som ett nordbornas föredöme, helst som den hade framgång; förresten var Garibaldi en populär figur vars bild hängde i många hus i Sverige. Han slogs ju bland annat mot Napoleon III, och det var därför inte populärt i alla kretsar att Karl XV reste till Frankrike och hälsade på denne sommaren 1861. Han besökte för övrigt också England och togs emot med iögonenfallande artighet på båda ställena. Till S:t Petersburg reste han däremot inte och blev minst lika upprörd som flertalet av sina undersåtar när det förspordes att tsaren efter Krimkriget hade avskaffat alla ryska segerjubiléer med undantag av Poltavajubiléet. Nyheten uppfattades allmänt som en utmaning mot Sverige och föranledde dels en rad fosterländska skarpskyttefester, dels en insamling till den staty av Karl XII som sedan 1868 står och pekar åt öster vid Stockholms ström.

En sak som lyckligtvis upprörde sinnena i högre grad var polackernas resning mot det ryska väldet. Sympatierna fick luft i en mängd mycket krigiska uttalanden både på Riddarhuset och i pressen, och Karl XV själv umgicks allvarligt med tankar på krig mot moskoviten för att på en gång ge Polen luft och återvinna Finland, ty hans finländske bibliotekarie Emil von Qvanten hörde till den lilla grupp människor som trodde att finnarna ville ha det så. Hans betänksamma regering, där De Geer var justitiestatsminister och Manderström utrikesstatsminister, avstyrde dock den sortens äventyrligheter och såg också till att de polska flyktingarna inte organiserade militära expeditioner från svensk mark. Passtvånget hade nyss upphävts och asylrätten införts i Sverige, och flyktingarna undan tsarväldet var talrika här; bland dem fanns inte bara polacker utan också en del revolutionära ryssar, främst den ryktbare kommunisten Bakunin som mottogs med öppna armar och vistades rätt länge i Stockholm. Regeringens okrigiska hållning visade sig vara välbetänkt, ty västmakterna som i likhet med Sverige hade sympati för polackerna och i diplomatiska noter hade uttalat sig för deras sak nöjde sig med detta och höll sig alldeles overksamma när det polska upproret till sist kvävdes av Rysslands arméer med Preussens fullkomliga gillande. Sistnämnda stat styrdes sedan någon tid av en impopulär men mer än vanligt resolut politiker: Bismarck.

Det polska upproret pågick alltjämt och höll ryssarna och preussarna sysselsatta när den danska regeringen beslöt att göra slag i saken beträffande sina tyska provinser. I mars 1863 utfärdades ett utkast till ny gemensam grundlag för Danmark och Slesvig, som därigenom skulle införlivas helt och hållet med det danska kungariket och lösgöras från förbindelsen med hertigdömet Holstein. Detta gick helt i stil med vad skandinavisterna önskade och svenska regeringen upprepade gånger hade föreslagit, och beslutet fattades i nära samförstånd med Karl XV, utrikesminister Manderström och svenske Köpenhamnsministern Henning Hamilton. Att en svensk-dansk allians i någon form skulle komma till stånd ansågs vid denna tid nästan självklart. I juli månad träffades Frederik VII och Karl XV på Skodsborg i Danmark och därefter på Bäckaskog i Skåne och utbytte broderliga tankar, varvid den svenske kungen iakttog föga återhållsamhet i alla avseenden; mellan en kraftig frukost och en liknande middag lovade han nämligen danskarna bistånd

med att försvara inte blott Slesvig utan även Holstein. Hamilton och Manderström fick brått att krafsa dessa kastanjer ur elden och utarbeta-de i stället ett traktatförslag där det stod att tjugotusen man svensk-norska trupper skulle komma Danmark till hjälp i händelse detta land inklusive Slesvig bleve angripet.

Även detta var ju dock ett riskabelt löfte, och så snart finansminister Gripenstedt uppe i Stockholm fick reda på saken-satte han sig omedel-bart på tvären och lyckades genast göra De Geer betänksam. En privat statsrådsöverläggning med kungen kom till stånd i september på Ulriks-dals slott och ledde till att traktatens undertecknande blev uppskjutet tills man fick höra efter om England och Frankrike vore beredda att lämna någon hjälp. De flesta statsråden och även militärbefälet hade fått klart för sig att de svensknorska stridskrafterna var miserabla. Mander-ström som obestridligen hade låtit sig lockas för långt ut fick nu den obehagliga uppgiften att ta tillbaka kungens och sina egna löften, vilket han gjorde bakom en dimridå av diplomatiska ord och fraser.

Fram i oktober började det gå upp för danskarna att den svenska hjälpen var osäker, och knappt stod detta klart förrän krisen med tyskarna blev akut. I november dog nämligen oväntat Frederik VII, den siste av sin ätt, och efterträddes programenligt av den glücksburg-ske Kristian IX. Dennes första regeringshandling blev att stadfästa och underteckna den nya grundlagen som inbegrep Slesvig. Preussen som redan tidigare hade anmält missnöje med denna författning lät nu förstå att om danskarna lät den träda i kraft kände sig Preussen inte förpliktat att erkänna Kristian IX som kung av Danmark, ty 1851 års överens-kommelse mellan makterna om tronföljden i Danmark förutsatte vissa förpliktelser också från dansk sida. Denna preussiska ståndpunkt intog därpå även Österrike.

Stort diplomatiskt surr utbröt strax i Europa när det här blev känt, och en engelsk, en fransk och en rysk ambassadör reste hals över huvud till Köpenhamn för att söka avvärja det hotande kriget genom att förmå danskarna att återta författningen. Detta lyckades, men inte i tid; för-fattningen hann träda i kraft, och redan i januari 1864 ryckte preussare och österrikare över gränsen och översvämmade efter hand hela Jylland. Danmark stod ensamt och krigets utgång var given; det slutade med fred i Wien där hertigdömena Slesvig och Holstein avträddes till de båda segrande stormakterna.

För Sveriges del var tronskiftet i Danmark och de därmed förenade komplikationerna såtillvida välkomna att de gjorde det lättare för regeringen att genomföra återtåget från utrikesledningens och framför allt kungens heroiska löften. Sympatierna för Danmark var naturligtvis stora, en del studenter och officerare gick som frivilliga ut i kriget, det gjordes insamlingar och tillverkades förbandsmaterial och så vidare, men opinionen i landet var på det hela taget inte krigisk, och folk i allmänhet tänkte som vanligt på mera närliggande ting. Ett möte som anordnades i Stockholm av liberala skandinavister följdes av en del gatudemonstrationer som strax urartade till rena pöbeluppträden med fönsterinslagning hos Manderström och andra, varvid polisen energiskt grep in med brandsprutor och batonger och skingrade skocken. Sedan stod det en tid mycket i tidningarna om stockholmspolisens brandsprutor, som för vissa behjärtade skribenter tycktes framstå som den allra svåraste fienden till Danmarks rättvisa sak. Vidare ståtligt var med andra ord inte svenskarnas uppträdande under detta skandinavismens ödesår. En svensknorsk eskader under befäl av kungens bror Oscar kryssade visserligen i de danska farvattnen en liten tid, vad nu det skulle tjäna till; varken danskar eller tyskar blev imponerade.

Verkligt käck var däremot Karl XV själv, som ville dra i krig från första stund och tappert arbetade för detta mål även sedan tyskarna hade stormat och genombrutit ställningen vid det sönderjydska Dybbøl, där den danska hären hade hållit stånd i några veckor. Han uttalade sig frankt både här och där, varefter det blev regeringens sak att dementera hans uttalanden. En majdag kunde man i tidningarna läsa något som kallas Karl XV:s unionsförslag; det gick ut på omedelbar svenskdansk union med gemensamt parlament men två kungahus som skulle regera turvis. Karl XV hade inte hittat på detta själv, men han hade anbefallt idén i brev till Danmarks kung och statsminister, och Louis De Geer som bar regeringsansvar i Sverige blev naturligt nog ursinnig och skrev till kungen att om han fortsatte att uttala sig på detta sätt så måste det bli regeringsskifte, och såväl han själv som Manderström hade redan tidigare begärt sitt avsked. "Det är sant, att Eders Maj:t icke kan afskeda sina rådgifvare utan att hafva andra, som träda i deras ställe, och saken har därpå hittills strandat. Men om det verkligen skulle förhålla sig så, att Eders Maj:t icke kan finna tio personer, för hvilka Eders Maj:t i öfrigt äger förtroende, som vilja åtaga sig ansvaret för den politik, Eders Maj:t vill föra, är icke detta ett afgörande bevis, att denna politiks genomförande är omöjligt?"

Den politiska skandinavismen tynade bort i all stillhet efter 1864; ytterligare några nordiska studentmöten hölls visserligen, men skåltalen var inte så manhaftiga längre. I Sverige glömde man i själva verket snart vad som hade vederfarits danskarna och orienterade sig så småningom åt det tyska kejsardöme som Bismarck skapade i Karl XV:s sista år. Vid Oscar II:s kröning kom tyske kronprinsen och hälsade på honom såväl i Stockholm som i Kristiania, och ett par år senare gjorde den nye svenske monarken en högtidlig resa till Berlin och även till Dresden, där han gjorde försoningsvisit hos den sachsiska drottning Carola som nämligen var sondotter till kung Gustaf IV Adolf. Hennes pappa prins Gustaf av Vasa levde än men hade uraktlåtit att erinra om sina arvsanspråk vid Oscar II:s tronbestigning, vilket var första gången han lät bli det. Strax därpå reste Oscar II även till Ryssland och intågade bejublad och begapad i Moskva på årsdagen av slaget vid Poltava, varefter han togs emot av kejsar Alexander II i S:t Petersburg med all möjlig förbindlighet och pompa. Det var sommaren 1875, och opinionen i Sverige hade ingenting att invända; rysshatet från det polska upprorets tid och åtrån att ta tillbaka Finland hade alltså hunnit dunsta bort nu. Tre år senare tog Sverige förresten ytterligare ett steg på resignationens väg genom att med berått mod avstå från sin sista utomskandinaviska besittning, det västindiska S:t Barthélemy, vars förvaltning nämligen kostade statskassan en del utan att ge nämnvärt i utbyte. Frankrike tog hand om ön, pensionerade dess tjänstemän och löste in svenska kronans obetydliga egendom där.

Vänskapen med de nordiska bröderna svalnade samtidigt så smått. 1873 hade man rentav en hetsig tvist med Danmark; det var så att ett privat skånskt bolag hade tagit sig för att lotsa fartyg genom Öresund i konkurrens med de danska lotsarna och i trots mot danska myndigheter, och danskarna skickade då ut krigsfartyg att uppbringa de svenska lotsbåtarna, varvid opinionen på bägge sidor naturligtvis blev våldsamt upprörd. Saken löstes inom kort genom internationell skiljedom som gick svenskarna emot. Inte desto mindre tillkom detta samma år en svenskdansk överenskommelse av allra största räckvidd och betydelse, nämligen avtalet om en myntunion. Man enades om ingenting mindre än en ny gemensam valuta, vars enhet skulle kallas krona, vara delbar i hundra ören och motsvara värdet av 0,4032258 gram fint guld. Myntunionen genomfördes ju verkligen och var i kraft till första världskriget, då inflationer och andra rubbningar av pengarnas värde sorgligt nog framtvang en boskillnad mellan svenska, danska och norska kronor.

Norrmännen, gripna av motvilja inför själva ordet union, ville inte vara med i valutagemenskapen från början. Redan efter två år fann de dock att arrangemanget inte var så dumt varpå de anslöt sig. Detta var förmodligen det enda steg de tog under Oscar II:s regering i riktning mot större nordisk samverkan.

En av denne konungs första åtgärder var att i norskt statsråd sanktionera ett stortingsbeslut om riksståthållareämbetets avskaffande vilket hans företrädare hade vägrat att gå med på, och i stället inrättades ett norskt statsministerämbete med säte i Kristiania. Stortinget som siktade på att införa parlamentarism i Norge hade också beslutat att statsråden skulle ha tillträde till stortingsförhandlingarna, men den saken ville Oscar II godkänna endast på villkor att han fick rätt att upplösa stortinget liksom han kunde upplösa riksdagen i Sverige. Stortinget å sin sida hörde inte på det örat utan upprepade gång på gång sitt beslut, och kungens veto följde varje gång säkert som amen i kyrkan. När detta hade hållit på till år 1880 hävdade stortingsmajoriteten att beslutet nu hade vunnit laga kraft, eftersom kungen efter dess mening bara hade suspensivt veto i grundlagsfrågor. Oscar II och hans konservativa rådgivare hävdade motsatsen, och där stod man nu i sina låsta positioner ända till 1883, då det norsknationalistiska venstrepartiet hade vunnit ett val och nått en förkrossande majoritet i stortinget. När Oscar II trots detta behöll sin konservativa norska regering anställde stortinget riks-

rättsåtal mot statsråden och fick dem dömda till avsättning eller böter
– riksrätten bestod naturligtvis av pålitliga venstremän.

Oscar II funderade nog på att slå ner stortingsoppositionen med de
barskare medel som kunde stå en skandinavisk konung till buds, men
hos sina svenska undersåtar fann han inte tillnärmelsevis det stöd som
behövdes. Sympatierna för den bondska norska vänstern var stora
framför allt inom det stora Lantmannapartiet, och de svenska rege-
ringarna Thyselius, Posse och Themptander tillrådde alla en försiktig
politik gentemot Norge. Under sådana förhållanden såg sig kungen
tvungen att falla undan och kalla stortingsoppositionens ledande man
Johan Sverdrup till statsminister, och därmed var parlamentarismen
införd i Norge flera årtionden innan Sverige nåddes av samma lyck-
liga lott.

Fortsättningen på den svensknorska unionens historia är trist läs-
ning, icke blott därför att de båda länderna gled obönhörligt isär utan
också därför att politiken som förde dit är småsinnad och knastrande
tråkig att rekapitulera. På 1880-talet käbblade man mycket om vad som
kallades den ministeriella konseljen, det vill säga om den unionella
regeringen i utrikespolitiska frågor. I sådana hade kungen personligen
alltjämt mycket att säga till om. 1885 antogs i Sverige en lag som lade
större makt i utrikesministerns händer och bestämde att antalet svenska
ledamöter i den ministeriella konseljen skulle ökas till tre, medan Norge
alltjämt skulle ha bara en representant. Norska regeringen och även
de svenska liberalerna fann detta orättfärdigt, och efter åtskillig drag-
kamp blev det frågan om att norrmännen också skulle få tre leda-
möter, dock på villkor att det uttryckligen fastslogs att utrikesmi-
nistern alltid skulle vara svensk. Det ville Sverdrup inte gå med på, och
så stod man där igen och stampade.

1891 avskaffades vicekonungadömet i Norge utan större slitningar
– det var ju bara fråga om en titel. 1892 fattade stortinget däremot det
uppseendeväckande beslutet att inrätta eget norskt konsulatväsen, varpå
kungen inlade sitt veto och skaffade sig en norsk högerregering som
styrde Norge efter sitt och kungens huvud under ett par år. Stortinget
svarade med att dra in anslagen till de gemensamma svensknorska
konsulaten och till beskickningen i Wien, varjämte man kraftigt skar
ner apanagen till kungens och kronprinsens hov. I Sverige blev man
sårad och stucken över detta i ganska vida kretsar. Att den gemensam-

me utrikesministern eventuellt skulle kunna vara norrmann började man visserligen finna tänkbart, men i konsulatsfrågan visade riksdagen ingen lust att gå stortinget till mötes, och i samma veva lyckades protektionisterna där driva igenom att man sade upp den så kallade mellanrikslagen, vilket innebar att man skärpte tullarna mellan parterna i unionen. Riksdagen förskotterade vidare de diplomatiska anslag som stortinget hade dragit in, höjde krigskreditiven och uttalade sig för skyndsam och fullständig revision av unionen. Kungen karskade också upp sig, ivrigt påhejad av kronprins Gustaf och även av den tyske kejsar Wilhelm som besökte Stockholm sommaren 1895. Inför all denna beslutsamhet greps stortinget av förskräckelse, voterade anslag till konsulaten med retroaktiv verkan och förklarade sig berett att förhandla om tvistefrågorna.

En svensknorsk unionsrevisionskommitté kom därpå till stånd och arbetade i tre år, varunder det rådde en sorts vapenvila. När den blev färdig utbröt omedelbart stort oväsen igen, ty kommittén hade naturligtvis inte kunnat enas utan framlade inte mindre än fyra förslag till fortsatt samlevnad. Professor skytteanus Oscar Alin som nyligen hade gett ut ett stort verk om de statsrättsliga förhållandena inom unionen stod bakom det bistraste förslaget som gick ut på att norrmännen kunde få lika rättigheter endast om de påtog sig lika skyldigheter, vilket bland annat skulle innebära att stortinget gick upp i en unionell representation. Så långt ville inte andra svenskar gå. De två norska förslagen var båda oförenliga med de svenska; det ena krävde rätt för Norge att ha egna konsuler, det andra gick längre och begärde full självständighet inom hela utrikesförvaltningen.

Medan man grälade som värst om dessa ting avgjorde norrmännen självrådigt en struntsak som var ägnad att inflammera sinnena på båda sidor. Det var frågan om unionsmärket, den så kallade sillsallaten, som satt i översta inre hörnet på de båda ländernas flaggor. 1893 och 1896 beslöt stortinget att ta bort det där i norska handelsflaggan – inte i örlogsflaggan dock – och Oscar II inlade båda gångerna sitt veto. När stortinget 1898 fattade samma beslut för tredje gången skrev han under flagglagen för att rädda ansiktet, eftersom den annars skulle ha tillämpats hans underskrift förutan.

I Sverige påstods det vid det laget att norrmännen bedrev hemliga rustningar, och i ryska tidningar stod det svenskfientliga artiklar av

Björnstjerne Björnson, vilket gav anledning till oro och sattes i samband med att det i Norrland vandrade ryska sågfilare som kunde vara spioner. Det var i de åren då Bobrikov hade blivit generalguvernör i Finland och hade satt i gång förryskningsprocessen där. Många svenskar vädrade krigsfara både i öster och väster och började intressera sig för försvaret och den nationella äran som aldrig förr. Harald Hjärnes studier över Karl XII såväl som Heidenstams Karolinerna kom till precis det året då norrmännen tog bort unionsmärket ur flaggan.

Förhandlingarna i konsulatsfrågan fortgick emellertid. 1902 tillsattes på svenskt initiativ en kommitté som faktiskt kom fram till att skilda konsulat på vissa villkor borde kunna upprättas, men det återstod att klara ut i vilket förhållande de norska konsulerna skulle stå till utrikesministern och till beskickningarna. 1904 reste statsminister Boström till Kristiania med ett förslag som gick ut på att utrikesministern skulle ha en viss kontroll över dem och kunna hemställa hos konungen om avsättning av en eller annan konsul som möjligen befanns olämplig. Förslaget avvisades blankt av norska regeringen, som kallade kontrollparagraferna för lydrikespunkter.

Stämningen var nu sådan att det hela började bli farligt. Unionen hade inga vänner i Norge mer, i mars 1905 bildades där en koalitionsministär, och några veckor senare antog stortinget en lag om eget norskt konsulatsväsen utan att bekymra sig om förhållandet till utrikesministeriet. Oscar II inlade sitt veto, men de norska statsråden vägrade i sin tur att kontrasignera detta kungliga beslut och begärde sitt avsked. Detta vägrade kungen att bevilja under förklaring att han inte kunde bilda ny regering nu. Stortinget citerade detta med uteslutande av ordet nu samt tillkännagav att unionskungen alltså hade upphört att fungera som konung i Norge. Det var den 7 juni 1905.

Därmed var unionen de facto upplöst. Kungen vägrade visserligen att ta emot budskapet därom och sammankallade en urtima riksdag som sammanträdde fjorton dagar senare, men någon större lust att med våld hålla norrmännen kvar förmärktes inte i Sverige, där regeringen – statsministern hette Ramstedt vid tillfället – blott begärde fullmakt att avveckla unionen även formellt. Riksdagen såg emellertid allvarligare på saken och tillsatte ett särskilt utskott till att överväga vad som borde göras. Där satt både förstakammarhögerns ledare Christian Lundeberg och den liberale ledaren Karl Staaff, men utskottets utlåtande blev likafullt enhälligt och ställde en del villkor för unionsupplösningen, först och främst att man skulle hålla folkomröstning om saken i Norge samt att de nyuppförda norska gränsbefästningarna skulle rivas ner. Regeringen Ramstedt avgick då, och ett antal ledamöter av särskilda utskottet etablerade i stället en samlingsregering med Lundeberg som chef.

Trupprörelser pågick nu i båda länderna, men den önskade folkomröstningen i Norge kom också till stånd omedelbart och gav naturligtvis förkrossande majoritet för unionsupplösning: bara etthundraåttiofyra röster i hela landet var emot. Stortinget begärde sedan förhandlingar, och sådana kom till stånd på eftersommaren i Karlstad, där den kloke norske statsministern Christian Michelsen lyckades åstadkomma vissa jämkningar i de svenska kraven på rasering av fästningar, en tvistefråga som naturligtvis var omgiven av flammande nationella prestigekänslor ehuru den i sak knappast betydde det ringaste. Man enades om att norrmännen skulle få behålla fästningen i Kongsvinger som dock inte skulle få utvidgas, medan övriga fortifikationer i gränszonen skulle raseras. Andra frågor – om transitotrafiken till Narvik, om lapparnas renbeten och annat – var lättare att lösa, och i slutet av oktober 1905 kunde man högtidligen underteckna den så kallade Karlstadskonventionen sedan den dessförinnan hade godkänts såväl av stortinget som av riksdagen.

Att det fria Norge skulle bli en monarki var nästan självklart. Stortinget hade redan i samband med unionsupplösningsbeslutet vänt sig till Oscar II och begärt att en prins av hans hus skulle få väljas till kung, men detta avvisades omedelbart. Norrmännen valde då i stället en dansk prins som hette Carl men antog namnet Hakon VII. Förhållandet mellan de nordiska kungafamiljerna var sedan mycket kyligt i nästan ett årtionde, men när första världskriget bröt ut 1914 hade såren hunnit läkas någorlunda, och vid ett berömt trekungamöte i Malmö strax före jul det året var det dags för Gustaf V och Hakon VII att offentligen skaka hand.

Den stora folkomflyttningen

När hembränningen avskaffades och stambanebyggandet började bodde bortåt nittio procent av svenska folket på rena landsbygden, där jordbruk i någon form var den enda försörjningskällan. Ungefär tre och en halv miljon människor fanns i Sverige vid den tiden, flertalet av dem hade det slitsamt och fattigt, och medellivslängden var ungefär fyrtio år. Emellertid var nativiteten hög och befolkningen växte med någon procent om året. Därmed blev det trångt i stugorna och en stor utflyttning satte igång, men när 1900-talet gick in fanns likafullt inemot tre miljoner människor eller gott och väl hälften av Sveriges befolkning kvar på landet, där en tröskvandring var höjden av teknisk modernitet och lönen för en piga höll sig omkring hundratio kronor om året jämte kosten. Femtio år senare levde bara halvannan miljon svenskar på jordbruk och liknande, medan handel och samfärdsel sysselsatte nästan lika många och drygt tre miljoner var sysselsatta med industri. Ståndscirkulationen gick inte längre så trögt, nationen hade fått det ekonomiskt drägligt omsider och åtnjöt sociala förmåner av mycken förträfflighet, och förändringarna i dess liv och leverne under loppet av någon generation hade varit så enorma att det gamla rikets historia föreföll många unga människor helt främmande och ovidkommande.

Primus motor för denna utveckling var, såsom var man vet, ångmaskinen. Den drog skepp över oceanen, tåg på stambanorna, sågverk på kusten och verkstäder i stationssamhällena alltifrån 1870-talet, då den tekniska tidsåldern började bryta in på allvar hos oss. De sista åren av riktig gammaldags hungersnöd i Sverige inträffade i slutet av 1860-talet, då landet drabbades av flerårig missväxt och järnvägen ännu inte räckte till Norrland och andra avsides trakter. Däremot gick det svenska skepp till tyska och engelska hamnar, som i sin tur hade regelbunden ångbåtstrafik till Amerika. Nödåren på 1860-talet gav upphov till den första verkligt stora vågen av Amerikaresande från Sverige; den omfattade ungefär åttiotusen personer. Under det följande årtiondet då tiderna var jämförelsevis goda utvandrade sammanlagt något hundratusental, men på 1880-talet när jordbruket hade det bekymmersamt och tullstriden rasade som värst reste bortåt fyrahundratusen svenskar sin kos, flertalet till Amerika. Sedan gick siffrorna ner, men en ansenlig emigration fortgick i alla fall utan avbrott till första världskriget och blossade för övrigt upp igen under krisåren i början av 1920-talet. Sammanlagt utvandrade någon miljon människor från Sverige innan strömmen vände sent omsider, och flertalet var naturligtvis ungt och fruktsamt folk. Fenomenet väckte begripligt nog bekymmer i Sverige, och en stor emigrationsutredning tillsattes i Oscar II:s yttersta år; dess vidlyftiga betänkande erbjuder högst intressant läsning och delvis även mycket märkvärdig sådan. Statistikern Gustaf Sundbärg som ledde arbetet och svarade för alla dess siffror och kalkyler bifogade nämligen också en samling fosterländska aforismer om det svenska folklynnet, vars egenheter han ansåg höra till ämnet. Han säger att svenskarna älskar naturen men förstår sig inte på människor, inte ens sig själva, och de har ingen nationell instinkt utan ringaktar sitt eget. Dessutom saknar de historiskt sinne, är sorglösa, välvilliga mot främmande men avundsamma mot landsmän, snälla och lättjefulla. De låter lura sig av danskar och norrmän och är inte tacksamma mot sina stora män, inte ens Gustaf II Adolf. Svenskarna i Amerika, som dock är fem gånger så talrika som svenskarna i Finland, uppehåller ingen kulturförbindelse med sitt forna hemland, och det finns inte en bokförläggare som fäster något avseende vid dem. Däremot gör de svenskheten oändlig skada genom att utbreda ringaktningen för Sverige också bland de hemmavarande genom Amerikabreven till dem. "I detta hänseende tro

Industrialiseringen

vi, att icke ens ungsocialisterna gjort vårt folk så mycket ont som våra 'patriotiska' landsmän i Förenta Staterna." Emigrationsutredaren Sundbärgs välformulerade, oförskräckt generaliserande men ibland ganska märkvärdiga tankar har illa motstått tidens tand, men de är verkligen mycket tidstypiska, och ingen som vill veta något om atmosfären bland de styrande i Sverige under emigrationsåren mellan unionsbrottet och första världskriget bör försumma att ta del av hans originella bidrag till det officiella trycket.

I själva verket var emigrationen knappast någon olycka för Sverige, som under årtiondena före sekelskiftet otvivelaktigt var ett överbefolkat land, ur stånd att ge människovärdig försörjning åt alla sina söner och döttrar i de växande årskullarna; ända in på 1880-talet fortfor jordbruksbefolkningen alltjämt att växa. Andra arbetstillfällen skapades emellertid i rask takt, och den inre folkomflyttningen i landet var hela tiden ansenlig. Företag som Domnarvet, Sandviken, Motala verkstad, Bofors, Husqvarna Vapenfabrik, Kockums i Malmö, Bolinders i Stockholm, Munktells i Eskilstuna, Uddeholmsbolaget, tändsticksfabrikerna i Jönköping och skeppsvarven i Göteborg drog till sig fler och fler människor, och nya storindustrier i gamla städer etablerades också: Separator, Asea, Kullager och andra. Dramatiskt intressantare är väl utvecklingen i Norrland, vars skogsindustri tog fart på 1880-talet då flottlederna rensades upp och företag som Mo & Domsjö, Ljusne-Woxna, Skutskär, Korsnäs och Iggesund blomstrade upp på allvar, något som förutsatte invandring söderifrån icke allenast av rallare. Ett rent kolonisationsområde, lika jungfruligt som Nebraska eller Wisconsin, utgjorde de norrländska malmfälten, som började dra folk redan på 1890-talet sedan järnvägen från Luleå hade nått Gällivare; Kiruna fick vänta till 1902, då Narviksbanan stod färdigbyggd omsider.

Emigrationen, industrialiseringen och folkomflyttningen i Sverige är uppenbarligen groningsgrunden för det sena 1800-talets folkrörelser som i sin tur har lagt grundval för de politiska grupperingarna och tänkesätten i våra dagar. Äldst av dem är ju den frireligiösa väckelsen. Ur Evangeliska fosterlandsstiftelsen som Rosenius hade bildat på 1850-talet utbröts tjugo år senare Svenska missionsförbundet där Paul Peter Waldenström var ledare; han predikade den kätterska åsikten att Gud inte behövde försonas och kom omedelbart i strid med en rad andra teo-

837

loger som slog fast att Kristi verk skulle vara meningslöst ifall Waldenström hade rätt. Waldenström bekämpade ivrigt statskyrkans ordning och krävde frihet till enskild nattvardsgång där ovärdiga personer kunde hållas utanför, men han gick inte ut ur statskyrkan med sitt missionsförbund, vars betydelse kanhända har varit större för det politiska livet än för det religiösa, ty det var tidigt en förträfflig demokratisk organisation med utåtvända intressen.

Själv gjorde Waldenström på äldre dagar vidsträckta resor i Amerika, och det finns i hans förkunnelse en kombination av folklig framställningskonst, praktisk klokskap och optimistisk barnatro som kan förefalla typiskt amerikansk, ehuru han faktiskt började sin bana som svensk läroverkslektor i kristendom, grekiska och hebreiska. Direkt importerade från Amerika är däremot en del andra svenska väckelserörelser, exempelvis de som resulterade i Svenska baptistsamfundet, Örebromissionen och Filadelfiaförsamlingen, allesammans grundade av hemvändande svenskamerikaner.

Västerifrån kom också den folkliga svenska nykterhetsrörelsen. Den stod från början i förbindelse med de religiösa väckelserna; Godtemplarorden introducerades sålunda år 1879 av en svenskamerikansk baptistpredikant som hette Olof Bergström. Den religiösa karaktären hos nykterhetssamfunden var dock rätt tunn, och framför allt godtemplarlogerna blev tidigt centraler för ett nyktert men annars föga puritanskt nöjesliv och även för ett imponerande folkbildningsarbete som inte alls var begränsat till frågorna om spriten. På 1890-talet tillkom för övrigt en nykterhetsorganisation som principiellt och från första stund ställde sig utanför allt vad religion hette. Den hette NOV alias Verdandi och har det intresset att den i stället var knuten till den framväxande arbetarrörelsen i Sverige.

Arbetarrörelsens historia är genomkorsad av internationella inflytelser och är i grund och botten mycket invecklad, även om man låter den börja så sent som 1879, vilket sker ibland. Det året inträffade den första riktiga arbetsnedläggelsen i Sverige, den så kallade Sundsvallsstrejken, som omfattade ungefär femtusen sågverksarbetare och kvävdes av militär på bedrivande av den ståndsmedvetne landshövdingen Curry Treffenberg. Arbetarna ifråga var inte organiserade än, och deras uppseendeväckande nederlag hade sin betydelse för fackföreningsrörelsen, som tog fart under 1880-talet och redan 1898 hade hunnit så långt att Landsorganisationen kunde se dagens ljus. En konkurrerande organisation som hette Svenska Arbetarförbundet byggdes upp på samma gång; den rekryterades mest av frireligiöst folk som gärna ville vara med om att höja arbetarnas löner och levnadsvillkor men var oense med sina världsligt sinnade kamrater om nära nog allt annat. Framför allt stöttes de bort av religionsfientligheten i den nya materialistiska ideologi som predikades i fackföreningarna, som nämligen i Sverige stod under socialistiskt inflytande från första stund och som utgjorde byggstenarna i de lokala arbetarkommunerna, vilka i sin tur bildade det socialdemokratiska partiet.

Ledare för detta var nästan från början den kloke och varmhjärtade Hjalmar Branting, som egentligen var astronom med god ekonomi och högborgerliga levnadsvanor. Han åtnjöt personlig respekt bland tänkande människor i alla läger och har inte ringa heder av att arbetarklassens emancipation i Sverige försiggick praktiskt taget utan våldsdåd eller terror. Eldiga idealister på partiets vänsterflygel gjorde ett par gånger vad de kunde för att med eldvapen påskynda processen, men det var isolerade företeelser som medförde mycken tragik för de inblandade utan att nämnvärt påverka de politiska händelsernas gång. Ett sådant attentat ägde rum 1909, då ryske tsaren var på besök i Stockholm och en kula som var ämnad åt honom dödade en svensk general i Kungsträdgården, men den storstrejk som inemot trehundratusen arbetare genomförde samma år kännetecknades av lugn och beundransvärd disciplin, vilket visserligen till någon del kan ha berott på att det var sommar och vackert väder och ingen sprit till salu.

Det liberala Svenska Arbetarförbundet gick under i storstrejken, men denna innebar också ett bakslag för såväl fackföreningarna som socialdemokratiska partiet. Förhållandena i Sverige och världen förändrades likväl snabbt under det årtionde som följde. Den länge eftersträvade åttatimmarsdagen som kom 1919 förlorade händelsevis det mesta av sitt nya behag i 1920-talets väldiga arbetslöshet, men en sommardag 1928 hälsade omsider Per Albin Hansson årets partikongress med ett nytt fryntligt ord som raskt blev bevingat; han talade nämligen om det goda folkhemmet, som det borde vara partiets strävan att förverkliga.

Sedan dess har tanken på socialistrevolution i Sverige mestadels förefallit komisk, men revolutionen ifråga har bit för bit ägt rum likafullt.

Historieskrivarna

År 1844, Karl XIV Johans dödsår, skrev fornforskaren Richard Dybeck det fosterländska poemet Du gamla, du friska på en folkmelodi som han själv hade upptecknat i Västmanland. Sången blev populär mot seklets slut, och anno 1905, det året då unionen med Norge omsider upplöstes efter långt lidande, ändrades dess text officiellt till Du gamla, du fria, ty sången hade då hunnit få heder och värdighet av nationalhymn. Den använder som bekant epitetet fjällhög om en av jordens lågläntaste stater, som vidare harangeras såsom tronande på minnen från fornstora dar. Ingenting kan vara mera representativt än dessa rader för de patriotiska föreställningarna i gårdagens Sverige.

1800-talet hos oss var i själva verket lika mycket historieskrivarnas som järnvägsbyggarnas och de vaknande folkrörelsernas århundrade. Den musikaliske Geijer lämnade tidigt den norröna poesien för sin historieskrivning, vars betydelse för tänkesätten har varit överväldigande ehuru den endast indirekt kan ha påverkat den breda allmänhetens föreställningsvärld. Som historiker är Geijer inte populär; hans verk i ämnet är alla fyllda av spekulationer kring händelserna, och han filosoferar mera än han berättar. En av hans huvudtankar har dock blivit bevingad: "Svenska folkets historia är dess konungars." Tanken var inte så grund som den numera låter; Geijers intresse gällde inte konungarnas personliga öden, utan han såg dem som statsenhetens och den samlade folkmaktens verkställare gentemot landskapssplittring och ståndsegoism. Sina åsikter på denna centrala punkt nödgades Geijer på sin ålderdom försvara offentligen gentemot Anders Fryxell, som en vacker dag underkastade ett par av hans föreläsningar en ilsken kritik för vad han kallade aristokratfördömandet. Fryxell menade till skillnad från Geijer att de svenska stormännens sympati för Kalmarunionen berodde på en ädel önskan om fred i Norden, inte alls på att de själva ville regera under en utländsk namnkonung. Han ville också påstå att det var fel att skriva vänligt om drottning Kristina och skylla hennes slöseri på aristokraterna i hennes omgivning, vilket Geijer faktiskt hade gjort. Polemiken väckte ett oerhört uppseende, vilket mest berodde på att frågan om ståndsriksdagens avskaffande var aktuell och brännande, och Fryxell fick medalj av ridderskapet och adeln. Det var 1846, året innan Marx och Engels utfärdade kommunistiska manifestet och tjugo år innan den politiska makten i Sverige för alltid lämnade Riddarhuset.

Fäderneslandets minnen var uppenbarligen omtyckt lektyr i mycket vida kretsar på 1800-talet, vars konst och litteratur på det hela taget har en mycket antikvarisk prägel. Ojämförligt mest läst bland tidens författare på området var Fryxell, men han har ändå lämnat efter sig ett av de sällsammaste verken i Sveriges litteratur, hans Berättelser ur svenska historien. Han höll på med dem i nästan hela sitt liv – första delen kom ut 1823, fyrtiosjätte och sista delen 1879 – och under tiden svällde arbetet på bredden så att fyrtio av delarna handlar om tiden mellan 1600-talets mitt och Gustaf III:s revolution. Dessa är till stor del byggda på egen källforskning i ett ofantligt material av statsakter, memoarer och utländska diplomaters brev, inte minst det sistnämnda, och de är hållna i en diktaturfientlig, sedlighetsivrande, argt polemisk ton som faktiskt är mycket medryckande. De första sex delarna av verket gör bättre skäl för titeln berättelser och är fulla av hjältedyrkan och dramatiskt liv; allra roligast är förmodligen den första, som refererar en del isländska sagor i götisk anda, ty även Fryxell var smittad av tidens romantik i sin ungdom. Hela verket är för övrigt fullt av anekdoter, mer eller mindre sannolika, och det blev för sin tid en oerhörd publiksuccès; ingen svensk historiker utom möjligtvis läroboksförfattaren Odhner har haft ett sådant inflytande utanför de akademiska kretsarna. Alla 1800-talets historiemålare och teaterförfattare hämtade sitt material och ofta även sina åsikter ur Fryxells verk; det gjorde framför allt August Strindberg, som hade mycket höga tankar om honom och ofta följer hans framställning av händelseförloppen till punkt och pricka. Också Verner von Heidenstam, Karolinernas patetiske diktare, har märkligt nog öst ur denna präktiga källa.

På en enda punkt hyste Fryxell till skillnad från Heidenstam djup och varaktig sympati för Karl XII: denne höll sig nykter. Av motsvarande skäl ogillade han Bellman, som han allvarligt tar i upptuktelse i näst sista delen av sitt verk. Han tyckte inte om att skalden lovprisade den klandervärde Gustaf III, men värre var att han levde och diktade som han gjorde. "Orubbadt fortgående på sedlighetens bana, hade han blifvit en aktningsvärd man, ämbetsman, äfven skald, en Adlerbeth, Bergklint, Gyllenborg; men aldrig en Fredman. Kroglifvet hade varit honom så främmande, så motbjudande, att han hvarken kunnat eller velat besjunga det. Hans dock för ett sådant skaldskap utomordentliga anlag hade blifvit outvecklade och Fredmans epistlar och sånger oskrifna." Detta, menar Fryxell, skulle ha varit utmärkt. "Bellman har

visserligen många gånger uppmanat sina landsmän att tappert försvara fäderneslandet och att troget hylla dess konung. Men i öfrigt ådagalade han mycken likgiltighet för allmänna angelägenheter, mensklighetens, kyrkans, statens; kraftfulla från hjertat utgångna uppmaningar till verksamhet i dessas tjenst förekomma ej; snarare gäckerier öfver de personer, som lefva och arbeta för dylika högre mål, i stället för att, obekymrade om allt annat, jaga efter ögonblickets högst orena njutningar."

Fryxells moraliska tankar om Bellman, så fast rotade i den pompösa tid då de skrevs ner, delades naturligt nog av nykterhetsaposteln Peter Wieselgren. Även denne har uttalat sig ogillande om den bacchanaliske poeten, ty han författade bland mycket annat en svensk litteraturhistoria i fem band, sannolikt den rörigaste bok som existerar i ämnet. Wieselgren var en ytterligt flitig författare; vid sidan av en mängd propagandaskrifter har han skrivit götiska poem och parafraserat Iliaden, kommenterat Voluspá, avhandlat Karl XII:s död och Karl XIV Johans historia, skänkt världen en Ny Smålands Beskrifning i tre delar, gett ut predikningar, suttit i psalmbokskommittén och till och med skrivit en uppsats om bästa sättet att utrota slaveriet i Nordamerika efter mönster av slaveriets utrotande i Skandinavien under medeltiden. I sitt skriftställeri vände han sig aldrig till de breda lagren, men han har gjort en värdebeständig insats som författare till ett par hundra biografier i Biographiskt Lexicon och som utgivare av De la Gardieska arkivet på Löberöd, en urkundssamling i tjugo band som dessvärre lär vara slarvigt redigerad men likafullt är av vikt för historiska forskare av facket.

Sådana verkade flitigt och tåligt vid Sveriges lärosäten genom de skiftande tiderna utan att någonsin besvära allmänheten som läste Fryxell. En av dem var Uppsalabibliotekarien Carl Gustaf Styffe, som med utomordentlig samvetsgrannhet har gett ut mängder av dokument om Nordens medeltid; ingen som vill veta detaljer om hur det var ställt i svenska bygder på den tiden kan gärna komma förbi Styffe. Vad det politiska beträffar tyckte han inte om Kalmarunionen; gamle herr Sten var i stället hans hjälte. I Lund verkade i hans dagar två herrar som tyckte helt annorlunda. Den ene var Odhner, som var ivrig skandinavist och faktiskt gav svenska folket undervisning om hela Norden även i sin livskraftiga skolbok, den andre var Martin Weibull, som också var skandinavist men framför allt var en fosterländskt svensk skåning. Hans gärning fortsattes med åren av hans söner, och från den dynastien framför allt härrör den nya riktning i svensk historieskrivning som i våra dagar har omvärderat så mycket av hävdernas händelser och minnen.

En lärofader för många som i det längsta har stretat emot denna nya anda var Harald Hjärne, professor i Uppsala alltifrån 1880-talet. Även han var dock en omvärderare på sin tid, ty han kom med nya tankar om Karl XII, som för Hjärne var varken den ansvarslöse enväldige folkfördärvaren eller den hurtige kung Karl den unge hjälte; han var i stället det svenska östersjöväldets geniale försvarare i överensstämmelse med folkrätten i en tid då de tyska makternas osämja och brytningen inom hela det europeiska statssystemet förorsakade ryssarnas landvinningar och Sveriges förluster. Fullföljaren av Hjärnes karolinska uppslag hette Arthur Stille, vars beundran för Karl XII:s fältherresnille var utan gräns; det var också denne skåning som stiftade Karolinska förbundet anno 1910, det år då svenska krigsmakten kläddes i nära nog karolinsk uniform igen samtidigt som motsättningen mellan Ryssland och det tyska kejsardömet började komma till synes. En patriotisk historiesyn av alldeles samma sort kännetecknar Carl Grimberg, som vid tiden för första världskriget skrev Svenska folkets underbara öden i nio band, ett innehållsrikt och medryckande verk som säkert har vunnit lika många läsare som Fryxells berättelser men inte alls fick samma betydelse för litteraturen och tänkesätten, ty när det förelåg färdigt hade tiden redan börjat ömsa skinn, och Sveriges ärorika förflutna kändes inte stå centralt i världshistorien längre.

Sedan dess har jorden omsider blivit rund för oss alla, och glansen kring historiens hjältar och gestalter har bleknat något inför samtidens väldiga skeenden. Sturar, Vasar och Karlar vädjar knappast till folkfantasien mer, och Sveriges förvandling under och efter de båda världskrigen har varit så genomgripande att dess förgångna inte sällan känns fjärran och främmande och dess historia kort. Känslomässigt börjar den för många med 1800-talets folkrörelser. För de flesta är den enbart ett skolämne och en akademisk disciplin som sysslar med inaktuella siffror och döda människor, och för den bokläsande allmänheten framstår Sveriges historia sällan som ett alternativ till annan spännande och underhållande lektyr. Detta är stor skada, ty läsvärda skrifter i ämnet utkommer trots allt alltjämt varje år, och en och annan av dem borde angå envar inbyggare i det gamla riket. En lärjunge till Harald Hjärne var märkligt nog den radikale Eli Heckscher, som har lämnat det förmodligen viktigaste bidraget till sin mästares vetenskap i vårt århundrade: Sveriges ekonomiska historia från Gustaf Vasa. Den ekonomiska historien var före hans tid ett nästan obearbetat fält i Sverige, ty den ende som med någon målmedvetenhet hade ägnat sig åt saken var den mycket upptagne ämbetsmannen och finansministern Hans Forssell; hans skrifter, som åtminstone delvis tål att läsas än, handlar mest om 1500-talets förhållanden. Heckschers verk täcker de tre århundradena från Gustaf Vasas tid till förra seklets början och är naturligtvis banbrytande eftersom ingenting jämförligt hade skrivits i Sverige förut. Dock kan man förutse att det inte kommer att behålla sin aktualitet länge. Ingen del av Sveriges historia bearbetas nu med större energi än det ekonomiska forskningsområdet, vilket är naturligt i ett folkhem där det fosterländska intresset och den politiska debatten är inriktade nästan enbart på ekonomi.

Så speglar sig varje tidevarvs intressen i dess syn på det förgångna, och historiens sanningar blir sällan gamla, hur exakta de än må se ut. Den som har sett gårdagens vetenskap åldras i takt med dess romaner tror inte mycket på Leopold von Rankes ryktbara sats om hävdatecknarens uppgift: sagen wie es eigentlich gewesen. Hur det egentligen förhöll sig kan eftervärlden sällan veta; objektivt vissa är blott ett antal siffror och årtal, rapporter och formuleringar utan djupare intresse. De levande som inte ens känner varandra kan aldrig säkert lära känna de längesedan döda, deras hemliga tankar och drömmar, lynnen, fördomar och bevekelsegrunder. Men de kan projicera sin egen livssyn på det förflutnas väldiga bildskärm, söka sig den intressantaste lektyr bland dess efterlämnade skrifter, välja sig vänner och ovänner i dess oerhörda persongalleri och finna livslång fägnad i dess ofantliga kuriosakabinett. Ehuru nationen nu är i färd med att söka lära sig tänka globalt och minnet av slaget vid Lützen högtidlighålls endast på bakelserna med hjältekonungens bild i Göteborg, är det sålunda alltjämt glädje med Sveriges historia.

KRONOLOGI
OCH MODEJOURNAL

De tre lodlinjerna på de följande sidorna representerar regentlängderna i Sverige, Norge och Danmark. De korresponderar naturligtvis direkt med årtalsraden. Där ovisshet råder om tidpunkten för potentaters makttillträde eller avgång är linjen bruten, medan den eljest är heldragen mellan korta tvärstreck som så exakt som möjligt markerar regeringstidernas gränser.

Tecknet > eller < anger att årtalet för vissa händelser är osäkert och ungefärligt.

Den svenska regentlängden står oföränderligen till vänster, den norska i mitten och den danska till höger.

976

977

978

979

980

981

982

983>Slaget på Fyrisvall.

984 Grönlands upptäckt.

985

986

987

988

989 Kievs befolkning tvångsdöps i
     Dnjepr.

990 Al Hassan från Basra uppfinner
     camera obscura.

991

992

993 Första helgonförklaringen i Rom.

994

995

996

997>Trondheims grundläggning.

998

999>Leif Eriksson upptäcker Amerika.

1000 Slaget vid Svolder.

Harald Blåtand

Håkon Jarl och Harald Grenske

Erik Segersäll

Sven Tveskägg

Olav Tryggvason — |

— Olof Skötkonung

Till skillnad från antikens
romare som fann det
löjligt med byxor har
svenskarna burit benklä-
der genom hela sin
historia. Under forntiden
bar de vidare lång-
ärmad skjorta och ibland
mantel.

Vikingatidens kvinno-
dräkt, känd från fynd i
Birka, bestod av en
lång slät särk samt ett par
kortare plagg. Kalotter
och enkla mössor i
skinn eller flossa krönte
verket.

Väringarna i Byzans bar utslaget hår och en rubin i ena örat. De sågs aldrig obeväpnade. Deras mantel lämnade högra armen fri, men i detta skiljde de sig inte från flertalet av sina samtida.

Byzans var även det civila modets huvudstad. Invävda eller infällda band och ornament kännetecknar dess kläder.

1001

Havamal. < 1002

1003

1004

1005

1006

1007

Olof Skötkonung tar dopet. < 1008

1009

1010

1011

1012

Sven Tveskägg underlägger sig England. 1013

1014

1015

1016

1017

1018

1019

Rysk lag kodifieras i Novgorod. < 1020

1021

1022

1023

Kineserna ger ut pappersmynt. 1024

1025

Sven Tveskägg

Erik Jarl

Olof Skötkonung

Harald Svendson

Olav den helige

Knut den store

Anund Jakob

1026 Slaget vid Helgeå.

1027

1028

1029

1030 Slaget vid Stiklastad.

1031

1032

1033

1034 Slaget på Lyrskovshede.

1035

1036

1037

1038 Mötet på Brändö.

1039

1040

1041

1042

1043

1044

1045

1046

1047 >Oslos grundläggning.

1048

1049

1050

Olav den helige — | — — Knut den store — | — — Svend Knutsson — Anund Jakob — Hardeknut — Magnus d. gode — | Magnus d. gode | Sven Estridsson | Harald Hårdråde — | —

Brynjan av sammanflätade järnringar var känd sedan järnåldern och höll sig genom hela medeltiden. Den är kluven nedtill så att bäraren kan sitta till häst.

Frisyren är konstfull, smyckena tunga. Det bysantinska modet utvecklar en stel prakt.

Den franska Bayeux-
tapeten, ett sjuttio meter
långt broderi med ylle
på linne, skildrar den
normandiska erövringen
av England och lämnar
rätt detaljerade besked
om dräktskicket på
1060-talet, framför allt
naturligtvis det militära.
Skölden är inte rund
längre.

Kvinnodräkten är
mestadels fotsid, vilket
den sedan förblir genom
alla tider ända till
1900-talet.

			1051
			1052
			1053
			1054
Emund Gammal	Harald Hårdråde		1055
			1056
			1057
			1058
			1059
		Ivar Vidfamnes ätt dör ut.	1060
	Sven Estridsson		1061
Stenkil			1062
			1063
			1064
			1065
		Slagen vid Stamfordbridge och Hastings.	1066
			1067
			1068
Håkan Röde	Olav Kyrre		1069
			1070
			1071
			1072
Inge och Halsten			1073
			1074
			1075

1076   Adams av Bremen kyrkohistoria.

1077

1078

1079

1080

1081

1082   Det saknas inte heller
        civila figurer på Bayeux-
        tapeten. Timmermannen
1083   och fårklipperskan på
        denna sida är avritade
1084   därifrån. Vardagsdräktens
        grundform var tydligt-
1085   vis ungefär densamma
        för båda könen.

1086

1087

1088

1089

1090

1091

1092

1093

1094

1095

1096   Första korståget börjar.

        Överhuvud taget var den
1097   äldre medeltidens dräkt
        mestadels lös och enkel.
1098   Första cistercienserklostret grun-   Materialet är oftast ylle,
        das i Frankrike.   ibland pälsverk eller
                                             läder. Fynd av linne och
1099   till och med av impor-
                                             terat asiatiskt siden har
1100   dock gjorts i Sverige, sär-
                                             skilt i Birka.

Vertical timeline labels: Inge och Halsten — Blotsven — Inge — Harald Hen — Knut den helige — Olav Kyrre — Olof Hunger — Magnus Barfot — Erik Ejegod

Den manliga dräkten
tenderar att bli längre.

Manteln finns kvar,
men endast för fint folk.

Den gifta kvinnan bör
alltid ha huvudet betäckt.
Hon bär huckle eller
huva, men aldrig hatt.

Erik Ejegod	Mötet i Konungahälla.	1101
Magn. Barfot		1102
Inge		1103
	Norden blir egen kyrkoprovins under Lundabiskopen.	1104
		1105
		1106
		1107
		1108
		1109
		1110
Eystein och Sigurd Jorsalafar		1111
		1112
		1113
Filip	Nils	1114
		1115
		1116
		1117
		1118
		1119
		1120
Inge d.y.		1121
		1122
	Sigurd Jorsalafar	1123
		1124
		1125

854

1126
1127
1128
1129
1130
1131
1132
1133
1134
1135
1136
1137
1138
1139
1140
1141
1142

1143 Lübeck grundas.

1145 Invigning av Lunds domkyrka.

1147 Moskva grundas. Andra korståget
börjar.

1148

1149

1150 Varnhem byggs.

Sigurd Jorsalafar | — Magnus Blinde — |

Inge d.y. — Ragnvald Knaphövde — |

Nils

Erik Emune — |

| Harald Gille |

Erik Lam

Sigurd Mund

Sverker den gamle

| Knud och Svend

Cirkelskuren kappa med
hätta kan förekomma.

Hättans framväxt och
frigörelse.

Damernas mantel är sig
någorlunda lik. Den
häktas alltid mitt fram.

Klädedräkten för biskopar utvecklade sig ur de byzantinska hovdignitärernas skrud och hade slutgiltigt funnit sin form redan innan kyrkan etablerade sig i Sverige.

1151

Kyrkomötet i Linköping. 1152
Trondheim blir ärkebiskopssäte.

Bernhard av Clairvaux dör. 1153

1154

1155

Julottemordet på kung Sverker. 1156
Vid den tiden regerar Erik den
helige redan i Uppsverige sedan 1157
något år.

1158

1159

Mordet på Erik den helige. 1160

1161

1162

En handelstraktat tryggar tyskar- 1163
nas ställning på Gotland.

Svenskt ärkebiskopssäte inrättas i 1164
Uppsala.

1165

1166

1167

Svantevits fall. 1168

1169

1170

1171

1172

1173

1174

1175

Knud och Svend —
Sigurd Mund —
Sverker den gamle —
Eystein —
Erik den helige —
Inge —
Karl (VII) Sverkersson — |
Valdemar den store
Magnus Erlingsson
Knut Eriksson

Vävnadskonsten och materiallyxen utvecklades betydligt i Mellaneuropa under 1100-talets lopp. I vad mån Sverige fick del av dessa framsteg är obekant, men det är att förmoda att modevågorna nådde åtminstone hovet och högadeln.

1176

1177 Absalon blir ärkebiskop i Lund

1178

1179

1180

1181

1182

1183

1184

1185

1186

1187 Esterna bränner Sigtuna.

1188

1189

1190

1191 Tyska orden stiftas.

1192

1193

1194

1195 > Saxo skriver historia.

1196

1197

1198

1199

1200

Valdemar den store

Magnus Erlingsson

Knut Eriksson

Knud Valdemarsson

Sverre

Sverker Karlsson

Korstågen och andra
tidens omvälvningar satte
omedelbart spår i kläde-
dräkten. Brynjetyget
täcker nu kroppen från
topp till tå, i det att
huvudet och benen omges
av brynjehuva och
brynjehosor.

En yttre klänning som
kallas surcot, ärmlös eller
med vida hängärmar,
är känd sedan några år-
hundraden och vinner
alltmer insteg. 1100-talets
modedräkt sitter vanligen
rätt stramt. Figursydd
är den dock aldrig.

Unggotik

Herrarnas klädedräkt under 1200-talet är fotsid eller nästan fotsid. Med rätta kallas den kjortel. Modet är skägglöst, men med långt hår.

Smala ärmar, manteln kortare än klänningen, skärp med löst hängande ändar.

De första europeiska sidenväverierna tillkom vid denna tid, närmast i Italien och i Paris. Alldeles otänkbart är det väl inte att någon av deras produkter kan ha letat sig upp till Sverige.

Absalon dör.	1201
	1202
	1203
	1204
	1205
	1206
	1207
Slaget vid Lena	1208
	1209
Slaget vid Gestilren	1210
	1211
	1212
	1213
	1214
Englands Magna charta.	1215
	1216
	1217
	1218
Valdemar Sejr grundlägger Reval.	1219
Marstrand grundas.	1220
De första svartbrödraklostren – i Lund och vid Sko – grundas.	1221
Snorres Edda.	<1222
	1223
Mongolerna erövrar Sydryssland.	1224
	1225

Knud | Hakon | Sverker Karlsson

Inge Bardsson | Valdemar Sejr | Erik Knutsson

Johan (I) Sverkersson | Hakon Gamle | Erik Läspe

1226>Falu koppargruva tas upp.

1227 Djingis Khans död.

1228

1229

1230

1231>Snorre Sturlasons Konungasagor.

1232

1233

1234

1235

1236

1237

1238

1239

1240>Upptecknandet av Västgötalagen.

1241

1242

1243

1244

1245

1246

1247

1248 Skänninge möte.
Slaget vid Sparrsätra.

1249

1250>Stockholms grundläggning.

Erik Läspe |

Knut Länge ——

——— |

Hakon Gamle (Håkan Håkansson)

Erik Läspe och halte ———

Valdemar Sejr

| ——— Erik Plogpenning

Surcot blir allt popu-
lärare. Den är ärmlös och
kan bäras icke blott över
kjortel, utan även över
brynjetyg.

Manteln, tidigare van-
ligen hopfäst på högra
axeln, häktas nu samman
mitt fram. Alltså dras väl
svärdet mindre ofta.

Den gifta kvinnan bär
huvudlin och haklin, de
för gotiken typiska ban-
den om haka och hjässa.

Benklädernas historia
förefaller egendomlig och
invecklad. Under forn-
tiden fanns verkliga
byxor som brukade kallas
brokor. När kjorteln
blev lång förkrympte
dock dessa och förvand-
lades till ett slags gördel.
Frusna personer kunde
nu använda denna till att
därvid fästa två tygrör
som kallades hosor,
ett för varje ben. Först
i nästa århundrade fann
någon på att sy ihop
hosorna till byxor igen.

Kjortel och surcot.

		1251
Abel	Sorbonne grundas i Paris.	1252
		1253
Birger jarl		1254
	Kristoffer	1255
Hakon Gamle		1256
		1257
	Kalifatet upphör i Bagdad.	1258
		1259
		1260
		1261
	Island läggs under Norge.	1262
		1263
		1264
Erik Klipping		1265
Magnus Lagaböter	Birger jarl dör.	1266
Valdemar		1267
		1268
		1269
		1270
		1271
		1272
		1273
		1274
	Slaget vid Hova.	1275

860

Year	Event		Description

1276

1277

1278 Brynolphus blir biskop i Skara.

1279 Alsnö stadga.

1280 Edsöreslagarna.

1281

1282

1283

1284

1285 Gotland till Sverige.

1286

1287

1288

1289 Petrus de Dacia dör.

1290

1291 Schweiziska edsförbundet.

1292 Marco Polo återvänder från Kina.

1293 Tyrgils Knutssons korståg till
Finland.

1294

1295

1296

1297

1298

1299 Oslo blir norsk huvudstad.

1300

Vertical labels (tidslinjer): Valdemar — Magnus Lagaböter — Erik Klipping — Magnus Ladulås — Erik Præstehater — Erik Menved — Birger Magnusson

Gotiken med sina dristiga
vertikaler och sitt osinn-
liga skönhetsideal
gynnar den slanka linjen.

Även herrarna bär lockar
och blommor i håret.

Detta är dock en dam.

Dräkterna faller gärna
i långa, självfulla veck som
kan beskådas på många
skulpturer från Upplands
kyrkor och Gotlands
lantliga katedraler.

861

1300-talet var en tid av
många nymodigheter.
Då infördes de figursydda
kläderna, de vadderade
axlarna och knappen.

Skägget har kommit igen.
Adliga vapen broderas på
kläder och schabrak.

Ingen välklädd person
går barhuvad mer.
Huvudbonader av många
slag ser dagen, några
för män men flera för
kvinnor. Även damer kan
bära hatt, vilket aldrig
tycks ha hänt förut.

Hakon V Magnusson	Erik Menved	
	Birger Magnusson	
	Kristoffer II	Magnus Eriksson

1301

1302

1303

1304

1305

Tyrgils Knutssons avrättning.
Håtunaleken. — 1306

Stadsprivilegier åt Halmstad. — 1307

1308

1309

Lübeck stenlägger sina gator. — 1310

1311

Det hertigliga bröllopet i Oslo. — 1312

1313

1314

1315

1316

Nyköpings gästabud. — 1317

1318

1319

Dantes "Divina Commedia".
Magnus Birgersson avrättas. — <1320

1321

1322

Freden i Nöteborg. — 1323

1324

1325

1326

1327

1328

1329

1330 >"Um styrilsi kununga och höf-
þinga."

1331

1332 Magnus Eriksson inlöser Skåne.

1333

1334

1335 Träldomen avskaffas officiellt.

1336

1337

1338

1339

1340 Niels Ebbesens bravad.

1341

1342

1343

1344

1345

1346 Slaget vid Crécy, där krut kom till
användning.

1347

1348

1349

1350 Allmänna landslagen. Digerdöden.

Grevarna av Holstein

Magnus Eriksson
Magnus Eriksson

Valdemar Atterdag

Tidens älsklingsplagg är
hättan, nu försedd med en
liten strut att förvara
saker och ting i.

Kläderna är ofta i två
färger. Den nyuppfunna
knäppningen tas i bruk
fullt ut – till höger
för män och till vänster
för kvinnor.

Damernas surcot blir allt
luftigare. Urringningarna
kallas helvetesfönster.
Frankrike börjar bli ton-
givande i modets värld.

863

Gravfynden från Korsbetningen ger häpnadsväckande prov på hur riddartidens krigare kunde se ut i verkligheten. Pansarskjortan var stundom omgjordad med läder.

Huvuddoket nådde full utveckling. Klänningslivet inprovades en tid tätt efter figuren ända till höften. Efterhand flyttades damernas midja upp under brösten och stramades åt med ett skärp.

	1351
	1352
Boccaccios "Decamerone"	1353
	1354
	1355
Uppror mot Magnus Eriksson. Hans son Erik blir medkonung.	1356
	1357
	1358
Erik Magnussons död.	1359
Valdemar Atterdag återtar Skåne.	1360
Slaget vid Korsbetningen. Brandskattningen av Visby.	1361
	1362
	1363
	1364
	1365
Petrarcas sonetter	1366
	1367
	1368
	1369
	1370
	1371
Albrekts konungaförsäkran.	1372
Birgittas död.	1373
	1374
	1375

Magnus Eriksson — Håkan VI Magnusson — Valdemar Atterdag — Albrekt av Mecklenburg

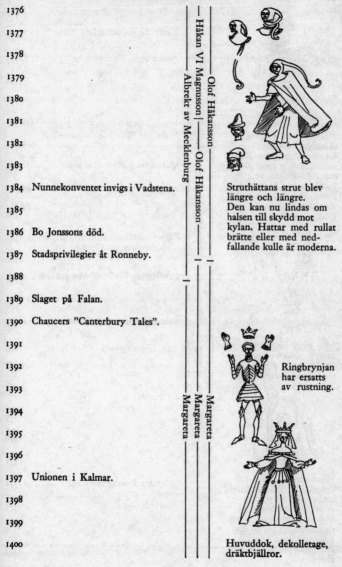

1376	
1377	
1378	
1379	
1380	
1381	
1382	
1383	
1384	Nunnekonventet invigs i Vadstena.
1385	
1386	Bo Jonssons död.
1387	Stadsprivilegier åt Ronneby.
1388	
1389	Slaget på Falan.
1390	Chaucers "Canterbury Tales".
1391	
1392	
1393	
1394	
1395	
1396	
1397	Unionen i Kalmar.
1398	
1399	
1400	

Håkan VI Magnusson | Olof Håkansson
Albrekt av Mecklenburg — Olof Håkansson
Margareta Margareta Margareta

Struthättans strut blev längre och längre. Den kan nu lindas om halsen till skydd mot kylan. Hattar med rullat brätte eller med nedfallande kulle är moderna.

Ringbrynjan har ersatts av rustning.

Huvuddok, dekolletage, dräktbjällror.

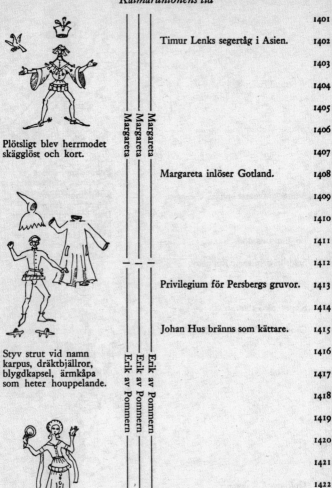

Plötsligt blev herrmodet
skägglöst och kort.

Styv strut vid namn
karpus, dräktbjällror,
blygdkapsel, ärmkåpa
som heter houppelande.

Piphätta, spetsiga skor,
bjällror på ett lågt bälte
om livet.

1401

Timur Lenks segertåg i Asien.   1402

1403

1404

1405

1406

1407

Margareta inlöser Gotland.   1408

1409

1410

1411

1412

Privilegium för Persbergs gruvor.   1413

1414

Johan Hus bränns som kättare.   1415

1416

1417

1418

1419

1420

1421

1422

1423

1424

1425

Margareta — Margareta — Margareta — Margareta — Margareta — Margareta

Erik av Pommern — Erik av Pommern — Erik av Pommern — Erik av Pommern — Erik av Pommern — Erik av Pommern

Engelbrekts tid

1426

1427

1428

1429 Öresundstullen införs.

1430

1431 Jeanne d'Arcs död.

1432

1433

1434 Engelbrekts resning.
       Baselkonciliet.

1435

1436 Arboga möte. Mordet på
       Engelbrekt.

1437

1438

1439

1440

1441

1442 Kristoffers landslag.

1443

1444

1445

1446 Stadsprivilegier åt Hedemora.

1447

1448

1449

1450

Erik av Pommern

Erik av Pommern

Erik av Pommern

Kristoffer av Bayern

Kristoffer av Bayern

Kristoffer av Bayern

Kristoffer av Bayern

Karl Kn.

Kristian I

Snabelskor, öppet
överplagg som heter
tappert. Skosnablarna
utvecklade sig till ett
slags gradbeteckning; ju
längre skor, ju högre
rang.

Eklövsärmar och
dräktbjällror.

Trattärmar, bjällror på
skuldran. Modet med
dräktbjällror höll sig
länge i Sverige, framför
allt för herrar. Ännu
Gustaf Vasa bar sådana.

867

Karl Knutssons tid

1400-talets herrmode
var förvirrat, ombytligt
och ofta tillkonstrat.
Dammodet anses ha stått
under orientaliskt
inflytande via Venedig.

Rundklippt hår,
blygdkapsel, ärmar som
kallas djävulstungor.

Struthatten är meterhög
och benämns hennin.

Svensk-danskt krig utbryter. Kanoner tas i bruk.	1451
	1452
Turkarna erövrar Konstantinopel.	1453
"Prosaiska krönikan."	<1454
Gutenbergs bibel.	1455
	1456
Jöns Bengtssons resning. Karl Knutsson avsatt.	1457
	1458
	1459
	1460
	1461
	1462
	1463
Karl Knutsson konung igen.	1464
Karl Knutsson åter fördriven.	1465
	1466
Karl Knutsson konung för tredje gången.	1467
	1468
	1469
Ericus Olai: "Chronica Gothorum".	1470
Slaget på Brunkeberg.	1471
	1472
	1473
	1474
	1475

Karl Knutsson — Kristian I — Kristian I / Kristian I — K. K. — Karl Knutsson / Sten Sture d.ä.

1476

1477 Uppsala universitet grundas.

1478 Novgorod erkänner ryske tsarens
      överhöghet.

1479 Köpenhamns universitet grundas.

1480

1481 Ryssland befriar sig från Gyllene
      horden.

1482

1483

1484

1485 Kremls murar börjar byggas.

1486 Bartolomeo Diaz vid Godahopps-
      udden.

1487

1488

1489

1490

1491

1492 Columbus upptäcker Amerika.

1493

1494

1495

1496

1497 Vasco da Gama finner sjövägen
      till Indien.

1498

1499 Glimmingehus.

1500

Kristian I
Kristian I

Sten Sture d.ä.

Hans
Hans

Hans

Om dräktskicket under
1400-talets sista årtionden
vittnar ett vackert och
rätt fylligt bildmaterial på
svenska kyrkväggar,
framför allt i Uppland,
där Albert Målare från
Stockholm och hans
medhjälpare fröjdar efter-
världen med ett vimmel
av realistiska figurer.

S:t Göran i Stockholm
företräder sin samtids
krigarmode med gotisk
rustning, sköld med urtag
för lansen och hår till
axlarna.

Damernas dräkt förblev
fotsid även genom detta
extravaganta århundrade.

Svensk landsknekt med
persedlar.

Skägg, oxmuleskor,
kappa med flera
ärmslitsar. Den kallas
schaube.

Pärlstickad huva,
fyrkantig urringning.

Uppror i Sverige mot kung Hans.	1501
	1502
Lionardos "Mona Lisa".	1503
	1504
	1505
	1506
	1507
	1508
	1509
	1510
	1511
Erik Trolles riksföreståndarskap.	1512
Macchiavellis "Fursten".	1513
	1514
	1515
	1516
Luthers 95 teser i Wittenberg. Raseringen av Stäket.	1517
	1518
Cortez erövrar Mexico.	1519
Stockholms blodbad.	1520
Gustaf Vasas resning.	1521
	1522
Gustaf Vasas intåg i Stockholm.	1523
	1524
Daljunkarens upprorsförsök.	1525

Sten Sture I — Svante Nilsson — Sten Sture d.y. — Kristian I

Hans — Hans — Kristian II — Kristian II — Kristian I — Gustaf Vasa

Frederik I

Reformationstiden

1526 Nya Testamentet på svenska.

1527 Västerås riksdag.

1528

1529 Västgötaherrarnas uppror.

1530

1531 Klockupproret. Kristian II:s
återkomst.

1532

1533 Räfsten vid Kopparberget.

1534

1535 Slaget vid Øxnebjerg.

1536 Köpenhamn och Malmö
kapitulerar.

1537 Norge blir dansk provins.

1538

1539

1540

1541 Kungamötet vid Brömsebro.

1542 Hela Bibeln på svenska.
Dackefejden bryter ut.

1543

1544 Arvriket införs.

1545

1546

1547

1548

1549

1550 "Tobie Comedia."

Frederik I
Frederik I

Gustaf Vasa

Kristian III
Kristian III

Dräkt för civila allvars-
män. Även deras ärmar är
pösiga.

Pluderhosor. Byxor av
uppseendeväckande
form och konstruktion
spelade överhuvud taget
stor roll i 1500-talets
herrmode.

Urringningen täcks av
en krage. Ärmarna
är avdelade i en serie
puffar.

871

Strumpstickningens konst
uppfanns på 1550-talet
i Sydeuropa. Den spred
sig förvånande snabbt och
satte genast sin prägel
på modet.

Det tyska modet
efterträds av det spanska.
Ärmlös tröja, stickade
strumpor.

Ingen urringning mera.
Klockkjolar, puffärmar.

Helsingfors' grundläggning. Sibi-   1551
    rien ger sig under ryske tsaren.
                                      1552

                                      1553

Johannes Magnus historia.   1554

Olaus Magnus historia   1555

                                      1556

                                      1557

                                      1558

                                      1559

                                      1560

Estland ger sig under Sverige.   1561

                                      1562

Hertig Johan kapitulerar i Åbo.   1563

                                      1564

                                      1565

                                      1566

Sturemorden.   1567

Erik XIV:s avsättning och fången-   1568
    skap.
Mercators projektion.   1569

Freden i Stettin.   1570

Vår första skolordning.   1571

                                      1572

                                      1573

                                      1574

                                      1575

Gustaf Vasa — Erik XIV — Johan III

Kristian III — Frederik II

872

1576 Tycho Brahe bygger Uranienborg.

1577 Johan III:s liturgi. Erik XIV:s död.

1578

1579

1580 Collegium regium stormas.

1581 Holland fritt och oberoende.

1582 Gregorianska kalendern införs i den katolska världen.

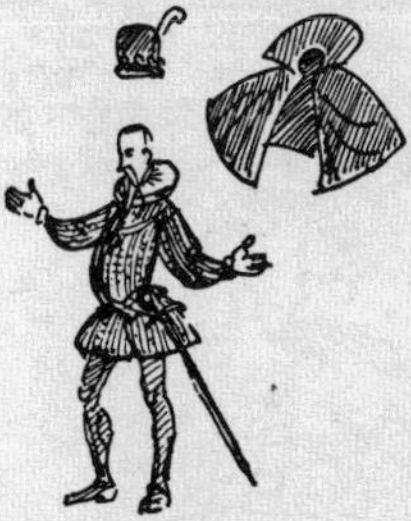

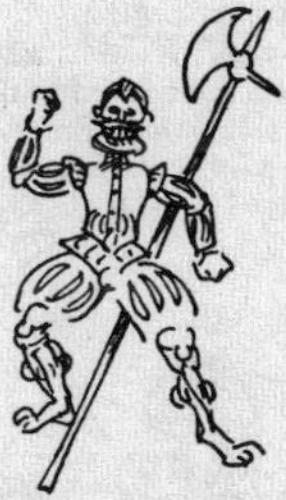

1583

1584

1585

1586

1587

1588 Spanska armadan går under.

1589

1590

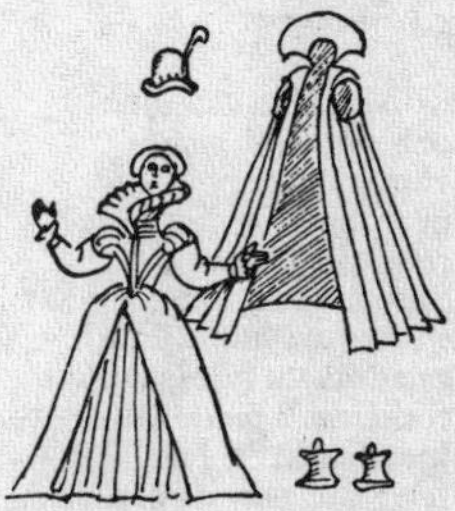

1591

1592

1593 Uppsala möte.

1594

1595 Söderköpings riksdag. Freden i Teusina.

1596

1597

1598 Slaget vid Stångebro.

1599 Bureus' "Runtafla", den första skriften om runorna.

1600 Linköpings blodbad.

Johan III — Sigismund

Frederik II — Kristian IV

Frederik II — Kristian IV

Det spanska modet med gåsbröst, ärtbaljebuk och ballongbyxor.

Uthackade brokota kläder.

Pipkrage, styltskor under styvkjolen, som öppnar sig framtill över en underklänning av annat tyg.

Barock

Pipkragen har fallit ner. Vulster på axlarna, korsettmidja, stickade strumpor, öppna knäbyxor. Kläderna är ofta rikt broderade och frikostigt försedda med band och rosetter. Fjäder i hatten.

Korsett alias vasquine och styvkjol alias vertugalle, uppbyggd över en korvliknande ring på höfterna. Spetskragen bärs upp av en styv ställning. Till galadräkten hör gärna ett förkläde. 1500-talets styvkjortlar hade haft det felet att när damerna satte sig kunde det bli inkik. Vid 1600-talets början avhjälptes denna olägenhet genom att damerna anlade benkläder därinunder.

Karl IX	Shakespeares "Hamlet".	<1601
		1602
		1603
		1604
	"Don Quixote." Upptäckten av Australien.	1665
		1606
		1607
		1608
Kristian IV / Kristian IV	Keplers lagar.	1609
		1610
	Messenius' "Disa".	1611
		1612
	Freden i Knäred. Älvsborgs lösen.	1613
	Svea hovrätt. Kristian IV grundlägger Kristianstad.	1614
		1615
	Messenius deporteras till Kajaneborg.	1616
Gustaf II Adolf	Freden i Stolbova. Briggs logaritmer.	1617
	Harvey upptäcker blodomloppet.	1618
	Göteborgs tillkomst.	1619
		1620
		1621
		1622
	Gymnasiet i Västerås.	1623
	Danska postverket.	1624
		1625

1626	Slaget vid Lutter am Barenberge.	
1627		
1628		
1629		
1630		
1631	.Slaget vid Breitenfeld.	
1632	Slaget vid Lützen.	
1633		Manteln på ena axeln, uppåtsträvande
1634	Slaget vid Nördlingen.	mustascher, spetskrås i kragstövlarna.
1635		Höga klackar på sko- donen, som i alla
1636	Slaget vid Wittstock.	föregående århundraden varit helt utan klack.
1637		
1638		
1639		
1640		
1641	Wivallius' Klagewijsa.	
1642	Baazius' kyrkohistoria.	
1643	Torricellis barometer.	
1644		
1645	Freden i Brömsebro.	
1646		
1647		Det civila herrmodet går i svart med släta kragar
1648	Westfaliska freden.	och manschetter enligt puritanskt holländskt
1649		mönster. Även damernas kläde-
1650	Kristinas kröningsriksdag.	dräkt är värdig och lugn. Men det är modernt med en fjäder i handen.

Gustaf II Adolf — Kristian IV — Kristinas förmyndare — Kristina

Frederik III — Frederik III

Kvinnornas armar visas
för första gången på
tusen år.
Drottning Kristina
beställer mycket kläder i
Paris, varjämte liv-
skräddaren Johan Holm,
adlad Leijoncrona,
har att leverera henne 40
klädningar om året.
Karl X Gustafs garderob
kommer också från
Frankrike. Många av hans
paradkostymer finns i
Livrustkammaren än.

Kassack, rhengrevebyxor,
gehäng med stort spänne,
högklackade skor med
rosett, hatt som behålls
på inomhus, stövlar
enbart för utomhusbruk.

— Kristina —		1651
		1652
		1653
— Karl X Gustaf —		Magdeburgska halvkloten. Locce- 1654 nius: "Rerum Suecicarum Historia".
		Nya Sverige går förlorat. 1655 Fjärdepartsräfsten.
		Palmstruchs bank. 1656
		1657
	— Frederik III —	Freden i Roskilde. 1658 Stiernhielms "Hercules".
		1659
		1660
		Envälde i Danmark. 1661
		1662
— Karl XI:s förmyndare —		1663
		1664
		Spinozas Etik. 1665 Härnes "Rosimunda".
		Fornminnesplakatet. 1666 Newtons gravitationslag.
		Antikvitetskollegium inrättas. 1667
		Universitetet i Lund. 1668
		1669
		1670
		Leibniz upptäcker elektriska gnis- 1671 tan. Schefferus' "Memorabilia".
		1672
— Karl XI — Kristian V —		Schefferus' "Lapponia". 1673
		Stiernhöök: "De jure Sveonum". 1674
		Leibniz uppfinner infinitesimalkal- 1675 kylen. Snapphanekriget.

1676	Slaget vid Lund. Observatoriet i Greenwich.
1677	
1678	
1679	Karlskrona blir örlogshamn. Papins gryta. Atlantikan, del I.
1680	Reduktionsriksdagen. "Wenerid."
1681	
1682	Det karolinska enväldet.
1683	
1684	
1685	Spegels "Gudz werk och hwila".
1686	Kyrkolagen.
1687	Newtons Principia.
1688	
1689	
1690	
1691	
1692	
1693	
1694	
1695	Jesper Swedbergs psalmbok.
1696	
1697	Perraults sagor. Slottsbranden i Stockholm.
1698	
1699	
1700	Slaget vid Narva.

Karl XI

Kristian V

Kristian V

Karl XII

Juste-au-corps, spetshalsduk. Promenadstövel och ridstövel.

Dräkt med band och knypplingar. Dam- eller herrmuff.

Fontange över håret och engageanter vid armbågarna. Allongeperuk, höga klackar.

Den karolinska krigar-
kostymen, vår första
påbjudna uniform, är en
nationellt svensk före-
teelse som står vid sidan
av tidens modedräkt
med dess brodyrer och
peruker.

Livrockens skört står ut
för att ge rörelsefrihet åt
stövlarna.

Kjolen är stagad med
valfiskben och kallas
panier. Klänningen, löst
hängande och djupt
urringad, benämns
contouche.

Swedbergs "Schibboleth".	1701
Livegenskapen upphävs i Danmark.	1702
Branden i Uppsala.	
S:t Petersburgs grundläggning.	1703
Karl XII:s bibel.	
	1704
Halleys komet.	1705
Freden i Altranstädt.	1706
	1707
	1708
Slaget vid Poltava.	1709
Slaget vid Hälsingborg.	1710
Rigas fall. Revals fall. Viborgs fall.	
Shore uppfinner stämgaffeln.	1711
	1712
Kalabaliken i Bender.	1713
Fahrenheits termometer.	1714
	1715
	1716
	1717
	1718
Defoes "Robinson Crusoe".	1719
Görtz avrättning.	
	1720
Freden i Nystad.	1721
Bach: Das wohltemperierte	1722
Klavier.	
	1723
	1724
	1725

Karl XII

Frederik IV
Frederik IV

Ulr. El.

Fredrik I

1726 "Gullivers resor."

1727

1728 Bering korsar Berings sund.

1729 Bachs Matteuspassion.

1730 Réaumurs termometer.

1731

1732 Then Svenska Argus, nr 1.
Linnés Lapplandsresa.

1733

1734 Sveriges rikes lag.

1735 Linnés "Systema naturæ".

1736

1737

1738 Horns fall.

1739 Sinclairsvisan. Vetenskaps-
akademien.

1740

1741 Händels Messias.

1742 Celsius termometer.
Kapitulationen i Helsingfors.

1743 Stora daldansen. Freden i Åbo.

1744

1745 Leydnerflaskan.

1746

1747 Upptäckten av betsocker.
Dalins historia börjar utkomma.

1748

1749 Wargentin grundlägger befolk-
ningsstatistiken.

1750

Frederik IV — Frederik IV

Fredrik I — Kristian VI

Frederik V — Frederik V

Mönstrade, vanligtvis
småblommiga tyger
infördes och blev mycket
populära.

Seklet är skägglöst men
med pudrade peruker.
Knäbyxorna kallas
culotter. De knäpps nu
över strumporna, som
nyligen drogs utanpå vid
knäna.

Engageanter vid arm-
bågen som vilar vackert
på höften. Watteauveck i
ryggen.

Rococo

Kavaljeren går framför
eller bakom krinolinen.

Jackan kallas caraco.
Rosettraden på bröstet
heter echelle.

Peruken är borta. Håret
stryks bakåt och samlas
till en stångpiska.

Rocken kallas fraque.
Knappraden kan inte
knäppas ner.

		1751
Franklins åskledare.		1752
Nya stilen.		1753
		1754
		1755
Hovpartiets revolutionsförsök.		1756
Storskifte.		1757
		1758
		1759
		1760
Creutz "Atis och Camilla".		1761
Rousseaus "Contrat social" och "Émile". Glucks "Orfeus".		1762
		1763
Adam Smith: "Wealth of nations". Botins historia.		1764
Watts ångmaskin.		1765
Första tryckfrihetsförordningen.		1766
		1767
Kungastrejken.		1768
		1769
Watt inför begreppet hästkraft		1770
Schéele upptäcker syret.		1771
Gustaf III:s statsvälvning.		1772
Tortyren avskaffas i Sverige.		1773
Goethes "Werther".		1774
Lavoisier förklarar förbränningen.		1775

Frederik V

Adolf Fredrik

Kristian VII

Gustaf III

1776	Amerikanska frihetsförklaringen. Kopparmyntfoten avskaffas.
1777	
1778	Religionsfrihet för utlänningar. Stockholms-Posten börjar utges.
1779	Schiller: "Die Räuber".
1780	Galvanis groda.
1781	Kant: "Kritik der reinen Vernunft".
1782	Montgolfiers luftballong..
1783	Lagerbrings historia.
1784	
1785	Mozart: "Figaros bröllop". Cartwrights mekaniska vävstol.
1786	Kellgrens "Gustaf Vasa". Svenska Akademien stiftas.
1787	Potemkins kulisser.
1788	Hortensian kommer från Kina. Anjalaförbundet.
1789	Franska revolutionen. Gustavianska enväldet.
1790	Svensksund. Väräläfreden. "Fredmans epistlar."
1791	Metersystemet i Frankrike. "Fredmans sånger."
1792	Kungamordet på operamaskeraden.
1793	
1794	
1795	Bellmans död.
1796	
1797	
1798	Malthus befolkningslära.
1799	Priestley upptäcker koloxiden. Beethovens Symphonie Pathetique.
1800	Voltas batteri.

Kristian VII
Kristian VII

Gustaf III

Kronprins Frederik regent i den sinnessjuke Kristian VII:s namn
Kronprins Frederik regent i den sinnessjuke Kristian VII:s namn

Förmyndarstyrelse (hertig Karl)

Svenska dräkten.
Kappan på höger sida för att ordnarna skall synas.

Släprock. Tournyr.

Hatten blir rund. Mössan kallas baigneuse.

Empire

Napoleonshatt och
damasker.

Bahytt, spencerjacka,
mamelucker.

Kastorshatt, brokig väst,
fadermördare. Kappan
kallas carrick. Fracken
har fårbogsärmar.

Gustaf IV Adolf —— Kronprins Frederik —— Kronprins Frederik

—— Frederik VI —— Karl XIII

—— Frederik VI —— Karl XIII

—— Karl XIV Johan —— Karl XIV Johan

Bombardemanget av Köpenhamn.	1801
	1802
Stadgan om enskifte i Skåne.	1803
	1804
Homeopatien uppfunnen.	1805
Livegenskapen upphävs i svenska Pommern.	1806
Fultons ångbåt.	1807
Goethes "Faust" (I).	1808
Finlands förlust. Nya regeringsformen.	1809
Fersenska mordet. Bernadotte väljs till tronföljare.	1810
Tegners "Svea". Geijers dikter. Götiska förbundet.	1811
Alliansen med Ryssland. Bröderna Grimms sagor.	1812
Napoleons fall.	1813
Unionen med Norge. Stephensons första lokomotiv.	1814
Wienkongressen.	1815
Argentinas födelse. Owens ångbåt.	1816
	1817
Gabelsbergers stenografi. "Stilla natt". Chile gör sig fritt	1818
Ørsted upptäcker elektromagnetismen. Wallins psalmbok.	1819
Ampère skiljer mellan spänning och strömstyrka.	1820
Peru och Venezuela gör sig fria.	1821
Buschmann uppfinner dragspelet.	1822
Fryxells Berättelser, del I. Monroedoktrinen. Beethovens Nia.	1823
Ryssarna tar Alaska i besittning.	1824
Branden på Makalös. Geijer: "Svea rikes häfder." "Frithiofs Saga."	1825

882

Rabulism och romantik

1826 Cooper: "Den siste mohikanen."

1827 Ohm finner sin lag. Förordningen
om laga skifte.

1828 Upptäckten av aluminium.

1829 Brailles blindskrift.
Grekland oavhängigt.

1830 Julirevolutionen i Frankrike.
Hierthas Aftonblad.

1831 Ross finner magnetiska nordpolen.
Belgien självständigt.

1832 Göta kanal invigs.

1833 Slaveriet avskaffas i brittiska im-
periet.

1834 Mendelsohn: "Lieder ohne
Worte".

1835 Havas' nyhetsbyrå.
"Fältskärns berättelser", I.

1836 Dickens: "Pickwickklubben".
Geijer: "Svenska folkets historia".

1837 Daguerre fotograferar.

1838 Domen över Crusenstolpe.
Geijers avfall.

1839 Liebig uppfinner konstgödsling.

1840 Departementalstyrelsen.
Saxofonen blir uppfunnen.

1841 Cooks resebyrå. Opiekriget.

1842 Folkskoleförordningen.

1843 Kommunalförordningarna.

1844 Morses telegraf.
Kooperationen föds i England.

1845 Den lika arvsrätten.
Symaskinen.

1846 Fabriks- och hantverksordning.
Den första stålkanonen.

1847 Kommunistiska manifestet.
Barnsängsfeberns orsak funnen.

1848 Februarirevolutionen i Paris.
"Kameliadamen".

1949 Fri författning i Danmark.

1850 Krig i Slesvig-Holstein.

Frederik VI — Karl XIV Johan — Karl XIV Johan

Kristian VII — Oscar I — Oscar I

Snörlivet, som varit helt
försvunnet under något
årtionde, återkom på
1820-talet på allvar. Inom
herrmodet var fracken
vid den tiden allmän som
vardagsplagg men undan-
trängdes efterhand av
redingoten. För hemma-
bruk var rökrockar
och nattrockar vanliga.

Framåtvänd hatt,
epåletter. Getingmidja
och ballongärmar för
damerna.

Cylinder, paraply. Hög
midja, ljusa långbyxor.

883

"Gluntarne." Verdis "Rigoletto".		1851
Första gipsförbandet.		
Renbeteskonflikten.		1852
"Onkel Toms stuga."		
Krimkriget bryter ut.		1853
Telegraf Stockholm—Uppsala.		
Husbehovsbränningen avskaffas.		1854
Stambanebygget börjar.		1855
Frimärke.		
Järnvägen Ervalla—Örebro öppnar trafik.		1856
Öresundstullen avskaffas.		1857
Konventikelplakatet upphävs.		1858
Darwin: "Origin of species".		1859
Fredrika Bremers "Hertha".		
Pasteurs upptäckt av bakterierna.		1860
"Fänrik Ståls Sägner".		
Italiens enande.		1861
Spektralanalysen.		
Kommunalstyrelse. Rydberg: "Bibelns lära om Kristus".		1862
Livegenskapen upphävs i Ryssland.		1863
Danmark förlorar Slesvig-Holstein.		1864
Första Internationalen.		
Ståndsriksdagen avskaffar sig själv.		1865
Slaveriet upphävs i USA.		
Andersens Sagor. Mendels lagar.		1866
Siemens dynamo.		
Marx "Kapital". Ibsens "Per Gynt".		1867
Wagners "Mästersångarna".		
Dostojevskis "Idioten". Första folkhögskolan. Första margarinet.		1868
Tolstoys "Krig och fred".		1869
Brehms "Tierleben". Suezkanalen.		
Fransk-tyska kriget.		1870
Odhners svenska historia.		
Tysklands enande.		1871
Strindbergs "Mäster Olof".		1872
Gemensamt nordiskt myntsystem.		1873
"Jorden runt på 80 dagar."		
Wagner: "Nibelungens ring".		1874
Bizets "Carmen".		1875

Oscar I

Frederik VII

Karl XV

Kristian IX

Oscar II

Kjol över kjol.

Bonjour och chapeau-claque ser dagen.

Krinolinens utveckling.

1876
"Tom Sawyer".

1877 Edisons fonograf. Rydbergs
Kantat.

1878 Metersystemet införs. Fryxells
historia färdig.

1879 Edisons glödlampa. Strindbergs
"Röda rummet".

1880 Lavals ångturbin. Offenbach:
"Hoffmans äventyr".

1881 S:t Gotthardstunneln. Snoilskys
"Svenska bilder".

1882 Koch finner tuberkelbacillen.
Strindberg: "Det nya riket".

1883 Nietzsche: "Also sprach
Zarathustra".

1884 Difteribacillen funnen. Strindbergs
"Giftas".

1885 Daimlers första motorcykel.

Idealet är fylligt.

1886 Benz' bil. England tar Burma.

1887 Strindbergs "Hemsöborna".
Rösträttsrörelsen börjar.

1888 Första rullfilmen, första torrbatte-
riet. Heidenstams debut.

1889 Eiffeltornet. B. v. Suttner: "Ned
med vapnen".

1890
Koch finner tuberkulinet.

1891 Lagerlöf: "Gösta Berlings saga".
Frödings debut.

1892 Ny härordning. Grundskatternas
avskrivning.

Löskrage, lösbröst,
lösmanschetter. Kavaj.

1893 Diesels motor. Zulu-kriget.

1894 Filmprojektorn.

1895 Röntgens strålar. Freuds psyko-
analys.

1896 Olympiska spel. Zionismen.
Puccini: "Bohème".

1897 Marconis radio. "Chronschoughs
memoarer". "Karolinerna".

1898 Radium upptäcks. "Till Damas-
kus." "Fridolins visor." LO.

Särskilda kläder för barn.

1899 Strindbergs "Gustaf Vasa". Sibe-
lius "Finlandia".

1900 Boerkriget. Romerska rätten upp-
hör att gälla i Tyskland.

Svenska dräktreform-
föreningen arbetar på att
hygieniskt och praktiskt
förbättra även damernas
kläder. Bysthållare och
underbyxor kommer till.

(Vertical text between columns: Oscar II | Oscar II | Kristian IX)

Jugendlinjerna.

Baddräkten, nyss
uppfunnen.

Pressveck. Slips att knyta.

Första nobelprisen. Indelningsverket avskaffas.	1901
Strindbergs "Drömspel". Gorkis "Natthärbärget".	1902
USA tar Panamaområdet.	1903
Rysk-japanska kriget.	1904
Unionens upplösning. Einsteins relativitetsteori. "Folke Filbyter",	1905
"Nils Holgerssons underbara resa". Nystavning.	1906
Förvärvet av malmfälten. "Johan Ulfstjerna".	1907
Österrike införlivar Bosnien. Kongo blir belgisk koloni.	1908
Storstrejk. Peary når nordpolen.	1909
Inkomst- och förmögenhetsskatt. Hollywood grundas.	1910
Kejsaren av Kina avsätts. Amundsen når sydpolen.	1911
Ford inför löpande bandet. Schönbergs tolvtonsmusik.	1912
Bohrs atomteori. Shaws "Pygmalion".	1913
Första världskriget bryter ut. Bondetåget. Borggårdstalet.	1914
	1915
Förräderiprocessen.	1916
Ryska revolutionen.	1917
Revolution i Tyskland. Finlands frihetskrig.	1918
Versaillesfreden. Åttatimmarsdagen.	1919
Spritförbud i USA. Brantings första regering.	1920
Kvinnlig rösträtt.	1921
Mussolini tar makten i Italien. "Ulysses". "Fridas bok."	1922
Stockholms stadshus. Rundradio.	1923
Lenins död. Stalin: "Om leninism". Hitler: "Mein Kampf".	1924
Chaplins "Guldfeber".	1925

The timeline column shows the reigns: Oscar II, Kristian IX (Oscar II), Frederik VIII, Haakon VII / Gustaf V, Kristian X.

1926

1927 Lindbergh över Atlanten.
      Mobergs "Raskens".
1928 "Tolvskillingsoperan". Penicillinet.
      Ordet folkhem lanseras.
1929 Ekonomisk krasch i USA. Sovjets
      första femårsplan. "Fem unga".
1930 Nils Ferlins debut.

1931 Miljonarbetslöshet.

1932 Socialdemokratisk valseger.

1933 Hitler blir tysk rikskansler.
      Roosevelts nya giv i USA.
1934

1935 Judelagarna i Tyskland.

1936 Spanska inbördeskriget.

1937

1938 Hitler tar Österrike. München-
      mötet.
1939 Andra världskriget bryter ut.
      Finska vinterkriget.
1940 Danmark, Norge, Holland, Frank-
      rike etc. ockuperas av tyskarna.
1941 Tyskarna går mot Ryssland.

1942

1943

1944 Island blir suverän republik.

1945 Tyska sammanbrottet.
      Atombomberna mot Japan.
1946

1947 Indien självständigt.

1948 Israel uppstår.
      Folkdemokrati i Ungern etc.
1949 Folkrepublik i Kina.

1950 Koreakriget.

Kristian X
Hakon VII
Gustaf V
Frederik IX

1928, 1934, 1938.

Herrkonfektion.

The new look, 1947.

Frisyren kan fernissas
med spray.

Byxorna, som haft slag i
några årtionden, släta
igen och smala.

Hakon VII

Gustaf VI Adolf

Frederik IX

Olav V

	1951
	1952
Stalins död.	1953
	1954
	1955
Egypten tar Suezkanalen.	1956
Den första jordsatelliten.	1957
ATP, TV och tidningsdöd.	1958
Det fria Kongos födslovåndor.	
Castro tar makten på Cuba.	1959
	1960
Dag Hammarskjölds död.	1961
	1962
Miljöskadorna och miljöhoten bör-jar uppmärksammas.	1963

REGISTER
OCH KOMMENTARER

A

Aalborg (staden) 247

Aalborg, hälsingborgspräst 407

Abborfors 753

Abel 111. Se även *Erik Plogpenning*

Absalon 103, 104

Saxos skildringar av biskop Absalons bravader är detaljerade och mycket medryckande. Han berättar exempelvis att biskopen gick in under Stevns Klint med sin flotta och lastade skeppen med slungstenar som kunde vara bra att ha vid försvaret av det nyanlagda Köpenhamn. Väl ditkommen med stenarna gick biskopen och badade, men medan han befann sig i badstugan hörde han att folket utanför talade om ett främmande skepp som var i sikte och gissade att det var en sjörövare. Halvbadad klädde han sig ögonblickligen, rusade ner till hamnen och stack till sjöss med ett par fartyg, som efter en förbittrad strid slutligen lyckades övermanna piraterna, vilka i det längsta skyddade sig genom att tynga ner skeppet på ena sidan så att Absalons pilregn fastnade i bordläggningen på den andra. Av sådana pojkaktiga anekdoter består till ganska stor del Saxos berättelse om sin arbetsgivare och samtida. Se även *Svantevit*.

ad haec Forbesius nihil 385

Adalbert 91

Inte mindre än sex vigda biskopar skickades till det hedna Sverige av denne prelat, som lär ha varit så intresserad av att förkovra sitt väldiga

tysknordiska stift att han avböjde ett anbud att bli påve. Dessvärre gick det honom illa med åren; han kom i konflikt med diverse tyska potentater samtidigt som hedningarna repade mod och fördärvade missionsverket.

Adalvard 88

Det lär ha funnits två missionsbiskopar med detta namn i 1000-talets Sverige, båda hitskickade från Bremen. Adalvard i Skara vann många själar i Värmland och även i Norge, där han predikade på inbjudan av Harald Hårdråde. Den andre Adalvard bosatte sig i Sigtuna och hade stor framgång inte minst med kollekten; det står att hedningarna offrade vid en enda mässa sjuttiotvå marker silver varjämte många lät döpa sig.

Adam av Bremen 20, 37, 38, 70, 71, 73, 86, 88. Se även *Birka* och *Vinland*.

adel 122, 125 (i Magnus Ladulås tid), 135 (i Magnus Erikssons tid), 145 (Bo Jonsson Grip), 152, 154, 156, 157, (i Engelbrekts dagar), 202 (Stockholms blodbad), 232 (Västerås riksdag), 246, 247, 249 (grevefejden), 261, 264, 269, 273 (Dackefejden), 301 (Erik XIV:s kröning), 340 (Johan III), 380 (Linköpings blodbad), 394 (Axel Oxenstierna), 403—404 (första riksdagsordningen), 429 (Gustaf II Adolfs avskedstal), 484—485 (1650 års riksdag), 497 (Kristinas grevskap), 546, 547-548, 554-559 (Karl XI:s förmyndare), 589-590, 592-593 (reduktionen), 532, 550, 599, 601 (skånska adeln), 657 (klassindelningens upphörande), 685 (frihetsti-

Adam av Bremen – Agapeti bulla

dens ståndsmotsättningar), 715–720
(förenings- och säkerhetsakten), 759–
760 (1809 års regeringsform), 799–
804 (sista ståndsriksdagarna), 840–841
(striden om aristokratfördömandet).
Adelswärd 745
Adils 39, 44–48. Se också *Ynglinga-
ätten.*
Adler Salvius 434, 445, 472, 473, 480
Salviigränd invid Kanslihuset i Stock-
holm bär namn efter Adler Salvius,
som en gång var stor markägare där i
trakten och en mycket rik man över
huvud taget. Son till en stadsskrivare
i Strängnäs gjorde han en häpnadsväc-
kande karriär för sin tid. Namnet Ad-
ler tog han sig när han vid fyrtio års
ålder blev adlad av Gustaf II Adolf.
Hans första uppdrag i dennes tjänst
hade för övrigt varit att ordna inflytt-
ningen och förestå styrelsen i det ny-
anlagda Göteborg.
Adlerbeth, Gudmund Jöran 705, 710,
718, 730, 742.
Förutom sina memoarer har Adlerbeth
efterlämnat en ansenlig litterär pro-
duktion, däribland en franskklassisk
tragedi om Ingjald Illråde och en ope-
ralibretto vid namn Cora och Alonzo,
vilken uppfördes med musik av tysken
Johann Gottlieb Naumann vid invig-
ningen av Gustaf III:s operahus. En
mera långlivad kulturinsats gjorde han
med sina alltjämt läsbara översättning-
ar av romerska poeter.
Adlerbeth, Jakob 775

Adlercreutz 757–759
Adlersparre 745, 757, 759
Adolf, sagokung, 22
Adolf Fredrik 670, 675–681, 688
Adolf Johan, 540, 541, 543, 547, 593
Adolf av Holstein 169, 173
Adulruna, se *Bureus*

Afrikanska kompaniet 470
Afzelius Arvid August 581, 593, 610
–612, 775. Se ävenledes *Björnklou,
snapphanar, Spegel och Svebilius.*
Agardh 775, 790
Botanikprofessuren i Lund omfattade
länge även ämnet ekonomi, och utom
en del banbrytande arbeten om alger
skrev Agardh också en mängd uppsat-
ser i nationalekonomiska frågor. Han
ivrade för att Sveriges näringsliv skul-
le frigöras från beroendet av utländ-
ska kapitalister. Medborgerliga rättig-
heter åt judarna bekämpade han med
fosterländskt ekonomiska argument,
och han gillade inte heller decimalsy-
stemet i mynt, mått och vikt; han slapp
för övrigt uppleva dess genombrott.
Däremot ivrade han för ordnad skogs-
hushållning, vilket ju var framsynt.
Agardh var från början nyromantiker
och deltog i Atterboms litterära strid.
Agapeti bulla 94
Vid slutet av äldre västgötalagen
finns en historia om den första gräns-
dragningen mellan Sverige och Dan-
mark under kungarna Emund Slem-
me och Sven Tveskägg, vilka enligt
andra traditioner skulle ha träffats
högtidligen på Danaholmen utanför
det nuvarande Göteborg. Nu var
Emund Slemme och Sven Tveskägg
inte samtida, men sena tiders histori-
ker som inte har velat hänvisa mötet
helt till sagans värld har föreslagit att
avskrivaren av västgötalagen har för-
växlat Sven Estridsson med Sven Tve-
skägg, och det kan ju hända. Det med-
delas i alla fall att Skåne, Halland och
Blekinge fördes till Danmark, och vi-
dare redogörs för sex gränsmärken.
Dessutom skildras ceremonielet vid
kungamötet, och därom står att dan-
ske konungen höll i Uppsalakonung-

ens betsel medan norske konungen – som tydligtvis också var med – höll i hans stigbygel. Så står det inte i danska skrifter i ämnet; Själlandslagen som trycktes på 1500-talet upplyser tvärtom att det var svenske kungen som höll i betslet åt danakungen, som uppenbarligen tronade till häst. Det där var ett viktigt tvistefrö mellan länderna i ett par århundraden; framför allt 1600-talet intresserade sig ju omåttligt för rangfrågor. I 1700-talets första år lyckliggjordes emellertid världen med ett bevis för att det var svenskarna som hade rätt; då utgav nämligen den ansedde juristprofessorn Carl Lundius påven Agapetus II:s bulla av den 27 september 954, visserligen icke i original men i en av sex danska biskopar vidimerad avskrift från 1351. Påven ifråga bekräftade där gränsdragningen – han nämner för övrigt ytterligare ett antal gränsmärken – och fastslog framför allt rangordningen mellan de nordiska rikena.

Det dröjde inte så värst länge förrän en och annan lärd man insåg att Agapeti bulla var ett falsarium, men inte desto mindre har detta dokument dansat omkring i den historiska litteraturen och framför allt i hembygdslitteraturen intill vår egen tid. Ansenlig klarhet i saken bragte till sist Nils Ahnlund med sin eminenta förmåga att dra fram belysande aktstycken ur det förgångnas gömmor. Han bevisade på 1920-talet att förfalskningen måste vara ett verk av den sällsamme Hedemoraprästen och lustlögnaren Nils Rabenius, som har mycket annat sådant på sitt samvete. Ahnlund tror att Lundius som gav ut bullan var i god tro men medger att detta kan ju ingen veta.

Agda Persdotter 318
Agne 38. Se även *Visbur* och *Ynglingaätten*
Agnefit 38, 77. Stavelsen *fit* lär betyda sank strandäng.
Agneta Horn 442

Agneta Horns självbiografi, som har getts ut först i vårt århundrade, är säkert inte så sann på alla punkter – däri liknar den de flesta självbiografier – men den är frejdig, drastisk och spännande och skriven på ett medryckande svenskt talspråk som inte har mycket gemensamt med morfadern Axel Oxenstiernas halvlatinska perioder. Vad hon skriver om är sin olyckliga barndom och sin ungdoms lyckade kamp för att bli kvitt en högboren friare och gifta sig med en simplare men manhaftigare. Agneta Horn blev tidigt moderlös och vistades mest hos en faster som hette Leijonhufvud och en moster som hette Oxenstierna, två ampra damer som hon mycket avskyr i likhet med den styvmor hon så småningom fick. Som mycket ung var hon halvt förlovad med en civilperson vid namn Erik Sparre, och hennes skildring av hans giljande är inte snäll; hon fann honom löjlig och förolämpade honom ivrigt. Vid aderton års ålder blev hon i stället lyckligt gift med översteöjtnanten och friherren Lars Cruus, och därmed är det på det hela taget slut på självbiografien. Denna är emellertid verkligen en rekommendabel skrift. Där står mycket om högadelns familjeliv i drottning Kristinas dagar och litet grand om krig och bombardemang står där också, men framför allt lär man känna författarinnan själv, en lynnig, arg och viljekraftig svensk 1600-talsflicka med stor litterär begåvning.

blott en av de många som under frihetstiden gjorde propaganda för den. Heckscher har gjort gällande att dess främsta introduktör nog var grevinnan Eva De la Gardie, gift med greve Claes Ekeblad på Stola i Västergötland. I Vetenskapsakademiens handlingar för 1748 redogjorde nämligen denna dam för potatisens användning till brännvin, potatismjöl och puder, tre rön som raskt lär ha banat väg för de dittills så misstrodda knölarna.

Den lagkunnige domprosten, som var en mycket högättad man vars släkt dock inte har hörts av senare, figurerar i många urkunder från 1200-talets slut och 1300-talets början. Han var uppenbarligen en högt bildad, socialt intresserad person. I Uppsala byggde han ett helgeandshus av sten där sjuka togs in och fattiga bereddes härbärge, och åt svenska studenter köpte han ett nationshus i Paris, som i hans

dagar var universitetsstaden framför andra; i Norden fanns ju då inget universitet alls. Huset låg "på andra sidan om lilla bron i kvarteret Ormen", och studenterna bodde gratis ett visst antal år där men fick förplikta sig att betala en viss procent av sina framtida inkomster till nationshuset. Ämnet har kärleksfullt utforskats av Henrik Schück.

Skriften ifråga innehåller många märkvärdiga påståenden. Där står till exempel att drottning Kristina hade för avsikt att låta lönnmörda Karl Gustaf och att Axel Oxenstierna arbetade på att få sin son Erik bortgift med drottningen. Inte så få uppgifter i den stilen kom in i 1800-talets svenska historieböcker från Les Anecdotes de Suède; framför allt är det tydligt att Fryxell hämtade en del ur denna källa. Märkvärdigare är kanske att Biografiskt Lexicon gjorde det i ännu högre grad; dess biografi över Johan Gyllenstierna utgörs till större delen av citat ur en tidningsartikel som i sin tur blott är en översättning ur Les Anecdotes de Suède. Sagda pamflett har sålunda icke saknat betydelse för svensk historieskrivning. Vem författaren var vet man inte riktigt, trots mycket gissande; Fryxell trodde att det var Samuel Pufendorf, men senare forskare har tillbakavisat den åsikten och sagt att det måste ha varit en svensk, sannolikast kanslirådet Johan Paulin Olivekrantz. På 1680-talet då Anekdoterna nog skrevs var denne generalguvernör åt drottning Kristina över hennes domäner.

Angantyr 42, 43, 44. Se även *Hervararsagan*

Angel, se *Johannes Magnus*

Angel, hovlöpare 679

Angermannus 344, 346, 349, 358, 359, 361, 365-373, 379

Anholt 516

Anjala 711

Anna, tsarevna 669

Anna, Gustaf Vasas dotter 289

Anna, Johan III:s dotter 351, 353, 364, 365, 375, 376

Det finns en anekdot om orsaken till att prinsessan Anna inte var katolik. När Katarina Jagellonica låg på sitt yttersta ängslades hon mycket för skärseldens pina, och hennes biktfader, jesuiten Warsewitz, tyckte synd om henne och lät förstå att det inte fanns någon skärseld; den var bara uppdiktad till varnagel för enfaldigt folk. Drottningen greps då av harm och körde ut jesuiten. Prinsessan Anna stod bakom moderns säng och bevittnade alltsammans, och från det ögonblicket, säger den lutherska berättelsen, fattade hon livslång avsky för papisternas falskhet.

Karl IX, denne beslutsamme protestant, gillade trots detta inte sin brorsdotter, och i sin rimkrönika tar han heder och ära av henne:

Gustaf Brahe kom till henne i kammaren allene

och klappade hennes hvite bene.

De plägade ofta vara platt allene.

Det månde Fröken honom icke förmene.

Anna, änkekurfurstinna 411

Ansgar 20, 87, 666, 804, 807

Antheas, se *Johannes Magnus*

Anthelius 415

Antiquitetskollegiet 563-567

Amund Jakob 82-84, 88, 89, 91

Apollon, se *Zamolxis*

apotek, se *mat* och *dryck* samt *Schéele*

Aranäs 127. Se även *Olaus Magnus*

Arboga 154 (Engelbrekts riksmöte), 179 (Sten Stures valmöte), 372, 373 (hertig Karls möte), 807, 855

"Det kommer efter som Arboga öl" är ett allsvenskt ordspråk som är belagt åtminstone sedan 1700-talet. Att det skulle kunna ha med Sten Stures valmöte att göra är väl tänkbart; någon annan historisk tilldragelse att härleda det från har man nämligen inte lyckats uppleta. Möjligt är förstås att uttrycket redan från början bara var en ramsa.

Nästan lika osäkert som lösningen på denna gåta är svaret på frågan om den svenska riksdagens uppkomst. Uppfattningen att dess historia börjar 1435 med Arboga möte härrör närmast från Odhner, som i sin berömda skolbok från 1869 slog fast att Engelbrekt var den förste som kallade även borgare och bönder till rikets möten. En annan mening har förfäktats av professorerna Gottfrid Carlsson och Erik Lönnroth, av vilka den sistnämnde har gjort gällande att någon verklig riksdag där alla fyra stånden har haft inflytande på besluten inte med säkerhet har hållits i Sverige förrän i mitten av 1400-talet. Emellertid finns det också historiker som menar att svenska riksdagen är äldre än så: Kjell Kumlien har funnit att 1332 uppvaktades Magnus Eriksson i Kalmar av en skånsk deputation med representanter för alla fyra stånden i denna nyförvärvade provins, och 1344 hölls kungaval i Uppsala – det var Erik Magnusson som valdes – under medverkan av biskopar och klerker, riddare och svenner, köpmän och allmoge. Det besvärliga med frågan är att man inte vet om borgare och bönder uppträdde som självständiga politiska korporationer vid de tidiga riksmöten där de uppges ha varit närvarande. Beträffande Arboga möte har uppfattningarna om detta att göra med de skiftande åsikterna om Engelbrekts intressen och avsikter. Lönnroth och andra menar att det knappast var någon skillnad på Engelbrekts och rådsaristokratiens utrikespolitiska mål och att det var rådet som hade ledningen nu. Är detta riktigt finns det inte längre plats för den gamla uppfattningen om Arboga möte, där den fosterländske Engelbrekt med redliga dannemäns hjälp antogs ha övervunnit stormännens unionsvänliga vankelmod.

Arboga artiklar 299, 300
Arcimboldus 195, 196
Arcona 103. Se även *Svantevit*
aretometri 735
Arfvidsson, sibylla 738
aristokratfördömandet 840, 841
Armfelt, Carl Gustaf, d.ä. 647
Karolinerna som marscherade mot Trondheim var mest finnar, men även en del jämtar och hälsingar deltog. Disciplinen var dålig från början, soldater deserterade oavbrutet, öppet myteri utbröt vid Hälsinge regemente, bristen på proviant och foder var kronisk i de härjade norska bygderna, och militärt lyckades ingenting. Hela fälttåget var ett brutalt och glanslöst

elände som nådde sin kulmen under återtåget över Snasahögarna mot det jämtländska Handöl och vidare till Duved. Två tusen man frös ihjäl på fjället, ytterligare ett tusental satte livet till efter hemkomsten, och av dem som överlevde blev många hundra invalider för livet.
Armfelt, Carl Gustaf, d.y. 711, 713, 720
Armfelt, Gustaf Mauritz 703, 708, 712, 722, 725, 729-733, 741, 756, 778, 779
Arndt, Ernst Moritz 742
Den berömde tyske patrioten och Napoleonhataren var pomrare och därför svensk undersåte i halva sitt liv. Han har efterlämnat en "Resa genom Sverige" från år 1803 och en "Svensk historia under Gustaf III och Gustaf IV Adolf", först utgiven 1818. Den sistnämnde av dessa potentater kände han personligen, och hans omdömen har därför en viss tyngd. Han fäller en del erkännsamma ord om konungens kunskaper, rättskänsla och sedliga allvar men kallar honom också halsstarrig och småaktig, en torr fantast. Om Gustaf III skriver han med stor beundran, men hans åsikter härvidlag är på intet vis originella; frihetstiden framstår som en skändlighetens tid, och att Karl XII blev mördad vid Fredrikshald av det hessiska partiet fastslås såsom ett ovedersägligt faktum. Det intressanta med Arndts svenska historia är emellertid mest hans historiefilosofiska funderingar och tidsfärgade tirader. Han slutar med en sådan om orsakerna till Finlands förlust, där han apostroferar svenska folket: "Liksom tron på och hoppet om en Försynens omedelbara mellankomst till ondskans och öfvermodets störtande fasthöll och förstel-

nade konungen, så att I ej villen handla och sträfva med honom, när det gällde; så har också en annan trollmakt, den gamla fransyska yran, fasthållit eder, hans undersåtar. – Detta är den dunkla skickelsens skugga, som sväfvar öfver konungar och folk; detta den sorgliga trollkrets, i hvilken I blefven kringdrifne. Sannerligen, om konungen ägt något af Karl 12, om I ägt något mera av Karl 12:s friska och modiga bussar – allt hade blifvit annorlunda tänkt, sträfvadt och handladt. Denna trollkrets har till hjerta i sin midt ett djupt och dystert – ack!!" Boken börjar med ett långt kapitel om svenskarnas egenskaper och leverne, och Arndt vill göra gällande att de tre miljonerna människor som nu vandrade utspridda på Sveriges område inte utgjorde någon verklig nation. De hade visserligen enhetligt språk och gemensamma lagar, men de bodde så glest att de inte hade någon samfundsanda. Landet befunne sig alltjämt i ett slags kolonitillstånd, all dess bildning vore hämtad utifrån, och Arndt profeterar att det av dessa skäl inte kunde äga "en varaktig, sig sjelf uppehållande och förbättrande statsförfattning", ty en sådan måste uppbäras av ett koncentrerat folk.

Arngrim på Bolmsö 43. Se även *Frodefriden* och *Hervararsagan*

Hävdatecknaren Sven Lagerbring, som var skåning, skriver om Ascheberg: "Jag är född och uppfödd i det land, som uti de sista tretton åren af Gref Aschebergs ålder beständigt stått under dess befallning, och kan tryggt betyga, att jag aldrig hört någon enda tala till denne Herres förklening." Detta är ju inte historieskrivning av det vetenskapliga slag som tillfredsställer den moderna Lundaskolan, men att den tyske adelsmannen från Kurland väl fullgjorde sitt uppdrag att förvandla de danska landskapen till svenska lär svårligen någon bestrida. Såsom generalguvernör residerade han i Halmstad och styrde därifrån allt land från Åhus till Svinesund.

Ascheberg trädde i svensk tjänst på 1640-talet såsom kavalleriofficer under Torstenson och Wrangel och följde därefter Karl X Gustaf genom Polen och Danmark till Sverige.

"Ganska troligt förefaller", skriver C. G. Kröningssvärd som på 1830-talet gav ut en svensk översättning av ett antal nordiska forntidssagor, "att de Gamles Asgård haft samma läge som det nuvarande Asof, nära utloppet af Donflodens södra arm i det Meotiska träsket, snedt emot staden Taganrog; samt att det stora Svithjod varit deromkring beläget."

B

Rhyzelius gissar att ärkebiskop Olofs
underliga tillnamn kan bero på att han
var duktig i att tämja bassarna i lan-
det, varmed skulle menas att han lyc-
kades böja mäktiga herrar under på-
vens ok. Sannolikare hypoteser har
man hört. I och för sig fanns det an-
ledning att med fantasieggande till-
namn skilja på medeltida svenska är-
kebiskopar; de är annars inte lätta att
hålla isär. En föregångare till Basatö-
mir kallas i annalerna för Olof Lam-
batunga, och Rhyzelius tror att han
fått det namnet af sitt milda och liuf-
liga tal, thermed han mongom kunnat
behaga.
Ett antal folkliga historier, den ena
dummare än den andra, har muntligen
varit i svang om Bellman under några
generationer. Skalden brukar där
framställas som en ivrig lustigkurre
som roar Gustaf III med varjehanda
plumpa upptåg och ekivoka repliker.
En apokryfisk anekdot som till skill-
nad från dessa låter sannolik handlar
om Bellmans fru, som sjuttioårig var
med på Djurgården när Bellmans byst

avtäcktes där 1829. Till drottning De-
sideria som i nåder sade några vänliga
ord om hennes man yttrade hon näm-
ligen: "Salig människan var ganska
lessam när han var hemma."
Karl XII:s långa vistelse i Turkiet av-
satte vissa artistiska och vetenskapliga
resultat, eftersom vetgiriga och teck-
ningskunniga officerare naturligtvis
begagnade tillfället att se sig om i det
främmande landet. Ett intressant fak-
tum är att kungens livläkare Skragge i
Bender gjorde bekantskap med kopp-
ympningen, som grekerna kände till;
det var fråga om skyddsympning med
riktiga smittkoppor, ty den jennerska
metoden att vaccinera med kokoppor
upptäcktes inte förrän mot seklets
slut. Den österländska koppympning-
en som ju inte var helt ofarlig blev
hastigt känd och spridd i Västeuropa
under 1700-talets lopp, men det är
möjligt att den genom Skragge kom
till Sverige tidigare än till andra jäm-
förliga länder.
Det har funnits fyra ärkebiskopar Ben-
zelius. Den förste av dem hette Erik
och tillträdde det höga ämbetet år
1700 efter att ha varit en flitigt anlitad
kraft i arbetet på statskyrkans upptim-
rande i Karl XI:s tid; han var sålunda
den blivande Karl XII:s kristendoms-
lärare och satte också sin prägel på
den bibelutgåva som bär dennes namn.
Hans söner Erik, Jakob och Henrik
efterträdde honom på ärkebiskopssto-
len i tur och ordning. Alla tre var

Birka 51, 87, 119, 887
Det är värt att veta att namnet Birka
är latin; staden ifråga omtalas nämligen enbart i Rimberts krönika om
Ansgar och hos Adam av Bremen och
finns inte nämnd i någon forntida
skrift på nordiskt språk. Det förefaller
då sannolikt att namnet bara är en latinisering av det svenska Björkö, som
ju obearbetat inte går att skriva i en
latinsk text. Emellertid finns det
många andra förslag till förklaring av
namnet Birka. Ett är att det skulle
komma av det frisiska berek som lär
betyda handelsområde; Birka sägs
nämligen ha varit en frisisk stad från
början. Ämnet har debatterats länge
och förefaller inte slutdiskuterat.

Hur kort människors minne kan vara illustreras vackert av det faktum
att länge hade man i Sverige ingen
aning om var det forntida Birka hade
varit beläget; lärda män, som hade läst
om staden i Ansgarskrönikan, lokaliserade den till diverse olika trakter.
Att namnet hade att göra med Björkö
i Mälaren var blott en teori bland
många, och när Hjalmar Stolpe på
1870-talet började göra utgrävningar
på ön var det egentligen inte Birka
han sökte. Att det emellertid var Birka han fann kan knappast betvivlas.

birkarlar 383
Dessa norrländska affärsmän hade
ärftligt privilegium på lappmarkshandeln och ansågs under medeltiden
formligen äga lapparna, som nämligen kunde ärvas och skiftas som
annan egendom. De tog upp skatt av
dem mot en fast avgift till kronan.
Gustaf Vasa fördubblade den avgiften för birkarlarna.

birkebeinar 103
Biskopskulla 123

Bismark 826, 829
Biörnklou (alias *Biörenklou*) 569
Riksrådet Biörnklou som hade varit
Magnus Gabriel De la Gardies lärare
övervakade även Karl XI:s uppfostran. Han hade, förtäljer Arvid August
Afzelius i Svenska Folkets Sago-Häfder, gjort upp ett mycket vidlyftigt
schema, men Hedvig Eleonora tyckte
att det räckte "om en konung hade
godt sundt förnuft och en sund kropp,
utan latin och annat lärdomsbråk.
'Mina bröder', sade hon, 'hafwa ingenting sådant lärt och äro ändock aktade och goda furstar.' Den lärda informatorn fann i sin belägenhet bäst wara att ställa sig Drottningens wilja till
efterlefnad wid den unge Konungens
uppfostran; och då någon af de höga
förmyndarne efterfrågade hans framsteg brukade han swara, att han hade
en bestämd owilja för böcker och latin samt endast wille rida, fäkta och
skjuta." Afzelius, som finner allt detta
högst förträffligt, tillägger att eleven
i alla fall kunde tyska språket samt att
han lärde sig bokstäverna så att han
kunde läsa sin Bibel; "och wi weta, att
i den Boken är mycken wishet att
hemta."

Bjarkamal 45, 68, 84
bjarmer, se *Johannes Magnus*
Bjelkenstierna 534
Bjälbo 110, 128
Bjäre 18
bjärköarätt 118–119

Björkö, se *Birka*
Björlin, Gustaf 446
Björn Järnsida 67–69, 70
Björn i Birka 71
Björn Stallare 78
Björn vid Högen 71
Björner 665, 774

Botin, Anders af 97
Ett arbete som fortfarande lär vara nyttigt och användbart är Botins "Beskrifning om Svenska hemman och jordagods"; det hör hemma inom en vetenskap vid namn kameralistiken. Som historieskrivare har Botin det intresset att han i utpräglad grad var en upplysningens man från 1700-talet med mycket kategoriska åsikter om händelser och människor i det förflutna. I sin Svenska folkets historia – vars två volymer endast räcker till Erik. Läspe – tillhandahåller han de mest gruvliga avbasningar av den tro som Ansgar införde. "Alle Roms anstallter gingo därpå ut, att hålla mänskliga förnuftet nedsänkt i mörker, snärt i villfarelser, sysselsatt med uselheter, förskräckt af hotelser, vanfrägdadt i allmänhet och i misstroende emot sig sjelft. I detta ändamål voro Roms Betjenter oupphörligen måne därom, att hålla folket i yttersta okunnighet." Botin, som nog var en torrboll, systematiserar upp historien i ett antal tidevarv inom vilka han därpå skriver notiser om kungarna, folket, religionen, rättskipningen, kulturen, levnadssättet och annat. Han gick ur tiden år 1790, en alldeles utfattig, bortglömd medlem av Svenska Akademien.

Om den helige Botvid finns det en latinsk sång av någon medeltida svensk poet som inte var så dålig, fast verksam i helgonlovprisningarnas banala genre:
Propheta spernit patriam,
spernens honorem gloriae,
athleta terram propriam,
fruendae spe victoriae;
Botvidus sequens aquilam
solem quaerit iustitiae;
sanctam servat modestiam,
dat creatori latriam
contemptor idolatriae.
"Profeten skyr sitt fosterland och föraktar berömmelsens ära. Kämpen lämnar sin hembygd i hopp att få njuta seger. Botvid söker i örnens spår rättfärdighetens sol. Den heliga ödmjukheten tjänar han, åt skaparen ger han sin dyrkan, en avguderiets föraktare."

Brune 65

Brunke (Brunkow) 129, 130

Brunkeberg 130, 180–181 (slaget) 199
(Kristian II:s läger)

Språkmän säger att förstavelsen Brunke- är släkt med ordet brink och att namnet Brunkeberg rimligtvis bara betyder det branta berget. Det behöver alltså inte alls ha med drotsen Brunkow att göra.

Brunkow 129

Brunnerus 604

Bruzelius, Magnus 775. Bruzelius var docent i kemi och hjälpte dessutom Ling med gymnastiken i Lund.

Brynjolf kamel 78

Brynolphus 123, 124

Om Brynjulf Algotsson finns diverse medeltida notiser, ty den berömde Skarabiskopen ansågs vara ett helgon, och från nordiskt håll gjorde man ansträngningar att få honom kanoniserad. En omsorgsfull undersökning av hans liv och verk gjordes till den ändan och trycktes i slutet av 1400-talet under en lång titel som börjar med orden Vita beati Brynolphi, den salige Brynjulfs levnad. Där läses att när han var liten försökte hans amma förgifta honom och hans syster, och systern dog verkligen, men Brynjulf som överlevde lät aldrig amman umgälla detta utan försörjde henne kärleksfullt i många år, ehuru giftet gjorde att det kväkte som grodor i hans mage livet ut. Han var en flitig byggherre och en märklig författare som flydde lättja och vällust och berömligt delade sin tid mellan bön, arbete och betraktelse. Priorn Ericus Johannis i Vadstena kunde upplysa att då Birgitta en gång besökte Skara domkyrka kände hon en ljuv vällukt och såg i en syn jungfru Maria i sällskap med en präktigt utstyrd prelat som måste ha varit Brynolphus, och sacristianen Johannes Smella i Skara hade för sin del hört en ängels röst som befallde honom att flytta den helige mannens ben från deras plats bredvid benen av Knut Folkesson Blå, den lortgrisen – isto lutoso porco. Många underverk hade naturligtvis kringvärvt biskopen. En gång förvandlade sig vattnet till vin när det hämtades upp åt honom ur gråbrödraklostrets brunn, och en annan gång dog plötsligt en vacker häst som hans ämbetsbroder i Växjö nekade honom att få köpa. Vid Brynolphi grav i Skara inträffade talrika underverk; blinda fick sin syn, krymplingar blev helbrägda och så vidare.

Av Brynolphus' latinska dikter finns en del i behåll och vittnar om att han var säker i formen och fast i tron. De skiljer sig mycket litet från vad som den tiden i stereotypa strofformer diktades av litterära prelater på andra håll i Europa; både versmåtten och ordvändningarna verkar medeltida allmängods. Men somliga strofer är vackra i klangen, exempelvis den här ur hans responsorium till ära för den helige Eskil, Södermanlands apostel:

Transit rigor hyemalis,
novus floret flos vernalis
in salutem gentium.
Error cedit, sublimatur
Christi fides, augmentatur
numerus fidelium.

"Över går vinterkylan, ny står vårblomman utslagen till folkens frälsning. Vantron viker, Kristtron höjes, ökas gör de trognas tal."

Bråborg 375

Slottet brändes av ryssarna 1719 och återuppstod aldrig. Gunilla Bielke ha-

de byggt det på 1590-talet till änke-
säte åt sig. En magnifik bild därav
finns naturligtvis i Sueciaverket.

Flera svenska lärdomshistoriker, fram-
för allt Sten Lindroth och Henrik
Sandblad, har i våra dagar intresserat
sig för Johan Bureus, vars runforsk-
ning alltid bars upp av ockulta och
apokalyptiska spekulationer. Han ska-
pade nämligen en mystisk konst som
han kallade Adulruna, ett symboliskt
system där runorna tillmättes fördol-
da betydelser som kunde lämna upp-
lysning om tillvarons djupaste hem-
ligheter. Den 5 december 1613 kloc-
kan 6.22 förmiddagen fick han en up-
penbarelse i Tuna i Dalarna, där han
befann sig på resa med sin forne elev
Gustaf II Adolf; exakt vad han upp-
levde har han inte anförtrott efter-
världen, men det hade att göra med
vissa data beträffande världens ytters-
ta tid. Uppenbarelsen ledde honom in
på mångåriga kryptiska studier där
vilddjurets tal i Uppenbarelseboken
och profeten Hesekiels uppgifter om
måtten på Israels tempel spelade en
viktig roll vid sidan av diverse astro-

logiska beräkningar och bokstävernas
talvärden i vissa heliga ord, och allt
det där har han lagt fram bland annat
i en konstig bok med titeln Nordlan-
dalejonsens Rytande, där det meddelas
att år 1647 kommer den första domen
och tusenårsriket inträder, men 1673
inträffar Kristi sista tillkommelse och
den yttersta domen.

Om Burei domedagsprofeterande
finns en sjuttonhundratalsanekdot av
viss kulturhistorisk betydelse, ty den
ligger till grund för Wilhelm Peter-
son-Bergers opera Domedagsprofeter-
na. Historien är den att när Bureus
fastställde en viss närbelägen höstdag
för världens undergång kom han i
tvist med Uppsalaapotekaren Simon
Wolimhaus, vilken nämligen också
hade räknat på saken och funnit att
den viktiga händelsen skulle inträffa
först till våren. De var båda mycket
säkra på sin sak och slog därför vad
om sina gårdar som ju ändå snart skul-
le gå förlorade, men det hela slutade
som bekant med att bägge två visade
sig ha haft fel, varför var och en fick
behålla sitt.

C

Termometern som bär Celsius' namn är märkligt nog inte alls hans uppfinning. Den förste som konstruerade en användbar temperaturmätare var tysken Fahrenheit, som hade tre fasta punkter på sin termometerskala, nämligen temperaturen hos en köldblandning av is och koksalt, temperaturen hos frysande vatten samt människo-

kroppens normala temperatur i armhålan. Celsius gjorde sig en termometer i Uppsala efter Fahrenheits allmänna princip men hittade på att använda vattnets fryspunkt och kokpunkt som gränser för en hundragradig skala, emellertid kallade han fryspunkten för 100 och kokpunkten för 0, och hans skala var alltså ur vår synpunkt upp- och nedvänd. Den som kom på att vända den rätt var Linné.

Med drottning Kristinas egenhändiga randanmärkningar finns i Kungliga Biblioteket ett exemplar av en 1600-talspublikation som för enkelhetens skull brukar kallas Memoires de Chanut; den korrekta titeln är mycket längre. Martin Weibull, som på 1880-talet granskade och betygsatte detta verk i en svit beundransvärda artiklar i Historisk Tidskrift, har visat att det bara till hälften grundar sig på brev från Chanut under det att den andra hälften bygger på depescher av en annan och enklare diplomat. I franska nationalbiblioteket hittade Weibull alla breven och depescherna och fann att utgivaren hade redigerat om dem mycket hårdhänt. Beträffande den ryktbaraste biten av boken, Chanuts porträtt av den unga drottning Kristina, är avvikelserna dock inte större än att drottningens marginalanmärkningar i boken oftast drabbar även Chanuts originalbrev. Porträttet ifråga citeras i alla verk om Kristina; det är där det står att hon lärde sig grekiska som en förströelse, att hon kunde sitta till häst i tio timmar, att hon sov i bara fem timmar – vilket drottningen själv rättat till tre – och att hon var så likgiltig för sitt yttre att hon klädde sig på en kvart – vartill drottningen anmärker att så lång tid behövde hon bara vid högtidliga tillfällen.

Poeten var son till en präst i Dalarna vilken kallade sig Columbus efter sin hemgård Dufåker, Columbae ager. Namnet har alltså ingenting att göra med Amerikas upptäckare. Samuel Columbus var en lärd och klok författare, och god lektyr är alltjämt hans anekdotsamling Mål-roo eller Roomål där han berättar t.ex. om Lasse Lucidor: "Han gick på gatan och sang; då bad jag honom, at han inte skulle siunga. Han frågade: hvarför icke? Derföre (så var mit Svar), at icke är tjänligt. Då bemötte han mig, om icke vädret eller lufften var all-

men, och alltså hvar ock en hade fritt til at bruka henne, vari sig i sång, speel eller taal. Så vore ock tungan hans egen, ock vijsan, den han sang; hade han sielf componerat."
Se även *Stiernhielm.*

Som poet företrädde Creutz stränga formella krav och rätt avancerade upplysningsidéer, vilket med någon eftertanke kan utläsas även ur den lilla vackra rococopastoralen "Atis och Camilla", hans mest berömda dikt. Personligen lär han ha varit en älskvärd, ytterligt tankspridd epikuré.

"Han hade varken sett fiende eller död", upplyser Anecdotes de Suède om amiralen som inte heller hade varit till sjöss förr.

Crusenstolpe var ingen obetydlig skribent, ehuru det mesta av hans skrifter faller utanför alla vedertagna genrer och därför har skjutits åt sidan både av historiker och litteraturbedömare. Huvudsakligen var han romanförfattare, och på det hela taget framträder han inte alls med anspråk på vetenskapligt sanningssägeri. Emellertid använder han även i romanerna många journalistiska anteckningar och dokument, som han då brukar utmärka med en asterisk och en fotnot: Historiskt. Dessa inslag är väl i de flesta fall någorlunda korrekta, och fotnoten markerar alltså helt enkelt vad som till skillnad från den övriga texten icke är ren dikt. Arrangemanget är ofta maliciöst, men det är ändå inte fullt rättvist när Crusenstolpe på grund av denna sin vana avspisas av historiker och andra såsom ytterligt ovederhäftig, alltid under citerande av det ironiska ordspråket "Historiskt, sa Crusenstolpe."

Cruus, se *Agneta Horn*
Cupido, *Then fångne* 483
Cyprian, archimandrit 399
Cyrus 24, 206

D

Dacke 263, 265–276
Dag 38. Se även *Ynglingaätten*
Dagsnäs 774
Dahlbergh 514, 529, 552–553, 577, 578, 629
Erik Dahlberghs dagbok är rolig och spännande lektyr, men som historiskt dokument åtnjuter den numera inte odelat gott rykte. Det gäller framför allt vad han berättar om tåget över Bält, där äldre hävdatecknare helt och hållet litat på hans uppgifter. Curt Weibull, som har skrivit mycket om denna dramatiska marsch, tror inte alls att Dahlbergh i någon högre grad bidrog till framgången; tvärtom sölade han så länge med sin rapport om isens tjocklek att han äventyrade hela företaget, och han deltog för övrigt inte i kungens tåg över Bält utan följde i stället med Wrangel två dagar senare. En annan historiker som skrivit om saken, Einar Carlsson, menar dock att Dahlberghs roll trots allt var viktig; han var ju ändå arméns generalkvartermästare och hade hand om hela rekognosceringen.

Dahlberghs dagbok är under alla förhållanden läsvärd. Där berättas mycket märkvärdiga äventyr som är bra även om de inte kan bekräftas av några vittnen, och där finns också lugna notiser om författarens viktiga arbete i offentlighetens rampljus under senare år. Så här låter det våren 1661: "Emedan af den mykna snöö och is sambt regn een så stoor floodh i Mälaren förorsakades att Stockholms norre södre broer sambt slysen stode i största faara, dy wart jag af kongl. regeringen befalt med Södermanlands hemmawarande esquadron sambt åtskillige härader i Södermanlandh att opprymma Tellie graaf till Mälarens aflopp. Reste altså den 8 maij till Tellie och begyntes arbetett medh flijt, 4 mihl. Den 20 dito var grafwen reda så diup, att Hans Excell. fältherrn grefwe Lars Kagge, jag och een corporal droge medh een lijten bååt uthur Mälaren i Saltsiöön."
Se även *Pufendorf* och *Inglinge hög*
Dalaborg, 145
Dalarna 150–151 (Engelbrekt), 207–211 (Gustaf Vasas äventyr), 219, 221, 228–230 (Daljunkaren), 239–240 (klockupproret), 243–244 (skräckmötet vid Kopparberget), 378 (Nävtå-

Digerdödens härjningar, som utan tvivel var ohyggliga, har mycket överdrivits av senare generationer. På 1700-talet tycks det ha varit en allmän åsikt, företrädd exempelvis av Linné, att Sveriges befolkning före pestens tid hade varit mångdubbelt större än den senare hade hunnit bli, och man visste berätta att i hela Värmlands bergslag var det bara en yngling och två flickor som överlevde. En vacker fast embryonal novell handlar om Ekshärads kyrka, som efter många år blev återfunnen djupt inne i en susande storskog; en bonde som var på jakt bommade nämligen på en tjäder och träffade i stället den mossbeväxta kyrkväggen. Liknande traditioner om digerdödens härjningar finns upptecknade även från andra landskap.

Att ordet digerdöd betyder stordöd är väl tämligen klart. I Les Anecdotes de Suède kan man emellertid inhämta att pesten i fråga kallades Tygerdoeden emedan den var grymmare än en tiger.
Sagan om Disa refereras i Atlantikan av Olaus Rudbeck, som säger sig dra ut hela summan av Olaus Magnus', Messenius' och andras berättelser i ämnet. När Frej som också kallades Sig-

trud regerade blev det överbefolkning i landet, och en vinter när det rådde hungersnöd beslöt kungen i samråd med allmogen att alla gamla och sjuka skulle dräpas. Disa, dotter till en av hans rådsherrar som bar det egendomliga namnet Siustin och bodde på Wenngarn, förklarade att hon visste bättre råd. När kungen fick veta detta lät han skicka efter henne men ställde samtidigt en mängd besvärliga villkor för audiensen. Hon borde komma varken klädd eller oklädd, varken till fots eller till häst, varken åkande eller seglande och så vidare; det är ungefär samma krav som ställdes på Aslög i Lodbrokssagan. Disa uppfyllde naturligtvis dem alla; hon anlände i skymningen svept i ett fisknät och med ena benet i en släde och det andra på en getabock. Kungen blev intagen av hennes klokhet och skönhet och gjorde henne strax till sin gemål, och hon avhjälpte därpå överbefolkningen i landet genom att dela folket i två delar och skicka den ena att kolonisera vildmarkerna i Norrland. Till minne av detta inrättades Distingsmarknaden.

Rudbeck själv har mycket märkvärdiga tankar om Disa. Han anser att hon är identisk med den egyptiska Isis som i sin tur har med nordens is att skaffa, och hon är vidare identisk med Freja och med själva jorden. Rudbeck ägnar något hundratal sidor av Atlantikan åt abstrusa spekulationer i detta och närliggande ämnen. Se för övrigt *Orre.*
Gabriel Djurklou har icke blott skri-

vit utan även gjort svensk historia. På 1860- och 1870-talen var han den drivande kraften i det bolag som sänkte Hjälmaren, ett av de få sjösänkningsföretag vilkas nytta är obestridlig. Det gav nittontusen hektar odlingsbar jord och förbättrade framför allt klimatet. Den fruktade frossan, malarian som ännu i mitten av 1800-talet var en vanlig sjukdom i Sverige, förekommer inte längre i vårt land, och även om den myggart som är dess smittobärare än i dag tillhör vår fauna är ett samband mellan sjukdomens försvinnande och torrläggningen av de stora sumpmarkerna i det tättbefolkade Svealand åtminstone tänkbart.

Djurklou tog vidare initiativet till Närkes fornminnesförening som stiftades 1856 och var den första i Sverige, förebild till alla de andra fornminnesföreningarna i riket.

Historien om den tyske skräddaren som fick Orsa att göra uppror är rätt märkvärdig, ty man vet inte riktigt vad det hela gick ut på. 1627 marscherade emellertid orsakarlarna under befäl av skräddaren, som hette Mattias men i folktraditionen kallas Duken, beväpnade till Älvdalen för att finna allierade. Prästen i Älvdalen bjöd dem slugt på öl i en stuga och bommade samtidigt in dem där, varpå han skickade efter länsman. Hela sällskapet greps och ställdes inför rätta vid Kopparberget, där kungen själv hade infunnit sig; även biskop Rudbeckius var närvarande. Ett halvt dussin dömdes till döden, men fyra av dessa fick av nåd behålla livet och deporterades i stället till Ingermanland.

I rådsprotokollen från Karl XI:s förmyndarregering står mycket om Gustaf Adam Banér, som nämligen ställde till den ena skandalen efter den andra och visade anmärkningsvärd brist på hyfsning. Han gick till exempel och visslade i de kungliga gemaken och snäste av envar som bad honom låta bli. Omsider förvisades han från hovet därför att han övergav sin första hustru för Maria Skytte, och då han olagligen gifte sig med henne dömdes han rentav till landsflykt men blev snart benådad.

Tre hovkapellmästare med namnet Düben, farfar, son och sonson, har alla efterlämnat kompositioner som spelas någon gång. Farfadern, Anders Düben, kom till Sverige med Maria Eleonora och skrev bland annat begravningsmusiken över Gustaf II Adolf, ett stycke med det krigiska namnet Pugna triumphalis. Sonen hette Gustaf och har skrivit körmusik, symfonier och sånger, däribland tonsättningarna av Samuel Columbus' dikter. Han blev hovmarskalk och friherre i Karl XII:s tid, och till skillnad från sin farfar heter hans son därför

Anders von Düben. Denne har skrivit en mängd sånger och klaverstycken och även en liten opera.

E

Beträffande betydelsen av ordet Edda finns det mångfaldiga förslag. Björn Collinder, som senast har översatt de båda eddorna till svenska, säger att vad ordet betyder "få vi veta av det gamla kvädet om Rig, berättelsen om samhällsklassernas uppkomst, där det heter att de högborna härstamma från Fader och Moder, bondfolket från Afi och Amma, 'morfar och mormor', och trälarna från Ai och Edda, 'mormorsfar och mormorsmor'. Behövs det någon annan förklaring?" Det är svårt att se att detta är någon förklaring alls, men Collinder är inte den förste som ansett att den isländska forndiktsamlingen heter Mormorsmor, och detta förslag är väl inte mera långsökt än många andra. Förr i världen

menade man att ordet nog hade att göra med det latinska verbet *edere*, som betyder ge ut; Edda skulle helt enkelt betyda edition.

Se också *Frodefreden*.

En bestående insats har Ehrenström gjort som uppbyggare av Helsingfors; efter sin överflyttning till Finland förordnades han nämligen av kejsaren till ledare för en kommitté som skulle ge landet en värdig huvudstad. Ehrenström, som själv var född i Helsingfors då den ännu var en svensk landsortsstad, löste sitt uppdrag med säker

till vårt språk av den norska drottning Eufemia, förmodligen som en present till hennes blivande svärson. Visorna heter respektive Ivan Lejonriddaren, Hertig Fredrik av Normandie och Flores och Blanzeflor. Alla återgår de på internationellt kända historier Deras betydelse för svensk litteratur har varit stor, i varje fall formellt, ty de introducerade hos oss den rimmade knitteln som kom till användning i de medeltida rimkrönikorna och har visat sig poetiskt matnyttig även i senare tider.

Eufemia, hertiginna av Mecklenburg 133

Evangeliska Fosterlandsstiftelsen 791, 837

Evertsberg 612

F

Fabrice 641

Fabricius, Jakob 436. Se även *Förfäras ej, du lilla hop*

Fabricius, Adam 821

Fabricius, Knud 600

Fabricius, Ludvig 595

Som svensk överstelöjtnant och envoyé gjorde den i Brasilien födde holländaren Ludvig Fabricius tre resor till Persien genom Ryssland, där han förut hade varit i rysk krigstjänst, råkat i fångenskap hos Donkosackerna, sålts som slav till Isphahan och upplevt många andra märkvärdiga äventyr som inte verkar alltför trovärdiga. De sista årtiondena av sitt liv tillbragte han emellertid i Sverige där hans Lefnadsbeskrifning kom ut några årtionden efter hans död och befanns synnerligen spännande. En rad blodtdrypande rövarhistorier därur återberättas allvarligt och troskyldigt i Biographiskt lexicon.

Fagerhult (i Småland) 275; (i Skåne) 58

Faggot 683

Fahnehjelmare 727. Benämningen

härrör från krigskassören Fahnehjelm, vars namnteckning fanns på anvisningarna.

Fale Bure 100, 105

Två personer med namnet Fale Bure figurerade länge i svensk historieskrivning. Den äldre av dem var hövitsman för hälsingarna som följde Erik den helige till Finland, och i sinom tid drog han även ut för att hämnas mordet på denne monark. Den yngre Fale Bure som var sonson till den äldre styrde Medelpad, Jämtland och Angermanland på sin tid; han deltog vidare i slaget vid Älgarås, där han räddade Erik den heliges sonson ur det allmänna blodbadet och bar honom på sina armar genom Tiveden, Värmland och Dalarna till sitt norrländska hövdingadöme och därifrån vidare över fjällen till Norge. Dessa båda tappra herrar gjorde entré i historieböckerna rätt sent, närmare bestämt i början av 1600-talet, då antikvarien Johan Bureus tog itu med att skaffa sig själv en vacker stamtavla och upprätta en genealogisk tabell över sin familjs härstamning från urtida hövdingar i Hälsingland. Våra medeltidshandlingar vet ingenting om någon Fale Bure.

Det fanns ett slott i Falsterbo under medeltiden; danske kungens fogde flyttade dit i början av 1400-talet från slottet i Skanör, som av något skäl hunnit bli obeboeligt vid det laget. De båda tvillingstäderna i Skånes sydvästra hörn var som bekant viktiga orter under Hansans stora tid, vilket hängde ihop med sillfisket och sillmarknaderna där. Man vet rätt mycket om saken, ty danska staten utfärdade fiskelicenser och tog upp tull, och ett stort material av dithörande urkunder finns i behåll. Stora har städerna emellertid säkert aldrig varit, och när sillen så småningom upphörde att gå till sjönk de ner i obemärkthet. I mitten av 1700-talet slogs de ihop till en stad, men de gamla namnen fick bestå.

Fyren vid Falsterbo lär vara norra Europas äldsta; den anlades av dominikanermunkar från Lübeck i början av 1200-talet. Efter reformationen, närmare bestämt år 1560, inrättades på kunglig befallning en ny fyr i Falsterbo – en annan tillkom samtidigt på Kullen och en tredje på Skagen. De utgjordes alla av en järnkorg med en koleld som lyftes till väders på en vippstång eller hissades upp i en timmerställning av ek.

Orten uppges ha varit den folkrikaste i Sverige näst Stockholm när den fick sina stadsprivilegier 1641.

Mycket trevlig lektyr är Fants Utkast till Föreläsningar öfver Svenska historien, som kom ut i två volymer 1803–04. Den slutar med Fredrik I:s död, men dess mest läsvärda parti handlar nog om Karl XII:s tid. Fants verk vimlar av detaljupplysningar och notiser; han återger små replikskiften och berättar flyhänt om varjehanda personer i händelsernas periferi. Monumental är hans historieskrivning minst av allt, men den är medryckande på ungefär samma sätt som välskrivna dagböcker och memoarer av författarens gustavianska samtida. Se *Petersburg*.

För sena tiders vetenskap är E. M. Fant känd framför allt såsom initiativtagare och förste redaktör av det stora verket Scriptores rerum suecicarum medii ævi, en publikationsserie som lever och växer än.

Innan han blev rikskattmästare var
Herman Fleming sjöofficer, och från
hans tid som sådan finns det en fient-
lig anekdot som säger att klockan fy-
ra en junimorgon 1652 skulle drott-
ning Kristina inspektera ett flottbygge
varvid Fleming förde henne ut på en
brygga av lösa bräder som vippade
över så att båda ramlade i sjön. Fle-

ming högg tag i drottningens kjol och
höll på att dra ner henne, men hov-
stallmästare Steinberg och andra sim-
kunniga personer hoppade strax i och
drog i den kungliga skruden åt andra
hållet, därmed räddande både henne
och honom. Drottningen tog det hela
mycket lugnt och anmärkte efteråt att
hon var van vid vatten; värre var det
för amiralen som endast var van vid
öl.

Att Birger Jarl skulle ha tillhört en
släkt vid namn Folkungaätten är en
gissning av Olaus Petri, som i sin sven-
ska krönika refererar ett medeltida
släktregister över jarlens förfäder.
Den äldste av dem skulle ha varit en
viss Folke Fijlbijter, och dennes son-
son hette Folke den tjocke. Sture Bo-
lin uppvisade emellertid på 1930-talet
att Birger Jarl och hans dynasti aldrig
kallat sig folkungar; med detta ord
betecknas de upproriska stormän jar-
len och Magnus Ladulås bekämpade
och lät avrätta. Erik Lönnroth menar
att folkungarna var ett konservativt
uppländskt adelsparti som uppkallats
efter sin förste ledare Folke jarl, och
professorskollegan Sten Carlsson ger
honom rätt i att folkungarna nog har
namn efter Folke jarl men tror inte
att de skulle ha varit ett parti precis.
Slutligen har Adolf Schück gjort gäl-
lande att ordet folkungar inte alls be-

höver ha med namnet Folke att göra; enligt honom skulle det ha samband med ordet folc-cyning som förekommer bl.a. i Beowulfskvädet. Ordet skulle betyda ungefär detsamma som hövding och beteckna personer i ledande ställning av vilken ätt som helst. Det enda forskarna är ense om tycks vara att folkungaätten i hävdvunnen mening är högeligen apokryfisk.

Disputationen mellan Forbesius och Uppsalateologerna drog ut på tiden, och ingendera parten lät sig naturligtvis övertygas av motpartens argument. När mörkret föll på avslutade ärkebiskop Olaus Martini debatten och yttrade: "Irenaeus förtäljer att de gamla germanerna brukade tillstoppa sina öron då de hörde smädelser mot Gud. Likaså må vi bekänna att våra öron äro uttröttade av allt det smädliga tal denne främling har framfört. Låtom oss därför bedja Gud att han måtte omvända den vilseförde!" Då sade Forbesius: "Gud omvände oss alla!"

Svenska 1700-talsförfattare som Dalin och Lagerbring trodde synbarligen fullt och fast på existensen av kung Fornjoter och hans ätt, vars släktregister därför finns vackert uppställt i historieböcker långt in på 1800-talet. Fornjoter hade sönerna Hlär, Kare och Loge som efterträdde honom i tur och ordning, därpå regerade Froste alias Jokul, Snär den gamle och Thor, Gore och Nore, Heiter och Beiter, Gylfe och Glamr. Redan namnen – som är det enda man någonsin haft

sig bekant om fornjoterska ätten – utsäger ju att denna är en saga eller snarare en ramsa, som synbarligen har med naturkrafterna och väderleken att göra. En figur som också hör dit är Goe eller Göje, som uppges vara sondotter till Snär alias Snö den gamle; hon har ju gett namn åt Göje månad, som är det gamla svenska namnet på februari och en del av mars.

Onsdag, torsdag, fredag bär rimligen namn efter Oden, Tor, Frej, de tre gudar som enligt Adam av Bremen hade sina beläten i Uppsalatemplet och som alltid brukar nämnas i den ordningen. Vanligtvis anser man dock att fredagen uppkallats inte efter en gud utan en gudinna, nämligen Freja, detta därför att den svarar mot de romanska folkens Venusdag, dies Veneris. Frågan om gudars kön är emellertid en mycket dunkel fråga i nordisk mytologi, och kanske är det i grund och botten inte någon objektiv skillnad på Frej och Freja.

Biskop Thomas frihetssång, som framställer Karl Knutsson såsom Engelbrekts arvtagare och alltså från början var en partipolitisk visa, är komponerad efter ett schema som lär ha varit vanligt i medeltida dikt, där någon viss dygd gärna brukade liknas vid olika ting i strof efter strof. Såsom det dagspolitiska inlägg den var glöm-

des visan snart, men bland gamla papper påträffades den i sinom tid av riksarkivarien Per Månsson Utter någon gång på 1600-talet, och allmänt känd och beundrad blev den sedan Geijer på 1800-talet ånyo hade dragit fram den i ljuset.

Att Frodefreden hade med Frej att göra påstår Snorre. Saxo berättar en vidlyftig och invecklad historia om den danske kung Frode – Frotho kallar han honom på sitt latin – vilken gjorde allt för att skaffa landet fred både för yttre fiender och för inhemska tjuvar och rövare. Till den ändan förde han framgångsrikt krig med bland andra den slaviske kung Strunke och framför allt med den hiskliga hunnerhären under kung Hun. Han hade vidare en del otalt med den svenske kämpen Arngrim, vars bedrifter mot lapparna i Norrland emellertid var så lysande att Frode slutligen tyckte att han kunde ge honom sin dotter till hustru. Frodes eget liv var stundom rätt besvärligt, ty hans första drottning bedrog honom med en buse som hette Grep, och på gamla dagar fick han slutligen att göra med en häxa som förvandlade sig till en sjöko och stångade ihjäl honom. Dessförinnan hade han utfärdat diverse visa lagar som Saxo refererar; där stod exempelvis att ingen fick understå sig att sätta lås för sin egendom vid vite av en mark guld, och om någonting blev stulet i de olåsta husen fick ägaren dubbel ersättning ur kungens kassa. Tjuvar och horkarlar var det tilllåtet att lemlästa, och alla trätor borde avgöras med svärdshugg och inte genom munhuggande. Många sådana pittoreska ting berättar Saxo om Frode, men han säger ingenting om hans Grottekvarn, som Viktor Rydberg har gjort så berömd bland sena tiders svenskar. Historen om den återfinns i stället i den poetiska Eddan, där det står att kung Frode regerade i Danmark på den tiden då Kristus blev född och kejsar Augustus lyste fred över all världen. I Frodes dagar gjorde ingen man någon annan man något ont, inte ens sin faders baneman, och folk var så ärliga att en guldring låg tre år vid landsvägen. En vacker dag for kung Frode på besök hos kung Fjölne i Svitjod, och där köpte han sig två stora starka trälinnor som hette Fenja och Menja. Dessa tog han med sig hem till Danmark där han hade fått en märkvärdig kvarn av en herre som hette Hängkäft och rimligen var identisk med Oden; kvarnen som kallades Grotte var oerhört tung att dra, men den var bra på det viset att den malde fram vadhelst ägaren önskade. Han lät leda trälinnorna till den och lät dem mala guld och fred och lycka åt sig, och när det var gjort lät han dem vila blott så lång stund som göken teg eller som det tog att kväda en visa. Den sång de då kvad kallas Grottesången och står att läsa i Eddan. När de tog itu med arbetet igen malde de fram en här som slog ihjäl kung Frode, och därmed var det slut på Frodefreden, säger Eddan.

Froe 22

Fryxell 263, 290, 405, 430, 460, 492, 498, 503, 547, 548, 596, 597, 634, 648, 652 (om Karl XII), 675, 690, 691, 791, 840, 841

Kanske kan det intressera någon att Fryxell vann sina första lagrar icke som skriftställare utan som simlärare vid Sveriges första simskola. Det var 1814 i Uppsala.

Frägnered 396
Fräke 34
frälse 122, 340, 450, 451, 484, 485
(frälseköp), 718
Frö 28, 33, 38
Fröding 341
Fröja 33
Frösön 460
Fugger 278
fylgia 31
Fyllebo 576
Fyn 513, 531, 537, 538, 821
fyndplakatet, se *Hadorph*
fyr, se *Falsterbo*
Fyrisvall 47, 48, 72, 73
Fürstenberg, högmästare 305
Fågelvik 176
Fåhraeus, Rudolf 570
Fältskärns berättelser 765
Fänrik Ståls Sägner 742, 754, 765
Fänte-Silja, se *Torborg*
Färla, Karl Nilsson 145
Färöarna 53, 516, 779
förenings- och säkerhetsakten 717
Förfäras ej, du lilla hop 437
I Svenska psalmboken anges Gustaf II Adolf som författare till denna psalm. Detta är en uppgift som tycks ha kommit fram i Leipzig vid tiden för jubileumsfesten 1832; där påstods nämligen att hovpredikanten Fabricius skulle ha gett form åt psalmen efter kungens personliga anvisning och att Fabricius under hans likfärd skulle ha visat hans egenhändiga prosautkast för Lennart Torstenson. Detta kan inte vara sant, ty vid det laget satt Torstenson som krigsfånge inspärrad i Ingolstadt. Att Gustaf Adolf skulle ha

haft med författandet att göra är alltså lindrigast sagt obestyrkt, men det anses troligt att han använt och älskat denna psalm i dess tyska version. Uppgiften att den sjöngs vid Lützen är gammal.

G

Det existerar en vacker daguerrotypi av Geijer. Han gick ur tiden 1847, och det nymodiga kameraporträttet av honom på hans ålderdom måste vara en av de första fotografiska bilder som tagits i vårt land.

Ärkebiskop Jöns Gerekssons liv och leverne i det tidiga 1400-talets Sverige är en mycket rafflande historia, bra berättad i Historisk Tidskrift 1894 av Gabriel Djurklou, som har gått igenom en ansenlig bunt latinska texter i ämnet. Ärkebiskopen var nämligen invecklad i en sensationell rättegång, vars handlingar finns i behåll. Till börden var han dansk och tycks ha varit personlig ungdomsvän till kung Erik av Pommern, som gjorde honom till ärkebiskop i Uppsala med undanträngande av domprosten Andreas som kompenserades med att bli biskop i Strängnäs och i sin tur undanträngde en prelat med det vackra namnet Gjurd Petersson Rumpa.

Jöns Gerekesson älskade tydligtvis makt, prakt och lustbarheter och ogillade celibatet. Han fann behag i en stockholmska som hette Margareta, och henne lyckades han på något sätt skilja från hennes trolovade och gifta bort med sin tjänare Jeppe Nilsson, som fick order att vid vigseln inte svara ja utan endast säga mum, mum och därefter inte ha minsta umgängelse med bruden. Hon installerades i stället som mätress hos ärkebiskopen och fick med honom ett par barn som fick gälla som Jeppes. Förhållandet till Margareta tog emellertid snart slut, ty efter någon tid fick ärkebiskopen syn på en annan dam som väckte hans gillande. Hon hette Helleke och var en ung rik änka med flera stenhus i Stockholm. I november 1414 trolovade hon sig med en borgare som hette Ludbert Kortenhorst. Det skedde i vittnens närvaro och i högtidliga former, ty trolovning var ju på den tiden en juridiskt bindande ceremoni, men någon vecka efteråt ångrade sig Helleke och vände sig till ärkebiskopen för att få trolovningen bruten; hon ville nämligen gifta sig med borgaren Gottschalk Severinghusen i stället. Ärkebiskopen lovade ordna saken, tog Helleke i sitt personliga hägn och lät i sinom tid sin slottskaplan på Arnö viga de tu. Den försmådde Ludbert fann sig emellertid inte i detta utan klagade hos högre makter: först hos ärkebiskopen i Lund, som alltså alltjämt hade anseende som Sveriges primas, därefter hos själva den påvliga kurian. Han fick hjälp av prästen Johannes Jung i Stockholm, vilken på grund härav blev illa misshandlad av biskopen som med ett beväpnat följe trängde in i dominikanernas kloster där prästen satt till bords med bröderna. Den energiske Ludbert lyckades emellertid till sist få den påvliga kurian på sin sida, och i dess slutliga dom i målet fastslogs att Ludbert och inte Gottschalk var Hellekes man. Ärkebiskopen böjde sig inte för detta, men Ludbert vädjade då till konungen som fastställde kurians dom. Ludbert yrkade vidare skadestånd av Gottschalk, men denne förklarade att han hade bara lytt ärkebiskopen, vars un-

derordnade han var; som saken nu stod borde denne inte bara betala skadestånd till Ludbert utan även gottgöra honom själv för de kostnader och den vanära han lidit. På detta svarade ärkebiskopen oförsiktigt nog att vad han hade dömt beträffande Helleke var rätt och riktigt, och hans dom skulle stå fast om det också skulle kosta honom hans liv, hans egendom, hans själ och hela Uppsala kyrka.

Nu blev det ett väsen i vilket domkapitlet tog livlig del; kanikerna hade i det längsta böjt sig för biskopen, men nu gjorde de allt för att bli av med honom, vilket slutligen lyckades. Jöns Gerekesson avsattes från biskopsstolen i Uppsala våren 1422 genom en påvlig bulla som räknar upp hans långa syndaregister, men förmodligen gjorde han i sinom tid bot på något sätt, ty sju år senare utnämndes han till biskop i Skalholt på Island. Hans öden där ser verkligen ut som en isländsk saga. Han omgav sig nämligen med en samling vilda sällar vilkas anförare ansågs vara hans son, och denne hemsökte med mord och mordbrand en familj som avslagit hans frieri. Flickan själv kom emellertid undan och manade till hämnd på biskopen och hans anhang, och en dag omringades Skalholt av förbittrade isländningar. Ärkebiskopen reglade sina kyrkdörrar och satte i gång med att i full ornat läsa mässan därinne, men folket sprängde dörrarna och tog ärkebiskopen till fånga inför högaltaret, klädde av honom skruden, stoppade honom i en säck och dränkte honom i en å.

Två ting kan man undra på tal om den gruvlige ärkebiskop Jöns Gerekesson. Först och främst är det märkligt att hans namn inte har använts något vidare i den danskfientliga propagandan efter Engelbrektsfejden; fogden Jösse Eriksson, som dock var halvsvensk, fick ju en helt annan publicitet. För det andra frågar man sig om Ludbert blev lycklig med Helleke.

Antika författare alltifrån Herodotos berättar om geterna åtskilligt som svenska historieskrivare ivrigt har tagit vara på. Geterna hade sålunda en lagstiftare vid namn Zamolxis, vilken var lärjunge till Pythagoras och även hade studerat i Egypten där han inhämtade kunskap om de himmelska tingen, varefter han återvände till sitt hemland och tog itu med att kultivera sina landsmän och ge dem en human religion. Några århundraden senare, upplyser Jordanes, hade geterna en kung som hette Borbista; han upprättade ett starkt och mäktigt rike, men det bästa hade honom var att han lät sig bistås med råd och dåd av översteprästen Diceneus, som var mycket vis och ökade folkbildningen bland geterna otroligt. Dessa tappra människor började nämligen under hans ledning mangrant syssla med vetenskaperna och utforskade både botaniken och himlakropparna. Diceneus förmådde dem även att bli helnykteris-

ter och hugga bort alla vinstockar i landet. Han utsåg också präster som på grund av sina vida huvudbonader kallades pileati, behattade, och götiskt anstuckna svenska forskare har rätt nyligen allvarligt påpekat att detta ord fullkomligt motsvarar Odens nordiska binamn Sidhöttur, bredhattad.

Se även *Zamolxis.*

Nordens enda välbevarade riddarborg är så solid att generalkvartermästaren Hintze som under snapphanekriget försökte förstöra den misslyckades fullständigt. Han fick inte bort stort mer än dörrarna och fällgallret.

I Riksarkivet finns ett 1300-talsbrev
där en viss Ormerus Gyridhason in-
tygar att Gudhems kloster äger en
sextondel av fisket i nedersta delen av
Viskan och att Erik Läspe och Birger

Jarl på sin tid lät riva bort de fiske-
verk som munkarna i Ås kloster i det
danska Halland hade understått sig att
uppföra till Gudhemsnunnornas för-
fång. Brevet är förfalskat – det är till
och med raderat – och man vet att de
fromma systrarna skaffade sig en vi-
dimation av urkunden av borgmästare
och menighet i Skara. De vågade väl
inte lägga fram det raderade originalet.

Sydtysken Samuel Kiechel som gjorde
en vintrig turistresa i Sverige på 1580-
talet fick därvid äran att se den kung-
liga familjen sitta och äta på Kalmar
slott. Han fann den nya drottningen
utomordentligt skön i likhet med hen-
nes ogifta systrar, som också satt med
vid taffeln. Men även kungen impo-
nerade med sitt yttre på den ivrige
betraktaren. "Bemälde konung har ett
vackert, gult, ända ned på bröstet räc-
kande skägg, sådant som jag nästan
aldrig sett på någon vare sig hög eller
låg person, och som klädde honom
mycket väl."

För eftervärlden är den krigiske kanslipresidenten mera känd som vitter författare; hans lustspel "Svenska sprätthöken" blev en stor succès och höll sig länge på teaterrepertoaren. Som statsman är han illa anskriven i hävderna. "Hatet mot England", skriver Ludvig Stavenow på sin klumpiga prosa, "hade följt honom, alltsedan hans långvariga vistelse därstädes slutat med häktande för delaktighet i en jakobitisk komplott, och förblef hans enda fasta politiska grundsats."

Atskilliga oäkta barn till hertigarna av huset Vasa adlades under namnet Gyllenhielm. Hertig Johan, den blivande Johan III, hade tre sådana, av vilka dottern Sophia Gyllenhielm blev gift med Pontus De la Gardie och därigenom stammoder till hela ätten De la Gardie i Sverige. Hertig Magnus båda döttrar, också de bortgifta med högt uppsatta personer, tycks aldrig ha kallats Gyllenhielm, men däremot bars namnet av en dotter till hertig Karl Filip, bror till Gustaf II Adolf. Dennes egen oäkta son, som tydligen ansågs finare, adlades i stället under namnet Gustaf Gustafsson Wasaborg och upphöjdes av sin lilla syster Kristina till greve och friherre.

Till Johan Gyllenstiernas grova fasoner hörde att han gjorde flitigt bruk av svordomar. Därom finns ett minnesvärt yttrande av franske ministern Feuquières, som nämligen har sagt: "Herr Gyllenstierna säger sig alltid vara en hederlig man men kan därpå icke åberopa något annat vittne än djävulen."

Namnet förekommer både på runstenar och i isländska sagor, där man kan inhämta att Gårdarike bestod av tre delar med var sin huvudstad: Holmgård alias Novgorod, Könugård alias Kiev samt Palteskja alias Polotsk.

Att dödsdomen över Görtz var justitiemord erkändes med tiden officiellt också i Sverige. Gustaf III — som visserligen hade politiska motiv för sitt handlande – skrev på 1700-talet till Görtz' dotter och gav henne sextiotusen daler för att aftvätta riket

en blodskuld, som han uttryckte saken.

H

Det finns diverse svenska och utländska varianter av denna historia, vilken har berättats utförligt redan av Saxo; de skiljer sig mest ifråga om lokaliseringen. I Sverige tycks det framför allt vara Blekinge som har gjort anspråk på Habor och Signill alias Hagbard och Signe, som namnen kanske oftare skrivs. Beträffande sagans innehåll, se *Johannes Magnus.*
I tjugo års tid gjorde Hadorph antikvariska forskningsresor genom Sverige, åtföljd av en dräng och en eller två ritare, allesammans till häst. Ideligen

uppvaktade han överheten med förslag och påpekanden beträffande fornminnen och historiska byggnader som förföll, och på det hela taget hade han framgång. Sommaren 1673 följde han den unge Karl XI på hans Eriksgata som gick över Närke och Västergötland till de nyerövrade provinserna i väster och söder. Den varade i fem månader, varunder Hadorph redogjorde för de historiska märkvärdigheterna utefter resvägen och lyckades förmå kungen att till fornforskningen anslå den så kallade bibeltryckstunnan, en skatt av en tunna råg från varje kyrkohärbärge i riket. Han hävdade också med framgång statens rätt till fynd i jorden. Det fanns ingen paragraf i lagen om fornfynd, men Hadorph utgick från ett stadgande om

stående berättelser, handlar sedan om
familjens olycksöden. Den börjar med
historien om Hjalmar och Ingeborg
och slutar märkligt nog med en redo-
görelse för Sveriges historia till 1100-
talets början.

Om Karl XI:s tankeutbyte med denne
provinsielle militär finns det diverse
små anekdoter som har utnyttjats i den
historiska romanlitteraturen. De obe-
tydliga poängerna ligger i hans repli-
ker på västgötamål. När envåldskung-
en på hans gamla dar gästade honom
på hans gård Fremmesta och i all väl-
mening undrade om han inte kunde
behöva vila från krigarlivet snart lär
gubben sålunda ha svarat: "I ha inte
satt mä te å I sa inte sätta mä frå häl-
ler."

Baron Adam Germund Cederhielm i det förståndiga 1700-talet gjorde vad han kunde för att hästköttet åter skulle komma till heders. En gång i tredje Gustafs dagar samlade han sina underlydande på Ribbingsbäck i Uppland, slaktade egenhändigt en häst och började dra av huden, varvid en av hans bönder tveksamt kom och hjälpte till. Denne fick till belöning löfte om skattefrihet för sin gård, och då kom det strax fram flera och lämnade handräckning. Man skar köttet i skivor och stekte det på glöd i det fria, baronen själv smakade först på anrättningen, och aderton bönder följde därpå exemplet och fann att köttet smakade bra. Patriotiska Sällskapet som fann baronens insats mycket samhällsgagnelig kallade honom snarast till sin medlem och gav samtidigt silvermedalj åt var och en av dem som hade hjälpt honom att äta häst.

I

Den stora högen vid Ingelstad söder om Växjö ser ut ungefär som kungshögarna vid Uppsala, men på toppen finns en anordning som är märkvärdig. Framför en rest stenhäll ligger nämligen ett stort, välsvarvat stenklot som är rikt ornerat med uthuggna blad och spiraler och säkert har varit avsett som ett slags tronstol. Arkeologerna tycks inte betvivla sanningen av den tradition som säger att Värends landsting fordom brukade samlas här. Gunnar Olof Hyltén-Cawallius, författare till det märkliga verket Wärend och wirdarne som kom ut på 1860-talet, vet att denna plats är Värends gamla konungasäte, ty det har han lärt sig av den sagoberättande regementskvartermästaren Petter Rudebeck, vilken kände till kung Alle som gett namn åt Allatorp, kung Vale som bodde i Valaryd och kung Vidar som gav upphov till Vederslöf. Rudebeck upplyste också att Inglinge hög nog hyser den utmärkte konung Inge som slogs med upplänningarna men måste vända om hem till Värend när danske kungen kom och belägrade hans befästa Ingelstad. Inge dräpte utan svårighet kungen av Danmark men fick därvid själv banesår, och hans undersåtar begravde honom då, varjämte de

"honom till ära tvenne års utskylder af hela riket nedgrafvit och jemte honom i högen lagt, samt hans krona och scepter, som allt af klart gull var, tillike med alla hans vapen."

Inglinge hög har aldrig blivit utgrävd. Stenklotet har dock i alla tider intresserat och förbryllat fornforskarna. Erik Dahlbergh ägnade det en grandios men inte alltför verklighetstrogen bild i Sveciaverket, och i våra dagar har det studerats omsorgsfullt av arkeologiska fackmän som säger att det nog daterar sig från 500-talet och att dess dekor vittnar om inflytande från keltiskt, i andra hand också från romerskt håll.

År 1684 besökte Karl XI Isala lada och anslog tio riksdaler till dess förbättring. Vid det laget hade legenderna om Gustaf Vasas äventyr i Dalarna alltså börjat etablera sig som historia. Hundra år senare inspekterade Gustaf III stället och gav medalj åt dalmasen Hans Jonsson att av honom och hans efterkommande bäras på bröstet till minne av Gustaf Vasas räddning genom den redlige Sven Elfsson i Isala, som var Hans Jonssons stamfar. Gustaf III lät också sätta upp en minnessten vid ladan. Där står: "Här tröskade Gustaf Eriksson, förföljd af rikets fiender, af Försynen utsedd till fäderneslandets räddning." Texten på baksidan är ävenledes mycket anslående: "År 1786 den 22 December anslog Konungen 1 tunna spannmål årligen af Svärdsjö socken till ladans underhåll."

Historien om Sven Elfsson och överhuvud taget om Gustaf Vasas flykt från Ornäs till Marnäs grundar sig på en uppteckning som prosten Lars Folkernius i Svärdsjö gjorde vid en kyrkostämma år 1667 och skrev in i kyrkboken. Sagesmannen hette Anders Hansson och var sonsons son till Sven Elfsson i Isala. Olof Celsius, som år 1746 gav ut en Konung Gustaf Den Förstes Historia, kallar sistnämnde redlige man för Sven Nilsson och vet att han var kronoskytt. Celsius bok där dalaäventyren är i det närmaste färdiga – det enda som verkligen lyser med sin frånvaro är repliken Hvi står du här och gapar – är dedicerad till den nyfödde kronprins Gustaf om vilken författaren säger att "det förekommer oss, lika som wore han uti Födelsen redan försedd med alla de förmoner, til hwilka andre igenom tid och öfning måste förkofras." Pysen läste boken vid tidiga år och grundlade väl där sitt väldiga intresse för ämnet.

Även i Marnäs fick man så småningom upp ett monument; 1827 restes nämligen ett granitblock med Gustaf Vasas namn under kunglig krona i ett kärr där han påstods ha legat gömd ett slag. Några patriotiska lantmätare som gick upp en rågång i obygden tog initiativet, och sjuttiofem leksandsmasar slet förfärligt med att få ut stenen i kärret.

Isis, se *Disa*

Island 26, 52, 516, 779
Israel, Hermann 217
Israelis, Jacobus 122
Isted 821
istiden 11, 12
Det svenska klimatets fluktuationer har varit ansenliga också i historisk tid, något som lär kunna avläsas bland annat i torvmossarnas lager av växtrester och pollen. Kunskap i detta fascinerande ämne står att få exempelvis i Sten Selanders stora bok om det levande landskapet i Sverige, ett utomordentligt verk som handlar icke blott om vår forntid utan även om vår framtid. På 1200-talet, läser man där, kom en period av kyligare väder och ökad försumpning över landet. I Gustaf Vasas dagar förbättrades klimatet långsamt, under det att stormaktstiden hade några korta men intensiva köldperioder. 1700-talet då Linné verkade kunde däremot fröjda sig åt ständigt varmare väder. Ett häftigt bakslag drabbade dem som levde i början av 1800-talet; jöklarna i fjällen nådde då den största utbredning de haft efter istiden. Sedan dess har klimatet blivit varmare. Många djur sprider sig nu norrut, exempelvis rådjuren, som för hundra år sedan bara fanns i södra Skåne. Hägern har brett ut sig över hela landet, kråkan och koltrasten har blivit stannfåglar, och näktergalen har kommit tillbaka till Stockholmstrakten, där den sjöng på 1700-talet men tystnade i Gustaf IV Adolfs tid.

Av florans tusentals arter är blott ett fåtal äldre än människan i landet. Barrskogen som nu förmörkar det är sålunda en jämförelsevis sen företeelse. Först under bronsåldern började granen på allvar invandra österifrån. I dag är dess seger vunnen.

Itzehoe 511
Iutho, se *Johannes Magnus*
Ivalde 33
Ivan Vasiljevitj 185
Ivan den förskräcklige 280, 305, 326, 328, 334–337, 388
Ivar Benlös 67, 68, 69
Ivar Vidfamne 49, 51, 63, 64
I gamla svenska historieböcker finns nästan alltid ett släktregister över vad som kallas Ivarska och Lodbrokska ätten, det ursprungligen skånska konungahus som uppges ha efterträtt Ynglingaätten på svearnas tron i Uppsala sedan Ivar Vidfamne hade besegrat och störtat Ingjald Illråde. Ivarska och Lodbrokska ätten, vars fyra sista potentater otvivelaktigt har existerat i sinnevärlden, tog sig i hela sin längd ut så här:

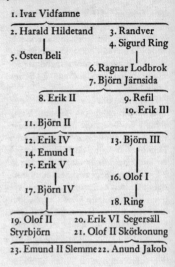

1. Ivar Vidfamne
2. Harald Hildetand   3. Randver
                                          4. Sigurd Ring
5. Östen Beli
                                          6. Ragnar Lodbrok
                                          7. Björn Järnsida
8. Erik II   9. Refil
                                         10. Erik III
11. Björn II
12. Erik IV   13. Björn III
14. Emund I
15. Erik V
                                         16. Olof I
17. Björn IV
                                         18. Ring
19. Olof II   20. Erik VI Segersäll
Styrbjörn   21. Olof II Skötkonung
23. Emund II Slemme 22. Anund Jakob

J

Jacobsen, Sthen 577
Jafet 20, 618
Jag kommer av ett brusand hav 598
Jag lyfter mina händer 598
Jag är förnöjd med lotten min 413
Jakobsdal 486, 495. Se äv. *Ulriksdal*
Jammers Minde, se *Ulfeld*
Jankowitz 464
Det meddelas som en märkvärdighet att i slaget vid Jankowitz kunde Torstenson sitta till häst; det rådde nämligen kallt och vackert vinterväder för tillfället. Strax efteråt blev det tö och slask, och hans giktplågor blev så svåra att han måste följa armén i sin hängbår igen, till dess han på hösten inte heller kunde klara detta utan måste lämna sitt befäl.
Janson, Gustaf 338
Jaroslav 84
je suis sauvé 713
Jensen, Thit 247
Jerechini, se *Gerekesson*

Joar Blå 109
Gröneborg är en liten ö vid inloppet till Svinnegarnsfjärden utanför Enköping, en hög, rund kulle som med jämna sluttningar stiger upp ur vattnet. Platsen är säregen, och Joar Blå bör ha haft en god strategisk position i sin medeltida borg på toppen.

Den magnifika gravvård över Johan
III som kan beundras i Uppsala dom-
kyrka hämtades hem av Gustaf III från
packhuset i Danzig där den hade blivit
stående alltsedan Sigismunds dagar.
Innan den sattes på plats lät Gustaf III
dock ta spiran, äpplet och svärdet ur
stenporträttets händer och föra dem
till Erik XIV:s grav i Västerås.

En kort men någorlunda fullständig
resumé över Johannes Magnus märk-
liga svenska regentlängd kan kanske
vara av intresse. De första sex konung-
arna av Sverige är som nämnts Magog,
Suenno, Ubbo, Gether, Siggo och Eri-
cus, vilka man får diverse upplys-
ningar om, men sedan är historien
dunkel under fyra århundraden, säger
författaren med beklagande. Svearna
lär under den tiden ha stått under do-
mare alldeles som Israels barn, men
götarna hade konungar: Uddo, Alo,
Othen, Carolus, Biorno, Gether och
Gert. Olyckligtvis är ingenting känt
om dem mer än namnen. Därefter blir
historien emellertid mera säker igen.
Svear och götar beslöt omsider att slå
sina påsar ihop och valde gemensamt

en konung som hette Berico och var
en storvulen härskare. All den manna-
kraft som hans undersåtar dittills hade
förspillt i inbördes bråk och laglöshet
beslöt han att ta till vara för högre syf-
ten och samlade därför adeln och all-
mogen till ett möte där han påpekade
hurusom ester, liver, finnar, kurer och
ulmeruger ideligen ofredade Sverige;
svenskarna borde därför gå över till
dem och ta deras land i stället för att
låta dem plundra sitt eget. Somliga av
de församlade var tveksamma och ville
inte lämna fädernejorden, men de fles-
ta fann förslaget utmärkt, och i spet-
sen för en ansenlig här som också rym-
de många karlavulna kvinnor kunde
Berico avsegla sedan han först med
många förmaningar hade satt sin son
Humulfus att styra Sverige. Efter en
mellanlandning på Gotland anlände
hären ombord på tre skepp till Öster-
sjöns andra strand och besatte inte ba-
ra esternas, livernas och ulmerugernas
länder utan även Pomerania, Polonia
och Magnopolia. Från den stunden
fanns det två götiska välden. Humul-
fus blev kung i hemlandet när Berico
dog, men på utländsk botten efterträd-
des denne av en viss Gaptus om vars
bragder källorna dessvärre iakttar
tystnad. De följande kungarna över
de utsocknes göterna hette Augis,
Amalus, Baltus, Gadaricus och Phil-
merus, av vilka den sistnämnde förde
göterna söderut genom Skytien under
väldiga strider, där även kvinnor och
barn slogs som hjältar. Under Phil-
meri son Tanausius kom det sändebud
från Egyptens farao som krävde att
göterna skulle underkasta sig honom,
men dessa uttryckte i ett manligt tal
sin förvåning över dessa anspråk och
drev sedan farao på flykten, varefter

denne ständigt darrade för göterna. Dessa översvämmade därpå Asien, men de behjärtade götiska kvinnorna återkallade dem snart från det alltför vekliga livet i dessa milda nejder. Tanausius mottog skänker av medernas konung och besegrade partherna i ett stort slag men lät dem strax återfå allt det tagna bytet, ty han stred enbart för äran. I övrigt, säger Johannes Magnus, är det lite osäkert hur det förhöll sig med göternas dåd vid denna tid, men tydligt är att amazonerna härstammar från göterna, vilkas kvinnor ju alltid visat sig så stridbara. Amazonernas drottningar uppräknas alltså såsom tillhörande göternas regentlängd på sätt och vis; de hette Marpesia, Orithyia, Antiope, Menalippa, Pentisilea och Calestris. Över de ordinära göterna på främmande botten blev emellertid Zenta konung nu, och han var en stor filosof som var omåttligt from och vis. Under hans efterträdare Sagillus deltog göterna i det trojanska kriget sida vid sida med amazonerna. Hans son Penaxagoras blev svåger med ingen mindre än Hercules, som med sin gemål Auge fick en son med det götiska namnet Eleff, förvrängt av grekerna till Telephus. Denne slogs vid Troja i spetsen för göterna och sårade både Ajax och Odysseus men fick slutligen bita i gräset för Achilles.

Hemma i Sverige var göternas bravader inte mindre magnifika. Humulfus efterträddes av sin brorson Humelus, och i dennes dagar hände det att danskarna blev angripna söderifrån av sachsarna under kung Iutho som har gett namn åt Jutland. Danskarna, som själva hade lurat på att anfalla Sverige där det götiska folket nyss ha-

de förminskats genom utvandringen, blev nu alldeles förtvivlade och skrek på hjälp, varvid Humelus benäget jagade bort sachsarna och därpå satte sina söner Dan och Angel till lydkonungar över danskarna. Den förre av dessa har gett namn åt Danmark, som tydligtvis var namnlöst dessförinnan, medan Angel däremot fortsatte till England och döpte detta land efter sig själv. Dessa två hade en bror som hette Norus, och Johannes Magnus anser det sannolikt att denne samtidigt kan ha gjort sig till kung i Norge. I Sverige efterträddes Humelus i sinom tid av sin fjärde son som hette Gothilas. När Dan dog nere i Danmark utbröt ett inbördeskrig mellan hans båda söner av vilka den ene var mild och foglig medan den andre var vildsint och orolig. Gothilas intervenerade då till förmån för den senare, vilket kan förefalla egendomligt men i själva verket var höjden av statsklokhet, ty han visste att så länge danskarna hade en konung som bråkade med sina undersåtar kunde Sverige räkna med fred från det hållet.

Sigthunius som också kallas Sigtrugus efterträdde Gothilas i Sverige. Han hade en vacker dotter som hette Gro, och till henne friade den danske kronprinsen Gram, men olyckligtvis var hon redan bortlovad till den krigiske finske kung Sumblus. Gram vann emellertid flickans hjärta och lyckades röva bort henne från hovet i Uppsala, vilket föranledde Sigthunius att strax börja krig. I det avgörande slaget segrade dock Gram, som lyckades slå ihjäl sin tilltänkte svärfar och sedan försökte ta hand om Sverige, men detta förhindrades av vicekonungen över Götaland som hette Scarinus och nyss hade grundlagt Skara; han blev nu kung över hela Sverige. Gram gav emellertid inte tappt, och efter mycket krigande beslöts att saken skulle avgöras genom envig mellan Gram och Scarinus, trots att den senare var mycket gammal och årbräckt. Han stupade mycket riktigt i enviget, men Gram vann inte sitt mål ändå, ty han blev inte godkänd av svenskarna som i stället inkallade Scarinus' nära släkting Sibdagerus vilken var regent i Norge. Denne gjorde med tiden kål på Gram, men dessförinnan hade han också bortrövat hans dotter med Gro och gjort henne till sin gemål.

Sibdagerus efterträddes som skandinavisk konung av sin son Asmundus, som hade gått i lära hos trollkarlen Vagnoptus och dennes dotter Hartgrepa. Han kunde alltså kalla demoner till sin hjälp när han en vacker dag blev angripen av danske kungen Hadingus, men denne lyckades sticka sitt spjut i honom ändå, varefter drottning Gumilda i Uppsala högtidligen begrov sin man och sig själv med honom. Deras son Uffo gjorde emellertid alltjämt motstånd mot Hadingus i Sveriges bergsbygder och lyckades tillfoga honom stor förtret. Danskarna förirrade sig bland de svenska bergen och råkade slutligen i sådant trångmål att de blev kannibaler i brist på annan proviant. Hadingus hamnade omsider i Hälsingland där han bekämpades av bjarmerna, och det hela slutade med att han kom till Uppsala för förhandlingar med Uffo. På något sätt lyckades han lömskt mörda denne, och Uffos bror Hundingus slöt därpå fred med Hadingus under dyra eder att hädanefter skulle det råda vänskap

mellan rikena. De höll båda detta avtal, och när det efter en tid ändå inträffade incidenter begick de självmord på var sitt håll.

Regnerus blev nu kung i Sverige – han var son till Hundingus och blev gift med Hadingus' dotter Svanhuita efter många om och men. När han dog i Uppsala gick hon också i graven. Deras son Hothebrotus som därefter uppsteg på tronen gifte sig med den norska prinsessan Gyritha och kuvade i sinom tid Danmark och även andra länder så att hans välde slutligen sträckte sig från Don till England. Danskarna gjorde emellertid uppror och slog ihjäl hans fogdar, och när han drog ut med sin flotta för att näpsa dem led han dessvärre skeppsbrott och drunknade. Hans son och efterträdare Attilus hade också besvär med danskarna och var till råga på allt gift med en danska som hette Ursilia; hon var mycket lömsk och rymde med hela statskassan hem till Danmark där hennes son Rolvo regerade. Attilus besegrade emellertid danskarna ändå, och för att ytterligare förnedra dem satte han sin hund Raccho till kung över landet. Rolvo med sina kämpar Hiartmannus, Biarcho och Hialtho lyckades emellertid slutligen göra Danmark fritt till större delen, men Attilus behöll dock överhögheten över Själland, där en viss Balderus var småkonung. Denne friade till en flicka som hette Nanna, men han hade en rival i Hotherus som tydligtvis var bror till Attilus och efter dennes död uppsteg på svearnas tron. Hotherus slog i en strid ihjäl Balderus och tog hand om Nanna, men Balderus' bror Bous, rutenernas konung, tog inom kort hämnd på Hotherus som föll i ett stort slag. Dennes son Rodericus med tillnamnet Slingabond slog emellertid i sin tur rutenerna och danskarna och överantvardade Danmark åt de tre infödda tyrannerna Horuendillus, Feugo och Amletus, som snart dödade varandra. Rodericus son Attilus var nästan lika duktig och utkämpade framgångsrikt många fältslag och envig, men dennes son Botuildus var däremot en arg tyrann som stod efter medborgarnas värsta, varför svenskarna till sist jagade honom ur landet.

Johannes Magnus vänder nu åter sina blickar till de utrikes göterna och berättar hurusom dessas drottning Tomyris besegrade och dödade den store perserkonungen Cyrus, kastade hans avhuggna huvud i en hink med blod och manade honom att dricka sig otörstig. Hans efterträdare Darius och Xerxes som ju led nederlag mot grekerna vid Marathon och Salamis angrep också göterna men hade inte större framgång där. Vidare berättas om den makedoniske kung Filips mellanhavanden med den götiske konung Antheas och dennes son Gothilas, vars dotter Medumpa slutligen blev gift med Filip och alltså blev styvmor åt ingen mindre än Alexander den store. Denne och Gothilas slöt fred med varandra under ömsesidig högaktning. Under Alexanders efterträdare uppblossade kriget emellertid igen, och den götiske konung Dromgethes tillfångatog i en strid diadochen Lysimachus, som emellertid ädelmodigt frisläpptes igen efter att ha fått åhöra ett förmaningstal om göternas förnöjsamhet och andra goda egenskaper. Nästa götiske konung hette Tanobonta och var samtida med Pythagoras, och efter honom regerade Boroista

som var en filosofisk natur och lärde sitt folk många kulturella färdigheter. Hans efterträdare Comositus var en krigisk person som slogs med den romerske kejsar Augustus vilken sade sig aldrig ha mött en mera formidabel motståndare, men efter Comositus bestegs den götiska kungatronen av den fridsamme Corillus, som fick uppleva Kristi födelse.

Johannes Magnus förtäljer sedan hur det stod till hemma i Sverige vid denna avlägsna tid; sitt vetande säger han sig ha hämtat bland annat ur urgamla visor samt ur inskrifter på obelisker och pyramider. Här regerade i Cyrus dagar en viss Carolus, som hade efterträtt Botuildus. Han var välvillig och snäll, gästfri och dygdig på alla sätt, och sådan fursten var, sådant blev också folket. Carolus efterträddes dock sorgligt nog av Grimerus, som var en förskräcklig tyrann och ideligen blev värre och värre. Han plundrade gudarnas tempel och utkrävde oerhörda skatter, och under ett krigståg som han förde mot ester och kurer blev han hängd med en järnkedja i en galge sedan han med rätta hade övergivits av sina egna. Hans son Tordo gjorde vad han kunde för att försona vad fadern förbrutit, men han dog ung och efterföljdes av Gotharus, vars tid blev en gyllene tid, ty han stiftade lagar endast med folkets samtycke och insatte uteslutande visa fogdar som förständigades att komma ihåg att de befallde över fria män och inte över boskap. Gotharus förde också framgångsrika krig mot danskarna som var perfida som vanligt, och när han urgammal gick ur tiden i Uppsala övertogs hans tron och hans danska krig av hans son Adulphus, som underlade sig hela Danmark. Dennes efterträdare Algothus gjorde ett försök att få slut på det ständiga hatet mellan de båda folken, men detta lyckades förstås inte, och hans son Ericus måste bekämpa en adelsresning som inspirerats från danskt håll. Berömvärd och vis som han var klarade han av saken genom välgärningar mot de upproriska, icke genom hårdhänthet. Hans efterträdare Lindormus var också en god monark men hade motgång, ty i hans dagar gjorde sig danskarna fria igen. Vid den tiden framträngde Julius Caesar till Östersjön, men vid åsynen av de götiska människorna där blev han förskräckt och drog sig hastigt tillbaka. Nordborna kom emellertid ihåg mötet med den berömde romaren och uppkallade juldagen efter honom.

Lindormus efterträddes i Sverige av Alaricus som mest sysslade med det inrikes, ty i hans tid uppstod split mellan svear och göter. De sistnämnda valde sig en egen kung vid namn Gestillus, och mellan denne och Alaricus utbröt strax ett stort krig. Alaricus utvecklade sig samtidigt till en svår tyrann, och till Gestillus hjälp kom hans och Alaricus' gemensamme släkting Ericus från Norge och dödade till allmän lättnad Alaricus i ett envig. Gestillus satte därpå Ericus till lydkonung i Uppsala, och när Gestillus omsider gick ur tiden fick Ericus makten över hela Sverige. I förbund med den norske kung Rollerus förde han nu ett framgångsrikt krig mot Danmark, vars folk vid denna tid var mer än vanligt barbariskt, ty där huserade de rysliga trillingbröderna Grepi, och den danske kung Frotho var också si och så, men efterhand blev han en bättre människa och Ericus kunde med gott

samvete gifta sig med hans syster Gunvara. Nu rådde alltså goda förbindelser och vis styrelse i hela Norden under flera årtionden, och under den tiden inträffade Kristi födelse.

Efter Ericus död delades riket på nytt; hans äldste son Gethericus blev kung i Götaland medan den yngre sonen Haldanus tog hand om svearna. Gethericus utförde en märklig gärning som tyvärr omtalas i all korthet; han utsände nämligen en skara utvandrare från Sverige till Alperna, där de gav upphov till schweiziska folket, och en annan skara skickade han till Skottland att befolka detta land. Haldanus utförde ingenting sådant utan förde i stället krig med bland annat Norge. I det följande vimlar krönikan av namn på konungar som inte tycks ha utfört någonting originellt. Götakonungen Vilmerus förde krig långt borta i Ryssland, och hans son Nordianus fortsatte denna verksamhet tills hans folk tröttnade på alltihop och förenade sig med sina götiska stamfränder vid Svarta havet; själv dukade han under i det främmande landet. Hemma i Sverige uppträdde en usurpator som hette Sivardus, men då tog den hisklige kämpen Starchaterus till orda och sade att man borde hålla fast vid den legitima kungaätten, varpå Sivardus blev ihjälslagen och Nordianus' son Carolus uppsattes på tronen. Denne fick det besvärligt i livet och blev till råga på allt snart mördad, varpå den föregående usurpatorns släkting Ericus gjorde sig till kung över göterna men snart fördrevs av Carolus' dotterson som hette Haldanus och var kung av Danmark tillika. Han var duktig i att förfölja sjörövare. Hans efterträdare Euginus lyckades för en tid förena svearnas och göternas riken, men svearna trivdes inte med detta utan valde till konung en viss Regnaldus, som stupade i strid med götakonungen och då efterträddes av sin son Amundus. I dennes familj utspelades den sorgliga historien om Hagbard och Signe, som är den nordiska varianten av sagan om Romeo och Julia. Dess huvudpersoner var enligt Johannes Magnus den svenske kronprinsen Hagbertus och den danska prinsessan Signe som älskade varandra. Mellan de båda kungahusen rådde krig och blodshämnd, men Hagbertus dristade sig ändå till att besöka sin älskade i det fientliga landet och dröjde sig kvar i hennes jungfrubur ända tills dagen hade grytt, vilket gjorde att han blev sedd, gripen och dömd att hängas. Signe tog då sitt eget liv genom att sätta eld på jungfruburen, och när Hagbertus såg lågorna gick också han med glatt mod döden tillmötes. Historien fortsätter med att Hagbertus' bror Hacho hämnades genom att döda Signes grymme far, den danske kungen Sigarus, varefter han utkämpade ett envig mot dennes son och efterträdare Silvadus. Båda kontrahenterna stupade i detta envig, och för svearnas del betydde detta att deras konungaätt hade utslocknat och att personalunionen med göterna återinfördes igen.

Sivardus hette den götakonung som därigenom kom till makten över hela Sverige, och även i hans familj utspelades nu en märklig kärlekshistoria, dock icke av det hjärtnupna slaget. Sivardus hade en dotter vid namn Aluilda som var mycket kysk och avskydde allt vad karlar hette. Den nye danske kungen hette Alfus, bror till

Signe och till den stupade Sivaldus, och han förälskade sig i Aluilda och dödade mer än gärna några hiskliga ormar som hotade henne varefter han höviskt anhöll om hennes hand. Hennes mamma bad henne att säga ja men det kunde hon omöjligen förmå sig till utan flydde hemifrån och blev sjörövare i stället. Alfus förföljde henne emellertid med sin flotta, lyckades till sist ta henne till fånga och tvang henne till äktenskap, som ingalunda blev barnlöst. Hemma i Sverige dog kung Sivardus så småningom och efterträddes då av en som hette Ingo, vilken i sin tur följdes av sina ättlingar Nearchus och Ostenus. Den sistnämnde slöt sin ätt, och till kung efter honom valdes märkvärdigt nog en götisk festprisse som hette Fliolmus och drunknade i ett mjödkar i kungahallen i Skara. Hans son Suercherus, varnad av detta sorgliga exempel, tog avstånd från dryckenskapen och verkade ivrigt för nykterhet och andra goda seder, men tyvärr dog han tidigt och följdes på tronen av sin son Valander som var en framstående militär, ty han erövrade Skåne. Dennes efterträdare hette Visbur och var en tyrann av värsta sort, ty all egendom i landet påstod han vara sin och konfiskerade därför andras egendom av alla krafter. Det enda goda han utförde var att ge livet åt söner som med all rätt högg ner honom. En av sönerna var Domalder som efter exekutionen blev kung i Visburs ställe, men han var en nästan lika arg tyrann som fadern. Hungersnöd rådde i landet i hans tid, och folket tog sig då för att offra Domalder till gudinnan Ceres. Hans son Domarus var en hygglig men svag regent. Över svearna härskade vid den här ti-

Johannes Magnus historia

den konungarna Attilus, Dignerus, Dagerus och Alaricus, som alla var mycket präktiga potentater, och den sistnämndes son hette Ingemarus eller Ingo. Han lyckades förena svear och göter under sin spira och var en mycket framstående militär. Han samlade en väldig här för att ta tillbaka Skåne som danskarna nyligen hade bortsnappat från det götiska riket. Emellertid var han olyckligtvis gift med en danska, och denna lömska dam lyckades överrumpla sin gemål och hängde honom i ett obevakat ögonblick i ett träd på den plats där Stockholm nu ligger. Ingo efterträddes därpå av sin son Ingellus, men tyvärr lät denne inte varna sig av sin faders öde; han gifte sig nämligen också med en danska. Hon var ett lättfärdigt stycke om vars snedsprång Ingellus' broder kunde inberätta åtskilligt, men kungen tillbakavisade anklagelserna med harm och vrede, och brodern blev då arg i sin tur och stack ner honom. Detta visar, säger Johannes Magnus, att svenska kungar bör akta sig noga för att gifta sig med danskor. Ingellus' son och efterträdare Germundus var också för godtrogen gentemot danskarna; han övervann dem visserligen i krig, men knappt var fred åter sluten och hären hemskickad förrän danskarna svekligen lyckades tillfångata Germundus som de omedelbart hängde i en galge. Hans son Haquinus Ringo hämnades emellertid; han besegrade och dödade den danske kung Haraldus på Campi Bravellini i Verendia, alltså på Bråvalla hed i Värend. Danmark blev nu ett lydland, men Haquinus' efterträdare Egillus Vendelcraca hade en del bekymmer med en infödd ståthållare därnere, och först efter nio

drabbningar lyckades han övervinna denne förrädare. Hans son Gotharus försökte få slut på hatet mellan svenskar och danskar och ville föregå med gott exempel; han skickade därför ett sändebud för att underhandla om giftermål med en dansk prinsessa, men sändebudet blev mördat av stigmän på Hallandsgränsen. Kung Gotharus kunde inte tro annat än att han hade mördats av politiska skäl, och han började därför krig och kuvade danskarna fullkomligt än en gång, men innan detta krig var avslutat uppstod en förfärlig hungersnöd i Sverige så att mycket folk måste utvandra, och de som då marscherade ut ur Sverige var den longobardiska stammen, som snart skulle låta tala om sig på grund av sina krigiska bedrifter nere i Italien. Därpå följer en lång utredning om longobardernas vidare öden samt ett förhandsbemötande av tänkbara danska invändningar mot Johannes Magnus' historieskrivning beträffande deras svenska härkomst.

Gotharus mördades i sinom tid av sin bror Fasto som därpå blev kung själv och lämnade tronen i arv åt sin son Gudmundus, vars gärningar beklagligtvis är totalt bortglömda. Han slutade emellertid illa, ty Gotharus' son Adelus banade sig snart väg till tronen och innehade makten i landet tills han ramlade av hästen och slog ihjäl sig när han en vacker dag skulle rida in i Dianas tempel. Hans son Ostanus blev en svår tyrann och mördades därför av behjärtade personer, men dennes son Ingemarus var tapper och bra och besegrade danskarna ideligen, tills de slutligen lyckades lönnmörda honom på en ö i Östersjön. Hans efterföljare Holstanus krigade i

943

Skåne men hade ingen tur, helst som han bara regerade över Götaland medan svearna hade en kung som hette Biorno. På sin dödsbädd testamenterade Holstanus emellertid sin dotter och sitt götiska rike till den uppsvenske kungens son Ravaldus, som därigenom ärvde även hans danska krig. De följande konungarna hette Svartmannus och Tordo och krigade ävenledes ivrigt på denna front; den förre fördrev många danskar från deras land och sålde många andra som slavar, medan den sistnämnde slogs med kung Arthurus av Britannia vilken hade kommit till danskarnas hjälp. Tordos son hette Rodulphus, och om honom står det inte mycket, men denne efterträdare Hathinus grundlade Hathuna alias Håtuna och fick också uppleva att herulerna kom hem till Thule efter sitt gästspel på kontinenten. Sedan regerade en ny Attilus och därefter en ny Tordo, varpå den svenska tronen bestegs av den märklige Algothus, som var förfaren i mångahanda, även i övernaturliga ting; han utförde stordåd gentemot satyrerna i skogarna och underkuvade dessutom Ryssland.

Nästa potentat kallades Gostagus, och hans historia har Johannes Magnus uppenbarligen tecknat efter levande modell; Gustaf Vasa blev mycket riktigt ursinnig vid mötet med Gostagus. Denne hette egentligen Ostanus men fick heta Gostagus för sina tyranniska gärningars skull. Namnet betyder Godstagaren — bonorum sive praediorum raptor, översätter historieskrivaren från sitt götiska modersmål - och aldrig har någon tyrann med större rätt kallats så än denne skändlige usurpator, som inte var av kungligt blod och regerade landet så ogud-

aktigt att man aldrig sett maken sedan tidernas morgon. Ingen gick säker för honom till liv och gods, och han slog under sig undersåtarnas egendom med sniken brutalitet så att snart ingen visste vad han kunde kalla sitt. Han pålade också olidliga skatter och var en fruktansvärd blodsugare gentemot sina egna, men gentemot fienden gick han aldrig i spetsen utan brukade klättra upp i ett träd och avvakta stridens utgång. I någon mån kan hans ondska dock ursäktas, ty han levde i den sorgliga tid då den vidrige Mahumetes uppträdde med sin falska villolära. Svenskarna tröttnade emellertid till sist på Gostagus' övergrepp, och den rättmätige härskaren, Algothus' son Arthus, lyckades samla en skara behjärtade män som tillfångatog den förhatlige konungen och till allmän lättnad hängde honom och hans skändliga rådgivare.

Arthus tog nu hand om riket, men efter honom kom Gostagus' son Haquinus till makten. Någonting intressant eller pittoreskt om honom berättas dock inte, och lika kortfattad är Johannes Magnus beträffande de följande kungarna, som hette Carolus – två stycken – Birgerus, Ericus, Torillus, Biornus och Alaricus. Sedan följer en ny Biornus, som levde i Bircha på Ansgarius' tid, och nu behöver Johannes Magnus inte längre själv hitta på de sagokungar som förekommer också i det följande: Bratemundus som uppryckte kristendomens späda rötter och blev dödad av sin bror Sivardus vilken i sin tur blev slagen och avdagatagen av Regnerus Lodbroch från Norge, Herotus som gifte sig med Lodbrochs dotter Tora och fick Skåne som hemgift, vidare en ny Carolus, en ny Biornus, Ingevallus som fick vika för Regnerus Lodbrochs son Ivarus och Olaus Tretelia som var son till Ingevallus och med framgång bekämpade såväl Regnerus Lodbroch själv som alla hans söner, bland dem Vitsercus som härskade i Ryssland. Näste konung av Sverige hette Ingo och härjade väldeliga i Vitsercus rike, och dennes son var Ericus Ventosus Pileus, vilket bör betyda Erik Väderhatt. I nästa led är Johannes Magnus framme vid Ericus Victoriosus, alltså Erik Segersäll, och har därmed nått fastare mark. Hans historia blir sedan ganska sansad och går fram ända till Gustaf Vasa, vars gärningar han dock säger sig vilja överlåta åt eftervärlden att skildra och bedöma. Stockholms blodbad nämner han i all korthet och utan nämnvärd indignation, men ifråga om Sturarna är han mycket lovordande, och ett av de vidlyftigaste kapitlen i boken refererar in extenso ett långt tal som Hemming Gadh skall ha hållit mot danskarna.

Jomsborg 72, 90
Adam av Bremen skriver om staden Jumne vid Oders mynning att den är den största staden i Europa. Vender och andra folk bor tillsammans där, och den är rik på varor från all Norden. Saxo nämner också platsen emellanåt men kallar den Julinum, och i de nordiska sagorna heter den Jomsborg. Det vendiska Jumne benämns i andra källor Jumneta, och därav har någon i sinom tid förfärdigat namnet Vineta. Så heter som bekant en stad som sjönk i havet och från vars sjunkna kyrkor klockklangen alltjämt kan höras av den som tror; sagan är välkänd för nutiden framför allt genom Selma Lagerlöfs vackra version i Nils Holgerssons

underbara resa. Att Julinum, Jumne, Jomsborg och Vineta från början är namn på en och samma ort är säkert. Staden, som förstördes av danskarna i slutet av 1100-talet, låg på ön Wollin, vars namn ju är identiskt med Saxos Julinum. Se också Olaus Petris berättelse på s. 23.

Jon i Svärdsjö 208
Jonsson, Lars, upprorsledare 261
Jonae, Petrus 349, 357
Jordanes 16–19, 21–23, 281
En svensk översättning av Jordanes historia gjorde Johan Fredrich Peringskiöld i Karl XII:s tid; den heter Doctor Jordans, Biskopens i Ravenna, Beskrifning om Göthernes ursprung och Bedrifter. Den är inte vidare följsam, men dess tungfotade stormaktsspråk har sin charm: "En stoor Öö wid namn Scanzia är belägen wid Nordiska hafsens diup, lijk wid ett löfblad af Cederträ som på båda sidor sträcker sig långt ut. På den Norra sidan af Öen boor det folcket Adigoter om hwilka det berättas at the hafwa om Midsommars tiden uti fyratijo dygn allt stadigtwarande lius – – –."
Jormungrund 33
Jorund 39. Se även *Ynglingaätten*
Josephine 783, 797

Josephson, Ludvig, se *Marsk Stig*
Jotunheim 33
judar 700, 787, 796, 804
Pionjär för judarna i Sverige var sigillgravören Aron Isaac som vågade sig till Stockholm redan 1774, alltså flera år innan stadgan om religionsfrihet för utlänningar såg dagen. Ett undantag gjordes för hans räkning så att han slapp att låta döpa sig.
Juel, Jens 586, 626, 627
Juel, Peder 491

Om Jämtlands bebyggande finns en notis i Islands Landnamabok, där det står: Vedorm son av Vemund den gamle var en mäktig herse i Uppländerna. Han flyktade undan konung Harald östan till Jämtland och röjde där marker till boplatser. Hans son Holmfast och hans systerson Grim foro i viking på Västerhavet, dräpte på Söderöarna jarlen Asbjörn Skerjablesa och togo hans syster och dotter. Holmfast fick dottern på sin lott och överlämnade henne till sin fader att vara hans slavinna.

K

Den gregorianska kalendern alias Nya stilen infördes i Sverige år 1753; februari månad hos oss bestod det året av bara sjutton dagar, och därmed kom man i ett slag i takt med tideräkningen i det övriga Europa utom Ryssland, Jär den julianska kalendern ju höll sig kvar intill vår tid. På en punkt avvek den svenska Nya stilen dock från vad som var vedertaget i västerlandet, nämligen i fråga om påskberäkningen, där Sverige höll fast vid det gamla ända till 1844.

Vissa föreställningar som alltjämt håller sig levande blev plötsligt oriktiga år 1753. Dit hör påståendet att om Erik ger ax så ger Olof kaka. Erik enligt nya stilen ger nog aldrig ax i Sverige.

Den äldsta bevarade almanackan på svenska härrör från 1585, men man vet att här har tryckts almanackor tidigare, ty 1540 skriver ärkebiskop Laurentius Petri till superintendenten Georg Norman: "Almanach wore wel nyttigh, men tryckiaren sägher, at slicht prent löner sigh icke, ty til thet sidsta Almanach giorde han sielff förlaghet, såsom han ock sielff lät thet förswenska och tryckia." Mot århundradets slut hade denna förlagsartikel tydligen hunnit bli mera lockande, ty från den tiden kom det normalt ut något halvdussin olika almanackor per år. De flesta var översättningar av tyska eller danska almanackor och således inte vidare korrekta från uppsvensk horisont, och värre var att de ofta var mycket slarvigt gjorda med felplacerad påsk, överhoppade dagar, uteglömda solförmörkelser och andra tokerier. Efter mycket bråk lyckades astronomiprofessorn Anders Spole i Lund år 1686 få till stånd en kunglig förordning som skyddade hans egna almanackor för tjuvtryck och dessutom stadgade att han eller någon annan professor skulle granska alla almanackor som boktryckarna ville ge ut. Förordningen förnyades efter Spoles död och beredde marken för det svenska almanacksmonopol som Vetenskapsakademien har innehaft sedan 1747 till gagn icke blott för sig själv utan även för svenska folket, som därigenom i det längsta har förskonats från astrologiska vidskepligheter av den sort man möter i länder där almanacksutgivningen är privatgeschäft. Ekonomiskt har monopolet naturligtvis varit till glädje för akademien.

Geijers berömda omdöme om Kalmarunionen – en händelse som ser ut som en tanke – står i den retoriska inledningen till ett kapitel där det sägs att de tre rikenas förening knöts genom tillfälliga intressen utan att stiftarna anade vad den skulle kunna utvecklas till. Om själva unionsakten säger Geijer att den är "ett uppenbart hastverk", men han tvivlade inte på att det var frågan om ett verkligt avtal. Åtskilliga 1800-talshistoriker efter honom gjorde däremot gällande att dokumentet blott är ett förslag som aldrig fick rättsgiltighet; förhandlingarna mellan länderna skulle helt enkelt ha spruckit. På 1930-talet kom Lauritz Weibull med en helt ny tanke; den så kallade Kalmarunionen sådan den formuleras i unionsbrevet vore enligt honom icke ett fördrag mellan Sverige, Norge och Danmark, utan bara ett förslag till avtal mellan kungamakten å ena sidan och rådsaristokratien i de tre länderna å den andra. Erik Lönnroth som med oerhörd lärdom har utvecklat denna tankegång menar att de båda Kalmardokumenten bör betraktas som utslag av var sin politiska ideologi som på medeltida språk hette regimen regale och regimen politicum, det vill säga kungamaktens arvrikesprincip gentemot rådsaristokratiens konstitutionella principer. Den förra, menar Lönnroth, vann seger, och därför blev kröningsbrevet ordentligt utskrivet på pergament, sigillerat av alla och rättsgiltigt, medan det s.k. unionsbrevet förblev en ofullgången akt. Dock finns det alltjämt de som anser att det verkligen var en union som avtalades i Kalmar. Det säger framför allt Gottfrid Carlsson. Norrmannen Johan Schreiner som tror detsamma gissar att det var de norska herrarna som spräckte det hela därför att de inte ville vara med i Östersjökriget mot mecklenburgarna. "Et nidkjært og skinsygt vakthold om norsk uavhengighet gjorde formodentlig utslaget."

Beträffande Karin Månsdotters öden efter den nödtvungna skilsmässan från kung Erik är att förtälja att av kung Johan fick hon Liuksala kungsgård på Roines strand i trakten av Tammerfors i Finland, en mycket betydande förläning för övrigt, ty dit hörde tjugosex skattehemman, och ytterligare något dussin hemman lades inom kort dit. Hon levde där till över sextio års ålder och dog först i Gustaf II Adolfs tid. Hennes son Gustaf togs tidigt ifrån henne och gick sällsamma öden till mötes; han uppfostrades vid jesuitskolor i Sigismunds Polen och slutade i sinom tid sina dagar i Ryssland, där tsaren Boris Godunov utan framgång sökte använda honom för politiska syften. Hans syster Sigrid fick däremot stanna hos modern och gifte sig i sinom tid med en svensk adelsman vid namn Henrik Tott. Därav kommer det sig att Karin Månsdotter i sinom tid blev begravd i Tottska

gravkoret i Åbo domkyrka, där hon fick ligga i fred ända till slutet av 1800-talet, då man i konungslig och historieromantisk iver försåg henne med egen marmorsarkofag i ett nymålat kapell som kan skrämma den tappraste på flykten.

Superintendenten i Mariestad flyttades 1646 till Karlstad, som därmed blev huvudstad i det nyinrättade värmländska stiftet. Men någon biskop kom inte dit förrän 1772.

Vadstenadiariet innehåller en omständig skildring av S:ta Katarinas skrinläggning, som ägde rum år 1489 i närvaro av Sten Sture och sex biskopar, av vilka ärkebiskopen lyfte upp helgonets skelettdelar ur graven och placerade dem i det därför avsedda skrinet. Detta skedde sedan påven hade låtit förstå att han inte ville förbjuda att tillbörlig ärebetygelse ägnades henne, ehuru han inte för tillfället kunde ägna omsorg åt frågan om hennes kanonisering. Den frågan hade nämligen från svenskt håll tagits upp med stor iver under 1470-talet, då man också lyckades få påven att tillsätta en kommission som skulle undersöka tretton punkter i den legend som Vadstenamunken Ulf Birgersson ett halvsekel tidigare hade skrivit om den heliga Katarina. Kommissionen, vars protokoll finns i behåll, arbetade ett par

år och hörde åtskilliga vittnen som visste berätta diverse märkliga saker om hennes liv och underverk. Hon hade botat många sjuka genom handpåläggning, hon hade räddat folk från att drunkna i islossningen på Vättern, hon hade släckt eldsvådor, och en gång då nunnorna i Vadstena hade angripits av ohyra så att de inte kunde känna en rätt andakt befriade hon dem från lopporna genom bön.

Katarina församling i Stockholm är uppkallad efter Karl X Gustafs mor.

Olaus Petri berättar om den sverkerska ättens legendariske stamfar att tre år före sin död bosatte han sig i sin färdigbyggda gravhög för att slippa all beröring med den framgångsrika kristendomen.

Samuel Kiechels reseanteckningar från

Om kung Knuts drottning – vad hon hette är obekant – finns en glimt av en historia i ett brev från kungen till påven i Rom. När han i sin ungdom hals över huvud måste fly ur landet efter mordet på Erik den helige sattes hans trolovade in i ett kloster och ikläddes nunnedräkt, men när han omsider kom tillbaka tog han strax ut flickan ur klostret och firade bröllop med stor fröjd. Paret fick flera söner, men en vacker dag blev drottningen svårt sjuk, och i sin dödsångest avlade hon då kyskhetslöfte. Mot förmodan tillfrisknade hon snart, och kungen fann

Krumpen, Styge 247
Krus, Jesper 396
krutkonspirationen 252, 253
kröning 233 (Gustaf Vasa), 299–302
(Erik XIV), 404 (Gustaf II Adolf),
484, 486, 487 (Kristina), 573 (Karl XI),
626 (Karl XII), 656 (Ulrika Eleono-
ra), 746–747 (Gustaf IV Adolf)
Kröningssvärd, se *Asgård*
Kröpelin, Hans 152, 163
Kufa 58
Kummel-Aldern 666
Kullens fyr, se *Falsterbo*
Kulneff 762
Kumlien, Kjell, se *Arboga möte*
Kung Karl, den unge hjälte 652
Kungliga Biblioteket 617
kungliga råd 590
Kungshatt 71
På den bergiga ön Kungshatt som lig-
ger i Mälaren strax väster om Stock-
holm sitter en hatt av metall på en
stång, och om den finns det en bekant
1800-talsdikt av romantikern C. A. Ni-
cander, som berättar en märkvärdig
historia. En svensk konung skulle till
häst ha befunnit sig på flykt undan en
förföljande fientlig ryttarskara på
denna ö, och från stupet på dess syd-
sida där han hade fienden hack i häl
drev han sin häst att göra ett luftsprång
rakt ner i segelleden, varefter hästen
med konungen på ryggen simmade
över till det sörmländska fastlandet
där han var i säkerhet. Den förste som
gav sig till att vetenskapligt granska
denna historia var universitetsbiblio-
tekarien Anders Leonard Bygdén,
som på 1890-talet skrev en uppsats om
saken. Han menade att namnet Kungs-
hatt säkert från början inte hade med
sägnen att göra: "hatt" vore en van-
lig benämning på berg av detta slag
och Kungshatt kallades detta berg

säkert därför att det lydde under den
närbelägna kungsgården på Lovön.
Sägnen däremot vore en reminiscens
av Sten Sture den äldres nederlag
mot kung Hans i Stockholm år 1497,
varom rimkrönikan nämligen kväder:
Myn hesth mz meg öffuer strömen
                                          sam
ther mz iag till lönde porthen kom.
Jag gick på wernen thz snaraste iag
                                          gath
och lath ther stinga wth en hatt.
Med kong hans iag dagtinga wille ...
    Sägnen om det flyende statsöverhu-
vudet knöts ihop med berget och nam-
net Kungshatt någon gång i början av
1600-talet, fastslår Bygdén, som slutar
sin undersökning med att säga att säg-
nen poetiskt ingenting har förlorat på
att han i den djärve ryttaren har igen-
känt dragen av gamle herr Sten.
Emellertid har professor Dag Ström-
bäck senare underkastat ämnet en ny
granskning och kommit till det resul-
tatet att Nicanders romantiska dikt,
från vars innehåll Bygdén i själva ver-
ket har utgått, inte alls bygger på nå-
gon svensk historia; den är nämligen
en efterbildning av en tysk dikt av
Theodor Körner om ett liknande ryt-
tarsprång från klippan Haustein i
Sachsen. Någon utbildad folksägen
om Kungshatt har sålunda knappast
funnits alls. Bland Elias Palmskiölds
anteckningar – se Palmskiöld – finns
dock några embryon till anekdoter
som går ut på att förklara namnet
Kungshatt. Där sägs på ett ställe att
berget heter så därför att hatten en
gång blåste av en konung där, men
på ett annat ställe står antecknat att
Karl XI låtit göra ett numera nedfal-
let träbeläte på berget till åminnelse
av konung Erik Väderhatt, som kalla-

des så därför att vädret blåste dit han vände sin hatt.

Metallhatten på ön som är ett bra sjömärke har i alla fall gamla anor. Peringskiöld säger att det fanns en trähatt däruppe på Gustaf II Adolfs tid. 1782 satte man upp en plåthatt.

Det medeltida Köping som blev stad i Sten Stures tid hette egentligen Laglösa köping, vad nu det kunde betyda.

L

"Hela det sjuttonde århundradet", skriver Geijer, "har i Sverige frambragt en enda stor vetenskapsman. Han heter Johan Olofsson Stiernhöök, författare till 'Svears och götars gamla rätt (De jure sveonum et gothorum vetusto')." Verket, som kom ut 1674 och handlar om lagarna och rättstillståndet i Sverige från äldsta tider, prisas även av jurister. Johan Stiernhöök var en duglig och självständig ämbetsman som under många år var sysselsatt med att revidera Kristoffers landslag och gjorde undan åtskilligt förarbete åt den stora lagkommissionen vars mödor i sinom tid resulterade i 1734 års lag.

1709 utsågs kungliga rådet Gustaf Cronhielm till lagkommissionens ordförande; han var den tredje i ordningen och efterträdde Erik Lindschöld och Nils Gyldenstolpe på denna viktiga post. Flertalet balkar i lagen hade utarbetats och granskats av kommissionen före Cronhielms tid, men denne gick igenom alltsammans igen

och genomförde en konsekvent språk-
lig lagstil. 1734 års lag som framför allt
är hans verk är ett stilistiskt mäster-
stycke och som sådant en av de mest
imponerande böckerna i den svenska
litteraturen. I sak var den ett konser-
vativt lagverk med djupa rötter i äld-
re svensk rätt, vilket har haft till följd
att den i vissa delar – mest på privat-
rättens område – har stått sig intill vå-
ra dagar medan den i andra delar var
gammalmodig redan när den kom ut.
laga skifte 749
Lagerbjelke 803
Lagerbring, se *Fornjoter, Pytheas* och
Ynglingaätten.
"Den som har tilfälle at se Tullextrac-
terna", skriver Sven Lagerbring i det
Sammandrag af Swea-Rikes Historia
som han gav ut 1778, "måste häpna
öfver mängden af utländskt gods, som
förbrukas i Riket. Bestörtningen skul-
le förökas om han hade tilfälle at ge-
nomögna et register på Lurendrägeri-
införseln." Lagerbring är inte blind
för at hattarnas subventionspolitik
hade sina sidor men sörjer ändå att
mullbärsodlingarna och sidenspinne-
rierna i Sverige har måst läggas ned
till följd av "en ändrad patriotisk an-
da", allra helst som han tänker sig att
en stor svensk textilexport till Spanien
och dess kolonier borde vara möjlig.
Det här står nu att läsa i den långa in-
ledningen till ovannämnda arbete, vil-
ken heter Sweriges närvarande Til-
stånd och är en hel statskunskapsav-
handling där man finner intressant
och bekväm upplysning om varjehan-
da 1700-talsförhållanden. Där finns
icke blott siffror och nyktra fakta
utan även reflexioner som blixtbelyser
ett och annat. "Den största bristen
wid Swenska Krigsmakten synes wara

den, at man ser, det förtjente och ål-
derstigne Officerare understundom
tryckas af nog swaga wilkor, och ge-
mene soldaten alt för ofta med tiggeri
öfwertygar almänheten om sin torf-
tighet."
Lagerbrings huvudarbete sysslar
helt med det förgångna. Det heter
Swea rikes historia och är ett stadigt,
kanske lite pratigt verk i fem delar
som går fram till mitten av 1400-talet.
Författaren åtnjuter stadgad beröm-
melse för noggrannhet och kritisk
skärpa och överträffar i dessa stycken
otvivelaktigt sin samtida Dalin. Lika
läsvärda som Lagerbrings historia är
dock i dag två volymer med anmärk-
ningar till dess första del av en annan
1700-talshistoriker som hette Jonas
Hallenberg. Denne tar icke blott ner
Lagerbring – vilket numera är oin-
tressant – utan framlägger även med
hisklig lärdom en mängd notiser ur
isländska, latinska, bysantinska och
andra källor. Hans sakprosa är slag-
kraftig och bra, hans kritik befogad
och hans uppgifter goda och roliga,
fast någon gång kan det väl hända att
man på hans bitska rättelser skulle
kunna tillämpa en gammal klok vers
som Lagerbring citerar i sin historia
angående värdet av lärdom i detal-
jer:
Mycket jagadt och intet fångit,
mycket läst och intet förståndigt,
mycket sedt och intet bemärkt
äro try ganska onödiga värk.
Lagerlöf, Petrus 553
Lagerlöf, Selma, se *Jomsborg*
Lagerroth 689
Lagerstråle 800
Laholm 155, 459, 509, 510, 581. Se
även *Skram*
År 1551 anhöll Halmstads borgare hos

danske kungen att Laholms stad måtte läggas ner, men detta avslogs.

Lais 632

Lalli 100

I det helfinska Kokkämäki inte långt från Björneborg utkommer sex dagar i veckan en agrartidning som heter Lalli till ära för den förorättade hedningen som slog ihjäl Erik den heliges missionär.

Lambatunga, se *Basatömir*

lancashireprocessen 785

landhöjning 13

Landnamabok, se *Jämtland*

landskapslagar, se *lag*

Landskrona (i Skåne) 171, 220, 459, 509, 542, 579, 581

I Landskrona byggdes år 1410 Nordens första karmeliterkloster, och tre år senare fick orten sina köpstadsprivilegier. Den gynnades sedan på allt sätt av de danska kungarna; Kristian III i mitten på 1500-talet avfolkade rentav Ängelholm till förmån för Landskrona. Under de svensk-danska krigen på 1600-talet förlorade staden sitt välstånd och så småningom sina militära anläggningar, men i mitten av 1700-talet beslöt riksdagen att den skulle befästas på nytt och i samband därmed flyttas ut på en sandbank i sjön. Så skedde, men särskilt fort gick det inte; ännu i slutet av 1800-talet fanns det gratis fritomter att få där.

Landskrona (vid Neva) 126

landsköp 408

Landsorganisationen 839

Langfedgatal, se *Dan*

Detta isländska släktregister togs på stort allvar av danska och svenska historieskrivare i äldre tid. Det går tillbaka ända till Noak.

Langeland 514

Lantmannapartiet 804, 811, 831

lantmäterikontoret 596

lappar 236, 390, 394, 469, 470, 822, 834

Lappo 755

Lapponia 565. Se även *Schefferus*

Larsmässo marknad 350

Larsson, Jacob 814

Larsson, Nils bondetalman 588

Larv 237, 612

Lascy 376, 378

lasteligt tal 786, 787

Den sista avrättningen för lasteligt tal om konungens person ägde rum under Karl XII:s tid.

latin 418, 429

Det svenska språket, skrivet med latinska bokstäver genom nästan hela sin historia, har i alla tider påverkats av latinska former och vanor direkt och indirekt. Vad ordförrådet beträffar är detta i hög grad fallet än; större delen av de nya glosor som nu väller in från engelskan är otvivelaktigt av latinskt ursprung. En latinsk påverkan av liknande slag har ju tidigare drabbat oss via franskan; lånen från den epoken har mestadels alltjämt kvar sin karaktär av främmande ord, klart igenkännliga för varje skolbarn.

Den som länge sitter och läser svenska texter av äldre årgång får emellertid en allt starkare känsla av att det där med låneorden är en förhållandevis oviktig sida av latinets inflytande på vårt språk. Nästan all sakprosa från 1800-talet vittnar om att författarna icke blott behärskade tyska, utan även hade läst mycket latin i skolan; deras syntax och deras konstfulla satsperioder kan föra tankarna till både Livius och Cicero. Sådana reflexioner kan den intresserade göra till och med inför texter från vårt eget århundrade av folkbildare som Emil Svensén och folkledare som Hjalmar Branting; inte minst den sistnämndes prosa följer gammaldags akademiska mönster, och det är numera svårt att förstå hur hans tal kunde väcka sådan anklang i breda folklager som de uppenbarligen måste ha gjort. De innehåller knappast en vändning som låter som folkligt svenskt talspråk.

Mera direkt lyser de latinska stilidealen naturligtvis fram i texter från äldre tid, i all synnerhet från 1600-talet, vars språk många gånger torde vara praktiskt taget obegripligt för sentida svenskar som är helt obekanta med latinet. Detta gäller inte minst om det politiska materialet, ty exempelvis Axel Oxenstiernas papper innehåller ungefär lika mycket latin som svenska i mycket ogenerad blandning. Lyckligtvis emanciperade sig även kansliprosan snart från denna lättjefulla rotvälska som inte gitte översätta eller ens anpassa sitt överflöd av inlånade ord och fraser.

Bland de otaliga latinska låneorden i svenskan finns det en grupp av speciellt kulturhistoriskt intresse, nämligen de som kom in i språket för så länge sedan att de känns som inhemska. Allra äldst av dem är nog veckodagarnas namn, som är vad man kallar ett översättningslån från förkristen tid. Med kristendomen kom en mängd nya ord vilkas latinska eller till och med grekiska ursprung ligger i öppen dag: kyrka, präst, biskop, prost, predika. Glosor som tegel, kalk, mur, port, fönster, källare, kök, kammare är också latinska lån från tidig medeltid, likaså en rad namn på frukter och grönsaker: äpple, päron, körsbär, beta, kål, persilja. Själva ordet frukt är latin, likaså en del hushållsord som kit-

tel, koka, kopp, bägare. Detsamma gäller om glosor som köpa, kosta, marknad, mynt, börs, sedel. Mindre märkligt är väl att nästan alla ord som har med skrivkonsten att göra är gamla latinska lån: papper, brev, skriva, penna.

Laurentius Andreae 215, 218, 222, 223, 230, 253–255
Laurentius Petri Gothus 344, 346, 348
I denne ärkebiskopens tid, säger Rhyzelius, började prästerna bruka hattar i stället för sina gamla prästelufvor.
Laurentius Petri Nericius 241, 254, 280, 290, 315, 328, 342, 343, 384
Laurentius Paulinus Gothus 385, 470
Hans söner adlades med namnet Olivecrantz. Om en av dem, se *Anecdotes de Suède*.
lax, lax lerbak, se Stockholm
Laxå 809
Lech 436
Leczinski 502, 504 (en ambassadör); 632, 647 (Stanislaw)
Lehnberg 729
Leif Eriksson 52
Leijonhufvud, Axel 355, 356, 359, 372, 373
Leijonhufvud, Brita 289
Leijonhufvud, Erik 381; 802. Om den förre med detta namn, se även *Schefferus*
Leijonhufvud, Margareta, se *Margareta Leijonhufvud*
Leijonhufvud, Märta 252, 320–323, 325, 329, 340, 341
Leijonhufvud, Sten Eriksson 265, 277, 294, 299, 301, 311, 320, 321, 323–325, 329, 331
Sten Leijonhufvuds söner Adel och Moritz gifte sig med högättade tyska damer. Deras avkomlingar, som vistades mycket i Tyskland och alltså hade anledning att översätta sitt namn till

Lilliehöök, Ebba 340, 355
Lilliehöök, Måns Bryntesson 234, 237, 238
Lima 209
Lindblom 717, 770, 771
Linde (staden) 467
Linde, Lorentz von der 541, 543
Lindeberg 786
Linderholm 602, 608
Lindisfarne 52, 53
Lindman, Arvid 813, 816
Lindormus, se *Johannes Magnus*
Lindroth, Sten, se *Bureus*
Lindsköld 575, 589, 590, 597
linea Carolina, se *Rydaholmsalnen*
Ling 773
Linköping 98, 111, 316, 377 (Stångebroslaget), 378–381 (blodbadet)

Linné (Linnæus) 665, 682, 683
Se också *digerdöden*
Linneryd 266
Linvävartorpet 673
Litorina 12, 13
Liturgia Suecanæ Ecclesiæ 344
Liv och Livtrase 35
livgedinget 453, 454, 456
Livland 382, 416, 428, 541 (Olivafreden), 592, 599, 629, 633, 660
Ljesna 635
Ljungby (i Småland) 577; (i Skåne) 581
Ljusdal, se *Zamolxis*
Ljusnan 623
Loccenius 552, 564, 565
Det finns två mycket olika varianter av Loccenius svenska historia. Den första heter Historia rerum Suecicarum och kom ut redan i Kristinas tid; den börjar med Ansgars besök hos kung Björn i Birka och slutar med Gustaf Vasas död, och berättelsen om vad dessemellan har hänt är medryckande och ändå förhållandevis sansad.

Snorre och rimkrönikorna refereras naturligtvis, men man möter också notiser från annat håll, och framför allt Gustaf Vasas historia bygger tydligtvis på ett källmaterial av officiella aktstycken. Äventyren i Dalarna berättas emellertid också; man möter där såväl Andreas Petri in Rankhytta som Aaron Petri in Ornäsio, men Barbro Stigsdotter och Sven Elfsson i Isala är inte uppfunna än. Den andra versionen av Loccenius svenska hävdatecknande kom ut 1676 och heter Historia Suecana. Den är ett vida vidlyftigare verk där forntiden och medeltiden stökas undan på hundrafemtio sidor medan sjuhundra sidor ägnas tidevarv som låg författaren jämförelsevis nära, ty han går fram ända till Karl X Gustafs sorti från livet. Fast tyskfödd är han en varm svensk patriot som gärna hoppar över obehagliga och kontroversiella händelser; Linköpings blodbad lyser till exempel med sin frånvaro i hans text. Men där finns också bitar som i svensk översättning eller utan har valsat vidare genom alla eftervärldens historieböcker intill våra dagar. Från Loccenius härrör till exempel det bevingade ordet Ille faciet.
Lodbrok, se *Ragnar Lodbrok*
Loenbom, se *mat och dryck*
Av Samuel Loenbom som levde och verkade på 1700-talet finns flera urkundssamlingar som alltjämt är roliga att läsa. Hans Upplysningar i Svenska Historien, fyra delar från 1770-talet, innehåller brev och handlingar om både stort och smått: Sturemorden, Johan III:s order om kung Eriks eventuella avlivande, Görtz' arrestering och mycket annat. Inte minst den sistnämnda historien är intressant och spännande. Den härrör från en betjänt

M

Det finns en renässansballad om en riddare som en älvadrottning sökte locka i fördärvet. Riddaren heter i vissa varianter Herr Magnus, och denne identifierades på svensk botten med Gustaf Vasas sinnessjuke son. I Vadstena slott visas det fönster genom vilket denne skall ha hoppat ner i vallgraven på havsfruns lockelse. Så lätt, skriver Henrik Schück, uppstår en sägen.
Efter reduktionen användes palatset i ett århundrade som arsenal, varom ett gatunamn i Stockholm alltjämt bär vittne. 1793 inreddes det i stället till dramatisk teater med tre logerader och ett utmärkt scenmaskineri. Salongen gick från början i vitt och ljusblått men målades 1812 om i rödgult. Verkstäder och klädmagasin tycks ha varit pittoreskt utspridda i alla våningar av det gamla palatset, och från scenutrymmena fanns bara en enda smal utgång, så teatern var klart livsfarlig i händelse av eldsvåda. En sådan utbröt en novemberkväll 1825, då man spelade "Redlighetens seger öfver fördärvet", drama i fem akter av Kotzebue. Mot slutet av fjärde akten började det tränga upp rök i sufflörluckan, och under mellanakten befanns det att det brann friskt under scenen. Ridån drogs då upp igen, och den store skådespelaren Lars Hjortsberg som i pjäsen märkligt nog spelade en figur vid namn Eldfelt förkunnade för publiken vad som stod på med lugn auktoritet som hindrade all panik. Publiken gick alltså sin väg i god ordning, men elden hade då redan fått sådan utbredning att skådespelarna inte hann upp till sina klädloger utan måste rädda sig som de gick och stod. Två påkläderskor och en vaktmästare som försökte rädda ett eller annat fick sätta livet till.

Maria Eufrosyne 480, 547, 584
Maria Stuart 310
Marie Antoinette 705, 723, 724
Mariedal 555
Mariefred 205, 225, 383, 454
Mariestad 349. Se även *Karlstad*
Marius 16, 209
Markaryd 459
Marnäs 208. Se även *Isala*
Mars Jutehataren 314
marsk 126
marsk Stig 120
Denne i Danmarks historia namnkunnige person har spelat en viss roll i skönlitteraturen, ty om honom handlar ett antal folkvisor som i sin tur har visat sig dramatiskt och sceniskt användbara. Han hette Stig Andersson och var en framstående militär som har kämpat med framgång även i Sverige, men hans ryktbarhet beror inte främst på detta. År 1286 på S:ta Cecilias dag mördades kung Erik Klipping i en lada nära Viborg på Jylland, där han hade sökt nattkvarter under en jakt. Klädda i svarta munkkåpor och med mask för ansiktet trängde en skara sammansvurna in i ladan, lyste sig med en lykta fram till kungen som låg nedkrupen i höet och dödade honom med sjuttio dolkstyng. Marsk Stig och ett antal av hans vänner och meningsfränder anklagades för mordet och flydde då undan den mördades son och efterträdare Erik Menved till Norge, där de togs väl emot. I det följande gjorde nu marsk Stig ett antal raider i Danmark där han och hans kamrater bland annat lade Helsingör i aska, plundrade Samsö, hemsökte Ven och härjade på Amager och på Falster; sitt huvudkvarter hade de därvid i marsk Stigs borg på ön Hjelm i trakten av Århus.

I folkvisorna framstår marsk Stig som en rättfärdig riddare vars älskade har kränkts av den liderlige konungen; han har dömts fredlös med orätt och hans liv är ett ädelt rövarliv. I Sverige är hans namn väl mest känt genom Södermans musik till Ludvig Josephsons skådespel Marsk Stigs döttrar.
marskravallerna 796
Marstrand 169, 578
I Heidenstams Karolinerna finns en vacker novell om kyrkoherde Fredrik Bagge som var befalld att inför ockupationsmakten hålla danskt Te Deum i Marstrands kyrka men läste de svenska kyrkobönerna i stället. Historien berättas också av Afzelius i hans Sago-Häfder och är där utan omsvep förlagd till Gyldenløwefejden 1677. Heidenstam har nödgats låta en gammal klockare stå och minnas det hela vid Tordenskjolds annalkande för att alls få med berättelsen inom tidsramen för sin bok.
Karlstens fästning som alltjämt dominerar Marstrand är allt igenom en svensk byggnad. Den började uppföras omedelbart efter freden i Roskilde.
Martini, Olaus 382, 385.

mat och dryck 285, 286, 287, 288, 301, 420, 474, 480, 587, 651, 688, 784
Den svenska kokkonstens historia är oskriven och måste väl så förbli; det torde vara i det närmaste omöjligt att finna ett samlande grepp på detta sköna och rika ämne. Det bekymmersamma med mat ur historisk synpunkt är ju att den äts upp eller förfars så att ingenting blir kvar för eftervärlden till ett vittnesbörd om fädernas middagar. De exaktaste uppgifterna på området härrör signifikativt nog från

förhistoriska tider om vilka endast arkeologien kan lämna vittnesbörd; innehållet i avskrädeshögarna kring stenålderns boplatser ger sålunda besked om vad slags villebråd man åt, vad slags fisk man fick och vilka nötter och bär man plockade. Allbekant är ju att de så kallade kökkenmöddingarna i länderna kring Nordsjön är enormt rika på ostronskal, och där lär också finnas spår av bland annat kärrsköldpadda. I Danmark har man gjort fynd av något som vid kemisk undersökning visade sig vara en dryck av korn, tranbär och pors, på nationalmuseet i Reykjavik finns en vit massa från Nialsagans Bergtorshval som har kunnat identifieras som skyr, vilket var ett slags silad surmjölk, och vid det norska Osebergsskeppet hittade man valnötter. På svenskt område har man hittat förhistorisk gröt på Gotland och kornbröd från vikingatiden i Östergötland. Vad som kan läras av detta är ju på intet vis sensationellt; även utan stöd av några fynd kunde man nog våga påstå att svenska folket sedan urminnes tid har ätit gröt, bröd, mjölkmat, kött, fisk och olika sorters bär.

Beträffande menige mans mathållning i äldre tider kan man väl också våga slå fast att råvaruresurserna och variationsmöjligheterna på de flesta håll var mycket begränsade. I alla tider utom vår egen och måhända den fjärran stenåldern har det varit om kött. Villebrådet var sällan lättskjutet och tamkreaturen var små; en slaktoxe på 1600-talet var inte större än en årskalv är nu. Eftersom man hade stort behov av hästar som dragare måste man för foderbristens skull hålla nere antalet kor, och dessas mjölk-

avkastning var för övrigt låg; om vintern sinade de ofta helt och hållet. Även ägg var på de flesta håll sällsynta och dyra ting intill våra dagar, och Sveriges allmoge har aldrig levat på omeletter. Däremot var fisk under gångna århundraden proportionsvis viktigare än nu, trots att inget havsfiske förekom. Kustfisket och även sötvattensfisket gav emellertid tidvis oerhörda fångster, som till någon del kom även inlandsbefolkningen till godo i form av klippfisk och kabeljo, torkad gädda, salt lax, salt sill, saltströmming och krampasill, varmed menades torr böckling. Åt hygglig tillgång till sådant sovel kunde även fattigman fägna sig då och då under de skiftande tiderna. Finsmakarna i överklassen tyckte naturligtvis mycket om fisk; vi vet att Johan III var förtjust i rav och räkling, varmed menades olika bitar av torkad hälleflundra från Bergen, och Axel Oxenstiernas favoriträtt var gravlax.

Ojämförligt viktigast av alla bidrag till folkets försörjning var naturligtvis brödsäden, länge praktiskt taget den enda produkten av den odlade arealen i Sverige. Äldst i landet av sädesslagen är nog kornet som på fornsvenska kallades bjugg, men även vetet har varit känt i landet sedan förhistorisk tid, och havren lär ha lämnat svenska spår efter sig alltifrån äldre järnåldern. Rågen tycks ha kommit in på 1200-talet och vann med tiden terräng i sydöstra Sverige på kornets bekostnad, ty detta lät sig inte bakas så bra. I Västsverige däremot lär ännu på 1600-talet havren ha varit den viktigaste brödsäden. Alla sädesslagen tycks i äldsta tider mest ha använts till gröt, och jäst bröd av våra dagars typer är en rätt sen företeelse; däremot har knäckebröd gamla anor i Sverige. Man gjorde det så hårt att vad som bakades till ett barndop kunde hålla sig till barnets bröllop, säger Hans Hildebrand i sitt stora verk Sveriges Medeltid.

När spannmålsskörden slog fel vilket ofta hände försökte man som bekant klara sig genom att blanda bark i brödet. Därtill användes tallbark, tagen om våren innan saven steg och luttrad med vatten för att få bort beskheten innan den maldes. Barkbröd ser vackert, till och med läckert ut; färskt lär det också smaka betydligt bättre än Runebergs underbara dikt om bonden Paavo har suggererat eftervärlden att tro.

Grönsaker tycks aldrig nämnvärt ha intresserat svenska folket, som nämligen led svårt av skörbjugg om vintrarna under medeltiden och ända fram till 1700-talet, då potatisen kom som en diskret befriare från detta utslag av vitaminbrist. Emellertid odlade man tydligtvis kål i Sverige under medeltiden, ty Magnus Erikssons allmänna landslag stadgar sex markers böter för den som stjäl sådan ur annans täppa, och samma straff drabbar den som stjäl äpplen. Att man kunde ympa fruktträd framgår av Birgittas uppenbarelser där det talas om *planto quistir um han inplanteras i thörran stok*, men någon som helst bärodling tycks inte ha förekommit förrän framemot 1600-talet. Sådant växte i skogen, och därifrån plockade man också hem ett och annat som numera sälan betraktas som ätligt, till exempel gullvivor till sallad och violer som man brukade lägga ner i honung.

De mera sammanhängande skrift-liga vittnesbörd som finns om forna tiders kosthåll i Sverige härrör naturligtvis företrädesvis från överklassen. Äldst av dem är biskop Brasks matordningar från början av 1500-talet, vilka ger mycket noggrant besked om vad som vankades både i vardagslag och vid kalas. En söndag i fastan kunde biskopen till middag nöja sig med stekt och kokt sill, stockfisk med örter, russin och mandel, klippfisk från Bergen med olja, färsk fisk med spad, torr gädda med mos, bakad salt lax samt äpplen, päron och nötter. På påskdagen åt han icke blott ägg utan även fårstek, vinsoppa, något som kallades grovmat, en sorts svartsoppa vid namn lumber, färsk fisk med saltspad, en bakad rätt, småstek, ost och frukt. Julafton förnöjde han sig med spicken lax, stekt sill och ål, stockfisk med russin och mandel, skånsk sill och liten kokt sill, färsk fisk med spad, långa med olja, saltvattensfisk, torr gädda, äpple och nötter, men han doppade inte i grytan. På juldagen hade han däremot ett skinkfat, klenäter och gammalost jämte diverse stekar och annat.

Det tycks gälla om alla medeltida måltider bland överklassen att antalet rätter var stort, och man vet inte riktigt om det var meningen att alla skulle äta av allt eller om man fick välja på matsedeln efter rang och värdighet. Överdådet minskade i varje fall inte under den tid som följde. Renässansen var en pånyttfödelsens tid även ifråga om mat och dryck och medförde stort uppsving i kokboksutgivningen och kockutbildningen nere på kontinenten. Utländska mästerkockar importerades av Gustaf Vasa och hans söner, vilkas hovhållning blev allt magnifikare. Därom är vi särdeles väl underrättade; framför allt Troels-Lund har dragit fram en mängd notiser om vad man åt och drack. Han påpekar att börja med att mattiderna var helt andra än eftervärldens. Dagen började med en liten frukost som lämpligen bestod av ölsupa och intogs så snart man kommit ur sängen, det vill säga aldrig senare än klockan sex; ofta steg man upp mycket tidigare. Middag åts därför redan klockan nio eller senast tio, medan kvällsmaten serverades klockan fyra eller fem. Middag och kvällsmat var båda stadiga mål och ungefär likadana.

Till renässansens landvinningar hörde förmågan att göra pastejer och baka tårtor, två konster som nådde en mycket rik utveckling vid hovet i Stockholm. Den sistnämnda hängde ihop med att det började ·finnas socker i Europa till priser som åtminstone furstarna kunde betala. Sötsaker i ordets moderna betydelse hade varit okända i Norden under medeltiden; konfekt fanns visserligen på kontinentens apotek, men sådana inrättningar existerade inte på våra breddgrader förrän på Johan III:s tid. År 1487 köptes omsider sex pund konfekt åt kung Hans, vilket lär vara ett av de första apoteksinköp som det finns papper på här i världen. Men mot 1500-talets mitt blev det som sagt vanligare med socker; det utskeppades då av venezianarna från Kandia på Kreta och kallades därför kandisocker. I Erik XIV:s första regeringsår gjorde man vid svenska hovet av med tretusen skålpund av denna vara, vilket är mycket även vid internationella jämförelser, och såsom ett särskilt överdåd omtalas att kungen lät sylta två fat päron med

kandisocker. Tydligen var han mycket förtjust i sötsaker; det rapporteras att han och hans omgivning detta år satte i sig 99 skålpund dadlar, 621 skålpund fikon, 876 skålpund mandlar, 1 469 skålpund sviskon, 95 skålpund korinter, 2 165 skålpund russin och femton fat suckat. Hans bror Johan hade också smak för sådant, och våren 1579 när denne inte hade fått sitt beställda socker i tid från sin leverantör i Stockholm skickade han strax ett par betrodda män att häkta denne och att beslagta allt socker de kunde få tag i, vare sig hos svenskar eller utlänningar; före nästa kväll skulle kungen ovillkorligen ha minst hundra skålpund av varan. Han förstod sig emellertid även på ordentlig mat, och till konungens eget bord beräknades månatligen åtgå 63 oxar, 28 kalvar, 298 får och lamm, 26 harar, 63 gäss, 980 höns, 950 viltfåglar, 7 tunnor syltade fåglar, 858 laxar och gäddor, 6 tunnor salt fläsk samt en mängd oxtungor, skinkor, svinryggar och annat. Personligen importerade han levande kräftor och karpar från Tyskland och inplanterade dem i slottsdammarna vid Kalmar; enligt Linné fanns det inga kräftor i Sverige dessförinnan. En ansenlig lista på mer eller mindre märkvärdiga maträtter för den kungliga taffeln på 1500-talet kan förresten läsas hos den flitige urkundsutgivaren Samuel Loenbom, som räknar upp både Gedde-Moos och Hackede Gädder gjörde som Päron.

Johan III uppfann också en akvavit nyttig mot både gift och pest; den destillerades fram av rhenvin, en hörningshorn, rödkorall, vitt elfenben, bränt hjorthorn och en del kryddor och örter. Det dracks dessutom mycket vin vid hans hov, dock icke franska viner, ty sådana hade dåligt anseende på 1500-talet. Större respekt hade man för rhenvin och även för ungerskt vin, som Katarina Jagellonica var van vid från Polen; man drack vid hovet upp över tusen liter sådant år 1573. Det året hade man för sed att blanda honung i rhenvinet, en kanna honung till tio kannor vin. Man hade alltid många hyss för sig med vinerna på Stockholms slott, där det förekom åtminstone tre blandningar av glöggtyp; de hette lutendrank, claret och hypokras och bestod av vin med tillsats av exempelvis kardemumma, ingefära, kanel, muskot, socker, saffran, äggvita, mjölk och åtskilligt annat. Erik XIV gjorde av med 210 kannor lutendrank i sitt första regeringsår och botade dessutom sin snuva med claret som innehöll anis och lakrits. Karin Månsdotters älsklingsdrycker var däremot malvasir och assoye, varav den sistnämnda var ett slags bourgogne; malvasir däremot kom närmast från Spanien men var egentligen inget spanskt vin utan kom nog ytterst från Kreta eller Cypern.

Vinåtgången var alltså stor emellanåt vid Vasakungarnas hov, vilket bland annat berodde på att det inte fanns några småbuteljer, utan man måste slå upp en åm, ett oxehuvud eller en pipa, vilket allt var stora mått; det minsta, åmen, var 160 liter, som måste drickas ur någorlunda fort innan de surnade i det öppnade kärlet. Men mycket större var naturligtvis ölkonsumtionen, vars siffror är häpnadsväckande i synnerhet från 1500-talet även om man håller i minnet att drycker som kaffe och te alltjämt var helt okända. Man utgick från att varje

människa behövde minst sex liter öl om dagen, säger Troels-Lund, och en helt vanlig novemberdag 1590 drack hovmarskalken på Stockholms slott fyra liter öl till frukost och ytterligare tjugotvå liter under resten av dagen. Samma år satte sig drottning Gunilla Bielkes svåger som hette Sten Gustafsson Tre Rosor att dricka spanskt vin som han så småningom blandade med öl, varav han snart blev redlös och i fyllan och villan låg och förkylde sig så att han dog. Det finns många notiser om våldsamt umgänge med alkohol även på ännu högre ort, inte minst från Danmark där några av kungarna drack tappert närhelst tillfälle bjöds. Kristian IV utbringade sålunda en gång i rask följd trettiofem högtidliga skålar för olika furstar i kristenheten, varefter han måste bäras ut från banketten i en stol. Flertalet av hans undersåtar tänkte sig bättre för, och den lärde diplomaten Henrik Rantzau upplyste brevledes sina söner om att han alltid brukade bära en stor ametist på bröstet till skydd mot berusning när han söp. Han tyckte att den hjälpte.

Ännu vid denna tid dracks öl ofta ur horn; åtminstone bland bönderna höll sig dryckeshornet vid liv genom hela 1500-talet, fastän trästånkor och tennkrus stadigt vann terräng. Matservisen var av trä eller tenn till fram på 1700-talet, då porslinet började komma. Gafflar klarade man sig länge utan, men Erik XIV ägde ett etui med tolv förgyllda gafflar och lika många förgyllda skedar, vilket är mycket märkvärdigt, ty först flera årtionden senare kom gafflar i bruk vid franska hovet i Paris, påstår Troels-Lund.

Det finns noggranna underrättelser

om åtskilliga gigantiska måltider från Sveriges renässans och barock, och mest ryktbar av dem är utan tvivel den stora fredsbanketten i Nürnberg, där svenska kronan bjöd sina gäster på inte mindre än hundratjugo rätter. Efterhand förändrades tiderna lyckligtvis till det bättre. Om mat och dryck på 1700- och 1800-talen är kunskapsmaterialet överväldigande; dagböcker och brevsamlingar lämnar naturligtvis ofta besked om sådant. Det finns dessutom en hel liten litteratur av receptsamlingar och kokböcker, av vilka mamsell Cajsa Wargs *Hjelpreda i hushållningen för unga fruntimber* upplevde fjorton svenska upplagor mellan åren 1755 och 1822. Kokboken ifråga, den ojämförligt mest berömda av alla svenska verk på området, har getts ut i våra dagar av Margit Palmær i en bearbetning som till tjänst för intresserade matlagare tar fasta enbart på sakinnehållet.

Den olycklige ukrainske hetmanen har i alla tider åtnjutit dåligt rykte i både svensk och rysk historieskrivning. I Sverige har han brukat avfärdas som svekfull och opålitlig och indirekt fått ta skulden för att det gick som det gjorde vid Poltava, och ryssarna å sin sida nämner sällan hans namn utan okvädande epitet: förrädaren, judas, hunden Mazepa. Ett mera övertygande porträtt har i våra dagar tecknats av den i Sverige verksamme forskaren Bohdan Kentrschynskyj som ser

Mazepa ur ukrainsk synpunkt, vilket just ingen historiker har gjort förut. Kentrschynskyj framställer Mazepa som en försiktig och försynt man och en sann patriot som försökte hålla sig neutral i det längsta men tvangs att öppet alliera sig med svenskarna efter Karl XII:s intåg i Severien. Några diplomatiska kontakter mellan Mazepa och kungen innan denne anträdde den olyckliga marschen mot Ryssland skulle således inte ha förekommit.

Den siste monark som hyllades på Mora sten var Kristian I, som tillträdde regementet år 1437. Sedan är det tyst om Mora sten i hävderna utom såtillvida att många forskare har frågat sig var det blivit av den och när den egentligen försvann. Det har gissats att den nog fördes bort av Sten Sture på hösten 1497, när den nyvalde kung Hans kom till Sverige och tänkte låta hylla sig på övligt sätt på Mora äng. Inga bevis finns för den misstanken, men det är svårt att tänka sig någon annan bra förklaring.

En liten ordbok över mått, mål och vikt i Sverige har sammanställts av bibliotekarien Sam Owen Jansson vid Nordiska museet; den är oumbärlig för envar som vill läsa om kvantiteter i gamla skrifter. Man inhämtar där att ett allsvenskt system på detta område genomfördes först genom 1665 års plakat om mått och vikt, vilket var Georg Stiernhielms verk; han hade nämligen regeringens uppdrag att ordna det där. Han minskade kannans volym till jämnt 100 kubiktum och höjde skålpundets vikt så mycket att en kanna vatten vägde jämnt 100 uns, men decimalsystemet lyckades han i alla fall inte få genomfört; han fick nöja sig med standardisering av de traditionella förhållandena. Efter 1665 års plakat såg det svenska mått- och viktsystemet i stora drag ut så här:

Längdmått:

1 famn = 3 alnar

1 aln = 2 fot

1 fot = 12 tum (= 297 mm)

18 000 alnar utgjorde en mil. Alnen kunde också delas i fyra kvarter.

Ytmått:

1 tunnland = 32 kappland (= 4 936 m²)

1 kappland = 1 750 kvadratfot

Rymdmått för våta varor:

1 tunna = 4 fjärdingar (= 125,6 liter)
1 fjärding = 2 åttingar
1 åtting = 6 kannor
1 kanna = 2 stop
1 stop = 4 kvarter
1 kvarter = 4 jungfrur

Det gick 60 kannor på en åm och 15 kannor på ett ankare.

Rymdmått för torra varor:

1 tunna = 2 spann (= 146,6 liter)
1 spann = 4 fjärdingar
1 fjärding = 4 kappar eller 7 kannor

Vikt:

1 skeppund = 20 lispund
1 lispund= 20 skålpund eller marker
1 skålpund = 32 lod (= 425 gram)
1 lod = 4 kvintin

För järn och koppar fanns ett särskilt viktsystem.

Mest bekymmer hade man helt naturligt med rymdmåtten, eftersom olika varor fyller ett kärl olika tätt och det alltid kunde diskuteras om det skulle vara råge på tunnan eller inte. Åtskilliga förordningar utfärdades om detta under århundradenas lopp. Man skilde på struket mål och rågat mål, och det sistnämnda borde för att vara fullgott också vara både skakat och stoppat. Det fanns emellertid också någonting som kallades fast mål, varmed menades att tunnan skulle strykas av men två kappar skulle särskilt mätas upp och läggas till som ersättning för den obestämda rågan.

År 1855 infördes omsider decimalsystemet – men inte metersystemet – i Sverige. Vi fick då ett mått- och viktsystem av följande utseende:

Längdmått:

1 rev = 10 stänger
1 stång = 10 fot

1 fot = 10 tum (= 297 mm)
1 tum = 10 linjer

Milen stod alltjämt utanför decimalsystemet; dess längd bestämdes till 36 000 fot.

Ytmått:

1 kvadratrev = 100 kvadratstänger
1 kvadratstång = 100 kvadratfot

Rymdmått:

1 kubikstång = 1000 kubikfot
1 kubikfot = 10 kannor
1 kanna = 100 kubiktum (= 2,617 l.)

Vikt:

1 nyläst = 100 centner
1 centner = 100 skålpund
1 skålpund = 100 ort
1 ort = 100 korn

Detta system gällde endast några årtionden, men det var i fotogenlampornas tid, och lampglas mättes i linjer långt in på 1900-talet. Mycket djupare spår än så har dock kvarlämnats av diverse andra gamla mått som aldrig har haft äran att inlemmas i något enhetligt system. Fyra strömmingar utgör ett kast, tjugo kast bildar en val, som dock i praktiken brukade innehålla 81, strömmingar. Tjugofyra rökta nejonögon bildar ett bast. En del av en garnhärva kan fortfarande kallas pasma, vilket en gång betecknade sextio trådar. Och en helbutelj brännvin rymmer än i dag ungefär ett halvstop, medan halvbuteljen rymmer ett kvarter och rentav ibland får heta kvartersbutelj alltjämt.

N

O

professor i Lund och slutade sin bana som riksarkivarie; han dog 1904. Om Sveriges politiska historia under Gustaf III är det han som har skrivit det grundläggande vetenskapliga verket, men hans största insats utgörs väl ändå av hans läroböcker som användes länge i alla högre skolor och en tid även i folkskolan. De har gett läxläsande ungdom många bevingade ord på vägen genom livet. Det har ingen annan historiker lyckats med före eller efter honom.

Ogiers dagbok, som finns utgiven i översättning under den opraktiska titeln "Från Sveriges storhetstid", är rolig och upplysande lektyr. Den franska ambassaden reste i november månad sjövägen till Stockholm men blev vinddriven mot Estland och lyckades omsider ta sig i land i Kalmar, varifrån resan fortsattes till lands. Ogier är imponerad av åtskilligt i Sverige; han talar om de omåtliga skogarna som gör kylan uthärdlig, om de härliga slädfärderna över sjöarnas isar, om kopparverket i Norrköping med dess öronbedövande oväsen och om de märkliga synerna i djupet av Falu gruva. Han säger sig aldrig ha sett en trasig människa här och yttrar sig beundrande om invånarnas idoghet och jordens bördighet vid åsynen av svedjebruket. Intressantare är han när han berättar saker som väckt hans misshag. Kommendanterna på slotten befanns alltid vara sjuka när ambassadören ville göra visit; antingen ville de inte visa hur torftigt de hade det eller också ville de dölja hur svagt utrustade fästningarna var, tror Ogier. Riksråden Per Sparre och Matthias Soop tog emot ambassadören i en matsal vars enda prydnad var en blå tyghimmel som var upphängd över bordet för att spindlarna inte skulle falla ner i maten. I Linköping såg Ogier med häpnad ett exempel på den svenska kyrkotukten: en mycket ung flicka som hade brutit mot sjätte budet satt på en pall vid domkyrkoporten till allmän beskådan. Han intresserade sig över huvud taget mycket för lutheranernas seder och bruk vilka han djupt ogillade; inte minst tycker han illa om prästernas äktenskap. Ogier träffade många präster och var ständigt utsatt för deras omilda gästvänskap; de iakttog aldrig någon fasta, och de tvingade dessutom den stackars diplomaten att ideligen skåla och dricka i botten för kung och fosterland. Likadant gjorde förstås hans världsliga värdar; de inträdde om morgonen med fyllda pokaler i sovrummen och utbringade skålar för allmän välgång, varmed de sedan fortsatte hela dagen.

Ogier fick ta del av änkedrottningens byggnadsplaner på Drottningholm, besökte Jakob De la Gardie på Ulriksdal – som ännu hette Jakobsdal – och blev bjuden på middag på Malmvik på Lovön av den nyadlade, stenrike affärsmannen Erik Larsson von der Linde. Han tittade vidare på en stor samling erövrade kanoner samt på alla de stulna dyrgriparna i kungliga skattkammaren, där han såg bland annat ett krucifix med en stor relik av Kristi kors som han inte kunde låta bli att kyssa, varvid hans svenska ciceroner skrattade åt honom. Han besökte även Gustaf II Adolfs nyss fullbordade grav och läste där till sin katolska förtrytelse att den bortgångne hade befriat tyskarna från påvens *deformatio*, hans irrlära – ordet står naturligtvis i motsats till Luthers *reformatio*. Ogier hade vidare nöjet att se den lilla drottning Kristina ta emot en rysk beskickning. Sändebudet räknade upp alla tsarens titlar under bugningar, överlämnade därpå sitt brev öppet till drottningen och hoppade sedan tillbaka som om han räckt en brödbit åt en elefant.

Vår förste historieskrivares krönika är faktiskt fullt läsbar än i dag. Den inleds med ett ståtligt lovtal om Sveriges skönhet och många förträffligheter, där det i förbigående upplyses att riket är så gott som fyrkantigt – östgränsen gick ju då vid Viborg och sydgränsen vid Kalmar. Beträffande de äldsta tiderna berättar Ericus Olai mycket underbart som också står hos Saxo, Jordanes och andra, men senare halvan av hans verk är självständig och nog också förhållandevis pålitlig. Han tycker illa om Kalmarunionen och tar heder och ära av drottning Margareta och Erik av Pommern, men han är inte svag för de inhemska svenska kungarna heller. Om Magnus Erikssons sexuella utsvävningar håller han en hel predikan, och inte ens Karl Knutsson finner nåd inför honom, eftersom denna hans äldre samtida idelig uppbådade folk till krigstjänst och dessutom pressade pengar ur nationen för egen vinning. Dålig krigare var han också, alltid feg och modfälld, försäkrar krönikören, som rimligen stod på ärkebiskop Bengt Jönssons sida.

Varför Gustaf Vasa kallar Olaus Magnus för Svinfot är ovisst; möjligen hette han så. Hans förhållande till Gustaf Vasa var överhuvud taget egendomligt. Under 1520-talet utförde han en del diplomatiska uppdrag på kontinenten för svensk räkning men reste aldrig hem utan skickade sina rapporter från Danzig, där hans äldre bror Johannes också slog sig ned. Hans lilla förmögenhet i hemlandet beslagtogs i sinom tid av konungen, men korrespondensen med denne avbröts inte helt för det, och tonen i breven är förhållandevis vänlig.

1537 flyttade bröderna Magnus till Italien, och 1539 befann de sig i Venedig där Olaus gav ut en karta över de nordiska länderna, Carta Marina, mera känd och berömd i våra dagar än någonsin förr; ett dekorativt nytryck pryder många väggar i Sverige. För Olaus Magnus blev kartan ingen god affär; den kostade honom 440 dukater, och ännu tio år senare hade det hela inte gått ihop. Ett visst vetenskapligt anseende inbragte företaget emellertid. När brodern gick ur tiden utnämndes Olaus Magnus av påven till hans efterträdare som svensk ärkebiskop, men detta var ju under rådande förhållanden bara en tom titel, och sina sista år tillbragte Olaus Magnus i en fattigkammare på Birgittas hospital i Rom. Man vet att han hade det bekymmersamt, men tydligtvis var han en from och varmhjärtad man, ty fast han hade svårt att finansiera tryckningen av broderns efterlämnade skrifter och sina egna arbeten ryggade han inte för att ta på sig utgifter för andra; när en vän behövde pengar till att trycka en polemik mot lutheranerna och när Birgittas hospital behövde repareras bidrog han nämligen allt vad han kunde. 1558 gick han ur tiden.

Nu är det ju inte främst som trofast katolik eller som sin äldre broders hjälpreda och utgivare Olaus Magnus är känd för eftervärlden. Där han satt i sin fattigdom i den eviga staden och längtade hem till sitt förtappade fädernesland skrev han på internationellt latin ihop en bok som är mycket märkvärdig: De gentibus septentrionalibus historia, Historia om de nordiska folken. Efter modernt språkbruk är den snarare geografi än historia, men i grund och botten är den kanske allra mest en sagobok, späckad med häpnadsväckande notiser för sydländska läsare om de vidunderliga länderna i norr. Boken har en bisarr disposition men är mycket rolig att läsa; en och annan trovärdig upplysning om livet i Sverige på 1500-talet meddelar den väl också, även om man bör ta det allra mesta med en nypa salt.

Olaus Magnus börjar med att förtälja hur det är ställt i de allra nordligaste provinserna, nämligen Biarmia, Finmarchia och Scricfinnia, och det märks föga på hans skildring att han faktiskt har besökt dessa trakter i egen person. I Scricfinnia, upplyser han, åker folk med beundransvärd fart på skinnklädda bräder som är uppböjda framtill. Det blåser oerhört däruppe; vinden kan rentav lyfta blytaken av tempel och andra byggnader. Invånarna bor emellertid i tält

och bygger även hus genom att uppföra väggar mellan fyra träd. Detta är mycket praktiskt, ty om snön höljer hela boningen vilket ofta sker kan man alltid klättra upp i något av hörnträden för att få luft. Lapparna dyrkar himlaljusen och håller den röda färgen helig; de tillber ett rött tygstycke som är fäst på en stång. De sjunger glädjesånger vid begravningar men sorgekväden då barnen föds. De går höljda i skinn av lo och mård likt venetianska ädlingar, men deras kvinnor är långt bättre än venetianskorna, ty de målar sig inte.

Kölden är bister även längre söderut i landet, och för dess skull görs fönstren mycket små. Snödjupet är ofta gruvligt. Bergen i Jämtland är säkert de högsta i Europa – Olaus Magnus hade gått över Alperna tre gånger när han skrev detta. Även vid kusten finns det fjäll; de täcks av evig snö och är därför goda sjömärken. Mycket duktigt folk bor i Ångermanland, vars jordbrukare förstår att få skördar att växa även uppe på bergen i det att de sveder skogen där. Även i Hälsingland bor det förträffliga människor. Hälsingarna är goda smeder och kan också göra ost. Utmärkta ostar framställer man överallt i Sverige, i all synnerhet i Västergötland, och parmesanosten är bara en degenererad avglans av ostar som de världserövrande västgoterna på sin tid lärde italienarna att göra. Hälsingarna har emellertid för vana att låta sina ostar ruttna invärtes och fyllas av mask, och skalkarna blir samtidigt så sega och starka att de med fördel kan användas i stället för läder till överdrag på sköldar. Om lukten, som borde ha varit väl ägnad att skrämma sköldbärarnas fiender på flykten, nämns märkvärdigt nog ingenting.

Stockholm är en välbefäst och utomordentligt välbelägen stad. I Brunkeberg, som också kallas Fyrtandaberg därför att den danske kung Kristian förlorade fyra tänder i slaget där, fanns förr en håla där fromma eremiter bodde och försåg de vägfarande med kristliga förmaningar; olyckligtvis blev hålan emellertid senare ett tillhåll för rövare och fylldes därför igen. Inseglingen till Stockholm kan vara besvärlig på grund av de många klippor som uppfyller de smala farvattnen. I närheten finns ett runt svalg, Rundisualia, men där finns också Europas ypperligaste hamn som heter Elgxnabben.

En minst lika märklig stad är Skänninge – Olaus Magnus var av allt att döma född där, fast han själv säger sig vara från Linköping. Skänninge, Scheningia, har fått sitt namn av ån Schena som kallas så därför att den rinner fort som en skenande häst. Alla gator utstrålar radiellt från torget där det står en staty som heter Tore Lång. Skänninges läge är det hälsosammaste man kan tänka sig, välståndet är stort, och borgardöttrarna utmärker sig genom sina rika silverprydnader.

En håla som bebos av rövare är tillfinnandes under Trollhättans fallande vatten; där har banditerna en säker fristad. Inte alltför långt därifrån ligger borgen Aranäs vid Vänern, sannolikt det förnämligaste slottet i Europa, och därintill finns det underbart blomstrande Kindaberg där allting växer utom vinrankan och där alla fåglar sjunger utom

papegojorna. Ungefär lika härligt är det på Öland, där det också finns hjordar av små hästar som är utomordentligt läraktiga och vid behov kan livnära sig på fisk och granris. I dess närhet ligger Kalmar som heter så därför att luften där kändes *mer kall* för de många resande som kom dit från tyska hamnar.

Om Gotland framlägger Olaus Magnus enbart historiska notiser; efter några ord om goter, vandaler och longobarder samt om det fornstora Visby berättar han korrekt om öns öden under kung Albert och drottning Margareta, ty det ligger honom om hjärtat att visa att den är svenskt land och inte danskt. Hans danskhat var stort, och de historiska uppgifter han meddelar i sitt verk går i allmänhet ut på att hävda den svenska äran gentemot Danmark. Han berättar sålunda vidlyftigt om den götiske kämpen Starkotters och andra vildsinta mäns bragder i urtiden, och han förtäljer också om de danska unionskungarnas genomusla fogdar, *pessimi prefecti.* Jusse Erikson var sålunda vida värre än romaren Verres som Cicero utmålade så illa, ty Verres rökte bara ihjäl en enda oskyldig, men Jusse hängde upp otaliga dalkarlar i röken. En fullt ut lika blodtörstig fogde var Nicolaus Holst som hade sin lust i att sätta upp galgar åt Kristian II, anmärkande att höga galgar anstode stora tjuvar. Stockholms blodbad som Olaus Magnus säger sig darrande ha fått bevittna – *me vidente ac trepidante* – skildras trovärdigt, och han prisar inte blott Engelbrekts befrielsekrig utan även Gustaf Vasas, vilket vittnar om ett osjälviskt sinne.

Mest lovordar han emellertid riksföreståndaren Svante Nilsson, som inte visste något bättre botemedel mot sin plågsamma gikt än hugnerika samtal med Sveriges bästa män, av vilka ingen fick blinka för ett yxhugg i ansiktet; de omgav honom också trofast och lydde villigt hans maningar till käckhet.

En stor del av Olaus Magnus' verk består av notiser om märkliga djur, om jaktsätt och fiskemetoder, om folkseder och lekar, militära anordningar och bruk, byggnader, gruvdrift och mycket annat. Alltsammans är god lektyr som dock ger en något underlig bild av livet i Sverige. Man inhämtar att när nordbor från avlägsna gårdar går till kyrkan har de inga andra vapen med sig än båge, svärd, yxa och spjut; bågen behöver de till att fälla björnar och vargar, med svärdet försvarar de sig mot eventuella fiender, yxan är bra till att hugga bort träd som möjligen har fallit ner över stigen, och spjutet kommer till användning då det gäller att hoppa över vattendrag. Kyrkobesökaren bär också gärna med sig en runstav där han kan avläsa månens gång och högtidernas data, och alla dessa förnödenheter läggs av i kyrkans vapenhus utan fruktan för att de möjligen kan bli stulna. Mest märkvärdiga är kanske ändå notiserna om djuren i Norden. Där finns om vintern älgar som lätt låter sig tämjas; man använder dem till dragare vid slädfärder. Örnarna i Norden är mycket kloka; de har för vana att linda in sina ägg i ekorrskinn och annat pälsverk, så slipper de själva ligga och ruva. Det finns vidare råttor, men vissa personer har förmåga

att genom besvärjelser locka bort dessa; de går in i husen om vintern och kallar fram råttorna ur alla deras hål och prång varefter de i spetsen för hela sällskapet går till en vak i isen och befaller råttorna att hoppa i, vilket dessa lydigt gör. Ur vakar i isen kan det hända att man får upp svalor ibland; dessa övervintrar nämligen i vattnet. Erfarna fiskare släpper de frusna svalorna tillbaka i sjön, men ungt folk tar i bland i sitt oförstånd hem svalorna och tinar upp dem inomhus varvid de snart kvicknar vid, men vid nästa köldknäpp omkommer de ömkligen. Om sommaren har man annat att tänka på. Vid höbärgningen tar mödrarna med sig småbarnen som då hängs upp i korgar i träden för att vara skyddade för ormar; sådana kryper nämligen gärna in i munnen på sovande människor så att bara yttersta ändan av stjärten sticker ut. Gnider man omsorgsfullt denna stjärtända med en bit varmt och mjukt tyg lockas ormen emellertid ut igen och gör ingen skada, men för säkerhets skull kan det vara bra att ge patienten lite teriak, vilket man i Norden alltid har hemma tack vare de många främmande köpmännen.

Gästfriheten i Sverige är stor, upplyser Olaus Magnus sin internationella läsekrets, men det finns ju gränser för allt. Personer som i sina kläder har en genomträngande lukt, såsom ryssar, moskoviter och danskar, kan inte räkna på att få åtnjuta gästfrihet länge.

Olaus Petri 22, 23, 114, 173, 178, 183, 191, 194, 198, 199, 200, 201, 202 (allt detta gäller hans svenska krönika); 222, 223, 225–227 (bibelöversättning-

Ostanus, se *Johannes Magnus*
ostrogothae 18
ostron 12, 454

Ostindiska kompaniet 682, 684, 685
Ottar Vendelkråka 39, 44. Se även
Ynglingaätten.
Otter 711
Otterhällan 407
Owen 747, 785, 791
Oxenstierna, Axel 387, 394, 397, 399,
401, 404, 405, 408, 413, 414, 415, 418,
419, 422, 426–428, 434, 440–445, 448,
450–454, 464–470„ 472, 473, 479, 485,
486, 491, 495, 496, 497, 498, 500
Oxenstierna, Bengt Bengtsson 442.
Se vidare *Resare-Bengt.*
Oxenstierna, Bengt (kanslipresident
hos Karl XI) 625, 628, 629, 632
Oxenstierna, Bengt Jönsson 167, 168
Oxenstierna, Erik 506
Oxenstierna, Gabriel Bengtsson 441
Oxenstierna, Gabriel Gustafsson 427,
429, 441
Oxenstierna, Gabriel Kristiernsson
338
Efter sitt äventyr i Reval reste Gabriel Oxenstierna omedelbart hem till Sverige och byggde sig ett slott som lär ha varit det största i Uppland. Det hette Mörby och är nu en ruin vid Gimo. Han hade vid det laget en blomstrande familj, vilket var så mycket mer glädjande som han i sin ungdom hade varit den siste av sin ätt, vars övriga medlemmar hade gått åt i Stockholms blodbad. Julen 1584 som var hans sista jul ställde han på sitt slott till ett familjeupptåg som av någon anledning har gått till historien; det kallas för Mörbydansen och omtalas ofta i äldre skrifter. Han och hans hustru Beata Trolle satte nämligen i gång en ringdans med alla sina barn och barnbarn, sonhustrur och mågar. De båda gamlingarna som hade räddat ätten från att dö ut började dansen varefter de övriga familjemedlemmarna i tur och ordning trädde in och utförde sina piruetter. De allra yngsta barnbarnen bars av sina ammor. På det viset deltog bland andra sonsonen Axel, som vid tillfället var två år gammal.
Oxenstierna, Johan Axelsson 472
Oxenstierna, Johan Gabriel (poeten)
688, 694, 703, 709, 712, 730
Oxenstierna, Jöns Bengtsson 168,
172, 174–178
Oxenstierna, Nils Jönsson 168
Oxetuna 624
oxexport 262

P

Pahr 342
Palmblad 618
Palme, Sven Ulric 184. Se även *blot*
Palmskiöld 592
Det finns någonting som kallas Palm-skiöldska samlingen och innehåller mängder av tryck och handlingar till Sveriges politiska och kulturella historia. Den sammanbragtes i Karl XII:s dagar av Erik Palmskiölds son

Elias, vilken var sekreterare och arkivman liksom sin far och med otrolig flit hopade och avskrev mängder av dokument, däribland många vilkas original gick förlorade vid slottsbranden. Utan de båda Palmskiöldarnas ordentlighet och samlarmöda skulle vi veta mycket mindre än vi gör om vårt lands förgångna.

Palmstruch 550–552
Palnatoke 72
Pappenheim 437, 438
Parker 750, 751
passevolans 706
pastoratshandel 702, 707
Patkul 592, 633
Paul tsar 750, 751

Paulinus Gothus 385, 470
Pechlin 670, 684, 687, 701, 728, 730, 731
Peder Djup 274
Peder Skrivare 276
Peder Swart, se *Swart*
Peenemünde 430
Pentisilea, se *Torborg*
Perevolotsjna 636, 637
Peringskiöld, se *Jordanes, Kolbränna*
och *Kungshatt*.
Två herrar Peringskiöld, far och son, figurerar i den historiska litteraturen. Den äldre efterträdde Hadorph som riksantikvarie och var en flitig författare i Rudbecks anda, men han var också en nitisk samlare, avskrivare och utgivare av genealogiska och andra dokument som en och annan forskare tycks ha glädje av än. Den yngre Peringskiöld var bara utgivare och översättare. Det är han som har tolkat Jordanes, och han översatte också Adam av Bremen och Sogubrot.
Pernau 308

Persdotter, Agda 318

Persson, Anders (på Rankhyttan) 207, 236, 239, 244
Persson, Arendt (på Ornäs) 207, 208
Persson, Birger (på Finsta, lagman) 118, 136
Persson, Jöran 303–304, 309, 318, 322, 324, 325, 327, 331
Persson, Knut (om Söderköpings riksdag) 364
Persson i Tällberg 813
pest 140–141, 639
Peter, tsar 628, 630–641, 646, 647, 649, 659, 660
Petersburg, S:t 633, 637, 709–710, 740, 823, 829
"Czar Petter", skriver den svenske 1700-talsprofessorn E. M. Fant, "började anlägga Pettersburg och Cronstadt på en gång. Det lilla hus, hvaruti han bodde och hvarpå han sjelf timrat, visas ännu på förra stället. Han lade hand vid alla chirurgiska operationer, öfvade sig att taga ut tänder och gaf en ducat för hvar tand. Man påstår äfven, att han försökt att agera skarprättare. Gevärsfabriken vid Systerbäck och Canalen vid Ladogasjön började äfven anläggas genast efter dessa orters eröfring ifrån de Svenska."
peterspenningen 98, 106
Att peterspenningen infördes i Sverige genom kyrkomötet i Linköping år 1152 är en hävdvunnen åsikt. Olaus Petri säger emellertid i sin krönika att den infördes av Olof Skötkonung som ju levde mer än ett århundrade tidigare, och de som i våra dagar har intresserat sig för saken tycks luta åt ungefär samma mening. Man säger att det vore märkvärdigt om det kristnade Sverige skulle ha sluppit kyrklig skatt ända till 1152 och anser det sannolikt att

Sverige. De svenska myndigheterna höll honom märkligt nog om ryggen, och när snapphanekriget bröt ut och tillfälligt gjorde slut på det sydsvenska universitetet placerades Pufendorf av Karl XI som rikshistoriograf i Stockholm. Som sådan har han skrivit ett par latinska verk om krig och politik kring mitten av 1600-talet; viktigast av dessa är hans vidlyftiga arbete om Karl Gustafs gärningar, De rebus a Carolo Gustavo, Sueciae regis, gestis. Det är snarast en samling dokument av olika slag, lugnt och elegant refererade i kronologisk ordning. Bokens berömmelse vilar numera mest på de många och vackra kopparsticksillustrationerna efter Erik Dahlberghs teckningar. Pufendorf har även skrivit Sveriges historia på tyska från Magogs tid till sin egen, ett verk som också översattes till franska och måste ha varit mycket gagneligt för Sveriges rykte. Pufendorf var en mycket läsbar skribent.

Pytheas 15

Det besynnerligaste Pytheas lär ha sett i Thule var ett slags havssvamp som varken var jord, vatten eller luft utan utgjorde en blandning av dessa tre element. Lagerbring, som skrev svensk historia på 1700-talet, tror sig veta vad Pytheas menade med detta. Han hade säkert sett "vår kraf-is, hvarigenom strömmar ej allenast understundom stadna, utan ock vattnet förvandlar sig till tjock gröt eller välling". Han hänvisar för närmare information till "Doctor Blocks Anmärkningar öfver Motalaströms stadnande". I Motala ström förekommer vissa vintrar ett fenomen som kallas sörpning; det händer nämligen att vattnet underkyls och på en gång förvandlas till ett slags gelé, varefter floden bottenfryser och täpps till. Detta uppges ha inträffat bl.a. åren 1291 och 1706 och betraktades naturligtvis förr som ett järtecken, omnämnt i Snoilskys bekanta dikt Vita frun, där det står att "Motala ström mitt i loppet stannat".

Q

R

Rabenius, Nils 612, 632
Urkundsförfalskaren Nils Rabenius, Sveriges ende storföretagare i denna bransch, var i många avseenden en intressant och egendomlig man. Som kaplan i Munktorp inte långt från Kungsör lyckades han tydligtvis i unga år vinna Karl XI:s och hans mors bevågenhet, och som regementspastor vid livdrabanterna tycks han ha stått den unge Karl XII rätt nära och roat honom med diverse dumma upptåg. Han hugnades snart med Hedemora pastorat där han kom i strid med alla människor, men han ägnade sig samtidigt åt antikvarisk samlarverksamhet och tillverkade i det sammanhanget mängder av forntida dokument och även ett och annat unikt mynt från gamla tider. I de svenska arkiven ligger en ansenlig hög medeltida brev beträffande olika medlemmar av den urgamla stormansätten Rabbe; Nils Rabenius har skrivit och utprånglat dem alla, och ätten ifråga – varav han själv skulle vara en senfödd medlem – är i övrigt alldeles okänd. Han har också författat Agapeti bulla – se d.o. – och en medeltida biskopskrönika från Västerås som angavs vara översatt av Peđer Swart från ett latinskt original. Krönikan börjar med den helige David, och det är säkert ingen slump att denne Västmanlands apostel har fått sitt namn knutet just till Munktorp, där Rabenius var präst i hela femton år.

Det intressanta med Rabenius är att han inte tycks ha dragit någon nytta av sina förfalskningar. Han gjorde såvitt man vet inga affärer med dem, och ärelystnad kan knappast ha varit hans drivkraft heller, ty han smugglade vanligen ut sina fabrikat på omvägar i största tysthet. Han har inte gett ut en enda skrift under eget namn. "Det vill förefalla", skriver hans sentida avslöjare Nils Ahnlund, "som om det varit ett behov hos honom att driva gäck med sin samtid." Att det finns ett psykopatiskt drag bakom hans verksamhet är väl säkert – han stretade och arbetade med sitt förfalskande årtionde efter årtionde – men han var ingen obegåvad karl. Tydligen var han lustlögnare. I en senare tid kunde han ha blivit en god romanförfattare.
Raccho 24
Radbjart 63
Rademacher 552
Radziejowski 491, 503, 504
Radzivil 503
Ragnar Lodbrok 54, 63, 65–69, 70
ragnaricii 18
Ragnarök 34–35
Ragnvald jarl 78–81
Ragnvald Knaphövde 97
Ragnvald Rådkloke 64, 65
Ragvaldsson, Nils 158, 167, 168
Rakoczi 505, 506
Ramstedt 833, 834
Ran 33
Randver 63, 64. Se även *Ivar Vidfamne.*

En liten historia som förr brukade
stå i skolbarnens läseböcker förtäljer
att Resare-Bengt blev väl mottagen
av persiske schahen, som personligen
visade honom sitt lands härligheter
och till sist förde honom ut i sin
trädgård för att låta honom se det
sällsyntaste och dyrbaraste han ägde.
Innanför ett staket av guld stod där
en växt, i vilken Resare-Bengt till sin
förundran igenkände en vanlig nor-
disk enbuske. Han brast i skratt och
talade om att i hans hemland var alla
skogsbackar fulla med sådana buskar,
men schahen tog mycket illa upp
och trodde honom för övrigt inte.

Rikshovmästaren, den främste av de
danska riksämbetsmännen, hade hand
om finanserna och var samtidigt ett
slags premiär- och utrikesminister.

Mera minnesvärd än herr Arvid i Larv är förvisso hans son Johan Runius, en älskvärd, alltjämt läsbar poet. Han dog i lungsot vid några och trettio års ålder i det sorgliga året 1713, men i sina poem är han alltid lekfull och munter, och den romantiske Atterbom som ladé grunden till svensk litteraturhistoria fann honom inte själisk nog. Senare svenska poeter, framför allt kanske Karlfeldt, har däremot satt Runius högt.

runor 17, 387

Kunskapen om runorna har aldrig varit helt glömd i Sverige. På sina håll användes de genom hela medeltiden, framför allt kanske på Gotland, vars flesta runinskrifter tillhör 1300- och 1400-talen. De fortlevde ända fram på 1700-talet i Jämtland och Härjedalen, och ännu år 1905 lär det i Älvdalen ha funnits gamla personer som kunde läsa dalsk runskrift utan att ha inhämtat konsten ur lärda böcker. I Gustaf Vasas dagar var runorna fortfarande i bruk på många håll; man vet att t.ex. boktryckare Paulus Grijs, biskop Brasks sekreterare Spegelberg, bröderna Johannes och Olaus Magnus och bröderna Olaus och Laurentius Petri alla var väl förtrogna med runskriften. Med deras generation utdog denna kunskap bland de bildade och besuttna, och när vår förste runforskare Johan Bureus anno 1593 fick sitt intresse väckt av en sten som låg som tröskel i Riddarholmskyrkan fick han gå till en bonde i Dalarna för att hämta undervisning om ABC.

Bureus ritade av ett par hundra svenska runstenar och gav ut några skrifter i ämnet med vidlyftiga titlar: Runa Känslones Lärospån h.e. elementa runica, Den Swenska ABC-boken på det enfalligste så stält at de vanlige bokstafvarne lämpa sig efter runorne och bådhe sämjas med vår vanlige pronunciation, Den danske Kong Waldemars prophetia om Runas hemflycht etc. Den sistnämnda riktar sig mot en köpenhamnsk medicinprofessor vid namn Olaus Wormius som hade slagit sig på runforskning med stor energi och menade att runorna egentligen var en dansk skrift, vilket naturligtvis framkallade den livligaste förbittring uppe i Sverige, där det blev en patriotisk uppgift genom hela 1600-talet att tillbakavisa denna kätterska tes. Wormius' runologiska verk angår emellertid våra dagars svenskar lika mycket som Bureus'; hans första arbete var nämligen att ge ut en gotländsk runkalender – fast han trodde att den var jylländsk – och hans

andra skrift var en avhandling om två runstenar vid Strö i Skåne. Wormius' huvudverk heter Monumenta Danica och kom ut på 1640-talet; det är naturligtvis fullt av galenskaper men dock mindre stolligt än vad de svenska runforskarna åstadkom vid samma tid och senare.
Rurik 59, 60
Rus 59–60
Ruyter 537
Rydaholmsalnen 383
Det äldsta kända alnmåttet i Sverige satt på 1500-talet uppsatt på dörren till Rydaholms kyrka, men 1621 var skolungdomen i Växjö en tid förflyttad till denna socken för pestens skull, och pojkarna levde tydligen rövare och bröt ner den oskattbara rikslikaren. Lyckligtvis hade Karl IX dessförinnan hunnit låta göra en kopia och sätta upp den på dörren till Stockholms rådhus, sedan Norrköpings riksdag år 1604 hade gjort Rydaholmsalnen till rikslikare. Detta alnsmått kom sedan att bestå tills metersystemet infördes sent omsider, trots att Georg Stiernhielm – se *mått och vikt* – egentligen hade velat ha en annan längdenhet varur enheterna för yta, rymd och vikt i sin tur skulle kunna härledas. Han kallade denna sin enhet för *linea carolina* och definierade den som kantlängden hos en kub som rymmer en miljon ass vatten – ass var en kontinental vikt på ungefär ett halvt decigram. Stiernhielm rådde emellertid inte på traditionen; det svenska alnsmåttet överlevde honom länge.

I Rydaholm hittades den bortbrutna kyrkalnen sönderrostad anno 1664, och kyrkoherden lät då göra en kopia av den. Olyckligtvis blev den-

na nya kopia en liten bit längre
än kopian i Stockholm, vilket vållade en del trassel under något århundrade. Vad det blev av den gamla rikslikaren vet ingen människa.

Se vidare *mått och vikt.*

råttor 141. Se även *Olaus Magnus.*
Den svarta råttan, digerdödens råtta,
härskade obestritt i Europa till 1720-talet, då den bruna råttan bröt in
från Asien i oerhörda skaror; det

påstods att den hade blivit skrämd av
en jordbävning därborta. Ungefär
samtidigt, närmare bestämt 1732,
kom den sjövägen från Ostindien till
England, och 1775 följde den de
engelska skeppen till Amerika och
underlade sig raskt även denna
världsdel. Mot slutet av 1700-talet
började kampen mellan den svarta
och den bruna råttan i Sverige, och
mot 1800-talets mitt fanns den svarta
kvar bara på enstaka ställen. Längst
höll den sig visst på Glimmingehus.

S

Den ene av de båda Anjalamän som
deporterades till den svenska ön i
Västindien var kavalleriöversten Robert Montgomery. Han var far till

Malla Silfverstolpe, som har vunnit
ryktbarhet som alla romantiska poeters och professorers väninna i Uppsala. Hon var bara åtta år då han deporterades, och tre år senare fick han
förresten komma hem igen.
S:t Barthélemy förblev i svensk ägo
ända till år 1878. Den hade då vållat
staten idel utgifter under något halvsekel, och det ansågs vara en god affär
att sälja den till Frankrike för 320 000

Den geniale unge pommaren som vid
fjorton års ålder blev apotekselev i
Göteborg har nog gjort flera ban-
brytande upptäckter än någon ke-
mist före eller efter honom. Han
upptäckte nämligen vida mer än sy-
ret; med de enklaste hjälpmedel fann
han också grundämnena klor, man-
gan, barium, molybden och wolfram
och framställde för första gången så-
dana ting som vinsyra, mjölksyra,
oxalsyra, fluorvätesyra, blåsyra och
glycerin. 1775 blev han apoteksföre-
ståndare i Köping, där han sedan satt
i elva år och gjorde viktiga rön till
glädje för eftervärldens järnfram-
ställare, tvålfabrikanter, garvare, fo-
tografer och läkare. Fyrtiofem år
gammal lämnade han det jordiska,
sedan han på dödsbädden hade gift
sig med Sara Margareta Pohl, den
förre apotekarens änka, som han ha-
de lovat att konservera då han över-
tog rörelsen i Köping. Han var gift

med henne i tre dagar. Hon gifte sedan om sig med hans efterträdare Bölchou, som efter hennes död gifte om sig med en dam som efter hans död blev hustru till ytterligare två apotekare i Köping. Det blev två fruar på fem apotekare.

"Lapponia" har i våra dagar omsider översatts till svenska och befunnits vara en intressant och rolig bok; den ger, säger den sakkunnige Ernst Manker, "en förvånande frisk föreställning om 1600-talets lappar". Angående svenskarna har Schefferus gjort sig skyldig till en skrift vid namn Memorabilia Suethicae gentis exempla. Svenska folkets minnesvärda förebilder. Där berättas knapphändigt varjehanda historiska anekdoter, men inte i tidsföljd utan efter en sedelärande disposition med rubriker som Om gudsfruktan, Om krigslist, Om äktenskaplig kärlek och liknande. Det mesta är välbekant från andra källor; man läser om Starkotter, Disa, Torgny lagman, Joar Blå, Banér i säcken, Erik den helige, Gustaf Vasa bland vinfaten i Västerås och mycket annat. Emellertid inhämtar man även att på Johan Sverkerssons tid blev en viss Johan jarl ihjälslagen av estniska sjörövare men hans trofasta hustru skyndade genast att hämnas honom genom att slå ihjäl alla hans banemän på ett Mälarskär som sedan dess heter Estbröte. Erik Leijonhufvud var så stark att han kunde sticka ett finger i mynningen på var och en av tio bössor och därefter lyfta alla vapnen på rak arm och hålla dem en god stund rätt ut

i luften. Kung Erik den tredje var så vältalig att han hastigt och lustigt skapade stor vänskap mellan norske och danske kungen som stod i begrepp att börja krig med varandra. Ännu underbarare är några historier som berättas i kapitlen om varsel och förebud och om drömmar; man får där veta att det regnade blod vid Ringstaholm strax före Håtunaleken och att en glupande jakthund som förföljdes av en drake visade sig i skyn omedelbart innan Johan III införde liturgien. Eld regnade över en fiskebåt på Landsjön i Småland innan Gustaf II Adolf inträdde i trettioåriga kriget, och i slaget vid Breitenfeld kom en duva och slog sig ner på en svensk fanstång med lyckobringande resultat. Schefferus, en av sin tids lärdaste forskare, tror uppenbarligen själv på allt det där.

En skrift av helt annat skaplynne är hans Suecia literata eller De scriptis et scriptores Suecorum, Om svenskarnes böcker och författare. Den är en torr men lång lista över litteraturen i landet på både latin och svenska från äldsta tider till 1680, och den förefaller mycket samvetsgrant gjord. Det är förvånande så många författare det funnits i Sverige redan då.

Bernt von Schinkel var ordonnansofficer has Karl XIV Johan och fick i uppdrag att samla material till dennes historia. Ur statens och konungens enskilda arkiv fick han en mängd handlingar till sitt förfogande och höll på i tjugo år med att bringa ordning i det där. Sent omsider uppdrog han åt sin brorson, litteratören K. V.

Bergman, att redigera och ge ut samlingen, och på det viset uppkom det viktiga och fängslande verket Minnen ur Sveriges nyare historia, som innehåller mängder av upplysningar om händelser och människor alltifrån Gustaf III:s tid.

Sigfridslegenden är en mycket gammal skrift efter svenska förhållanden; den tycks vara författad i början av

1200-talet av någon lärd andans man som skrev hyggligt latin och nog stod ärkebiskop Stefan nära. Denne var ju Sveriges förste ärkebiskop och hade anledning att även med litterära medel söka hävda den svenska kyrkoprovinsens rätt till Växjöstiftet, som hade blivit kristnat söderifrån och väl kände sig höra närmare ihop med ärkebiskopsstolen i Lund. Legendens hjälte är emellertid säkert en historisk person; enligt Adam av Bremen kom en munk vid namn Sigfrid från England med Olof den helige och verkade som missionär inte blott i Norge utan även bland svear och göter.

Själva legenden är ganska lång och mycket färgstarkare än flertalet helgonberättelser. Den upplyser först att den hedniske sveakonungen Olof fick stark lust att bli kristen; han vände sig då till sin vän kung Mildred i England och anhöll att denne skulle skicka hit en kristen lärare. Efter omsorgsfull prövning utsågs ärkebiskop Sigfrid av York till detta värv och reste strax till Sverige via Danmark, som ju redan var kristet. Efter en mödosam vandring genom tjocka skogar och över branta berg kom han fram till landet Värend, där han bland grönskande ängar och fiskrika vatten slog upp sitt tält. Där såg han i drömmen en ängel som utpekade för honom var han skulle bygga sin kyrka vid en närbelägen sjö. Smålänningar från kringliggande orter hade under tiden fått höra talas om den främmande mannen och samlade sig för att se honom, varvid de framför allt förundrade sig över hans mitra, biskopsmössan, som han tydligen bar även i vardagslag;

de undrade om han hade horn på huvudet. Emellertid predikade han för dem med sådan vältalighet att de lyssnade med stor uppmärksamhet och utsåg tolv gamla förståndiga män, huvudmän för var sin av Värends tolv släkter, att närmare ta del av hans lära. Dem omvände han snart, och även mera ordinära smålänningar började nu strömma i stora skaror till S:t Sigfrids källa i det blivande Växjö och låta döpa sig. Kung Olof fick snart höra talas om detta och skickade omedelbart efter den helige missionären, som villigt begav sig till Husaby i Västergötland där kungen för ögonblicket befann sig och där han vederbörligen döptes. Verksamheten i Växjö hade S:t Sigfrid under tiden överantvardat åt sina tre systersöner Unaman, Sunaman och Vinaman, som hade följt honom dit från England. Dessa predikade träget i den nyuppförda kyrkan, men dessvärre kände de inte landets seder och kunde inte heller språket så bra. De tog därför kontakt med några språkkunniga infödingar som ofta kom till deras hus och beundrade deras fat, bägare och skedar av silver och guld. Några av dessa smålänningar var emellertid rovgiriga sällar. En natt gjorde de inbrott i de tre lärarnas boning, tog hand om deras kyrksilver och halshögg dem själva, varpå de lade deras huvuden i en bytta som sänktes i Helgasjön under det att kropparna gömdes på annat håll. När S:t Sigfrid i sinom tid kom tillbaka och inte återfann sina medhjälpare bad han innerligen högre makter om upplysning beträffande deras öde, och en kväll då han vandrade på Helgasjöns strand fick

han se tre klara ljus på vattnet; de gled sakta mot stranden, och själv tog han av sig skorna och gick dem till mötes. Då försvann plötsligt de tre ljusen och i stället flöt byttan upp med de tre avhuggna huvudena, vilka alltjämt predikade. Den helige mannen tog dem i sin famn och utropade: Må Gud hämnas detta! och de tre huvudena svarade: Det skall varda hämnat på barns barn! Han förde dem därpå till sin helgedom och bisatte dem där, och kung Olof kom inom kort till hans hjälp, lade tunga böter på folket i Värend för det begångna dådet och skänkte två kungsgårdar till S:t Sigfrid och Växjö kyrka.

Rätt säkert är nog att Sigfridlegenden egentligen är två historier, av vilka bara den ena från början har med Småland att göra. De tre avhuggna huvudena har stått i Växjö domkapitels sigill från urminnes tider, men S:t Sigfrid själv är väl mera knuten till det västgötska Husaby.

Den polske konungen, frommast av katoliker, hade bekymmer även beträffande påven. 1588 diskuterade han med sin far hur han borde uppträda gentemot den heliga stolen, och Johan III skrev då att Sigismund för allt i världen inte borde låta förleda sig till att lova påven *obedientia*, lydnad, ty detta vore kunglig höghet förnär. Däremot kunde han gå med på att lova honom *obseqium*, följsamhet, men på inga villkor fick det-

När den blivande Kristian IV döptes
en junidag 1577 undfägnades de in-
bjudna gästerna med teater ute på
slottsgården; man spelade en biblisk
pjäs om kung David. De studenter
som föreställde filistéer glömde i stri-
dens hetta att jämlikt scenanvisning-
arna vika för kung David och hans

landsmän, och dessa fick det besvärligt. Peder Skram satt på första bänk, åttio år gammal; hans greps av ögonblickets spänning, hoppade över rampstaketet och gav det beträngda Israel en hjälpande hand. Många av publiken följde hans exempel under höga stridsrop. Alla jublade, hejade eller slogs, värjor rasslade och blixtrade, och slottsgården färgades med blod.

Den gamle amiralen, som på sin höga ålderdom utförde sådana bragder, hade tidigare i sitt liv tappert försvarat Laholm mot svenskarna; han var nämligen kommendant där under nordiska sjuårskriget. Dessförinnan satt han en tid som länsinnehavare i Hälsingborg och Landskrona.

En brorson till denne orolige man var sjörövaren Gustaf Adolf Skytte, känd för eftervärlden framför allt genom Viktor Rydbergs roman Fribytaren på Östersjön. Han började sin sjörövarbana redan som ung pojke, då han hyrde en holländsk jakt, mördade dess lilla besättning och tog hand om båten, som han sedan roade sig med vid Smålandskusten. Tillsammans med sin svåger Gustaf Drake använde han den också för ett nytt piratdåd; de båda männen angrep ett holländskt fartyg vid Öland, dödade alla ombordvarande, flyttade

över all värdefull last och borrade sedan skutan i sank. Vraket drev emellertid i land, och illdådet kom i dagen. Drake och hans hustru lyckades fly till utlandet, men Skytte blev gripen och avrättad. Han hade ännu inte fyllt tjugo år. Hans mor dog av sorg, säger Biographiskt Lexicon; fadern, som hade varit president i Svea hovrätt och landshövding i Östergötland, hade lyckligtvis gått ur tiden tidigare. Av visst personhistoriskt intresse kan det vara att veta att Gustaf Adolf Skytte var kusin till Johan Gyllenstierna, vars skytteanska påbrå samtiden var väl medveten om.

1769 ympades de svenska kungligheterna mot smittkoppor av läkaren David Schultz som adlades till von Schultzenheim när det visade sig att åtgärden gått bra. Ympningen var på

Uppenbart är väl att det bara är den enkla vitsen på hans namn som har dragit in Spegel i denna konstgjorda historia.

Spegel var född i det danska Ronneby i Brömsebrofredens år och kom till Lunds katedralskola i Roskildefredens. Den som försöker läsa hans skrifter kan nog spåra detta emellanåt; vändningar som låter danska förekommer i hans text som i sak är så svenskkarolinsk. Spegels litterära huvudverk är ju den stora lärodikten Guds verk och vila, som går ut på att visa hur utmärkt skapelsen är inrättad. Detta gäller inte minst människan, sådan hon skapades på den sjätte dagen:

Gud hafver i det slott en artig skorsten murat
som blifver alltid hvit, så framt han varder skurad:
vår näsa, menar jag, med sina pipor tvenne
i hvilka bägge är en mycket konstig ränna
som skall en öppen väg för andedräkten vara
där luften ut och in kan obehindrat fara......

Dikten är svåra lång, och bland dess elvatusen versrader finns det många som är skönare än de ovanstående, men i stort sett är det nog svårt för en sentida lyrikläsare att känna sig gripen av Guds verk och vila. Mycket läsvärd för historiskt intresserade personer är däremot Bernt Olssons lika tjocka som lärda avhandling om den stora lärodikten, som om den inte är stor poesi i alla fall är ett märkligt idéhistoriskt dokument från det ortodoxa karolinska Sverige på Isaac Newtons tid.

I Rhyzelii biskopskrönika meddelas bland andra tokerier att ärkebiskop Stefan av påven Alexander III blev begåvad med en evangeliebok som hette Karlaknap därför att den sannolikt innehöll hemliga instruktioner hur han skulle knäppa karlarna i Sverige.

Från Karl Knutssons belägring av Stegeborg finns en liten historia. På slottet hade man då en byssemästare vid namn Rodenborg som förfogade över fjorton nymodiga medeltida kanoner som kallades föglare. De var alla riktade mot norra sidan, och en dag när Karl Knutsson själv sågs in spektera belägringsarbetena där sköt Rodenborg prick på honom efter att ha laddat duktigt med pulver och stenar. Till sin olycka bommade han grovt, ty den första föglaren hoppade ur lavetten och den andra sprang sönder. Byssemästaren blev så perplex inför dessa järtecken att han gick förtvivlad bort från sitt artilleri, klagande att Gud utan tvivel skulle straffa honom för att han hade försökt skjuta ihjäl marsken, vilket visade sig vara alldeles rätt profeterat. Han insjuknade nämligen omedelbart och blev sedan aldrig kry mer, upplyser Karlskrönikan.

Odhner och andra berättar att före slaget vid Hälsingborg uppmuntrade Stenbock sina oövade soldater med orden: "Se morsk ut, min gosse, så springer dansken för dig." Meningen som har blivit bevingad kan mycket väl vara autentisk, ty märkvärdigare är den ju inte.

Stenbocks kurir hette Henrik Hammarberg. Se *Hammarinus*.

Den landsflyktige Ludvig XVIII som år 1804 besökte Sverige var också i Kalmar och besåg Stensö; han fick förresten åka dit i en guppande höskrinda bredvid vilken det gick en skara starka karlar för att hindra ekipaget att stjälpa. Framkommen stod kungen tyst en stund, föll sedan ner och kysste jorden, tog vidare upp sin kniv och skar ut en torva som han lindade in i sin näsduk. Därpå tog han upp penna och papper och skrev på fläcken en latinsk harang som tillsammans med 150 riksdaler överlämnades till landshövdingen och biskopen i Kalmar. Han begärde att orden skulle huggas in på en sten till minne av Gustaf Vasas landstigning, och så skedde. Texten är inte märkvärdig; den upplyser egentligen bara att Ludvig XVIII besökte stället icke såsom flykting utan såsom föremål för gästfrihet under Gustaf IV Adolphs lyckeliga regering.

Vad det blev av jordtorvan skulle vara intressant att veta.

År 1825 visade Christian Jürgensen Thomsen det danska nationalmuseet för Erik Gustaf Geijer som besökte Köpenhamn det året, och sju år senare nämnde Geijer i förbigående orden stenålder, bronsålder och järnålder, vilket torde ha varit första gången de tre perioderna omtalas på svensk mark. Thomsen själv gjorde ingen propaganda för sitt system och skrev inte mycket; den viktigaste av hans skrifter, "Ledetraad til nordisk Oldkyndighet", utkom för övrigt först 1837. Han var helt och hållet museiman. Sjuttio år gammal visade han sina samlingar för den femtonårige Oscar Montelius, vars svenska livsgärning i mycket kom att likna Thomsens danska. Montelius dog 1921 i samma stockholmska hus där han var född sjuttioåtta år tidigare och där han hade bott i hela sitt liv. 1863 anställdes han för att biträda med visningen av svenska statens fornsamlingar, och i början av 1920-talet visade han dem alltjämt. I hans dagar försvann Saxo och Snorre ur barnens skolböcker och begynnelsen av fäderneslandets historia blev allt sannare och allt anonymare.

Stettin 337, 432, 474 (westfaliska freden), 644, 659
Stierneld 282
Stiernhielm 481–483, 565–566. Se även *mått och vikt* och *Rydaholmsalnen*
Samuel Columbus förtäljer rätt många anekdoter om Stiernhielm. En gäller hans välkända svar till en person som frågade vad stjärnorna egentligen var och då fick till livs en saga som kunde ha anstått Selma Lagerlöf; Stiernhielm upplyste nämligen att Vår Herre promenerar omkring i himlen ibland och lutar sig tungt mot en broddad käpp som sticker små hål i golvet så att himlens klarhet lyser ut. Andra historier hos Columbus handlar om praktiska skämt eller goda repliker. Djupast och vackrast av dem är väl Stiernhielms ord om sin gravskrift: Skrifver allenast medh någre Ordh på Svenska: *vixit, dum vixit, laetus*. Han levde glad så länge han levde.

För nutiden är ju Stiernhielm en-

bart en poet, och ingen läser de skrifter som han själv torde ha betraktat som sitt egentliga livsverk.
Stiernböök, se *lag*
Stiernskiöld 535
stiftsindelning 87, 91, 98, 101, 105, 106, 470
Stigsdotter, Barbro 208
Stiklastad 84–85
Stille, Arthur 843
Stind 416
Soldatmyteriet i Möre, vilket ägde rum 1624, fortplantade sig till allmogen och kostade åtskilliga människor livet, bland dem naturligtvis Stind själv. En del bönder som varit inblandade deporterades med sina familjer till Ingermanland.
Stockholm 38, 102, 111, 118–119 (bjärköarätten), 123, 155, 173, 175, 179–181 (Brunkebergsslaget), 197–202 (blodbadet), 212, 216, 255, 297, 302 (Erik XIV:s kröning), 309, 331, 342 (Johan III:s byggnader), 360 (hejdukarna), 409 (boskapen), 441, 467–468 (ämbetsverken, första slussen), 481–486 (Kristinas hov), 550, 556, 558–560 (adelspalatsen), 575, 596, 604–605 (häxor), 614–617 (slottsbranden), 631 –632 (Narvafirandet), 660, 673–674 (daldansen), 679–680, 690–692 (augustirevolutionen), 699, 701–702 (Bellman), 708, 719, 725, 727–731 (Operamaskeraden), 733, 741–742, 747–748 (Eldkvarn), 758 (marsrevolutionen), 767–768 (Fersenska mordet), 772, 783, 784 (Karl XIV Johan), 786–787 (Crusenstolpes kravaller), 796 (marskravallerna 1848). Se äv. *Erik den helige, Makalös* och *Norrmalm.*
Om Stockholms grundläggning finns en välkänd liten historia på rim; den upplyser att Strängnäsbiskopen hade en fiskare i sin tjänst på slottet Tyn-

nelsö, och en vacker dag fångade denne en stor lax som han ville behålla för egen del. Han sjöng därför, tydligtvis med hög röst:

Lax lax lerbak,
ej kommer du på bispens fat.

Bispen hörde detta och kvad till svar:

Det svär jag vid min bispehatt:
du skall sova i tornet i natt.

Fiskaren genmälde omedelbart:

Mitt vadmalssegel och ekebåt,
de skilja mig och bispen åt.

Därmed flydde han österut över Mälarfjärdarna och landade omsider vid en ö i utloppet från den stora sjön, där han slog sig ned och blev Stockholms förste bebyggare. Ramsan om laxfiskaren är känd från början av 1700-talet. Beträffande namnet Stockholm finns det en annan bekant saga som vet förtälja att när Sigtuna förstördes av esterna gömde stadsborna sina dyrgripar i en urholkad stock och kastade den i Mälaren. Stocken flöt i land vid den ifrågavarande holmen, och de hemlösa sigtunaborna slog då upp sina bopålar mellan sunden därute.

Spår av mycket äldre bebyggelse på Stockholms fastland finns det många t.ex. i Bromma.

Historien om Malin Stures enlevering har berättats mycket medryckande av Fryxell, vilket säkert är huvudskälet till 1800-talets rikt dokumenterade intresse för saken. De tvenne älskande tillhörde båda aristokratiens översta tinnar; det var alltså inte fråga om någon mesallians. Erik Stenbock, friherre till Öresten och Kronobäck, herre till Torpa och Helgö, var i alla avseenden ett gott parti och var till och med bror till en drottning, nämligen Katarina Stenbock, Gustaf Vasas efterlämnade gemål. Att fru Märta, syster till en annan drottning, ogillade hans frieri till Malin berodde helt enkelt på att de unga tu var kusiner. Hon var inte ensam om att anse detta som äktenskapshinder; till och med förbindelser mellan kusinbarn ansågs vid denna tid allmänt som kärlek i förbjudna led, ty den uppluckring som reformationen hade åstadkommit i den katolska tidens äktenskapliga tabubestämmelser bestod tills vidare bara i att man hade avskaffat föreställningarna om den andliga släktskapen mellan faddrar och dylikt. Fru Märta sade alltså bestämt nej och rådfrågade för säkerhets skull ärkebiskop Laurentius Petri, som fullkomligt delade hennes mening. Kärleken mellan kusinerna stod sig emellertid, fast åren gick och ungdomen försvann. Det året då Erik Stenbock fyllde trettiofyra och Malin Sture blev trettiotre, år beslöt de att ta sitt öde i egna händer och fly från den obevekliga fru Märta. Erik Stenbock anförtrodde sig åt den unge hertig Karl som bara var tjugo år ännu och befanns välvilligt intresserad; han lånade de älskande tvåhundra ryttare för enleveringen. Erik Stenbock invigde också sin gifta syster Cecilia i saken och reste med henne till släkten på Hörningsholm, i vars grannskap kavalleritruppen vid det laget hade fattat posto. En marsmorgon 1573 gav sig de älskande iväg i en släde som förspänd stod och väntade dem i slottsporten, och en kammarjungfru och en gammal amma som såg dem tog de utan vidare med sig; fröken Malin satte rentav en pistol för ammans bröst och hotade att tysta henne för alltid om hon skrek. Släden körde därpå ut på Mörköfjärdens is, och i samma ögonblick kom hertig Karls hundra ryttare framgalopperande och slöt ring omkring släden som gled fram över den snötäckta isen så fort hästarna orkade springa.

Emellertid hade flykten blivit upptäckt från slottet, där fröken Malins yngre syster Margareta Bielke hade fått syn på den bortilande släden genom ett fönster. Hon alarmerade strax sin mor och sin äldsta syster som hette Sigrid Bielke, och de tre damerna rusade i vild fart utför trap-

porna för att förfölja de flyende, men plötsligt svimmade fru Märta och föll, och när hon efter en stund kom till medvetande igen var reslusten borta. I samma ögonblick kom grevinnan Cecilia, Erik Stenbocks syster, ut ur sin kammare och vände sig med några deltagande ord till fru Märta som alltjämt låg kvar i trappan, men denna bad henne uttryckligen dra för fanen i våld. "Gud straffe både eder och eder broder! Dragen nu efter honom och var hos henne, så att ingen spott och skam må ske henne!" Cecilia lydde och följde omedelbart med Sigrid Bielke i en släde, som åtföljd av en beväpnad ryttartrupp gled åstad i det färska spåret.

Under tiden hade de älskande nått en plats vid namn Svärdsbro någon mil väster om Trosa, och där gjorde de halt. Erik Stenbock hade förberett flykten omsorgsfullt och tänkt på allt, ty i Svärdsbro hade han stationerat några skräddare och pälsmakare som satt redo att sy kläder åt fröken Malin och hennes kvinnliga ledsagare, vilka ju hade lämnat Hörningsholm som de gick och stod. Detta tog naturligtvis tid, och Sigrid Bielke hade ingen svårighet att hinna dem här, men gården var bistert bevakad av hertig Karls ryttare som bestämt avvisade hennes följe och först efter långa förhandlingar släppte in hennes själv och fru Cecilia. I förstugan stod fyra knektar med laddade hakebössor och spärrade enligt order fröken Malins dörr, men Sigrid Bielke lyckades forcera även detta hinder och släpptes in till sin syster, som dock bestämt vägrade att följa med hem igen. En lugnande upplysning lämnades emellertid: fröken Malin skulle lämnas i ärbart förvar hos enleverarens syster grevinnan Beata Brahe på Visingsö, och där skulle hon stanna tills fru Märta kunde bevekas att ge med sig och samtycka till giftermålet.

Med detta besked vände Sigrid Bielke tillbaka till Hörningsholm, där fru Märta nu var sängliggande i sitt tornrum och åhörde sin dotters rapport under gråt och jämmer. Emellertid hade hon ingen tanke på att ge vika utan skrev omedelbart till sin systerson kung Johan, vilken nödgades lova henne dels att Erik Stenbock skulle sättas i fängelse i Stockholm, dels att denne och Malin aldrig skulle få varandra till äkta. Till den ändan utfärdades ofördröjligen ett kungligt brev till alla präster i hela riket att det var strängt förbjudet att viga dem.

Erik Stenbock förde mycket riktigt Malin till Visingsö, men Per Brahe och fru Beata var händelsevis inte där för ögonblicket utan vistades på Sundholm i Västergötland, varför det blev att fortsätta dit. De älskande var emellertid välkomna, och fru Beata tog villigt hand om sin oväntade gäst, som hade haft att göra i två veckor med sin ilande färd från Hörningsholm till Västergötland. Erik Stenbock tog omedelbart farväl igen och begav sig till Stockholm, ty han anade att fru Märta inte hade varit overksam, men vad hon hade åstadkommit överträffade hans värsta farhågor. Redan på vägen möttes han av personer som överlämnade en stämning från kungen, och framkommen inmanades han omedelbart i häkte, avsattes från sina

ämbeten som general och riksråd och förklarades fråntagen alla sina förläningar. Änkedrottning Katarina, hertig Karl och en stor skara av hans övriga vänner och släktingar, däribland åtskilliga av fru Märtas anhöriga, satte emellertid till alla klutar för att få honom fri igen, vilket snart lyckades, och även sina förläningar fick han tillbaka, men fru Märta förblev obönhörlig, och vigselförbudet stod alltså fast. Kungen själv var trött på hela historien, och i det läget beslöt Erik Stenbock att göra slag i saken. Halvtannat år efter enleveringen från Hörningsholm for han ned till Visingsö, tog med sig Malin och hennes båda tjänarinnor och for över riksgränsen till Halland, där en dansk präst beredvilligt vigde paret, som samma dag reste hem igen och slog sig ner på det stenbockska stamgodset Torpa i Västergötland. Därmed var knuten löst, och nu sällade sig kungen till alla dem som bestormade gamla fru Märta med böner om hennes förlåtelse och överseende, men det dröjde fortfarande mer än ett år innan hon tillät sin dotter att komma inför hennes ögon igen, vilket skedde sedan Malin hade hunnit få och förlora sitt första barn och redan väntade sitt andra. När detta kom till världen ställde hon emellertid till ett hejdundrande barnsöl på Hörningsholm och bjöd dit alla kungligheterna, och vid det tillfället passade hon också på att ge Malin lika stor hemgift som var och en av hennes systrar hade fått. Men Malin, försäkrar Fryxell, hade alltsedan sin flykt från Hörningsholm gått ständigt svartklädd, och fru Märta måste nu använda maktspråk

Svaneholm 748

Svantevit 103

Saxos berättelse om den vendiske avgudens fall är rätt detaljerad och mycket fascinerande. Templet i Arcona där guden stod var av snidat trä och hade bara en ingång. Det hade målningar på innerväggarna och purpurfärgat tak, och i templet fanns ett allraheligaste som inneslöts av en förlåt mellan fyra pelare. Där inne stod Svantevits bild som var kolossal; den hade fyra huvuden på lika många halsar av vilka två var vända framåt och två bakåt. I högra handen höll guden ett dryckeshorn av metall vilket en gång om året fylldes med vin, och vid den årliga skördefesten spådde översteprästen i detta vin beträffande årsväxten för det följande året, varefter han hällde ut det gamla vinet för gudens fötter, fyllde hornet och drack det i botten i en högtidlig rituell skål för allmänt väl, satte tillbaka hornet i gudabildens hand och fyllde det än en gång. Han ställde vidare upp en manshög offerkaka mellan sig och folket under dunkla ord; han frågade nämligen folket om de kunde se den, och då de svarade ja uttalade han förhoppningen att de inte skulle se den efter ett år, vilket, säger Saxo, innebar att han hoppades på rikare skörd. Därpå satte man i gång med ett stort gästabud på varjehanda offerdjur, och nykterhet vid detta tillfälle var en stor synd. Det fanns också andra spådomsriter i Arcona; Svantevit hade sålunda en helig vit häst, och den ledde man efter högtidlig bön fram mot sex i marken nedstuckna spjut och gav noga akt på hur den satte fötterna.

När kung Valdemar och ärkebiskop Absalon hade erövrat Arcona gav de två av sina officerare i uppdrag att störta avgudabilden. Stadens invånare stod skräckslagna kring templet och hoppades att Svantevit skulle krossa de ogudaktiga, men erövrarna var försiktiga och aktade sig noga för att få honom över sig. De ryckte bort förlåten som var av purpur men så gammal och skör att den brast vid blotta beröringen, och därpå gick de löst på guden med sina yxor och fällde den ungefär som man fäller ett träd genom att hugga av den vid smalbenen. Den föll med väldigt brak, varvid en ond ande i ett mörkt djurs skepnad sprang ut ur templet och försvann ur allas åsyn, säger Saxo. Den store Svantevit eldades sedan upp under matkittlarna i nordbornas läger.

Svappavara 469

Swart, Peder 206, 207, 211, 230–231, 234, 237, 239, 240, 293, 296. Se också *Rabenius.*

svartalfer 33

Svartmannus, se *Johannes Magnus*

Svartsjö 292, 321, 322, 325, 327, 331, 342, 698

Svea, se *svear*

Sveaborg 689, 710, 754, 824

Sveagris 47, 48

svear 15, 18, 23, 24; 37, 39, 40, 41, 47, 48, 49, 59, 64, 76, 78, 82, 94, 95, 97, 99, 116

Ordet Svea, säger språkmännen, är egentligen en gammal genitiv pluralis; Svea rike betyder således helt enkelt svearnas rike. Som personifikation för Sverige finns ordet belagt sedan 1600-talet; Messenius har sålunda använt det i dramat Disa. Som flicknamn har Svea däremot inga gamla anor; först under 1800-talets sista decennium hände det att någon blev döpt till det. 1901 kom namnet in i almanackan.

Svebilius 598

Svebilii katekes anses vara ett mästerverk i sitt slag och höll sig levande länge; som skolbok användes den oförändrad ett gott stycke in på 1800-talet. Den rättrogne kyrkoherden Arvid August Afzelius, författare till Svenska Folkets Sago-Häfder, yttrar sig då med djupaste veneration om den och gläder sig över att Karl XI hade en så utmärkt konfirmationslärare. "Det var en oskattbar lycka för det Swenska folket, att den unga Konungen fick under handledning af en så erfaren, upplyst och kraftfull man afsluta sina läroår, och af Doctor Swebelii kateches kunna vi inhemta, huru enfaldig och ren, såsom allenast ur Bibelns heliga källor hemtad, den lärdom var, som han ingjöt i den unga Konungens både förstånd och hjerta."

Svedala 459

Swedberg, Jesper 598, 642

En egenhändig Lefvernes beskrifning av den självmedvetne och barnafromme gamle biskopen finns utgiven och är mycket läsvärd; den är full av anekdoter och repliker och refererar dessutom diverse syner och drömmar, ty Swedbergs religiositet var av det apokalyptiska slaget, och det är icke oförstååligt att de ortodoxa prelaterna betraktade honom med ogillande. Hans författarskap är emellertid icke uteslutande teologiskt. Sina åsikter om det svenska språket förde han till torgs i en skrift med det egendomliga namnet Schibbolet; den som vill veta vad som menas med det kan slå upp den bibliska Domareboken 12: 5–6. Swedberg var radikal beträffande stavningen men reaktionär i fråga om formläran: han ville att språket skulle skrivas "med sina ricktiga casus, genera, persona och mehra sådant". Beträffande stavningen, ett ämne som tydligen i alla tider har varit ägnat att väcka människors ursinne, kom Swedberg i bitter strid med Urban Hiärne.

Swedenborg 663–664

Swedenborgs åsikter om Karl XII är mera komplicerade än hans uttalande om kungens matematiska kunskaper låter ana. I hans världsbild, berättar Karl-Gustaf Hildebrand, är Karl XII "en representant för den kosmiska upprorslusten, en orosstiftare ännu i helvetet. Han har bestraffats med ett av de svåraste lidanden som den ene ungkarlen kunnat uttänka åt den andre, ett helvetiskt äktenskap, ett *conjugium infernale*".

svedjefinnar 383

Svegde 38. Se även *Ynglingaätten.*

Sven Tveskägg 57, 73, 74, 76, 89

Binamnet Tveskæg lär rätteligen böra skrivas Tjuguskæg, vilket inte har med räkneordet tjugo utan med lantbruksredskapet tjuga att göra. Hans skägg var helt enkelt tvekluvet likt en tjuga.

Sven Estridsson 83, 88–92

Att ta namn efter modern om hon var mera högättad var inte alldeles ovanligt i Norden under medeltiden; Sven Estridssons namn är ur den synpunkten inte alls enastående. Från Sverige har vi kvar en lista över en del herrar i kung Knut Erikssons omgivning; tre av dem hette respektive Kager Ulfvildsson, Filip Katrineson och Knut Christineson.

Huvudspråket i Sverige har såvitt
man vet alltid varit svenska. Dess
äldsta dokument är ett antal runin-
skrifter av vilka den på den östgötska
Rökstenen är den ojämförligt läng-
sta; den anses härröra från 800-talet,
och texten börjar: *aft uamuþ stanta
runaR þaR. in uarin faþi faþiR aft
faikian sunu* – efter Vämod stånda
dessa runor, och fadern Varin skrev
dem efter dödsdömd son. Detta
språk, säger sakkunskapen, skiljer sig
inte nämnvärt från samtida danska,
norska och isländska, men vissa sär-
drag har dock uppträtt mycket ti-
digt, så att exempelvis den så kallade
brytningen av vokalerna *i* och *y* till
iu är en urgammal svensk specialitet;
vi säger ju alltjämt sjunga och ljus
där danskar och norrmän har for-
merna synge och lys.

Runinskrifterna utgör ett magert
material, och först från 1200-talet
kan man tala om en litteratur på
svenskt språk. Landskapslagarna och
vissa andra dokument representerar
vad som kallas Äldre fornsvenska,
ett språk som redan är ganska olikt
runsvenskan och det norsk-isländska
litteraturspråket. H i början av en
del ord har hunnit falla bort, så att
det på svenska heter *ringer* och

nacke där isländskan har *hringr* och
hnakke, och framför allt har en del
diftonger dragits ihop så att man i
Sverige skriver exempelvis *øgha* och
heta i stället för *auga* och *heita*.
Grammatiskt har språket också för-
enklats något, men verbformerna
var fortfarande olika i olika person
och substantivet böjdes i fyra kasus.

Den äldre fornsvenskans period
brukar sättas till tiden 1225–1375, och
språket under återstoden av medel-
tiden har fått etiketten Yngre forn-
svenska. Det är starkt påverkat av
latinet, plattyskan och så småningom
också danskan, vilket allt ju var na-
turligt under birgittinerklostrens,
hanseaternas och Kalmarunionens
tid. Runan þ försvinner ur skriften
och ersätts av th eller dh, men annars
blir stavningen snarast konstigare än
förut. Ordförrådet får till stor del
en alldeles ny karaktär; vi får in verb
som slutar på -era (hantera, regera),
substantiv som ändas på -ande, -eri,
-inna och -het samt inte minst en
mängd glosor som börjar med be-,
bi- och för- vilket sistnämnda vis-
serligen ännu stavades med o i stäl-
let för ö. Några normer för stav-
ning och svensk språkbehandling
överhuvud taget fanns naturligtvis
dock inte, och ofta kan man i skrif-
ten tydligt urskilja skrivarens dia-
lekt. På 1400-talet då Vadstena var
hela landets litterära centrum gör
sig östgötadialekten särskilt märkbar.

Gränsen mellan fornsvenska och
nysvenska sätts med skäl i Gustaf
Vasas tid. Denne talade säkert upp-
svenska, och detsamma gjorde när-
kingen Olaus Petri vars språkvanor
inte var hans privatsak, ty ingen
annan person genom tiderna har haft

sådant inflytande på det svenska litteraturspråket som han. Bibelöversättningen från 1526 och 1541 är det nysvenska språkets första stora manifestation. För en nutida betraktare ser dess text mycket modernare ut än alla den föregående tidens skrifter därför att den har infört bokstäverna å, ä och ö, men åtminstone på vissa punkter är dess språk radikalt även i sak; sålunda ändas alla genitiver på -s, vilket nog måste ha känts som ett svårt språkfel av samtida läsare i götalandskapen. Kasusböjningen och många andra ålderdomligheter sitter dock i orubbat bo och fanns i gott behåll ännu i Karl XII:s bibel, så att bibelläsare långt in på 1800-talet fick läsa *Fader wår som äst i himlom* och kunde inhämta att *ormen var listigare än all djur på jordene och talade till·quinnona*. Annars mjukades formläran upp betydligt under 1500- och 1600-talen, och i mitten på 1700-talet har åtminstone det profana språket hunnit förändras så mycket att det kan stämplas som Yngre nysvenska.

T

Högre tankar om sin egen genialitet än Thorild hade kan svårligen någon svensk författare ha haft. 1801 utgav han av trycket tre högtidliga sändebrev: ett till påven, som manades att utbreda en allmän kristlig humanitetsreligion samt att anlägga kolonier på söderhavsöarna, ett annat till kejsar Alexander i Ryssland, som ävenledes tillsades att anlägga kolonier, nämligen i de avlägsna öknarna inom sitt rike, samt att befria Grekland. Det tredje brevet var ställt till franska Nationalinstitutet och innehöll goda råd angående bästa sättet att ordna landets styrelse nu i Napoleons konsulatstid. Den mest förtjänte mannen inom var och en av de tre ursprungliga samfundsklasserna, nämligen den åkerbrukande, den prästerliga och den krigiska, borde insättas i nationalpalatset såsom konsul, så att regeringen skulle skötas av en Patriarcha, som skulle sitta i mitten, klädd i axfärgad dräkt, en Hierophantes eller överstepräst, som i vitglänsande kostym skulle posera till höger, samt en Heros eller överstehjälte, som skulle stånda till vänster i eldfärgad klädnad.

Rudbeck begagnar historien om Torborg till bevis för att hamaizorna alias amazonerna stammade från Sverige. Han fastslår att amazondrott-

ningens grekiska namn Pentesilea är en förvrängning av det svenska Fänte- Silja, och han beskriver och ritar mycket ordentligt inte blott amazonernas vapen och utrustning, utan även deras hårknut.

Rhyzelius, biskoparnas inte alltför vederhäftige krönikör, vet berätta om denne ärkebiskopskandidat att när Engelbrekts resning visade sig framgångsrik flydde han strax från Uppsala hem till Norge och tog med sig en knota av helge Eriks ben. Hemkommen blev han ihjälslagen av några köpmän till straff för det helgerånet.

År 1317 gav kung Birger stadsrättigheter åt Torshälla och bestämde att varje fredag skulle vara torgdag där.

1620 höll Petrus Angermannus i Växjö likpredikan över en medlem av ätten Trolle och berättade då en historia som sedan har upptecknats i många folkliga varianter och även har kommit till litterär användning. En julnatt skulle den ridderlige ägaren till Ed i det småländska Voxtorp rida till julottan, vilket förtröt mörkrets furste som därför sände sina underlydande att förklädda hejda riddaren på färden. När denne hunnit en bit mötte han därför ett bröllopsfölje, och ett troll i gestalt av en skön jungfru räckte riddaren ett fyllt dryckeshorn, vilket han tog emot med vänstra handen samtidigt som han med den högra drog sitt

svärd och högg huvudet av jungfrun. Han galopperade därefter vidare med hornet som byte, och när han i sinom tid återvände från kyrkan påträffades det dödade trollet i den gestalt som finns avbildad på Trollevapnet.

Den enkla sägnen har helt visst sin upprinnelse i namnet Trolle, men som bekant finns hornet faktiskt i sinnevärlden. Det hamnade med tiden i det skånska Ljungby och lär alltjämt kunna beskådas där.

Tycho Brahe var skåning; han föddes på Knutstorp ett par mil nordost om Landskrona och tillbragte sin barndom hos sin farbror på Tosterup söder om Tomelilla. Sextonårig skickades han till Leipzig för att studera juridik och åtföljdes då av en tjugoårig jyllänning vid namn Anders Sörensen Vedel som hade till uppgift att övervaka hans studier, vilket inte lyckades länge, ty eleven gav snart juridiken på båten och ägnade sig i stället åt astronomiska observationer, något som inte ansågs vidare passande för en så hög adelsman. Under vistelsen i Tyskland hade han oturen att få näsan avskuren i en duell med en landsman; den bortskurna biten ersattes sedan med en protes av guld och silver. I tjugofemårsåldern vistades han en tid hos sin morbror Sten Bille på Herrevadskloster, och en novembernatt 1572 upptäckte han där en ny stjärna i Cassiopeia och skrev inom kort en avhandling om den: De nova stella, den nya stjärnan. Skriften gjorde honom internationellt berömd vilket ledde till ära och ryktbarhet också i hemlandet, där astronomin hastigt kom på modet och den unge Tycho Brahe på kunglig anmaning höll föreläsningar i ämnet vid universitetet i Köpenhamn. Vid det laget gifte han sig med en bondflicka och kom därigenom på kant med sin familj, men kung Frederik II förlänade honom avgiftsfritt ön Ven på livstid för att där inrätta ett observatorium. Där byggdes nu ett fantastiskt palats vid namn Uranienborg som stod färdigt 1577, och i mitten av det följande årtiondet anlades vidare ett skakfritt underjordiskt observatorium som hette Stjerneborg och möjliggjorde exaktare observationer än någon dittills hade kunnat göra. Det är i observationernas noggrannhet som Tycho Brahes historiska insats ligger. Hans kosmiska system, som gör gällande att jorden har två drabanter, nämligen månen och solen av vilka den sistnämnda drar med sig alla planeterna i sin runda bana kring jorden, stod sig inte länge, men Johan Kepler som i sinom tid gav det kopernikanska systemet dess matematiska grundval byggde sina beräkningar företrädesvis på Tycho Brahes data.

På Ven mottog Tycho Brahe besök av åtskilliga världens store, däribland naturligtvis det danska kungaparet. För drottning Sofie råkade han en gång nämna att hans gamle lärare Anders Sörensen Vedel intresserade sig för danska visor, varvid drottningen gav uttryck åt sin höga önskan att han ville skriva ner en samling sådana för hennes räkning. Resultatet av denna konversation blev Vedels "Ett Hundrede utvalgte danske Viser", som är en enastående tidig folkvisesamling ty den kom ut redan 1591. Motsvarande verk i andra länder såg i allmänhet dagen först på 1800-talet.

Frederik II dog 1588, och därmed var det slut på Tycho Brahes bekymmerfria liv på Ven. Den unge Kristian IV hade tydligtvis inget sinne för hans vetenskap men såg däremot klarligen att han grovt försummade sina plikter som ämbetsman, och när Tycho Brahes gamla vänner i riksrådet gick bort indrogs efterhand hans inkomster, så att ställningen till sist blev ohållbar. 1597 lämnade Tycho Brahe sina anläggningar på Ven och begav sig till Prag, där han tillbragte sina sista år under kej-

ligt beskydd. Det finns en historia
m säger att ,han på uppdrag av
jsaren – Rudolf II – genom astro-
giska beräkningar lyckades fast-
älla att trettiotvå dagar på året var
ycksdagar, och han kunde också
peka vilka dagar det var. Utan tvi-
l sysslade Tycho Brahe en del med
krologi, ett ämne som i hans dagar
amstod som den exaktaste av veten-
aper. I Prag kom han att samarbeta
ed Kepler, som han lär ha utsatt
r ständiga förolämpningar, ty som
änniska var Tycho Brahe tydligt-
s inte angenäm. Man vet att han
handlade sina bönder hänsynslöst
Ven, där ingen sörjde att Ura-

nienborg och Stjerneborg snart sjönk
i ruiner. Redan i mitten av 1600-talet
var båda byggnaderna nästan spårlöst
borta.

U

58 när Bohuslän blev svenskt för-
ade Uddevalla sina stapelstadsrät-
heter till förmån för Göteborg,
n sexton år senare fick staden igen
m.

Vid Karl X Gustafs död satt Corfitz
Ulfeld alltjämt i fängelse i Malmö
med en dödsdom hängande över sig.
Hans svåger Hannibal Sehested som
stod på god fot med regeringen i
Stockholm lyckades efter Köpen-
hamnsfreden få honom benådad och
släppt, men en vacker dag kom det
till Ulfelds öron att det var mening-
en att internera honom och hans
hustru på livstid uppe i Finland, och
inför det beskedet – som var falskt –
såg han sig ingen annan utväg än att
rymma till Danmark, där han sökte
nåd hos sin kunglige svåger. Man
kan knappast förtänka Frederik III
att han utan betänkande avslog denna
bön. Corfitz Ulfeld och Leonora

Christine arresterades och sattes i fängelse på Hammershus på Bornholm, där de fick tillbringa något år. Deras senare öden är ännu mer dramatiska. Corfitz Ulfeld inlät sig i nya stämplingar mot danske kungen, denna gång med kurfursten Fredrik Wilhelm av Brandenburg som han erbjöd sig att ordna ett danskt uppror åt. Han dömdes till döden in contumaciam, och en skampåle över honom restes i Köpenhamn där den stod kvar och togs på djupt allvar ännu på 1800-talet, då en bornholmsk student dömdes till fjorton dagars fängelse på vatten och bröd för att han skrivit att pålen stod där "til evig Skaendsel for tredie Frederiks Hofkryb".

Leonora Christine, som till skillnad från sin man befann sig i England när förräderiet avslöjades, utlämnades av engelsmännen och satt sedan i mångårigt fängelse i Blaataarn i Köpenhamn. Eftervärlden är mycket väl underrättad om det, ty i fängelset skrev Leonora Christine sin självbiografi, som på danska heter Jammers Minde och alltjämt är fängslande och spännande lektyr. Periferiskt innehåller den en del svensk historia, dock icke mycket, ty Leonora Christine skriver naturligtvis bara om sig själv och sitt. Hon var en stor författarinna.

Den Ulfstandska familjens vidare öden är också en dramatisk historia.

Herr Truid Ulfstand dog 1545 och be grovs i Lunds domkyrka, och som hö vitsman på Varberg efterträddes ha då av sin son Lage som var vuxen vi det laget. Fru Görild var emellerti inte ur leken än utan gifte sig ko efter begravningen för tredje gånge nu med det danska riksrådet Lage Brahe, som hade fått ett spjuthugg näsan i slaget vid Øksnebjerg men fö övrigt var en ståtlig och duglig herr Han var kusin med Lage Ulfstan och dennes hemmavarande sysko som han nu också blev ett slags styv far åt, men de gillade honom int alls, vilket bland annat kan ha bero på att han gjorde intrång i det mag nifika mödernearv de kunde vänt sig en gång. Mellan Lage Ulfstan och Lage Brahe uppstod en fiend skap som tog sådana proportioner a kungen befallde riksmarsken Eri Banner att ingripa och ta löfte av pa terna att de skulle hålla fred.

Nu hände att fru Görilds egen so Niels Ulfstand, som hade fått föl sin styvfar på en resa till Tysklan på hemvägen angreps av pesten oc dog i den skånska byn Torlösa vi tretton års ålder. Begravningen ägd rum i Lunds domkyrka, men Lag Brahe hade inte inbjudit Lage Ulf tand och hans syskon dit, vilket d med skäl fann märkvärdigt. Lag Ulfstand och en av hans bröder be gav sig till Lund i alla fall och träd de in i domkyrkan just som begrav ningen skulle börja. De skickad fram några av sina män till Lag Brahe att fråga om det var der bror som låg i kistan och begärde a i så fall få se liket innan det jordade Lage Brahe svarade att han tänk låta begravningen ha sin gång. Lag

lfstand förklarade att i så fall måste
n ta tillbaka sitt löfte till konungen
: hålla fred, men detta besked väg-
de mellanhänderna att framföra ef-
som det innebar att strid genast
lle ha utbrutit i själva kyrkan.
st då började prästen förrätta jord-
tningen, vilket åstadkom lugn för
onblicket, men så snart ceremo-
n var slut och psalmsången bör-
le igen befallde Lage Brahe att
n skulle föra kistan till graven.
arna lyfte upp den, men Lage
fstand och hans bror rusade då
och höll igen. Det uppstod natur-
tvis en upprörd ordväxling under
ken Lage Ulfstand siktade på Lage
ahe med sin bössa och insinuerade
denne nog inte var oskyldig till
jkens död. Lage Brahe slog då nä-
a i kistan och gick med på att
a öppnades, varvid det befanns att
et inte bar några spår av våld;
emot hade pesten lämnat tydliga
r. Lage Ulfstand lugnade sig då,
a begravningen kunde slutföras.
pträdet fick naturligtvis ett rätts-
: efterspel, och tre år senare kunde
agen och riksrådet omsider avkun-
en dom i ärendet. Den var myc-
 förnuftig och gick ut på att båda
ter frikändes, ty att den ene hade
at på den andre över båren i kyr-
a kunde kvittas mot att den andre
le underlåtit att bjuda den ene på
rravningen.
'ad beträffar det väldiga arvet ef-
fru Görild, som nu inte hade nå-
a bröstarvinge mer, blev det så att
a överlät alla sina norska gods och
n många andra egendomar till
ska kronan mot diverse förlä-
gar i Skåne där hon bland annat
ehade Torup och Börringekloster.

Till råga på allt gjorde hon Kristian
IV till sin universalarvinge.
Ulfvenklou, profet 738
Ulfåsa 136
Historien om bröllopet på Ulfåsa,
namnkunnig för eftervärlden framför
allt genom August Södermans bröl-
lopsmarsch ur Frans Hedbergs skåde-
spel, är i allt väsentligt en saga; dess
verklighetsunderlag är bevisligen
mycket magert, säger Henrik Schück
som har forskat i saken och skrivit
därom. Abbedissan Margareta Klaws-
sadotter som först har berättat Ulf-
åsahistorien meddelar att herr Bengt
Lagman i Östergötland tog till hustru
en jungfru som kallades Sigrid den
fagra; hon var dock inte lika hög-
ättad som han, ty han var broder till
ingen mindre än kungen. Den sist-
nämnde ogillade mycket denna mes-
allians och skickade lagmannen en
kjortel som var till hälften guld-
stickad och till hälften vadmal; där-
med ville han illustrera att han ansåg
paret mycket omaka. Herr Bengt lät
emellertid brodera över vadmalen
med guld och ädla stenar så att den
delen av kjorteln blev dyrbarare än
den andra. Konungen blev mycket
vred när han fick veta detta och lät
hälsa att han tänkte komma till Ulf-
åsa och säga sin mening i egen per-
son. Herr Bengt flydde då till skogs,
men Sigrid den fagra klädde sig
praktfullt och tog emot konungen,
som vid sin ankomst omedelbart föll
för hennes charm och utbrast: "Hade
min broder detta ogjort, då skulle jag
det göra."

Konungen i abbedissans historia har
av senare återberättare brukat iden-
tifieras med Birger Jarl, ty denne ha-
de verkligen en bror som hette Bengt,

Historien om följderna av Aril Urups krigsfångenskap i Sverige dramatisk och väl värd att berätt den har också befunnits litterärt a vändbar. Arild Urup, född i Sölve borg och ägare till stora domäner Skåne, var änkling och icke längre ung, men innan han drog i fält fria han till den högborna jungfru Ta Thott som var dotter till ett riksrå och bodde på Eriksholm, det nuv rande Trolleholm i Ringsjötrakte Flickan ville inte ha honom, ty h älskade den unge riddaren Ande Banner i stället, men frieriet to mycket väl upp av släkten, och jun fru Tale trolovades alltså med Ari Urup i trots av sina protester. Där begav sig fästmannen ut i kriget s chef på ett av danska flottans skep och det var meningen att bröllop skulle stå så snart han kom tillba från sommarens expeditioner. N han nu råkade i svensk fångensk och det såg ut som om han inte sku komma hem i brådrasket satte T Thott till alla klutar för att bli h nom kvitt. Hon lyckades verklig övertala sin mor att i stället lå henne få sin älskade Anders Bann som villigt infann sig på Eriksho och närmare avtalade alla sakens d taljer med sin tilltänkta svärm Trolovning var emellertid på d tiden en juridisk handling som in kunde upplösas utan vidare, och T Thott åtog sig själv att fara till ku och be sig fri. Det lyckades, ehu inte utan svårigheter; den unge F derik II lät förstå att det var väl b att hon fick den hon ville ha eft som hon inte stod ut med att vär på den andre. Man skyndade sig nu att rusta till bröllop, men Arild Urups vänner var naturligtvis förbittrade och lyckades förmå kungen att ge befallning om ett års uppskov med den saken, varefter de gjorde en kraftansträngning för att få Arild Urup fri. Han utväxlades mot Hogenskild Bielke, och tre dagar innan bröllopet skulle stå kom han tillbaka till Skåne och begav sig omedelbart till Eriksholm i sällskap med ett par adliga damer som lockade med sig Tale Thott ut i trädgården vid vars grind Arild Urup själv höll med sin häst. Han överföll flickan, förde henne bort och höll bröllop med henne samma dag, varefter han lät offentligen kungöra att familjen kunde hänvända sig till honom om de ville ha henne tillbaka.

Hävderna säger att äktenskapet blev mycket lyckligt. Några barn fick paret dock inte.

V

Valerius hade varit kapellan hos Sverker II och valdes efter Olof Lambatungas död enhälligt till ärkebiskop i Uppsala. Påven Innocentius III var emellertid mycket tveksam när det gällde att godkänna valet, ty Valerius var visserligen en lärd och dygdig man, men han var inte född i lagligt äktenskap utan son till en präst, vilket var särskilt betänkligt i ett land som Sverige, där kyrkan vid denna tid kämpade hårt för att utrota de prästerliga giftermålen. Kung Sverker och samtliga svenska biskopar skrev emellertid till påven och anhöll om stadfästelse trots detta, ty

Valerius vore en ytterst förträfflig man av vilken kyrkan hade stort behov. Påven tvekade alltjämt men hittade slutligen på ett sätt att komma ur sitt dilemma; han hänsköt saken till ärkebiskopen i Lund, såsom den som bäst borde kunna bedöma förhållandena i det avlägsna landet. Lundabiskopen som hette Andreas Sunesen ivrade i princip mycket mot de svenska prästäktenskapen och hade rentav skrivit och frågat påven om han borde tåla sådant, men tydligen delade han ändå väljarnas åsikter i detta speciella fall. Valerius blev ärkebiskop.

valspråk 282
En lista på svenska kungars valspråk från och med Gustaf Vasa har brukat stå att läsa i kalendrar och liknande publikationer alltsedan ämnet utforskades på 1800-talet av de båda riksantikvarierna Bror Hildebrand och hans son Hans Hildebrand. Enligt deras utredning hade Gustaf Vasa fyra valspråk, som alla är latinska bibelcitat och betyder respektive *All makt är av Gud, Säll den som fruktar Herren, Himmel och jord äro Herrans* och *Om Gud är med oss, vem kan då stå oss emot?* – på latin lyder de

Omnis potestas a Deo est, Beatus qu[i] timet Dominum, Domini est terra e[t] coelum och *Si Deus pro nobis, qui[s] contra nos?* Erik XIV:s valspråk lyd[er] de *Deus dat cui vult,* Gud ger [åt] vem han vill; i stället för Deus skre[v] han ibland med hebreiska bokstäve[r] Jehova: יהוה. Gud åberopas nästa[n] alltid i de kungliga valspråken äve[n] i fortsättningen, och latinet behärs[ka]de marknaden på området ända ti[ll] slutet av 1700-talet. Johan III: *De[us] protector noster,* Gud vår beskyd[dare.] Sigismund: *Cor regis in man[u] Domini.* Konungens hjärta är i Her[r]ens hand, *Coelitus sublimia dantu[r]* Av himlen ges det höga, samt det me[r]a modernt klingande *Pro jure e[t] populo,* För rätten och folket. Ka[rl] IX: *Jehova solatium meum,* Gud mi[n] tröst; det formulerades ibland på ty[s]ka i stället, Jehova ist mein Tros[t] varvid Jehova skrevs med hebreisk[a] bokstäver, men på svenska återgav[s] det aldrig. Gustaf II Adolfs valsprå[k] *Gloria Altissimo Suorum Refugie[m]* Ära vare Den Högste, de sinas til[l] flykt, hade den finessen att order[s] begynnelsebokstäver även kunde u[t] tydas Gustavus Adolphus Suecoru[m] Rex, Gustaf Adolf, svenskarnas k[o] nung; han höll sig emellertid me[d] flera valspråk, nämligen även de[t] tyska *Gott mit uns,* Gud med oss och det latinska *Cum Deo et vic[]tricibus armis,* Med Gud och seg[]rande vapen. Kristina lämnade Gu[d] åsido: *Columna regni sapientia,* Vi[s]heten är rikets stöd. Karl X Gusta[v] och Karl XI samsades om valsprå[ket] *In Jehova sors mea, ipse faciet,* I Gu[ds] mitt öde, Han skall göra det, me[n] den sistnämnde hade också valsprå[ket] *Factus est Dominus protector me[us]*

Herren är vorden min beskyddare,
land förkortat till bara Dominus
protector meus, Herren min beskyd-
are. Båda varianterna övertogs i si-
om tid av Karl XII, som också hade
tt valspråk på svenska: *Med Guds
jälp.* Ulrika Eleonora och även
redrik I återgick till latinet: *In Deo
es mea*, I Gud mitt hopp. Adolf
redrik var mera av denna världen:
alus publica salus mea, Statens väl-
ird är min välfärd. Gustaf III:s val-
råk var kort och klämmigt: *Fäder-
eslandet.* Därefter har kungarnas
alspråk varit svenska, Gustaf IV
Adolf: *Gud och folket*, Karl XIII:
olkets väl min högsta lag. Karl XIV
ohan: *Folkets kärlek min belöning.*
Oscar I: *Rätt och sanning.* Karl XV:
and skall med lag byggas. Oscar II:
rödrafolkens väl, år 1905 ändrat till
veriges väl. Gustaf V: *Med folket
för fosterlandet.* Gustaf VI Adolf:
likten framför allt.

De kungliga valspråken har ju det
lmänna intresset att de brukar stå
om deviser på mynt och medaljer.

wanbyrdig 485
ner 33, 36
anlande 38. Se även *Ynglingaätten*
antmakeri 409
arangerfjord 390, 822, 823
arberg 153, 155, 248, 249, 315, 338,
95, 731
arer svenske 282
Vargentin 682, 683
arjager 59, 60
arnefridi, se *longobarder*
arken hund eller hane 244
arnhem 98, 100, 236
arsewitz, se *Anna*
arszawa 504, 505
asa, Cecilia 289, 292, 293, 347
asa, Elisabeth 289, 330

Vasa, Erik Karlsson 178
Vasa, Gustaf Eriksson, se *Gustaf
Vasa*
Vasa, Kettil Karlsson 174–176
Vasa, Krister Nilsson 154, 163–165
Vasa, Margareta 234, 236, 247
Wasa, regalskeppet 426
Wasaborg 413. Se även *Gyllenhielm*
Vasaloppet 210
Vasilij Sjujskij 389
vattenminskningen 664
År 1755 utgav Åbobiskopen Johan
Browallius ett Betänkande om Vat-
tenminskningen, en på sitt sätt myc-
ket imponerande bok, där biskopen
samvetsgrant redogör för alla åsikter-
na i ämnet och ordentligt refererar
Hiärnes och Swedenborgs, Anders
Celsius', Linnés och Dalins kätterska
meningar. Själv anser han naturligtvis
att de har fel eftersom vattenminsk-
ningskronologien inte går ihop med
Bibelns utsagor, men han säger sig
inte vilja bruka Skriftens auktoritet
beträffande en naturvetenskaplig frå-
ga som bör avgöras med empiriska
rön och försök. Han nagelfar däref-
ter naturvetenskapsmännens argument
i ämnet med skarpsinne och profan
lärdom. Rätt hade ju varken han el-
ler hans antagonister, enligt vad som
står klart från 1900-talets höjder.

Vaxholm 309, 397, 660, 787
Ve 30, 31
Veborg 64, 65
Wecksell 374
veckodagar, se *Freja*
Vedel, Anders Sørensen, se *Tycho
Brahe*
vederdöpare 223
Vederslöv, se *Inglinge hög*
Weibull, Curt 493, 843
Weibull, Lauritz 18, 648, 843. Se
även *Kalmarunionen*

Som universitetsbibliotekarie i Uppsala föreslog Olof Verelius med universitetsrektorn Olof Rudbecks goda minne att man skulle försälja större delen av bibliotekets innehav av inkunabler och medeltidshandskrifter pundetals till kryddkrämare och bokbindare. Konsistoriet tillstyrkte detta och försäljningen började, men lyckligtvis stoppades den snart av universitetskanslern Magnus Gabriel De la Gardie, som hade alarmerats av Johan Hadorph. Det var 1681. Medeltiden stod lågt i kurs då.

Den engelska ambassaden bestod av hundra personer och reste från Göteborg i julmånaden med en mängd små oxkärror efter ambassadörens stora resvagn som drogs av ett sexspann. Flertalet av följet red naturligtvis, vilket de fann obekvämt; de små svenska ridhästarna hade oklädda sadlar av trä, tyglar av hampa, betsel av gumshorn och stigbyglar av vidjor. Vägarna var usla och härbärgena dåliga, och större delen av ambassaden brukade få ligga i halm på golvet, men engelsmännen fann till sin förvåning att det var varmt och skönt inomhus, vilket de inte tycks ha varit vana vid. Efter tre veckors färd anlände ambassadören i full snöyra till Uppsala, där drottning Kristina och hovet befann sig just då. I sin dagbok har han berättat mycket intressant om sina politiska möten med drottningen, Axel Oxenstierna och andra och om sina intryck av Sverige överhuvud taget. Som engelsk puritan lade han märke till andra saker än flertalet utländska resande; sålunda fann han att svenskarna helgade söndagen dåligt och rent av hade bjudningar då, men han var imponerad av allmogens politiska självständighet och rättframhet. I en berömd notis – vars innehåll nog har varit i de svenska aristokraternas säck innan det kom i främlingens påse – har han refererat ett trohjärtat tal av bondeståndets talman vid abdikationsdagen 1654: "Fortsätt i selen, Ers Majestät, och var framhästen så länge I leven, så skola vi hjälpa Eder det bästa vi kunna att bära bördan!"

Man vet inte så litet om kardinal Vil-
helms nordiska resa. Han hade i upp-
drag att på påvens vägnar kröna kung
Hakon av Norge, som hade regerat
landet i trettio år men inte var er-
känd av alla och därför hade behov
av kyrkans välsignelse; han hade upp-
repade gånger skrivit till Rom och
anhållit om detta. Kardinalen skulle
också ordna och förbättra kyrkovä-
sendet i såväl Norge som Sverige.
Till Skandinavien reste han sjövägen
via England, och den 17 juni 1247
anlände hans fartyg till Bergen, där
konungen själv mötte ute på fjorden
med sin förgyllda drake och alla
hans vasaller rodde ut i parad med
sina skepp. Av själva kröningen och
kalasen i samband därmed finns det
en detaljerad skildring i konung Ha-
kons saga, en av de magnifika medel-
tida krönikor som vi svenskar har
skäl att avundas norrmännen; man
läser där om processionen från
kungsgården till kristkyrkan under
ett tälttak av grönt och rött kläde
och om den stora kröningsbanketten
som gavs i ett väldigt båthus vars
väggar hade överdragits med bona-
der. Det regnade dag och natt den
sommaren; därför det rödgröna tält-
taket. Kardinalen skriver själv hem
till Rom att han bara haft fyra eller
fem uppehållsdagar på tre månader

och säger sig kunna omvittna landets dåliga väder *corporali experientia*, av egen kroppslig erfarenhet. Därför ger han folket tillstånd att bedriva sitt fiske och bärga sin gröda även på helgdagar, ifall tillfälle skulle bjudas då. Det lär finnas åtskilliga brev av Vilhelm av Sabina i behåll. Till Sverige kom han först någon gång på höstkanten, och kungliga norska flottan eskorterade honom till gränsstaden Kongahella; där höll han ett möte i vilket även västgötar deltog, och sedan fortsatte han till Östergötland, där kung Erik Läspe uppehöll sig och där även Birger jarl vistades. Med dem hade han en konferens vid vilken det beslöts att smålandsbönderna i Östbo, Västbo och Sunnerbo härader årligen skulle lämna en skäppa gott mål till Nydala kloster. Han utfärdade också en del brev från svenske konungens borgläger, som han uttrycker saken: in castro Regis Suetiae. De handlar alla om de svenska klostrens bekymmer, och kardinalen lovar en dryg månads avlat åt envar som lyssnar till predikarebröderna i Sigtuna eller hjälper dem materiellt. Lika lång avlat får den som bidrar till Vreta klosters återuppbyggnad efter en brand, och biskopen i Linköping får tillstånd att begagna en stor del av landskyrkornas tionden till sitt katedralbygge. Andra brev gäller klostren i Julita och Riseberga.

Kardinalen tycks ha tillbringat hela vintern i Östergötland där Skänninge möte öppnades i februari, men tyvärr har han ingenting intressant berättat om livet och förhållandena där på Erik läspes tid. Man får inte ens veta om han frös.

Wilkinus 21

Villmanstrand 669

Vilmerus, se *Johannes Magnus*

Vimmerby 396. Staden är äldre är den ser ut. Gustaf Vasa försökte kväva den men lyckades inte.

Vincentius 199, 200, 201

Vindrank 253

Vineta 22, 23. Se även *Jomsborg*.

Vinge Nils Olofsson 237, 238

Wingård, Carl, ärkebiskop 796

Wingård, Johan Didrik, memoarförfattare 742

Vinland 52

Om färder till Vinland finns de många notiser i olika isländska sagor men den äldsta uppgiften om dett avlägsna land i oceanen visar att även skandinaverna kände till dess exi stens. Den härrör från 1070-talet och står att läsa hos Adam av Bremer som säger att danskarna på fullt all var berättar om en ö vid namn Vin land, *insulam quae dicitur Winlana* där druvor växer vilda och säde växer osådd.

Winstrup 529, 550, 600'

Fryxell berättar en anekdot av in nehåll att under slaget vid Lund upp dukades i biskopshuset ett gästabu i väntan på svenske eller dansk kungen, beroende på vem som segra de. Biskopinnan och hennes dotte hoppades att det skulle bli kun Kristian, men biskopen själv ble glad när det var kung Karl som kom

Vira 468

Kortspelet vira, som är en svens uppfinning och åtnjöt utomordentli popularitet i 1800-talets Sverige, an ses leda sitt ursprung från Vira bru men några belägg för detta tyck inte finnas. Personer som forskat det viktiga ämnet har bara kunnat följa spelet tillbaka till år 1818, då det redan var allmänt spritt.

Om Visbur berättar Snorre att han tog sig en hustru och gav henne i bröllopsgåva tre stora gårdar och ett guldsmycke, men sedan de hade fått ett par söner tillsammans tröttnade Visbur på denna dam och gifte sig med en annan, som då fick överta guldsmycket. När sönerna växte upp kom de emellertid och krävde honom på sin mors bröllopsgåva, och då han vägrade att ge dem denna satte de sig i förbindelse med en trollkvinna som såg till att de fick makt att dräpa Visbur men som också genom sina konster lagade att guldsmycket skulle bli till bane för den bäste mannen i hans ätt. Det var detta smycke, tydligtvis en kedja, som kung Agne sedermera blev hängd i vid Agnefit. Historien är uppenbarligen en variant av den antika sagan om Alkmaion och hans båda hustrur. Se även *Johannes Magnus*.

Lokaliserad till Per Brahes bondbröllop på Visingsborg är den allbekanta anekdoten om östgöten, västgöten och smålänningen. Den påstår att grevens undersåtar från de olika landskapen hade svårt att hålla sams och därför brukade undfägnas i var sin sal vid hans gästabud, och när han en gång gick igenom salarna och nådigt frågade sina gäster vad de var för folk svarade en representant för vartdera folkslaget: "Östgöte, gudskelov", "Smålänning, guhjälp" och "Västgöte, feck I veta't."

Den domedagsprofeterande Uppsalaapotekaren hade två söner som var för sig steg till rikets högsta ämbeten, adlades och blev grevar. Gyllenborgs bror hette Leijonstedt.

I Jönköpings län finns ett annat Voxtorp dit sagan om Ljungby horn är lokaliserad. Se *Trolle*.

av sin tillvaro levde Vänersborg på att vara omlastningsstation för flodtrafiken till Vänern. Nästan alla stadens invånare var engagerade i den så kallade edskörseln, alltså den väldiga landtransportapparaten förbi fallen i Göta älv. Man släpade järn i sydlig riktning och varjehanda importvaror åt motsatta hållet. Borgerskapet, som på Karl XI:s tid hade trehundra hästar i permanent arbete med detta, ansträngde sig mycket att få monopol på edskörseln vilket dock aldrig lyckades; tvärtom blev traktens bönder genom en kunglig resolution uttryckligen likställda med stadsborna i detta riksviktiga näringsfång.

När den första Trollhätte kanal blev färdig år 1800 fruktade man det värsta i Vänersborg, men staden överlevde ju och förblev alltjämt säte för landshövdingen i Älvsborgs län.

Sandön på 1840-talet. Sedan riksdagen hade avvisat ett förslag att placera en straffanstalt på ön begav sig en skara småländska kolonister dit, lockade av det goda skeppstimmer som där fanns. En sjökapten som hette Landström sysselsatte något hundratal personer med avverkning och skeppsbyggeri på ön, drivande lanthandel och hämtande hö och andra förnödenheter från Västervik. Han lät bygga vädersågverk och försökte också bygga en hamn, men hans brännvinsbränneri som i början inte var obetydligt måste inom kort läggas ner med tanke på nykterheten. Västerviksborna lyckades sälja det hela i tid, och de nya ägarna – som var stockholmare –

gjorde raskt den oundvikliga konkursen. Sedan togs ön om hand av staten.

Västerås 150, 151 (Jösse Eriksson), 164, 211, 229–233 (Västerås riksdag), 243, 278–279 (Västerås arvförening), 332, 418 (Rudbeckius)

Västgötalagen 107, 113–117, 119, 384, 566

Inte förrän 1389, året för slaget på Falan, lät västgötarna förmå sig att införa allmänna landslagen i sin provins.

västgöte, feck I veta't, se *Visingsborg*

västgöter 18, 22, 40, 41

Vättak 556

Växjö 86, 121, 267, 268, 395, 467, 576, 732. Se även *Sigfrid.*

Völund 33

Y

Ydre 268

Yggdrasil 30, 34

Ymer 29, 30

Ynglingaätten 37, 39, 49, 70
Det traditionella släktregistret över sveakonungarna av Ynglingaätten ser ut så här:

1. Oden
   2. Njord
   3. Yngve Frej
   4. Fjolner
   5. Svegder
   6. Vanland
   7. Visbur
   8. Domalde
   9. Domar
   10. Digner alias Dygve
   11. Dag den vise
   12. Agne Skjafarbonde
   13. Alrik   14. Erik
   15. Alf   16. Yngve
   17. Hugeleik   18. Jorund
   19. Aun
   20. Egil
   21. Ottar
   22. Adils
   23. Östen
   24. Ingvar
   25. Bröt-Anund
   26. Ingjald Illråde
   27. Olof Trätälja, småkonung i Värmland.

Ingjald Illråde är sålunda den siste sveakonungen i denna lista – beträffande regentlängdens fortsättning, se *Ivar Vidfamne* – men Snorre som har tagit till uppgift att leda Harald Hårfagers anor till Ynglingaätten räknar upp ytterligare fem ätteled som då är norska; gubbarna i fråga heter Halvdan Vitben, Östen, Halvdan givmilde och matsnåle, Gudröd och Halvdan Svarte. Sakkunskapen säger att denna namnserie inte går ihop med listan på de svenska Ynglingarna, eftersom de bryter raden av allitterationer; namnskicket inom fornnordiska ätter lär ha varit mycket konsekvent på den punkten. Man betvivlar alltså att det var Uppsalakungarnas ätteläggar som blev kungar i Norge.

Oändligt mycket finns skrivet om Ynglingaätten. Numera begränsar sig intresset väl företrädesvis till de fyra Uppsalakungarna Aun, Egil, Ottar och Adils vilkas historiska existens anses styrkt, men framfarna tiders hävdatecknare intresserade sig nog mest för början av listan och framför allt för Odens och asarnas invandring och uppstigande till kungavärdigheten i Uppsala. Mycket anmärkningsvärda åsikter därom hade icke blott rudbeckianer och göter utan även en rationalistisk 1700-talsprofessor som Lagerbring. Han ansåg att Oden och asarna egentligen var turkar och kom till ett land med finsk befolkning. Det språk de förde

med sig, svenska språket alltså, vore egentligen en sorts turkiska. Detta söker Lagerbring bevisa med etymologier som är föga mindre halsbrytande än Rudbecks; han jämför svenska glosor med turkiska och avpressar dem förunderliga likheter, och obesvärat drar han också in persiska och arabiska ord i sammanhanget, ty han har för sig att dessa språk bara är turkiska dialekter. Han har förresten även andra märkliga tankar om Ynglingaätten. Yngve Frej som gett namn åt den anser han vara identisk med en viss Ynquei-mi som han påstår finns omtalad i kinesernas historia och skall ha levat vid pass år 60 f.Kr. Njord gör han till Odens son son och vet om honom även en del annat som inte står hos Snorre. "Niorder blef en wärdig efterträdare efter Oden i den hederliga syslan, at styra och bedraga verlden. Det är en nödvändig egenskap hos en hednisk Öfverste Prest, at i grund förstå denna konsten. Men det kan ock vara nästan lika mycket för en menighet, allenast det allmänna mår wäl. Ett fredsamt lugn, som med Asarna inkommit, och en fruktsam wäderlek warade äfwen under Niorder, och folket som kände sin lycksalighet ansåg Öfwerheten som förnämsta källan till sina förmåner."
Yngve 37. Se ävenledes *Ynglingaätten.*

Z

Juristen Carolus Lundius alias Karl Lund, som var en högt aktad man på Karl XI:s tid, har skrivit en latinsk avhandling med titeln Zamolxis. Det är en bok som nästan överträffar Atlantikan, ehuru långt tunnare. Lundius bevisar först att skyter och goter var svenskar, att Elyseum är detsamma som Ljusdal och att Troja låg i Gamla Uppsala. Svensken Zamolxis alias Apollon alias Balder råkade på något sätt i fångenskap hos grekerna och hamnade hos Pythagoras som lärde honom mycken hemlig visdom, och när han frigavs slog han sig ner i en jordkula och utfunderade där svenskarnas urgamla lagar, ur vilka Lundius i sin tur har rekonstruerat hans djupa tankar. Dessa förefaller en senfödd eftervärld goda men banala och går ut på att man måste frukta Gud och överheten, hedra sina föräldrar, leva hederligt och unna var och en sitt. Lundius lika lärda som tokiga bok avser inte blott att låta fäderneslandet trona på mera fornstora minnen än andra stater, utan också att glorifiera det karolinska enväldet. Som filolog – han svänger sig med både turkiska och persiska vid sidan av grekiskan och latinet – är författaren en värdig samtida till Rudbeck.

Å

Stamträdet för den äppelsort som kallas Åkerö måste ha funnits i slottsträdgården redan på Carl Gustaf Tessins tid. Det lär leva än.

Ä

Intresset för den andra Älvsborgs lösen – det finns två sådana; den första betalades efter Stettinfreden 1570 – är jämförelsevis livligt i våra dagar därför att de bevarade handlingarna utgör en god och pålitlig källa till kunskap om befolkningsförhållanden och sådant i det tidiga 1600-talets Sverige. Där tycks då ha funnits en knapp miljon invånare medan Danmark och Norge tillsammans hade ungefär det dubbla. Siffrorna bör ses mot bakgrunden av att England vid det laget knappast hade mer än fem miljoner.
Genom hela 1600-talet förde Ängelholm ett tynande liv, men 1767 fick orten igen sina köpstadsprivilegier som hade tagits ifrån den tvåhundra år tidigare under dess danska tid.
När Verelius på 1660-talet översatte den isländska Gautreks saga mötte han i texten en *aetternisstupi* som hette Gyllingshammar; det stod att de gamla kastade sig ner där när de tröttnat på livet. Verelius översatte uttrycket med ättestupa, ett ord som alltså inte vann insteg i svenska språket förrän då.

Ö

Samma dag som man undertecknade Brömsebrofreden, där Sverige tillförsäkrades full tullfrihet i Öresund, upprättades i Kristianopel en tulltaxa som skulle gälla andra nationers skepp. Holländare och engelsmän anmälde missnöje emellanåt, men taxan kom i alla fall att gälla i tvåhundra år. Sverige, som dock var strandägare vid Öresund, blev av med sin tullfrihet 1720 och fick underkasta sig Kristianopeltaxan som alla andra, och detta fortgick ända till 1850-talet, då USA en vacker dag sade upp sin handelstraktat och vägrade underkasta sig Öresundstullen i fortsättningen. Danskarna, som insåg att nu gick det nog inte längre, svarade med att inbjuda intresserade makter till en konferens i Köpenhamn och föreslog att tullen skulle kapitaliseras, så att Danmark fick en summa ett för allt, och efter en del debatt kom man överens om att betala sammanlagt trettio miljoner riksdaler för evig framtida tullfrihet, som inträdde den 1 april 1857.

Örjanslåten 180

I rimkrönikan står att Sten Sture före Brunkebergsslaget höll tal till hären och fick starkt gensvar av sina män:

Thera hierta war wthan twnga
thy beegynnadhe the alle siunga
och giorde siik godhan liisa
och qwaadho sancti örians wysa.

Vad visans text beträffar finns den i åtskilliga varianter, och det är inte gott att veta vilken av dem som till äventyrs kan ha sjungits vid Brunkeberg. I sak berättar de naturligtvis oföränderligen sagan om riddaren som modigt befriade prinsessan ur drakens våld. Inledningsstrofen brukar ha ett religiöst anslag, t.ex.:

Loffuat warde jomfru Maria
och hennes welsignade son.
Jag will eder en wiso at queda,
hon är gjordt om riddar sancto
orrian.

S:t Örjan alias S:t Göran eller S:t Georg är ju ingalunda något nationalhelgon, och rimkrönikan säger att även kung Kristian före Brunkebergsslaget anbefallde sitt banér i hans beskydd.

Föreliggande framställning av

SVENSK HISTORIA

är en frukt av läsning i tryckta skrifter, såväl nymodiga som föråldrade. Manuskriptet, ursprungligen avsett att bli en kort journalistisk översikt av fackmännens omvärderingar under vårt århundrade av människor och händelser i det gångna, påbörjades 1952. Planen förändrade sig spontant i olika riktningar medan författandet och bokläsandet fortskred, men arbetet kändes ofta motigt och lades upprepade gånger åt sidan för annat skriveri. Efter en paus på hela tre år återupptogs det på allvar på nyåret 1959 och befanns då gå lättare. Tre nya ändamål framstod efter hand som angelägna: att förtälja halvglömda historier, att referera läsvärda historieskrivare, att berätta de nutida svenskarnas långa och roliga historia även i de stycken där den varit norsk eller dansk.

Tecknaren, som hölls à jour med manuskriptet under större delen av dess tillblivelsetid, har ägnat verkets båda volymer drygt ett år av koncentrerat arbete. Vidar Forsberg har i intimt samarbete med tecknaren och författaren befordrat texten och bilderna till trycket.

Första upplagan av arbetet kom ut i november 1963, den i många detaljer förbättrade andra upplagan i mars 1964. Tredje upplagan förelåg i januari 1966, utvidgad med texttillägg på spridda ställen, framför allt med sex nya kapitel om det senaste århundradet.

ALF HENRIKSON
i BonnierPocket

ANTIKENS HISTORIER

Antikens historier är myterna och äventyren, alla
anekdoterna om filosofer och fältherrar, kejsare
och vetenskapsmän, politiken och vardagen, den
grekisk-romerska mytologins gudar och hjältar –
hela det klassiska kulturarvet från Hellas och Rom.
Alf Henrikson återberättar detta väldiga stoff med
sin enastående förening av lärdom, fabulerings-
glädje och levande stilkonst. Pocketutgåva i en vo-
lym, med teckningar av Håkan Bonds.

Richard Adams *Flickan i gungan*
– *Shardik*
Inger Alfvén *Arvedelen*
Evelyn Anthony *Avhopparen*
Jeffrey Archer *Det stora spelet*
– *Rivalerna*
– *Vägen till stjärnorna*
Simone Berteaut *Piaf*
Karin Boye *Dikter*
– *Kallocain*
Runa Brar *Ett litet välsignat folk*
Monica Braw *Överlevarna*
Ernst Brunner *Känner u brorsan?*
Albert Camus *Pesten*
Raymond Chandler *Den stora sömnen*
Agatha Christie *ABC-morden*
– *Döden till mötes*
– *Ett mord annonseras*
– *Fem små grisar*
– *Hercule Poirots jul*
– *Högt vatten*
– *Mord i Mesopotamien*
– *Mord på ljusa dagen*
– *Mord är lätt*
– *Mordet i prästgården*
– *Oändlig natt*
– *Tio små negerpojkar*
– *Tragedi i tre akter*
– *Tretton vid bordet*
– *Vem var den skyldige?*
Stig Claesson *Blå måndag*
– *Vem älskar Yngve Frej*
Régine Deforges *Den blå cykeln*

Sven Delblanc *Jerusalems natt*
– *Kanaans land*
– *Maria ensam*
– *Samuels bok*
– *Samuels döttrar*
Gunnar Ekelöf *Promenader och Utflykter*
Kerstin Ekman *En stad av ljus*
Per Gunnar Evander *Härlig är jorden*
Nils Ferlin *En döddansares visor. Barfotabarn. Goggles*
– *Med många kulörta lyktor och andra dikter*
Per Anders Fogelström *Vävarnas barn*
Ken Follett *Kod Rebecca*
– *Mannen från S:t Petersburg*
– *Nålens öga*
Lars Forssell *Poesi*
Frederick Forsyth *Det fjärde protokollet*
– *Krigshundarna*
Arthur Hailey *Banken*
– *Sjukhuset*
Thomas Harris *Röda Draken*
Alf Henrikson *Antikens historier*
– *Svensk historia*
Jack Higgins *Exocet*
Ulla Isaksson *De två saliga*
P C Jersild *En levande själ*
– *Ledig lördag*
Judith Krantz *Mistrals dotter*
Pär Lagerkvist *Dvärgen*
Selma Lagerlöf *Gösta Berlings saga*
John le Carré *Spegelkriget*
– *Spionen som kom in från kylan*
– *Telefon till den döde*
Sara Lidman *Den underbare mannen*

Harry Martinson *Vägen till Klockrike*
Joyce Carol Oates *Ljusets ängel*
Vibeke Olsson *Hedningarnas förgård*
Boris Pasternak *Doktor Zjivago*
Salman Rushdie *Midnattsbarnen*
Jean-Paul Sartre *Äcklet*
Dorothy Sayers *En sky av vittnen*
Sidney Sheldon *Blodsband*
– *Spelets härskare*
– *Änglars vrede*
Georges Simenon *Maigret blir sannspådd*
Göran Sonnevi *Små klanger; en röst. Dikter utan ordning*
John Steinbeck *Vredens druvor*
Hjalmar Söderberg *Martin Bircks ungdom*
Kerstin Thorvall *Det mest förbjudna*
Rita Tornborg *Systrarna*
Stieg Trenter *I dag röd...*
– *Kalla handen*
– *Roparen*
Birgitta Trotzig *Dykungens dotter*
Göran Tunström *Juloratoriet*
– *Prästungen*
– *Ökenbrevet*
Anna Wahlgren *I kärlekens namn*
Jacques Werup *Shimonoffs längtan*
Klas Östergren *Fantomerna*